Pediatric
Hematology and
Oncology

小児血液・腫瘍学

[編集]
日本小児血液・がん学会
The Japanese Society of Pediatric Hematology / Oncology

改訂第2版

診断と治療社

口絵

- 本項「口絵」は，本書本文中にモノクロ掲載した写真のうち，カラーで呈示するべきものを本文出現順に並べたものである．
- 本項「口絵」に示したページは当該写真の本文掲載ページを表す．

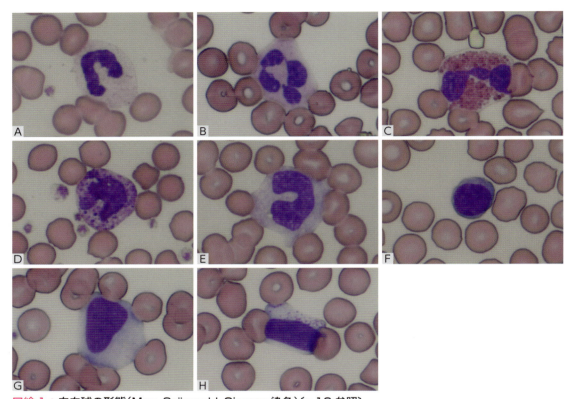

口絵 1 ◆ 白血球の形態（May-Grünwald-Giemsa 染色）〔p.19 参照〕
A：桿状核好中球，B：分葉核好中球，C：好酸球，D：好塩基球，E：単球，F：小リンパ球，G：大リンパ球，H：大顆粒リンパ球．

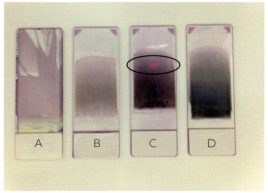

口絵 2 ◆ スピナー法（A）とウェッジ法（B～D）を用いた塗抹標本の肉眼所見〔p.40 参照〕

ウェッジ法はスライドグラスと引きガラスの角度と塗抹する速度により厚みが変化することに留意するべきである（Bは薄く，Dは濃い．Cが最も適切な厚さである）
スピナー法は均一な塗抹状況となるが，ウェッジ法の場合は細胞が均等に重なり合うことなく分布している引き終わり 2/3 周辺（＊）が観察に適している

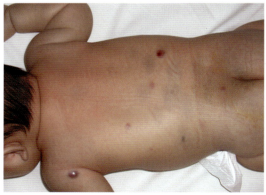

口絵 3 ◆ 乳児の AML にみられた皮膚浸潤〔p.80 参照〕

口絵

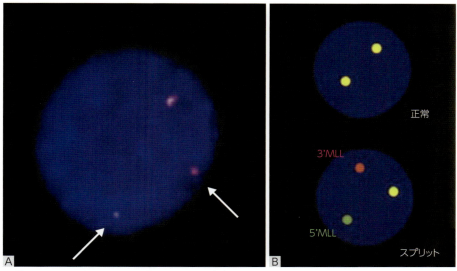

口絵4 FISH法で観察される遺伝子再構成パターン（*KMT2A/MLL*再構成）〔p.96参照〕
A：転座による*KMT2A*遺伝子のスプリットシグナル（⇨）の観察．B：*KMT2A*遺伝子の切断点の5'側に緑色，3'側に赤色のプローブを配置．正常では融合シグナル（黄色）が検出されるが，*KMT2A*遺伝子の再構成が陽性の場合は，赤と緑のシグナルが別々に観察される

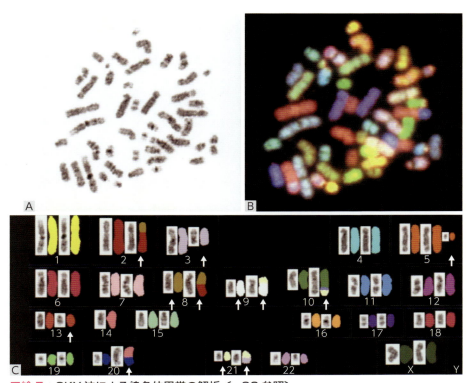

口絵5 SKY法による染色体異常の解析〔p.96参照〕
A：reverse DAPI image，B：spectral image，C：comprehensive karyotyping．左側にreverse DAPI，右側にSKYの結果を示す．12か所の染色体異常を同定（⇨）

iii

口絵

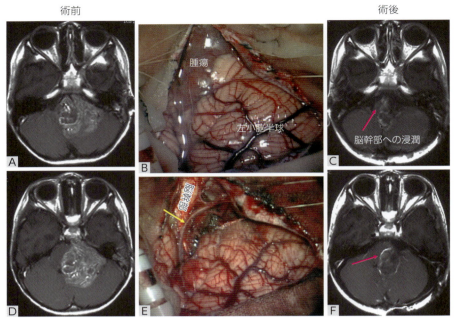

口絵6 ◆ 4歳男児：退形成性上衣腫〔p.153参照〕
4歳男児の左小脳延髄裂から発生した退形成性上衣腫症例．A・D：術前MRI造影T1強調像水平断，B：術中摘出前，C・F：術後MRI造影T1強調像水平断．E：摘出後，腫瘍は脳幹部（延髄-橋，矢印），下位脳神経と強く癒着しており，亜全摘手術に終わっている．

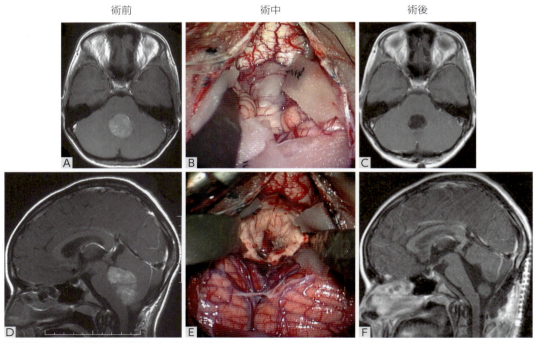

口絵7 ◆ 13歳男児：髄芽腫〔p.154参照〕
13歳男児の髄芽腫症例．A・D：術前MRI造影T1強調像水平断（A）と矢状断（D），B：術中摘出前，E：摘出後，C・F：術後MRI造影T1強調像水平断（C）と矢状断（F）を示す．腫瘍は完全摘出されている．

口絵

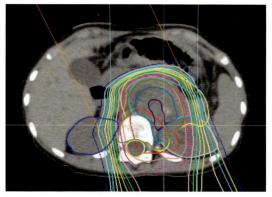

口絵 8 ◆ 神経芽腫の陽子線治療の線量分布図〔p.166 参照〕

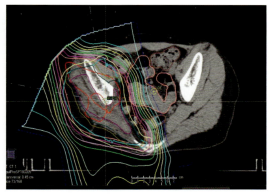

口絵 10 ◆ Ewing 肉腫ファミリー腫瘍の陽子線治療の線量分布図〔p.166 参照〕

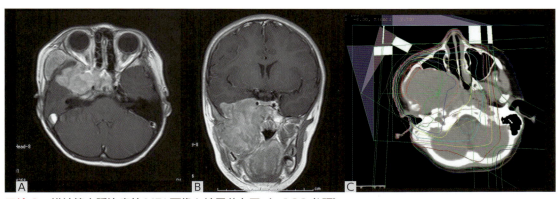

口絵 9 ◆ 横紋筋肉腫治療前 MRI 画像と線量分布図〔p.166 参照〕
A：MRI 画像（水平断像）　B：MRI 画像（全額断像）　C：線量分布図.

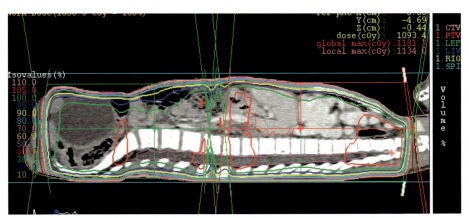

口絵 11 ◆ Wilms 腫瘍の全肺腹部照射の線量分布図（矢状断像）〔p.167 参照〕

口 絵

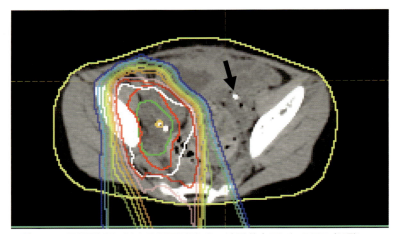

口絵 12 ● 骨盤腫瘍に対する陽子線治療の線量分布図〔p.172 参照〕
緑線で囲まれた腫瘍床に陽子線治療を施行した．腫瘍切除時に卵巣マーキング（黒矢印）を留置して，同部位を完全に避ける照射を行った．この計画では左卵巣の線量は 0 となっている．

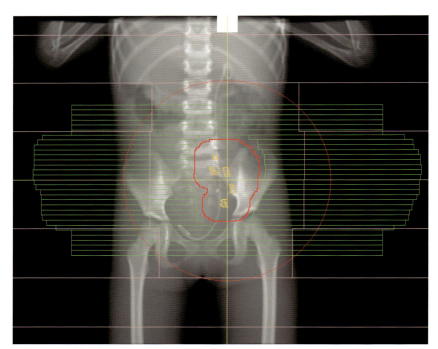

口絵 13 ● 骨盤腫瘍術後照射のイメージ図〔p.173 参照〕
術中に腫瘍付着部の断端に金属マーキング（オレンジ線）を留置して，マーキングを参考に照射範囲を設定した．術後照射では術前の腫瘍浸潤範囲の評価が重要となり，術中マーキングは浸潤範囲を同定する貴重な情報となる．

口 絵

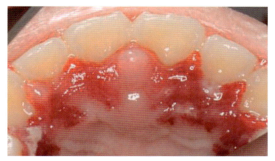

口絵 14 ◆ 化学療法中の口腔粘膜炎〔p.248 参照〕

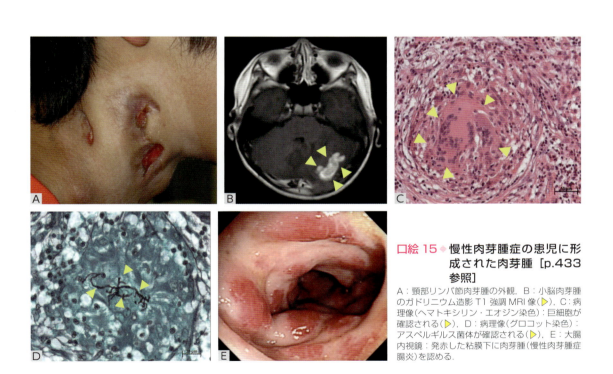

口絵 15 ◆ 慢性肉芽腫症の患児に形成された肉芽腫［p.433 参照］

A：頸部リンパ節肉芽腫の外観，B：小脳肉芽腫のガドリニウム造影 T1 強調 MRI 像（▷），C：病理像（ヘマトキシリン・エオジン染色）：巨細胞が確認される（▷），D：病理像（グロコット染色）：アスペルギルス菌体が確認される（▷），E：大腸内視鏡：発赤した粘膜下に肉芽腫（慢性肉芽腫症腸炎）を認める．

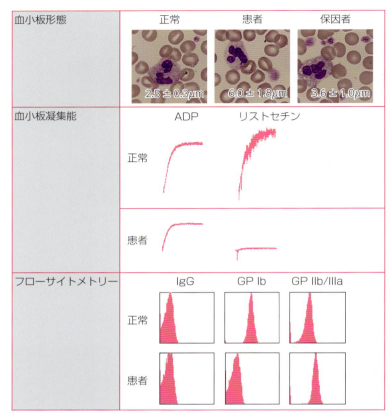

口絵 16 ◆ Bernard-Soulier 症候群の検査診断〔p.455 参照〕

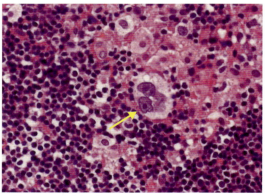

口絵 17 ◆ 腫瘍組織ヘマトキシリン・エオジン染色〔p.517 参照〕

HL 混合細胞型．図 1 と同症例．⇨は特徴的な HRS 細胞．

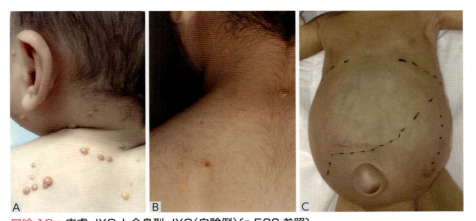

口絵18◆ 皮膚 JXG と全身型 JXG（自験例）〔p.529 参照〕
A：生後7か月，典型的な JXG の隆起疹．B：3.5歳．無治療．きな粉のような淡い色調に変化しつつ，次第に平坦化し目立たなくなった．C：新生児の著明な肝脾腫，化学療法が奏効した．

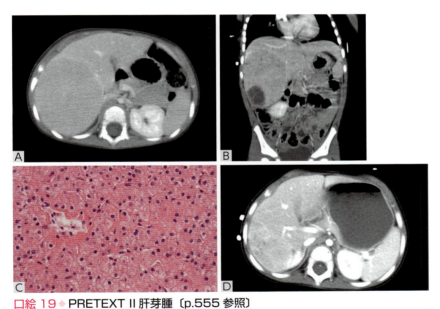

口絵19◆ PRETEXT II 肝芽腫〔p.555 参照〕
A，B：入院時 CT．腫瘍は巨大であるが脈管の走行から PRETEXT II と診断．C：腫瘍生検では，胎児型，純胎児亜型．D：化学療法4クール後の CT．腫瘍は著明に縮小し，肝右葉切除した．

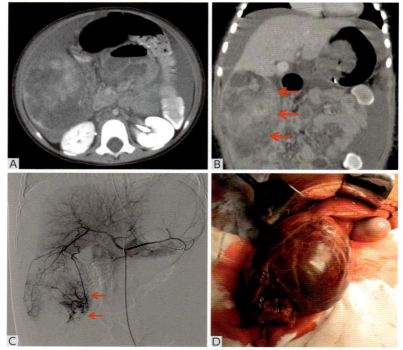

口絵 20 ◆ PRETEXT I 肝芽腫〔p.555 参照〕
A, B：入院時 CT. 腫瘍は右葉前区域原発で腹腔内出血, PRETEXT I と診断（←が腫瘍）, C：血管造影にて血管外に造影剤の漏出あり. 栓塞術にて止血, D：止血後も腹腔内出血が持続して, 翌日開腹した. 肝右葉にぶらさがる形の腫瘍が破裂して出血していた.

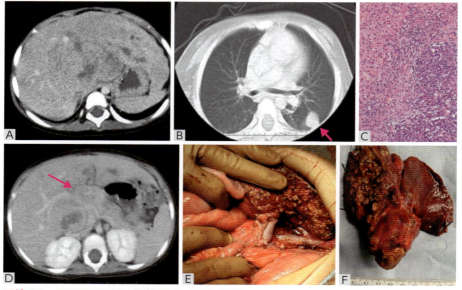

口絵 21 ◆ PRETEXT IV 肝芽腫〔p.556 参照〕
A：入院時 CT. 腫瘍は尾状葉原発で門脈浸潤あり, PRETEXT IV と診断, B：肺転移を認める（→）, C：腫瘍生検では, 胎児・胎芽混合型, D：化学療法 4 クール後の CT. 腫瘍は著明に縮小するも, 左門脈は閉塞のままである（→）, E：尾状葉と肝左葉切除にて腫瘍を全摘した, F：切除標本. 腫瘍断端は陰性.

口 絵

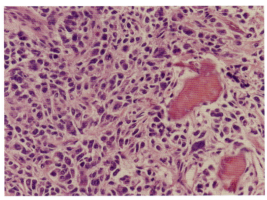

口絵22 ◆ 通常型骨肉腫の病理組織像〔p.568参照〕
類骨形成および核異型の強い腫瘍細胞を認める.

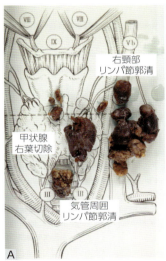
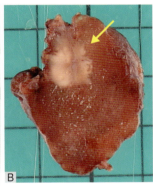

口絵23 ◆ 甲状腺左葉原発乳頭腺癌 摘出標本〔p.581参照〕

A：切除範囲，B：割面
狭部を含めた甲状腺左葉を切除し，気管周囲および左頸部リンパ節郭清術を実施した（A）．摘出標本の割面では，左葉上極に 1.8×1.0 cm 大の限局性腫瘍を認め，石灰化を認めた（B, ➡）．病理組織診断は乳頭癌であった

口絵

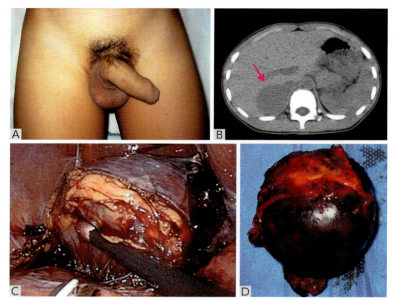

口絵 24 ◆ 副腎皮質癌〔p.583 参照〕
6 歳男児．A：陰茎，精巣の発育，陰毛の発毛，にきび，変声など，思春期早発を主訴に紹介された．B：腹部 CT にて右副腎腫瘍を認め（➡），血液検査でテストステロンの前駆体である DHEA-S の異常高値（3095.7 μg/dL）を認めた．C：腹腔鏡補助下にて副腎腫瘍を摘出した．D：肉眼的には被膜を有する限局性の腫瘍で 5.5×4.5×3.0 cm，腫瘍重量は 63 g であった．病理組織診断は副腎皮質癌であった．

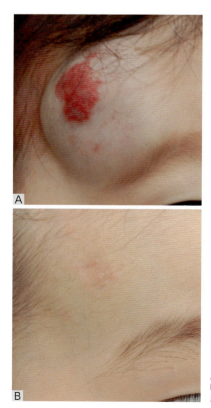

口絵 25 ◆ 前頭部に発生した乳児血管腫〔p.585 参照〕
A：生後 7 か月時．増殖期．皮膚は鮮紅色で境界明瞭な腫瘤を形成している．B：3 歳．退縮期．皮膚にやや赤色を残すものの腫瘤は消失している．

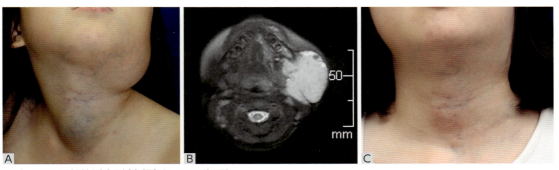

口絵 26 ◆ **頸部静脈奇形（女児）**〔p.586 参照〕
A：8 歳，初診時．前頸部と左側頸部に膨隆を認める．B：8 歳，初診時．MRI T2 強調像．左側頸部に高信号域を認め，内部に静脈石と思われる低信号域を認める．C：13 歳，6 回の硬化療法後．前頸部と左側頸部に認めていた膨隆はほぼ消失している

改訂第2版 序　文

　小児の血液と腫瘍関連疾患を診療する医師の成書として，同時に小児血液・がん専門医を目指す医師のテキストとして上梓された「小児血液・腫瘍学」の初版は2015年に刊行され，今回改訂第2版の出版に至った．初版から7年を経過する間の小児領域における血液学と腫瘍学の進歩は著しく，新たな疾患の発見と病因・病態の解明，疾患分類の改訂，治療薬や治療法の開発などの情報が蓄積されている．日本専門医機構による新専門医制度も2018年から基本領域の専門医プログラムが開始された．小児血液・がん専門医を育成するサブスペシャルティ研修も新制度が構築され進んでいる．2018年に始まった臨床研究法も2020年と2021年に改訂された．COVID-19のパンデミックが社会生活の在り方を根本から揺るがす事態のなか，専門医制度や臨床研究，研究倫理などの変化に対応している．

　このような状況にあっても，小児血液・がん疾患を迅速に正確に診断し，標準治療を実施しながら医学の最新情報に基づいた治療管理を実践していくことが重要である．そのために，私たちには"**小児領域に特化した血液・腫瘍学**"を基盤として新しい知識と技術を積み上げる努力が常に求められている．今回の改訂では，初版の総論と各論の構成を踏襲し，基本情報を引き継ぎながら簡潔に新知見を追加した．AYA世代と移行期医療，がんゲノムとクリニカルシークエンスの実装，CAR-Tなど腫瘍免疫療法と新たな分子標的薬などの項目も加えて最新情報を取り込み，利益相反や医学研究の倫理に関しても現状に即したものとした．

　さらに，日本小児血液・がん学会（JSPHO）の認定専門医制度，治療研究の中核である日本小児がん研究グループ（JCCG）および小児血液・腫瘍に関するガイドラインについて，巻末資料に追加した．脳腫瘍をはじめ変化の著しい領域の充実に配慮しながらも，小児血液・がん専門医の基本となる最低限の情報がコンパクトに網羅されるように作成した．

　本テキストの改訂と編集にあたっては，編集主幹と委員を中心にJSPHO専門医制度委員会と診療ガイドライン委員会の皆様のご協力を得て，内容に関する方向性を詳細に検討した．多忙ななかで編集，執筆，校閲などを快諾下さった関係者の皆様に深謝申し上げる．本書が新しい小児血液・腫瘍学を修得して，これを実践していく専門医育成のために役立ち，それが血液疾患とがんに挑戦する子どもたちとそのご家族の幸せにつながることを祈念してやまない．

2022年4月10日
日本小児血液・がん学会　　理事長　大賀正一
同　前理事長　細井　創

初版の序文

　待望のわが国初の小児血液・腫瘍学の教科書をここに上梓することができました．小児血液・腫瘍学は，赤血球，白血球，免疫，血小板，止血血栓の異常から，小児がんとよばれる腫瘍性疾患まで幅広い疾患領域にわたり，その基礎と臨床を含みます．なかでも小児がんはきわめて希少ながんの集まりであり，造血器腫瘍が約40％を占め，また，多くのがんで抗がん薬治療が行われ，全身管理を要することから，小児血液医が広く小児がん診療にかかわり，牽引することが求められています．そのようななか，2011年に日本小児血液学会と日本小児がん学会が統合されて日本小児血液・がん学会が設立されました．そして，小児血液・腫瘍性疾患の診療を専門とする優れた医師の育成と医療の質のさらなる向上を目指して小児血液・がん専門医制度が開始され，2015年4月に最初の小児血液・がん専門医128名，小児血液・がん指導医90名が誕生しました．小児がん認定外科医も94名が認定されています．

　専門医になるには，優れた指導医のもとで多くの患者さんの診療を経験し，よりよい医療を目指して症例の探求や臨床研究を行うことが求められ，その知識と技量の習得には，優れた教科書の存在が不可欠です．しかしながら，これまでわが国には，小児がんの教科書や著書はあるものの，小児血液疾患と小児がんを網羅した日本語の教科書はなく，専門医を目指す若手医師は，海外の教科書やそれぞれの専門書に頼るしかありませんでした．そのため，日本小児血液・がん学会では，専門医制度を実施するにあたり，そうした教科書の作成が長年の懸案となっていました．そのような折に，診断と治療社から小児血液・腫瘍学の教科書作成のお誘いを受け，学会の背中を押していただいたことで本書の上梓につなげることができたのは，まさに幸運でした．

　本書は，専門医制度の研修目標を網羅して項目立てを行い，学会評議員を中心に各分野に精通された方々にご執筆いただきました．当初の計画をはるかに超えて600ページに及ぶ大作となっており，まさに学会の総力をあげた賜物であり，小児血液・腫瘍学全体を網羅する教科書として充実した内容になっています．それゆえに，本書は，専門医を目指す小児科医のみならず，小児血液疾患，小児がんの診療にかかわるすべての医療者にとってよき座右の書となるものと思います．しかしながら，医学は日進月歩であり，最新の情報を提供するには，継続的な内容の更新が不可欠です．また，電子化など読者の利便性に配慮が必要かもしれません．今後，読者の皆様の忌憚のないご意見を拝聴してよりよい教科書に育てていきたいと考えています．

　最後に，本書を作成するにあたり，ご尽力いただいた編集主幹，領域編集担当の皆様，快くご執筆いただいた分担執筆者の皆様，そして，本書の企画・発刊に熱意をもって取り組んでいただいた診断と治療社の土橋幸代氏，八木澤　学氏に心から深謝申し上げます．

平成27年10月
日本小児血液・がん学会
理事長　堀部敬三

小児血液・腫瘍学　改訂第 2 版

目　次

口絵 ii
改訂第 2 版序文 xiv
初版序文 xv
執筆者一覧 xxii
略語一覧 xxvi

第Ⅰ部　総論

第 1 章　血液・造血器総論

1　造血発生
  a. 血球の産生・分化と造血幹細胞 .... 海老原康博　3
  b. 造血因子とサイトカイン .... 今井耕輔　6
  c. ES 細胞, iPS 細胞 .... 梅田雄嗣　11
  d. 造血と栄養：鉄・ビタミンなど .... 石黒　精　13
2　血球の形態・機能
  a. 赤血球 .... 渡邉健一郎　16
  b. 白血球 .... 土居岳彦, 岡田　賢　18
  c. 血小板 .... 國島伸治　20
  d. 骨髄とリンパ組織 .... 磯田健志, 森尾友宏　22
3　止血・血栓に関連する血漿とその成分 .... 足利朋子, 長江千愛　25
4　非腫瘍性疾患の疫学 .... 真部　淳　28
5　血液・造血器疾患のおもな症候と鑑別
  a. 貧血 .... 石黒　精　30
  b. 出血傾向，血栓傾向 .... 石黒　精　32
  c. リンパ節腫大，肝腫大，脾腫大 .... 高橋浩之　34
  d. 易感染性 .... 高田英俊　37
6　血液・造血器疾患におけるおもな検査
  a. 血球形態観察 .... 長谷川大輔　40
  b. 凝固・線溶系検査 .... 髙橋大二郎, 野上恵嗣　42
  c. 血小板機能検査 .... 國島伸治　45
  d. 免疫学的検査 .... 磯田健志, 森尾友宏　46
  e. 骨髄検査（骨髄穿刺，骨髄生検）... 長谷川大輔　49
  f. 染色体検査・遺伝子検査の基礎知識 .... 滝　智彦　51
  g. 造血不全に関する特殊検査 .... 村松秀城　55
7　非腫瘍性血液疾患と移行期医療 .... 大賀正一　59

第2章　小児がん

A　小児がんにおける基礎と疫学

1. 疫学 ...... 加藤実穂, 瀧本哲也 61
2. 家族性腫瘍, 遺伝性腫瘍 ...... 滝田順子 65
3. がんの分子生物学 ...... 上條岳彦 69
4. がんの細胞生物学 ...... 赤羽弘資 73
5. 腫瘍免疫 ...... 高橋義行 76

B　小児がんにおける症候と臨床像

1. 造血器腫瘍 ...... 岡本康裕 79
2. 内臓固形腫瘍 ...... 松本公一 81
3. 骨軟部腫瘍 ...... 細野亜古 85
4. 脳・脊髄腫瘍 ...... 寺島慶太 87

C　小児がんの検査と診断

1. 腫瘍マーカー ...... 木下義晶 89
2. 免疫学的診断 ...... 出口隆生 91
3. 染色体・遺伝子診断(造血器腫瘍) ...... 今村俊彦 95
4. 染色体・遺伝子診断(固形腫瘍) ...... 大喜多肇 98
5. 病理診断(細胞診断, 組織診断) ...... 田中祐吉 101
6. 画像検査 ...... 桑島成子 106
7. 小児がんゲノム医療 ...... 加藤元博 110

D　小児がんにおける治療法

〔抗がん化学療法〕

1. 抗がん化学療法の基礎と抗がん薬の分類 ...... 堀 浩樹 112
2. 治療薬各論
    a. アルキル化薬 ...... 柳澤隆昭 118
    b. 代謝拮抗薬 ...... 堀 浩樹 124
    c. 植物アルカロイド薬 ...... 澤田明久 129
    d. 抗がん抗菌薬 ...... 工藤寿子 134
    e. プラチナ製剤 ...... 七野浩之 138
    f. 分子標的薬 ...... 服部浩佳 141
    g. 抗体療法 ...... 後藤裕明 147

〔外科治療〕

1. 脳腫瘍 ...... 隈部俊宏 150
2. 骨・軟部腫瘍 ...... 国定俊之, 尾﨑敏文 155
3. 内臓固形腫瘍 ...... 田尻達郎, 文野誠久 159

〔放射線治療〕

1. 総論
    a. 脳腫瘍 ...... 前林勝也 163
    b. その他の固形腫瘍・血液疾患 ...... 副島俊典 165
2. 放射線治療の物理学・生物学・種類と適応 ...... 藤 浩 168
3. 放射線治療の合併症 ...... 水本斉志 171

〔細胞・遺伝子治療〕
1. CAR-T 細胞療法 ……………………………………………………… 今井千速　175
2. その他の遺伝子細胞治療 …………………………………………… 竹谷　健　179

E　AYA 世代のがん
1. AYA 世代がんの疫学・予後・治療課題 ………………………… 堀部敬三　185
2. AYA 世代がんの包括医療 ………………………………………… 堀部敬三　188

第3章　造血細胞移植

1. 小児造血細胞移植総論 ……………………………………………… 濱　麻人　191
2. 小児における造血細胞移植の適応 ………………………………… 橋井佳子　194
3. ドナー/造血細胞の選択 ………………………………… 樋口紘平，井上雅美　197
4. 移植前治療 …………………………………………………………… 平山雅浩　200
5. 造血幹細胞採取など ………………………………………………… 矢部普正　203
6. 移植後合併症
   a. 移植片対宿主病 ……………………………………………… 田内久道　206
   b. 生着不全 ……………………………………………………… 吉田奈央　208
   c. 移植に関連する感染症とその予防 ………………………… 小林良二　211
   d. 感染症以外の早期合併症 …………………………………… 佐藤　篤　214
   e. 移植後晩期合併症 …………………………………………… 石田也寸志　217
7. 患者と家族への心理的サポート …………………………………… 末延聡一　221

第4章　がん救急（oncologic emergency）

1. 心，胸郭 ……………………………………………………………… 米田光宏　223
2. 腹部 …………………………………………………………………… 菱木知郎　226
3. 神経（脳，脊髄）……………………………………………………… 柳澤隆昭　229
4. 代謝：腫瘍崩壊症候群など ………………………………………… 湯坐有希　232
5. 血液異常 ……………………………………………………………… 大曽根眞也　237
6. 泌尿器 ………………………………………………………………… 木下義晶　239

第5章　支持療法

1. 消化器症状への対応 ………………………………………………… 矢野道広　241
2. 栄養療法 ……………………………………………………………… 曹　英樹　244
3. 歯科・口腔ケア ……………………………………………………… 河上智美　247
4. 静脈アクセス ………………………………………………………… 田附裕子　250
5. 感染予防と治療
   a. 標準感染予防 ………………………………… 菊田　敦，小林正悟　254
   b. 発熱性好中球減少症 ………………………………………… 福島啓太郎　256
   c. 深在性真菌症 ………………………………………………… 福島啓太郎　258
   d. ウイルス感染症 ……………………………………………… 田内久道　261
   e. 予防接種 ……………………………………………………… 高田英俊　263
6. 小児がん・血液診療の輸血
   a. 輸血指針と製剤，輸血関連検査 …………………………… 北澤淳一　266
   b. 輸血療法 ……………………………………………………… 梶原道子　269
   c. 輸血副作用 …………………………………………………… 峯岸正好　271

第6章　晩期合併症

1. 長期フォローアップ ……………………………………………………… 石田也寸志　275
2. 各論
    a. 神経・認知 ……………………………………………………… 大園秀一　279
    b. 内分泌 …………………………………………………………… 石黒寛之　281
    c. 心臓 ……………………………………………………………… 前田美穂　283
    d. 呼吸器 …………………………………………………………… 力石　健　286
    e. 腎・泌尿器 ……………………………………………………… 早川　晶　288
    f. 消化器 …………………………………………………………… 早川　晶　290
    g. 感覚器（味覚・聴覚・視覚） ………………………………… 大園秀一　292
    h. 口腔 ……………………………………………………………… 河上智美　295
    i. 筋・骨格・皮膚 ………………………………………………… 堀　浩樹　296
    j. 妊孕性 …………………………………………………………… 前田尚子　298
    k. 二次がん ………………………………………………………… 石田也寸志　301

第7章　緩和医療

1. 緩和医療
    a. 痛みのアセスメントとさまざまな対処方法 ………………… 多田羅竜平　306
    b. 終末期の症状への対応 ………………………………………… 多田羅竜平　309
    c. 終末期の小児がん患者・家族の心理的サポート …………… 吉田沙蘭　311
    d. 在宅医療 ………………………………………………………… 天野功二　314
    e. 医療者が行う遺族のグリーフケア …………………………… 瀬藤乃理子　317

第8章　トータルケア

1. トータルケア
    a. チーム医療 ……………………………………………………… 岩本彰太郎　320
    b. 説明と同意 ……………………………………………………… 末延聡一　322
    c. 心理・社会的支援 ……………………………………… 柳井優子, 大島淑夫　325
    d. 学校・教育支援 ………………………………………… 副島尭史, 上別府圭子　327
    e. 療養環境 ………………………………………………………… 三浦絵莉子　330
    f. 家族支援 ………………………………………………………… 小澤美和　333
    g. 遺伝カウンセリング …………………………………………… 田村智英子　335

第9章　倫理・研究

1. 子どもを対象とする医療および研究の倫理 …………………… 掛江直子　339
2. 研究
    a. 検体の保存，取り扱い方 ……………………………………… 滝　智彦　346
    b. 生物統計・研究デザイン ……………………………………… 樋之津史郎　348
    c. 臨床試験 ………………………………………………… 加藤実穂, 瀧本哲也　351
    d. 研究論文の読み方 ……………………………………………… 真部　淳　355
    e. 論文発表・学会発表の仕方 …………………………………… 真部　淳　357

第Ⅱ部　各論（疾患）

第1章　血液・造血器疾患

A　赤血球の異常

1. 鉄欠乏性貧血 ………………………………………………………… 石村匡崇　363
2. 慢性疾患に伴う貧血 ………………………………………………… 石村匡崇　366
3. 再生不良性貧血 ……………………………………………………… 成田　敦　368
4. 遺伝性骨髄不全症候群 …………………………………………… 矢部みはる　372
5. 先天性溶血性貧血 …………………………………………………… 菅野　仁　376
6. 血色素異常症（異常ヘモグロビン症，サラセミア） ……………… 山城安啓　381
7. 新生児の貧血・多血 ………………………………………………… 小阪嘉之　385
8. 自己免疫性溶血性貧血 ……………………………………………… 谷ヶ崎　博　390
9. その他の溶血性貧血 ………………………………………………… 谷ヶ崎　博　394
10. 巨赤芽球性貧血 ……………………………………………………… 植田高弘　398
11. 出血性貧血 …………………………………………………………… 植田高弘　402
12. その他の貧血 ………………………………………………………… 植田高弘　405
13. その他の赤血球疾患（赤血球増加症） ………………………… 渡邉健一郎　408

B　白血球の異常

1. 好中球減少症 ……………………………………………… 溝口洋子，岡田　賢　410
2. 好中球/好酸球/好塩基球増加症 ………………………… 木下真理子，盛武　浩　414
3. 単球，マクロファージ，樹状細胞 ………………………………… 中沢洋三　417

C　免疫異常

1. 原発性免疫不全症
    a. T細胞性免疫不全 …………………………………………… 今井耕輔　420
    b. 免疫不全を伴う特徴的症候群 ……………………………… 笹原洋二　422
    c. B細胞不全 …………………………………………………… 金兼弘和　427
    d. 免疫調節障害：血球貪食性リンパ組織球症など ………… 大賀正一　429
    e. 食細胞機能異常：慢性肉芽腫症 ………………… 西村豊樹，盛武　浩　432
    f. 自然免疫不全症・自己炎症性疾患 ………………………… 高田英俊　435
    g. 先天性補体欠損症 …………………………………………… 高田英俊　438
2. 続発性免疫不全症 …………………………………………………… 田中瑞恵　442

D　血小板と止血・血栓の異常

1. 血小板の異常
    a. 血小板減少症 ………………………………………………… 今泉益栄　447
    b. 血小板増加症 …………………………………… 高橋幸博，西久保敏也　450
    c. 血小板機能異常症 …………………………………………… 國島伸治　453
2. 凝固異常
    a. 血友病（第VIII因子欠乏，第IX因子欠乏） ………………… 嶋　緑倫　457
    b. von Willebrand 病 …………………………………………… 野上恵嗣　462
    c. その他の先天性凝固異常症 ………………………………… 酒井道生　464
    d. 後天性ビタミンK依存性凝固因子欠乏症 ………………… 白幡　聡　465
    e. 播種性血管内凝固 …………………………………………… 瀧　正志　467

		f. その他の後天性凝固異常症，血液凝固阻害物質	長江千愛	470
3		血栓症と血栓性素因		
	a.	遺伝性血栓症（栓友病）	大賀正一	473
	b.	後天性血栓性疾患	白山理恵，岡 敏明	475
	c.	薬剤/感染症関連の後天性血栓症	杉山正仲，小川千登世	479

第2章　小児がん

A　造血器腫瘍

1	急性リンパ性白血病	康 勝好	482
2	急性骨髄性白血病	富澤大輔	492
3	乳児白血病	江口真理子，石井榮一	498
4	慢性骨髄性白血病	嶋田博之	502
5	骨髄異形成症候群，骨髄増殖性疾患	真部 淳	504
6	Down 症候群に伴う血液腫瘍性疾患	伊藤悦朗，照井君典	508
7	非 Hodgkin リンパ腫など	森 鉄也	512
8	Hodgkin リンパ腫	古賀友紀	516
9	リンパ増殖性疾患	髙木正稔，金兼弘和	519

　　a. 小児 EBV 陽性 T 細胞および NK 細胞リンパ増殖症
　　b. 原発性免疫不全症に関連したリンパ増殖症

10	組織球症		
	a. Langerhans 細胞組織球症	森本 哲	523
	b. Langerhans 細胞組織球症以外の組織球症	塩田曜子，石井榮一	526

B　固形腫瘍

1	髄芽腫，中枢神経胚細胞腫，髄芽腫以外の中枢神経系胚芽腫および松果体芽腫	岡田恵子，原 純一	530
2	神経膠腫，上衣腫，非定型奇形腫様/ラブドイド腫瘍，その他の腫瘍	柳澤隆昭	537
3	網膜芽細胞腫	鈴木茂伸	545
4	神経芽腫	家原知子	548
5	肝腫瘍	檜山英三	552
6	腎腫瘍	越永従道	559
7	胚細胞腫瘍	黒田達夫	563
8	骨肉腫	尾崎修平，川井 章	566
9	Ewing 肉腫ファミリー腫瘍	佐野秀樹	570
10	横紋筋肉腫などの軟部組織肉腫	宮地 充，細井 創	574
11	その他の悪性固形腫瘍	大植孝治	579
12	血管性腫瘍，脈管奇形，その他の良性腫瘍	上原秀一郎	584

巻末資料

日本小児血液・がん学会認定：専門医制度について	米田光宏	589
日本小児がん研究グループ（JCCG）の成り立ち	足立壯一	593
小児血液・腫瘍に関する診療ガイドラインについて	多賀 崇	596

索　引　599

執筆者一覧

【編集主幹】

大賀　正一	九州大学大学院医学研究院成長発達医学
滝田　順子	京都大学大学院医学研究科発達小児科学
田尻　達郎	九州大学大学院医学研究院小児外科学
米田　光宏	国立成育医療研究センター外科・腫瘍外科／国立がん研究センター中央病院小児腫瘍外科

【編集委員】（50音順）

小川千登世	国立がん研究センター中央病院小児腫瘍科
康　　勝好	埼玉県立小児医療センター血液・腫瘍科
多賀　　崇	滋賀医科大学医学部附属病院小児科
高橋　義行	名古屋大学大学院医学系研究科小児科学
西川　　亮	埼玉医科大学国際医療センター脳脊髄腫瘍科
野上　恵嗣	奈良県立医科大学小児科学
菱木　知郎	千葉大学大学院医学研究院小児外科学
藤　　　浩	国立成育医療研究センター放射線診療部放射線治療科
松本　公一	国立成育医療研究センター小児がんセンター長期フォローアップ科
盛武　　浩	宮崎大学医学部発達泌尿生殖医学講座小児科学分野

【分担執筆】（50音順）

赤羽　弘資	山梨大学医学部小児科学教室
足利　朋子	聖マリアンナ医科大学小児科学
足立　壮一	京都大学大学院医学研究科人間健康科学系専攻
天野　功二	あおぞら診療所しずおか
家原　知子	京都府立医科大学大学院医学研究科小児科学
石井　榮一	今治市医師会市民病院
石黒　　精	国立成育医療研究センター教育研修センター
石黒　寛之	しのはら小児クリニック
石田也寸志	愛媛県立中央病院小児医療センター
石村　匡崇	九州大学大学院医学研究院成長発達医学
磯田　健志	東京医科歯科大学大学院医歯学総合研究科発生発達病態学分野（小児科）
伊藤　悦朗	弘前大学大学院医学研究科地域医療学
井上　雅美	大阪母子医療センター血液・腫瘍科
今井　耕輔	防衛医科大学校小児科学教室
今井　千速	新潟大学大学院医歯学総合研究科小児科学分野
今泉　益栄	宮城県立こども病院
今村　俊彦	京都府立医科大学大学院医学研究科小児科学
岩本彰太郎	三重大学医学部附属病院小児・AYAがんトータルケアセンター
植田　高弘	日本医科大学小児科学教室

上原秀一郎	日本大学医学部外科学系小児外科学分野
梅田　雄嗣	京都大学大学院医学研究科発達小児科学
江口真理子	愛媛大学大学院医学系研究科分子・機能領域小児科学講座
海老原康博	埼玉医科大学国際医療センター臨床検査医学
大植　孝治	兵庫医科大学消化器外科学講座小児外科
大賀　正一	九州大学大学院医学研究院成長発達医学
大喜多　肇	慶應義塾大学医学部病理診断部
大島　淑夫	がん研有明病院腫瘍精神科
大曽根眞也	京都府立医科大学大学院医学研究科小児科学
大園　秀一	久留米大学医学部小児科学教室
岡　　敏明	札幌徳洲会病院小児科
岡田　恵子	大阪市立総合医療センター小児医療センター・小児血液腫瘍科
岡田　　賢	広島大学大学院医系科学研究科小児科学
岡本　康裕	鹿児島大学大学院医歯学総合研究科小児科学
小川千登世	国立がん研究センター中央病院小児腫瘍科
尾崎　修平	国立がん研究センター中央病院骨軟部腫瘍・リハビリテーション科
尾﨑　敏文	岡山大学学術研究院医歯薬学域整形外科学
小澤　美和	聖路加国際病院こども医療支援室
掛江　直子	国立成育医療研究センター生命倫理研究室
梶原　道子	東京医科歯科大学病院輸血・細胞治療センター
加藤　実穂	国立成育医療研究センター小児がんセンター小児がんデータ管理科
加藤　元博	東京大学医学部小児科
金兼　弘和	東京医科歯科大学小児地域成育医療学講座
上條　岳彦	埼玉県立がんセンター臨床腫瘍研究所
上別府圭子	子どもと家族のQOL研究センター
川井　　章	国立がん研究センター中央病院骨軟部腫瘍・リハビリテーション科
河上　智美	日本歯科大学生命歯学部小児歯科学講座
菅野　　仁	東京女子医科大学医学部輸血・細胞プロセシング科
菊田　　敦	福島県立医科大学附属病院小児腫瘍内科
北澤　淳一	青森県立中央病院臨床検査部
木下真理子	宮崎大学医学部発達泌尿生殖医学講座小児科学分野
木下　義晶	新潟大学大学院小児外科学分野
工藤　寿子	藤田医科大学医学部小児科学
国定　俊之	岡山大学学術研究院医歯薬学域運動器医療材料開発講座
國島　伸治	岐阜医療科学大学保健科学部臨床検査学科
隈部　俊宏	北里大学医学部脳神経外科学
黒田　達夫	慶應義塾大学医学部小児外科学教室
桑島　成子	獨協医科大学放射線医学講座
康　　勝好	埼玉県立小児医療センター血液・腫瘍科
古賀　友紀	九州大学大学院医学研究院成長発達医学
小阪　嘉之	兵庫県立こども病院小児がん医療センター血液・腫瘍内科
越永　従道	日本大学医学部小児外科
後藤　裕明	神奈川県立こども医療センター血液・腫瘍科
小林　正悟	福島県立医科大学附属病院小児腫瘍内科
小林　良二	社会医療法人北楡会札幌北楡病院小児思春期科
酒井　道生	宗像水光会総合病院小児科
笹原　洋二	東北大学大学院医学系研究科小児病態学分野

佐藤　　篤	宮城県立こども病院血液腫瘍科	
佐野　秀樹	福島県立医科大学附属病院小児腫瘍内科	
澤田　明久	大阪母子医療センター血液・腫瘍科	
塩田　曜子	国立成育医療研究センター小児がんセンター血液腫瘍科	
七野　浩之	国立国際医療研究センター小児科	
嶋　　緑倫	奈良県立医科大学血栓止血研究センター	
嶋田　博之	慶應義塾大学医学部小児科	
白幡　　聡	北九州八幡東病院	
白山　理恵	産業医科大学小児科学	
末延　聡一	大分大学大分こども急性救急疾患学部門医療・研究事業（小児科）	
杉山　正仲	国立がん研究センター中央病院小児腫瘍科	
鈴木　茂伸	国立がん研究センター中央病院眼腫瘍科	
瀬藤乃理子	福島県立医科大学医学部災害こころの医学講座	
曹　　英樹	川崎医科大学医学部小児外科	
副島　克史	神戸大学大学院保健学研究科看護学領域家族看護学分野	
副島　俊典	神戸陽子線センター放射線治療科	
田内　久道	愛媛大学医学部附属病院中央診療施設感染制御部	
多賀　　崇	滋賀医科大学医学部附属病院小児科	
髙木　正稔	東京医科歯科大学大学院医歯学総合研究科発生発達病態学分野	
高田　英俊	筑波大学医学医療系小児科学	
髙橋大二郎	福田病院小児科	
高橋　浩之	東邦大学小児科	
高橋　幸博	東大寺福祉療育病院	
高橋　義行	名古屋大学大学院医学系研究科小児科学	
滝　　智彦	杏林大学保健学部臨床検査技術学科	
瀧　　正志	聖マリアンナ医科大学小児科学	
滝田　順子	京都大学大学院医学研究科発達小児科学	
瀧本　哲也	国立成育医療研究センター小児がんセンター小児がんデータ管理科	
竹谷　　健	島根大学医学部小児科	
田尻　達郎	九州大学大学院医学研究院小児外科学	
多田羅竜平	大阪市総合医療センター緩和医療科・緩和ケアセンター	
田附　裕子	大阪大学大学院医学系研究科外科学講座小児成育外科学	
田中　瑞恵	国立国際医療研究センター小児科	
田中　祐吉	神奈川県立こども医療センター病理診断科	
田村智英子	FMC 東京クリニック医療情報・遺伝カウンセリング部	
出口　隆生	国立成育医療研究センター小児がんセンター小児がん免疫診断科	
寺島　慶太	国立成育医療研究センター小児がんセンター脳神経腫瘍科	
照井　君典	弘前大学医学部小児科学講座	
土居　岳彦	広島大学大学院医系科学研究科小児科学	
富澤　大輔	国立成育医療研究センター小児がんセンター血液腫瘍科	
長江　千愛	聖マリアンナ医科大学小児科学	
中沢　洋三	信州大学医学部小児医学教室	
成田　　敦	名古屋大学医学部附属病院小児科	
西久保敏也	奈良県立医科大学小児科	
西村　豊樹	宮崎大学医学部発達泌尿生殖医学講座小児科学分野	
野上　恵嗣	奈良県立医科大学小児科学	
橋井　佳子	大阪国際がんセンター小児科	

長谷川大輔	聖路加国際病院小児科	
服部　浩佳	国立病院機構名古屋医療センター小児科	
濱　　麻人	日本赤十字社愛知医療センター名古屋第一病院小児医療センター血液腫瘍科	
早川　　晶	淀川キリスト教病院緩和医療内科	
原　　純一	大阪市立総合医療センター小児医療センター・小児血液腫瘍科	
樋口　紘平	大阪母子医療センター血液・腫瘍科	
菱木　知郎	千葉大学大学院医学研究院小児外科学	
樋之津史郎	札幌医科大学医学部医療統計・データ管理学	
檜山　英三	広島大学自然科学研究支援開発センター	
平山　雅浩	三重大学大学院医学系研究科小児科学	
福島啓太郎	獨協医科大学医学部小児科学	
藤　　　浩	国立成育医療研究センター放射線診療部放射線治療科	
文野　誠久	京都府立医科大学大学院医学研究科小児外科学	
細井　　創	京都府立医科大学大学院医学研究科小児科学／ 同志社女子大学看護学部看護学科	
細野　亜古	国立がん研究センター東病院小児腫瘍科	
堀　　浩樹	三重大学医学部附属病院小児科	
堀部　敬三	国立病院機構名古屋医療センター小児科	
前田　尚子	国立病院機構名古屋医療センター小児科	
前田　美穂	日本医科大学小児科	
前林　勝也	日本医科大学付属病院放射線治療科	
松本　公一	国立成育医療研究センター小児がんセンター長期フォローアップ科	
真部　　淳	北海道大学大学院医学研究院小児科学教室	
三浦絵莉子	聖路加国際病院こども医療支援室	
水本　斉志	筑波大学附属病院放射線腫瘍科	
溝口　洋子	広島大学大学院医系科学研究科小児科学	
峯岸　正好	宮城県赤十字血液センター	
宮地　　充	京都府立医科大学大学院医学研究科小児科学	
村松　秀城	名古屋大学医学部附属病院小児科	
森　　鉄也	聖マリアンナ医科大学小児科学教室	
森尾　友宏	東京医科歯科大学大学院医歯学総合研究科発生発達病態学分野（小児科）	
盛武　　浩	宮崎大学医学部発達泌尿生殖医学講座小児科学分野	
森本　　哲	自治医科大学小児科	
谷ヶ埼　博	日本大学医学部附属板橋病院小児科・新生児科	
柳井　優子	国立がん研究センター中央病院精神腫瘍科	
柳澤　隆昭	東京慈恵会医科大学脳神経外科学講座	
矢野　道広	秋田大学医学部附属病院小児科	
矢部　普正	東海大学医学部付属病院細胞移植再生医療科	
矢部みはる	東海大学医学部付属病院細胞移植再生医療科	
山城　安啓	山口大学大学院医学系研究科保健学専攻	
湯坐　有希	東京都立小児総合医療センター血液・腫瘍科	
吉田　沙蘭	東北大学大学院教育学研究科	
吉田　奈央	日本赤十字社愛知医療センター名古屋第一病院小児医療センター血液腫瘍科	
米田　光宏	国立成育医療研究センター外科・腫瘍外科／ 国立がん研究センター中央病院小児腫瘍外科	
力石　　健	宮城県立こども病院血液腫瘍科	
渡邉健一郎	静岡県立こども病院血液腫瘍科	

略語一覧

略語	英名	和名
^{99m}Tc	technetium-99m	テクネチウム 99m
^{123}I	iodine-123	ヨウ素 123
^{125}I	iodine-125	ヨウ素 125
ACTH	adrenocorticotrophic hormone	副腎皮質刺激ホルモン
AFP	α-fetoprotein	α-フェトプロテイン
AIEOP	L'associazione italiana ematologia ed oncologia pediatrica	イタリア小児血液腫瘍連合
AIHA	autoimmune hemolytic anemia	自己免疫性溶血性貧血
ALCL	anaplastic large cell lymphoma	未分化大細胞型リンパ腫
ALL	acute lymphoblastic leukemia	急性リンパ性白血病
ALP	alkaline phosphatase	アルカリホスファターゼ
ALPS	autoimmune lymphoproliferative syndrome	自己免疫性リンパ増殖症
AML	acute myeloid leukemia	急性骨髄性白血病
ANC	absolute neutrophil count	好中球絶対数
APL	acute promyelocytic leukemia	急性前骨髄球性白血病
ASCT	autologous stem cell transplantation	自家造血幹細胞移植
ATRA	all-trans retinoic acid	トレチノイン またはオールトランスレチノイン酸
BFM	Berlin-Frankfurt-Munster	
BL	Burkitt lymphoma	Burkitt リンパ腫
BM	bone marrow	骨髄
CCG	Children's Cancer Group	米国小児がん研究グループ
CCI	corrected count increments	
CCSK	clear cell sarcoma of the kidney	腎明細胞肉腫
CCSS	Childhood Cancer Survivor Study	米国小児がん生存者研究
CCyR	complete cytogenetic response	細胞遺伝学的完全寛解
CHR	complete hematological response	血液学的完全寛解
CI	confidence interval	信頼区間
CML	chronic myelocytic leukemia	慢性骨髄性白血病
CMML	chronic myelomonocytic leukemia	慢性骨髄単球性白血病
CMV	cytomegalovirus	サイトメガロウイルス
CNS	central nervous system	中枢神経系
COG	Children's Oncology Group	米国小児がんグループ
CPK	creatine phosphokinase	クレアチンホスフォキナーゼ
CR	complete response	完全奏効
CR	complete remission	完全寛解
CTL	cytotoxic T lymphocyte	細胞傷害性 T 細胞
CYP	cytochrome P450	シトクロム P450
DFCI	Dana-Farber Cancer Institute	ダナファーバーがん研究所
DFS	disease free survival	無病生存率
DIC	disseminated intravascular coagulation	播種性血管内凝固
DLBCL	diffuse large B-cell lymphoma	びまん性大細胞型 B 細胞性リンパ腫
EBMT	The European Society for Blood and Marrow Transplantation	欧州造血細胞移植学会
EBV	Epstein-Barr virus	EB ウイルス
EFS	event free survival	無イベント生存率
EGF	epidermal growth factor	上皮成長因子
EPO	erythropoietin	エリスロポエチン
ES 細胞	embryonic stem cell	胚性幹細胞
ESFT	Ewing sarcoma family tumor	Ewing 肉腫ファミリー腫瘍

略語	英名	和名
FAB	French-American-British	
FDG-PET	fluorodeoxyglucose-positron emission tomography	
FFP	fresh frozen plasma	新鮮凍結血漿
FFS	failure-free survival	治療奏効維持生存率
FISH	fluorescence in situ hybridization	
FN	febrile neutropenia	発熱性好中球減少症
FSH	follicle-stimulating hormone	卵胞刺激ホルモン
G-CSF	granulocyte colony-stimulating factor	顆粒球コロニー刺激因子
GIST	gastrointestinal stromal tumor	消化管間質腫瘍
GM-CSF	granulocyte macrophage colony-stimulating factor	顆粒球マクロファージコロニー刺激因子
GVHD	graft versus host disease	移植片対宿主病
hCG	human chorionic gonadotropin	ヒト絨毛ゴナドトロピン
HCT	hematopoietic cell transplantation	造血細胞移植
HE染色	hematoxylin-eosin 染色	ヘマトキシリン・エオジン染色
HL	Hogdkin lymphoma	Hodgkin リンパ腫
HSC	hematopoietic stem cell	造血幹細胞
HSV	herpes simplex virus	単純ヘルペスウイルス
HVA	homovanillic acid	ホモバニリン酸
I-BFM-SG	International Berlin-Frankfurt-Munster Study Group	国際 BFM 研究グループ
IDRF	image defined risk factors	
IFRT	involved field radiation therapy	
IFN	interferon	インターフェロン
IL	interleukin	インターロイキン
IMRT	intensity modulated radiation therapy	強度変調放射線治療
INPC	International Neuroblastoma Pthology Classification	国際神経芽腫病理分類
INRG	International Neuroblastoma Risk Group	国際神経芽腫リスクグループ
INRGSS	International Neuroblastoma Risk Group Staging System	
INSS	International Neuroblastoma Staging System	国際神経芽腫病期分類
iPS細胞	induced pluripotent stem cell	人工多能性幹細胞
IRB	institutional review board	臨床研究審査委員会
IRSG	Intergroup Rhabdomyosarcoma Study Group	横紋筋肉腫共同研究グループ
JCCG	Japan Children's Cancer Group	日本小児がん研究グループ
JMML	juvenile myelomonocytic leukemia	若年性骨髄単球性白血病
JNBSG	Japan Neuroblastoma Study Group	日本神経芽腫研究グループ
JPLSG	Japanese Pediatric Leukemia/Lymphoma Study Group	日本小児白血病リンパ腫研究グループ
JPLT	Japanese Study Group for Pediatric Liver Tumor	日本小児肝癌スタディグループ
JRSG	Japan Rhabdomyosarcoma Study Group	日本横紋筋肉腫研究グループ
JWiTS	Japanese Wilms Tumor Study（Group）	日本ウィルムス腫瘍スタディグループ
LBL	lymphoblastic lymphoma	リンパ芽球性リンパ腫
LCH	Langerhans cell histiocytosis	Langerhans 細胞性組織球症
LDH	lactic acid dehydrogenase	乳酸デヒドロゲナーゼ（乳酸脱水素酵素）
LH	luteinizing hormone	黄体形成ホルモン
LOH	loss of heterozygosity	ヘテロ接合性の消失
MDS	myelodysplastic syndrome	骨髄異形成症候群
MMR	major molecular response	分子生物学的寛解
MPD	myeloprolifetative disease	慢性骨髄増多症
MPNST	malignant peripheral nerve sheath tumor	悪性末梢神経鞘腫瘍
MRC	medical research council	
MRD	minimal residual disease	微小残存病変
NCI	National Cancer Institute	米国国立がん研究所
NCI-PDQ®	National Cancer Institute : Physician Data Query	
NF1	neurofibromatosis 1	神経線維腫症1型
NHL	non-Hodgkin lymphoma	非 Hodgkin リンパ腫
NSAIDs	non-steroidal anti-inflammatory drugs	非ステロイド性抗炎症薬
NSE	neuron-specific enolase	神経特異エノラーゼ

略語	英名	和名
NWTS	National Wilms Tumor Study	全国ウィルムス腫瘍スタディ
OAR	organ at risk	リスク臓器
OS	overall survival	全生存率
PCR	polymrerase chain reaction	
PCyR	partial cytogenetic response	細胞遺伝学的部分寛解
PD-1	programmed cell death protein 1	抗プログラム細胞死蛋白1
PD-L1	programmed death ligand 1	プログラム細胞死リガンド1
PET	positron emission tomography	陽電子放射断層撮影
PFS	progression free survival	無増悪生存率
PGR	prednisone good responder	ステロイド反応性良好
POG	Pediatric Oncology Group	米国小児がんグループ
PRE	pretreatment reexcision	化学療法前腫瘍再切除
PRETEXT	Pretreatment Extent of Disease System	
QOL	quality of life	生活の質
RA	refractory anemia	不応性貧血
RAEB	RA with excess of blasts	
RAEBT	RAEB in transformation	
RCC	refractory cytopenia of childhood	小児不応性血球減少
RCT	randomized controlled trial	ランダム化比較試験
RCMD	refractory cytopenia with multilineage dysplasia	
RECIST	Response Evaluation Criteria in Solid Tumors	固形がんの効果判定規準
RFS	relapse-free survival	無再発生存率
RIST	reduced-intensity stem cell transplantation	
RMS	rhabdomyosarcoma	横紋筋肉腫
RT-PCR	reverse transcriptase-polymerase chain reaction	
RTK	rhabdoid tumor of the kidney	腎ラブドイド腫瘍
SCT	stem cell transplantation	造血幹細胞移植
SIOP	International Society of Paediatric Oncology	国際小児がん学会
SIOPEL	International Society of Pediatric Oncology-Epithelial Liver（Tumor Study Group）	国際小児がん学会-上皮性肝癌研究グループ
SIR	standardized incidence ratios	標準化発生比
SOS	sinusoidal obstruction syndrome	類洞閉塞症候群
SEER	surveillance, epidemiology, and end results	
STIR	short T1 inversion recovery	
STS	Soft Tissue Sarcoma Committee	軟部肉腫委員会
T1/2	terminal half-life	血中濃度半減期
TACO	transfusion-associated circulatory overload	輸血関連循環負荷
TAM	transient abnormal myelopoiesis	一過性骨髄異常増殖症
TBI	total body irradiation	全身放射線照射
TGF-β	transforming growth factor-β	トランスフォーミング増殖因子
TKI	throsine kinase inhibitor	チロシンキナーゼ阻害薬
TLS	tumor lysis syndrome	腫瘍崩壊症候群
TNF	tumor necrosis factor	腫瘍壊死因子
TPO	thrombopoietin	トロンボポエチン
TSH	thyroid stimulating hormone	甲状腺刺激ホルモン
UH	unfavorable histology	小児腎腫瘍の予後不良組織型
VMA	vanillylmandelic acid	バニリルマンデル酸
VOD	venoocclusive disease	肝静脈閉塞症
VZV	varicella-zoster virus	水痘・帯状疱疹ウイルス
WHO	World Health Organization	世界保健機関

第Ⅰ部　総論

本書における薬剤の用法・用量などの情報は，変更・更新されている場合がありますので，十分にご注意ください．本書に記載した薬剤の選択，使用法および治療方法については必ずしも学会の推奨および方針を示すものではないこと，また問題が生じたとしても，筆者・編集者・出版社はその責を負いかねますので予めご了承ください．また診断・治療方法につきましても，各学会ホームページなどによって最新のガイドライン・治療指針などをご確認くださいますようお願い申し上げます．

なお，国内未承認[※]，疾患適応外[▲]，小児に対する安全性が確立されていない抗がん薬[◆]に関しては，本文中にマークで示しました．留意してご参照ください．

第1章 血液・造血器総論

1 造血発生

a. 血球の産生・分化と造血幹細胞

血球の産生・分化

1 血球の寿命

血液中には形態と機能を異にする種々の血球が存在している。その寿命は赤血球では約120日，顆粒球では6〜8時間，血小板では7〜10日である。リンパ球の寿命はこれらの細胞と比べてかなり長いと考えられ，寿命が数年に及ぶものもある。生涯にわたり膨大な数の血球を供給し続けるためには，血球の源となる未分化な細胞のプールが必要であり，これらの細胞を造血幹細胞（HSC）とよぶ。

造血幹細胞は自己複製能（細胞分裂により自己と同じ能力を有する細胞を複製する能力）により自己のプールを保持し，すべての血球細胞に分化できる性質（多分化能）を有することで一生にわたる血球産生を可能にしている。ヒトでは赤血球を $1.5×10^{10}$ 個，白血球を $6.0×10^{10}$ 個，血小板を $1.5×10^{10}$ 個を毎日産生していると考えられている。造血幹細胞は分化・増殖し，各種造血前駆細胞の段階を経て最終的には成熟血球へと分化していく[1]（図1）。

2 胎児期造血

ほ乳類の造血の特徴は，胎児期では造血臓器が胎児の発達に伴って移動することである。マウスにおける胎児造血は胚体外組織である卵黄嚢（york sac）において一次造血（primitive hematopoiesis）が始まり，次に二次造血（definitive hematopoiesis）が傍大動脈臓側中胚葉（paraaortic splanchnopleural mesoderm：PAS）/大動脈-生殖腺-中腎（aorta-gonad-mesonephros：AGM）領域で開始される。その後，胎仔肝（fetal liver）に造血の場を移し，胎仔肝にて血液細胞を大きく増幅したあと，最終的には骨髄（bone marrow：BM）や脾臓（spleen）に移動し，その後の一生にわたる造血を担う（図2）。ヒトでも胎生5か月までは肝臓で赤血球造血が行われているが，その後は骨に骨髄部分が形成され，骨髄が造血の中心となっていく。骨髄には造血細胞だけでなく，さまざまな非血液細胞が存在し，造血幹細胞は骨髄内のこれらの細胞が形成する造血微小環境である造血幹細胞ニッチ（niche）に存在し，自己複製能と多分化能を維持しながら，血球を供給し続けていると考えられている[2]。

ほ乳類の一次造血と二次造血では差異がみられ，おもな違いは次の2つである。①一次造血は赤血球造血が主体であり，胎児型ヘモグロビンをもつ有核赤血球のみに分化する前駆細胞だけで維持されている。二次造血における赤血球は脱核し，成人型ヘモグロビンを有している。胎児型ヘモグロビンである ζ グロビン，ε グロビンは一次造血のみで産生され，成人型ヘモグロビンである β グロビン，δ グロビンは二次造血だけで産生される[3]（図3）。α グロビンは一次造血から産生され二次造血でも産生され続ける。γ グロビンも一次造血から産生されるが，生後6か月ぐらいでほとんど産生されなくなる。また，二次造血の赤血球造血はエリスロポイエチン依存性であるが，一次造血の赤血球造血はエリスロポイエチン依存的ではない。②自己複製能と多分化能をもつ造血幹細胞やリンパ球は一次造血では存在せず，二次造血において初めて出現する。

造血幹細胞[1]

1 造血幹細胞の同定

造血幹細胞であるという証明は移植実験を行って，移植された細胞由来（ドナー）のすべての血球系が長期にわたってレシピエントの造血システムのなかで維持されていることを確認しなければならない。近年，フローサイトメトリーを用いた細胞純化・分離技術の進歩により，分離した細胞を用いて移植実験を行うことで造血幹細胞純化の研究が進んでいる。

マウスでは全骨髄中に0.004％しか存在しない分化抗原（Lin）陰性・CD34陰性・c-Kit（CD117）陽性・Sca-1陽性細胞（CD34-KSL細胞）やSLAM（signaling lymphocyte activation molecule）family receptorを組み合わせた $Lin^-CD34^-CD117^+Sca-1^+CD150^+CD48^-$ 分画に造血幹細胞が含まれることが報告された[4]。

ヒトでは実験的移植により造血幹細胞の評価を行

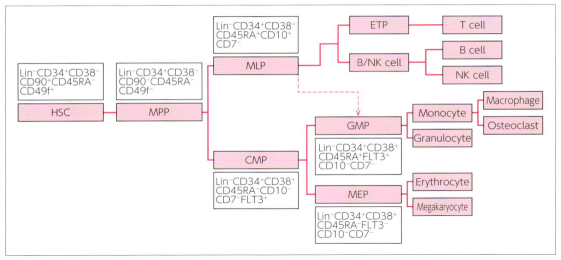

図1 ◆ 造血幹細胞の分化

造血幹細胞は分化するに従い，自己複製能と多分化能を失い特定の系統の機能をもった成熟細胞へ分化する．HSC：hematopoietic stem cell，MPP：multipotent progenitor，MLP：multiple lymphoid progenitor，CMP：common myeloid progenitor，ETP：early T cell progenitor，GMP：granulocyte/macrophage progenitor，MEP：megakaryocyte/erythrocyte progenitor．
(Doulatov S, et al. : Hematopoiesis : a human perspective. Cell Stem Cell 10 : 120-136, 2012 より引用，改変)

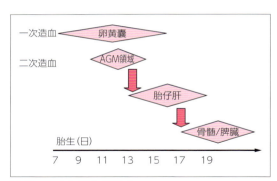

図2 ◆ マウス胎生期造血

マウス胎生期における造血部位の移動．
AGM：aorta-gonad-mesonephros．

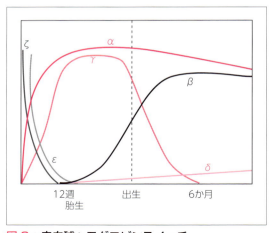

図3 ◆ 赤血球ヘモグロビンスイッチ

ヒトヘモグロビンは胎生期とそれ以降では構成するヘモグロビンが変化する．
(Miller JL. : Hemoglobin switching and modulation : genes, cells, and signals. Curr Opin Hematol 9 : 87-92, 2002 より引用，改変)

うことは不可能なため，*in vitro* でのコロニー形成能や免疫不全マウスを用いた移植実験を行い，その結果から造血幹細胞分画を評価してきた．近年，リンパ球欠如とNK細胞，補体，マクロファージ活性を低下させたnod/SCIDマウスにIL-2受容体欠損マウスを交配して作製したヒト化マウス（NOGマウス）が開発され，よりヒトに近い移植実験系を用いてヒト造血幹細胞の評価を行っている．NOGマウスへの移植実験から，Lin⁻CD34⁺CD38⁻CD90⁺CD45RA⁻Rho(rhodamine 123)^{low}CD49f⁺分画がヒト造血幹細胞に最も近いと考えられている．最近では，NOGマウスとは別に新たな変異マウスをかけ合わせたさらに高い生着効率を示す新しいヒト化マウスも開発されている[5]．

2 造血幹細胞の分化

造血幹細胞は図1のように造血幹細胞から分化していくと考えられている．多能性前駆細胞（multipotent progenitor：MPP）は自己複製能を失っているが多分化能は有している細胞であり，ここから骨髄系共通前駆細胞（common myeloid progenitor：CMP）とリンパ系前駆細胞（multiple lymphoid progenitor：MLP）とに分化する．CMPは巨核球/赤血球前駆細胞（megakaryocyte/erythrocyte progenitor：MEP）と顆

表1 ◆ 造血幹細胞ニッチ

	niche		
	osteoblastic (endosteal)	Vascular	
		arteriole	sinusoidal
構成細胞	osteoblast osteolineage cell	NG2$^+$ stromal cell Nes-GFP^{high} cell Non-myelinating Schwann cell Sympathetic nerve system	LEPR$^+$ cell Nes-GFP^{low} cell
		CAR cell endothelial cell	
制御因子	OPN CXCL12 SCF Ang-1	CXCL12 SCF Ang-1 TGF-β	
機能	regulation of HSC pool quiescence lymphopoiesis	quiescence maintenance proliferation mobilization	

OPN：osteopontin, CXCL12：chemokine C-X-C motif ligand 12, CAR：CXCL12-abundant reticular, SCF：stem cell factor, Ang-1：angiopoietin-1, NG2：neural/glial antigen 2, Nes：nestin, LEPR：leptin receptor, TGF-β：transforming growth factorβ.

粒球/マクロファージ系前駆細胞（GMP）に分化し，それぞれ最終的に巨核球・血小板/赤血球，顆粒球/マクロファージに分化する．MLPは初期前駆T細胞（early T cell progenitor：ETP）と前駆B/NK細胞に分化し，その後，それぞれT細胞，B細胞とNK細胞に分化するが，骨髄球系細胞への分化能を有している．

造血幹細胞ニッチ[6)7)]

骨髄造血幹細胞ニッチでは，さまざまなサイトカイン・ケモカインや接着シグナルを介して，造血幹細胞の自己複製能と多分化能は制御されており，ニッチには骨芽細胞を中心としたosteoblastic（endosteal）nicheと骨髄内血管周囲のpericytesやMSCを中心としたvascular nicheがあり，さらにvascular nicheには骨髄内動脈周囲のarteriole nicheと骨髄洞周囲のsinusoidal nicheがあると考えられている（表1）．造血幹細胞を制御する因子としては，OPN，stem cell factor，angiopoietin-1，ケモカインであるchemokine C-X-C motif ligand 12（CXCL12）などがあり，これらを産生する骨芽細胞や血管内皮細胞，CXCL12-abundant reticular（CAR）細胞や神経前駆細胞マーカーであるnestin陽性の間葉系幹細胞や交感神経系のシグナルがニッチ形成に関与している．また，造血幹細胞自身が低酸素応答性転写因子（hypoxia-inducible factor-1α：HIF-1α）を発現することは低酸素状態であるニッチにおける造血幹細胞の維持に重要である．それぞれのニッチの存在・機能に関しては未解明な部分も多い．

おわりに

造血は胎児期から出生後にかけて造血の場を移動し，最終的には骨髄にて生涯にわたる生命維持に必要な血球を供給していく．また，自己複製能と多分化能をもった造血幹細胞は造血幹細胞ニッチにてさまざまな細胞との相互作用により維持され，分化・増殖している．このように造血幹細胞を取り巻く造血のメカニズムを解明していくことは，造血幹細胞移植や再生医療への応用にとってきわめて重要であると考えられる．

■文献

1) Doulatov S, et al.：Hematopoiesis：a human perspective. Cell Stem Cell 10：120-136, 2012
2) Coskun S, et al.：Establishment and regulation of the hsc niche：roles of osteoblastic and vascular compartment. Birth Defects Res C Embroy Today 90：229-242, 2010
3) Miller JL.：Hemoglobin switching and modulation：genes, cells, and signals. Curr Opin Hematol 9：87-92, 2002
4) Wilson A, et al.：Dormant and Self-Renewing Hematopoietic Stem Cells and Their Niches. Ann NY Acad Sci 1106：64-75, 2007
5) Saito Y, et al.：Understanding normal and malignant human hematopoiesis using next-generation humanized mice. Trends Immunol 41：706-720, 2020
6) Kumar S, et al.：HSC niche biology and hsc expansion ex vivo. Trends Mol Med 23：799-819, 2017
7) Pinho S, et al.：Haematopoietic stem cell activity and interactions with the niche. Nat Rev Mol Cell Biol 20：303-320, 2019

〔海老原康博〕

b. 造血因子とサイトカイン

用語の整理と分類

サイトカインとはおもに免疫系で働く(糖)蛋白の総称として使われているが，いくつかに分類される(図1)．

まず，リンパ球が出す物質がリンホカイン，単球が出すものがモノカインとよばれる．リンホカインのなかで，遺伝子が単離されたものが，インターロイキン(IL)とよばれ，順番に番号がつけられている．また，ウイルスの抑制にかかわる分子がインターフェロン(IFN)として単離され，α，β，ω，ε，κがI型，γがII型，λ(IL-28/29)がIII型とよばれる．さらに，腫瘍を壊死させるサイトカインとして発見された腫瘍壊死因子(TNF)は，αとβがあり，膜結合型として作られ，酵素により切断され遊離し，サイトカインとして働く．それ以外にも類似分子が発見され，TNFスーパーファミリーとよばれており(19種類：CD40L, FasL, APRIL, RANKLなど)，その受容体はTNFRスーパーファミリー(30種類：CD40, Fas, TACI, RANKなど)とよばれている．造血に働くサイトカインは造血因子あるいはコロニー刺激因子とよばれる(G-CSF, GM-CSF, EPO, TPO, SCF, IL-3など)．それ以外に細胞増殖因子〔トランスフォーミング増殖因子(TGF)-β，表皮増殖因子：EGFなど〕や，白血球遊走にかかわる因子であるケモカインなどに分類することができる．

サイトカイン受容体の構造によっても分類することができる(図2)．まず，1型はCC(4個の保存されたシステイン残基)とWSXWSモチーフ(W：トリプトファン，S：セリン，X：任意のアミノ酸)をもつもので(IL-2, 4, 7, 9, 15など)，2型はWSXWSモチーフがないものである(IFN受容体など)．3型は細胞外に多様なシステイン残基をもち(TNFRスーパーファミリー)，4型はIg様ドメインをもっている〔IL-1受容体ファミリー：IL-1R, IL-18R, Toll様受容体(Toll like receptor：TLR)など〕．5型は三量体G蛋白が結合する7回膜貫通型の構造をもっているケモカイン受容体である．1型，2型は細胞内シグナル伝達にJAKファミリー(JAK1, 2, 3, Tyk2)によりリン酸化され核移行する転写因子STAT(1〜6)のホモあるいはヘテロダイマーを用いている．TNFRスーパーファミリーはTRAFなどの細胞内シグナル伝達分子を用いており，カスパーゼの活性化

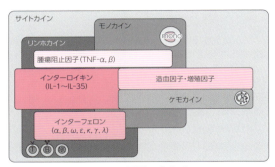

図1 ● サイトカインの用語のまとめ

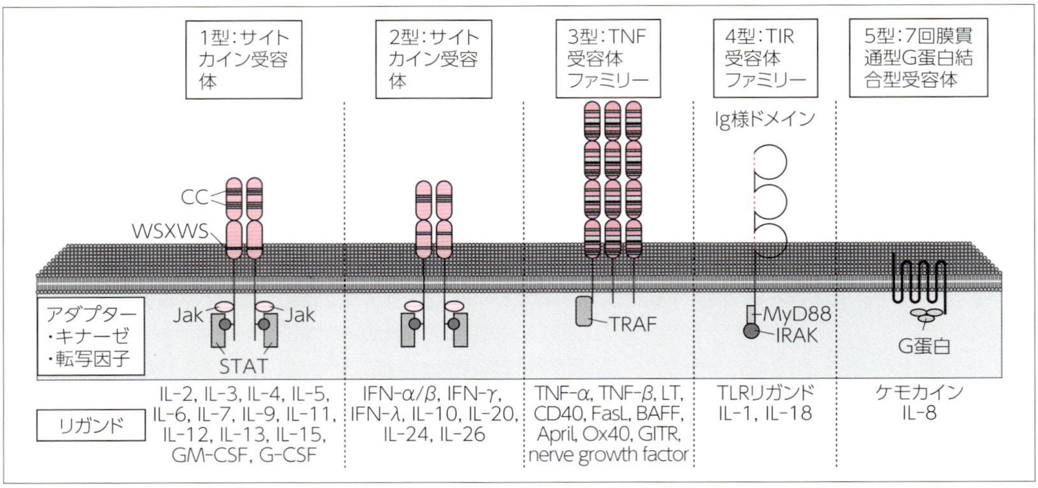

図2 ● 受容体ファミリーによるサイトカインの分類
(Murphy K, et al.(eds.)：Janeway's immunobiology. 7th ed. Garland Science, 2008 より引用，改変)

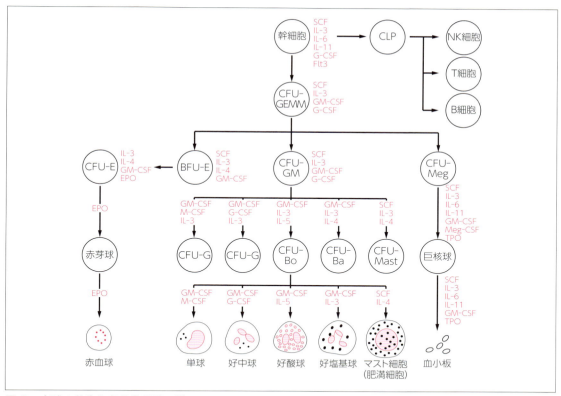

図3 ◆ 血球の分化と各分化段階で働くサイトカイン
(矢田純一:医系免疫学改訂15版. 中外医学社, 2018より引用, 改変)

によるアポトーシスの誘導や, MAPKやNFκBの活性化による細胞の活性化につながる. 4型はMyD88などのアダプターを介して, IRAKファミリーを活性化させ, MAPKやNFκBあるいはIRFファミリーを活性化させ炎症の惹起やウイルスの増殖を抑制する.

サイトカイン受容体は, ヘテロ二量体, あるいは三量体により, サイトカインとの親和性を上げたり, 細胞内にシグナルを伝えるのに使われたりしており, 共通の受容体が用いられている場合がある. 共通γ鎖(γc)はIL-2, 4, 7, 9, 15, 21に共通して使われており, gp130はIL-6, 11, 27に共通して使われている. 共通β鎖はGM-CSF受容体β鎖, IL-5Rβ鎖として使われている.

本項では, 特に造血系にかかわるサイトカインについて, その受容体と細胞内シグナル伝達, 機能などについて概説する.

各論

1 造血にかかわるサイトカイン

血液系の細胞は, 造血幹細胞から, 機能を発揮する終末分化細胞である. 赤血球, 血小板, 顆粒球(好中球, 好酸球, 好塩基球), リンパ球(T, B, NK細胞など)へと分化していくが, その分化段階に応じて, 異なる受容体が発現するため, それにあわせて異なるサイトカインが働くことになり, それにより分化が誘導される. また, 同じサイトカインでもほかのサイトカインとの組み合わせで異なる細胞への分化が誘導される(図3).

1) エリスロポエチンとトロンボポエチン

エリスロポエチン(EPO)は, 腎臓の尿細管間質細胞で産生され, 赤血球の前駆細胞であるBFU-E, CFU-E, 赤芽球のEPO受容体(EPO-R)に働き, 赤血球へと分化させる. EPO-RからはJAK2, STAT5を介してシグナル伝達が行われる. EPO製剤は, 腎性貧血および早産・低出生体重児にみられる貧血に対してわが国では保険適用が認められている. 海外では, 抗がん薬による貧血に対しても効果が認められ保険適用が承認されているが, 複数のランダム化比較試験の結果から, がん患者で死亡率の上昇がみられることが報告されている.

トロンボポエチン(thrombopoietin：TPO)は, 肝臓

などで産生され，おもに血小板の前駆細胞であるCFU-Megや巨核球のTPO受容体（c-mpl）に働き，血小板へと分化させるサイトカインであり，1994年にわが国でクローニングされた．EPO受容体と同様にJAK2，STAT5を介して，シグナル伝達が行われる．TPOの遺伝子組換え製剤（rhTPOおよびPEG-rHuMGDF）は，健常者および慢性特発性血小板減少性紫斑病（chronic idiopathic thrombocytopenic purpura：cITP），抗がん薬使用後の血小板減少症に対して臨床試験が行われ，その血小板増加作用が認められた．しかし，一部の症例で中和抗体が出現し，内因性のTPOをも阻害したことによる重篤な血小板減少が出現したために試験は中止された．そこで，TPOとアミノ酸配列の相同性がないTPO受容体作動薬が開発され，2種類の製剤（ロミプロスチムとエルトロンボパグ）が開発された．前者はペプチド鎖2本とヒトIgG1のFc領域のキメラ蛋白であり，後者は低分子化合物であり，どちらもcITPと再生不良性貧血に保険適用が認められている．

2）G-CSF，M-CSF，GM-CSF

顆粒球コロニー刺激因子（G-CSF）は，好中球系に分化する前駆細胞であるCFU-Gに働くサイトカインであり，マクロファージ，血管内皮細胞，線維芽細胞，骨髄ストローマ細胞などから産生される．その遺伝子組換え製剤は，さまざまな好中球減少症に対する治療薬として使われている．G-CSF受容体の胚細胞型変異により，重症好中球減少症の原因となることが示されている．また，体細胞型変異は，胚細胞型 *ELA2* 遺伝子変異による重症好中球減少症患者における急性骨髄性白血病患者においてみられることが報告されている．

単球コロニー刺激因子（M-CSF）は，単球系に分化する前駆細胞であるCFU-Mに働くサイトカインであり，マクロファージ，破骨細胞，血管内皮細胞，線維芽細胞などから分泌される．胎盤形成にも寄与しているとされている．M-CSF受容体（M-CSFR）は受容体型チロシンキナーゼであり，GRB2を介して，ERK-MAPKの活性化，PI3Kを介したAKTのリン酸化を通して，細胞増殖に寄与している．ヒト尿中から精製されるM-CSFを主成分とするミリモスチム製剤は，骨髄移植後，抗がん薬投与後の顆粒球減少症に対して保険適用が認められていたが，G-CSFの発売後はほとんど使用されず，原料調達困難のため，2019年に製造販売中止となった．

顆粒球マクロファージコロニー刺激因子（GM-CSF）は，骨髄球系細胞に分化する前駆細胞であるCFU-GEMM，顆粒球系，単球系に分化するCFU-GMなどに働くサイトカインである．その受容体は，α鎖（GM-CSFR）と共通β鎖からなるが，共通β鎖はIL-3，IL-5の受容体としても働いている．どちらかの異常により肺胞マクロファージの分化障害をきたすために肺胞蛋白症を呈する．GM-CSFRα鎖はX染色体とY染色体のテロメア側（Xp22.32とYp11.3）である偽常染色体領域（pseudoautosomal region：PAR）に位置するため，常染色体潜性（劣性）遺伝様の遺伝形式をとる．

2 インターフェロン（IFN）

IFNは，1954年にウイルス干渉因子としてわが国で報告され，1957年に名づけられた液性の抗ウイルス作用を示す蛋白であり，おもに白血球（好中球・マクロファージ，樹状細胞，特にpDC）から産生されるINF-αが，1980年に長田らによりクローニングされた．おもに線維芽細胞から分泌されるIFN-βや，IFN-ω，ε，κは，IFN-αと立体構造が似ており（アミノ酸配列の相同性は30％程度），同じ受容体（IFNAR1/IFNAR2）を利用しており，I型IFNとよばれる．どれも9p21.3に位置し，IFN-αは13種類（1，2，4，5，6，7，8，10，13，14，16，17，21），そのほかのIFNは1種類ずつが知られている（図4）．ちなみに，線維芽細胞から分離された抗ウイルス効果をもつIFN-β2は現在，IL-6として知られている．

IFN受容体は，JAK1/Tyk2を介し，STAT1/2のヘテロダイマーにIRF9を結合したISGF3複合体が，300以上の遺伝子（IFN-stimulated genes：ISGs）のプロモーター（IFN-stimurated response element：ISRE）に結合し，発現を誘導する（図5）．なお，COVID-19重症化症例の3.5％にこの経路の遺伝子の異常が認められ，10％にはI型IFNに対する自己抗体を認めた．さて，ISGsには次の4タイプが知られている．①細胞骨格の分解，②アポトーシスの誘導，③転写後修飾（スプライス，mRNA編集，RNAの分解），④翻訳中修飾，翻訳後修飾の制御である．STAT1ホモダイマーも同様に生成され，GAS（IFN-γ activated-site）に結合し，ISGsを誘導する．さらに，MAPK系，PI3K系も誘導することが知られている．

これらのシグナルにより，①ウイルス複製への抵抗力の誘導，②MHCクラス1の発現と抗原提示を充進，③抗原提示細胞（樹状細胞とマクロファージ）を活性化，④NK細胞を活性化（IFN-αのタイプによりその力は異なる）といった抗ウイルス作用，抗菌作用や抗腫瘍作用がある．IFN-α，IFN-βは，リコンビナント製剤も作られており，がんとウイルス感染

に対して保険適用が承認されている（**表1**）.

IFN-γは，T細胞（特にTh1細胞），NK細胞，NKT細胞，マクロファージ，樹状細胞などの免疫細胞から産生される点で，I型IFNとは異なっており，II型IFNともよばれる．IFN-γ受容体（IFNGR1/IFNGR2）に結合し，JAK1/JAK2を介して，STAT1ホモダイマーを活性化し，GASに結合し，ISGsを誘導する．IFN-γは腎癌，および慢性肉芽腫症などに対して適応が認められている．

IFN-λは，2003年に見つかった新しいIFNであり，III型IFNともよばれる．おもに粘膜上皮細胞で働き，ウイルス感染から生体を守っている．IFN-λには4種類ある（λ1：IL-29，λ2：IL-28A，λ3：IL-28B，λ4）．受容体は，IFN-λR1（IL28RA）とIL-10R2（IL-10Rβ）のヘテロダイマーとなっており，細胞内のシグナル伝達は，タイプ1IFNと同じJAK1/Tyk2-ISGF3（STAT1/STAT2/IRF9）を介したものである．

3 インターロイキン（IL）

ILはおもに白血球が産生するサイトカインで，38種類が知られている．

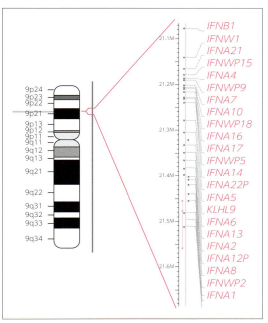

図4 ◆ インターフェロン受容体遺伝子領域9p21.3

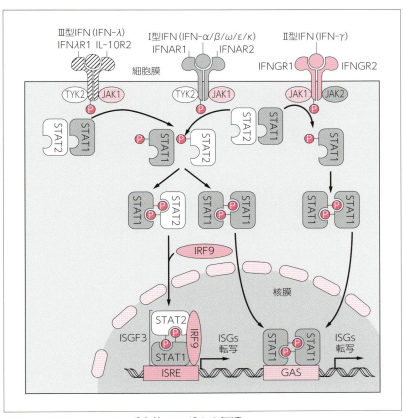

図5 ◆ インターフェロン受容体のシグナル伝達
GAS：IFN-γ-activated-site，ISGF3：IFN-stimulated gene factor 3，ISRE：IFN-stimulated response element．

表1 ◆ 市販されているサイトカイン製剤

サイトカイン名	一般名	おもな適用疾患	商品名
エリスロポエチン(EPO)	エポエチンα・エポエチンβ・ダルベポエチン アルファ・エポエチン ベータ ペゴル	腎性貧血，未熟児貧血，自己貯血患者	エスポー®・エポジン®・ネスプ®・ミルセラ®
トロンボポエチン(TPO)受容体作動薬	ロミプロスチム・エルトロンボパグ	慢性特発性血小板減少性紫斑病	ロミプレート®・レボレード®
顆粒球コロニー刺激因子(G-CSF)	フィルグラスチム・レノグラスチム・ペグフィルグラスチム・ナルトグラスチム	造血幹細胞の末梢血中への動員，造血幹細胞移植時の好中球数の増加促進，がん化学療法・HIV感染症の治療，骨髄異形成症候群・再生不良性貧血・先天性・特発性好中球減少症による好中球減少症	グラン®・ノイトロジン®・ジーラスタ®・ノイアップ® など
単球コロニー刺激因子(M-CSF)	ミリモスチム	骨髄移植後および卵巣癌，急性骨髄性白血病における顆粒球数増加促進	ロイコプロール® 2019年製造販売中止
インターフェロンα	インターフェロン アルファ・ペグインターフェロン-α-2a	腎癌，多発性骨髄腫，有毛細胞白血病，慢性骨髄性白血病，B型慢性活動性肝炎，C型慢性肝炎，亜急性硬化性全脳炎，HAM，HTLV-1脊髄症	スミフェロン®・ペガシス®
	インターフェロン アルファ-2b・ペグインターフェロン アルファ-2b	C型慢性肝炎，B型慢性活動性肝炎，腎癌，多発性骨髄腫，慢性骨髄性白血病	イントロンA®・ペグイントロン®
インターフェロンβ	インターフェロン ベータ	膠芽腫，髄芽腫，星細胞腫，皮膚悪性黒色腫，B型慢性活動性肝炎，C型慢性肝炎	フエロン®
	インターフェロン ベータ-1a・1b	多発性硬化症	アボネックス®・ベタフェロン®
インターフェロンγ	インターフェロン ガンマ-1a	腎癌，慢性肉芽腫症，菌状息肉症，Sèzary症候群	イムノマックス-γ®
インターロイキン-2(IL-2)	セルモロイキン・テセロイキン	血管肉腫，腎癌	セロイク®・イムネース®

　IL-1は最初に発見されたILであり，炎症性サイトカイン(proinflammatory cytokine)として知られる．IL-1αとIL-1βの2種類があるが，どちらも前駆体から分解されて分泌される．血球貪食症候群で高値となるIL-18や，2005年に発見され，寄生虫感染，アレルギーの病態への関与が報告されているIL-33(ST2リガンド)もIL-1ファミリーである．IL-1βは血管内皮細胞，線維芽細胞などからのIL-6産生を導き，IL-6は肝細胞に働いて，感染防御に役立つCRP，血清アミロイドA，などの急性期反応物質(acute phase reactant：APR)を放出させる．また，アストロサイトからプロスタグランジンE_2を放出し，視床下部の体温中枢に働いて発熱につながる．

　IL-2，4，7，9，15，21は，前述したように，共通γ鎖を用いているサイトカインであり，T細胞(IL-7)，NK細胞(IL-15)への分化，T細胞の活性化(IL-2，9)，B細胞のクラススイッチ(IL-4，21)，形質細胞への分化(IL-9)に重要なサイトカインである．IL-2は血管肉腫や腎癌への適応が認められており，少量で用いることにより制御性T細胞を誘導し，移植片対宿主病(GVHD)に対する効果があるとされている．

　IL-3は活性化T細胞，マクロファージ，マスト細胞，表皮細胞などから産生され，多能性造血幹細胞の増殖維持がその主たる働きであり(図3)，造血幹細胞を用いた遺伝子治療の際にも，その遺伝子導入時に用いられる(ほかにSCF，FLT3L，TPOが併用される)．IL-3受容体はα鎖(CD123)と共通β鎖(CD131，GM-CSFR，IL5Rと共通)からなり，JAK2/STAT5経路，あるいは，PI3K/AKT経路，Ras/MAPK経路を介してシグナルが伝わる．

　IL-5は，活性化T細胞，自然リンパ球(innate lymphoid cell：ILC)2型，マスト細胞などが産生し，B細胞増殖・分化を促進したり，ナイーブからエフェクターT細胞へと分化させるサイトカインである．好酸球増殖，分化，活性化にもかかわる．IL-5Rα鎖

にJAK2が，β鎖にJAK1が結合して，STAT5の活性化をもたらす．fyn, lyn, BTK, PI3K, Rasなどのシグナルも介する．

IL-8はケモカインであり，別名CXCL8とよばれる．その受容体はCXCR1，CXCR2であり，7回膜貫通型G蛋白結合型受容体である．

IL-10は抑制性サイトカインとして知られ，Th2およびCD4陽性CD25陽性foxp3陽性制御性T細胞などが分泌することで知られている．

その他のILについては，誌面の関係上，成書に譲ることとする[1]〜[3]．

■ 文献
1) 矢田純一：医系免疫学改訂15版．中外医学社，2018
2) Murphy k, et al.(eds.)：Janeway's immunobiology. 7th ed. Garland Science, 2008
3) 菅村和夫，他（編）：サイトカイン・増殖因子用語ライブラリー．羊土社，2005

（今井耕輔）

c. ES細胞，iPS細胞

幹細胞の定義と分類

幹細胞は多分化能（さまざまな細胞へ分化する能力）と自己複製能（多分化能を保持したまま分裂して同等の細胞を生み出す能力）を兼ね備えた細胞と定義される．この細胞は種々の組織や臓器を構成する細胞を供給し，その組織・臓器の発生・修復・維持をつかさどり，近年大きく注目される再生医療の細胞源として期待されている．幹細胞は体性幹細胞と多能性幹細胞の2種類に大別される．

体性幹細胞は体内に存在する幹細胞であり，特定の組織・臓器を構成する細胞のみへの分化能を有する．現在，最も臨床応用が進んでいる代表的な再生医療が造血細胞移植であるが，ほかにも神経・肝臓・心臓・皮膚・毛などの幹細胞が同定され，再生医療への応用が試みられている．

一方，多能性幹細胞とは，一定の培養条件下で未分化状態を保持しながら無限に近い自己複製能を有し，かつ生殖細胞系列を含む体内のあらゆる種類の細胞への分化能（多能性）を有する細胞である．代表的な多能性幹細胞として胚性幹細胞（embryonic stem cell：ES細胞）と人工多能性幹細胞（induced pluripotent stem cell：iPS細胞）がある．

ES細胞

ES細胞は，マウスでは受精から約3日後，ヒトでは約7日後に形成される胚盤胞の内部細胞塊（inner cell mass：ICM）より作成され，1981年にマウスES細胞，1998年にヒトES細胞が樹立された．ES細胞は培養条件を変化させると初期発生過程を模倣して外胚葉（神経細胞，表皮細胞など），中胚葉（心筋細胞，血液細胞，血管内皮細胞など），内胚葉（肝細胞，膵島細胞など）由来の体内のあらゆる細胞に分化することが可能なため，マウスES細胞は発生学のよい研究ツールとなった（図1）[1]．

特に，胚盤胞への移植によりES細胞に由来する細胞が組織内にモザイク状に取り込まれたキメラマウスのうち，ES細胞由来の生殖細胞を有するマウスを交配すれば遺伝子改変マウスを作成することが可能であり，生物学の進展に大きく貢献している．

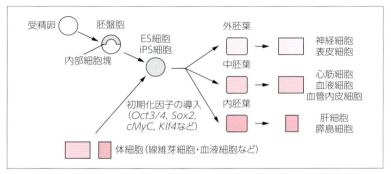

図1 ◆ ES細胞，iPS細胞の樹立とさまざまな組織・臓器への分化
(Keller G：Embryonic stem cell differentiation：emergence of a new era in biology and medicine. Genes Dev 19：1129-1155, 2005)

さらに，ヒトES細胞は基礎研究のツールだけではなく，その増殖能や分化能を活かした再生医療の細胞源として急速に注目されるようになった．ただし，ヒトES細胞を再生医療へ使用することを想定した場合，樹立の際にヒト胚を使用する倫理的制限や，一般にES細胞は他人に由来するため，同種移植に伴う拒絶が大きな問題となる．

iPS細胞

山中らのグループは，線維芽細胞にレトロウイルスを用いて $Oct3/4$, $Sox2$, c-Myc, $Klf4$ などの初期化に関与する遺伝子を導入することにより，ES細胞と同等の多分化能および自己複製能を有する細胞の作成に成功した．この細胞はiPS細胞とよばれ，2006年にはマウス，2007年にはヒトからの樹立が報告された．その後，センダイウイルス（Sendai virus）やエピソーマルベクター，合成RNAなどを用いたゲノムに変異が導入されないiPS細胞の樹立法が開発され，血液細胞など他の体細胞からの樹立も可能となった．

ES細胞とは異なり，iPS細胞ではヒト胚を用いずに作成するため，倫理的制限が少ない．また，自己の体細胞から樹立したiPS細胞由来の分化細胞を用いる場合は自家移植となるため，免疫拒絶のリスクが低いというメリットがある．実際，自家iPS細胞から分化誘導した不死化した巨核球細胞株から大量に産生された血小板製剤を輸血する臨床試験も実施済みであり，今後の輸血医療における貢献も期待される．また，免疫拒絶反応を回避するためにHLAホモ接合体の健常ドナーからiPS細胞をあらかじめ作成し，保存しておくプロジェクトも進行中である[2]．

疾患をもつ患者由来のiPS細胞（疾患特異的iPS細胞）を樹立し，その病因となっている成熟細胞または前駆細胞・幹細胞へ分化させることにより，さまざまな疾患の研究に対する貢献が期待されている[3]．特に，成体から得ることがきわめて困難な細胞（神経細胞や心筋細胞）や，胎児期に一過性に存在する細胞（神経堤細胞）が病因に関連している疾患では，疾患特異的iPS細胞からこれらの細胞を大量に分化させて用いることにより，急速に解析が進むことが期待される．血液疾患ではFanconi貧血の疾患特異的iPS細胞が最初に報告されたが，その後，さまざまな血液疾患（βサラセミア，鎌状赤血球症，Diamond-Blackfan貧血，Schwachman-Diamond症候群，先天性好中球減少症），血液悪性疾患（慢性骨髄性白血病，若年性骨髄単球性白血病，一過性骨髄異常増殖症），免疫不全症（X連鎖重症複合型免疫不全症，慢性肉芽腫症，Chédiak-Higashi症候群），自己炎症性疾患（CINCA症候群）などの患者由来のiPS細胞が樹立された．疾患特異的iPS細胞を用いた研究では，疾患に関連した個々の表現型をより忠実に再現できるため，①分化細胞の表現型や生物学的特性の解析による病態解明，②大量に分化・純化した分化細胞を用いた創薬スクリーニングや毒性スクリーニング，③疾患特異的ES細胞の異常遺伝子を修復したあとに分化誘導した特定の組織・臓器幹細胞（または前駆細胞）を患者本人に移植する遺伝子修復治療などへの応用が可能となる[2]．

ES細胞，iPS細胞からの血球分化

造血発生の最初のステップは多能性幹細胞から側板中胚葉への分化誘導である．ヒトでは胎生4週頃より，卵黄嚢の胚外中胚葉内の血島から，主として胚型ヘモグロビンを発現する有核赤血球が最初の血液細胞として出現する（一次造血）．続いて，傍大動脈臓側中胚葉領域において，血液細胞と血管内皮細胞の共通の前駆細胞であるヘマンジオブラストから，胎児型ヘモグロビンを発現し成熟過程で脱核する無核赤血球や骨髄系・リンパ系細胞が発生する（二次造血）．さらに胎生5週頃より，大動脈-生殖腺-中腎（AGM）領域において，大動脈腹側の特定の血管内皮から造血幹細胞が発生する．

ES細胞，iPS細胞の分化誘導には，おもに二次元培養（ストローマ細胞との共培養やマトリゲルなどの人工基底膜マトリクス上での培養）や三次元培養（初期胚と類似の構造をもつ胚葉体を形成させてから分化誘導する培養）が用いられるが，いずれの方法でも培養条件を変化させることにより造血発生過程を模倣して〔側板中胚葉系細胞→ヘマンジオブラスト→一次造血→二次造血〕という順番で血液細胞を分化誘導することが可能である（図2）[1]．

長期骨髄再構築能を有する造血幹細胞の作成は非常に困難であり，野生株ES細胞，iPS細胞を用いた分化誘導法では実現化できていない．マウスES細胞では，ホメオボックス遺伝子 $HOXB4$ や中胚葉誘導能をもつ転写因子 cdx-4 の遺伝子導入により，造血幹細胞の分化誘導に成功している[4]．しかし，同じ手法を用いてもヒトES細胞，iPS細胞からの造血幹細胞は分化誘導できないため，今後の大きな研究課題と考えられる．

1. 造血発生

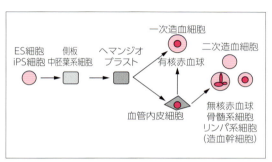

図2 ◆ ES細胞，iPS細胞から血液細胞への分化
(Keller G : Embryonic stem cell differentiation : emergence of a new era in biology and medicine. Genes Dev 19 : 1129-1155, 2005)

■ 文献
1) Keller G : Embryonic stem cell differentiation : emergence of a new era in biology and medicine. Genes Dev 19 : 1129-1155, 2005
2) Karagiannis P, et al. : Induced pluripotent stem cells and their use in human models of disease and development. Physiol Rev 99 : 79-114, 2019
3) Yamanaka S : Strategies and new developments in the generation of patient-specific pluripotent stem cells. Cell Stem Cell 1 : 39-49, 2007
4) Wang Y, et al. : Embryonic stem-cell derived hematopoietic stem cells. Proc Natl Acad Sci USA 102 : 19081-19086, 2005

（梅田雄嗣）

d. 造血と栄養：鉄・ビタミンなど

栄養と造血は密接にかかわっている．鉄は酸素と容易に結合する性質を活かして生命維持に大切な役割を担い，ビタミン B_{12}（VB_{12}）と葉酸はDNA合成に重要である．欠乏するといずれも造血障害をきたす．

鉄代謝

鉄は体内に総量3～4g含まれ，その約2/3がヘモグロビン中にあって酸素運搬を担っている．鉄はエネルギー産生，薬物代謝，酸化還元反応，細胞増殖などにも必須である．鉄を含む分子には，ミオグロビン，ミトコンドリアの電子伝達系シトクロム，肝の薬物代謝に働くシトクロムP450など多数が知られており，認知機能に重要である．

摂取された鉄イオンは，二価金属輸送体（divalent metal transporter 1：DMT1）を介して十二指腸の上皮細胞に取り込まれる（図1）．また，肉に含まれるヘムは，腸上皮細胞内でヘムオキシゲナーゼに分解されて鉄を放出する．上皮細胞から血液中に排出された鉄は，トランスフェリン（transferrin：Tf）と強く結合して体内に運ばれる．鉄・Tf複合体は，細胞膜のTf受容体1と結合して細胞内に取り込まれる．エンドソームの酸性下で細胞質に放出された鉄は，赤芽球のミトコンドリアでヘム合成に利用される．

鉄はうまくリサイクルされ，体内で使われる鉄の

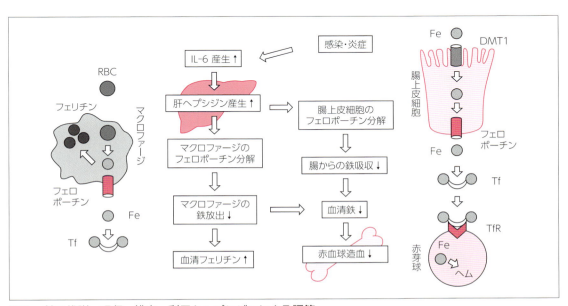

図1 ◆ 鉄の代謝―吸収・排出・利用とヘプシジンによる調節
Fe：鉄，DMT：二価金属輸送体，Tf：トランスフェリン，TfR：トランスフェリン受容体．

多くは，老化して処理された赤血球に由来する．赤血球由来の鉄が，マクロファージから血液中に1日20〜30 mg排出されるのに対し，腸管から新たに吸収される鉄は，1日1〜2 mgに過ぎない．重要なことに，生体には鉄を特異的に排泄する機構は備わっていない．月経を除くと上皮の剥離とともに1日1〜2 mgの鉄が失われる．

遊離鉄は毒性の強いフリーラジカルを産生して細胞を傷害する．必要なときに再利用されるまで，遊離鉄はマクロファージや肝実質のフェリチンに格納される．フェリチンは鉄の量に応じて調節され，鉄が過剰になると増加する．さらに鉄過剰になると，一部はヘモジデリンに変化する．

鉄代謝の主役は，肝由来のヘプシジンである．ヘプシジンは，腸上皮細胞とマクロファージの膜に存在するフェロポーチンという鉄排出ポンプと結合すると，リソソームによるフェロポーチンの分解を促進する．感染や炎症に際して増加するIL-6は，ヘプシジン産生を促す．ヘプシジン濃度が高まるとフェロポーチンが低下し，造血に再利用される鉄の排出は減少する．また，マクロファージ内のフェリチンへの鉄貯蔵は増え，血清フェリチン値も上昇する（図1）．

鉄欠乏性貧血

鉄代謝異常で圧倒的に多いのは，鉄欠乏性貧血である．成長に伴って鉄需要が増大する乳児期後半と，月経による喪失が加わる思春期女子に多い．血清の鉄とフェリチンの両者が低下していれば確定診断できる．貧血症状に加えて，匙状爪・舌炎・嚥下障害などが知られている．

無Tf血症では，鉄を赤芽球まで運べないのでヘム合成が障害され，小球性貧血を示す．遊離鉄が増加して臓器内に鉄が沈着する．また，*TMPRSS6*変異によって，マトリプターゼ2の機能が低下すると，ヘプシジンの発現が増加し，赤芽球造血系への鉄の供給が減少して鉄剤不応性鉄欠乏性貧血となる．

鉄過剰症

わが国の赤血球製剤1単位には約100 mgの鉄が含まれる．輸血された鉄は，出血によって喪失しなければ体内にとどまり，反復輸血は鉄過剰を招く．鉄格納能力を超えた遊離鉄は細胞を傷害する．

遺伝性ヘモクロマトーシスは，アジアではまれである．ヘプシジン遺伝子や，ヘプシジン発現を調節する*HFE*・Tf受容体2・ヘモジュベリン遺伝子，鉄を排出するフェロポーチン遺伝子に変異があると，ヘプシジンによる鉄代謝調節が障害され，腸からの鉄吸収が亢進して鉄過剰になる．*HFE*のC282Y変異は白人に多く，米国白人の10％にみられる．鉄は肝・心臓・甲状腺・副腎などに沈着しやすい．治療は瀉血と鉄キレート療法である．

ビタミンB_{12}と葉酸の代謝

動物性食品に含まれるビタミンB_{12}は，胃壁細胞から分泌される内因子と十二指腸で結合し，回腸末端でキュビリンなどの受容体複合体を介して吸収される．血中ビタミンB_{12}は，トランスコバラミンと結合して輸送され，肝に貯蔵される．小腸上部から吸収された葉酸は，腸上皮細胞内でメチルテトラヒドロ葉酸（5-methyltetrahydrofolate：N^5-メチルTHF）に変換されて血中に入り，おもに肝に貯えられる．

ビタミンB_{12}は，メチオニン合成酵素の補酵素であり，N^5-メチルTHFが，ホモシステインにメチル基を移すのを助ける．メチオニン生成とともに活性葉酸THFに変わる．THFはプリンおよびピリミジンの合成経路において補酵素として働く．またビタミンB_{12}は，脂肪酸酸化過程でメチルマロニルCoA（methylmalonyl coenzyme A）からスクシニルCoA（succinyl coenzyme A）への変換に補酵素として働く．このスクシニルCoAは，クエン酸回路につながる．

巨赤芽球性貧血

ビタミンB_{12}欠乏は，内因子が欠乏する胃切除後，吸収部位である回腸末端の切除・短絡，亜酸化窒素が原因となる．先天性疾患には内因子欠乏症，トランスコバラミン欠乏症，回腸受容体複合体分子の変異したImerslund-Gräsbeck症候群が知られている．葉酸は加熱によって分解されやすく，妊娠・成長期の需要増大に伴って不足することがある．極端な偏食，メトトレキサートなどの葉酸拮抗薬，炎症性腸疾患が原因となる．ビタミンB_{12}・葉酸が不足するとDNA合成は障害され，未熟な核と不均衡に成熟した細胞質をもつ巨赤芽球が現れる．造血早期に細胞が崩壊する無効造血が生じ，大球性貧血となる．好中球過分葉，LDH高値もみられる．血中メチルマロン酸がビタミンB_{12}欠乏症で，血中ホモシスチンがビタミンB_{12}・葉酸欠乏症で上昇する．血清ビタミンB_{12}・葉酸の低下によって確定診断される．ビタミンB_{12}の欠乏では舌炎や神経症状も呈する．

その他の栄養素と造血

　銅は電子伝達系のシトクロムオキシダーゼに必須である．銅が欠乏するとATP産生は障害され，貧血と好中球減少・赤芽球の空胞・末梢神経障害が現れる．診断には血清銅を調べる．鉛中毒ではヘム合成が障害されるので，余剰の鉄がミトコンドリア内に蓄積し，小球性の鉄芽球性貧血をきたす．赤血球中の鉛とプロトポルフィリンが高値となる．

■ 参考文献

・Carmel R, et al.：Megaloblastic anemia. In：Orkin SH, et al.(eds.), Nathan and Oski's Hematology and Oncology of Infancy and Childhood. 8th ed, Elsevier, 308-343, 2015
・Fleming MD, et al.：Disorders of iron and copper Metabolism, the sideroblastic anemias, and lead toxicity. In：Orkin SH, et al.(eds.), Nathan and Oski's Hematology and Oncology of Infancy and Childhood. 8th ed, Elsevier, 344-381, 2015
・Pasricha SR, et al.：Iron deficiency. Lancet 397：233-248, 2021

〈石黒　精〉

第1章 血液・造血器総論

2 血球の形態・機能

a. 赤血球

赤血球は，肺で酸素を取り込み体内各組織の細胞に運搬する役割をもつ血液細胞である．また二酸化炭素を運搬し，その肺からの排出も行っている．このヒトの生体にとって不可欠な機能を果たすため，赤血球は特有の形態や構造を有している．

赤血球の形態

赤血球は，直径 $7～8\,\mu m$，厚さが $2\,\mu m$ 程度で，その生理的な機能を果たすのに適した，中央が両凹面となった円盤状の形態を有している．この形態をとることにより，同じ体積の球に比べて表面積が30～40％増加し体積に対する表面積の比が最大となるため，効率的なガス交換が可能となる．また，赤血球は末梢の微小な血管を通過する際，延ばされたり折りたたまれたりと非常に高い変形能を示すが，中央が凹んだ円盤状であると，ずり応力に対して細胞膜にかかる力が少なくなり，細胞膜が破綻することなく変形することができると考えられている．赤血球は微小血管を通過する際，両凹面を血流の方向に向けて，先進部が尖った，横からみるとパラシュートや魚雷のような形となっている．このように変形することで，赤血球はその直径より狭いおよそ $4\,\mu m$ 径の血管を通ることができる．

赤血球の構造・機能

1 赤血球の機能と細胞内構造

赤血球は最も重要な機能である酸素の運搬を行うため，ほかの体細胞にはない構造的な特徴をもっている．

赤血球は，成熟する最終段階で，核，ミトコンドリア，リボソームといった細胞内小器官を失う．そのため，赤血球は蛋白合成ができず，ミトコンドリアにおける酸素消費を伴うエネルギー生成，細胞分裂を行わない．細胞質蛋白の95％以上が酸素を運搬する蛋白であるヘモグロビン（Hb）である．ほかの細胞質内蛋白として，アデノシン三リン酸（ATP）を用いた陽イオンの輸送に必要なエネルギー生成や，Hbを還元状態に維持するための酵素類が存在する．

赤血球は，酸素を消費してエネルギー生成を行うミトコンドリアがないため，エネルギーは嫌気性解糖系でグルコースの90％を分解してATPを産出することで得ている．残りの10％のグルコースは，ペントースリン酸回路（pentose phosphate pathway：PPP）で消費され，還元ニコチンアミドアデニンジヌクレオチドリン酸（reduced nicotinamide adenine dinucleotide phosphate：NADPH）が合成される．このNADPHによりHbが酸化されることを防ぎ，還元型を維持する．

Hbは，ポルフィリン環に鉄原子をもつ色素であるヘムと蛋白質であるグロビンからなる複合蛋白質である．成人のHbはそれぞれ2つの α サブユニットと β サブユニットからなる四量体である．ヘムの鉄原子に酸素が可逆的に結合し，肺から全身の組織へ酸素を運搬する．酸素分圧が高く二酸化炭素が少ない肺では，Hbの酸素飽和度はほぼ100％である．一方，酸素分圧が低く二酸化炭素分圧が高い組織では，細胞膜を通して二酸化炭素が細胞質内に取り込まれ，赤血球内で二酸化炭素と水が炭酸脱水素酵素（carbonic anhydrase：CA）により重炭酸イオンと水素イオンとなりpHが低下する．この状態では酸素とHbの親和性が低下し，酸素がHbから遊離して，細胞膜を通過し組織の細胞に酸素が供給される（Bohr効果）．

2 赤血球細胞膜

赤血球細胞膜は，リン脂質が配列し二重構造を形成する脂質二重層で構成されている．脂質二重層では，リン脂質が疎水性の尾部で疎水結合を形成し，頭部を外側に向けて配列することで膜を形成する．この細胞膜を，細胞骨格蛋白が裏打ちし支持している．膜を構成する脂質二重層には，細胞骨格蛋白と結合する膜貫通蛋白や，細胞内外のイオンや分子の交換を行うポンプやチャネル，情報伝達や他の細胞との接着に関与する蛋白や糖鎖が存在する．脂質二重層は粘性のある2次元の液状構造と考えることができ，膜に存在する分子は脂質二重層上を移動することができる．

赤血球細胞膜に存在する膜貫通型蛋白で最も多いのが、グリコフォリン A(glycophorin A：GPA)とアニオン(陰イオン)チャネル(AE1)である．GPAの赤血球における機能的重要性は明らかになっていないが，細胞外の糖鎖にシアル酸があり陰性荷電しているので，これにより他の細胞や血管に接着することなく，循環できると考えられている．GPAの細胞質側は細胞膜骨格に結合していることがわかっている．AE1は$Cl^-HCO_3^-$交換を行っていると考えられる．AE1は細胞骨格蛋白であるアンキリン(ankyrin)と結合しており，また一酸化窒素(NO)と結合し，その赤血球細胞膜の通過を促進するといわれている．

赤血球細胞膜の細胞骨格蛋白で最も豊富に存在するのがスペクトリン-アクチン複合体である．スペクトリン(spectrin)は長い棒状の蛋白であり，αアクチンとβアクチンで四量体となる．これがアクチンなどとともに2次元の網目状構造を形成する．この細胞膜骨格はGPAやAE1といった膜貫通型蛋白と血洞を形成し，細胞膜を裏打ちする．このスペクトリンによる細胞膜骨格により，赤血球は循環する際に受けるずり応力に対して，膜の統合性を保つことができる．

病態と赤血球の形態異常

1 造血に必要な栄養素の欠乏

1) 鉄欠乏性貧血

鉄はヘモグロビンを構成する不可欠な成分であり，鉄が欠乏すると血色素を生合成できなくなり貧血となる．鉄の摂取不足，消化管出血や月経過多等が鉄不足の原因となる．鉄欠乏性貧血では，赤血球が小さくなりヘモグロビン量が低下するため，低色素性低色素性貧血となる．

2) 巨赤芽球性貧血

葉酸，ビタミンB_{12}はDNA合成に必要であり，これらが不足すると細胞のDNA合成が阻害される．DNA合成が阻害されると，赤芽球は細胞分裂できないまま細胞が増大し，正常な赤血球に分化できず，無効造血となるため，大球性貧血となる．赤血球の大小不同，変形赤血球が認められ，Howell-Jolly小体が出現する．

2 赤血球細胞膜の異常

遺伝性球状赤血球症(hereditary spherocytosis：HS)では，アンキリンなど細胞骨格を構成する蛋白の異常により，スペクトリンを中心とする細胞骨格と脂質二重層の結合が阻害されると，赤血球が両凹面の形態を保てなくなり，体積に対する表面積の比が低下し球状となる．その結果，赤血球は浸透圧の変化に対し脆弱となり容易に溶血するようになって，溶血性貧血を起こす．末梢血塗抹標本で中央を含めて均一に染色される球状赤血球が認められ，網状赤血球が増加する．

3 異常ヘモグロビン症

1) サラセミア

サラセミアは，東南アジア，中東，地中海地域に多い遺伝性貧血である．成人型ヘモグロビンAはα，βの2つのグロビン鎖から構成されるが，グロビンをコードする遺伝子の異常によりグロビン鎖の生成に不均衡が生じることがサラセミアの原因である．小球性低色素性貧血が認められ，末梢血塗抹標本では同心円状の縞模様がみられる標的細胞が認められ，涙滴細胞もみられる．

2) 鎌状赤血球症

鎌状赤血球症は，ほぼ黒人に限って発症する遺伝性溶血性貧血である．異常ヘモグロビンであるヘモグロビンSをもつため貧血となるが，ヘモグロビンSヘテロ接合体では貧血はなく，ホモ接合体で貧血を発症する．ヘモグロビンSはβグロビン遺伝子の6番目のコドンであるバリンがグルタミン酸に置換された異常ヘモグロビンであるが，これにより脱酸素化状態で重合するようになる．この重合体が棒状となって赤血球は鎌状の形態となり，変形能が著明に減少する．その結果，赤血球膜の構造・機能が変化し，血管内皮に付着しやすくなり血管閉塞を起こす．

4 解糖系酵素異常症

ピルビン酸キナーゼ欠損症は，常染色体潜性(劣性)(autosomal recessive：AR)の遺伝性溶血性貧血である．ピルビン酸キナーゼは解糖系の酵素なので，その欠損によりATPの産生が低下し，能動輸送が阻害され，カリウムが細胞外へ流出し，赤血球は変形し溶血をきたす．末梢血塗抹標本ではウニ状赤血球がみられる．

5 先天性骨髄不全症候群

1) Shwachman-Diamond 症候群

Shwachman-Diamond 症候群など先天性骨髄不全症候群では，平均赤血球容積(MCV)が高くなり，大球性になることが多い．

2) congenital dyserythropoietic anemia

CDA(congenital dyserythropoietic anemia)は，先天的に赤血球系細胞に形態異常があり，慢性の不応性貧血，無効造血，続発性ヘモクロマトーシスを伴う疾患群である．I型からIII型に分類されているが，

基本的に大球性であり，赤血球の大小不同，奇形，好塩基性斑点がみられる．

6 機械的原因による溶血性貧血

溶血性尿毒症症候群（hemolytic-uremic syndrome：HUS），血栓性血小板減少性紫斑病（thrombotic thrombocytopenic purpura：TTP），播種性血管内凝固症候群（disseminated intravascular coagulation syndrome：DIC），がんの骨髄転移等では，狭小化した血管を赤血球が通過する際に物理的な力で断片化され，破砕赤血球が出現する．破砕赤血球は正常の赤血球より小型で，三角形やヘルメット型など多彩な形態をとる．

7 髄外造血

髄外造血，がんの骨髄転移では，涙滴赤血球（tear drop poikilocyte）が認められる．

■ 参考文献
- 浅野茂隆，他（監）：三輪血液病学．第3版，文光堂，2006
- 三輪史朗，他（編）：血液細胞アトラス．第5版，文光堂，2004
- Means RT Jr, et al.：Wintrobe's Clinical Hematology. 13th ed, LWW, 2013
- Orkin SH, et al.：Nathan and Oski's Hematology of Infancy and Childhood. 7th ed, Saunders, 2008

（渡邉健一郎）

b. 白血球

定義・概念

白血球はMay-Grünwald-Giemsa染色あるいはWright染色による形態学的特徴から次のように分類される．

1 顆粒球

顆粒球には，好中球，好酸球，好塩基球があり，末梢血ではそれぞれ棒状の核をもつ桿状核球と2〜5核に分葉した分葉核球がみられる．

1）好中球（図1A，B）

細胞径は12〜15 μmで，細胞質が淡桃色で中性色素に染色される殺菌性特殊顆粒を有する．一次顆粒にはミエロペルオキシダーゼやエラスターゼが，二次顆粒にはラクトフェリンが，三次顆粒にはゼラチナーゼ，リゾチームが含まれる．骨髄中に存在する造血幹細胞に由来し，分化成熟後，桿状核好中球，分葉核好中球となる．好中球は末梢血を循環するだけでなく（循環プール），血管壁，脾臓，肝臓などに辺縁プール，骨髄に骨髄プールが存在している．正常な組織には存在せず，末梢組織に細菌感染などによる侵襲があると数時間以内にこれらのプールから動員される．末梢血にとどまるのは約1日，組織では数日以内とされ，寿命が短い．

好中球はTh17細胞によって分泌されるインターロイキン（interleukin：IL）-17や，感染部位に存在するマクロファージによって分泌されるサイトカインとケモカインにより，感染巣に遊走する．到達した好中球はToll様受容体やレクチンなどのパターン認識受容体で細菌を捉えて貪食するが，肺炎球菌などの一部の莢膜多糖体をもつ細菌についてはIgGクラスの抗体結合によるオプソニン化が必要である．

ファゴサイトーシス（貪食作用）によって細胞質内に形成された食胞内ではさまざまな抗菌物質が産生され，病原体を死滅させる．抗菌物質で重要なものとしてスーパーオキシド（O_2^-）をはじめとする活性酸素がある．これらは呼吸バーストとよばれる現象により，NADPHオキシダーゼにより生成される．また食胞とリソソームが融合し，リゾチーム，蛋白分解酵素，デフェンシンやラクトフェリンなどの殺菌物質が放出され病原体は殺菌される．そのほかの特有な機能として好中球細胞外トラップ（neutrophil extracellular traps：NETs）がある．NETsはDNAやヒストン，好中球エラスターゼなどの細胞内抗菌蛋白を含む網目状構造物で，崩壊した好中球から放出され，物理的に病原体を捕獲し，破壊する．

2）好酸球（図1C）

細胞直径は13〜18 μmで，細胞質にはエオジン親和性の橙黄色に染まる均質・粗大な顆粒をもつ．核は2〜3分葉したものが多い．骨髄で産生，末梢血に放出され，血管から組織に遊出される．寄生虫感染，アレルギー疾患などによる組織の炎症あるいは免疫反応により，その産生は亢進される．末梢組織ではおもに消化管，肺，皮膚に分布し，サイトカイン，ケモカインを産生する．組織における浸潤として喘息や鼻炎などのアレルギー疾患に強く関与している．顆粒内には好酸球ペルオキシダーゼ，主要塩基性蛋白，好酸球陽イオン蛋白などを含んでいる．

3）好塩基球（図1D）

細胞直径は13〜18 μmで，細胞質には異染性（メタクロマジー）により青紫色に染まる巨大顆粒（好塩基性顆粒）をもつ．核は分葉のものが多いが，輪郭が不明瞭である．粗大な好塩基性顆粒が核のうえにも

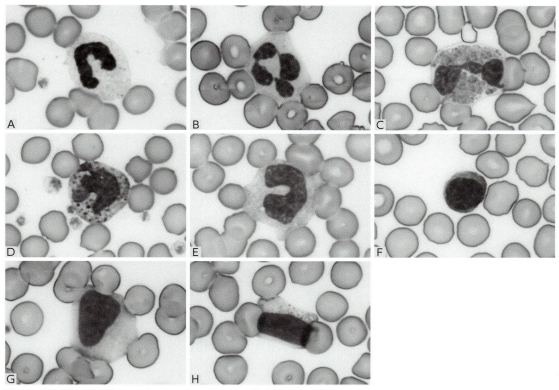

図1 ◆ 白血球の形態（May-Grünwald-Giemsa 染色）
A：桿状核好中球，B：分葉核好中球，C：好酸球，D：好塩基球，E：単球，F：小リンパ球，G：大リンパ球，H：大顆粒リンパ球．
（口絵1　p.ii 参照）

存在する．さまざまな炎症反応にかかわっており，特にアレルギー反応を起こすのに重要な役割を果たしている．細胞表面にはIgEのFc部位に結合する受容体，FcεRIがあり，IgEの結合した抗原に反応し，顆粒を放出する．顆粒にはヒスタミン，ヘパリン，ヒアルロン酸などアレルギー惹起物質が豊富である．

2　単球（図1E）

大型で細胞径は15～20 μmである．核は円形，腎臓形，馬蹄形など不規則で，核網は微細である．細胞質に微細なアズール顆粒があり，空胞がみられることもある．

好中球同様，IgGや補体によりオプソニン化された病原体や異物などを貪食する．Fcγ受容体（IgGのFc部位に対する受容体）を介して，抗体依存性細胞傷害の機能も有する．抗原を取り込んだ単球はマクロファージあるいは骨髄系樹状細胞に成熟し，抗原提示細胞として抗原特異的なT細胞免疫応答を開始させる．各種のサイトカインを分泌し，炎症の中心的役割を担っている．組織でのマクロファージはそれぞれ固有の名称をもつ．肝臓のKupffer細胞，骨の破骨細胞，中枢神経系の小膠細胞，肺の肺胞マクロファージなどがある．

3　リンパ球（図1F～H）

細胞径が6～9 μmの小リンパ球，10～15 μmの大リンパ球がある．小リンパ球は核クロマチンが豊富で青紫色を呈し，卵形あるいは腎臓形で細胞の90％を占める．細胞質は塩基性となる．大リンパ球の核クロマチンは濃染されず，細胞質は広くてアズール顆粒が認められることがある．

1）B細胞

造血幹細胞から多能性前駆細胞を経てプロB細胞へ分化する．免疫グロブリン遺伝子の再構成を行いながらプレB細胞を経て，細胞表面に完全なIgM分子をB細胞受容体（BCR）として発現する未熟B細胞となる．BCRの特異性に基づき，自己抗原に強く反応する未熟B細胞は排除される．続いてIgDが生成され，細胞表面にIgMとIgDを発現する成熟B細胞となる．

骨髄での初期の成熟過程を終えると，非自己抗原に遭遇していない成熟B細胞（ナイーブB細胞）は二次リンパ組織に移動する．二次リンパ組織では異なる供給源からの抗原が流入しており，脾臓では血液

由来の抗原が，リンパ節では輸入リンパ管系の抗原が捕捉されている．ナイーブB細胞はT細胞の存在下，濾胞樹状細胞により抗原提示を受け活性化する．活性化B細胞は増殖し，濾胞内に胚中心を形成する．この間に免疫グロブリン遺伝子に体細胞高頻突然変異や，ほかの免疫グロブリン産生細胞へクラススイッチが生じる．最終的にB細胞は形質細胞（プラズマ細胞）か，記憶B細胞（メモリーB細胞）となり，胚中心を離れる．形質細胞は骨髄にホーミングし，少なくとも数週間，大量の抗体を分泌する．記憶B細胞は抗体を分泌しないが，再び抗原にばく露すると迅速に活性化する．

2）T細胞

T細胞は，骨髄で産生された前駆細胞が胸腺を経て分化成熟する．胸腺へ移入した前駆細胞はCD4$^-$CD8$^-$胸腺細胞（ダブルネガティブ胸腺細胞）で，まず$\alpha\beta$T細胞系か$\gamma\delta$T細胞系に分化するか決定される．$\gamma\delta$T細胞系の細胞は胸腺分化の過程を経ず，この段階で胸腺を去る．$\alpha\beta$T細胞系の細胞は，次にT細胞受容体遺伝子の再構成が起こり，CD4$^+$CD8$^+$胸腺細胞（ダブルポジティブ胸腺細胞）となる．さらに自己の主要組織適合抗原（major histocompatibility：MHC）との相互作用による正の選択（自己と適度に反応できるT細胞を選択する）と負の選択（自己に強く反応するT細胞を取り除く）を受ける．その後，CD4$^+$CD8$^-$またはCD4$^-$CD8$^+$胸腺細胞（シングルポジティブ胸腺細胞）となり，成熟ナイーブT細胞として体循環に入る．抗原へのばく露歴のないナイーブT細胞は，樹状細胞などの抗原提示細胞上に呈示された抗原由来のペプチドとMHCの複合体を認識すると，機能的なエフェクター細胞であるCD8$^+$細胞傷害性T細胞とCD4$^+$ヘルパーT細胞へと分化する．細胞傷害性T細胞は感染細胞を破壊し，ヘルパーT細胞はB細胞からの抗体産生やCD8$^+$細胞傷害性T細胞とマクロファージの活性化に関与する．

ヘルパーT細胞はCD4を発現し，サイトカイン産生パターンからTh1細胞（IFN-γ）とTh2細胞（IL-4，IL-5），Th17細胞（IL-17）の3つの集団に分けられ，ほかの細胞の活性化や機能を補助する．

制御性T細胞は胸腺から分化し，CD4，CD25，Foxp3分子を発現し，ほかのT細胞活性を抑制する．

$\gamma\delta$T細胞は，$\alpha\beta$T細胞とは異なる受容体をもち，ヘルパーT細胞，細胞傷害性T細胞およびNK細胞と同じ性質を共有する．

3）NK細胞

形態学的にはアズール顆粒を有した大リンパ球である．NK細胞は特異抗原受容体をもたず，NK受容体でウイルス感染細胞や腫瘍細胞などストレスを受けた細胞が表出する特定の物質（糖蛋白やMHCクラスⅠ様分子）を認識する．NK受容体には，レクチン型のNK受容体と，免疫グロブリン構造をもつKIR（killer cell immunoglobulin-like receptor）など数種類を発現している．NK細胞は，NK活性化受容体で標的細胞の特定の物質を認識し，NK阻止受容体に標的細胞のMHCクラスⅠ分子が結合しない場合に標的細胞を傷害する．標的細胞にMHCクラスⅠ分子が十分量発現していれば，阻止受容体からのシグナルによりNK細胞は抑制されるが，代わりに細胞傷害性T細胞が標的細胞を破壊する．またNK細胞はマクロファージと同様にFcγレセプターを発現しており，IgGが結合した細胞を標的とした抗体依存性細胞傷害活性を示す．

NK細胞は，パーフォリンやグランザイムなどの細胞傷害顆粒を放出し，標的細胞を傷害する．またFasリガンドやTRAILを表出し，標的細胞に作用してアポトーシスを誘導する．IFN-γ産生細胞としても重要であり，マクロファージを活性化する．

〔土居岳彦，岡田　賢〕

c. 血小板

血小板産生

血小板は骨髄巨核球から産生される．多能性幹細胞は，骨髄間質との相互作用，転写因子，サイトカインやケモカインなどの液性因子による時間的・空間的制御を受け，巨核球へと分化・増殖・成熟する．巨核球は細胞分裂を伴わないDNA複製の反復と細胞質の成熟（核内分裂）を繰り返して多倍体化し，骨組織辺縁から類洞周囲に移動・集簇し，類洞内に多数の胞体突起（proplatelet formation：PPF）を進展する[1]．PPFと，PPFを介して産生された大型の血小板前駆体は，循環中における血流による剪断や微小管の働きにより正常大血小板へと成熟し，巨核球1個あたり1,000～3,000個の血小板を放出する（図1）[2]．

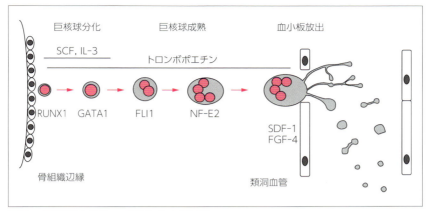

図1 ◆ 巨核球の分化・成熟と血小板産生
巨核球はさまざまな刺激により分化・増殖・成熟する。成熟巨核球は骨組織辺縁領域から類洞血管周囲へと移動し、類洞内に胞体突起を進展させることにより血小板を放出する。
(Thon JN, et al.: Cytoskeletal mechanics of proplatelet maturation and platelet release. J Cell Biol 191 : 861-874, 2010)

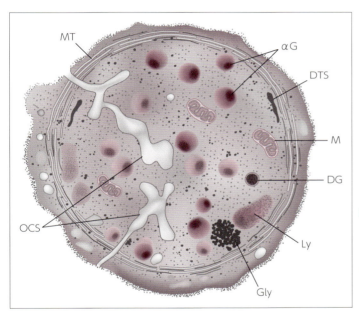

図2 ◆ 血小板の模式図
DG : dense granule, Ly : lysosome, DTS : dense tubular system, OCS : open canalicular system, M : mitochondria, Gly : glycogen, MT : microtubule.
顆粒(αG), 濃染顆粒(DG), リソソーム(Ly), 暗調小管系(DTS), 開放小管系(OCS), ミトコンドリア(M), グリコーゲン(Gly), 微小管(MT)を示す。微小管コイルは円周状に存在する。

血小板形態

血小板は末梢血液細胞中で最も小さい直径 2 μm の円盤状の血球である。血小板は無核であるが、ミトコンドリア、ゴルジ装置、リソソームは存在する。また、血小板に特徴的な小器官として、開放小管系、α顆粒、濃染顆粒、暗調小管系がある(図2)。May-Grünwald-Giemsa染色やWright染色標本にて観察される赤紫色調はα顆粒の存在による。開放小管系は血小板の活性化に伴い顆粒と融合し、α顆粒内容物〔von Willebrand因子(VWF), フィブリノゲンなど〕や濃染顆粒内容物〔アデノシン二リン酸(ADP), カルシウムイオンなど〕の放出経路となる。血小板にはアクチン、ミオシン、スペクトリン、微小管など細胞骨格蛋白が豊富に存在し、血小板の正常な形態保持と活性化に伴う形態変化に機能する。特に、正常サイズの円盤状構造を保つためには血小板膜骨格とアクチン骨格との連関が重要であり、ここには血小板膜糖蛋白(GP)Ib/IX/V、フィラミンA、アクチニン、アクチン、ミオシンが関与し、血小板細胞骨格の異常は先天性巨大血小板の原因となる[3]。微小管コイルは血小板赤道面に10数本の線維束として

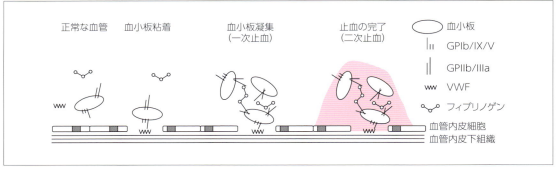

図3 ● 正常な止血における血小板の働き
VWF：von Willebrand因子
血管損傷部位では，血管損傷部位に結合するVWFにGPIb/IX/Vを介して血小板が粘着し，血小板凝集にはフィブリノゲンとGPIIb/IIIaが働く．

観察され，静止期の円盤状構造保持に働く．

血小板機能

出血が起こると血管損傷部位では血小板，血管壁，血液凝固因子が相互に働き血栓が形成され，止血される[4]（図3）．ここでは速やかに血小板が粘着・活性化し，凝集反応が起こる（一次止血）．血小板は内皮下組織のコラーゲンに結合したVWFにGPIb/IX/Vを介して粘着する．さらなる強固な粘着にはコラーゲン受容体GPIa/IIaとコラーゲンとの結合が必要であり，引き続き刺激伝達が起こる．血小板活性化には信号伝達や顆粒放出機構が働き，カルシウムイオン，生理活性物質，接着分子などの放出により血小板自身の活性化の進行と血小板膜が血液凝固の場となることで血液凝固を活性化し，血栓形成を完成させる（二次止血）．

静止期血小板上のGPIIb/IIIaはリガンド結合能をもたないが，活性化に伴い構造変化を起こし，フィブリノゲンと結合して血小板同士を凝集させる．

■ 文献

1) Avecilla ST, et al.：Chemokine-mediated interaction of hematopoietic progenitors with the bone marrow vascular niche is required for thrombopoiesis. Nat Medicine 10：64-71, 2004
2) Thon JN, et al.：Cytoskeletal mechanics of proplatelet maturation and platelet release. J Cell Biol 191：861-874, 2010
3) 國島伸治：先天性血小板減少症．臨血 59：764-773, 2018
4) Berndt MC, et al.：Primary haemostasis：newer insights. Haemophilia 4：15-22, 2014

〈國島伸治〉

d. 骨髄とリンパ組織

リンパ組織とは

リンパ組織は，生成と分化に関与する中枢リンパ組織（あるいは一次リンパ組織，generative organs）と，外来抗原に反応し，また機能を獲得する末梢リンパ組織（あるいは二次リンパ組織）から成り立っている．出生後の中枢リンパ組織としては骨髄や胸腺があげられるが，このなかで白血球は初めて抗原受容体を発現し，表現型上および機能上成熟したものに分化する過程をたどる．この成熟分化の過程では，リンパ組織から成長因子や分化誘導シグナルが供給される．末梢リンパ組織にはリンパ節，扁桃，皮膚や腸管のリンパ組織などがある．したがって，大きな意味では骨髄もリンパ組織と定義される[1]．

中枢リンパ組織

1 骨髄

出生後，造血はおもに骨のなかで行われるが，それまでは卵黄嚢→大動脈旁間葉系組織→肝臓と造血の中心が移動する．生後の骨のなかでの造血も次第に平板骨にその場を移し，思春期までには胸骨，椎骨，坐骨，肋骨などが造血の首座となる．

赤色骨髄には海綿様網状構造があり，そのなかでは上皮細胞にて仕切られた類洞がネットワークを形成している．それを取り囲んでさまざまな分化段階にある血球の前駆細胞が認められる．血球前駆細胞は成熟し，類洞の基底膜や内皮細胞の間隙を通り抜けて，血管系に入り全身に移行する．赤血球，顆粒球，単球，樹状細胞，血小板，B細胞，T細胞，NK

細胞はすべて共通の造血幹細胞から生成される．骨髄中における血球の分化についてはここでは触れないが，前駆細胞の増殖や分化にはサイトカインが重要である．また，骨髄には自己複製能を有する幹細胞やさらに分化した前駆細胞が存在する以外に，長命で抗体を産生する形質細胞が数多く存在する．さらに，成熟した濾胞B細胞や長命なメモリーT細胞も骨髄内に遊走して長く滞在するとされている．

2 胸腺

胸腺はT細胞が成熟するリンパ組織であり，前縦隔に位置し二葉構造をとる．それぞれの葉は線維性隔壁により多房構造をとり，外側に位置する皮質と，中に位置する髄質から成り立っている．

皮質には小型のT細胞が集簇しており，髄質はより疎な構造をとり，比較的大型のリンパ球が認められる．マクロファージや樹状細胞〔相互連結性嵌入細胞(interdigitating dendritic cells)〕は髄質にのみ存在する．胸腺ではまた，非リンパ球である上皮細胞が重要な働きを示し，皮質上皮細胞はIL-7を産生してT細胞の初期分化にかかわる．髄質上皮細胞は分化したT細胞に自己抗原を提示し，強く反応するT細胞を除去する役割を担う．

Hassal小体は上皮細胞が渦巻き状構造をとったものであり，おそらく変性した細胞の遺残であろうとされる．

リンパ系（リンパ管システム）

リンパ系は開放系の特殊な管システムで，組織から液などをリンパ節に運び，またリンパ節から外に導き，さらには血管にも誘導する．リンパ管システムは微生物の侵入局所でその抗原を集め，リンパ節に運搬し，そこで獲得免疫応答が開始される．微生物が侵入するのは主として皮膚，腸管，および気道であり，これらの組織は樹状細胞を配置した上皮細胞に覆われており，リンパ管が配置されている．リンパ節には輸入リンパ管と，輸出リンパ管がある．

運搬される液などは輸入リンパ管からリンパ管に入り，輸出リンパ管，さらにはいくつかつながったリンパ管を通る．そして，最終的なリンパ節から出たリンパ管は胸管に集まり，液などは最終的には上大静脈に注がれる．リンパ球はリンパ組織→リンパ管・胸管→血流→リンパ組織というサイクルで1日に1〜2回の再循環をしているとされている．

二次リンパ組織

1 リンパ節

ヒトでは約500のリンパ節があり，それぞれのリンパ節は被膜に覆われている．直下には膠原線維で架橋されたなかに細網細胞が並ぶ洞が存在し，マクロファージや樹状細胞が存在する．輸入リンパ管は被膜下洞（類洞）に開口し，液などはそこから髄質洞に流れ込み，輸出リンパ管を経てリンパ節を出る．

被膜下洞の直下は皮質であり，リンパ球が多数集簇している．皮質外側には濾胞とよばれる細胞集団があり，そのなかの一部は胚中心とよばれる明るい中心領域を有している．胚中心はdark zoneと呼称される増殖が盛んなB細胞(centroblast)と，細胞質が豊富で増殖を止め生存刺激を受けてさらに分化するように運命づけられたlight zoneとよばれるB細胞(centrocyte)から成り立っている．胚中心をもたない濾胞を一次濾胞，胚中心のある濾胞を二次濾胞とよぶ．濾胞周囲は傍濾胞皮質であり，ここにはマクロファージ，樹状細胞，リンパ球などが散在する．したがって濾胞はB細胞領域であり，抗原刺激が入ると胚中心が形成されることになる．

一方，T細胞は濾胞のより内側に位置し，このT細胞が豊富な領域は傍皮質と呼称される．この部位では，細網線維芽細胞(fibroblastic reticular cells：FRC)がネットワークを形成していて，濾胞樹状細胞(follicular dendritic cell：FDC)導管となり被膜下洞から髄質洞リンパ管や皮質の特殊な血管である後毛細管細静脈〔高内皮細静脈(high endothelial venules：HEVs)〕につながっている．ナイーブT細胞はこのHEVsを通ってT細胞領域に入る．傍皮質領域のT細胞はCD4優位であるが，ウイルス感染症時にはCD8T細胞が増えて優性となる．

ナイーブB細胞，ナイーブT細胞は多くは血流に乗って動脈からHEVsを通りリンパ節に入る（血流の循環から離れる）．そこからケモカインの働きによってしかるべき場所に配置されるのである．

被膜下洞からの大型の異物はマクロファージや樹状細胞に捕らえられ，皮質のB細胞に抗原提示される．小分子異物はFDC導管から外に出てレジデントマクロファージに捕らえられ，さらにT細胞免疫応答が起きる．

2 脾臓

脾臓は血管が豊富な組織であり，老廃したあるいは損傷を受けた血球細胞や異物を血液循環から取り除き，血液に侵入した抗原に対して免疫応答を開始

することがおもな役割である．脾臓は血液に満ちた脾洞からなる赤脾髄と，リンパ球が豊富な白脾髄からなる．赤脾髄のマクロファージは微生物や損傷した細胞，抗体に覆われた細胞および微生物を除去するのに重要である．

白脾髄は中心動脈の周囲にあり，それぞれの中心動脈から分かれた小動脈は辺縁洞に流れ込む．類洞を取り囲む領域，辺縁帯は赤脾髄と白脾髄の境界に位置することになる．白脾髄のうち中心静脈に近いリンパ球集団は動脈周囲リンパ球鞘（periarteriolar lymphoid sheath：PALS）とよばれる．その外側が辺縁帯になる．PALSにはT細胞が多く存在し，その近くにBリンパ球が濾胞を形成する（濾胞B細胞）．辺縁帯にもBリンパ球が多く集簇するが，辺縁帯B細胞は濾胞B細胞と異なり，限られた抗原特異性とレパトアをもつとされている．

3 腸管リンパ組織

腸管の免疫系は特殊であり，古典的なリンパ組織と特殊なリンパ組織から成り立っている．

まず古典的なものとして，腸管にはPeyer板や孤立リンパ濾胞などのリンパ組織が存在する．Peyer板はB細胞が豊富なリンパ濾胞と，その間に挟まれT細胞の多い傍濾胞領域から成り立っている．傍濾胞領域にはHEVsがあり，血中の免疫細胞はそこから遊出してくる．

濾胞とその上の腸管上皮の間にはさまざまな免疫細胞が配置され，またその部分の腸管上皮の一部にはM細胞という特殊な細胞が存在し，その細胞質の一部が伸びて突起により洞を形成して，そのなかにリンパ球やマクロファージが入り込む形になっている．腸管内の抗原の多くはM細胞経由で腸管壁内に入り，そこで抗原提示細胞に捕らえられることになる．小腸粘膜固有層の樹状細胞は上皮細胞の間から突起を伸ばし腸管内宮の抗原を捕らえる．

抗原と反応し，Peyer板や腸間膜リンパ節でT細胞の助けのもとIgAにクラススイッチしたB細胞は，粘膜固有層や唾液腺に移行してIgAを産生する．ここで抗原に対して反応したT細胞やB細胞の一部はリンパ流に乗り，さらに血流に乗って全身を循環するが，最終的に粘膜組織に定着する傾向がある．

腸上皮にはまた1/5の割合でリンパ球が存在し（入り込んで並んでおり），腸管上皮内リンパ球とよばれている．大半がT細胞で活性化されており，局所で第一線の防御に働くとされている．

腸粘膜の陰窩部にはクリプトパッチという1,000個程度のリンパ球集団が存在し，それらは未熟T細胞であるとされている．

4 皮膚リンパ組織

皮膚の表皮内にはリンパ球が散在しており，これをIEL（intraepithelial lymphocytes）と呼称している．ヒトにおいてはγδT細胞は10％程度で，多くはαβ型のCD8メモリーT細胞であるとされる．これらはIGF-1（insulin-like growth factor 1）により創傷治癒にも関与する．表皮内には骨髄由来の樹状細胞であるLangerhans細胞があり，外に向けて長く突起を伸ばし，異物の侵入を監視し，捕らえる働きをしている．

■ 文献

1) Abbas AK, et al.：Cells and Tissues of the Immune System. In：Cellular and Molecular Immunology. 9th ed, Elevier Saunders, 13-37, 2017

〈磯田健志，森尾友宏〉

3 止血・血栓に関連する血漿とその成分

止血・血栓に関連するおもな成分

止血・血栓に関連するおもな成分を凝固因子，凝固制御因子，線溶因子，線溶制御因子に分け，その代表的な因子について述べる（表1）[1)2)]．

1 凝固因子

1）フィブリノゲン

分子量340 kDaの糖蛋白で，おもに肝臓で生合成される．フィブリノゲンは血栓の主成分であり，フィブリンの前駆体である．フィブリノゲンは，凝固反応で生じたトロンビンによって，フィブリンモノマー，フィブリンポリマーと変化する．さらに，活性化第XIII因子（FXIIa）による架橋反応によって安定化フィブリンとなり，二次血栓を形成する．また，活性化血小板を凝集する補因子としても重要である．妊娠の維持にも関与する[1)3)]．

2）プロトロンビン

分子量72 kDaの糖蛋白で，おもに肝臓で生合成される．プロトロンビンは，プロトロンビナーゼ複合体（FXa＋FVa＋リン脂質＋Ca^{2+}）により，フラグメント1＋2とプレトロンビンが生成され，この分子がさらに切断されるとトロンビンが形成される．トロンビンはフィブリノゲンをフィブリンに変換するとともに，血小板の活性化や第V，VIII，IX因子を活性化して凝固反応の増幅を導く[1)3)]．

3）第V因子

前駆蛋白が肝臓で合成された後，330 kDaの成熟蛋白となり分泌される．一部は血小板や巨核球でも合成され，80％は血中，20％が血小板α顆粒に存在する．第V因子はトロンビンによりFVaとなり，血小板膜上でCa^{2+}存在下にプロトロンビンをトロンビンに転換する．また，FVaはプロテインS（protein S：PS）の存在下で活性化プロテインC（activated protein C：APC）により不活化される[1)3)]．

4）第VII因子

分子量50 kDaの糖蛋白で，おもに肝臓で産生される．半減期は凝固因子のなかでは最も短い3～4時間である．血漿中の第VII因子のうち1％はFVIIaとして循環する．FVIIaは血管傷害や炎症などで出現した組織因子とCa^{2+}の存在下で複合体を形成し，凝固を開始する[1)]．

5）第VIII因子

肝臓の肝類洞内皮細胞や肝細胞で産生される．Ca^{2+}の存在下でリン脂質およびFIXaとともに複合体を形成し，第X因子の活性化反応を増幅する[1)3)]．

6）第IX因子

肝臓で合成される糖蛋白質であり，Ca^{2+}存在下においてFVIIa/トロンボモジュリン（thrombomodulin：TF）複合体あるいはFXIaによって活性化されFIXaとなり，凝固反応を進める[1)3)]．

7）第X因子

前駆蛋白が肝臓で生合成された後，分子量59 kDaの糖蛋白として分泌される．第X因子は，FVIIa/TF複合体あるいはFIXaにより活性化され，FXaとなる．FXaは活性化血小板上でFVaおよびCa^{2+}存在下にプロトロンビンをトロンビンに転換する[1)3)]．

8）第XI因子

前駆蛋白が肝臓で合成された後，分子量160 kDaの糖蛋白質として分泌される．高分子キニノゲンと複合体を形成して循環する．トロンビンによって活性化され，第IX因子以降の凝固反応を補完する[1)3)]．

9）第XII因子

肝臓で生合成され，血液が異物面と接すると最初に活性化される接触因子であるが，止血には必要とされない[1)]．

10）第XIII因子

肝臓で生合成され，サブユニットA（83.2 kDa）とサブユニットB（79.9 kDa）の4量体として血中を循環する．活性化されたFXIIIaは，フィブリン分子間に架橋結合を形成して安定化フィブリンにする[1)3)]．

2 凝固制御因子

1）プロテインC

分子量62 kDaの一本鎖糖蛋白で，おもに肝臓で合成される．プロテインC（protein C：PC）はトロンビン-トロンボモジュリン複合体によりAPCへと変換され，APCはFVaとFVIIIaを不活化し，凝固反応を抑制する．この不活化作用はプロテインSにより増強される[1)3)]．

2）プロテインS

分子量80 kDaの一本鎖糖蛋白で，おもに肝臓で合

表1 ◆ 血漿中の凝固因子，凝固制御因子，線溶因子，線溶制御因子

凝固因子	濃度(pg/mL)	生体内半減期(日)	染色体
I	2,500	3〜5	4q23-q32
II	100	2.5	11q11-q12
V	6.6	0.5	1q21-q25
VII	0.5	0.25	13q34-qter
VIII	0.2	0.3〜0.5	Xq28
IX	5	1	Xq27.1-q27.2
X	10	1.5	13q34-qter
XI	30	2.5〜3.3	4q35
XII	40	2〜3	5q33-qter
XIII サブユニットA	10	11〜14	6q24-p25
XIII サブユニットB	22	3	1q31-q32.1
VWF	10	12	12q12-pter
PK	50	35	4q34-35
HMWK	80	150	3q26-qter
TF	ND	ND	1q21-22

凝固制御因子	濃度(μg/mL)	生体内半減期(時)	染色体
PC	4	6	2q13-14
PS	26	42	3p11.1-11.2
AT	150	70	1q23-25
TFPI	0.1	8	2q31-32.1
TM	0.02	20*	20p11.2-cen

線溶因子	濃度(μg/mL)	生体内半減期	染色体
プラスミノーゲン	140	2.8日	6q26-27
t-PA	0.005	5分	8p12-q11.2
u-PA	0.008	8分	10

線溶制御因子		濃度	生体内半減期	染色体
セルピン系	PAI-1	0.05〜0.1(μg/mL)	90分	7q21.3-q22
	PAI-2	<0.005(μg/mL)	ND	18q21-23
	α2 PI	7 mg/dL	2.6日	17q13
非セルピン系	TAFI	4.5(μg/mL)	7〜8分	13q14.11
	α2-MG	100〜200 mg/dL	ND	12

PK：プレカリクレイン，HMWK：高分子キニノゲン，TF：組織因子
＊：組換え型TM
(Dougald M, et al.: Molecular biology and biochemistry of the coagulation factors and pathways of hemostasis. In: Kaushansky K, et al.(eds.), Williams Hematology. 8th ed, McGraw-Hill Global Education, 1815-1843, 2010/Katherine A, et al.: Fibrinolysis and thrombolysis. In: Kaushansky K, et al.(eds.), Williams Hematology. 8th ed, McGraw-Hill Global Education, 2219-2244, 2010より引用，改変)

成される．PS は APC の補酵素として働き，APC の抗凝固作用を高める．また，組織因子経路インヒビター(tissue factor pathway inhibitor：TFPI)による FXa や FVIIa/TF 複合体の阻害活性を増強する[1)3)]．

3) アンチトロンビン(AT)

分子量 58 kDa の一本鎖糖蛋白で，主として肝臓で合成される．トロンビン，FXa，IXa，XIa，XIIa を阻害する[1)]．

4) 組織因子経路インヒビター(TFPI)

おもに血管内皮細胞で産生され，一部は血小板や単球で産生される．FXa と複合体を形成し，FXa や FVIIa/TF 複合体を阻害することで凝固制御を行う[1)]．

5) トロンボモジュリン(TM)

血管内皮上に存在する糖蛋白であるが，血漿中にも可溶性 TM として存在する．トロンビンと 1：1 の複合体を形成し，トロンビンの PC 活性化能を促進させることを介して凝固制御を行う．トロンビンのフィブリン形成能や血小板凝集能の凝固促進作用を抑制する．また，TAFI 活性も増強する[1)]．

3 線溶因子

1) プラスミノーゲン

肝臓で合成される 92 kDa の一本鎖糖蛋白である．組織型プラスミノーゲンアクチベーター(tissue plasminogen activator：t-PA)やウロキナーゼ型プラスミノーゲンアクチベーター(urokinase-type plasminogen activator：u-PA)によってプラスミンに変換され活性型となり，フィブリンを加水分解する[2)]．

2) 組織型プラスミノーゲンアクチベーター(t-PA)

分子量 72 kDa でおもに血管内皮細胞で合成される．プラスミノーゲンを限定分解し，プラスミンに変換する．t-PA 自体の変換作用は弱いが，フィブリン存在下で強く作用を発揮する[2)]．

3) ウロキナーゼ型プラスミノーゲンアクチベーター(u-PA)

分子量54 kDaでおもに血管内皮細胞で合成される．t-PAと同様，プラスミノーゲンを限定分解しプラスミンに変換する．u-PAはt-PAのようなフィブリンに対する親和性を示さない[2]．

4) エラスターゼ

非プラスミン系の線溶活性を有する因子である．好中球から分泌され，フィブリンを分解する[2]．

4 線溶制御因子

1) プラスミノーゲンアクチベーターインヒビター1(PAI-1)

おもに肝臓，血管内皮細胞，脂肪細胞で合成されるt-PA，u-PAを制御する糖蛋白である．手術や外傷後および感染に伴い血漿中に著増する．これによる線溶活性の低下が微小血栓形成に伴う臓器障害にかかわる．

2) プラスミノーゲンアクチベーターインヒビター2(PAI-2)

おもに胎盤で合成されるu-PAを制御する糖蛋白質である．線溶阻害効率はPAI-1と比較すると有意に低い[2]が，腫瘍増殖や転移を抑制する機能が注目されている．

3) α2-プラスミンインヒビター(α2PI)

肝臓で合成される分子量67 kDaの糖蛋白質である．プラスミンに対する生理的な阻害因子で，プラスミンと1:1で結合し，その作用を阻害する[2]．

4) トロンビン活性化線溶系インヒビター(TAFI)

肝臓で合成される糖蛋白である．トロンビンやプラスミン，APCにより活性化される．活性型TAFIはプラスミンとプラスミノーゲンのフィブリンへの結合を阻害して抗線溶活性を示す[2]．

5) α2マクログロブリン(α2MG)

血管内皮細胞やマクロファージで合成され，血小板α顆粒内にも認められる．トリプシン，キモトリプシン，エラスターゼ，トロンビンなどのプロテアーゼと結合して複合体を形成し，血中から短時間のうちに除去することにより酵素機能の不活性化を行うプロテアーゼ・インヒビターである．

5 その他

1) von Willebrand因子(VWF)

血管内皮細胞および骨髄巨核球で産生される高分子糖蛋白で，サブユニットがさまざまな程度に重合してマルチマーとして血液中に存在し，一次止血の初期相において血管損傷部位に血小板を粘着させる働きをもつ．生物学的活性はマルチマー構造に依存する．また，第VIII因子結合ドメインをもち，第VIII因子を保護しつつ，損傷部位に運搬する役割も担う[1,3]．

2) ADAMTS13

VWFのマルチマー構造を断片化する酵素で，おもに肝臓で産生される．血中濃度は1 μg/mL，血中半減期は2～3日である[1]．

3) フィブロネクチン

肝臓で合成される細胞接着分子で，血漿中の濃度は0.3 mg/mLである．第VIII因子の存在下に血栓を形成し，組織コラーゲンと結合して組織修復にかかわる．また，フィブリノゲンが血栓強度を増大する際も関与する[1]．

新生児・乳児における止血・血栓関連の成分の特徴

凝固因子は経胎盤性に移行するのではなく，児自身が産生する．凝固因子は胎児期ではいずれも成人値の50％以下である．出生時，フィブリノゲン，第V，VIII因子活性は成人値よりやや低値の程度であるが，ビタミンK依存性凝固因子(第II, VII, IX, X因子)は30～50％と低値である．その後は徐々に増加し，生後6か月から1年で成人値に近くなる．一方，ビタミンK依存性の制御因子であるPC, PS活性は成人値の30～50％であり，ATも低値である[4]．新生児期は凝固因子，凝固制御因子ともに低値であるため，その値の解釈には注意が必要である．

■文献

1) Dougald M, et al.：Molecular biology and biochemistry of the coagulation factors and pathways of hemostasis. In：Kaushansky K, et al.(eds.), Williams Hematology. 8th ed, McGraw-Hill Global Education, 1815-1843, 2010
2) Katherine A, et al.：Fibrinolysis and thrombolysis. In：Kaushansky K, et al.(eds.), Williams Hematology. 8th ed, McGraw-Hill Global Education, 2219-2244, 2010
3) Burmmel Ziedins K, et al.：Blood coagulation and fibrinolysis. In：Greer JP, et al.(eds.), Wintrobe's Clinical hematology. Lippincott Williams & Wilkins, 677-774, 2003
4) Monagle P, et al.：Developmental haemostasis. Impact for clinical haemostasis laboratories. Thromb Haemost 95：362-372, 2006

（足利朋子，長江千愛）

第1章　血液・造血器総論

4　非腫瘍性疾患の疫学

小児血液腫瘍の疫学

　日本の小児人口は減少傾向にある．2021年4月1日現在，日本の総人口は12541万人であるが，そのうち0〜14歳の人口は1492万人であった[1]．日本小児血液・がん学会の疾患登録によると，2018年1年間の国内の小児がん患者の発生数は約2,000人であった[2]．通常，疾病の罹患率は人口10万人あたりで計算するので，日本における小児がんに罹患率は約13人となる．ちなみに国立がん研究センターのデータによると，2009〜2011年の0〜14歳のがんの罹患率は人口10万人あたり12.3人と記載されてい

表1 ◆ 非腫瘍性血液疾患の罹患数（2018年）

分類	疾患名	発生数
再生不良性貧血	Fanconi貧血	6
	先天性角化異常症	3
	その他の先天性再生不良性貧血	1
	特発性再生不良性貧血	48
	その他の二次性再生不良性貧血	3
	肝炎後再生不良性貧血	8
	再生不良性貧血・PNH症候群	4
赤芽球癆	先天性赤芽球癆	11
	特発性赤芽球癆	12
	続発性赤芽球癆	9
好中球減少症	小児遺伝性無顆粒球症	1
	Shwachman-Diamond症候群	1
	その他の先天性好中球減少症	11
	自己免疫性好中球減少症	101
	周期性好中球減少症	3
	無顆粒球症	1
白血球機能障害	慢性肉芽腫症	4
	その他の白血球機能障害	1
溶血性貧血	遺伝性球状赤血球症	54
	遺伝性楕円赤血球症	1
	その他の赤血球膜異常	1
	G6PD欠乏性貧血	1
	ピルビン酸キナーゼ欠乏性貧血	1
	鎌状赤血球症	1
	サラセミア	25
	その他のヘモグロビン異常症	4
	温式自己免疫性溶血性貧血	8
	寒冷凝集素症	4
	発作性寒冷ヘモグロビン尿症	3
	血栓性血小板減少性紫斑病	1
	溶血性尿毒症性症候群	1
	その他の赤血球破砕症候群	1
	新生児溶血性貧血	21
その他の貧血	ビタミンB$_{12}$欠乏性貧血	3
	葉酸欠乏性貧血	1
	その他の巨赤芽球性貧血	2
	鉄芽球性貧血	3

分類	疾患名	発生数
赤血球増加症	相対的赤血球増加症	1
血小板機能異常症	May-Hegglin症候群	3
	血小板無力症	5
	その他の血小板機能異常症	1
血小板減少症	原発性血小板減少症	2
	急性特発性血小板減少性紫斑病	163
	慢性特発性血小板減少性紫斑病	57
	特発性血小板減少性紫斑病	121
	Kasabach-Merritt症候群	7
	その他の血小板減少症	11
免疫不全症	重症複合型免疫不全症	5
	Wiskott-Aldrich症候群	2
	分類不能免疫不全症	2
	高IgM症候群	2
	その他の免疫不全	20
リンパ・組織球性疾患	組織球性壊死性リンパ節炎	36
	血球貪食症候群	33
	血球貪食性リンパ組織球症	26
血液凝固異常	血友病A	40
	血友病B	10
	von Willebrand病	16
	その他の先天性凝固因子異常症	4
	新生児メレナ	2
	ビタミンK欠乏による凝固因子欠乏	2
	循環性抗凝血因子症	3
	その他の後天性凝固因子異常症	4
血栓性疾患	プロテインS欠乏症	1
	プロテインC欠乏症	5
	アンチトロンビンIII欠乏症	1
	その他の先天性血栓症	1
	抗リン脂質抗体症候群	6
	その他の後天性血栓傾向	2
合計		958

（日本小児血液・がん学会：疾患登録集計結果，2018より引用）

表2 ◆ 小児慢性特定疾病に指定されている非腫瘍性血液疾患(26疾病)

巨赤芽球性貧血	血栓性血小板減少性紫斑病
赤芽球癆	血小板減少症(脾機能亢進症によるものに限る)
先天性赤血球形成異常性貧血	先天性骨髄不全症候群
鉄芽球性貧血	周期性血小板減少症
無トランスフェリン血症	May-Hegglin異常症
自己免疫性溶血性貧血	本態性血小板血症
発作性夜間ヘモグロビン尿症	血小板機能異常症
遺伝性溶血性貧血	先天性血液凝固因子異常
溶血性貧血(脾機能亢進症によるものに限る)	先天性プロテインC欠乏症
微小血管障害性溶血性貧血	先天性プロテインS欠乏症
真性多血症	先天性アンチトロンビン欠乏症
家族性赤血球増加症	骨髄線維症
血小板減少性紫斑病	再生不良性貧血

る[3]．2016年に「がん登録等の推進に関する法律」(がん登録推進法)が施行されたこともあり，小児の腫瘍性疾患の疫学はかなり正確にわかるようになってきた．

一方，小児の非腫瘍性血液疾患の疫学は法整備も進んでおらず，前述の日本小児血液・がん学会の疾患登録によるものが唯一のデータと考えられる．

非腫瘍性疾患は実にさまざまである．それらは赤血球の異常(貧血を主とする)，白血球の異常(好中球減少症を主とする)，血小板の異常(血小板減少症を主とする)，免疫不全症，血液凝固異常，血栓性疾患など，多岐にわたる疾患群である．また多くは希少疾患であり，小児慢性特定疾病(16疾患群788疾病)であり，特別な配慮が必要となるため，疫学調査の意義は大きい．

2018年の各疾病の発生数を表1に示す．発生数が0であった疾病の名称は省いたことを付記する．また，参考に小児慢性特定疾病に指定されている非腫瘍性の血液疾患26疾病を表2に示す．

■ 文献
1) 総務省統計局：人口推計 2021年4月報，2021
   https://www.stat.go.jp/data/jinsui/pdf/202104.pdf(2021年5月閲覧)
2) 日本小児血液・がん学会：疾患登録集計結果，2018
   https://www.jspho.org/syoni_login/pdf/2018.pdf(2021年5月閲覧)
3) 国立がん研究センターがん情報サービス：がん登録・統計：小児・AYA世代のがん罹患
   https://ganjoho.jp/reg_stat/statistics/stat/child_aya.html(2021年5月閲覧)

(真部　淳)

第1章 血液・造血器総論

5 血液・造血器疾患のおもな症候と鑑別

a. 貧血

定義・概念

貧血は，循環赤血球またはヘモグロビン（Hb）の量が低下した状態である．Hb値の基準範囲は，年齢・性別・人種によって異なり，新生児では13 g/dL，乳幼児は11 g/dL，学童は12 g/dL以下が貧血の目安となる．

病因・病態・疫学

貧血の病因は，赤血球の①喪失・分布異常，②破壊亢進，③産生障害に分類される．①は外傷や月経過多による出血が代表的である．②は自己免疫性溶血性貧血や新生児溶血性疾患に代表される．③は鉄欠乏性貧血や巨赤芽球性貧血，サラセミアでは赤芽球系細胞のアポトーシスによって無効造血が起きる．

貧血では酸素を臓器に十分に供給できなくなる．中枢臓器への血流集中と血液粘度の低下によって心拍出量が増加して，貧血は代償される．また，赤血球の2,3-ジホスホグリセリン酸が増えて酸素親和性は低下し，臓器への酸素供給が補われる．

先天性溶血性貧血を学ぶと赤血球生理の理解が進む〔第I部/第1章/2/a．赤血球（p.16〜18）と第II部/第1章/A/5．先天性溶血性貧血（p.376〜380）を参照〕．赤血球は変形能に富み，毛細血管を容易に通過できる．しかし，日本最多の先天性溶血性貧血である遺伝性球状赤血球症では，赤血球膜の裏打ちをする構造蛋白に異常があり，赤血球の変形能は低下して溶血する．世界最多の遺伝性疾患であるグルコース-6-リン酸脱水素酵素（glucose-6-phosphate dehydrogenase：G6PD）欠乏症では，NADPH産生障害から還元型グルタチオン減少をきたして酸化ストレスに脆弱となる．

臨床徴候

動悸・息切れ・易疲労性・めまいを自覚する．出血や溶血による急激な貧血は，ショックを引き起こす．一方，赤血球の産生障害や慢性出血による慢性的な貧血では自覚症状に乏しく，貧血の程度と臨床症状は必ずしも相関しない．Hb値が7〜8 g/dLとなるまで症状が出にくく，高度な貧血も気づかれないことがある．身体所見では，眼球結膜の蒼白や眼瞼結膜の黄疸，出血斑・肝脾腫・リンパ節腫大に注意する．ビリルビン尿を伴わない黄疸は，間接ビリルビン高値を示し，溶血を示唆する．舌粘膜の萎縮は鉄やビタミンB_{12}（VB_{12}）欠乏を疑わせる．指骨や爪に異常があれば先天性骨髄不全に注意する．甲状腺機能低下症や鉄・VB_{12}欠乏症では神経症状が現れる．

診断・検査

短時間，安価，低侵襲で診断に到ることが強く望まれる．問診と身体所見は依然として最も有用であり，いつごろから貧血症状があったか，下血や月経過多などの出血の有無，食餌内容・発熱・先行感染・黄疸・薬物内服歴について聴取する．小児では遺伝性疾患が多いので，家族歴や既往歴（反復性）を詳細に聴く．家族の黄疸や胆石，胆嚢・脾臓摘出術，輸血，出血傾向に注意する．

鑑別する小児疾患は，年齢によって大きく異なる．新生児期の貧血・黄疸では血液型不適合妊娠，遺伝性球状赤血球，G6PD欠乏症が有名である．生後6か月以内の鉄欠乏性貧血は早産児に限られ，正期産児にはまれである．また，この時期の発症は，Hb変異・サラセミア・Diamond-Blackfan貧血など先天性疾患を示唆する．性別・人種・出生地も大いに参考になる．

初期検査として，血算，網赤血球数，血液像，生化学（I.Bil, LDH, BUN/Cr, 血清鉄），尿と便の潜血を調べる．赤血球産生能を示す網赤血球数は，赤血球数に対する％または‰で表記するよりも，絶対数で評価するのがよい．炎症性疾患や感染症を考えるときは赤沈やCRP，蛋白分画もみる．

平均赤血球容積（MCV）と網赤血球数から鑑別診断を始めるのが簡便かつ効率的である（表1）．小球性貧血は，Hb合成障害を反映し，小球性貧血では鉄欠乏性貧血が圧倒的に多い．血清鉄が低下し，二次

表1 ● 貧血の鑑別診断

MCV	網赤血球	追加検査		疾患
<80		血清鉄↓	フェリチン↓	鉄欠乏性貧血（慢性出血，食餌性）
		血清鉄↓	フェリチン↑/→	続発性貧血（炎症性）
		血清鉄↑/→	フェリチン↑/→	先天性Hb合成障害（サラセミア），慢性鉛中毒，鉄芽球性貧血（まれ）
80〜100	↑ (>10万/μL)	I.Bil/LDH↑	ハプトグロビン↓	【赤血球形態異常＋】遺伝性球状赤血球症，遺伝性楕円赤血球症，赤血球破砕症候群，マラリア 【Coombs＋】温式自己免疫性溶血性貧血，新生児溶血性疾患（血液型不適合妊娠），寒冷凝集素症，発作性寒冷ヘモグロビン尿症（まれ） 【形態・Coombs正常】赤血球酵素異常症，Hb変異
	↑/→	I.Bil/LDH→		急性出血（出血直後は網赤血球正常），脾機能亢進症，未熟児貧血
	↓/→	クレアチニン↑	エリスロポエチン↓	腎性貧血
	↓ (<3万/μL)	血小板→	骨髄 赤芽球低形成	Diamond-Blackfan貧血，急性赤芽球癆（aplastic crisis），続発性貧血，後天性赤芽球癆（まれ）
		血小板↓	骨髄 低形成	再生不良性貧血，放射線，抗腫瘍薬
		血小板↓	骨髄 異形成，芽球	白血病，骨髄異形成症候群，骨髄占拠性病変
>100	↑	I.Bil/LDH↑	ハプトグロビン↓	上記溶血性疾患（網赤血球増多のためMCV増加）
	↑/→	VB₁₂・葉酸↓	骨髄 巨赤芽球	VB_{12}・葉酸欠乏症，遺伝性葉酸吸収不全症（まれ），Imerslund-Gräsbeck症候群（まれ）
	→	肝機能	甲状腺ホルモン	新生児期，甲状腺機能低下症，肝不全，チアミン反応性貧血（まれ）
	↓	血小板→	骨髄 赤芽球低形成	Diamond-Blackfan貧血，congenital dyserythropoietic anemia（まれ）
	↓	血小板↓	骨髄 異形成	骨髄異形成症候群
	↓	血小板↓	骨髄 低形成	再生不良性貧血

MCV：平均赤血球容積，Hb：ヘモグロビン，I.Bil：間接型ビリルビン，VB_{12}：ビタミンB_{12}．

検査で調べる血清フェリチン値も低下していれば，鉄欠乏性貧血と確定できる．乳児期後半と思春期女子に多いのは有名である．出血源の精査などの原因究明が重要である．総鉄結合能検査の併用は通常不要であり，まれな無トランスフェリン血症に限って役立つ．血清鉄が低下しているにもかかわらず，フェリチンが低下していなければ，慢性炎症などの続発性貧血を考える．鉄の放出障害を反映しており，その病態を本書第I部/第1章/1/d.造血と栄養：鉄・ビタミンなど（p.13〜15）に記載した．血清鉄が低下していない場合は，サラセミアのようなグロビン合成障害を考える．なお，ポルフィリン合成が障害された鉄芽球性貧血がまれにあり，赤芽球の鉄染色が必要である．

大球性貧血ではまず，網赤血球数に注目する．網赤血球数が著しく増加している場合は，MCVが大球性に傾くので注意する．網赤血球数が増加していなければ，DNA合成障害による赤血球成熟異常である巨赤芽球性貧血を考える．血清VB_{12}と葉酸に異常がない場合は，骨髄穿刺を実施する．

正球性貧血には多様な疾患が含まれる．網赤血球数が増加し，溶血所見が明らかであれば，Coombs試験をまず行い抗赤血球抗体の関与を調べる．Coombs試験が陰性の場合は，赤血球形態に注目する．球状赤血球や破砕赤血球を特徴的に認めれば，病態の絞り込みに有用である．ただし，球状赤血球の判定は必ずしも容易ではない．溶血性貧血の診断に酵素活性測定，ヘモグロビン分析，遺伝子解析を要する疾患に遭遇する機会も小児科医には多い．なお，伝染性紅斑罹患時に初めて診断される溶血性貧血が多いこともよく知られている．

網赤血球数が正常または減少した正球性貧血では，赤血球単独か，白血球や血小板も減少しているかで区分する．貧血だけなら赤芽球癆，腎性貧血を鑑別する．他系統にも異常があれば白血病などの造血器悪性疾患，再生不良性貧血などの鑑別へと進

治療・ピットフォール

最初にショックの有無を含めて，緊急か非緊急かを判断する．緊急性があれば，輸血が必要か否かをすばやく判断する．呼吸循環状態を安定させたあとに，生命に危険な貧血の原因と出血部位を特定する．

急性の大量出血では赤血球と同時に血漿も喪失するので，Hb値が当初は低下しない．ショックに対して急速輸液をすると末梢血管の収縮が緩和されてHb値は一気に低下することを見込んで輸血を準備する．

重篤な慢性貧血患者に対する急激な輸血は，循環血液量の急な増加を経て肺水腫をきたすので要注意である．

■ 参考文献

- Brugnara C, et al.：Diagnostic approach to the anemic patient. In：Orkin SH, et al.（eds.），Nathan and Oski's Hematology and Oncology of Infancy and Childhood. 8th ed, Elsevier, 293-307, 2015

（石黒　精）

b. 出血傾向，血栓傾向

定義・概念

破綻した血管では，血小板・凝固因子・血管内皮細胞は動的かつ複雑に協働して，迅速，限局的，可逆的に血栓が作られる．出血傾向とは，この機序の異常による止血困難な病態である．血液凝固に歯止めをかけることも重要であり，破綻血管が修復されると，線溶系が働いてフィブリン血栓は除去され，血流が再開する．凝固系の亢進や線溶系の低下が起きると血栓傾向となる．

病因・病態

血管内皮が損傷して露出したコラーゲンには血小板が粘着，活性化，凝集して血小板血栓が生じる．さらに，フィブリンポリマーで補強されたフィブリン血栓になる．出血傾向の病態は，①血小板，②凝固因子，③線溶因子，④血管の異常に分類する（表1）．①免疫性血小板減少症（immune thrombocytopenia：ITP）は，抗血小板抗体による血小板の破壊亢進に，②血友病は凝固第Ⅷ（Ⅸ）因子異常に起因する．③播種性血管内凝固症候群（DIC）は，微小血栓による臓器障害，凝固因子の消費と二次的線溶亢進に伴う出血傾向を示す．④IgA血管炎はIgA沈着に伴う血管炎である．

成人の主要な死因である血栓症は，小児ではまれとされてきた．しかし，新生児医療や心臓外科手術の進歩などを背景に増加している．動脈血栓症の形成には，血管病変に基づいた血小板の活性化が重要である．静脈血栓症はフィブリン血栓が主体であり，血液凝固異常と密接にかかわっている．血栓の代表的危険因子として①血流停滞，②血管内皮の損傷，③血液凝固の亢進が知られている．①は長期臥床や大手術・脱水症が，②は川崎病や人工血管への置換術後が相当する．③小児ではプロテインC（protein C：PC）やプロテインS（protein S：PS）などの先天性凝固制御因子欠乏症が注目されている（表2）．

臨床徴候

ITPなどの血小板異常では皮膚や粘膜の出血が，血友病では関節内出血を含む深部出血が特徴的である．IgA血管炎では，下血と強い腹痛・嘔吐がしばしば紫斑に先行する．頸部出血は気道圧迫，腸腰筋出血は出血性ショック，筋肉内出血は循環障害に気をつける．頭蓋内・腹腔内・頸部の出血は重篤になりやすいことを忘れない．

下肢の腫脹・疼痛・圧痛は深部静脈血栓症の，多呼吸・頻脈は肺血栓塞栓症の症状である．先天性凝固制御因子欠乏症の患者は，ホモ・複合ヘテロ変異であれば新生児・乳児期から血栓症を発症し，ヘテロ変異なら思春期以降にほかの危険因子が加わって発症する．

診断・検査

感染症・DICの合併，進行性の貧血，重要臓器への出血・血栓に注意する．全身状態が悪いときは，呼吸循環状態を安定させたあとに，生命に危険な出血・血栓の原因と部位を特定する．小児では遺伝性疾患が多いので，家族歴や既往歴（反復性）を詳細に聴く．まれな部位（脳静脈洞，腸間膜静脈）の小児血栓症をみたら遺伝性血栓性素因を疑う．

凝固異常症はプロトロンビン時間国際標準比（prothrombin time international normalized ratio：PT-INR），活性化部分トロンボプラスチン時間（activated partial thromboplastin time：APTT），フィブリノゲン

表 1 ◆ 出血性疾患の病態別分類

病態			疾患
血小板	数↓	産生↓	巨核球↓：急性白血病，再生不良性貧血，悪性腫瘍の骨髄浸潤，抗がん薬や放射線による骨髄抑制，無巨核球性血小板減少症，血球貪食症候群，ウイルス感染症 巨核球↑/→：骨髄異形成症候群，先天性巨大血小板性血小板減少症，Wiskott-Aldrich症候群
		破壊↑ 分布異常	免疫性血小板減少症，DIC，脾機能亢進症，肝硬変，大量出血，体外循環，全身性エリテマトーデス，血栓性微小血管症，Kasabach-Merrit現象，母体自己・同種抗体の新生児への経胎盤移行
	機能↓	先天性	Bernerd-Soulier症候群，von Willebrand病(2B型)，Glanzmann血小板無力症，血小板顆粒異常症(まれ)，Wiskott-Aldrich症候群
		後天性	薬物(アスピリン)
凝固因子	先天性	産生↓ 機能↓	血友病，von Willebrand病，各種凝固因子欠乏症
	後天性	産生↓	ビタミンK欠乏性出血症，肝不全，薬物(ワルファリン，L-アスパラギナーゼ)
		破壊↑	DIC，Kasabach-Merrit現象，一次線溶亢進，凝固因子インヒビター/後天性血友病(まれ)
		機能↓	薬物(ヘパリン)
線溶因子	活性化↑		組織プラスミノーゲンアクチベーター過剰症
	阻害↓		α2-プラスミンインヒビター欠乏症(まれ)，プラスミノーゲンアクチベーターインヒビター1欠乏症(まれ)
血管	先天性		Ehlers-Danlos症候群，Marfan症候群，遺伝性出血性毛細血管拡張症
	後天性		IgA血管炎，壊血病，ANCA関連血管炎

ANCA：抗好中球細胞質抗体．

表 2 ◆ 血栓傾向の分類

病態		疾患
先天性	凝固抑制因子↓	プロテインC欠乏症，プロテインS欠乏症 アンチトロンビン欠乏症， ヘパリンコファクターⅡ欠乏症(まれ)
	凝固因子機能↑	第Ⅴ因子Leiden(日本にはない) プロトロンビンG20210A(日本にはない)
	線溶能↓	プラスミノーゲン異常症 α2-プラスミンインヒビター増加症(まれ)
	血小板活性化	ADAMTS13欠乏症
	血管障害	ホモシスチン尿症(まれ)
後天性	血流↓	中心静脈カテーテル留置，長期臥床，大手術，脱水症，ネフローゼ症候群，仮死，過粘度症候群
	血管内皮損傷	川崎病，人工血管・人工弁への置換術後，造血細胞移植後，全身性エリテマトーデス
	血液凝固↑	重症感染症，DIC，溶血性尿毒症症候群，抗リン脂質抗体症候群，ヘパリン起因性血小板減少症，悪性腫瘍，薬物(ステロイド，エストロゲン含有経口避妊薬)

で，線溶異常症はFDPやDダイマーの上昇で，血管障害は毛細血管抵抗性試験で目安をつける．輸血に備えて血液型の検査も忘れない．EDTA依存性偽性血小板減少症を除外するため，抗凝固薬を使わない塗抹標本で確認する．破砕赤血球をみたら，DICと血栓性微小血管症を考える．MYH9異常症やBernard-Soulier症候群では巨大・大型血小板が多数を占め，少数の大型血小板が混在するITPと対比される．骨髄検査も検討する．

APTTが著明に延長し，PTが正常である場合は，ヘパリン混入の影響を除外した後に，血友病とループスアンチコアグラントやインヒビターを鑑別する．健常者と患者血漿の混合試験が有用である．ビタミンK欠乏性出血症では異常プロトロンビン

PIVKA-IIが増加するので，デタミナー® CL ピブカルテストで測定する．ピコルミ® PIVKA-II MONOは出血症には保険適用がない．血小板数が正常で出血時間が延長していれば，血小板機能異常症，血管障害，線溶異常症を考える．出血時間は手技が安定しがたいので注意する．血小板機能異常症を疑ったら，血小板凝集能，von Willebrand因子，フィブリノゲンを調べる．

小児の血栓症では頻度の高いPC，PS，アンチトロンビンをまずは検査する．画像検査も積極的に行う．

治療

詳細は各論に譲る．全身状態の安定を最優先にして，髄膜炎菌感染症のような緊急疾患の同定と治療を行う．出血には安静，局所の冷却，圧迫，挙上が原則である．鼻粘膜焼灼は出血傾向のある鼻出血患者には禁忌である．口腔内出血にはトロンビン外用液や抗線溶薬トラネキサム酸 30 mg/kg 静注の併用は有効である．ただし，トラネキサム酸は肉眼的血尿には禁忌である．出血性疼痛にはアセトアミノフェンを用い，アスピリンは禁忌である．

ワルファリン投与開始直後には凝固IX/X因子に比べて半減期の短いPCの低下が先行するので，血栓症に注意する．血栓溶解にはプラスミノーゲンアクチベーターであるウロキナーゼとアルテプラーゼが使われる．

ピットフォール・対策

凝固検査ではクエン酸入り試験管に規定量の血液を正確に入れることが大切である．APTTやFDP，Dダイマーは施設間格差に注意する．採血に手間取ったことによる異常値を忘れてはいけない．多血症では血漿が少ないためクエン酸過剰となりAPTTが延長する．

凝固因子は正常の10％以下に欠乏すると出血傾向を示すのに対して，凝固抑制因子は正常の50％以下に低下すると血栓傾向を示すので要注意である．

参考文献

・石黒　精，他：先天性血小板減少症・異常症の新しい診断・登録・検体保存体制．日小児血がん会誌 57：227-234，2020
・石黒　精，他：小児科で遭遇する血栓性疾患．血栓止血の臨床―研修医のために（改訂版）．日血栓止血会誌 30：9-13，2019

（石黒　精）

c. リンパ節腫大，肝腫大，脾腫大

リンパ節腫大

小児期においては通常直径1 cmを超えた場合にリンパ節腫大と判断する．ただし1 cmを超えても扁平で柔らかい生理的腫大はしばしば遭遇し，また年長児では1.5 cmまでは正常とみなされる．そのため，大きさだけでなく硬さや可動性の有無などから総合的に判断すべきである．ここでは日常遭遇することが多い頸部リンパ節腫大を中心に記載する．

頸部リンパ節は，存在する部位とリンパ流によっていくつかの領域に分類される．浅頸リンパ節は胸鎖乳突筋の前面から側方にあり，頸部，耳介周囲，乳突洞などからのリンパ流を受ける．深頸リンパ節は胸鎖乳突筋背面の内頸静脈周囲にあり，扁桃，咽頭，甲状腺など広範囲のリンパ流を受ける．オトガイ下リンパ節や顎下リンパ節は口唇，歯肉や舌を含む口腔内，鼻前庭，眼瞼などから，耳介後部リンパ節は耳介や耳道，側頭後頭部からのリンパ流を受ける．鎖骨上窩リンパ節は肺や縦隔臓器と，胸管を通じて腹部臓器からのリンパ流を受ける[1,2]．

リンパ節腫大の原因には，細菌などの直接浸潤（化膿性リンパ節炎），感染症に対する反応性腫大，う歯や湿疹などに対する非特異的な反応性腫大，免疫学的機序，および腫瘍性病変があげられる．小児期にみられるおもなリンパ節腫大の原因を表1に示す．

診断へのアプローチ

1 問診と診察所見

問診では，経過が急性か慢性か，発熱や全身倦怠感など随伴症状の有無，疼痛や圧痛の有無などを聴取する．腫大リンパ節上流の炎症症状は重要な情報である．診察時にはリンパ節の性状，すなわち片側性か両側性か，全身性か局所性か，大きさ，数，硬さと波動の有無，可動性，圧痛の有無，皮膚所見などを観察する．深頸リンパ節が一塊となって腫大して圧痛を伴う場合は，扁桃周囲膿瘍や咽頭後壁膿瘍から波及していることがある．腋窩や鼠径のリンパ節腫大では，四肢の炎症性病変の有無を確認する．これらの問診と診察により，おおよその原因が類推

5. 血液・造血器疾患のおもな症候と鑑別

表1 ● リンパ節腫大をきたす疾患

	局所性	全身性
細菌感染症	ブドウ球菌感染症，ネコひっかき病，嫌気性菌感染症，非定型抗酸菌症，ジフテリア，アクチノマイセス	溶連菌感染症，結核，ブルセラ症，梅毒，マイコプラズマ
ウイルス感染症	単純ヘルペス，流行性耳下腺炎	麻疹，風疹，伝染性単核球症，サイトメガロウイルス感染症，HIV感染症
そのほかの感染症	カンジダ症，クリプトコッカス症	トキソプラズマ症，ヒストプラズマ症
免疫疾患	川崎病，亜急性壊死性リンパ節炎（菊池病），PFAPA	若年性特発性関節炎，全身性エリテマトーデス，ALPS，Castleman病
代謝性疾患		Gaucher病，Niemann-Pick病
腫瘍性疾患	Hodgkinリンパ腫，横紋筋肉腫，甲状腺がん	白血病，悪性リンパ腫，神経芽腫，組織球症
その他	ワクチン接種後	サルコイドーシス

PFAPA：アフタ性口内炎，咽頭炎，リンパ節炎を伴う周期熱．ALPS：自己免疫性リンパ増殖症候群．
局所性と全身性の区別は原則的なものであり，絶対ではない．

できる[3]．

2 検体検査

　一般血液検査のほかに，症状から類推された病態や疾患に応じて，ウイルス抗体価，自己抗体，腫瘍マーカーや培養検査を追加する．伝染性単核球症では異型リンパ球の増加が，マイコプラズマ感染症では寒冷凝集素の上昇が診断への糸口となる．

3 画像検査

　超音波検査は，最近は腹部大動脈周囲や腸間膜，回盲部リンパ節などでも詳細な観察が可能で，全身のリンパ節腫大がみられる場合は，積極的に行うべきである．

　反応性や免疫学的機序によるリンパ節腫大では，全体に均質で皮質は薄く，内部構造やリンパ門は保たれる．ドプラではリンパ門から分枝状の血流がみられるが，膿瘍形成した場合には血流は周辺部のみとなる．悪性腫瘍のリンパ節転移では，内部構造は破壊され全体に不均質か低エコーとなり，リンパ門は消失し，皮質は肥厚し血管の分岐が不規則となる．悪性リンパ腫や白血病は反応性と腫瘍性の中間の所見を示し鑑別に苦慮するが，リンパ節周囲の浮腫性変化は悪性腫瘍に特徴的とされる（図1）[1]．

　CTやMR検査は，被ばくや鎮静の問題などもあり，最小限にとどめるべきである．超音波検査で原因が判明しなかった場合，咽頭後壁や縦隔の病変が疑われる場合，外科的処置を前提として血管との関係を判断する場合などに行う．

4 リンパ節生検

　生検は乳幼児では全身麻酔が必要なことから，その適応は厳密に考慮する．末梢血所見に異常がある場合は，骨髄検査を優先する．実際に生検の適応を考慮するのは，2〜3 cm以上で2週間以上持続し縮小傾向がない，4週間以上持続する，短期間での急速な増大，鎖骨上窩リンパ節腫大，などである．小児では，悪性リンパ腫が否定できない場合（特に亜急性壊死性リンパ節炎との鑑別），原発巣不明の悪性腫瘍，などに限られる．生検した検体は，病理診断はいうまでもなく，表面マーカー検査，染色体・遺伝子検査なども行って，より詳細に診断する．

肝腫大

　肝腫大はきわめて多様な疾患で起こるため，随伴する症状や検査結果などを踏まえて総合的に判断する必要がある．肝腫大をきたすおもな疾患を表2に示す．新生児では，正常でも肋骨弓下に4 cm程度まで触知可能なことが多い[4]．

脾腫大

診断へのアプローチ

　脾臓は，成人では肝臓同様，肋骨弓内にあって触知できないが，乳幼児では深部に触知可能なことがある．乳児期以降で肋骨弓下の皮膚直下に2 cm以上触知した場合は，脾腫大といえる[4]．脾腫大をきたすおもな疾患を表2に示す．

　脾腫大の客観的評価には超音波検査での計測が用いられるが，その際に長径を測定する方法と断面積を計算する方法（spleen index：SI）がある[5]．SIにはいくつかの計算式があり，小児では脾門部を通り直交する長径と短径の積（古賀方式）を用いることが多いが，年長児では成人と同様，脾門部からの2方向の半径の積（千葉大学・木村方式，正常<20 cm²）が

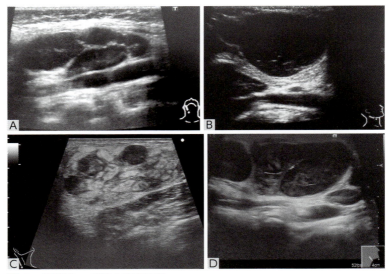

図1 ◆ 頸部リンパ節の超音波像
A：直径1cm程度のリンパ節が数個集簇しており内部構造は保たれている（伝染性単核球症），B：直径3cm，内部は低エコーでやや不均一，後方は高エコーで浮腫性変化を認める（DLBCL），C：直径2cm程度で内部が低エコーのリンパ節を数個認め，きわめて粗造な周囲組織とともに一塊となっている（T-LBL），D：直径3cmで内部はやや不均一だが構造は保たれている．周囲の浮腫性変化を認める（BCP-ALL）．（Cは済生会横浜市南部病院の田中文子先生のご厚意による）

表2 ◆ 肝脾腫大をきたすおもな疾患

	肝および脾腫大	肝腫大	脾腫大
細菌感染症	敗血症，結核，梅毒，ブルセラ症	肝膿瘍，レプトスピラ症	亜急性心内膜炎，サルモネラ感染症
ウイルス感染症	伝染性単核球症，サイトメガロウイルス，Gianotti症候群，HIV感染症	ウイルス性肝炎，エンテロウイルス	
その他の感染症	Q熱，トキソプラズマ症，マラリア*，レプトスピラ症	アメーバ赤痢，回虫症	リーシュマニア症*
血液疾患	新生児溶血性疾患，サラセミア*，鎌状赤血球症	ヘモジデローシス，ポルフィリア	自己免疫性溶血性貧血，遺伝性球状赤血球症，骨髄線維症*，髄外造血
免疫疾患	JIA，SLE，慢性肉芽腫症，Castleman病	原発性硬化性胆管炎	ALPS，Felty症候群
静脈うっ血	うっ血性心不全，Budd-Chiari症候群	肝静脈洞血栓症，下大静脈閉塞	肝硬変，脾静脈血栓症
代謝疾患	Gaucher病*，Niemann-Pick病，Wilson病	糖原病やライソゾーム病など多くの先天代謝異常，非アルコール性脂肪性肝疾患（脂肪肝）	
腫瘍性疾患	急性白血病，JMML*，CMML，組織球症	肝芽腫などの原発性肝腫瘍，転移性肝腫瘍	CML*，悪性リンパ腫
薬剤性	フェニトイン，アザチオプリン		
その他	サルコイドーシス	Reye症候群，胆汁うっ滞，先天性囊胞，肝線維症，囊胞性線維症	胆道閉鎖症

JIA：若年性特発性関節炎，SLE：全身性エリテマトーデス，JMML：若年性骨髄単球性白血病，CMML：慢性骨髄単球性白血病，ALPS：自己免疫性リンパ増殖症候群，CML：慢性骨髄性白血病．
＊：しばしば巨脾を示す．

表3 ◆ spleen index の年齢別正常値（古賀方式）

	平均±SD	95%CI
0～1か月	9.4±1.7	6.0～12.9
3～4か月	11.1±2.0	7.1～15.0
5～11か月	12.9±2.6	7.4～18.0
1歳	15.4±1.9	11.6～19.3
2歳	18.2±1.7	14.8～21.5
3歳	19.1±3.8	11.5～26.8
4歳	19.1±3.8	11.5～26.8
5歳	19.6±2.9	13.8～25.3
6～8歳男児	24.7±4.5	15.7～33.7
6～8歳女児	23.9±4.2	15.5～32.3
9～11歳男児	29.4±5.9	17.6～41.2
9～11歳女児	26.1±5.1	15.9～36.3
12～14歳男児	34.9±7.1	20.7～49.1
12～14歳女児	33.0±6.4	20.2～45.8

（二村 貢：脾臓のエコー検査．小児診療 59：649-654，1996 より引用）

用いられることもある．古賀方式によるSIの年齢別正常値を表3に示す（木村方式ではこの値の約半分となる）．

■ 文献

1) Butler EM, et al.：Cervical lymphadenitis. In：Feigin RD, et al.（eds.）, Feigin and Cherry's Textbook of Pediatric Infectious Disease. 4th ed, WB Saunders, 170-180, 1998
2) Lang S, et al.：Cervical lymph node diseases in children. GMS Curr Top Otorhinolaryngol Head Neck Surg 13：Doc08, doi：10.3205/cto000111, 2014
3) Meier JD, et al.：Evaluation and management of neck masses in children. Am Fam Physician 89：353-358, 2014
4) Green M：The abdomen. In：Green M（eds.）, Pediatric diagnosis. 5th ed, WB Saunders, 83-96, 1992
5) 二村 貢：脾臓のエコー検査．小児診療 59：649-654, 1996

（高橋浩之）

d. 易感染性

易感染性とは，感染症の①反復，②遷延，③重症化，④日和見感染，の少なくとも1つが認められる状態であり，免疫能が正常な場合には起こりにくい感染症の状態をいう．小児，特に新生児および老人は，免疫能が正常であっても感染症に罹患しやすい．すなわち生体防御能は年齢によって異なっており，易感染性の原因が病的であるかどうかを判断することが難しい場合がある．

小児の生体防御能の特徴

胎児は基本的に病原体と接する機会がない．胎児期の自然免疫応答は強く制御・抑制されており，抗体産生能および細胞性免疫能も成人よりも弱く，それに加えて免疫学的メモリーが確立していない．新生児，特に早産児では，皮膚や粘膜のバリア機能が脆弱であり，自然免疫および獲得免疫が弱く未熟であるために，成人と比較すると明らかな易感染性を示すといえよう．

乳幼児期は脾臓の構造や機能も未熟であることから，莢膜多糖体を有する細菌による感染症を起こしやすい．集団保育環境では，小児期に罹患しやすい病原体に接する機会が著しく高くなり，感染症を起こす頻度が高くなる．正常小児における上気道感染症の頻度は年4～8回であるが，10%以上の小児では年間12回以上とされている．小児期の上気道感染症の頻度が月1回以上であれば精査をすることが推奨される．一般的に，学童期になると急速に感染症の頻度が低下する．

生体防御能の異常と感染症の種類との関係

生体防御機構のどこに異常があると，どのような感染症を起こしやすいかという理解は診断を進めるうえできわめて重要である（表1）．ここでは原発性免疫不全症からの知見を中心に述べる．

T細胞の異常は細胞性免疫能と液性免疫能の両方の障害をきたし，T細胞機能が完全に欠損している場合は重症複合免疫不全症とよばれる．細胞性免疫能の低下によって，ヘルペスウイルス科ウイルスをはじめとした多くのウイルスや*Pneumocystis jirovecii* などに易感染性を呈する．さらに，Th17細胞に障害があるため真菌に対する易感染性がみられ，Th1細胞に障害があるために細胞内寄生菌に易感染性を呈する．B細胞（抗体）の異常では一般化膿菌（ブドウ球菌，肺炎球菌，大腸菌，緑膿菌など）およびエンテロウイルスによる感染症が起こりやすく重症化する．好中球の異常では，一般化膿菌や真菌に対する易感染性が起こる．このうち，白血球の活性酸素産生能が欠損する慢性肉芽腫症では，ブドウ球菌や大腸菌などのカタラーゼ産生菌や真菌に易感染性がみられ，臓器内膿瘍を起こしやすい．慢性肉芽腫症では，マクロファージの活性酸素産生能の欠

表1 ● 免疫システムの異常と感染症

免疫担当細胞/蛋白	反復・重症化する感染症
T細胞の異常	ウイルス感染症(ヘルペスウイルス属,麻疹),ニューモシスチス肺炎,真菌感染,難治性下痢,細胞内寄生性細菌(抗酸菌,サルモネラ等)感染症
B細胞(抗体)の異常	細菌性気管支炎/肺炎・副鼻腔炎・皮膚化膿症,エンテロウイルス感染症
好中球の異常	細菌性皮膚化膿症・肺炎・リンパ節炎・深部臓器感染症,真菌感染症
単球の異常	細胞内寄生性細菌(抗酸菌,サルモネラ等)感染症
NK細胞の異常	ヘルペスウイルス科ウイルス(単純ヘルペス,水痘・帯状疱疹ウイルス,EBウイルス)感染症
補体の異常	肺炎球菌感染症,ナイセリア感染症

損のために抗酸菌にも易感染性を呈する.Mendel遺伝型マイコバクテリア易感染症では,T細胞とマクロファージとの相互作用に障害があり,マクロファージの活性化が起こらないため,細胞内寄生菌のみに易感染性を呈する.単球が欠損するMono-Mac症候群でも同様に細胞内寄生菌に易感染性を呈する.NK細胞の異常では,ヘルペスウイルス科ウイルスに対して易感染性を呈し,補体欠損症では肺炎球菌やNeisseria属による感染(特に肺炎球菌や髄膜炎菌による敗血症や髄膜炎)が起こりやすく重症化する.日本人は補体成分C9の欠損症の頻度が高い.

これまでに罹患した感染症の種類や易感染性を示している病原微生物から,異常と考えられる生体防御機構を推察することによって,早期に診断に至ることができる.

易感染性がある際に注意すべき問診や診察

乳幼児期は年齢要因を考慮し,集団保育などの環境要因の有無を問診する.これまでに罹患した感染症の種類やその病原微生物,重症度,経過,抗菌薬の効果等の情報を確認する.感染症に関連する家族歴,特に原発性免疫不全症の家族歴や易感染性を呈した血縁者の有無,両親の血族結婚の有無について詳細に情報を得る.予防接種の副反応の有無についても確認する.

原発性免疫不全症に関しては,『原発性免疫不全症を疑う10の徴候』が参考になる[1].これには,次の10項目が記載されている.①乳児で呼吸器・消化器感染症を繰り返し,体重増加不良や発育不良がみられる,②1年に2回以上肺炎にかかる,③気管支拡張症を発症する,④2回以上,髄膜炎,骨髄炎,蜂窩織炎,敗血症,皮下膿瘍,臓器内膿瘍などの深部感染症にかかる,⑤抗菌薬を服用しても2か月以上感染症が治癒しない,⑥重症副鼻腔炎を繰り返す,⑦1年に4回以上,中耳炎にかかる,⑧1歳以降に,持続性の鵞口瘡,皮膚真菌症,重症・広範な疣贅(いぼ)がみられる,⑨BCGによる重症副反応(骨髄炎など),単純ヘルペスウイルスによる脳炎,髄膜炎菌による髄膜炎,EBウイルスによる重症血球貪食性リンパ組織球症に罹患したことがある,⑩家族が乳幼児期に感染症で死亡するなど,原発性免疫不全症症候群を疑う家族歴がある.また顔貌の特徴,身体的特徴,発達や神経学的異常所見の有無について評価することも重要である.代表的な原発性免疫不全症の発症時期や特徴を図1に示す.各疾患の発症年齢には遺伝子変異のタイプ等によって個人差が大きい.Bruton無ガンマグロブリン血症などの液性免疫不全症では,移行抗体が消失する乳児期後半以降に易感染性が強くなる.

二次性免疫不全症の要因の有無についても確認する必要がある.年齢要因以外に,栄養状態,外傷,糖尿病,免疫抑制薬・ステロイド・抗がん薬・生物学的製剤などの薬剤の使用,脾臓摘出後,HIV感染症などが二次性免疫不全症の原因になる.慢性肺疾患,胃食道逆流現象,線毛機能不全(Kartagener)症候群では気道感染症を起こしやすく,先天性心疾患では感染性心内膜炎,無脾症では敗血症や髄膜炎が起こりやすい.

検査の進め方

易感染性が疑われた場合,末梢血白血球数や白血球分画,血清免疫グロブリン値や血清補体価などの基本的な免疫関連臨床検査を提出する.年齢を考慮してその結果を評価したうえで,易感染性の特徴を抽出し,それに沿って原因を特定するための検査を提出する(図2).原発性免疫不全症には400種類以上の疾患がある[2].診断が困難な場合もあるため,診断および治療については,早期から専門家/専門施設と密接に連携をとる必要があろう.日本免疫不全・自己炎症学会の症例相談(医師専用)も利用していただきたい[3].

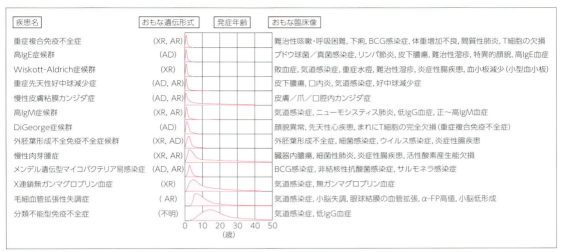

図1 ◆ 代表的な原発性免疫不全症の遺伝形式, 発症年齢とおもな臨床像
XR：X連鎖潜性(劣性)遺伝, AR：常染色体潜性(劣性)遺伝, AD：常染色体顕性(優性)遺伝, A-FP：αフェトプロテイン.

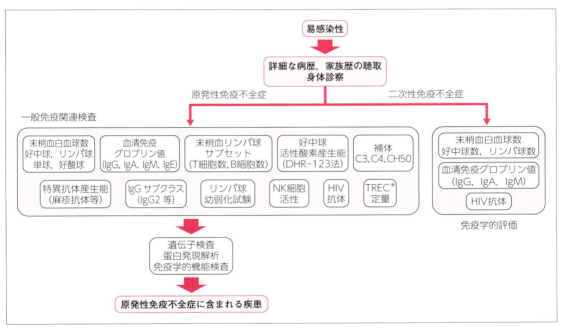

図2 ◆ 易感染性の検査の進め方
＊TREC：T-cell receptor excision circles.

■ 文献

1) 厚生労働省原発性免疫不全症候群調査研究班(編)：原発性免疫不全症を疑う10の徴候―患者・プライマリーケア医師へ向けて(2010年改訂).
http://pidj.rcai.riken.jp/10warning_signs.html〔2021年4月アクセス〕
2) Tangye SG, et al.：Human inborn errors of immunity：2019 update on the classification from the international union of immunological societies expert committee. J Clin Immunol 40：24-64, 2020
3) 症例相談(医師専用). 日本免疫不全・自己炎症学会
https://www.jsiad.org/〔2021年4月アクセス〕

(高田英俊)

第1章 血液・造血器総論

6 血液・造血器疾患におけるおもな検査

a. 血球形態観察

末梢血血球形態観察の意義

近年では自動血球計数装置による白血球分画の分類が可能となり，顕微鏡による血球形態観察が真に必要な件数は以前と比べると減少しているかもしれない．しかし，少量の白血病細胞の混在や血小板凝集による見かけの血小板減少などは機械では鑑別が困難であり，現在でも末梢血形態観察は重要である[1)2)]．末梢血塗抹標本による血球形態像の観察は血球の量と質の評価を可能にする一方で，塗抹標本の状態が悪いと，観察が困難となり誤った評価を下す恐れがある．

標本の作成

1 塗抹標本の作成

一般的に用いられる塗抹方法は手引きによるウェッジ法であるが，専用の塗抹器による遠心力を利用したスピナー法もある．

ウェッジ法の場合はまず，①スライドグラスの一端の中央に血液を1滴のせ，②引きガラスを血液に触れさせ，引きガラスの幅いっぱいに広がるようにし，③スライドグラスと引きガラスのなす角を30〜40°に保ち，一定の速度で引きガラスを滑らせるように塗抹標本を作成する．このときの角度や引く速度で標本の厚みの調節が可能となる(角度を大きく，塗抹速度を速くすると厚めの標本となるので，貧血のある例の観察に適する：図1)．塗抹後はただちにドライヤーなどで冷風を送って乾燥させる．このときに温風を用いると溶血を起こすため，注意が必要である．

スピナー法はウェッジ法よりも均一に塗抹できるという長所があるが，より多い血液が必要という短所もある．

2 標本の染色

一般に行われるのは Wright-Giemsa 染色または May-Grünwald-Giemsa 染色である[3)]．Giemsa 染色は核の染色に優れ，Wright 染色は顆粒の染色に優れる．May-Grünwald-Giemsa 染色はやや赤味が強い．

塗抹標本作成から染色までの時間が1週間以上となると標本が青く染まってくるので，早く染色するか，標本箱などに入れ遮光する．

標本の観察

1 肉眼での観察

まず色調を観察する．白血病発症時など細胞増多があれば青みが強くなる．そのほか，標本の厚さ，塗抹の質なども観察する[2)]．

2 顕微鏡による観察

まず弱拡大にて標本全体を観察し，塗抹と染色の質をみる．ウェッジ法で作成した塗抹標本は，引き終わり2/3周辺の，赤血球の接する部分が均一で赤血球2個の重なりが50%以下の部分を観察する(図1)．大型細胞は塗抹周辺部に集合しやすいが，この部分にフィブリン析出像や血小板凝集像があれば不良検体の可能性がある．標本の全体を見回したあと，高倍率レンズにて個々の細胞を観察する．血液細胞の形態異常については表1に示す．

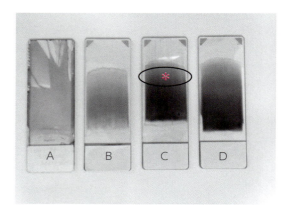

図1● スピナー法(A)とウェッジ法(B〜D)を用いた塗抹標本の肉眼所見

ウェッジ法はスライドグラスと引きガラスの角度と塗抹する速度により厚みが変化することに留意するべきである(Bは薄く，Dは濃い．Cが最も適切な厚さである)．
スピナー法は均一な塗抹状況となるが，ウェッジ法の場合は細胞が均等に重なり合うことなく分布している引き終わり2/3周辺(＊)が観察に適している．
(口絵2 p.ii 参照)

表 1 ● 血液細胞のおもな形態異常

	異常所見	形態	意義・疾患
赤血球系の異常	菲薄赤血球	central pallor が広い小型赤血球	鉄欠乏性貧血など低色素性小球性貧血
	球状赤血球	central pallor がなく，濃く染まる小さな赤血球	遺伝性球状赤血球症，自己免疫性溶血性貧血
	楕円赤血球	楕円〜卵円形の赤血球	遺伝性楕円赤血球症
	有口赤血球	central pallor が口唇状の細長いスリットとなる	遺伝性有口赤血球症，遺伝性球状赤血球症
	鎌状赤血球	細長く両端の尖った鎌の刃のような赤血球	鎌状赤血球症（HbS 症）
	標的赤血球	辺縁部と中央が濃く染まり標的状を呈する	実際は厚さの薄いカップないしサラダボウル状を呈しており，塗抹標本作成時に中央が反対方向に突出して標的のようになる．細胞膜の増加ないし体積減少が原因．サラセミア，鉄欠乏性貧血，閉塞性黄疸など
	有棘赤血球	分布・長さ・太さが規則的で先端が尖った突起を有する金平糖状ないしウニ状の赤血球	血漿の脂質異常による膜のリン脂質構成異常によるため，ピルビン酸キナーゼ欠乏症など赤血球解糖系酵素異常症に対して摘脾を行った後に出現することが多い．ただし，塗抹標本作成後，すぐ乾燥させなかった場合の人工的変化として認めることがあり注意を要する
	破砕赤血球	破砕され三角〜ヘルメット状〜著しい小球状になった赤血球断片	溶血性尿毒症症候群や血栓性微小血管障害など赤血球破砕症候群で特徴的な所見
	涙滴赤血球	中央がとがったいちじく状を呈する	骨髄線維症など髄外造血時
	好塩基性斑点	細胞質内に好塩基性の微小封入体を多数認める	正常であれば分解消失するリボソームが凝集したもの．ヘモグロビン合成障害，悪性貧血，急性鉛中毒，骨髄異形成症候群など
	Howell-Jolly 小体	1 μm ほどの円形・濃紫色の封入体．1 つの赤血球につき 1 つ	核の遺残物で，摘脾後のみならず，赤血球造血異常（悪性貧血，骨髄異形成症候群など）を示唆する
	Pappenheimer 小体	Howell-Jolly 小体よりも小さく不整な形の封入体で，1 つの赤血球で 1 つ以上みえ得る．鉄を含有するため鉄染色で陽性	鉄芽球性貧血などのヘム合成障害や摘脾後
白血球系の異常	中毒性顆粒	強く染まる大型のアズール顆粒	感染症
	Döhle 小体	青色に染まる細胞質内封入体	感染症，May-Hegglin 異常
	Pelger-Huët 核異常	円形〜卵円形の単核ないし 2 分葉の核．2 核の場合，糸のように細い分葉部分を有し鼻眼鏡状と称される．核のクロマチン濃縮が著明	Pelger-Huët 異常症，白血病，骨髄異形成症候群
	過分葉核	6 葉以上の分葉	悪性貧血，骨髄異形成症候群，中毒など
	脱顆粒	顆粒が消失	骨髄異形成症候群
	Auer 小体	赤く染まる桿状構造物	急性骨髄性白血病
血小板系の異常	巨大血小板	赤血球と同程度の大きさ	特発性血小板減少性紫斑病などの血小板造血の盛んな病態や骨髄異形成症候群．先天性巨大血小板症（Bernard-Soulier 症候群，DiGeorge 症候群，May-Hegglin 異常，Gray platelet 症候群，Paris-Trousseau 症候群/Jacobsen 症候群，2B 型 von Willebrand 病）
	小型血小板	小型の血小板（平均血小板容積<5 fL）	Wiskott-Aldrich 症候群，X 連鎖血小板減少症

3 血液細胞の観察[3]

1) 赤血球の観察

大きさおよび染色性，形状，封入体の有無，奇形赤血球の頻度などを評価する．

正常な赤血球は直径 7～8 μm で，中央がくぼんだ円盤状を呈する．分葉核好中球の大きさが約 15 μm なので，その半分程度である．正球性正色素性であれば中央の淡く染まる central pallor は直径の約半分ほどを占めるが，小球性低色素性だと赤血球は小型化し，central pallor が拡大する．網赤血球は多染性でやや青みがかってみえるとされるが，正確に検出するためには超生体染色が必要である．

2) 白血球の観察

赤血球との比較で，白血球数が増加ないし減少しているか見当をつける（赤血球：白血球＝約 500：1）．正常では分葉核および桿状核好中球，好酸球，好塩基球，単球，リンパ球が観察される．核を観察する際には核の形だけではなく，核網（クロマチン構造）や核小体なども観察する．

好中球に関しては分葉の程度，顆粒の増減，封入体の有無を評価する．分葉核球と桿状核球は核のくびれの程度によって区別するが，必ずしも厳密に鑑別し得ない．分葉は 2～3 が正常で，6 分葉以上のものを過分葉と称する[4]．

好酸球は好中球よりやや大きく，大きな橙赤色の顆粒を有し，ほぼ同じ大きさの 2 つの卵円形の核が中央の糸で結ばれるように分節しているのが特徴的である．

好塩基球は好中球よりやや小さく，暗青紫色の大きな顆粒を有する．核の上に重なるように顆粒が存在するため，核形状やクロマチン構造の評価はしばしば困難となる．顆粒は水に溶解しやすく，Giemsa 染色で顆粒が抜けてしまうこともある．

単球は白血球のなかで最も大きく，細胞質の辺縁は不規則で，やや灰色がかった青色を呈し，微細なアズール顆粒が存在する．時に空胞も認める．核は腎臓形や馬蹄形などと表現される多様で不規則な形状を呈し，そのクロマチン構造は好中球よりも繊細である．

リンパ球は約 10 μm ほどの小リンパ球と 15 μm くらいの大リンパ球があるが，サイズの大小に本質的意義はない．リンパ球の核クロマチン構造は濃縮していてゴツゴツした印象を受け，淡青色の細胞質には時に少数のアズール顆粒を認める．

異型リンパ球は，大型で好塩基性の細胞質をもつ．核は切れ込みがあったり馬蹄形を呈したりし，核網は濃縮していることが多くしばしば核小体を認める．単球や形質細胞，リンパ芽球などと鑑別が必要なものもある．リンパ組織への刺激により活性化されたリンパ球であるとされ，5％以上認められる際は伝染性単核球症をはじめとするウイルス感染や薬剤アレルギーなどを疑う．

3) 血小板の観察

赤血球との比較で，血小板数が増加ないし減少しているか見当をつける（赤血球：血小板＝約 15～20：1）．血小板産生亢進時には大型化し，赤血球より大きいものを巨大血小板と称する．血小板減少時にも血小板のサイズが診断の一助になり得る（表 1）が，EDTA 添加血では時間が経過すると血小板が膨張するので，採血後，速やかに塗抹標本を作成すべきである．

見かけ上の血小板数増減をきたす原因が複数あるため，注意を要する[1]．見かけ上の血小板減少をきたすものとしては，血小板凝集，好中球周囲への血小板の衛星現象，異常巨大血小板，フィブリン析出などがあげられる．断片化赤血球や白血病細胞の断片，真菌などが存在すると血小板として算出されるため，見かけ上の血小板増加の原因となる．

■ 文献

1) Bain BJ：Diagnosis from the blood smear. N Engl J Med 4：353：498-507, 2005
2) 別所文雄：血液標本の見方．日め血会誌 22：2331-2339, 2008
3) 三輪史朗，他：血液細胞アトラス　第 4 版．文光堂，1990
4) 朝長万佐男，他（編）：不応性貧血（骨髄異形成症候群）の形態学的異形成に基づく診断確度区分と形態診断アトラス．2008

（長谷川大輔）

b. 凝固・線溶系検査

生体の血管内での流血状況下では，さまざまな外的・内的ストレス下でも，出血や微小循環障害をきたさないように，血管系，血小板系や凝固・抗凝固・線溶系機構が絶妙に調節され維持されている．このバランスにいったん障害が生じると，出血または血栓症や播種性血管内凝固（DIC）を発症する．この状態すなわち凝固・線溶異常症の診断のために臨床検査が必要であり，凝固・線溶系機能評価をするために次の 2 つの病態に分類される．

①凝固機能の低下（易出血状態）

②凝固機能の亢進（易血栓状態）

凝固機能の低下状態（出血傾向）

出血性疾患のスクリーニング検査として，凝固機構に関しては，活性化部分トロンボプラスチン時間（APTT）とプロトロンビン時間（PT）が用いられる．血液凝固反応機序は内因系（第XII因子，第XI因子，第IX因子，第VIII因子），外因系（第VII因子），共通系（第X因子，第V因子，第II因子，フィブリノゲン）からなり（表1），APTTは内因系と共通系凝固，PTは外因系および共通系凝固を反映する．図1に出血性疾患の鑑別フローチャートを示す．一般的にAPTT，PTに血小板数を加えた3項目でスクリーニングを実施し，異常値があれば関連する特異的検査を追加して確定診断を行う．

凝固機能の亢進（血栓傾向）

いったん破綻出血が起こると，血管内皮傷害部位に血小板凝集による一次止血に引き続き，凝固機構によりフィブリノゲンからフィブリン，安定化フィブリンを形成する（二次止血）．その一方で，形成されたフィブリン血栓の溶解・除去のために線溶機構が発動し，過剰または長時間の血栓形成を制御する．この制御には線溶系の最終生成物であるプラスミンがフィブリンを分解して，FDP（fibrin/fibrinogen degradation products）やD-ダイマーが増加する．つまりFDPやD-ダイマー増加は生体内に血栓が存在している，または存在していたことを表す．

アンチトロンビン（AT）は，凝固活性化に伴い生成される活性型第X因子やトロンビンを阻害して凝固反応を制御するため，生体内で凝固亢進環境であればATは低下する．

トロンビン-アンチトロンビン複合体（thrombin-antithrombin complex：TAT），可溶性フィブリン（soluble fibrin），可溶性フィブリンモノマー複合体（soluble fibrin monomer complex：SFMC）は，トロンビン生成が惹起された凝固亢進の早期診断のマーカーとして有用である．しかし，採血の手技などの影響を

表1 ◆ 血液凝固反応に関連する凝固因子

APTT	PT	関連する凝固因子
延長	正常	第VIII因子，第IX因子，第XI因子，第XII因子，プレカリクレイン，高分子キニノーゲン
正常	延長	第VII因子
延長	延長	フィブリノゲン，プロトロンビン，第V因子，第X因子
正常	正常	第XIII因子

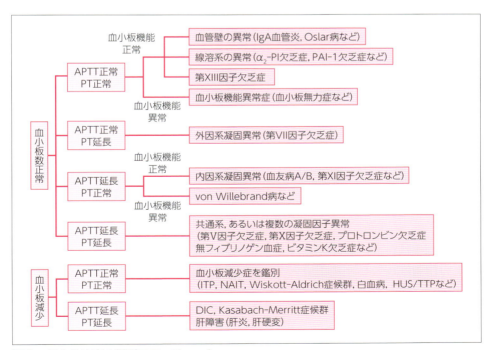

図1 ◆ 出血性疾患の鑑別フローチャート
ITP：特発性血小板減少性紫斑病，NAIT：新生児同種免疫性血小板減少症，HUS：溶血性尿毒症症候群，TTP：血栓性血小板減少性紫斑病．

表2 ◆ 新生児・小児における凝固・線溶系検査の基準値

		年齢						
		日齢1	日齢3	1か月〜1歳	1〜5歳	6〜10歳	11〜16歳	成人
凝固検査	APTT（秒）	38.7 (34.3〜44.8)	36.3 (29.5〜42.2)	39.3 (35.1〜46.3)	37.7 (33.6〜43.8)	37.3 (31.8〜43.7)	39.5 (33.9〜46.1)	33.2 (28.6〜38.2)
	PT（秒）	15.6 (14.4〜16.4)	14.9 (13.5〜16.4)	13.1 (11.5〜15.3)	13.3 (12.1〜14.5)	13.4 (11.7〜15.1)	13.8 (12.7〜16.1)	13.0 (11.5〜14.5)
	PT-INR	1.26 (1.15〜1.35)	1.20 (1.05〜1.35)	1.00 (0.86〜1.22)	1.03 (0.92〜1.14)	1.04 (0.87〜1.20)	1.08 (0.97〜1.30)	1.00 (0.80〜1.20)
	フィブリノゲン (mg/dL)	280 (192〜374)	330 (283〜401)	242 (82〜383)	282 (162〜401)	304 (199〜409)	315 (212〜433)	310 (190〜430)
止血系制御因子	AT (%)	76 (58〜90)	74 (60〜89)	109 (72〜134)	116 (101〜131)	114 (95〜134)	111 (96〜126)	96 (66〜124)
	プロテインC (%)	32 (24〜40)	33 (24〜51)	77 (28〜124)	94 (50〜134)	94 (64〜125)	88 (59〜112)	103 (54〜166)
	プロテインS (%)	36 (28〜47)	49 (33〜67)	102 (29〜162)	101 (67〜136)	109 (64〜154)	103 (65〜140)	75 (54〜103)
凝固因子活性	II (%)	54 (41〜69)	62 (50〜73)	90 (62〜103)	89 (70〜109)	89 (67〜110)	90 (61〜107)	110 (78〜138)
	V (%)	81 (64〜103)	122 (92〜154)	113 (94〜141)	97 (67〜127)	99 (56〜141)	89 (67〜141)	118 (78〜152)
	VII (%)	70 (52〜88)	86 (67〜107)	128 (83〜160)	111 (72〜150)	113 (70〜156)	118 (69〜200)	129 (61〜199)
	VIII (%)	182 (105〜329)	159 (83〜274)	94 (54〜145)	110 (36〜185)	117 (52〜182)	120 (59〜200)	160 (52〜290)
	IX (%)	48 (35〜56)	72 (44〜97)	71 (43〜121)	85 (44〜127)	96 (48〜145)	111 (64〜216)	130 (59〜254)
	X (%)	55 (46〜67)	60 (46〜75)	95 (77〜122)	98 (72〜125)	97 (68〜125)	91 (53〜122)	124 (96〜171)
	XI (%)	30 (7〜41)	57 (24〜79)	89 (62〜125)	113 (65〜162)	113 (65〜162)	111 (65〜139)	112 (67〜196)
	XII (%)	58 (43〜80)	53 (14〜80)	79 (20〜135)	85 (36〜135)	81 (26〜137)	75 (14〜117)	115 (35〜207)
凝固活性化マーカー	D-ダイマー (μg/mL)	1.47 (0.41〜2.47)	1.34 (0.58〜2.74)	0.22 (0.11〜0.42)	0.25 (0.09〜0.53)	0.26 (0.10〜0.56)	0.27 (0.16〜0.39)	0.18 (0.05〜0.42)

(Monagle P, et al.: Developmental haemostasis. Impact for clinical haemostasis laboratories. Thromb haemost 95：362-372, 2006より引用)

受けやすく，必ず血小板数やD-ダイマーなど他のマーカーと併せて評価することが重要である．

新生児・小児における凝固・線溶系検査の基準値と注意点

表2に新生児・小児における凝固・線溶系検査の基準値を示す[1]．小児，特に新生児におけるこれら検査では，成人の基準値よりも低い項目があるため，検査結果の解釈にはその年齢に対応した基準値と比較することに留意する．特にビタミンK依存性凝固因子は正常レベルに達するまで時間を要することも留意しておく必要がある．

また，新生児や乳児での血液検体の採取はきわめてむずかしいこともあり，検体が動脈ラインや中心静脈カテーテルからの採血ではヘパリンが混入している可能性が十分ある．さらに採取がスムーズでないと，検体内に多くの組織因子が混入することがあり，凝固活性化状態として評価してしまうことがあるため注意を要する．

■ 文献

1) Monagle P, et al.: Developmental haemostasis. Impact for clinical haemostasis laboratories. Thromb haemost 95：362-372, 2006

（髙橋大二郎，野上恵嗣）

c. 血小板機能検査

血小板の検査

　血小板の精査は，血小板数の異常（減少・増加）を認めた場合や出血症状を認めた場合に行われ，血小板数と形態検査，スクリーニング検査，特異検査に大別される（表1）[1]．血小板異常症を疑う場合には，系統的な検査の実施が重要である．

血小板数

　血小板数の低下は必ずしも血小板減少症であるとはいえない．特に出血症状を認めない場合，不適切な採血・サンプリングによる血小板凝集やEDTA依存性偽性血小板減少症であることは少なくない．また，大型/巨大血小板や破砕赤血球が存在する場合も血小板計測は正しく行われず，広く用いられている電気抵抗法による自動血球計数装置では低く計測される．末梢血塗抹標本の観察と，フラッグメッセージおよび血小板粒度分布曲線を確認することが必要である．

血小板形態

　塗抹標本の観察では，血小板凝集塊の有無（辺縁に多い），血小板サイズ，色調に注意する．先天性血小板減少症を疑う場合には，赤血球と白血球の形態にも注意する．

スクリーニング検査

1 出血時間

　出血時間はメスなどで一定の小傷を作り，止血するまでの時間を測定する．耳朶を穿刺するDuke法と，前腕に切創を加えるIvy法がある．出血時間は一次止血機能を反映するため，血小板の質的・量的および血管脆弱性の評価が可能であるが，わが国で一般的なDuke法では手技などによる要因で再現性が低い．

2 血餅収縮能

　血栓/凝血塊は，取り込まれた血小板の収縮作用によって収縮する．血餅収縮には血小板GPIIb/IIIaとフィブリノゲンが作用する．本検査はGPIIb/IIIaを欠損する血小板無力症のスクリーニング検査となり，血小板減少やフィブリノゲン低下/異常症でも血餅収縮能は低下する．検体として血小板多血漿（platelet rich plasma：PRP）を用いると異常を検出しやすい（図1）．

表1 ◆ 血小板の検査

基本検査
血小板数
血小板形態
スクリーニング検査
出血時間
Duke法，Ivy法
血餅収縮能
特異検査
血小板粘着能
血小板凝集能
透過光法，散乱光法，全血法
放出能
von Willebrand因子（VWF）
活性値（リストセチンコファクター），抗原量，マルチマー解析
β-トロンボグロブリン（β-TG）
血小板第4因子（PF4）
血小板第4因子・ヘパリン複合体抗体（HIT抗体）
血小板関連IgG（PA-IgG）
抗血小板抗体
血小板表面抗原解析
CD41，CD61，CD42a，CD42bなど

（金子　誠：臨床検査から見た血栓・止血疾患の診断．臨血 55：874-881, 2014より引用）

特異検査

1 血小板粘着能

　血小板粘着能はガラスビーズあるいはコラーゲン固相プラスチックビーズを充填したカラムに全血を通過させ，通過前後での血小板数差により粘着能を算出する．粘着反応には血小板膜糖蛋白（GP）Ib/IX/VとvonWillebrand因子がかかわるため，両者の機能評価検査とされるが，実際には血小板凝集も同時に起こるため，血小板停滞率ともよばれる．基準範囲が大きいため，異常値の判断が困難なことも多い．

2 血小板凝集能

　血小板凝集能は，PRPに血小板活性化物質を加え，血小板凝集に伴うPRPの透過率の上昇を経時的に計測し凝集曲線を記録する（図2）．従来の透過光法に加え，散乱光法と全血法がある．検体としてPRPを用いるため，血小板数低値や乳び血漿では正しい結果が得られないことがあり，大型/巨大血小板の場合には検体作成が困難である．凝集曲線は初

第Ⅰ部　総論

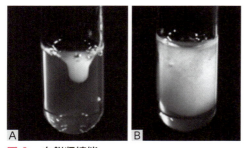

図1 ◆ 血餅収縮能
A：正常．B：血小板無力症．
血小板多血漿を用いると血餅収縮異常を検出しやすい．

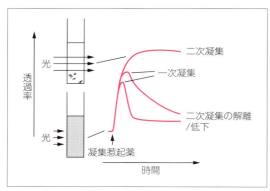

図2 ◆ 血小板凝集能
透過光法の原理と血小板凝集曲線．

期に起こる一過性の一次凝集と血小板放出反応に伴う不可逆性の二次凝集に分けられる．血小板凝集能の結果は，最大凝集率に加え，二次凝集の有無を含めた凝集曲線パターンの解釈が必要である．GPIb/IX/V欠損症のBernard-Soulier症候群ではリストセチン凝集のみを欠如し，血小板無力症ではリストセチン以外の生理的血小板凝集惹起薬による凝集を欠如する．

3 血小板表面抗原解析

フローサイトメトリーによる血小板表面抗原解析

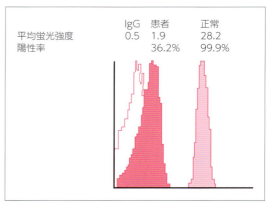

図3 ◆ フローサイトメトリーによる血小板表面抗原解析
Bernard-Soulier症候群患者血小板のCD42b発現解析．

は，血小板無力症およびBernard-Soulier症候群の診断に必須の検査であるが，造血器悪性腫瘍の診断および病型分類とは結果の解釈が異なることに注意が必要である．血小板無力症ではCD41およびCD61，Bernard-Soulier症候群ではCD42aおよびCD42bの陽性率ではなく，陰性コントロールおよび正常コントロールと比較した平均蛍光強度を判断する[2]（図3）．

血小板機能検査で異常値を認めた場合，常に再現性の確認と血小板機能に影響を与える薬剤使用の有無の確認が必要である．

■ 文献
1) 金子　誠：臨床検査から見た血栓・止血疾患の診断．臨血 55：874-881，2014
2) Kunishima S, et al.：Bernard-Soulier syndrome due to GPIX W127X mutation in Japan is frequently misdiagnosed as idiopathic thrombocytopenic purpura. Int J Hematol 83：366-367, 2006

（國島伸治）

d. 免疫学的検査

免疫能を推し量るための検査について概説する．免疫能検査を行う前に，どの免疫系を評価するか，その意思決定が大切である．全般的に評価する場合と，免疫系の一部を評価する場合で用いる検査が異なる．いずれの場合にも，身体所見〔リンパ組織（胸腺やリンパ節など）の発達程度〕や，感染症における起因微生物（細菌とその種類，真菌・ウイルスとその種類など）を明確にしておくことが重要である（図1）[1,2]．

免疫グロブリン

1 IgG, IgA, IgM

免疫グロブリンはB細胞（形質細胞）から産生されるが，樹状細胞による抗原提示，B細胞とT細胞の相互作用などさまざまな免疫応答の過程を経て産生されるため，B細胞以外の免疫能も総和として推し量ることができる．

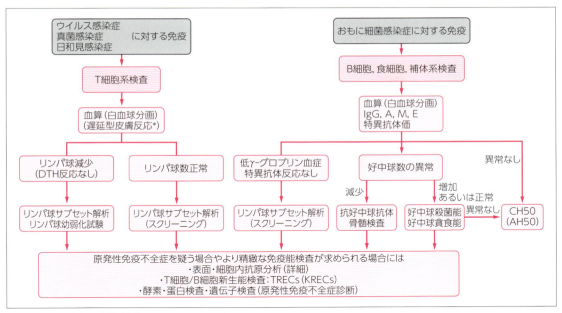

図1 ◆ 目的別免疫学的検査のフローチャート
(森尾友宏：原発性免疫不全症関連検査，三橋知明，Medical Practice 編集委員会（編）臨床検査ガイド．文光堂，773-778，2015/森尾友宏：NK 細胞活性．三橋知明，Medical Practice 編集委員会（編），臨床検査ガイド．文光堂，785-787，2015 を参考に作成)

　免疫グロブリンの値は年齢によって大きく異なり，IgG，IgA，IgM それぞれ，成人の値に達する年齢が異なる．また，乳児では母親からの移行抗体もあるため，血清 IgG，IgA，IgM の評価にあたっては年齢的要素を加味することが重要である．

　原発性免疫不全症における減少・欠損に加えて，小児血液腫瘍領域では抗がん薬，免疫抑制薬，リツキシマブ投与後，造血細胞移植後などにおいての評価として用いられる．一方，増加する場合も注意が必要である．

2 IgE

　IgE はアレルギー反応の指標として，またクラススイッチ能の評価として用いることができる．

3 特異抗体

　IgG などの絶対値とは異なり，質的な評価が行える点で重要である．保険収載されていないが，肺炎球菌特異抗体は多糖体抗原に対する免疫応答，IgG2 サブクラス免疫応答の評価に重要であり，人々の大半が接触歴あるいは予防接種歴があるなか，有用な指標となる．また，加えて接種したワクチンに対する抗体価を測定することも有用である．

4 IgG サブクラス

　IgG サブクラスは一般的に行う検査ではないが，IgG が正常で肺炎球菌やインフルエンザ桿菌などへの易感染性を疑う場合に検査を行う．現在 IgG4 に加え IgG2 が保険収載されている．

リンパ球サブセット[3]

1 リンパ球数

　リンパ球数の算定と塗抹標本での検鏡が重要である．

2 リンパ球サブセット

1) 量の評価

　B 細胞は CD19 あるいは CD20，T 細胞は CD3，またその大まかなサブセットは CD4，CD8，NK 細胞は CD16 あるいは CD56 で評価する．CD4 は単球にも，CD16 は好中球にも発現することに注意が必要であり，適切なゲーティングが求められる．このうち NK 細胞数は保険適用外であり，以下に記載する NK 細胞活性にて代用する．保険未収載ではあるが，BML との共同研究により開発した免疫スクリーニング FCM 検査が利用でき，通常のリンパ球サブセット（T/B/NK 細胞）に加え，メモリー Th/Tc，メモリー B 細胞，活性化 T 細胞の比率を算出可能である．これらにより，T 細胞機能異常によるメモリー T 細胞の増減，X 連鎖無ガンマグロブリン血症における B 細胞欠損，分類不能型免疫不全症におけるメモリー B 細胞比率低下，自己免疫性リンパ増殖症候群におけるダブルネガティブ T 細胞増加などを検出可能である．

2）質の評価

　サブセット解析における質の評価は，それぞれのサブセットの分化段階や機能分子を解析することになる．たとえばB細胞は末梢組織において10段階以上の分化を経るが，二次リンパ組織に入る前のナイーブB細胞はCD27陰性であり，記憶B細胞ではCD27陽性となる．T細胞では胸腺から出てきたばかりのナイーブT細胞はCD45RA陽性であり，かつCD31陽性と規定される．一方，メモリーT細胞はCD45RO陽性（CD45RA陰性）となる．メモリーT細胞のなかでも長く記憶細胞としてとどまるものはcentral memoryとよばれ，CD62L陽性CCR7陽性でさまざまな組織にホーミングできるような分子を表面に発現している．一方，局所にて働き，機能を終えると生体から去って行く細胞はCD62L陰性CCR7陰性である．

　T細胞においてその質を間接的に評価する手法として，T細胞受容体Vβセグメントの比率をみる方法がある．ここに記載した手法はいずれも研究的検査である．

　一方，簡便にリンパ球の機能を評価する方法としてツベルクリン反応がある．この反応は遅延型過敏反応に分類され，刺激によりマクロファージとT細胞が局所に集簇する反応をみている．

リンパ球幼若化試験

　リンパ球幼若化試験（リンパ球芽球化反応）により，リンパ球のシグナルおよび増殖能を評価することができる．T細胞を増殖させるマイトジェンとしてはフィトヘムアグルチニン（phytohemagglutinin：PHA）とコンカナバリンA（concanavalin A：ConA）があり，ともにレクチンであるが，そのシグナル経路の詳細については明らかになっていない古典的な増殖誘導物質である．抗CD3抗体によりT細胞受容体/CD3を架橋して増殖能を検討することにより，より直接的にT細胞シグナルをみることができるが，保険収載された方法ではない．

　B細胞の増殖をみる方法としてポークウィードマイトジェン（pokeweed mitogen：PWM）によるリンパ球幼若化試験が行われていたが，現在はほとんど実施されていない．

NK細胞活性

　標的細胞を51-クロミウム（51-chromium：^{51}Cr）という放射性同位元素でラベルし，末梢血単核球と標的細胞の比率を一定にして培養し，標的細胞が殺傷された際に遊離するクロミウムを検出することにより，細胞傷害活性を推察する．NK細胞数の増加あるいは減少の指標となり，またNK細胞活性の増強，低下を明らかにする．例えば，担癌患者や免疫不全状態においてはNK細胞活性は低下し，またNK細胞機能にとって重要な分子が欠損するような疾患，例えば，家族性血球貪食症候群やChédiak-Higashi症候群などでも活性が低下する．

好中球検査

1 好中球数（および形態）

　免疫学的検査としてあげるまでもないが，細菌感染症，真菌感染症において好中球数およびその形態の把握は最も重要である．

2 貪食能・殺菌能検査

　機能検査のなかでは，殺菌能検査がより重要である．ニトロブルー・テトラゾリウム（nitroblue tetrazolium：NBT）還元能検査は優れた検査法であるが，実施機関はきわめて少ない．実際には好中球に刺激を加えて活性酸素産生能をフローサイトメトリー法，ルミノール法などで検討するのが一般的である．産生能低下は％としてデータが還元されるが，実際にはヒストグラムで増減を判定することが重要である．慢性肉芽腫症において殺菌能低下が顕著である．貪食能検査は，蛍光ビーズを取り込ませてフローサイトメトリーにて測定する．

そのほかの検査

　補体検査は，補体カスケードの構成要素を測定し，CH50，C3，C4にてスクリーニングするが，補体制御因子の異常による溶血性尿毒症症候群（hemolytic-uremic syndrome：HUS）や遺伝性血管浮腫（hereditary angioedema：HAE）などの疾患も存在する．本検査は他項に譲る．

　そのほか，専門施設にコンサルト可能な検査の1例として，B細胞新生能検査，T細胞新生能検査がある．免疫不全症の分類や，造血細胞移植後の免疫学的再構築などを評価するために重要な検査である．

おわりに

　上記の免疫学的検査につき，免疫担当細胞・液性因子の量的・質的異常として，表1にまとめた．全般のスクリーニング，感染症脆弱性の検索など目的に応じて必要な検査を実施することが重要である（図1）．

表1 ◆ 免疫担当細胞・液性因子の量的・質的異常

	量的検査	詳細な検査（研究的）	質的検査	質的検査（二次検査あるいは研究的）	新生能力
B細胞	CD19/CD20（骨髄検査）	CD19陽性CD27陽性（記憶B）	IgG, IgA, IgM, IgE	特異抗体	KRECs*1
T細胞	CD3（CD4/CD8）	CD3陽性CD45RA陽性CD31陽性（真のナイーブT）CD4陽性CD45RO陽性（記憶T）など	IgG, IgAなどリンパ球幼若化試験遅延型過敏反応（ツベルクリン反応など）	細胞傷害活性	TRECs*1
好中球	塗抹標本（骨髄検査）	CD11/CD18陽性（接着因子発現）	殺菌能貪食能（遊走能）		骨髄コロニー
NK細胞	CD16/CD56（保険未収載）	CD16/CD56二重染色（CD16dim＋〜−はNK活性が弱い）	NK活性		
補体*2	C3, C4, CH50	AH50			

*1：KRECs(Kappa-deleting recombination excision circles), TRECs(T cell receptor excision circles).
*2：調節成分の異常による疾患の存在にも留意する.

■ 文献
1) 森尾友宏：原発性免疫不全症関連検査. 三橋知明, Medical Practice編集委員会（編）, 臨床検査ガイド. 文光堂, 773-778, 2015
2) 森尾友宏：NK細胞活性. 三橋知明, Medical Practice編集委員会（編）, 臨床検査ガイド. 文光堂 785-787, 2015
3) 森尾友宏：検査値を読む 2013 細胞性免疫検査 リンパ球サブセット検査. 内科 111：1404, 2013

（磯田健志, 森尾友宏）

e. 骨髄検査（骨髄穿刺, 骨髄生検）

骨髄検査の目的

造血組織である骨髄を検査する目的としては, 血液疾患のみならず悪性疾患を含む全身性疾患の診断・評価があげられる. 実際には末梢血液検査における異常（血球数の異常や異常細胞の存在など）の出現, 固形腫瘍の進展度評価, 粟粒結核や代謝性疾患の疑いがある場合, 原因不明のリンパ節腫脹や肝脾腫が存在する場合などが適応となる. また, 小児の急性リンパ性白血病（ALL）の一部では末梢血に異常所見を呈さないまま発熱や骨痛などが遷延することがあり, 発熱の原因精査として骨髄検査が行われることもある.

骨髄線維化や著しい過形成などにより骨髄穿刺で検体が採取できない（dry tap）際は骨髄生検を検討する. 再生不良性貧血や骨髄異形成症候群（MDS）などの造血障害において造血組織の構築・分布の変化や細胞密度の評価を行いたい場合も骨髄生検の適応である. 悪性リンパ腫や固形腫瘍の進展度（骨髄転移の有無）の評価を行う際は2か所以上の部位からの生検が望ましい.

これらの骨髄検査は, 凝固障害や穿刺部位周囲の炎症がある場合には禁忌であるが, 腰椎穿刺の場合と異なり血小板減少のみであれば, 穿刺部位を十分に圧迫することで施行可能である[1].

骨髄検査の実際

1 骨髄穿刺

検査部位としては後腸骨棘アプローチによる腸骨が頻用される. 胸骨は周囲の皮下脂肪が薄く, 高齢者でも造血巣が保たれているため, かつて成人においてしばしば選択されていたが, 穿刺針が胸骨を貫通して心タンポナーデや気胸をきたした事例もあり, 行われなくなっている. 臀部の皮下脂肪が厚く後腸骨棘からの穿刺が困難な場合には, 上前腸骨棘からの穿刺を考慮する. 新生児や幼若乳児では脛骨が用いられることもある.

実際の手技を順を追って以下に記す. ①穿刺部の皮膚を消毒する. ②皮下から骨膜表面およびその周囲に十分な局所麻酔を行う. ③骨髄穿刺針の先端を

骨髄腔内まで押し進める．支えなく針が直立できれば，先端が骨髄腔内に入っていると考えられる．④塗抹標本作成用の検体として，ヘパリンを含まない注射器を用いて0.3 mL程度吸引する．この際，量を取り過ぎたり時間をかけて吸引したりすると，末梢血によって希釈された不適当な検体となるので注意せねばならない．塗抹標本の作成方法として用いられることが多いウェッジ法については，本章/6/a. 血球形態観察(p.40～42)の項を参照されたい．⑤フローサイトメトリーや染色体，遺伝子検査や保存用検体のため，少量のヘパリンを含んだ注射器を用いて3～5 mLほど吸引する．⑥必要とする骨髄を採取し終えたら穿刺針を抜去し，ガーゼで圧迫止血する．⑦凝固した④の検体をクロット標本作成のためホルマリン液にて固定する．

2 骨髄生検

専用の骨髄生検針を用い，後腸骨棘から穿刺する．骨皮質を貫通し骨髄内に到達したところで内針を抜き，そのまま回転させながら数 cm ほど（通常は2 cmであるが，体格に応じて増減する．乳幼児では0.5 cm程度でよいとの意見もある）外筒を押し進め，生検針の中に十分な量の骨髄組織が入るようにする．外筒先端の骨髄組織を折るように生検針全体を左右に振り動かし，少し回転させた後，ゆっくり回転させながら針を引き抜き，針先からプローブを挿入し骨髄組織を回収する（骨髄生検針によって詳細な手順が異なり得るので使用前に添付文書などを確認すべきである）．得られた骨髄組織でスタンプ標本を作成したり，スライドグラス上を擦過したりすると細胞学的評価が可能となるので，dry tap症例では試みる意義がある．

生検針が十分な深さに到達する前に内針を抜いてしまうと，外筒に骨片が入り込み，得られた検体が挫滅してしまう．また，針を乱暴に抜去するとせっかく得られた骨髄組織が生検針の中にとどまらない結果となる．

骨髄組織の染色

1 普通染色

Wright-Giemsa染色またはMay-Grünwald-Giemsa染色などの二重染色法が一般的である[1]．Giemsa染色は核の染色に優れ，Wright染色は顆粒の染色に優れる．May-Grünwald-Giemsa染色はやや赤味が強い．

2 ミエロペルオキシダーゼ染色

ミエロペルオキシダーゼ（myeloperoxidase：MPO）は血液細胞のうち骨髄球系と単球系細胞に発現しており，赤芽球，巨核芽球，リンパ系細胞では陰性である．急性骨髄性白血病（AML）とALLの鑑別に用いられ，AMLはミエロペルオキシダーゼ陽性細胞が3％以上あり，ALLは3％未満である．AMLでもM0，M7，M5aの一部はミエロペルオキシダーゼ陰性となり得る．

3 エステラーゼ染色

ナフチルブチレートは骨髄球，単球系のいずれにも発現するため非特異的エステラーゼとよばれる．フッ化ナトリウムを添加すると，単球系の非特異的エステラーゼ染色が消失する．一方，ナフトールAS-Dクロロアセテートは骨髄球系に特異的に発現するため，特異的エステラーゼとよばれる．二重染色を行うと，特異的エステラーゼにより骨髄球系細胞は青く，非特異的エステラーゼにより単球系細胞がそれぞれ茶色く染まり，評価がしやすくなる．

4 鉄染色

非ヘモグロビン鉄を濃青色顆粒として検出する．ヘム合成障害をきたすと，余剰鉄がミトコンドリア内に沈着する．この鉄顆粒を含む赤芽球を鉄芽球といい，鉄顆粒が5個以上，または核周囲1/3以上に分布した赤芽球を環状鉄芽球という．環状鉄芽球の増加（≧15％）は，成人では環状鉄芽球を伴う骨髄異形成症候群（MDS-RS）という病型の特徴的所見であるが，小児ではきわめてまれであるため，むしろX連鎖性鉄芽球性貧血やPearson症候群などの遺伝性鉄芽球性貧血の可能性を検討すべきである[2]．

骨髄組織の観察

1 骨髄塗抹標本の観察

まず肉眼にて標本の厚さ，染色の具合，細胞集塊（particle）の有無などを観察する[3]．白血病発症時など細胞増多があれば青みが強くなる．

次いで弱拡大にて全体を観察し，細胞数を評価する．大型細胞は引き終わり部に集合しやすいため，この部分のparticleや巨核球を観察する．このparticleは吸引される際に陰圧によって引きちぎられた骨髄組織そのものであり，この中の有核細胞と脂肪の量的比率にて細胞密度（cellularity）がある程度は推測できる（正確な細胞密度は後述する生検標本にて評価される）[1]．particleを含まない検体は末梢血で希釈されているか，末梢血そのものの可能性がある[3]．標本の全体を見まわした後，高倍率レンズを用い，標本の引き終わり2/3周辺の細胞が重なり合うことなく均等に分布している部分で個々の細胞を観察する[1,3]．一般的な骨髄像を表1に示す．

表1 ◆ 一般的な骨髄像（成人）

有核細胞数			10～25万/μL
巨核球数			50～150/μL
白血球系	好中球系	骨髄芽球	0.2～1.5％
		前骨髄球	2～4％
		骨髄球	8～16％
		後骨髄球	10～25％
		桿状核球	10～16％
		分葉核球	6～12％
	好酸球		1～5％
	好塩基球		0～0.2％
	単球		0～5％
赤芽球系	前赤芽球		0～1％
	好塩基性赤芽球		0.5～2.4％
	多染性赤芽球		18～29％
	正染性赤芽球		0～5％
リンパ球			10～23％
形質細胞			0～4％
細網細胞			0～2％

（三輪史朗，他：I．光学顕微鏡　A．血液細胞のみかた．血液細胞アトラス．第4版，文光堂，1-26，1990より引用）

白血病が疑われる場合は芽球の性質および比率を評価するが，普通染色だけでは病型の特定がしばしば困難であるため，特殊染色所見も参考にする．白血病の各病型の特徴については，WHO分類改訂第4版を参考にされたい[4]．

2 骨髄生検の観察

骨髄生検にて評価するのは，細胞密度，芽球を含めた造血細胞の増減，形態異常の有無，分布異常の有無，線維化など間質の異常の有無などである．

標本は，ヘマトキシリン・エオジン染色のみならず，必要に応じて免疫組織化学的染色を行って観察されなければならない．そのためには適切な標本採取のみならず，得られた組織標本の適切な固定と脱灰が重要である．脱灰が不適切であるとその後の染色による評価も困難となるため，脱灰処理のいらないクロット標本を好む血液病理学者もいるという．

芽球の判定にはCD34免疫染色を用いる[5]．巨核球系細胞の評価にはCD42bやCD61免疫染色を用いると，塗抹標本で観察困難な微小巨核球も検出可能となる[5]．細網線維の同定には銀染色が用いられる．

■ 文献
1) 三輪史朗，他：血液細胞アトラス．第4版，文光堂，1990
2) 張替秀郎：遺伝性鉄芽球性貧血の病態と診断．日小児血液会誌 25：118-122，2011
3) 別所文雄：血液標本の見方．日小血会誌 22：331-339，2008
4) Swerdlow SH, et al.（eds.）：WHO classification of Tumours of Haematopoietic and Lymphoid Tissues. IARC press, 2008
5) 伊藤雅文：小児造血不全症の病理中央診断．臨血 58：661-668，2017

（長谷川大輔）

f．染色体検査・遺伝子検査の基礎知識

概要

染色体検査と遺伝子検査は，多くの血液・腫瘍性疾患の診断にとって重要な検査である．特に，腫瘍性疾患においては，治療法の選択や治療効果の判定などにとっても重要な情報を与えてくれる．しかし，一口に染色体検査・遺伝子検査といっても，そのなかにはさまざまな種類の検査が存在し，検出できる異常の種類や解像度も検査によって大きく異なる．それぞれの検査の特性を十分に理解して目的に応じた適切な検査を選択すること，最終的には，臨床像や他の検査の結果も併せて総合的に診断することが重要である．

染色体検査と遺伝子検査の基本

ゲノムを解析する技術としては，ゲノム全体を目で見て確認できる検査としての染色体検査（分染法やSKY法）から，1塩基レベルの配列を確認するシークエンス法まで，さまざまな解像度の検査がある．また，目的に応じてさまざまな種類の検査が用いられる．

1 染色体分染法とその関連検査

染色体検査は，細胞1個1個を観察してその細胞単位で染色体の数と構造を評価する検査である．腫瘍性疾患では腫瘍細胞の染色体を，非腫瘍性疾患では生殖細胞系列の染色体情報をもつ細胞の代表として，通常は末梢血Tリンパ球の染色体を検査する．基本的には分裂中期（metaphase）の細胞を観察することによって行われる．細胞のほとんどは間期（interphase）にあって，DNAはほぐれて存在するので，そのままでは染色体という構造を観察することはできない．染色体検査を行うための標本作製では分裂期の細胞を集めるために，細胞を培養し，コルセミドにより分裂中期で細胞周期を止め，染色体を観察で

きる細胞を蓄積させる．骨髄の未分化造血細胞や腫瘍細胞は活発に分裂するためそのまま培養すればよいが，末梢血中には分裂可能な細胞がほとんどないため，先天異常を対象とした染色体検査ではTリンパ球の特異的分裂促進剤であるフィトヘマグルチニン（PHA）を添加して培養を行う．そのため，結果的にTリンパ球の染色体を観察することになる．

1）染色体分染法

G，C，Q，Rなどさまざまな分染法があるが，通常はG分染法が行われる[1]．染色体の異常の有無の診断は，染色体の長さ，形，染色されるバンドのパターンなどによって行われる．検出できる異常の大きさは，通常10 Mb以上である．

2）SKY（spectral karyotyping）法

5種類の蛍光色素を用いて，その種類と量を調整することにより染色体を24色に染め分ける．分染法では判別が難しい複雑な染色体異常の診断に有用である[2]．

3）FISH（fluorescence in situ hybridization）法

通常行われるのは間期核で行うFISH法で，蛍光色素で標識したプローブを核内のDNAにハイブリダイズさせることによって，プローブの核内での位置とシグナル数を知ることができる．色が異なる2種類のプローブ（dual color）を用いれば，その位置関係（break-apart，dual-fusionなど）によって，遺伝子の切断や融合，欠失の有無などを知ることができる．分染法やSKY法，分裂核FISH法と比べて，同一標本内での観察可能な細胞が多く，通常100～1,000個程度の細胞を観察して評価する．そのため，低頻度のクローンの確認も可能である．分裂核FISH法は，分染法と同様の方法で作成した染色体標本を用いることによって，染色体上でのプローブの位置を確認することができる．検出できる異常の大きさは使用するプローブの大きさやプローブ同士の距離によるが，数100 kbから数10 kbまでの異常を検出できる．

特定の遺伝子の状態を調べる場合のFISH法は，遺伝子検査に位置づけられる検査であるといえる．

4）カルノア固定液の保存

染色体関連検査ではカルノア固定標本を用いて検査を行う．分染法を行ったあとに残ったカルノア固定液を用いてFISH法もSKY法も実施可能なので，検査終了後は検査施設からカルノア固定液を回収し，保存しておくことが望ましい（$-20 \sim -80$ ℃）．

2 遺伝子関連検査

遺伝子検査の多くはPCR法を用いて行われている．造血器腫瘍や小児の固形腫瘍で多くみられる融合（キメラ）遺伝子の検出のためには，通常RNAを用いたRT-PCR法が行われる．以前は定性PCRが一般的だったが，現在はリアルタイムPCRによる定量PCRが行われることが多い．遺伝子変異検査の現時点での主流はダイレクトシークエンスである．DNAの目的部分をPCR法により増幅し，その産物をそのままシークエンスする．一方，近年はがんゲノムパネル検査に代表されるように，次世代シークエンスによる遺伝子検査も普及しつつある．

細胞単位で行う染色体検査に対して，遺伝子関連検査はたくさんの細胞（通常の検査では100万個以上）から抽出したDNAやRNAを用いて行われる．そのため，特にダイレクトシークエンスの結果にはしばしば複数のクローンの情報が混在する．そのような場合や腫瘍細胞の割合が少ない検体では，存在する異常を検出できないことがあるので注意が必要である．

3 検体採取の注意点

染色体検査では細胞を分裂させる必要があるため，検体採取の際に用いる抗凝固薬にはヘパリン以外のものを用いてはならない（ヘパリン以外の抗凝固薬はカルシウムを除去する作用のため細胞分裂を阻害する）．一方，白血病での染色体検査では，骨髄中の白血病細胞のほうが末梢血中の白血病細胞よりも検査の成功率が高いので，可能な限り骨髄液を用いて検査を行うことが望ましい[3]．

遺伝子検査用の検体採取では，ヘパリンの混入が核酸増幅を阻害するため注意が必要なことが知られているが，現在一般的に用いられているシリカゲルメンブレン法による核酸抽出ではヘパリンの影響を除去できるようになった．しかし，シリカゲル法はマイクロRNAの抽出効率が悪く，目的に応じた対応が必要となる．

染色体検査結果を理解するために必要な基礎知識

染色体異常を正確に理解するためには，核型（かくがた：karyotype）記載の構造や使用されている記号の意味などを理解する必要がある．核型を自分で診断できるようになることは容易ではないが，核型診断された染色体検査報告書を理解することはそれほどむずかしいことではないので，報告書を受け取ったときは，すべての記載内容を丁寧に読む習慣

6. 血液・造血器疾患におけるおもな検査

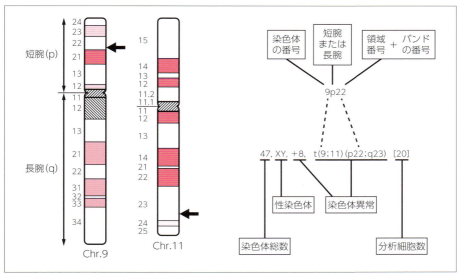

図1 ◆ 染色体の構造と核型記載の構造
染色体は，セントロメア（中のくびれた部分）を挟んで短いほう（短腕，pで表す）を上に，長いほう（長腕，qで表す）を下にして並べる．短腕と長腕はバンドによってさらに細かい部分に区別される．pまたはqの次に記載される最初の数字は領域番号，その次の数字はその領域の中のバンドの番号を表している．染色体の番号，pまたはq，領域番号，バンドの番号によって染色体上の位置が示される．9番染色体の短腕（p）の領域2のバンド2であれば，9p22と表される．読み方は英語では nine p two two，日本語ではキュウ・ピー・ニ・ニである（キュウ・ピー・ニジュウニではない）．

をつけていただきたい．

1 核型記載のルール

染色体検査では一般に，20程度の核板（染色体を含んだ核）を分析して核型を決定する．染色体の同定や核型記載は，国際的な規約であるISCN（International System for Human Cytogenetic Nomenclature）に従ってなされる[4]（図1）．核型記載と染色体の構造に関する基本的な記号の意味を表1に示す．

2 クローン性染色体異常の基準

観察した核板すべてが同じ核型のこともあるが，一部の核板のみに異常が観察されることもある．しかし，一見異常にみえるものが細胞にもともと存在するものではなく分析操作に伴う人工的な変化である場合がある．そのためISCNでは，その異常がクローン性（clonal）のものかどうかを判定するための基準が定められている．

基本的な考え方として，1細胞にしか異常が認められない場合はそれのみではクローン性染色体異常とは判定しない．標本作製の際に核の中から一部の染色体が失われたり，その失われた染色体がほかの核に混入することがあるためである．同一検体で，2細胞以上に同一染色体の過剰か構造異常（数的増加，相互転座など）がみられた場合，または3細胞以上に同一染色体の不足（数的減少）がみられた場合をクローン性染色体異常と判定する．

しかし，過剰か構造異常が1細胞にしかみられない場合や同一染色体の不足が2細胞以下にしかみられない場合にそれを完全にクローン性異常ではないと否定できるわけではない．病型特異的な異常であれば1細胞のみの観察でもクローン性異常の可能性がある．このような場合は，染色体分析の追加や再検，またはFISH法やRT-PCR法によりクローン性染色体異常（またはそれに伴うキメラ遺伝子など）かどうかを確認することが望ましい．

3 正常変異

検出された染色体の変化がすべて異常であるとは限らない．inv(9)(p12q13)が代表的であるが，そのほかにもヘテロクロマチンの長さの異常など，表現型に影響しない染色体の変化がいくつも知られている[4)5]．

4 先天性の均衡型相互転座

腫瘍細胞の染色体検査で，t(11;12)(p13;q22)のような均衡型相互転座がすべての細胞で認められたとき，この染色体転座は腫瘍に特有の異常の場合もあるが，患者の体細胞すべてに存在する先天異常（生殖細胞系列異常）の可能性もある．通常は寛解期の骨髄染色体検査でこの異常が消失しているかどうかで概ね判断できるが，最終的には末梢血でのPHA添加による染色体検査を行う．先天的な異常の場合，将来の習慣流産などのリスクがあり，適切な遺

53

表1 ◆ 核型表記でよく使われる記号

記号	意味	使用例とその説明
t	translocation 転座	t(9;22)(q34;q11.2) 9q34と22q11.2の間の相互転座 ＊異なる染色体の融合（切断）点はセミコロン（；）でつなぐ
inv	inversion 逆位	inv(16)(p13q22) 16番染色体のp13とq22の間での逆位 ＊同一染色体上の融合（切断）点の間にはセミコロン（；）は入れない
ins	insertion 挿入	ins(5;2)(p14;q22q31.2) 2q22-q31.2領域の欠失と5p14への挿入 挿入された派生5番染色体上での染色体成分の順番は 5pter→5p14→2q31.2→2q22→5p14→5qter
del	deletion 欠失	del(5)(q13q33)：5q13-q33領域の腕内欠失 del(5)(q13)：5q13から長腕末端までの端部欠失
der	derivative chromosome 派生染色体	der(18)t(14;18)(q32;q21) 14q32と18q21の転座によって形成される2つの異常染色体のうちのセントロメアが18番染色体のもの 18p末端から18q21までの18番染色体部分に14q32から14q末端までの14番染色体部分がつながっている
add	additional material of unknown origin 過剰部分付加染色体	add(12)(p13) 12p13部分より末端が欠失し，その部分に由来不明の染色体部分が付加している
mar	marker chromosome マーカー染色体	+mar 同じものが2個あるときは+2mar 異なるものが複数あるときは+mar1,+mar2,…
r	ring chromosome 環状染色体	+r 同じものが3個あるときは+3r 異なるものが複数あるときは+r1,+r2,… 由来染色体（例，7番染色体）が判明している場合は+r(7) 融合部位までわかっていれば+r(7)(p22q36)
slとsdl	stemline 中心となるクローン	46,XY,inv(16)(p13.1q22)[10]/47,sl,+22 [10] サブクローンを記載するときに中心となるクローンを省略して記載する．ここでの47,sl,+22は47,XY,inv(16)(p13.1q22),+22の省略形であり，inv(16)(p13.1q22)は20細胞にみられることを意味する 複数のサブクローンが存在する場合にはslに加えてsdlを用いる 46,XY,t(9;11)(p22;q23)[14]/47,sl,+8 [5]/48,sdl1,+6 [1]における48,sdl1,+6は48,XY,+6,+8,t(9;11)(p22;q23)を意味する
idem	ラテン語でsameの意味	46,XY,t(8;21)(q22;q22)[12]/46,idem,del(9)(q13q22)[8] slと同じように用いられる
dup	duplication 重複	dup(1)(q21q32) 1q21-q32部分の重複
+，−	染色体の増減	+8，−7：正常染色体の増減 +add(1)(p11)，+mar1，+r1：異常染色体の増加
?	不明	del(9)(q?) 9qに欠失が認められるものの，正確な欠失部位は不明

検査会社での染色体検査報告書には通常記号の意味が添付されている．さらに詳細に知りたい場合は，ISCNをご覧いただきたい．

伝カウンセリングが必要となる[6]．

遺伝子検査の進歩—"個別"遺伝子検査から"網羅的"パネル検査へ

国内では，2019年より小児を含む再発・難治例を対象にがん関連遺伝子のパネル検査が保険収載された．

現在，使用可能な遺伝子パネル検査は，OncoGuide™ NCCオンコパネルシステム（シスメックス，NCCオンコパネル：124遺伝子）とFoundationOne® CDxがんゲノムプロファイル（中外製薬，F1CDX：324個の遺伝子）である．がんゲノム医療提供体制の整備が進み，2018年4月にがんゲノム医療中核拠点病院

として全国の11施設が指定され，2019年には，がんゲノム医療拠点病院として34施設が認定された．これらの施設では，患者にがんゲノム医療を説明して，遺伝子パネル検査の提出と複数の専門家で構成される委員会（エキスパートパネル）による報告書作成が行われる．質の高いがんゲノム医療を提供するため，2021年4月には新たに180施設のがんゲノム医療連携病院が認定された．小児の固形腫瘍には有効な治療が確立されていないものも多く，今後は治療選択肢の拡大が期待される．

一方で，小児がん領域において適切なゲノム医療提供体制を構築するためには，遺伝子検査を受ける際の小児患者とその家族に対する適切な遺伝カウンセリングが不可欠である[7]．また，ゲノム解析に関する技術は今も尚急速に進歩しており，それを利用する患者側の知識や意識も急速に変化している．最新の情報に基づいた適切な運用が求められる．

■文献

1) 平石佳之：G分染法．古庄敏行 監修・編集，臨床染色体診断法．金原出版，103-106，1996
2) 西田一弘：造血器腫瘍の診療における spectral karyotyping 法．谷脇雅史，他（編著），造血器腫瘍アトラス形態，免疫，染色体から分子細胞治療へ 第5版．日本医事新報，127-134，2016
3) 滝 智彦，他：細胞遺伝学的および分子生物学的診断．堀部敬三，他（編），小児造血器腫瘍の診断の手引き．日本医学館，33-45，2012
4) McGowan-Jordan J, et al.（eds.）：ISCN 20202：An international System for Human Cytogenetic Nomenclature（2020）．Karger, 2020
5) Gardner RJM, et al.：Variant Chromosomes and Abnormalities of No Phenotypic Consequence. In：Chromosome abnormalities and genetic counseling, 5th ed. Oxford University Press, 369-384, 2018
6) 滝 智彦：染色体検査における個人遺伝情報管理．Lab Clin Pract 32：5-8，2014
7) 国立大学法人京都大学大学院医学研究科，国立研究開発法人日本医療研究開発機構：「ゲノム医療における情報伝達プロセスに関する提言—その1：がん遺伝子パネル検査を中心に（改定第2版）」及び「ゲノム医療における情報伝達プロセスに関する提言—その2：次世代シークエンサーを用いた生殖細胞系列網羅的遺伝学的検査における具体的方針（改定版）」の公開
https://www.amed.go.jp/news/seika/kenkyu/20200121.html

（滝　智彦）

g. 造血不全に関する特殊検査

非腫瘍性血液疾患に含まれる疾患は幅広く，時に臨床的な鑑別がむずかしいため，正しい診断を与えることにつながる分子生物学的検査の役割は大きい．本項では，特に骨髄不全症候群の鑑別診断に有効な諸検査〔発作性夜間ヘモグロビン尿症（paroxysmal nocturnal hemoglobinuria：PNH）血球検査，テロメア長測定検査，染色体脆弱性試験，FANCD2モノユビキチン化試験，各種遺伝子解析検査（Sangerシークエンス・次世代シークエンス）〕について述べる．

PNH血球の測定

PNHは，*PIGA*遺伝子の体細胞変異を獲得した造血幹細胞がクローン性に増殖した結果，グリコシルホスファチジルイノシトール（glycosylphosphatidylinositol：GPI）アンカー型蛋白を欠損した血球が増加し，補体による血管内溶血をきたす疾患である．時に再生不良性貧血に合併するため，造血不全が認められる患者において，重要な鑑別診断にあげられる．以前はHam試験などによる診断が行われてきたが，より感度・特異度に優れたフローサイトメトリーを用いたPNH血球測定法が現在では広く用いられるようになっている．具体的には，PNH型蛋白であるCD55，CD59に対する免疫染色を行い，好中球分画・赤血球分画におけるCD55陰性CD59陰性分画の細胞を検出・定量を行う（図1）．また，特発性再生不良性貧血の患者のうち，20〜70％では感度の高いフローサイトメトリーのみで検出可能な微少PNH血球が認められ，免疫抑制療法に対する反応性予測に有用である可能性が報告されている[1]．

テロメア長測定

先天性角化不全症（dyskeratosis congenita：DKC）は，テロメア長維持に関与する遺伝子群の変異により発症する，遺伝性造血不全症候群の1つである．スクリーニング検査として，テロメア長測定が有用である．測定方法には，サザンブロッティング法・定量PCR法・flow-FISH法などがあるが，ここではflow-FISH法を紹介する[2]．テロメア長は加齢とともに短縮するため，末梢血リンパ球のテロメア長をペプチド核酸（peptide nucleic acid：PNA）キットを用いたflow-FISH法にて測定したあと，年齢をマッチさせた健常対照群から標準偏差（SD）を算出し，患者の相対テロメア長を評価している（図2）．

図3に，テロメア長短縮（−3.84 SD）を認めた12歳児の解析結果を示す．この症例のように明らかなテロメア長短縮が認められる症例では，DKCの合併を考慮し，遺伝子解析による確定診断を行うことが望ましい．ただし，DKC以外のほかの遺伝性造血不全症候群においてもテロメア長の短縮が認められることがあるため注意を要する[3]．

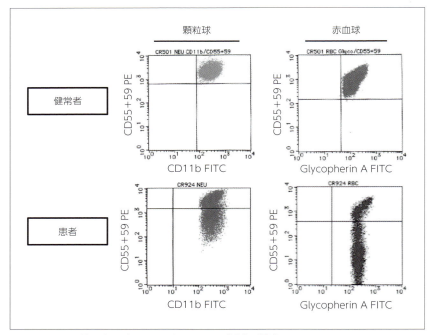

図1 ● フローサイトメトリーによるPNH血球の検出

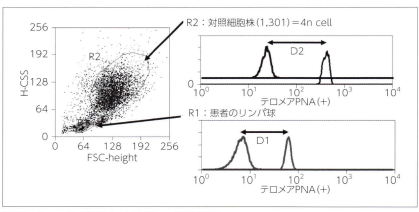

図2 ● flow-FISH法によるテロメア長測定
RTL (relative telomere length)：D1×2×100/D2.

染色体脆弱性試験

　Fanconi貧血は，DNA修復機構に関与する遺伝子群の変異により，染色体不安定性・脆弱性が認められるために種々の臨床症状を呈する遺伝性造血不全症候群である．Fanconi貧血患者では，低身長・皮膚の色素沈着・身体奇形などが認められることが多いが，一部の症例では貧血以外の臨床症状が認められないことがあり，特発性再生不良性貧血患者の診療にあたっては必ず除外診断をしなければならない．
　染色体脆弱性試験は，末梢血リンパ球にマイトマイシンC (mitomycin C：MMC) やジエポキシブタン (diepoxybutane：DEB) などのDNA架橋薬を添加して培養し，染色体断裂の数を評価する．Fanconi貧血患者の末梢血リンパ球では，健常者の末梢血リンパ球と比較して多数の染色体断裂が認められる．末梢血リンパ球による解析のみでは，reversion mutationによる体細胞モザイクが認められる症例では偽陰性となることがあるため注意が必要である．体細胞モザイクが疑われる場合には，皮膚線維芽細胞を用いた解析が必要である．国内の検査会社でも，末梢血リンパ球による解析は実施可能である．

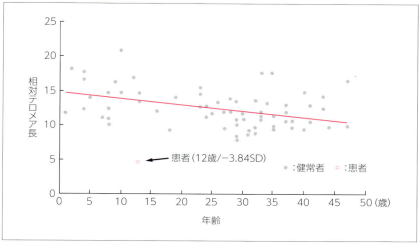

図3 ◆ 12歳テロメア長短縮例（flow-FISH法）

FANCD2モノユビキチン化試験

Fanconi患者で異常がみられるDNA修復経路にかかわる遺伝子群は，互いに密接にかかわり合ってその機能を果たしている．FANCA，FANCB，FANCC，FANCE，FANCF，FANCG，FANCL，FANCMなどの経路の上流に位置する蛋白群が核内で複合体を形成し，FANCD2蛋白のモノユビキチン化に関与する．FANCD2蛋白は，モノユビキチン化により活性化し，経路の下流に位置する蛋白群と相互作用し，DNA修復を制御している．

Fanconi貧血患者において変異のみられる頻度が高いFANCA，FANCC，FANCGなどは，いずれもFANCD2よりも上流に位置している．このため，DNA架橋剤刺激による患者末梢血リンパ球のFANCD2のモノユビキチン化の有無をウエスタンブロット法で評価することで，約95％のFanconi貧血患者のスクリーニングが可能である[4]（図4）．この方法の限界点として，FANCD2の下流に位置する遺伝子群の変異により発症する少数（5％以下）のFanconi貧血症例は検出不可能であること，染色体脆弱性試験と同様に復帰変異（reversion mutation）による体細胞モザイク例では偽陰性となるため体細胞モザイクの存在が疑われる症例においては皮膚線維芽細胞による解析が必要であること，などに注意が必要である．

遺伝子変異解析

近年の多数の研究者による精力的な遺伝学的解析研究の結果，遺伝性造血不全症候群においても多く

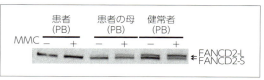

図4 ◆ ウエスタンブロット法によるFANCD2モノユビキチン化試験

の新たな原因遺伝子変異が同定された．このような状況のなか，非腫瘍性血液疾患の確定診断のためには，遺伝子変異解析検査は必要不可欠である．これまで，そして現在も広く用いられているSangerシークエンス法による解析は，1遺伝子ずつ遺伝子配列を決定し，結果を目視で確認するという作業が必要であるため，大変な労力と時間を要する．また，多数の遺伝子の解析を行うには無視できないコストが必要である．最近になって次世代シークエンス（大量並列シークエンス）法が実用化され，比較的低コストで一度に多数の遺伝子の配列を決定することが可能となった．今後，広く実臨床でも利用されていくと考えられる．

網羅的遺伝子解析による遺伝子診断は非常に強力であるが，すべての症例がたちどころに診断されるというわけではない．reversion mutationによる体細胞モザイクを合併した症例では，診断感度は著しく損なわれる．原因遺伝子不明の症例がいずれの病型においても存在することに加えて，これまでに報告されていない遺伝子バリアントが認められた際に，その新規遺伝子バリアントが疾患の発症に関与する病的意義を有する遺伝子であるかどうか証明するこ

とは，通常困難を伴う．病因となる遺伝子変異と病的意義のない一塩基多型（single nucleotide polymorphism：SNP）などの遺伝子多型とを区別することは必ずしも容易ではなく，各疾患の専門家が参加した遺伝子診断システムの構築が必要である．

網羅的遺伝子解析が実臨床の現場の導入されたあとにも，本項で紹介した遺伝子解析以外の分子生物学的検査の意義が薄れることはなく，身体所見をはじめとした臨床症状を組み合わせて，総合的かつ慎重に遺伝子解析の結果を解釈する力が臨床医に求められることが予想される．

■ 文献

1) Sugimori C, et al.：Minor population of CD55-CD59- blood cells predicts response to immunosuppressive therapy and prognosis in patients with aplastic anemia. Blood 107：1308-1314, 2006
2) Sakaguchi H, et al.：Peripheral blood lymphocyte telomere length as a predictor of response to immunosuppressive therapy in childhood aplastic anemia. Haematologica 99：1312-1316, 2014
3) Miwata S, et al.：Clinical diagnostic. value of telomere length measurement in inherited bone marrow failure syndromes. Haematologica 2021 Apr 22. Online ahead of print
4) Shimamura A, et al.：A novel diagnostic screen for defects in the Fanconi anemia pathway. Blood 100：4649-4654, 2002

（村松秀城）

第1章 血液・造血器総論

7 非腫瘍性血液疾患と移行期医療

　小児医学の進歩によって多くの患児が成人期を迎えるようになり，成人診療科への引き継ぎの必要性が認識されるようになったがその課題は多い．悪性新生物を除くと小児慢性特定疾患の9割以上が成人に至るが，移行へ課題がそれほど多くない単一疾患群と広い領域で医療的ケアを要する疾患・症候群がある．これらに対する精密医療を進めるため，個別の課題を医療者と患者本人および家族が共有して移行を進めていく必要がある．患者側には主治医交代の心理的抵抗も大きいが，専門医の少ない医療機関側の負担も大きい．

　小児の内科・外科医（小児科・小児外科）のみが成人特有の疾患を診療することはむずかしく，成人診療科の医師は先天性疾患の診療経験に乏しい．ゲノム医療が実装され，がん素因は移行期医療の現実的な課題となった．さらに患者のライフサイクルを考えると，小児領域の医療者は，周産期医療では「受ける側（新生児）」と「送る側（AYA世代の母）」の両方に役割をもっている．非腫瘍性血液疾患の移行期医療をがん素因と周産期の2つに絞って記した．

移行期医療の基本的概念

　慢性小児疾患を有する成人患者には，米国では young adults with special health care needs（YASHCN）として，移行（transition）の概念が30年以上前から提唱されていた．米国の小児科学会，家庭医療学会，内科学会および内科専門医学会による2002年の合同声明では，移行期医療を「小児期から成人期に移行するにあたり，個別のニーズを満たそうとするダイナミックで生涯にわたるプロセス」と定義している．その目的は思春期から成人までの移行に際して継続的で良質かつ発達に即した医療を提供し，患者が生涯にわたりもてる機能と潜在能力を最大限に発揮できるようにすることである．

　移行期医療は，患者中心で柔軟性と感受性を有し，継続的，包括的そして協調的であることを基本とする．日本小児科学会と移行期患者に関するワーキンググループによる小児疾患患者の移行期医療に関する提言では，移行期にどのような医療を受けるかの決定権は患者側にあり，理解力と判断力に応じた説明を受けて決定し意見を表明できることが重要とされている．発達段階にある小児の年齢とともに変化する病態や人格の成熟に応じて，小児と成人領域の専門医が連携して主治医・副主治医の役割を担うシームレスな医療を提供したい．

がん素因

　がん素因を有する小児血液腫瘍関連の単一遺伝子病が次々と発見されている．遺伝性骨髄不全症候群（inherited bone marrow failure syndrome：IBMFS）と原発性免疫不全症（primary immunodeficiency diseases：PID）が多く，後者は近年 inborn errors of immunity（IEI）とよばれる．Fanconi 貧血，Kostmann 症候群や Wiskott-Aldrich 症候群は，血球減少を呈するIBMFS であるが，発がんリスクを考慮して治療する必要がある[1]．

　AYA 世代に入ると造血器腫瘍とともに固形がんの発症にも注意が必要である．必要に応じて遺伝カウンセリングを行い，就職や結婚，そして家族の対応など主治医の守備範囲が広がる．造血細胞移植，また海外では遺伝子治療が行われるものも少なくない．ダウン症は小児血液腫瘍専門医が最もかかわる染色体異常である．ほかにもがん素因のある先天異常には，脈管奇形や血管腫，Noonan 症候群，Kabuki 症候群，Beckwith-Wiedemann 症候群など多様である．Li-Fraumeni 症候群以外にもがん素因を有する稀少疾患に応じた個別医療に関する情報が集積されている．

周産期の血液免疫学

　がん素因のない非腫瘍性血液疾患には，遺伝性溶血性貧血，血友病と栓有病（遺伝性血栓性素因）などがある[2-4]．IBMFS にも一部含まれる遺伝性血小板異常症に関してもクリニカルシークエンスによって多くの単一遺伝子病が同定されている．これらには，溶血，出血，血栓の対応が長期にわたって必要なため，患児が妊娠可能な年齢になると母児を対象に，小児血液専門医，新生児科医および産婦人科医との周産期管理の密な連携が必要である[5]．貧血，血小板減少，血友病，遺伝性血栓性素因の周産期管

理は，われわれのもう1つの移行期医療である．

おわりに

われわれは先天性・遺伝性疾患の長期予後を考慮した細やかな対応を求められる点が，成人の造血器腫瘍や固形腫瘍の専門医と異なる．非腫瘍性血液疾患も，根治をめざした新しい遺伝子治療などの開発によって，移行期医療に依存しない小児血液腫瘍学の発展が期待される．

■ 文献

1) 石村匡崇, 他：先天性骨髄不全症候群と原発性免疫不全症におけるがん素因. 臨血 60：702-707, 2019
2) Quon D, et al.：Unmet needs in the transition to adulthood：18-to 30-year old people with hemophilia. Am J Hematol 90：S17-S22, 2015
3) Yacobovich J, et al.：Thalassemia major and sickle cell disease in adolescents and young adults. Acta Haematol 132：340-347, 2014
4) Saulsberry AC, et al.：A program of transition to adult care for sickle cell disease. Hematology Am Soc Hematol Educ Program 1：496-504, 2019
5) 日本産婦人科・新生児血液学会(編)：産婦人科・新生児領域の血液疾患 診療の手引き. メジカルビュー, 2017

(大賀正一)

第2章 小児がん

A 小児がんにおける基礎と疫学

1 疫学

わが国では，小児がんの新規発症数は年間2,000〜2,500人程度と考えられている．頻度は高くないが小児の病死原因の1位を占めており，少子化が進むなか，「国として対応すべき疾患」の1つといえる．

本項では記述疫学的に厳密な数字を追及するのではなく，小児がんの診療や臨床試験の症例数設計などのための基礎的な知識として役立つと思われる，わが国内外における小児がんの発生動向について述べる．なお，本項で提示するデータは，新規に診断されたすべての小児がん患者を登録対象としている日本小児血液・がん学会「20歳未満に発症する血液疾患と小児がんに関する疫学研究」（以下，学会登録）で収集され，日本小児血液・がん学会ホームページに公表された2014〜2019年の6年間の新規登録例の集計結果を国際小児がん分類（The international classification of childhood cancer：ICCC based on ICD-O-3/WHO 2008）に従って再分類したもの（図1〜3）である．

わが国における小児がんの発生動向

成人では上皮性の癌腫が多いのに対し，小児では中胚葉や神経系の前駆細胞由来の肉腫や芽腫が多く，また急性白血病では成人とは逆に骨髄性よりもリンパ性のものが多い．

実際にわが国の新規発症の小児がんの疾患別比率をみると（図1），白血病・骨髄増殖性疾患・骨髄異形成症候群（myelodysplastic syndromes：MDS）が最も多い．このうち66.8％を急性リンパ性白血病（acute lymphoblastic leukemia：ALL）（473.0例/年発症，以下同様），22.4％を急性骨髄性白血病（acute myeloid leukemia：AML）（158.5例/年）が占めている．

これに次いで多いのは中枢神経系・ほかの頭蓋内/脊髄内新生物であるが，ICCC based on ICD-O-3/WHO 2008では頭蓋内/脊髄内原発の胚細胞腫瘍は含まれていないことに注意を要する．頭蓋内/脊髄

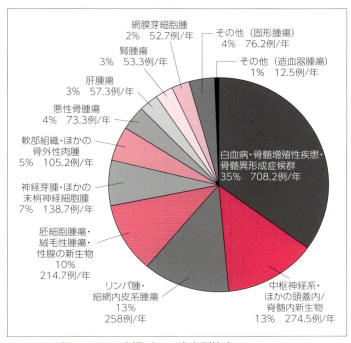

図1 ● わが国における小児がんの疾患別比率
（日本小児血液・がん学会：疾患登録集計結果 2014〜2019年をもとに作成）

図2 ◆ 主要疾患の発症年齢分布
＊：男女間に有意差あり．
（日本小児血液・がん学会：疾患登録集計結果 2014〜2019 年をもとに作成）

内胚細胞腫瘍を含めた場合，頭蓋内/脊髄内新生物は小児がん全体の 17.1％ となる（345.7 例/年）．その内訳は星細胞腫・神経膠腫 27.0％（93.5 例/年），胚細胞腫瘍 20.6％（71.2 例/年），髄芽腫 13.9％（48.2 例/年），上衣腫 6.9％（23.8 例/年），膠芽腫 4.4％（15.3 例/年），非定型奇形腫様/ラブドイド腫瘍 4.3％（14.8 例/年），頭蓋咽頭腫 3.7％（12.7 例/年），その他である．

第3位はリンパ腫・細網内皮系腫瘍で，その内訳は非 Hodgkin リンパ腫 44.4％（114.7 例/年），Hodgkin リンパ腫 8.4％（21.7 例/年），Langerhans 組織球症 33.2％（85.7 例/年）である．なお，学会登録の疾患分類変更に伴い，2018 年以降この範疇には Langerhans 組織球症以外の組織球症は含まれていない．第1〜3位のみで小児がん全体の約6割を占めていることがわかる．

第4位は胚細胞腫瘍・絨毛性腫瘍・性腺の新生物であるが，先述のように図1には頭蓋内/脊髄内症例が含まれている．頭蓋外/脊髄外の腫瘍に限れば小児がん全体の 7.1％（143.5 例/年）となる．頭蓋内/脊髄内症例では胚腫（germinoma with syncytiotrophoblastic giant cell 含む）が最多で 60.2％（42.8 例/年），次いで混合型 16.4％（11.7 例/年），未熟奇形腫 10.8％（7.7 例/年），卵黄嚢腫瘍 4.0％（2.8 例/年），その他の順であるが，頭蓋外/脊髄外症例では成熟奇形腫 50.6％（72.7 例/年），未熟奇形腫 18.6％（26.7 例/年），卵黄嚢腫瘍 13.5％（19.3 例/年），混合型 7.9％（11.3 例/年），未分化胚細胞腫瘍/精上皮腫 4.6％（6.7

例/年），その他の順で多い．なお絨毛癌，胎児性癌はわが国では年間 1〜2 例以下の発生頻度である．

第5位以下は神経芽腫・ほかの末梢神経細胞腫（うち神経芽腫が 83.2％，115.3 例/年），軟部組織・ほかの骨外性肉腫（うち横紋筋肉腫が 50.4％，53.0 例/年），悪性骨腫瘍（うち骨肉腫が 68.0％，49.8 例/年），肝腫瘍（うち肝芽腫が 83.7％，48.0 例/年），腎腫瘍（うち腎芽腫（Wilms 腫瘍）が 77.8％，41.5 例/年），網膜芽細胞腫（52.7 例/年），Ewing 肉腫（34.7 例/年），その他の順となっている．

主要疾患の性差については，ALL，悪性リンパ腫，Langerhans 組織球症，中枢神経系新生物・混合型頭蓋内新生物・混合型脊髄内新生物，骨肉腫，頭蓋内胚細胞腫瘍は有意に男児に多かったのに対し，頭蓋外胚細胞腫瘍は有意に女児に多くみられた（図2）．

同じく主要疾患の発症年齢別の頻度を図3に示す．ALL で3歳にピークがみられるが，これはリンパ組織の活動と関連するとされている．固形腫瘍では乳幼児期に発症のピークがあり，成人に近づくにつれて減少するパターンのものが多い．なお，一般に AML や胚細胞腫瘍，横紋筋肉腫などは乳幼児期と学童期後半の2峰性の発症パターンをもち，骨肉腫や Ewing 肉腫などは学童期後半から増加．また甲状腺癌，悪性黒色腫など成人に多い腫瘍は adolescent and young adult（AYA）世代以降に増加してくるなど，疾患によってピークを形成する時期が異なるために，小児がん全体の好発年齢は2峰性をなすとされている[1]．しかしながら，このような傾向を図

A 小児がんにおける基礎と疫学 1.疫学

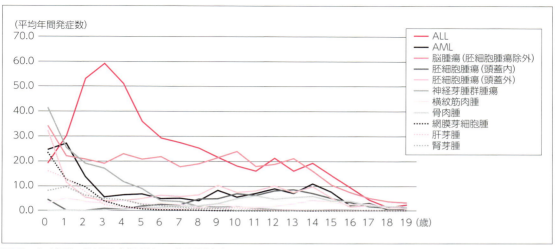

図3 ● わが国における小児がんの疾患別比率
(日本小児血液・がん学会：疾患登録集計結果2014〜2019年をもとに作成)

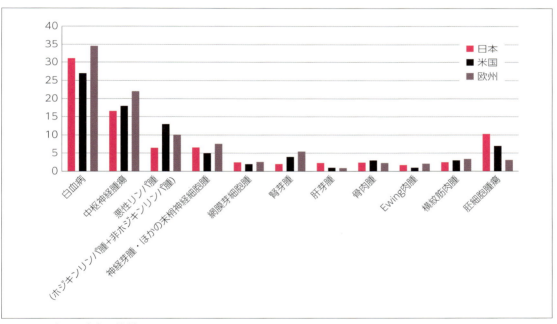

図4 ● わが国と欧米の比較
(日本小児血液・がん学会：疾患登録集計結果2014〜2019年/Kaatsch P : Epidemiology of childhood cancer. Cancer Treat Rev 36 : 277-285, 2010/Linabery AM, et al.：Trends in Childhood Cancer Incidence in the U.S.(1992-2004). Cancer 112 : 416-432, 2008をもとに作成)

3から読み取ることは困難であり，ここに現在の学会登録の限界をみることができる．

海外との比較

世界全域における小児がんの年間発生数はおおよそ360,114人とされており，そのうちアジア圏が54%[2]を占めるとされている．疾患別の割合は世界の全域共通で白血病が最も頻度が高く，次いで中枢神経系腫瘍，第3位はリンパ腫であり，わが国や欧米と同様の傾向であるが[2]，頻度はやや異なっている．小児がんの年間新規発症率は日本では123人/百万人[3]，欧州138.5/百万人[4]，そして米国157.9/百万人[5]とされる．

疾患分布に関しては，わが国では欧米より胚細胞

63

腫瘍の頻度が高いが，悪性リンパ腫，腎芽腫などは少ないとされていることが特徴といえる（図4）[4)5)]．しかしながらこれらのデータの背景には，診断の精度や疾患の捕捉率，中央データセンターの有無などが関連しており，異集団を比較する際には考慮に入れる必要がある．米国ではALL，中枢神経系腫瘍，非Hodgkinリンパ腫や精巣胚細胞腫瘍の増加傾向および，Hodgkinリンパ腫の減少傾向が続いており，原因として診断技術の向上，医療アクセスの改善，何らかの環境因子などがあげられているが，詳細は不明である．一方，欧州では全体的な新規発症数や疾患分布，予後などは米国と似ているが，地理的条件や医療資源の差などから国ごとに結果が大きく異なるためやはり単純な比較はむずかしい．さらにこれらの検討には疾患の定義や診断基準の違いの有無，対象などにも注意する必要がある．

　昨今国際的にデータの電子化が進み，国際共同研究が盛んになりつつある．データの利活用を通じて疫学への理解が深まることで，医学の進歩や，限りある医療資源の有効活用につながることが期待される．欧米ではElectronic Data Captureシステムを用いて収集したビッグデータの利活用が進んでおり，その一環として施設へ全国の成績との比較表を提供することで医療の質の均てん化が図られており，わが国でも検討されるべき体制と考えられる．

■ 文献

1) 石井栄三郎：小児がん―1．小児がんの疫学と発生要因―．小児口腔外 19：1-13，2009
2) Johnston WT, et al.：Childhood cancer：Estimating regional and global incidence. Cancer Epidemiol 71：101662, 2021. doi：10.1016/j.canep2019.101662
3) 国立がん研究センターがん情報サービス．https://ganjoho.jp/public/index.html
4) Kaatsch P：Epidemiology of childhood cancer. Cancer Treat Rev 36：277-285, 2010
5) Linabery AM, et al.：Trends in Childhood Cancer Incidence in the U.S.（1992-2004）. Cancer 112：416-432, 2008

■ 参考文献

・日本小児血液・がん学会：疾患登録集計結果 2014～2019 年．
・池田　均：日本における小児がん登録の現状と将来：日本小児がん学会小児がん全数把握登録事業について．日小児会誌 114：1497-1505，2010
・Steliarova-Foucher E, et al.：International Classification of Childhood Cancer, Third Edition. Cancer 103：1457-1467, 2005

（加藤実穂，瀧本哲也）

第2章 小児がん

A 小児がんにおける基礎と疫学

2 家族性腫瘍，遺伝性腫瘍

定義・概念

　家系内に集積する腫瘍性疾患を認める場合，その腫瘍を家族性腫瘍（familial tumor）と称する．要因としては遺伝的，環境的要因があげられるが，両者が複合的に関与することも少なくない．家族性腫瘍のなかで特に遺伝的要因が強いものは，遺伝性腫瘍とよばれる．遺伝性腫瘍の多くが，単一遺伝子疾患である．遺伝的あるいは環境的要因の関与の程度を示す概念として，Knudsonの Oncodeme 分類がある（表1）[1]．これは，「がんとは体細胞突然変異の蓄積により生じる」という前提のもとに，環境的要因と遺伝的要因の関連性により4種類に分類したものである．家族性腫瘍は，Oncodeme 3 と Oncodeme 4 に分類される．Oncodeme 3 の遺伝的要因としては，薬剤の代謝に関する遺伝子の多型（polymorphism）などが含まれる．一方，Oncodeme 4 は単一遺伝子の異常が要因と考えられ，遺伝性腫瘍のほとんどがここに分類される．

病因・病態[1,2]

　前述の通り，病因は環境的要因と遺伝学的要因に大別される．それぞれの要因による発がんのリスクは，がんの種類によって異なる．通常の散発性がんの場合，環境的要因の比重が圧倒的に大きいが，家族性腫瘍の多くは遺伝的要因の比重が高い．環境的要因としては，食生活，嗜好，生活習慣および生活環境などがあげられる．これらの環境的要因により偶発的に遺伝子異常が生じることが，発がんの原因とされている．遺伝的要因には，単一の遺伝子異常が原因である場合（単一遺伝子疾患）と，複数の遺伝子異常が原因で生じる場合（多遺伝子疾患）がある．
　単一遺伝子疾患の大部分は，がん抑制遺伝子，がん遺伝子またはDNA修復関連遺伝子の生殖細胞系列（germline）の変異によって引き起こされる．一方，多遺伝子疾患は，遺伝子機能の異常が明確ではない遺伝子多型の蓄積などにより，発がんのリスクが上昇することが要因となる．特異的な遺伝子異常が証明された遺伝性腫瘍であっても，その遺伝子異常を有する家族メンバー全員が同一のがんを発症するとは限らない．すなわち，遺伝性腫瘍であっても，環境的要因が発症に関与する場合もある．また，単一遺伝子疾患であっても，ほかの遺伝子多型が発症リスクに関与することで，発症時期やがん種が異なることもある．おもな遺伝性腫瘍とその責任遺伝子を表2に示す[2]．

表1 ◆ 遺伝・環境的要因によるがんの分類

Knudson 分類	環境要因	遺伝要因	同義語
Oncodeme 1	平均的	平均的	偶発がん
Oncodeme 2	著明に増加	平均的	環境性がん
Oncodeme 3	やや増加	やや増加	多遺伝子性がん
Oncodeme 4	平均的	著明に増加	単一遺伝子性がん

頻度は，Oncodeme 1：20％，Oncodeme 2，3：75％，Oncodeme 4：1〜5％である
(Knudson AG：Hereditary predisposition to cancer. Ann N Y Acad Sci 833：58-67, 1997 より引用．一部改変)

疫学

　わが国において，生涯にがんに罹患する確率は，男性で約65％，女性で約45％である[3]．このうち家族性腫瘍は約25％，遺伝性腫瘍は約5％とされる．しかし，家族性腫瘍の全国登録制度は確立されておらず，正確な頻度は不明である．

臨床徴候[2]

　おもな家族性・遺伝性腫瘍を以下に示す．

1 網膜芽細胞腫

　網膜芽細胞腫（retinoblastoma：RB）は，網膜から発生する腫瘍で，片眼性が約70％，両眼性が約30％を占める．わが国における発生頻度は年間約80人であり，80％は5歳以下で発症する．13番染色体長腕（13q）に存在するRBが責任遺伝子である．両眼性の100％，片眼性の10〜15％が常染色体顕性（優性）遺伝形式をとる遺伝性RBとされる．浸透率は約80％とされている．浸透率とは，同一の遺伝子型を有する集団において遺伝子型に対応した表現型を呈する個体の割合のことである．遺伝性RB患者は，全例，生殖細胞系列におけるRBの不活化異常を伴

表2 ● おもな遺伝性腫瘍の責任遺伝子と腫瘍

遺伝性腫瘍疾患	責任遺伝子(染色体部位)	腫瘍
網膜芽細胞腫	RB(13q14)	網膜芽細胞腫, 骨肉腫, 軟部腫瘍, 肺癌など
腎芽腫	WT1(11p13)	Wilms 腫瘍
Li-Fraumeni 症候群	TP53(17p13)	白血病, 骨肉腫, 軟部腫瘍, 副腎皮質癌, 乳癌, 脳腫瘍など
家族性大腸ポリポーシス	APC(5q21)	大腸癌, 膵臓癌, 甲状腺癌, デスモイド腫瘍, 肝芽腫など
遺伝性非ポリポーシス大腸癌	hMSH2(2p22), hMLH1(3p21), hMHS6(2p16), hPMS1(2q31-33), hPMS2(7p22),	大腸癌, 子宮体癌, 卵巣癌, 胃癌, 小腸癌, 尿路系癌など
Gardner 症候群	APC(5q21)	大腸癌, 骨腫, 軟部腫瘍(類上皮嚢胞, 線維腫, デスモイド腫瘍)
Turcot 症候群	APC(5q21), hMLH1(3p21), hPMS2(7p22)	大腸癌, 中枢神経腫瘍(おもに髄芽腫)
Cowden 症候群	PTEN(10q23)	甲状腺癌, 乳腺癌, 子宮内膜癌
Bannayan-Riley-Ruvalcaba 症候群	PTEN(10q23)	小腸ポリポーシス, 脂肪腫
多発性内分泌腫瘍症1型	MEN1(11q13)	下垂体・膵Langerhans島・副甲状腺腫瘍または過形成
多発性内分泌腫瘍症2型	RET(10q11)	甲状腺髄様癌, 褐色細胞腫, 神経腫
神経線維腫症1型	NF1(17q11)	皮膚神経線維腫, 視神経膠腫, 悪性末梢神経鞘腫瘍, 若年性骨髄単球性白血病, 骨髄異形成症候群
神経線維腫症2型	NF2(22q12)	聴神経鞘腫, 神経膠腫, 神経線維腫, 髄膜腫, 上衣腫
毛細血管拡張性運動失調症	ATM(11q22)	白血病, リンパ腫, 乳癌, 胃癌など
von Hippel-Lindau 病	VHL(3p25)	網膜血管腫, 小脳・延髄・脊髄の血管芽細胞腫, 腎・膵・肝・副腎などの嚢胞・腫瘍
Gorlin 症候群	PTC(9q22)	基底細胞癌, 髄芽腫, 卵巣癌, 心臓線維腫, 脂肪腫, 髄膜腫
家族性悪性黒色腫	CDKN2A(9p21)	悪性黒色腫, 腎癌
家族性乳癌	BRCA1(17q21), BRCA2(13q12-13)	乳癌, 卵巣癌

(Marsh DJ, et al.: Genetic insights into familial cancers-update and recent discoveries. Cancer Lett 181: 125-164, 2002 より引用, 一部改変)

うが, このうち約10%にはRB領域を含む13qの染色体欠失を認める. これらの例は, 欠失領域内に存在する隣接遺伝子の機能喪失により, 種々の先天奇形を伴うことがある. また遺伝性症例は, 骨肉種や横紋筋肉種などの二次がんの発生率が一般と比べて高く, 特に放射線治療はリスク因子となり得る.

2 Li-Fraumeni 症候群

Li-Fraumeni 症候群(LFS)は, 1969年にLiとFraumeniにより提唱された遺伝性の多重がん症候群である. 生殖細胞系列のTP53の病的変異が原因であり, 常染色体顕性(優性)遺伝の遺伝形式をとる. LFS症例においてTP53の異常を有する例は70%程度である. 本症は非常にまれで, 世界での報告は400家系に満たない. しかしながら, 最近のデータでは, TP53の異常が1/20,000程度の高頻度で認められる可能性が示唆されている. LFSには以下の臨床診断基準がある.

1) 古典的 LFS 診断基準[4]
①発端者が45歳未満に肉腫を発症.
②第1度近親者に45歳未満でがんを発症.
③第1, 2度近親者が45歳未満でがんと診断, あるいは年齢を問わず肉腫を発症.

　上記①～③をすべて満たす場合, LFSと定義される.

2) ChompretのTP53スクリーニングの基準[5]
①家族歴(次のすべてを満たす)
・発端者が46歳未満でLFSコア腫瘍(乳癌, 骨軟部肉腫, 副腎皮質癌, 脳腫瘍)に罹患している.

- 第1度あるいは第2度近親者の少なくとも1人が56歳未満でLFSコア腫瘍の既往を有する．
- 発端者が乳癌の場合は乳癌を発症した近親者を除外する．

②多重癌
- 発端者が多重癌（両側乳癌を除く）に罹患し，そのうち2種類がLFSコア腫瘍で，46歳未満で最初のLFSコア腫瘍を発症．

③稀少癌
- 副腎皮質癌，脈絡叢癌，退形成亜型横紋筋肉腫の患者．
- 家族歴は問わない．

④若年乳癌
- 31歳以下の乳癌患者．

上記①〜④のいずれかを満たす場合，LFSと診断される．

LFSの患者は一般より若い年齢でがんを発症するリスクが高く，そのリスクは30歳までに50％，60歳までに90％以上と報告されている．また多発原発がんを生じるリスクも高いため，発症前の遺伝子検査も含めて遺伝カウンセリングを十分に考慮する必要がある．TP53の異常を有する患者は，放射線による二次がんの合併が知られており，可能な限り放射線治療を回避する．

3 家族性大腸ポリポーシス

家族性大腸ポリポーシス（familial adenomatous polyposis：FAP）は，生殖細胞系列におけるAPC変異が原因で，大腸の多発性線腫をきたす常染色体顕性（優性）遺伝性疾患と定義される．発生頻度は1/20,000〜1/10,000のとされ，世界のどこでもほぼ一定である．通常，学童期から大腸に多数のポリープが発生し，時間の経過とともに数と大きさが増す．これがやがて大腸がんとなるが，40歳を超えると約50％が発症する．大腸以外の病変はさまざまで，胃底部や十二指腸のポリープ，骨腫，歯牙異常，網膜色素上皮の先天性肥大，甲状腺癌，膵臓癌，デスモイド腫瘍などがある．生殖細胞系列にAPCの病的異常を有する場合，肝芽腫を発症するリスクは一般の800倍といわれているが，FAP家系に肝芽腫が発症する頻度はわずか1％である．関連疾患として，FAPに頭蓋骨や長管骨の骨腫や軟部組織の腫瘍が合併するGardner症候群，大腸ポリポーシス（癌）と中枢神経腫瘍（おもに髄芽腫）を伴うTurcot症候群がある．Gardner症候群の原因遺伝子はAPCであることが判明しているが，Turcot症候群ではAPCの異常がみられるものは全体の2/3であり，残りはDNA修復関連遺伝子の異常が報告されている．

4 遺伝性非ポリポーシス大腸癌

遺伝性非ポリポーシス大腸癌（hereditary non-polyposis colon cancer：HNPCC）は常染色体顕性（優性）遺伝性の大腸癌症候群で，口側の大腸がより侵される．腺腫はほとんどみられない．ほかには子宮内膜，卵巣，胃，小腸，尿路系など多重癌を合併する．Lynch症候群ともよばれる．HNPCCはDNA修復遺伝子，おもにMHL1またはMSH2の変異が原因であるが，MSH6，PMS1，PMS2変異も報告されている．これらの遺伝子異常により，マイクロサテライトの不安定性が生じるが，これを検出することが診断の根拠となる．

5 PTEN過誤腫症候群

PTEN過誤腫症候群（PTEN hamartoma tumor syndrome：PHTS）は，PTEN変異と常染色体顕性（優性）遺伝で特徴づけられ，過誤腫とがんを主徴とする疾患である．本症では，ほぼ全例に顔面小球疹，手足の角化症などの皮膚病変が認められる．PHTSにはCowden症候群（CS）とBannayan-Riley-Ruvalcaba症候群（BRRS）が含まれる．CSは甲状腺，乳腺，子宮内膜に良性および悪性の腫瘍を発症する多発性過誤腫性症候群であり，BRRSは大頭症，小腸ポリポーシス，脂肪腫，陰茎の亀頭の色素斑をきたす．CSの診断基準を満たす患者の80％，BRRSと診断される患者の60％でPTEN変異が検出される．

6 多発性内分泌腫瘍

多発性内分泌腫瘍（multiple endocrine neoplasia：MEN）は，複数の内分泌臓器に腫瘍および過形成が生じる症候群で，I型（MEN1）とII型（MEN2）に分類される．MEN1では副甲状腺機能亢進症，下垂体腺腫，膵消化管内分泌腫瘍が3大病変であり，ほかに副腎や皮膚，胸腺などにも腫瘍が発生する．MEN2は甲状腺髄様癌，副腎褐色細胞腫，副甲状腺機能亢進症が特徴的であり，MEN2Bとよばれる亜型では眼瞼や口唇，舌に粘膜神経腫を合併する．MEN1の大部分はがん抑制遺伝子MEN1の異常によって生じ，MEN2はがん原遺伝子RETの変異に起因する．

7 神経線維腫症1型

神経線維腫症1型（neurofibromatosis type 1：NF1）は，多発性のカフェオレ斑（小児例は径0.5 cm以上のものが6個以上あれば疑われる），腋下や鼠径部の雀卵斑様色素斑，多発性・散在性の皮膚神経線維腫および虹彩Lisch結節がみられる．von Recklinghausen病ともよばれる．責任遺伝子は17qに座位するNF1であり，患者の約50％は両親からの遺伝で，残りの

50％は突然変異で発症する．学習障害は罹患者の少なくとも50％に認められる．視神経や脳神経の神経膠腫，悪性末梢神経鞘腫瘍，側彎症，脛骨異形成症や血管病変などを合併する．

神経線維症2型（NF2）は両側の聴神経腫瘍が特徴的であり，脊髄神経鞘腫，髄膜腫，脊髄上衣腫などの神経系腫瘍や皮膚病変・眼病変を呈する．以前はNF1の亜型と考えられていたが，現在は全く異なる疾患とされている．責任遺伝子は22qに座位する*NF2*/merlinである．

8 Fanconi 貧血[6]

染色体の不安定性を背景に，①進行性汎血球減少，②骨髄異形成症候群（MDS）や白血病への移行，③身体奇形，④固形がんの合併をきたす遺伝性の染色体脆弱症候群であり，常染色体潜性（劣性）遺伝形式をとる．現在までに13個の責任遺伝子が同定されているが，いずれもFanconi貧血（FA）蛋白群に属し，DNA修復機構に関与する共通の分子経路を形成している．症状が多彩であるため，臨床症状のみで診断することは困難であり，染色体脆弱試験が診断に有用である．

9 von Hippel-Lindau（VHL）病[7]

von Hippel-Lindau（VHL）病は，常染色体顕性（優性）遺伝性の疾患で，複数の臓器に腫瘍性あるいは囊胞性病変を多発する．責任遺伝子は*VHL*遺伝子であり，生殖細胞系列において機能消失型の異常が検出される．発症病変としては，網膜血管腫，中枢神経系（小脳，延髄，脊髄）の血管芽腫，膵臓の神経内分泌腫瘍・囊胞，副腎褐色細胞腫，腎臓の腫瘍・囊胞，精巣上体嚢胞腺腫，さらに内耳リンパ囊の腫瘍や女性の子宮広間膜の嚢胞腺腫なども報告されている．診断基準は，家族歴がある場合とない場合で異なり，家族歴がある場合はVHL病でみられる病変が1つでも認められればVHL病と診断できる．家族歴がない場合は，多発性の血管芽腫あるいは血管芽腫とその他の病変の合併発症があればVHL病と診断し，さらに血管芽腫以外のVHL関連病変の発症では，厳密には遺伝子診断でVHL遺伝子異常が確認されれば確実にVHL病と診断できる．

診断・検査

1 臨床診断

通常，家族性・遺伝性腫瘍は，①腫瘍が多発する，②若年性発症である，③腫瘍以外にさまざまな症状を伴う，という特徴を示す．したがって，これらの特徴がみられた場合，家族性・遺伝性腫瘍を疑う．家族歴の聴取は，本症を診断するうえで非常に重要なポイントとなる．家系内にみられる腫瘍の発生，治療歴，転帰は時間軸とともに変化するため，定期的な調査が必要である．

2 遺伝子検査

遺伝性腫瘍の責任遺伝子が判明している場合は，遺伝子（染色体）検査は確定診断のために有用である．遺伝子検査は治療方針の決定に寄与するのみならず，予防医学の観点からも重要であるが，一方で，血縁者にも影響を与え得る個人の遺伝情報を扱うため，その特性に十分に配慮した対応が求められる．したがって，遺伝子検査は，医療者が遺伝情報の特性を十分に理解したうえで，適切かつ効果的に実施することが肝要である．その実施にあたり「医療における遺伝学的検査・診断に関するガイドライン」（日本医学会2011年版．http://jams.med.or.jp/guideline/genetics-diagnosis.pdf），「ゲノム医療における情報伝達プロセスに関する提言—その1：がん遺伝子パネル検査を中心に（改定第2版）」および「ゲノム医療における情報伝達プロセスに関する提言—その2：次世代シークエンサーを用いた生殖細胞系列網羅的遺伝学的検査における具体的方針（改定版）」（AMED 小杉班，https://www.amed.go.jp/news/seika/kenkyu/20200121.html）を参照することを推奨する．

ピットフォール

家族性・遺伝性腫瘍であっても，家族歴がみられないことがある．浸透率が低い場合や，原因が発端者に起きた単一遺伝子の突然変異である場合は，診断に注意を要する．

■ 文献

1) Knudson AG：Hereditary predisposition to cancer. Ann N Y Acad Sci 833：58-67, 1997
2) Marsh DJ, et al.：Genetic insights into familial cancers-update and recent discoveries. Cancer Lett 181：125-164, 2002
3) がん情報サービス：最新がん統計 2015年度．国立がん研究センターがん対策情報センター，2015
http://ganjoho.jp/reg_stat/statistics/stat/summary.html
4) Li FP, et al.：A cancer family syndrome in twenty-four kindreds. Cancer Res 48：5358-5362, 1988
5) Tinat J, et al.：2009 version of the Chompret criteria for Li Fraumeni syndrome J Clin Oncol 27：e108-e109, 2009
6) Smith AR, et al.：Current clinical management of Fanconi anemia. Expert Rev Hematol 5：513-522, 2012
7) van Leeuwaarde RS, et al.：Von Hippel-Lindau Syndrome. GeneReviews® [Internet].
https://www.ncbi.nlm.nih.gov/books/NBK1463/

（滝田順子）

第2章 小児がん

A 小児がんにおける基礎と疫学

3 がんの分子生物学

総論

小児がんは，15歳未満の児に発生する悪性腫瘍である．成人腫瘍との大きな違いは，その発生原因でもあるゲノム・エピゲノム異常の違いである．小児がんに関する分子生物学的な知識として，特有のゲノム・エピゲノム異常を整理して理解することが，診断および治療のうえで非常に重要である．一般的には，小児がんではゲノム異常の種類は少ないが，特徴的な変異が多く，発がんにおいてエピゲノム異常の占める役割が大きいと考えられる．本項では，血液系腫瘍と固形腫瘍に大別される小児がん特有のゲノム・エピゲノム異常を解説するが，まず総論としてゲノム・エピゲノム異常の概論を述べる．

1 塩基置換(substitution)

遺伝子の塩基が変換される．記載法の例を以下に示す．c. 200 G＞A は，「遺伝子の cDNA(c.)の開始コドン ATG の A を＋1 として数えると，200 番目の塩基 G が A に変異している」ということを示す．

アミノ酸変異(ミスセンス変異)を起こして，その遺伝子産物(蛋白)の機能を促進(がん遺伝子が多い)または抑制(がん抑制遺伝子が多い)する場合がある．この記載例として，Trp35Cys は「開始メチオニンから数えて 35 番目のアミノ酸〔トリプトファン(triptophan：Trp)〕が Cys に変異した」ことを示す．

また，終止コドンに変換(ナンセンス変異)して変異蛋白を作成して機能抑制を起こしたりする．この例として Trp35X は「35 番目の Trp が終止コドンに換わっている」ことを表している．

2 欠失(deletion)

遺伝子が，ゲノムとして 1 塩基以上欠損している状態を示す．1 塩基欠失の記載例として，c. 13delC は「cDNA13 番目の塩基 C が欠損している」，c. 111_116del は「cDNA の 111〜116 番の塩基が欠損している」ことを示す．

3 挿入(insertion)

遺伝子に塩基が挿入される．記載法の例は次のようになる．1 塩基挿入の例として，c. 63_64insA は「cDNA の 63 番と 64 番の塩基の間に A が挿入されている」ことを表している．数塩基の挿入の場合，c. 63_64insGAGT は，「cDNA の 63 番と 64 番の塩基の間に GAGT が挿入されている」ということを示す．

4 増幅(amplification)

染色体の一部分が細胞内で多数複製され，通常より多いコピー数の遺伝子を細胞内にもつ状態である．二重微小染色体(double minutes：DM)は，増幅遺伝子が染色体外遺伝因子の上に存在することである．これに対して，同じ遺伝子配列が染色体上に組み込まれた場合は，HSR(homogeneously staining region)と呼称する．

5 転座(translocation)

細胞が分裂する際に，染色体の一部が断裂してほかの染色体に挿入され，そこで新たな遺伝子を作る．このとき，複数の遺伝子が融合して新たな遺伝子となったものをキメラ遺伝子と呼称し，これがもとになって発がんがみられる．このキメラ遺伝子によって発がんが引き起こされる腫瘍は，白血病や Ewing 肉腫，横紋筋肉腫など小児がんに多い．

6 ヘテロ接合性の消失

ヘテロ接合性の消失〔loss of heterozygosity(LOH)〕とは，ある特定の遺伝子座に正常アレルと異常アレルが 1 つずつ存在している場合，もし正常アレルが消失したら，その遺伝子座における正常機能の完全な喪失が生じることを意味する．がん抑制遺伝子でこれが起きると発がんにつながる．

7 DNA メチル化(DNA methylation)

DNA の CpG という配列の部分で C に $-CH_3$ 分子(メチル基)がつくのが DNA メチル化である．遺伝子の発現を制御している部分(プロモーター)がメチル化されると，その遺伝子の発現は低下する．細胞分裂の際には DNA が複製されるが，このとき，メチル化の状態も複製され，エピジェネティックな制御も継続する．がん抑制遺伝子のプロモーターがメチル化され，転写が低下すると発がんにつながる．

各論

1 血液系腫瘍

1）白血病

a．急性白血病

①急性リンパ性白血病（ALL）

a) *ETV6-RUNX1*（*TEL-AML1*）キメラ遺伝子は，t(12；21)転座によって構成される．小児B前駆細胞型 ALL の 20〜30％で検出される．予後は良好である．

b) *IgH/c-myc* 融合遺伝子が t(8；14)転座によって構成され，その結果 c-myc 蛋白が過剰に産生される．FAB 分類の L3 に特徴的な染色体異常である．

c) *TCF3-PBX1*（*E2A-PBX1*）キメラ遺伝子は，t(1；19)(q23；p13.3)転座によって構成される．FAB 分類の L1，L2 に多く認められる．

d) *BCR-ABL1* キメラ遺伝子が，t(9；22)転座（Ph1 転座）によって構成される．Ph1 染色体陽性 ALL とよばれ，予後不良である．7.4Kb の *BCR-ABL1* キメラ mRNA が形成され，190KDa の蛋白が産生され，このキナーゼ活性が腫瘍細胞の異常増殖に関与している．

e) *KMT2A-AFF1*（*MLL-AF4*）〔t(4；11)(q21；q23)〕は，*MLL* 遺伝子再構成によって産生される代表的なキメラ遺伝子である．1歳未満の乳児 ALL では *MLL* 遺伝子再構成陽性の頻度が 70〜80％と高頻度であり，予後不良である．

近年の NGS（next generation sequencing）解析によって，B 細胞性 ALL は 23 のサブグループに分類され，予後解析などがなされている[1]．特に注目されるのは *PAX5* 遺伝子異常をもつグループ，Ph グループと Ph-like ALL グループなどである．

T 細胞性 ALL においても NGS による分類がなされている．Liu Y らの報告で TAL1，TAL2，TLX1，TLX9，HOXA，LMO1/LMO2，LMO2/LYL1，NKX2-1 unknown の 8 サブグループへの分類が提唱されている[2]．高頻度の変異遺伝子として，*NOTCH1*（74.6％），*FBXW7*（23.9％），*PHF6*（18.9％），*PTEN*（14.0％），*USP7*（11.7％），*DNM2*（11.0％）などがあげられている．

②急性骨髄性白血病（AML）

AML は，WHO 分類（2017 年）では AML に特異的な染色体異常・遺伝子変異の有無で分類されている．

a) t(8；21)(q22；q22)/*RUNX1-RUNX1T1*〔*AML1/ETO*（*MTG8*）〕を伴う AML：AML の M2 の約 40％にみられ，比較的予後良好な病型とされている．欧米よりわが国での頻度が高い．

b) inv(16)(p13.1q22) あるいは t(16；16)(p13.1；q22)/*CBFB-MYH11* を伴う AML：芽球が増加するのに加え，好酸球が増加するのが特徴的で，FAB 分類の AML M4Eo にあたり，治療反応性がよく比較的予後良好である．

c) t(15；17)(q22；q12)/*PML-RARA* を伴う AML：FAB 分類の M3〔急性前骨髄球性白血病（acute promyelocytic leukemia：APL）〕に相当し，*PML-RARA* キメラ遺伝子によって作られる蛋白により白血球の分化が妨げられ，発症する．

d) t(9；11)(p21.3；q23.3)/*MLLT3-KMT2A*（*AF9-MLL*）を伴う AML：小児 AML の 10％程度でみられる．成人では 2％程度である．ほかの *MLL* 遺伝子再構成を伴う AML より予後がよい．

e) t(6；9)(p23；q34)/*DEK-NUP214* を伴う AML：分化型，骨髄単球性白血病に多く，好塩基球の増加があり，形態学的に異形性を伴うことが多い．*DEK-NUP214* の融合遺伝子により，細胞質内蛋白の核内移行が障害される．約 70％の症例で *FLT3-ITD* 変異を合併し，一般的に予後は不良である．

f) inv(3)(q21q26.2) または t(3；3)(q21.3；q26.2)/*RPN1-EVI1* を伴う AML：血球の異形成が強く，巨核球にも小型化，単核，多核分離がみられる．予後は不良である．

g) *NPM1* 変異を伴う AML：核内リン酸化物質である NPM（nucleophosmin）分子は，細胞外からのストレス刺激による細胞死を回避する機能をもつことが知られている．小児 AML の数％に認められ，*NPM1* 遺伝子変異は *FLT3* 遺伝子変異と強い相関を有している．

h) *CEBPA* 変異を伴う AML：C/EBPA（CCAAT/enhancer-binding protein-α）は好中球の分化にかかわる重要な転写遺伝子で，この *CEBPA* 遺伝子に変異が起こると好中球分化機能が阻害され，その結果 AML が発症する．

i) *FLT3* 遺伝子は膜結合受容体型チロシンキナーゼである FLT3 をコードしており，正常造血細胞の増殖・分化・生存に関与している．FLT3 の造血器腫瘍における遺伝子変異は，ITD とチロシンキナーゼのエクソン 20 における点突然変異（point mutation）が知られている．このような変異型 FLT3 による，FLT3 受容体のリガンド非依存性のダイマー形成・自己リン酸化を介して恒常的活

性化による細胞の異常増殖が起こる．
j）*WT1* 遺伝子変異はわが国の AML 99 研究報告では AML 症例の 10％以下に認められていた．また初診時の *WT1* 発現量は予後と相関していなかった．
k）*KIT* 遺伝子変異については，JPLSG AML05 研究での 369 例の解析では，*KIT* 変異のハザードリスク 0.52 と予後への影響が報告されている．

b．慢性骨髄性白血病

BCR-ABL1 キメラ遺伝子が t（9；22）転座によって産生される．これによって融合蛋白 p210BCR-ABL1 が作られ，発がんに関与する．

2）小児 MDS/MPD

a．骨髄異形成症候群（MDS）/骨髄増殖性疾患（myeloproliferative disease：MPD）

① 若年性骨髄単球性白血病（juvenile myelomonocytic leukemia：JMML）

RAS 経路の遺伝子変異（*PTPN11*，*Ras*，*NF1*）と，セカンドヒットとして *SETBP1* および *JAK3* 遺伝子変異が知られている．

② 慢性骨髄単球性白血病（chronic myelomonocytic leukemia：CMML）

BCR-ABL1 変異はなく，*JAK2*，*TET2*，*RUNX1*，*CBL* 変異など成人の CMML と共通する遺伝子異常が報告されている．

③ BCR-ABL1 陰性慢性骨髄性白血病（Philadelphia-negative chronic myeloid leukemia：Ph-CML）

BCR-ABL1 キメラ遺伝子が検出されない慢性骨髄性白血病であり，慢性骨髄性白血病と類似した病型を示すが，共通している遺伝子異常は報告されていない．

b．Down 症候群関連疾患

① 一過性骨髄増殖性疾患（transient abnormal myelopoiesis：TAM）

・Down 症候群関連骨髄巨核芽球性白血病（Down syndrome associated AMKL：DS-AMKL）

TAM の全エクソンシークエンス解析によって，TAM では *GATA1* 以外の遺伝子変異はきわめて少なく，TAM は 21 番染色体トリソミーと *GATA1* の変異によって発症すると考えられている．DS-AMKL の NGS（next generation sequencing）解析により，TAM から DS-AMKL への進展にはコヒーシン複合体や *CTCF*，*EZH2*，および *RAS/TK* などの遺伝子群の変異の関与が推定されている．

c．MDS

小児期 MDS の特徴である先天性疾患（特に Down 症候群，Fanconi 貧血，Kostmann 症候群など先天性骨髄不全症候群）に伴って起こる MDS では，Fanconi 貧血（13 の *FANC* 遺伝子のいずれか），Diamond-Blackfan 貧血（*RPS19*，*RPS24*，*RPS17*），重症先天性好中球減少症〔severe congenital neutropenia（*HAX1*，*ELA2*，*GFI1*，*WAS*）〕，Shwachmann-Diamond 症候群（*SBDS*），先天性角化異常症〔dyskeratosis congenita（*DKC1*，*TERC*，*TERT*，*NOLA3*）〕などの遺伝子異常が知られている．

染色体異常としては，モノソミー 7，モノソミー 5 などが知られる．また，先述した AML に特有な遺伝子異常をもつ場合は，AML として扱われる．

3）リンパ腫

a．非 Hodgkin リンパ腫

① Burkitt リンパ腫

通常 t（8；14），時に t（8；22），t（2；8）を有する．転座によって *MYC* 遺伝子と免疫グロブリン重鎖あるいは軽鎖遺伝子とのキメラ遺伝子が生じ，結果として MYC の過剰産生が生じる．

② びまん性大細胞 B 細胞リンパ腫（diffuse large B-cell lymphoma：DLBCL）

一部に *MYC* 遺伝子再構成，t（8；14）を認める．2020 年の Wright らの報告では NGS 解析によって DLBCL を MCD，N1，A53，BN2，ST2，EZB/MYC＋，EZB/MYC− の 7 グループに分類している[3]．

③ リンパ芽球型リンパ腫

T 細胞性の症例の多くに *NOTCH1* または *FBXW7* 変異がみられる．また T 細胞型の症例では 6q14-q24 領域の LOH がみられ，予後不良因子である．

④ 未分化大細胞性リンパ腫（anaplastic large cell lymphoma：ALCL）

大部分の小児 ALCL に，染色体 2p23 部位にコードされる *ALK* に関連する染色体転座を認める．代表例は t（2；5）転座であり，NPM-ALK キメラ蛋白が産生される．

b．Hodgkin リンパ腫

Hodgkin リンパ腫の約 20％に *A20* 異常があり，がん抑制遺伝子的な役割が報告されている．

2 固形腫瘍

1）脳腫瘍

a．神経膠腫

低悪性度神経膠腫では BRAF 活性化に関するゲノム変異（*BRAF-KIAA1549* キメラ遺伝子ほか），または *NF1* 変異が認められている．高悪性度神経膠腫では，*TP53* 変異，*PDGF/PDGFR* 高発現，ヒストン H3.3（*H3F3A*）または H3.1（*HIST1H3B*）の点突然変異，

*ATRX*変異が認められる．乏突起神経膠腫では*MGMT*遺伝子プロモーターのメチル化がみられる．

b．脳幹神経膠腫

約80％に，2つのヒストン*H3*（*H3F3A*もしくは*HIST1H3B*）のいずれかにアミノ酸変異が認められる．びまん性内在性橋膠腫（DIPG）での*TP53*遺伝子変異，*ACVR1*遺伝子の変異も報告されている．

c．髄芽腫

分子遺伝学的な解析によって，①WNT経路異常群，②ソニックヘッジホッグ経路異常群，③Group 3群（*MYC*増幅，isochromosome 17q），④Group 4群（*MYCN*および*CDK6*増幅，isochromosome 17q）染色体17p欠失群の4群に大別され，治療法の層別化が検討されている．

d．上衣腫

テント上病変（ST）は*C11orf 95-RELA*キメラ遺伝子の有無による2型，テント下病変（PF）はメチル化プロファイルにより2型の，合わせて4型の分類が提唱されている[4]．

e．頭蓋内胚細胞腫

*KIT*または*RAS*の点突然変異が約60％に認められる．

2）神経芽腫

*MYCN*遺伝子の増幅，DNA含量の変化，染色体11q LOHなどが予後因子としてINRG（International neuroblastoma risk group）分類で採用されている．このほかにも1p LOH，*ALK*遺伝子点変異・増幅，*ATRX*遺伝子点変異，*ATM*遺伝子変異，*ARID1A*遺伝子変異，*TERT*遺伝子上流の構造異常などが認められる．しかし，このような遺伝子異常は神経芽腫の約40％の症例に認められるのみであり，エピジェネティック変化の解析が期待される．エピジェネティック変化の予後因子として*PCDHB*遺伝子メチル化異常が報告されている．

3）肝芽腫

肝芽腫の20％程度の症例に11p15.5部位のLOHがみられ，また同部位のインプリンティング異常も認められる．また，蛋白の分解を阻害する*CTNNB1*変異，*APC*遺伝子変異もドライバー変異として報告されている．わが国においてJPLT-2プロトコール症例の解析の結果，約40％にがん抑制遺伝子-*RASS-F1A*プロモーター部位のゲノムメチル化が見出され，転移および不良な予後との相関が示されている．

4）腎芽腫（Wilms 腫瘍）

予後不良因子として1q gain，1p LOHおよび16q LOHが海外から報告され，わが国の症例での解析が待たれる．*WT1*遺伝子変異はわが国の症例の約20％に認められるが，予後との明らかな相関は示されていない．*WTX*遺伝子変異はわが国の症例の30％弱に認められ，予後との相関解析が計画されている．

5）腎ラブドイド腫瘍

他部位のラブドイド腫瘍と共通する，染色体22q11に位置する*SMARCB1*（*hSNF5*または*INI1*とも記載される）遺伝子変異・欠失が報告されている．

6）横紋筋肉腫

胞巣型横紋筋肉腫では，t(2;13)に由来する*PAX3-FKHR*（*FOXO1A*）キメラ遺伝子が約70％に，t(1;13)に由来する*PAX7-FKHR*（*FOXO1A*）キメラ遺伝子が約10％に認められる．胎児型横紋筋肉腫では*RAS/NF1*経路の異常が最近，報告された．

7）Ewing 肉腫

t(11;22)に由来する*EWS-FLI*キメラ遺伝子がEwing肉腫のおよそ90％に検出される．*EWS*（*EWSR1*遺伝子）の関与する転座が全体のおよそ95％に認められる．

■ 文献

1) Gu Z, et al.：PAX5-driven subtypes of B-progenitor acute lymphoblastic leukemia. Nat Genet 51：296-307, 2019
2) Liu Y, et al.：The genomic landscape of pediatric and young adult T-lineage acute lymphoblastic leukemia. Nat Genet 49：1211-1218, 2017
3) Wright GW, et al.：A Probabilistic Classification Tool for Genetic Subtypes of Diffuse Large B Cell Lymphoma with Therapeutic Implications. Cancer Cell 37：551-568, 2020
4) Mack SC, et al.：Epigenomic alterations define lethal CIMP-positive ependymomas of infancy. Nature 506：445-450, 2014

■ 参考文献

・堀部敬三（編）：小児がん診療ハンドブック，医薬ジャーナル社，2011
・臨床研究情報センター：小児（治療），がん情報サイト｜PDQ®日本語版，http://cancerinfo.tri-kobe.org/
・日本小児血液・がん学会（編）：小児がん診療ガイドライン2016年版，金原出版，2016
・WHO classification of tumors of Haematopoietic and Lymphoid tissues, Lyon, IARC, 2017

〈上條岳彦〉

第2章 小児がん

A 小児がんにおける基礎と疫学

4 がんの細胞生物学

　がん研究の主体が形態学から分子生物学へと広がるにつれて，がんの細胞生物学的な理解は飛躍的に深まった．特にがんの細胞生物学的な特性の多くが遺伝子の異常に起因することが明らかになり，その後の遺伝子クローニング技術の発展と網羅的ゲノム解析の実用化によって研究が大きく進展した．

　HanahanとWeinbergは，2000年にCell誌上で，がん細胞の6つの特性として「持続的な細胞増殖」，「増殖抑制機構の破綻」，「細胞死への抵抗性」，「無限の細胞複製能」，「血管新生の誘導」，「浸潤と転移」を提唱した[1]．彼らは2011年にこれを改訂し，新たに「エネルギー代謝の再構成」と「免疫監視機構からの回避」の2つの特性を加えるとともに，がん発症の背景因子として「ゲノム不安定性」と「腫瘍促進性の炎症」をあげた[2]．本項では，がんの細胞生物学的な特性と背景因子について彼らの提唱に沿って概説する．

がんの細胞生物学的な特性

1 持続的な細胞増殖

　細胞の生存・増殖は，増殖因子を介して細胞外からの制御を受けている．増殖因子は細胞を成長と分裂のサイクルへ導き，細胞数を適切に調節して，正常組織の構築や機能の維持に重要な役割を果たしている．増殖因子の受容体は通常，細胞内にチロシンキナーゼドメインを有する．増殖因子が結合すると，これらの受容体はそれ自身あるいは会合する蛋白のキナーゼ活性を介して下流のシグナル伝達因子を活性化し，生存・増殖に必要な遺伝子の発現を誘導する．がん細胞は，こうした細胞増殖シグナルを持続的に活性化させる能力を，実にさまざまな手段で獲得している．具体的には，増殖因子の恒常的な産生や受容体の過剰発現によって，がん細胞は増殖因子依存的に活性化される．また，受容体遺伝子の活性化変異や融合遺伝子形成による受容体の構造変化は，増殖因子非依存的な下流シグナルの活性化をもたらす．前者の代表例として，小児急性骨髄性白血病（AML）の約25%で認められる*FLT3*の活性化変異があげられる．後者の代表例として，慢性骨髄性白血病（CML）とフィラデルフィア染色体（Ph）陽性急性リンパ性白血病（ALL）で認められる*BCR-ABL1*融合遺伝子や，乳児型線維肉腫などで認められる*NTRK*融合遺伝子があげられる．近年，*BCR-ABL1*陰性にもかかわらずPh陽性ALLと同様の遺伝子発現パターンを示すPh-like ALLにおいて，*ABL1*，*JAK2*などのチロシンキナーゼや*PDGFRB*，*EPOR*などのサイトカイン受容体に関連する融合遺伝子が確認されており，治療標的として注目されている[3]．

　一方，増殖因子受容体に引き続く代表的なシグナル伝達経路として，RAS-ERK経路とPI3キナーゼ経路が知られている．RASは低分子量GTP結合蛋白で，C末端側で脂質と共有結合して細胞膜の内側に局在し，GDP結合型からGTP結合型になったRASは，RAFからMEK，さらにERKへとシグナルを伝えて，おもに細胞増殖を促進する．PI3キナーゼは細胞膜の脂質をリン酸化してシグナル伝達物質が細胞膜にリクルートされるための足場を提供し，活性化されたAKT/PKBはさまざまな基質をリン酸化してシグナルを伝え，おもに細胞の生存維持に関与する．がん細胞では，*RAS*やPI3キナーゼの活性化変異のみならず，PI3キナーゼの作用に拮抗する*PTEN*の変異や欠失も高頻度で認められる．

2 増殖抑制機構の破綻

　がん細胞は細胞増殖を正に刺激するシグナルを活性化させているだけでなく，細胞増殖を負に制御するプログラムをさまざまな手段で抑制している．これらのプログラムの多くはがん抑制遺伝子の作用に依存しており，多くのがん細胞で不活化されている．

　two-hit theoryに基づいて網膜芽細胞腫から同定された*RB*遺伝子は，細胞周期のDNA合成期（S期）への移行を阻止して，がん抑制遺伝子として機能している．低リン酸化状態のRBはE2Fと結合してE2Fの転写活性を阻害しているが，細胞増殖シグナルが伝わり，サイクリンDとの結合で活性化したサイクリン依存性キナーゼ（cyclin-dependent kinase：CDK）4およびCDK6によってRBがリン酸化を受けると，E2FがRBから解離して，S期への移行に必要な遺伝子の発現が誘導される．G1期からS期への移行は，CDKインヒビターであるp16^{INK4A}やp15^{INK4B}がCDK4/6とサイクリンDとの会合を阻害することで

も抑制されている．p16^{INK4A}をコードする*CDKN2A*遺伝子は，ALL や神経芽腫などの多くの腫瘍で欠失や変異が確認されている．

3 細胞死への抵抗性

アポトーシスは，細胞自らがプログラムを作動させて実行する能動的な細胞死である．器官発生における余分な細胞の除去，がん化した細胞や内部に異常を起こした細胞の除去，自己抗原に反応する細胞の除去に重要な役割を果たす．

アポトーシス誘導のメカニズムは，DNA 損傷やがん遺伝子の活性化などを契機にミトコンドリアを起点として起こる経路（内因性経路）と，death 受容体（Fas や TRAIL 受容体）がリガンド結合によって活性化されて起こる経路（外因性経路）に大別される．前者は，BCL2 ファミリー蛋白のアポトーシス促進作用をもつメンバーとアポトーシス抑制作用をもつメンバーとのバランスによって調節されている．BCL2 や BCL-XL などの抗アポトーシス性 BCL2 ファミリー蛋白は，アポトーシス促進因子（BAX と BAK）と結合してこれらを阻害する．一方，BIM や PUMA，NOXA などの BH3-only 蛋白は，BAX や BAK を直接に活性化したり，抗アポトーシス性 BCL2 ファミリー蛋白に結合してそのアポトーシス抑制効果を阻害することで，アポトーシスを誘導する．これらの因子のバランスがアポトーシス誘導に傾くと，活性化した BAX や BAK によってミトコンドリア外膜の透過性が上昇する．その結果，シトクロム c などのアポトーシス促進蛋白が細胞質へ放出され，蛋白分解酵素であるカスパーゼが活性化してアポトーシスが実行される．がん細胞は，BCL2 や BCL-XL などの抗アポトーシス性 BCL2 ファミリー蛋白を過剰に発現したり，BIM や PUMA などの BH3-only 蛋白の発現を低下させることで，アポトーシスを回避している．がん細胞におけるアポトーシスの抑制は，臨床的には治療抵抗性と関連している．

4 無限の細胞複製能

正常細胞の分裂能は有限である一方で，がん細胞のそれは無限である．細胞分裂において，染色体の末端部では 3′ 側の DNA 複製を完結させることができず，同部のテロメアとよばれる繰り返し配列が短縮するため，テロメアの長さが分裂回数を規定している．多くのがんではテロメアを伸長するテロメラーゼの活性が上昇しており，テロメア長が維持されることで無制限の増殖能を獲得する．神経芽腫では約 30％ の症例でテロメラーゼの活性化が認めら

れており，予後不良と関連することが報告されている[4]．

5 血管新生の誘導

がん組織が一定以上の大きさになると，血流不足によって酸素不足に陥ったがん細胞では低酸素誘導因子（hypoxia inducible factor：HIF）-1α が細胞内に蓄積され，核内へと移行する．その結果，血管内皮増殖因子（vascular endothelial growth factor：VEGF）の発現が誘導され，VEGF によって新生血管の構築が促進される．

6 浸潤と転移

がん細胞の浸潤や転移には，密に結合した上皮細胞が運動能の高い間葉細胞に転換される上皮間葉転換（epithelial-to-mesenchymal transition：EMT）が重要である．間質細胞やがん細胞自身が産生するTGF-β などの EMT 誘導シグナルによって，がん細胞では強力な細胞接着装置である上皮性 E-カドヘリンの発現が間葉性 N-カドヘリンへと転換され，MMP（matrix metalloproteinase）などの蛋白分解酵素が分泌される．また，がん細胞からの血管新生因子によって形成された腫瘍血管やリンパ管における内皮の脆弱性が，転移を容易にしている．

7 エネルギー代謝の再構成

がん細胞では細胞増殖に必要な栄養素を確保するために，エネルギー代謝の調整も行われている．好気的条件下の正常細胞では，グルコースを細胞質の解糖系によりピルビン酸に，さらにピルビン酸をミトコンドリアでの酸化的リン酸化により二酸化炭素に代謝してエネルギーを産生する．嫌気的条件下では解糖系が優先され，比較的少量のピルビン酸だけが酸素を消費するミトコンドリアへと送られる．一方，がん細胞ではグルコース代謝とエネルギー産生がリプログラミングされており，好気的条件下でもエネルギー産生効率の低い解糖系が優先される（好気的解糖）．好気的解糖で産生された過剰なピルビン酸は乳酸へと変換されるが，この過程で生じる中間代謝産物は細胞増殖に必要なヌクレオチドやアミノ酸などの生合成に利用される．また，がん細胞ではグルタミンの取り込みや代謝が亢進しており，代謝産物である α ケトグルタル酸を TCA 回路に供給している．

こうしたがん細胞でみられるエネルギー代謝のリプログラミングは，*RAS* や *MYC* などのがん遺伝子の活性化や *TP53* などのがん抑制遺伝子の機能喪失と関連している．また，がん細胞が曝される低酸素状態では HIF-1α などの低酸素誘導性転写因子の発現

が亢進しており，これらはグルコース輸送体である *GLUT1* や解糖系酵素群の発現を誘導している．

8 免疫監視機構からの回避

細胞傷害性T細胞（CTL）やNK細胞を主体とする免疫監視機構は，がん細胞に特異的な抗原を標的として一定の抑制効果を示している．一方，がん細胞では抗原性のより低下した分画が監視機構から選択的に逃れて増幅し，自身が産生するTGF-βなどを介して免疫監視機構を阻害している．小児の固形腫瘍でも神経芽腫では，CTLの標的となるHLAクラスI分子や免疫監視機構を活性化させる分子群の発現が減弱・消失している[4)5)]．また，一部のがん細胞はPD-L1（programmed death ligand 1）などの免疫抑制性リガンドを細胞表面に発現しており，CTLの細胞傷害機構を抑制している．

がん発症の背景因子

1 ゲノム不安定性

がん細胞の生物学的な特性は遺伝子の変異や欠失・増幅によって引き起こされることから，ゲノム不安定性こそが最も本質的ながんの背景因子といえる．DNA損傷の修復過程で作用する遺伝子群は caretaker of the genome（ゲノムの管理人）とよばれ，その中心を担うのが *TP53* 遺伝子でコードされる転写因子p53である．p53は通常，ユビキチンリガーゼのMDM2と結合して速やかに分解される．DNAが損傷を受けると，p53はリン酸化などの修飾を受けてMDM2との結合が阻害され，蓄積されたp53は核内に移行して標的遺伝子の転写を活性化する．その結果，CDKインヒビターのp21^{CIP1}が誘導されて細胞周期が停止しDNAの修復が行われるが，修復が不可能な場合にはBAXやNOXAなどが誘導されてアポトーシスが惹起される．このため，*TP53* は最も知られたがん抑制遺伝子であり，*TP53* の体細胞系列変異はヒトがん全体の約半数で認められる．一方，*TP53* の生殖細胞系列変異は，ゲノム不安定性をもたらすことからがん素因として重要であり[6)]，Li-Fraumeni症候群の原因遺伝子として知られている．

2 腫瘍促進性の炎症

がん組織で認められる炎症細胞の浸潤は，本来は抗腫瘍免疫の一環であるが，炎症部位の好中球やマクロファージが産生する活性酸素は，DNA傷害やゲノム不安定性を誘導してがん化を促進する．また，マクロファージは基底膜を破壊してがん細胞の浸潤を助け，炎症細胞から分泌される増殖因子や血管新生因子が悪性化の一端を担う．

おわりに

がんの細胞生物学的な特性を標的として，より有効かつ安全な治療法が開発され，難治性症例の予後の改善につながることが期待される．

■ 文献

1) Hanahan D, et al.：The hallmarks of cancer. Cell 100：57-70, 2000
2) Hanahan D, et al.：Hallmarks of cancer：the next generation. Cell 144：646-674, 2011
3) Iacobucci I, et al.：Genetic basis of acute lymphoblastic leukemia. J Clin Oncol 35：975-983, 2017
4) Cheung N-K, et al.：Neuroblastoma：developmental biology, cancer genomics and immunotherapy. Nat Rev Cancer 13：397-411, 2013
5) Matthay KK, et al.：Neuroblastoma. Nat Rev Dis Primers 2：16078, 2016
6) Bouaoun L, et al.：TP53 Variations in human cancers：new lessons from the IARC TP53 database and genomic data. Hum Mutat 37：865-876, 2016

（赤羽弘資）

第2章 小児がん

A 小児がんにおける基礎と疫学

5 腫瘍免疫

　多剤併用化学療法，放射線療法，外科療法を含む集学的治療によって，多くの小児がん患者で治療成績が向上してきた．しかしながら，いまだ最も多い死因は再発であり，これらの治療とは異なる作用機序の治療法が望まれている．腫瘍免疫とは，がん細胞に対する免疫機構であり，がん細胞が免疫機構による認識を受け，排除される治療法が，がん免疫療法（cancer immunotherapy）である．がん免疫療法は，複数の臨床試験で明らかな治療効果が報告され，現在では，がん治療の柱として確立されており，抗体療法（antibody therapy）と遺伝子改変T細胞療法（genetically modifying an individual's T cells）が中心となっている．

　本項では，小児がん治療において利用されるがん免疫療法のうち，抗体療法を中心に概説する．遺伝子改変T細胞療法については，本章D．小児がんにおける治療法〔細胞・遺伝子治療〕（p.175～184）で概説している．

抗体療法

1 抗CD20抗体

　リツキシマブは，Bリンパ球系の表面抗原（CD20）に対する遺伝子組換え型のヒトマウスキメラ抗体製剤である．リツキシマブは腫瘍細胞表面に発現するCD20に結合し，補体依存性または細胞依存性に傷害活性を示し，CD20を発現するB細胞性リンパ腫や白血病の治療に使用される．成人におけるCD20陽性非Hodgkin悪性リンパ腫患者に対して，化学療法群と同じ化学療法にリツキシマブを併用した群との無作為割付試験を行い，2年無病生存率，2年生存率ともにリツキシマブ併用化学療法群が化学療法群に対し有意に良好であった〔57％対38％（$p<0.001$），70％対57％（$p=0.007$）〕[1]．小児においても，米国Children's Oncology Group（COG）が再発CD20陽性リンパ腫と白血病患者21人に対しリツキシマブ併用化学療法を行い60％の奏効率を報告し，リツキシマブ併用化学療法が小児においても比較的安全に施行できるとした[2]．

2 抗GD2抗体

　抗GD2モノクローナル抗体が，小児高リスク神経芽腫の治療に使用され，その有効性が報告されている．GD2は，正常では神経系組織に限局して発現し，神経芽腫，神経膠芽腫，メラノーマ，肺癌などに発現する．米国スローンケタリングがんセンターのCheungらは，マウス抗GD2抗体3F8を高リスク神経芽腫の維持療法として追加治療を行い，微小残存腫瘍が消失する症例のあることを報告した[3]．また，ドイツのグループが4期神経芽腫334人を対象に維持療法として化学療法を行う群，抗GD2抗体（ヒトキメラ抗GD2抗体ch14.18）投与群，維持療法なし群に分けて比較した臨床試験では，3年無病生存率では3群間に有意差は認められなかったが，抗GD2抗体投与群で骨髄再発，晩期再発が減少した．3年生存率では抗GD2抗体投与群68.5％，維持化学療法群56.6％，維持療法なし群46.8％と有意に抗GD2抗体群が良好であった（$p=0.018$）[4]．さらに米国COGが，高リスク神経芽腫患者226人に対し，抗GD2抗体に顆粒球マクロファージコロニー刺激因子（GM-CSF）とインターロイキン2（IL-2）を併用した免疫療法群と免疫療法なし群の無作為割付試験を行ったところ，2年無病生存率が免疫療法群で有意に良好であり（66％対46％，$p=0.01$），また2年生存率も免疫療法により有意に改善した（86％対75％，$p=0.02$）（図1）[5]．免疫療法群の副作用としては有害事象共通用語規準（common terminology criteria for adverse events：CTCAE）のグレード3以上の痛みが52％と高頻度に観察され，毛細血管漏出症候群（capillary leak syndrome）が23％にみられた[5]．この臨床研究で用いられた抗GD2抗体は米国国立がん研究所（National Cancer Institute：NCI）で作製されたもので，将来にわたって安定した供給ができないことから，United Therapeutics社にその生産が移り，2015年3月に米食品医薬品局（Food and Drug Administration：FDA）から承認されている．しかし，FDAの承認が抗GD2抗体単独ではなく，GM-CSFとIL-2との併用での承認であったため，GM-CSF製剤が使用できない欧州およびわが国を含むアジアなど米国・カナダ以外の地域では，GM-CSFを併用することが困難となっている．

　一方，欧州ではApeiron社が作製，供給している

A　小児がんにおける基礎と疫学　5．腫瘍免疫

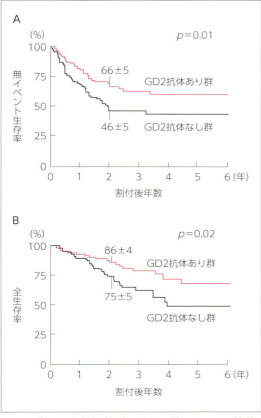

図1◆高リスク神経芽腫における抗ヒトGD2抗体，GM-CSF，IL-2による免疫療法の有用性
A：無イベント生存曲線，B：全生存曲線
(Yu AL, et al.：Anti-GD2 antibody with GM-CSF, interleukin-2, and isotretinoin for neuroblastoma. N Engl J Med 363：1324-1334, 2010より引用)

同じ抗GD2抗体を用いて欧州神経芽腫研究グループ(Society of Pediatric Oncology European Neuroblastoma Network：SIOPEN)が臨床研究を行った．抗GD2抗体にIL-2を併用した無作為割付第Ⅲ相試験では，IL-2併用の有無で無病生存率に差がなく，IL-2併用群でグレード3以上の副作用が多かった．この結果により，欧州では抗GD2抗体単独で承認された．

わが国においてはUnited Theraputics社製の抗GD2抗体を用いて，IL-2とG-CSFを併用した治験が実施され，2021年6月に薬事承認された．今後高リスク神経芽腫に対する治療では，抗GD2抗体による維持療法が標準治療として組み込まれることが予想される．

3 ブリナツモマブ(blinatumomab)

二重特異性T細胞誘導(bispecific T cell engager：BiTE)抗体は，2つの異なる標的と同時に結合するように設計されているため，T細胞ががん細胞を認識して標的とするのを助けることによって抗がん作用を発揮する．ブリナツモマブ(blinatumomab)は，CD19とCD3に二重特異性を有するT細胞誘導(BiTE)抗体製剤であり，2014年12月にFDAより再発または難治性のフィラデルフィア染色体陰性(Ph-)成人B前駆細胞性急性リンパ性白血病(ALL)患者の治療薬として承認された(図2)[6]．

初回化学療法後の再発または難治例，もしくは同種造血幹細胞移植(hematopoietic stem cell transplantation：HSCT)後12か月以内に再発し，骨髄中の芽球

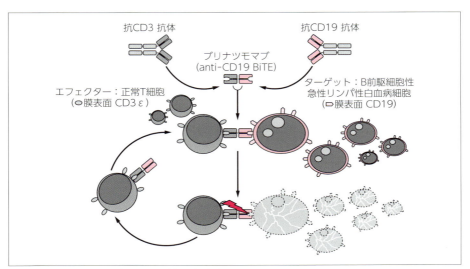

図2◆ブリナツモマブの構造と抗腫瘍機序
(Kapoor A, et al.：Blinatumomab：A ray of hope for relapsed/refractory adult B-cell acute lymphoblastic leukemia. Clinical Cancer Investigation Journal 3：577-578, 2014より引用)

77

が10％以上であった症例を対象とした189例のうち，81例（43％）が，最初の2サイクル後に完全寛解または部分的な血液学的回復を伴う完全寛解に到達した．これら奏効例の40％（32/81）の患者では，同種造血細胞移植が可能であった[7]．

ブリナツモマブ投与後に生命を脅かす恐れのある，もしくは致死性のサイトカイン放出症候群（cytokine release syndrome：CRS）が報告されており，また13％にCTCAEのグレード3以上の神経系の有害事象（脳症，けいれん，会話障害，意識障害，錯乱および失見当識，ならびに協調運動および平衡障害など）が報告されている[7]．ブリナツモマブ投与後の再発例では，白血病細胞にCD19抗原欠失を認めた報告もあり，腫瘍免疫機序からのエスケープメカニズムと考えられている．

4 免疫チェックポイント阻害薬

生体内の免疫抑制反応を遮断する抗体が，免疫チェックポイント阻害薬としてさまざまながん種で開発されている．小児がんでの臨床試験は少ないものの，肺癌や悪性黒色腫でCD8陽性Tリンパ球浸潤が高い症例は免疫チェックポイント阻害薬の有効性が報告されている．

抗CTLA-4抗体のイピリムマブ（ipilimumab）は完全ヒト型IgG1モノクローナル抗体で，進行期悪性黒色腫患者を対象に行われた第III相臨床試験でこれまでの治療成績を大きく上回る生存期間の延長を認め，2011年にFDAにより転移性悪性黒色腫患者の治療への適応が承認されている．イピリムマブの副作用としては自己免疫性腸炎に伴う下痢，ホルモン補充療法を必要とする自己免疫性下垂体炎，中毒性表皮壊死など重篤なものを含む皮疹など，免疫関連有害事象が報告されている[8]．

抗PD-1抗体のニボルマブ（nivolumab）は完全ヒト型IgG4モノクローナル抗体であり，第I相臨床試験で悪性黒色腫，腎細胞癌，非小細胞肺癌において抗腫瘍効果が認められている．悪性黒色腫に対する臨床試験が最も進んでいる．切除不能悪性黒色腫患者を対象にした国内第II相臨床試験では，奏効率23％で，安全性も確認され，わが国では2014年7月に切除不能悪性黒色腫にニボルマブが保険適用された[8]．

CTLA-4を介したシグナルはリンパ節におけるT細胞反応の初期段階を制御し，さらに制御性T細胞（regulatory T cell：Treg）による全般的な自己免疫寛容にかかわるのに対し，PD-1は腫瘍微小環境において活性化したT細胞に対する作用が主である．この作用機序の違いが，抗CTLA-4抗体よりも抗PD-1抗体で副作用の程度が軽く頻度も低い理由と考えられている．

おわりに

がん治療において，既存の治療とは異なる作用機序をもつ治療であるがん免疫療法による明らかな臨床効果が報告されている．化学療法や放射線治療ががん特異的ではなく，正常組織も傷害してしまうのに対し，特異的免疫反応を利用したがん免疫療法は概して副作用が少ないことが期待された．しかし，明らかな臨床効果がある一方で，重篤な副作用の報告もあり，投与にあたっては注意が必要である．

正常な免疫反応はさまざまな細胞群や抗体，補体，サイトカイン，ケモカインなどのネットワークで成り立っており，1つの機序を阻害または刺激しても，ほかの経路からの干渉が入る．そのような相互作用を含め腫瘍に対する免疫応答機序が徐々に解明されつつある．

小児がん治療においては治癒したのちの生存期間が成人より長いため，副作用の比較的少ない特異的がん免疫療法に対する期待が高い．世界中で免疫反応を制御する薬品の開発，治験が進んでおり，今後さらにがん免疫療法の進歩が予想されている．

■ 文献

1) Coiffier B, et al.：CHOP chemotherapy plus rituximab compared with CHOP alone in elderly patients with diffuse large-B-cell lymphoma. N Engl J med 346：235-242, 2002
2) Griffin TC, et al.：A study of rituximab and ifosfamide, carboplatin, and etoposide chemotherapy in children with recurrent/refractory B-cell（CD20＋）non-Hodgkin lymphoma and mature B-cell acute lymphoblastic leukemia：a report from the Children's Oncology Group. Pediatr blood cancer 52：177-181, 2009
3) Cheung NK, et al.：Anti-G（D2）antibody treatment of minimal residual stage 4 neuroblastoma diagnosed at more than 1 year of age. J Clin Oncol 16：3053-3060, 1998
4) Simon T, et al.：Consolidation treatment with chimeric anti-GD2-antibody ch14.18 in children older than 1 year with metastatic neuroblastoma. J Clin Oncol 22：3549-3557, 2004
5) Yu AL, et al.：Anti-GD2 antibody with GM-CSF, interleukin-2, and isotretinoin for neuroblastoma. N Engl J Med 363：1324-1334, 2010
6) Kapoor A, et al.：Blinatumomab：A ray of hope for relapsed/refractory adult B-cell acute lymphoblastic leukemia. Clinical Investigation Journal 3：577-578, 2014
7) Topp MS, et al.：Safety and activity of blinatumomab for adult patients with relapsed or refractory B-precursor acute lymphoblastic leukaemia：a multicentre, single-arm, phase 2 study. Lancet Oncol 16：57-66, 2015
8) Ito A, et al.：Clinical Development of Immune Checkpoint Inhibitors. BioMed Res Int 2015：605478, 2015

（高橋義行）

第2章 小児がん

B 小児がんにおける症候と臨床像

1 造血器腫瘍

急性リンパ性白血病[1)~3)]

急性リンパ性白血病（ALL）は，急性の発症が多いが，発症して比較的ゆっくりと（数か月で）症状が明らかになる例もある．訴えには，発熱（50～60％），全身倦怠感，出血症状，骨痛（40％）がある．身体所見では，顔色不良，リンパ節腫脹，脾腫，肝腫大などがある．

1 髄外浸潤

1）縦隔

胸腺への浸潤で，前縦隔の腫瘤を形成する．ALLの約10％でみられ，T細胞性に多い．致死的な気管圧迫や心圧迫を起こし得る．

2）中枢神経系

頭蓋内圧亢進症状（頭痛，嘔吐，乳頭浮腫，外転神経麻痺など），脳実質病変による症状（片麻痺，脳神経麻痺，けいれん，小脳失調，筋緊張低下など），視床下部症候群（過食，多毛，行動変化など），尿崩症，頭蓋内出血（白血病細胞による梗塞と出血，および血小板減少や凝固異常による出血）がある．芽球が髄液に認められても，症状が出ることは少ない．なお，ALLや非Hodgkinリンパ腫（NHL）で小脳失調がある場合は，毛細血管拡張性運動失調症でないかを調べる．

3）泌尿生殖器系

精巣浸潤は片側も両側もある．疼痛はない．生検すれば25％で検出できるとされるが，臨床的に診断できる精巣浸潤は1～2％しかない．腎浸潤しても高血圧にはならない．そのほかには卵巣浸潤，持続勃起などがある．

4）消化器系

浸潤による出血，壊死性腸炎が知られている．

5）骨・関節

白血病細胞が骨膜へ直接浸潤し，疼痛をきたす．白血病細胞の増加による骨髄腔の圧迫が起こる．単純X線の異常は25％でみられ，骨折がみられることもある．

6）皮膚

皮膚浸潤は，乳児白血病で比較的多くみられる．

7）心臓

浸潤は，剖検例では認められるが，臨床例は少ない．

8）肺

肺梗塞か肺出血が症状としてみられる．

急性骨髄性白血病[1)~3)]

急性骨髄性白血病（AML）の症候と臨床像は，ALLと似ている．ただし，リンパ系浸潤がないので，リンパ節腫大の頻度は低い．皮膚浸潤（leukemia cutisといい，境界の明瞭な紫色斑で，blueberry muffin spotと表現される）は，ALLに比べて多い（図1）．chloroma（緑色腫）という腫瘤を形成することがあるので，腫瘤形成部位に応じた症状を呈し得る．中枢神経浸潤はALLより多い．中枢神経浸潤があっても無症状のことが多いが，腫瘤を形成した場合は，部位によって症状が出る．t（8；21）を伴うAMLで中枢神経浸潤やchloromaが多い．歯肉腫脹は10％でみられる．

非Hodgkinリンパ腫[1)~3)]

NHLの症候と臨床像は，組織型と発生部位によって決まる．急速に大きくなるNHLでは，腫瘤による症状が起こる．約70％の症例は進行期に診断され，消化器，骨髄，中枢神経の浸潤症状を呈する．

1）腹部

腹痛，腹満，悪心・嘔吐，腫瘤，腸重積，肝脾腫，閉塞性黄疸，腹水，腹膜炎などで発症する．6歳以上の腸重積では，NHLが原因であることが最も多い．

2）頭頸部

リンパ節腫大，鼻閉，鼻汁，聴力障害，脳神経麻痺をきたし得る．

3）縦隔

腫瘤が大きいと上大静脈症候群（頸静脈の拡張，顔の浮腫，呼吸困難，起座呼吸，めまい，頭痛，嚥下障害，鼻出血，意識障害など）を呈する．胸水や心囊液貯留をきたし得る．

4）骨髄・中枢神経

ALLと同じ症候を呈する．

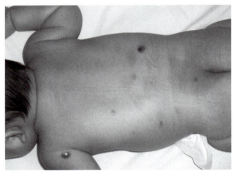

図1 ● 乳児のAMLにみられた皮膚浸潤
(口絵3 p.ii 参照)

5) その他

NHLは，皮膚，皮下組織，眼窩，甲状腺，骨，腎，硬膜下腔，乳腺，生殖器に浸潤し得る．全身症状としての発熱や体重減少は比較的少ない．腫瘤を認める場合は，鑑別診断として常にNHLを考慮すべきである．

Hodgkinリンパ腫[1)～3)]

1) リンパ節腫大

Hodgkinリンパ腫(HL)の90％の例にみられる．頸部では60～80％にみられ，縦隔のリンパ節腫大を伴うことも多い．ほかの部位(腋窩，鼠径部，縦隔，後腹膜)にもみられる．1個のことも集簇することもある．隣接したリンパ節に広がることが多い．リンパ節は輪郭がはっきりとして，ゴムのような弾性があり，通常疼痛を伴わない．10cm以上はbulkyと表現する．

2) 縦隔リンパ節腫大

60％の例にみられる．思春期以降の年代では75％に，10歳以下では35％でみられる．約20％ではbulkyな病変がある．症状がないことが多いが，持続する咳嗽が起こり得る．上大静脈症候群や気管圧迫が起こることがある．

3) 脾腫

よくみられる．

4) 全身症状

発熱，食思不振，倦怠感，悪心，盗汗が30％の例でみられる．軽度の瘙痒が15～25％にみられる．

5) 肺病変

17％の例でみられる．縦隔病変を伴う．咳嗽，呼吸困難が起こることがある．

6) 中枢神経病変

症状は，頭蓋内圧亢進症状や，麻痺，知覚鈍麻，けいれんなどがある．

7) 骨病変

26％の例でみられる．骨痛で発症することもある．骨病変は急激な進行を示す．椎体の圧迫骨折がみられることがある．

8) 骨髄病変

5％の例でみられるが，びまん性に広がらずに巣状に病変を形成するので，骨髄穿刺で検出できないこともある．症状は，骨髄抑制である．

9) 肝病変

肝腫大や黄疸が2％の例でみられる．生検で診断をする．

10) 腎

直接浸潤が13％にみられる．そのほかには，腎静脈閉塞，高カルシウム血症，高尿酸血症などがみられる．

11) 血液異常

骨髄浸潤の症状がみられる．免疫異常を合併することがあり，Coombs反応陽性の溶血，血小板減少症，好中球減少症がみられる．好酸球増多も15％でみられる．

12) B症状

20～30％でB症状がみられる．B症状とは，診断までの6か月以内に10％以上の体重減少，3日以上続く38℃以上の熱，多量の盗汗のことをいう．

おわりに

146例の小児がんを後方視的に検討した報告では，発症から診断までの期間は中央値で23日(0～348日)であった[4)]．小児がんを疑う契機となった訴えは，2週間以上続く熱(32％)，腫瘤性病変(21％)，出血(16％)，骨痛(7％)であった．24％(35例)では訴えからは小児がんを疑えなかった．これらの35例における身体所見では，全身状態の悪さ(7％)，腹部の異常所見(5％)，頸部リンパ節腫脹(3％)から小児がんを疑うことができたとされている．

■ 文献

1) Pui CH：Acute lymphoblastic leukemia. In：Pui CH(ed.), Childhood Leukemias. 3rd ed, Cambridge University Press, 332-336, 2012
2) Silverman LB, et al.：Acute lymphoblastic leukemia. In：Orkin SH, et al. Oncology of Infancy and Childhood. Saunders, 297-505, 2009
3) Lanzkowsky P et al.(eds.)：Lanzkowsky's Manual of Pediatric Hematology and Oncology. 6th ed, Elsevier, 367-452, 2016
4) 岡本康裕, 他：一次診療で小児がんを疑う症状・所見の検討. 第56回日本小児血液・がん学会学術集会, 2014.11.28～11.30

〈岡本康裕〉

第2章 小児がん

B 小児がんにおける症候と臨床像

2 内臓固形腫瘍

内臓固形腫瘍の症状は，①腫瘍によらない非特異的症状，②腫瘍そのものによる症状（腫瘤触知，腹痛など），③腫瘍の転移による症状（骨痛，関節痛など），④遺伝的素因に基づく症状（WAGR症候群，片側肥大など）に大別される．

腫瘍によらない非特異的症状

内臓固形腫瘍の一般的な非特異的初発時症状としては，発熱などを認めることが多い．感冒様の症状が続くため精査したところ，悪性腫瘍が発見されるということも少なくない．発熱以外には，不機嫌，食欲低下，体重減少なども非特異的な症状としてあげられる．顔色不良は，非特異的症状の1つであるが，固形腫瘍の骨髄転移のために造血能の低下をきたしたことによる貧血，腫瘍出血による失血に伴う貧血などによって認められることもある．

腫瘍そのものによる症状

1 腹部腫瘤

小児期に発症する内臓固形腫瘍の症状のなかで最も重要なものは，腹部腫瘤を触知することである．一般的に，小児がんの症状が発現してから受診するまでの時間に比して，診断が確定するまでの時間は長いとされる[1]が，腹部腫瘤の場合は，診断に要する時間は比較的短い．

触診によって腫瘍の種類，性状を決定することはできないが，例えば，腎芽腫（Wilms腫瘍）は表面が平滑で，神経芽腫は表面が不正な固い腫瘤として触知されるとされている．柔らかい腫瘤の場合は，原始神経外胚葉性腫瘍（primitive neuroectodermal tumor：PNET）や軟部組織腫瘍，表面が不正な場合は，神経芽腫，肝芽腫などを考える．

腹部腫瘤に気づいた場合，超音波検査，造影CT，MRIなどの画像診断は必須であり，それらの所見によってある程度の鑑別診断を行うことが可能となる．超音波検査は，比較的侵襲が少なく，充実性腫瘤と囊胞性腫瘤の鑑別をすることができる．

何よりも大切なことは，きちんと仰臥位にして触診することである．しかしながら，腫瘍破裂をきたすことがあるため，押さえ過ぎないようにするなどの注意が必要である．腫瘍内出血，腹腔内出血をきたした場合，急速に進行する貧血と腹部腫瘤の増大によって，緊急手術となることもある．

2 肝脾腫

肝腫大，あるいは脾腫大として腹部腫瘤を触知することもある．肝腫大の原因としては，肝芽腫や神経芽腫の肝転移などがあげられる．白血病などの造血器腫瘍によって肝腫大を呈することも多い．

脾腫そのものが固形腫瘍となることは少ないが，Langerhans細胞組織球症（Langerhans cell histiocytosis：LCH）では，脾臓はリスク臓器（OAR）の1つとしてあげられている．LCH細胞の直接浸潤によって，あるいは二次的にマクロファージ活性化や過剰なサイトカインによって肝脾腫をきたすことがある．白血病などの造血器腫瘍によって脾腫をきたすことも多く，特に慢性骨髄性白血病では巨脾となることが多い．感染症（ネコ引っ掻き病など）やGaucher病，ムコ多糖症などの代謝疾患，胆道閉鎖症など肝疾患からの二次性脾機能亢進症によって脾腫をきたすこともあり，鑑別が必要である．

3 消化器症状

下痢，悪心・嘔吐，食欲不振などの消化器症状も認められることがある．神経芽腫に伴う血管作動性腸管ペプチド（vasoactive intestinal peptide：VIP）産生腫瘍の場合，下痢症状が重篤である[2]．

急に発症し継続する便秘は，悪性腫瘍を疑わせる症状の1つである．腫瘍の増大により消化管を圧迫することで便秘が発症する場合と，ダンベル型の神経芽腫のように，腫瘍による脊髄の圧迫によって神経学的に便秘となる場合がある．

4 腹痛

腹部腫瘤そのものによる腹痛もあるが，卵巣囊腫などの卵巣腫瘍の場合，茎捻転を起こすことがあり，急激な腹痛をきたす．緊急手術の適応となることもある．また，6歳以上の年長児に発症する腸重積は，悪性リンパ腫（Burkittリンパ腫）を疑わせる症状である．

5 血尿

血尿は，腎臓から膀胱に至る尿路系の腫瘍によって発症する．腎芽腫では，20〜30%に血尿を認め

る．肉眼的血尿は18％，顕微鏡的血尿は24％に認められるとする報告がある[3]．膀胱原発の横紋筋肉腫でも血尿を認める．非常にまれであるが，膀胱癌では痛みのない肉眼的血尿が認められる．シクロホスファミドの二次がんとして発症することがある．

6 下肢麻痺

交感神経節原発の神経芽腫ダンベル型[4]，脊髄腔内の悪性リンパ腫などにより下肢麻痺を生じる．下肢麻痺は進行性であり，oncologic emergencyとしての対処が必要となる．

腫瘍の転移などによる症状

1 骨痛，関節痛

骨転移や骨髄転移によって，骨痛を訴えることも多い．内臓固形腫瘍の骨転移や骨髄転移の場合，白血病などの造血器疾患と同様に骨痛を訴える．下肢の骨への転移の場合，跛行をきたすこともある．ダンベル型の神経芽腫の場合，脊髄を圧迫することで下肢麻痺となるが，初期の段階では下肢痛として認識されることもある．跛行が進行性に悪化する場合は，鑑別すべき疾患の1つである[4]．なお，骨転移によって造血が障害された場合は，貧血や血小板減少に伴う出血斑の増加などを認める．

「ラクーン・アイ」とは，神経芽腫の眼窩骨への転移により，眼窩周囲に紫斑を生じることである．虐待との鑑別を要することもあるが，眼球突出を伴い，進行性であるところが異なる．

2 腫瘍随伴症候群

腫瘍が産生するホルモンやサイトカイン，腫瘍に対する免疫反応などによって生じる症候を腫瘍随伴症候群（paraneoplastic syndrome）という．ここでは，特に小児固形腫瘍による代表的なものをあげる．

1）オプソクローヌス・ミオクローヌス症候群

2〜4％の神経芽腫に認められる特殊な症候として，オプソクローヌス・ミオクローヌス症候群がある[5]．これは，不規則な眼球運動と不随意運動を示すもので，腫瘍自体の悪性度はそれほど高くないものの，神経学的に長期合併症を残すことが多いとされている．抗体などの自己免疫反応が関与している可能性が示唆されている．

2）VIP症候群

VIPを分泌する腫瘍により，難治性の水様性下痢と脱水，低カリウム血症，アシドーシスを認める．成人では膵癌によるものが多いが，小児では神経芽腫などで認められる．

3）血圧上昇

血圧上昇は，疼痛や不安などに伴う非特異的症状の場合があるが，25％以上のWilms腫瘍においては，レニンの過剰産生と関与して血圧上昇を認める．Wilms腫瘍の高血圧は重篤な場合も多く，高血圧脳症や網膜出血を伴うことがある．神経芽腫でも高血圧は認められる[6]．褐色細胞腫における高血圧は，成人よりも小児で多く認められるとされる．

4）思春期早発症

思春期早発症は，ホルモン産生腫瘍によって発症する．中枢神経系の腫瘍によるものについてはこの項では割愛するが，鑑別を要する疾患群の1つである．

肝芽腫や胚細胞性腫瘍の一部ではヒト絨毛性ゴナドトロピン（hCG）産生により思春期早発症をきたすことがある．また，副腎皮質癌や精巣腫瘍では，アンドロゲン過剰により，体毛の増加，低い声といった男性的特徴が現れることがあり，尋常性痤瘡もできることがある．エストロゲン過剰により，男児でも女性化乳房となることがある．顆粒膜細胞腫では，エストロゲン産生により思春期早発症を認める．

遺伝的素因に基づく症状

さまざまな遺伝子異常によって，悪性腫瘍が合併することが知られている．ここでは，内臓固形腫瘍を合併するおもな疾患の症状について概説する（表1）．特定の遺伝子異常などによる奇形症候群では，Wilms腫瘍の発症リスクが高まることが知られている[7]．また，このような遺伝性腫瘍を診断した場合，遺伝カウンセリングを含めて，定期的なサーベイランスが重要となる[8]．

1 WAGR症候群

Wilms腫瘍（WT1欠失によるもの），虹彩欠損，泌尿生殖器奇形（腎低形成，嚢胞性疾患，尿道下裂，停留精巣など），および精神遅滞が合併する．Wilms腫瘍は40〜50％に合併する[9]．

2 Denys-Drash症候群およびFrasier症候群

腎芽腫，仮性半陰陽，早期発症で進行性の腎疾患（糸球体腎炎またはネフローゼ症候群）を主徴とする．Denys-Drash症候群の小児がWilms腫瘍を発症するリスクは約90％である．Frasier症候群は，巣状分節性糸球体腎炎を呈し緩徐に進行する腎症と索状性腺，性分化疾患を呈する症候群であり，Wilms腫瘍を発症するリスクは8％である．

3 Beckwith-Wiedemann症候群

過剰な成長を起こすまれな障害で，新生児の段階

表1 ● 遺伝的素因に基づく固形腫瘍の例

症候群	症状	関連遺伝子（染色体）	関連する固形腫瘍
WAGR症候群	無虹彩症，外性器異常，精神発達遅滞	WT1欠損（11p13）	腎芽腫（40〜50％）
Beckwith-Wiedemann症候群	巨舌症，腹壁欠損，過成長，片側肥大	11p15.5領域の遺伝子刷り込み異常	腎芽腫（5％），肝芽腫，横紋筋肉腫
Denys-Drash症候群	進行性腎疾患，性分化疾患	WT1ジンクフィンガー部位の点突然変異（11p13）	腎芽腫（>90％）
Frasier症候群	生殖器形成不全，索状性腺，巣状分節状糸球体腎炎	WT1点突然変異（11p13）	腎芽腫（8％）
Li-Fraumeni症候群	特定のがんに伴う症状	p53変異（17p13.1）	腎芽腫（わずか），肝芽腫，副腎皮質癌
家族性大腸ポリポーシス	胃や十二指腸，大腸ポリープ，歯牙異常，網膜色素上皮の先天性肥大，デスモイド腫瘍，下顎の骨腫	APC変異（5q21-q22）	肝芽腫（0.4％）
18トリソミー	特異顔貌，成長発達遅延，心室中隔欠損などの先天性心疾患，尿路閉塞症，脊椎側彎症	18トリソミー	肝芽腫
neurofibromatosis 1型	カフェオレ斑，雀卵斑様色素斑，神経線維腫，虹彩小結節，脊柱-胸郭変形などの骨病変	NF1変異（17q11.2）	肝細胞癌，褐色細胞腫
von Hippel Lindau病	脳脊髄や網膜の血管芽腫に伴う神経症状や視機能異常，腎嚢胞，褐色細胞腫に伴う高血圧，頭痛，乳頭浮腫，血尿	VHLミスセンス変異（3q25）	褐色細胞腫，腎細胞癌，小脳血管芽腫，網膜血管腫
Dicer1症候群	特定のがんに伴う症状	DICER1変異（14p32.13）	胸膜胚芽腫，性索間質性腫瘍，甲状腺腫瘍，胎児性横紋筋肉腫，松果体芽腫

で体格が大きく，低血糖，巨舌症，内臓腫大，臍脱出などを主徴とする．Beckwith-Wiedemann症候群の患者では特にWilms腫瘍の発生リスクが高くなり，約5％に合併する．

4 片側肥大

片側肥大はBeckwith-Wiedemann症候群の一症状として認められることもあるが，それ以外の要因で発症することもある[10]．Beckwith-Wiedemann症候群と同様に，Wilms腫瘍，肝芽腫，神経芽腫などを発症することがある[11]．

5 von Hippel-Lindau病

VHL遺伝子（3p26-p25）の異常による疾患で，網膜あるいは中枢神経（特に小脳）の血管芽腫，多発性腎嚢胞，内耳内リンパ嚢胞腺腫による難聴，精巣上体嚢胞腺腫をきたす疾患で，腎細胞癌，褐色細胞腫などを合併する．

6 神経線維腫症1型（NF1）

神経線維腫症1型（neurofibromatosis type 1：NF1）はカフェオレ斑，神経線維腫，蔓状神経線維腫，腋下や鼠径部の雀卵斑様色素斑，視神経膠腫，Lisch結節（虹彩過誤腫），蝶形骨異形成や脛骨の偽関節形成などの特徴的骨病変などを主徴とする．悪性腫瘍の合併としては，悪性末梢神経鞘腫瘍，成人型肝癌，横紋筋肉腫などがある[12]．

7 Costello症候群

HRAS遺伝子の異常によって，成長発達障害，精神発達遅滞，特異的顔貌，皮膚症状，巻き毛，肥大型心筋症，悪性腫瘍の合併などを認める．Costello症候群の15％の患者に，小児期では横紋筋肉腫，神経芽腫などの悪性固形腫瘍，AYA世代でtransitional cell carcinomaを合併する．

8 家族性大腸ポリポーシス

APC遺伝子の異常によって，大腸に100個異常のポリープを生じる常染色体顕性（優性）遺伝である．成人期の大腸癌の発症のみならず，若年期から発症する甲状腺癌，250人に1人発症するとされる肝芽腫[13]の合併が問題となる．

9 Peutz-Jeghers症候群

　口唇の黒褐色色素沈着と消化管ポリポーシス（小腸の過誤腫性ポリープが多い）を主徴とする症候群で，常染色体顕性（優性）遺伝であるが，家族内発症は少ない．消化器，性腺などほかの部位のがん化率は高いとされる．

10 DICER1症候群

　胸膜胚芽腫の70％に*DICER1*遺伝子の生殖細胞系列の病的バリアントが認められる．年間発症数は日本で5例未満とされている．そのほか性索間質性腫瘍，松果体胚芽腫などが*DICER1*変異に関連して発症する．

■ 文献

1) Dang-Tan T, et al.：Diagnosis delays in childhood cancer：a review. Cancer 110：703-713, 2007
2) Bourdeaut F, et al.：VIP hypersecretion as primary or secondary syndrome in neuroblastoma：A retrospective study by the Société Française des Cancers de l'Enfant（SFCE）. Pediatr Blood Cancer 52：585-590, 2009
3) Amar AM, et al.：Clinical presentation of rhabdoid tumors of the kidney. J Pediatr Hematol Oncol 23：105-108, 2001
4) De Bernardi B, et al.：Epidural compression in neuroblastoma：Diagnostic and therapeutic aspects. Cancer Lett 228：283-299, 2005
5) Matthay KK, et al.：Opsoclonus myoclonus syndrome in neuroblastoma a report from a workshop on the dancing eyes syndrome at the advances in neuroblastoma meeting in Genoa, Italy, 2004. Cancer Lett 228：275-282, 2005
6) Maas MH, et al.：Renin-induced hypertension in Wilms tumor patients. Pediatr Blood Cancer 48：500-503, 2007
7) JS Dome, et al.：Wilms Tumor Overview. GeneReviews®［Internet］. Seattle Univ. Washington, Seattle：1993-2015 http://www.ncbi.nlm.nih.gov/books/NBK1294/
8) Brodeur GM, et al.：Pediatric cancer predisposition and surveillance：An Overview, and a Tribute to Alfred G. Knudson Jr. Clin Cancer Res 23：e1-e5, 2017
9) Muto R, et al.：Prediction by FISH analysis of the occurrence of Wilms tumor in aniridia patients. Am J Med Genet 108：285-289, 2002
10) Niemitz EL, et al.：Children with idiopathic hemihypertrophy and beckwith-wiedemann syndrome have different constitutional epigenotypes associated with wilms tumor. Am J Hum Genet 77：887-991, 2005
11) Hoyme HE, et al.：Isolated hemihyperplasia（hemihypertrophy）：report of a prospective multicenter study of the incidence of neoplasia and review. Am J Med Genet 79：274-278, 1998
12) Sung L, et al.：Neurofibromatosis in children with Rhabdomyosarcoma：a report from the Intergroup Rhabdomyosarcoma study IV. J Pediatr 144：666-668, 2004
13) Garber JE, et al.：Hepatoblastoma and familial adenomatous polyposis. J Natl Cancer Inst 80：1626-1628, 1988

〈松本公一〉

第2章 小児がん

B 小児がんにおける症候と臨床像

3 骨軟部腫瘍

小児骨軟部腫瘍

　小児骨軟部腫瘍は，骨肉腫，Ewing肉腫ファミリー腫瘍（ESFT）に代表される骨腫瘍と横紋筋肉腫に代表される軟部腫瘍に大別される．骨腫瘍は，骨組織を形成する骨芽細胞，骨細胞，軟骨細胞，骨髄にある造血系細胞群，線維芽細胞など，各細胞に由来する腫瘍である．一方で軟部腫瘍は骨，歯以外の軟らかい組織のなかで網内系，実質臓器の支柱組織を除いた生体の非上皮性組織，すなわち線維組織，脂肪組織，血管・リンパ管組織，筋肉組織，滑膜組織などを発生起源とする．疾患によって症候と臨床像に若干の違いがあるため，ここでは小児期発症骨軟部腫瘍の代表的疾患である骨肉腫，ESFT，横紋筋肉腫の症候と臨床症状について説明する．

骨肉腫

　骨肉腫は成長期である10歳代の四肢，特に膝関節周辺の骨に好発する高悪性度腫瘍である．成長期の10歳代に好発する理由として骨成長の速さと骨肉腫の発症の関連性が指摘されている．

　骨肉腫の臨床症状に特有の症状はないが，進行性の疼痛と患部の腫脹が特徴である．まず痛みを自覚し，それに続いて腫脹が出現する．下肢では跛行をきたすことが多い．上腕骨では肩の運動制限が出現する．時に軟部腫瘤を伴うことがある．腫脹は触診で硬く圧痛を伴い，熱感がある．所属リンパ節の腫脹がみられる例はまれである．診断までの平均期間は3か月で，6か月以上になることは珍しい．

　血液生化学検査では，ALPが40％以上の症例で上昇するが[1]，小児では生理的に高い場合があるので解釈に注意を要する．必ずしも病勢と一致しないことがある．LDHが30％以上の患者で上昇し[2]，赤沈，CRPも軽度上昇することがある．画像診断では，単純X線写真で骨硬化像および骨融解像を認める．骨皮質の破壊，腫瘍の軟部進展もよくみられる．Codman三角やSpiculaとよばれる骨膜反応が診断に重要である．CT像では，腫瘍による骨皮質の破壊や骨外への進展がわかり，腫瘍内部の骨化や石灰化を認める．胸部CTは，単純X線像より肺転移巣の検出に優れ，約2mm以上の病巣であれば描出可能である．遠隔転移は，最も一般的には肺が多いが，同じ骨や他の骨を侵すこともある．MRIは，腫瘍の広がりと周囲正常組織との関係を把握するのに欠かせない検査である．T1強調像では，筋肉と同じかやや低い信号を呈するので正常骨髄の高信号とコントラストをなし，骨髄内の広がりを捉えるのに適している．また骨髄内のスキップ病変を発見できることがある．T2強調像では，腫瘍の本体は通常高信号を呈するが，骨化が強い部分では低信号を呈する．ガドリニウムで造影すると腫瘍細胞が増殖している部分は造影されて高信号を呈するが，壊死像は造影されず低信号となる．

ESFT

　ESFTは，小児や若年者の骨・軟部組織に発生する小円形細胞肉腫である．2020年に刊行されたWHO骨軟部腫瘍の分類ではEwing肉腫はCIC-rearranged sarcomaやsarcoma with BCOR genetic alterationsなど同様 undifferentiated small round cell sarcomas of bone and soft tissueに分類されている[3]．

　ESFTの臨床症状は，局所の腫脹または間欠的な疼痛で始まることが多い．ほとんどのESFT患者の発症年齢は10歳代であるため，成長痛と間違えられることが多く注意が必要である．軽度の外傷が病変に気づくきっかけとなることが多い．痛みは，最初は軽いかもしれないが，かなり急速に強くなることがある．運動によって悪化することがあり，夜間に悪化することが多い．症状が出現してから確定診断がつくまでの期間は数週間から数か月，まれには年単位でかかることもあり，平均期間は3〜6か月である[4]．一部の症例では疼痛に感覚障害を伴うこともある．ほとんどの場所では腫瘍が増大する．疼痛の増悪などで腫瘍が発見されるが，骨盤，胸壁などでは腫瘍が大きくなってもわかりにくいことがあり，発見が遅れる場合もある．骨盤内原発腫瘍の患者は，他の部位と比較して，転移性疾患を呈する可能性が有意に高い（25％：16％）[5]．発熱，疲労，体重減少，貧血などの体質的な症状または徴候は，発症時に患者の約10〜20％に認められる[6]．時に病的骨

表1 ● 横紋筋肉腫の発生部位による臨床症候

頭頸部	眼窩	眼球突出，眼瞼下垂，複視，眼筋麻痺
	鼻咽頭	鼻閉，鼻出血，嚥下障害，腫瘤
	中耳	耳漏，難聴，耳痛，顔面神経麻痺，外耳道よりポリープ状腫瘤突出
	頸部	腫瘤，腕神経叢麻痺
	傍髄膜頭蓋底	頭痛，嘔吐，高血圧，髄膜刺激症状，脳神経麻痺
泌尿生殖器	膀胱	血尿，排尿障害，腫瘤
	前立腺	腫瘤，排尿障害，便秘
	腟・子宮	下腹部腫瘤，異常分泌物，外陰部からのブドウ状腫瘤突出
後腹膜		腹部腫瘤，便秘，腹水，腹痛
肛門・会陰部		ポリープ状の腫瘤
胆道		黄疸，肝腫大

折や発生部位によっては下肢麻痺や膀胱直腸障害が出現し，このときはじめて腫瘍が発見されることがある．

ESFTに特徴的な血液，尿検査の異常はない．まれに腫瘍量に比例してLDHが上昇する．神経特異性エノラーゼ(NSE)値の上昇がみられる場合もある．画像検査では単純X線にて，骨融解像の出現が早期からみられ骨膜反応として層状の玉ねぎの皮状所見(onion peel appearance)が特徴的であるがspicula形成やCodman三角もみられる．CTやMRI検査で病変の進展度をみることが可能である．骨シンチグラフィや近年ではFDG-PETが病変の広がりや転移性病変の検索に使用される．

横紋筋肉腫

横紋筋肉腫(rhabdomyosarcoma：RMS)は，未分化な間葉系細胞(骨格筋の前駆細胞)から発生する．その腫瘍細胞核内には骨格筋分化細胞遺伝子である*MyoD1*を発現しており，種々の遺伝子異常により骨格筋への最終分化が抑制された結果，腫瘍細胞が異常増殖をきたすと考えられている．組織学的には，その細胞配列から胎児型(embryonal type)，胞巣型(alveolar type)，多形型(pleomorphic type)の3亜型に分類されている．それぞれの亜型では発生部位，生物学的特性，予後を大きく異にしている．

RMSは，身体の至るところより発生するため，その臨床症状もさまざまである．はっきりとした外傷既往がなく，皮膚変色を伴わない軟部組織の腫瘤をみた場合，身体のどの部分にあっても鑑別の対象となる．初めは無症状で腫瘤を認めるのみだが，腫瘍が大きくなると，その発生部位に特異的な症状が現れる(表1)．最も一般的な原発部位は，頭頸部(35～40％)，泌尿器系(25％)，四肢(20％)である[7]．

RMSに特徴的な血液，尿検査の異常はない．腫瘍量が多いとLDHが上昇することがある．また，CPK-MB値の上昇がみられる場合もある．画像検査ではCTやMRI検査が病変の進展度やリンパ節転移の有無をみるのに有用である．骨シンチグラフィやFDG-PETが病変の広がりや転移性病変の検索に使用される．腫瘍の浸潤がある場合には骨髄や髄液にも腫瘍細胞を認める．進行例では骨髄浸潤を認める症例もあるため，初診時骨髄検査は必要である．傍髄膜発症例で画像上頭蓋内浸潤が疑われる場合は，放射線治療のタイミングが変わる場合があるため，治療前に髄液検査を施行して頭蓋内浸潤の有無を調べることも重要である．

■ 文献

1) Thorpe WP, et al.：Prognostic significance of alkaline phosphatase measurements in patients with osteogenic sarcoma receiving chemotherapy. Cancer 43：2178-2181, 1979
2) Link MP, et al.：Adjuvant chemotherapy of high-grade osteosarcoma of the extremity. Updated results of the Multi-Institutional Osteosarcoma Study. Clin Orthop Relat Res 270：8-14, 1991
3) WHO Classification of Tumours Editorial Board：WHO Classification of Tumours, 5th ed., Vol. 3 Soft Tissue & Bone Tumours, 2020
4) Widhe B, et al.：Initial symptoms and clinical features in osteosarcoma and Ewing sarcoma. J Bone Joint Surg Am 82：667-674, 2000
5) Cotterill SJ, et al.：Prognostic factors in Ewing's tumor of bone：analysis of 975 patients from the European Intergroup Cooperative Ewing's Sarcoma Study Group. J Clin Oncol 18：3108-3114, 2000
6) Rud NP, et al.：Extraosseous Ewing's sarcoma. A study of 42 cases. Cancer 64：1548-1553, 1989
7) Crist W, et al.：The Third Intergroup Rhabdomyosarcoma Study. J Clin Oncol 13：610-630, 1995

(細野亜古)

第2章 小児がん
B 小児がんにおける症候と臨床像
4 脳・脊髄腫瘍

疫学・分類

1 疫学

わが国における小児脳・脊髄腫瘍発生数の正確な統計はないが，欧米における発生率や地域統計などから，毎年500〜750人の小児脳・脊髄腫瘍患者が新規発生すると推定される．脳・脊髄腫瘍は小児がんのなかで造血器腫瘍に次いで多く，多くの先進国で小児白血病の死亡数の低下に伴い，脳・脊髄腫瘍が子どもの病気による死因のトップになっている．

2 分類

原発性脳・脊髄腫瘍の国際共通病理組織学的分類であるWHO分類において，脳・脊髄腫瘍はその発生細胞と組織学的悪性度を基礎に分類される．WHO分類では，神経上皮，脳神経，髄膜，トルコ鞍，造血細胞，胚細胞という発生細胞によって，腫瘍が大別されている．小児脳腫瘍の組織型の割合を図1[1]に示す．

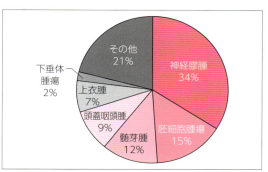

図1 ◆ 小児脳腫瘍の組織型
(The Committee of Brain Tumor Registry of Japan：REPORT OF BRAIN TUMOR REGISTRY OF JAPAN(2001-2004)13th Edition. Neurol Med Chir(Tokyo)54(suppl.1)：1-102, 2014をもとに作成)

症候（表1）[2)3)]

1 頭痛・悪心・嘔吐

小児の脳・脊髄腫瘍の症候は，多彩であり，時に見逃されやすい．主として症状は中枢神経経路の障害によって生じるが，非特異的な症状である頭痛や悪心が，診断時の最も多い症状である．頭痛や嘔吐は小児脳腫瘍患者の約1/3に認める重要な症状である一方で，小児患者全般に頻度の高い訴えであり，脳・脊髄腫瘍以外の疾患の症状であることが圧倒的に多い．頭痛や悪心を訴える患者に，歩行異常や脳神経麻痺などほかの神経学的異常を伴う場合は，中枢神経画像検査の適応となるであろう．

2 脳圧亢進症状

小児が頭痛，悪心・嘔吐，歩行時のふらつきの3徴を呈したとき，特にそれが進行性の場合は，脳腫瘍による脳脊髄液腔の閉塞（閉塞性水頭症）を考えなくてはならない．これらの3徴は，小脳腫瘍患者に特に多く認められ，嘔吐はしばしば早朝に起こる．眼底の視神経乳頭浮腫も脳圧亢進を示唆する所見として重要である．

3 視機能・眼球運動異常

視神経やトルコ鞍上部に発生する腫瘍は，視力・視野を障害する．しかし小児，特に年少児では，片眼の視力が極端に低下したり，大きな視野欠損があっても，進行が緩徐な場合は相当重度になるまで本人も家族も気づかないことが多い．眼球運動異常は，脳幹部・松果体・小脳の腫瘍で生じることが多い．上方注視麻痺，偽Argyll-Robertson瞳孔，輻輳・眼球後退眼振，上眼瞼の後退（Collier徴候），正面視位における下向きの眼位（落陽現象）からなるParinaud症候群は，中脳背側の腫瘍に特徴的である．

4 内分泌異常

脳腫瘍の診断の何か月も前から，内分泌学的異常をきたしていることもまれではない．脳腫瘍に関連する内分泌異常による症状のなかで頻度が高いものは，思春期異常（早発・遅発），食思不振（間脳症候群），多飲多尿（尿崩症）であり，視床下部〜下垂体に発生する腫瘍（下垂体腺腫，胚細胞腫瘍，頭蓋咽頭腫，低悪性度神経膠腫）によって生じる．

5 けいれん・精神症状

大脳皮質に発生する脳腫瘍の初発症状として，けいれん（特に部分けいれん）は多い．しかし一方で，大多数の初発けいれんの原因は脳腫瘍以外であり，脳腫瘍によるものは4％程度と考えられている．また基底核，中脳，白質深部に発生する胚細胞腫瘍や低悪性度神経膠腫によって，チック，運動障害，学習障害が起こることがある．

表1 ◆ 小児脳腫瘍診断時の症状

症状	割合
頭痛	33％
悪心・嘔吐	32％
ふらつき，歩行異常	27％
視神経乳頭浮腫	13％
けいれん	13％
頭蓋内圧亢進に伴う非特異的症状	10％
斜視	7％
行動異常および学業不振	7％
頭囲拡大	7％
脳神経麻痺	7％
嗜眠，昏睡	6％
異常な眼球運動	6％
片麻痺	6％
体重減少	5％
そのほかの視力異常および眼症状	5％
意識状態の異常	5％

(Wilne S, et al.：Presentation of childhood CNS tumours：a systematic review and meta-analysis. Lancet Oncol 8：685-695, 2007 をもとに作成)

表2 ◆ 脳腫瘍が疑われる小児の神経学的診察上のポイント

診察	有意な所見
意識状態・言語発達	意識障害，認知機能低下
視神経（視力・視野・眼底検査）	視野欠損，視神経乳頭浮腫
動眼・外転・滑車神経（外眼筋・瞳孔）	眼振，斜視，対光反射不良
顔面神経	顔面神経麻痺
聴力，前庭機能	難聴，めまい
咽頭・迷走・舌下神経	流涎，嚥下困難
運動神経	利き手早期決定，筋力低下，上肢下垂
深部腱反射	反射亢進，Babinski 反射陽性
小脳機能	指鼻試験異常
歩行	両足を開く歩行，継ぎ足歩行不能
感覚神経	感覚欠失

(Crawford J：Childhood brain tumors. Pediatr Rev 43：63-78, 2013 をもとに作成)

6 年少児における症状

　年少児の脳腫瘍の初発症状のうち頻度が高いのは，頭囲拡大，嘔吐，不機嫌，不活発であるが，見逃されやすいものとしては，体重増加不良と早期の利き手決定や変更があげられる．体重増加不良は間脳症候群によるもので，ほとんどの場合その原因は視床下部－視交叉に発生する低悪性度神経膠腫である．利き手が早期に決まったり，変化することは，上位ニューロン異常が原因であり，大脳皮質や脊髄の腫瘍が原因となることがある．

診断

1 神経学的診察（表2）[4]

　脳・脊髄腫瘍を疑う小児患者では，徹底した神経学的診察が重要である．小児脳・脊髄腫瘍患者のほとんどにおいて，発症時に何らかの神経学的異常を診察によって見つけることが可能である．脳・脊髄腫瘍を疑う患者における神経学的診察の評価項目は，意識状態，脳神経，運動神経，感覚神経，腱反射，協調運動，歩行である．小児脳・脊髄腫瘍を疑う患者の診察において，全身の皮膚診察は，神経線維腫症や結節性硬化症の診断のために重要となる．

2 神経画像検索

　脳・脊髄神経腫瘍を疑う症候があり，神経学的診察上の異常を認めた場合，神経画像検索を行う．各画像検査の詳細は別項で解説しているが，脳・脊髄腫瘍の診断に特に重要と思われるポイントを記す．脳腫瘍を疑われ，症状に緊急性がある場合は，患者を救急センターに紹介し，速やかに頭部CT（緊急時は単純撮影のみでかまわない）を撮影するべきである．単純CTでは，脳幹部，小脳，鞍上部の腫瘍，そして白質の浸潤性腫瘍が見逃されやすいことに注意．脳腫瘍を疑う異常像を認めた場合，もしくはCT上の異常は認めないが，引き続き脳・脊髄腫瘍の存在が否定できない場合には，脳と全脊髄の単純およびガドリニウム造影MRIを行うべきである．

おわりに

　脳・脊髄腫瘍は，小児がんのなかでもその頻度と死亡数より最も重要な腫瘍の1つである．小児のプライマリーケア・専門医療にかかわる専門家が，その多彩な症候を理解し，適切な神経学的検査を行うことが，早期の診断にきわめて重要である．

■ 文献

1) The Committee of Brain Tumor Registry of Japan：REPORT OF BRAIN TUMOR REGISTRY OF JAPAN（2001-2004）13th Edition. Neurol Med Chir（Tokyo）54（suppl.1）：1-102, 2014
2) Wilne S, et al.：Presentation of childhood CNS tumours：a systematic review and meta-analysis. Lancet Oncol 8：685-695, 2007
3) Yamada Y, et al.：Initial symptoms and diagnostic delay in children with brain tumors at a single institution in Japan. Neurooncol Pract 8：60-67, 2020
4) Crawford J：Childhood brain tumors. Pediatr Rev 43：63-78, 2013

（寺島慶太）

第2章 小児がん

C 小児がんの検査と診断

1 腫瘍マーカー

定義・概念

腫瘍には特徴的な物質を産生するものがあり，その物質のうちおもに体液（血液中や尿中，あるいは組織検体）から採取でき，測定可能なものが「腫瘍マーカー」とよばれる．術前診断や治療反応性，あるいは治療終了後の再発の指標などに有用である．悪性腫瘍から特異的に産生されるものが多く，良性腫瘍や正常細胞からは通常産生されない物質であればマーカーとしての有用性がある．

腫瘍マーカーはおもに血液・尿検体から検出され，分離した血清などにモノクローナル抗体を結合させることで，その量を測定する．基準値は測定法により異なる．

特定の腫瘍で上昇する特異度の高いものは有用性が非常に高いが，悪性腫瘍全般で上昇することの多い非特異的なものもある．時に複数の腫瘍マーカーの組み合わせで判定する場合がある．また，新生児期や乳幼児期に高値を示す胎児性抗原があることや非腫瘍性の疾患でも上昇する場合があることを知っておかなければならない．

本項では，小児腫瘍の診断に有用な腫瘍マーカーについて述べる．なお，記載している基準値，カットオフ値は測定法により異なるので参考値とされたい．

代表的な腫瘍マーカー

1 α-フェトプロテイン

α-フェトプロテイン（AFP）は，分子量約7万の糖蛋白で，1分子あたり1個のアスパラギン結合型糖鎖を有している．半減期は5〜7日である．胎児期に肝臓，卵黄嚢，腸管で産生され，出生時には50,000〜500,000 ng/mLの生理的高値を示す．出生後には産生が停止し，生後10か月までの間に成人における正常値の範囲にまで減衰するとされている（図1）[1]．

したがって，その間に測定された値に関しての評価は月齢相当の値と比較して異常であるかを判断しなければならない．小児腫瘍においては肝芽腫，卵黄嚢腫瘍で高値となる．そのほか，一部の腎芽腫（Wilms腫瘍），膵芽腫でも上昇することがある．

基準値：10 ng/mL以下（1歳以下の乳幼児は図1を参照）

2 バニリルマンデル酸，ホモバニリン酸

バニリルマンデル酸（vanillylmandelic acid：VMA）はアドレナリンおよびノルアドレナリンの最終代謝産物，またホモバニリン酸（homovanillic acid：HVA）はドパミンの最終代謝産物であり，すべて遊離型で尿中へ排泄される．血中カテコラミンに比べて尿中VMA，HVAの値は安定しており，カテコラミンの代謝の指標として用いられる．腫瘍マーカーとしてはクロム親和性の細胞腫，特に神経芽腫で有用であり，そのほか，褐色細胞腫でも腫瘍マーカーとなり得る．

基準値：VMA：6〜11 μg/mg Cre
　　　　HVA：11〜20 μg/mg Cre

3 ヒト絨毛性ゴナドトロピン（hCG）

ヒト絨毛性ゴナドトロピン（hCG）は，237のアミノ酸からなる36.7 kDaの糖蛋白であり，αサブユニットとβサブユニットからなるヘテロダイマーである．胎盤絨毛細胞から分泌され，通常，妊娠によって大量に分泌されるので妊娠（子宮外妊娠を含む）の診断や絨毛性疾患の診断に用いられる．小児における腫瘍マーカーとしては，絨毛成分の存在する胚細胞腫瘍（絨毛癌，未分化胚細胞腫，セミノーマ，奇形腫など）や，性ホルモン分泌を伴う肝芽腫にて高値を示すことがある．

基準値：0.7 mIU/mL以下

4 CA19-9

CA19-9は，結腸癌細胞株を免疫抗原として作製されたモノクローナル抗体NS19-9によって認識される血液型関連糖鎖抗原である．成人では膵癌，胆道癌に高値を示す．小児腫瘍では胚細胞腫瘍の未熟奇形腫で上昇することがある．

基準値：37.0 IU/mL以下

5 CA125

CA125は，卵巣漿液性嚢胞腺癌の腹水培養細胞を免疫抗原として作製されたモノクローナル抗体OC125によって認識される抗原である．成人では卵巣癌，子宮体部癌，肝細胞癌，胆道癌，膵癌のほか，

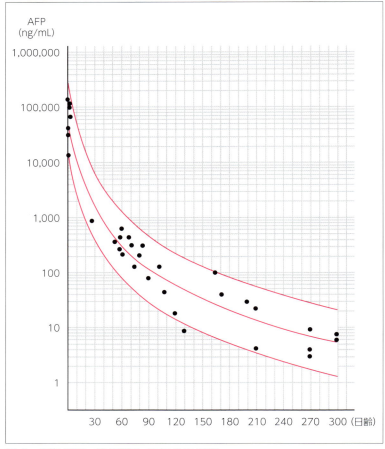

図1 ◆ 新生児期～乳児期のAFP値の推移
(Tsuchida Y, et al.: Evaluation of alpha-fetoprotein in early infancy. J Pediatr Surg 13：155-156, 1978より引用，改変)

子宮内膜症などでも上昇する．小児では胚細胞腫瘍の未熟奇形腫で上昇することがある．

基準値：35.0 IU/mL以下

6 神経特異エノラーゼ(NSE)

神経特異エノラーゼ(NSE)は，解糖系酵素であるエノラーゼのうち，NSEはγ-サブユニットを含むアイソザイムである．小児腫瘍では神経芽腫で著明に上昇することが多い．そのほかの神経内分泌腫瘍(Ewing肉腫ファミリー腫瘍(ESFT)，褐色細胞腫など)，腎芽腫，横紋筋肉腫，膵solid pseudopapillary tumorなどでも高値を示すことがある．

基準値：10 ng/mL以下

■ 文献

1) Tsuchida Y, et al.: Evaluation of alpha-fetoprotein in early infancy. J Pediatr Surg 13：155-156, 1978

(木下義晶)

第2章 小児がん

C 小児がんの検査と診断

2 免疫学的診断

小児白血病診療におけるマーカー検査

　小児急性白血病診療においてフローサイトメーター（flow cytometer：FCM）を用いた細胞マーカー検査は，年齢・性別・発症時白血球数といった初期リスクとともに層別化に用いられ，小児急性リンパ性白血病（ALL）の予後改善に大きく貢献した．しかし，近年のゲノム解析の進歩は，免疫学的診断の重要性や意義を変化させた．すでに急性骨髄性白血病（AML）のWHO分類では遺伝子異常が優先され，マーカー検査は形態診断の補助にしか過ぎない．

　また小児ALLでは，マーカー検査によるlineage診断に基づき初期治療を決定することが最も重要であり，遺伝子異常や微小残存病変（minimal residual disease：MRD）を参考に治療の適正化が行われる．筆者らが作成した初期治療決定に必要な診断基準および診断パネルは，WHO分類と共通部分が多いもののフローサイトメトリーの結果のみで迅速に診断決定が行えることが特徴である．さらに，この診断パネルによって特定の遺伝子異常の存在をある程度予測可能であり，適切なキメラ遺伝子やFISH検査の選択が可能となる．近い将来，遺伝子パネル検査や全ゲノム解析が実用化されることが予想されるが，それらの検査結果が判明するまでには2～4週間を要すると考えられるため，マーカー検査によるlineage診断と遺伝子診断で初期治療を迅速に決定することは，引き続き臨床試験において一定の役割を果たして行くと考えられる．

白血病診断に用いるマーカー検査パネル

　骨髄・末梢血などから分離した細胞を種々の蛍光標識抗体で染色し，FCMで解析する．症例により胸腹水，髄液，リンパ節など生検組織などでも検査可能である．近年では5カラー以上のマルチカラー解析が一般化している．細胞を固定し細胞膜透過処理を行うことで，TdT（terminal deoxynucleotidyl transferase）やMPO（myeloperoxidase）といった細胞質内抗原の染色も同時に可能である．FCM解析の最大の利点は迅速性と可視化された結果であり，例えばMLL-AF4キメラが検出されてもALLであるかAMLであるかの診断はできないが，FCM解析では形態検査とともに白血病の免疫学的表現型（immunophenotype）により芽球のlineage診断が可能である．また，芽球の存在が可視化されることも利点であり，MRD測定に応用されている．

　白血病診断に用いるマーカー検査パネルは，主として正常血球分化に基づいた分化抗原を組み合わせて作成される．表1に日本小児がん研究グループ（JCCG）の臨床試験で用いられているマーカー検査パネルを示す．lineage診断に必要な抗原をカバーするとともに，MRD検出に有用な抗原や，遺伝子異常予測に有用な抗原を追加している．これらの結果から白血病細胞のlineage診断を行い，遺伝子異常を推測して初期治療を選択することとなる．

　なお，多くの抗原は主たる分化系以外でも発現を認めることがあり，例えばCD2はB前駆細胞型ALL（B-cell precursor ALL：BCP-ALL），CD19はAML-M2，CD7はAML-M0/M1/M7などでも発現することが知られている．また，骨髄系抗原は多くの分化系をまたいで発現することが知られており，例えばCD36は単球系および血小板系，CD235aは赤芽球系以外に血小板系でも発現することがある[1〜3]．

小児白血病の免疫学的診断基準

　WHO分類は，分子遺伝学的検査を統合した新しい診断基準であるが，「acute leukemia of ambiguous lineage」として記載された[4]白血病の血球分化系統の診断基準（表2）は，神経特異エノラーゼ（neuron-specific enolase：NSE）やlysozymeといった免疫組織学的検査をも項目に含んでおり，わが国の実際の臨床現場で用いることは困難である．

　JCCG免疫学的診断基準は，小児ALL（図1のT細胞系，B細胞系以下に示す部分）と混合型白血病（表3）の診断基準[5]からなり，可能な限り帰結先を決定できること，国際的に通用する基準にも合致することを念頭に作成されている．図1における成熟B細胞性ALL（mature B-cell ALL：B-ALL）とプレB

表1 ◆ JCCG マーカー検査パネル

B細胞系		T細胞系		non-lineage	
CD19	cy-CD79a	cCD3	CD4	cy-TdT	CD38
CD10	cy-CD22	CD7	CD8	HLA-DR	CD58
CD20	Igμ	CD5	CD1a	CD34	CD99
CD22	Igκ	CD2	TCR-αβ	CD56	CRLF2
CD21	Igλ	CD3	TCR-γδ	CD66c	CD27
CD24	cy-Igμ			CD11b	CD244
				7.1	CD44

顆粒球系	単球系	巨核芽球系
cy-MPO	CD13	CD41
CD15	CD14	CD42b
CD65	CD33	CD61
CD117	CD36	赤芽球系
CD133	CD64	CD235a
CD123	CD371	

cy-：細胞質内.

表2 ◆ WHO 分類における血球分化系統診断基準

骨髄系
MPO 陽性（FCM もしくは細胞化学）
もしくは
単球系分化（NSE, CD11c, CD14, CD64, lysozyme のうち少なくとも2つ）

T細胞系
細胞質内 CD3（CD3ε鎖への抗体による FCM での確認）
もしくは
表面 CD3

B細胞系
CD19 強陽性かつ CD79a，細胞質内 CD22，CD10 のうち少なくとも1つが強陽性
CD19 弱陽性かつ CD79a，細胞質内 CD22，CD10 のうち少なくとも2つが強陽性

(Swerdlow SH, et al.(eds.): WHO Classification of Tumours of Haematopoietic and Lymphoid Tissues(World Health Organization Classification of Tumours). Revised 4th ed, volume 2, World Health Organization, 180-187, 2017より引用)

細胞性 ALL（pre-B-cell ALL：pre-B ALL）の診断では，細胞表面（sμ）および細胞質内μ鎖（cμ）の発現は重要な参考所見となるが，BCP/pre-B ALL ではまれに細胞表面にμ鎖を表出するため診断基準には加えられていない．AML では先述のようにマーカー診断の重要性がやや低いこと，マーカー診断と形態あるいは遺伝子診断との関連が必ずしも明確でないことから，原則として WHO 分類を使用し，免疫学的診断としては FAB 分類に基づく発現パターンを示すにとどめている[3]．

しかし，AML-M0 と M7，前駆 T 細胞性急性リンパ性白血病（early T-cell precursor ALL：ETP-ALL），急性分類不能型白血病（acute unclassified leukemia：AUL）の鑑別に FCM は引き続き必須の役割を果たしている．この JCCG のマーカー検査パネルと診断基準によりいくつかの新たな知見が明らかとなり，例えば，芽球性形質細胞様樹状細胞性腫瘍（blastic plasmacytoid dendritic cell neoplasm：BPDCN）や，表面軽鎖を発現する BCP-ALL，t(8；14) を有する BCP-ALL などが明らかとなった．今後，遺伝子解析研究の結果と表面マーカー検査の結果を合わせて解析することで，また新たな知見が得られる可能性がある．

マーカー検査と遺伝子異常の関連

BCP-ALL では，*ETV6-RUNX1* や hyperdiploid，*BCR-ABL1*-like，*MLL* 関連転座，*TCF3-PBX1* などが知られている．各々の病型には特徴的な臨床像と予後があり，また，いくつかの病型では特異的な治療が考慮される．例えば *ABL1*-class fusion を有する場合，チロシンキナーゼ阻害薬を使用することが考慮されるが，その頻度は小児ではきわめて低く，すべての症例でキメラ遺伝子の検出を試みることは適切ではない．マーカー検査によってこれらの病型を推測し，キメラ遺伝子検出を試みる症例を限定することで効率的な検査が可能となる．各々の病型におけるマーカー発現の特徴を表4に示す．

T-ALL では，近年予後不良因子として報告された *SPI1* 関連転座は，CD4$^-$/8$^-$ のいわゆる DN T-cell のステージで HLA-DR$^+$ のことが多いとされている．

AML では，各々の遺伝子異常特異的な免疫学的表現型を示すほか，AML-M2 では t(8；21)，*RUNX1-RUNX1T1* 転座を伴う場合に CD19 が陽性と

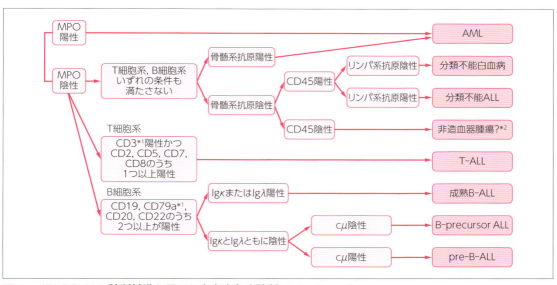

図1 ◆ JPLSG ALL診断基準を用いた白血病免疫診断フローチャート
*1：細胞質内，細胞表面を問わない．
*2：神経芽腫や横紋筋肉腫はCD45陰性，CD9陽性CD56陽性を示すことが知られている．
（出口隆生：混合型白血病 診断の現状と問題点．血液フロンティア 20：343-349，2010より引用）

表3 ◆ 混合型白血病のJPLSG分類

骨髄抗原陽性B細胞系 ALL	リンパ系抗原陽性 AML
1. CD19, 20, 22, もしくは79aの2つ以上が陽性，かつ 2. CD3陰性　かつ 3. MPO陰性で，CD13, 15, 33, または65が陽性	1. MPO陽性，もしくはCD13, 15, 33, 65の2つ以上が陽性　かつ 2. CD3陰性　かつ　CD79a陰性　かつ 3. CD2, 5, 7, 19, 22, もしくは56が陽性
骨髄抗原陽性T-ALL	**true mixed lineage leukemia**
1. T-ALLの診断基準を満たし，かつ 2. CD79a陰性　かつ 3. MPO陰性で，CD13, 15, 33, または65が陽性	1. MPO陽性　かつ　B細胞系の診断基準を満たす，もしくは 2. MPO陽性　かつ　T-ALLの診断基準を満たす，もしくは 3. B細胞系とT-ALLの両方の診断基準を満たす

（出口隆生：混合型白血病 診断の現状と問題点．血液フロンティア 20：343-349，2010より引用）

なることが多く，時には細胞質内CD79aも陽性となってB細胞系の診断基準を満たすことが知られている．なお，通常BCP-ALLを発症させると考えられているZNF384関連転座が初期の病像としてAMLを呈示することもまれにあり，その場合もB細胞系の診断基準を満たすことが多い．ただRUNX1-RUNX1T1では通常CD19，CD79aのみが陽性となる反面，ZNF384関連転座の場合はCD22やCD24といったほかのB細胞性抗原も発現することから，ある程度鑑別が可能と考えられている．

免疫学的診断における注意点

判定は白血病細胞上での陽性率で行うため20〜30％以上の芽球割合が必要であるが，現実的には数％でも可能なことが多い．白血病細胞の特定は，通常CD45 gating法で行われるが，T-ALL（正常リンパ球ゲートと重なる）やCD45陰性のBCP-ALL（赤芽球の混入）の場合，正確な数値判定が困難となることもある．一般的には白血病細胞上で20％以上の陽性率を示す場合を陽性とする．陽性率が低い場合，陰性コントロールによって定められたカットオフラインをまたいで陽性である場合は「弱陽性」，半分の集団が陰性で，残る半分が高い陽性である場合は「一部陽性」と表記することもある．抗原の発現が弱い場合，使用する抗体クローンによって判定が異なる場合があり，またコンペンセーションなど，

表4 ◆ 遺伝子異常サブタイプと免疫学的表現型との関連

遺伝子異常サブタイプ	免疫学的表現型	Aberrant 抗原
hyperdiploidy	common ALL, transitional pre-B	CD66c, CD123, sIgμ
ETV6-RUNX1	common ALL, pre-B	myeloid antigens, CD117, CD56
TCF3-PBX1	pre-B	
MLL(KMT2A)		
MLL-AF4	pro-B	CD15, CD65, 7.1(NG2), CD133
MLL-ENL	pro-B	7.1(NG2)
MLL-AF9	pre-B, mature ALL(rare)	sIg(rare)
BCR-ABL1	common ALL	CD66c, myeloid antigens
Ph-like (Abl-class, PDGFR, CRLF2, JAK, and PAX5 fusion)	common ALL	CD66c CRLF2(CRLF2-P2RY8 or IGH-CRLF2)
ZNF384	pro-B, mixed phenotype(rare)	myeloid antigens, MPO(rare)
MEF2D	pre-B, common ALL	CD5
IgH-DUX4	common ALL	CD371

機器特性やセッティングも結果に影響を及ぼす．FCMは相対的な機器であり，診断基準を念頭におきながら，1つの抗原の陽性発現だけにとらわれることなく，ほかの陽性所見・陰性所見も十分考慮して総合的に診断することが重要である[1]．

■ 文献

1) Campana D, et al.：Immunophenotyping of leukemia. J Immunol Methods 243：59-75, 2000
2) Iwamoto S, et al.：Flow cytometric analysis of de novo acute lymphoblastic leukemia in childhood：report from the Japanese Pediatric Leukemia/Lymphoma Study Group. Int J Hematol 94：185-192, 2011.
3) Ohta H, et al.：Flow cytometric analysis of de novo acute myeloid leukemia in childhood：report from the Japanese Pediatric Leukemia/Lymphoma Study Group. Int J Hematol 93：135-137, 2011
4) Swerdlow SH, et al.(eds)：WHO Classification of Tumours of Haematopoietic and Lymphoid Tissues(World Health Organization Classification of Tumours). Revised 4th ed, volume 2, World Health Organization, 180-187, 2017
5) 出口隆生：混合型白血病 診断の現状と問題点．血液フロンティア 20：343-349, 2010

（出口隆生）

第2章 小児がん

C 小児がんの検査と診断

3 染色体・遺伝子診断（造血器腫瘍）

造血器腫瘍の正確な診断と治療方針の決定のために，初診時の染色体・遺伝子検査は非常に重要である．本項では，造血器腫瘍における古典的な染色体・遺伝子検査から網羅的遺伝子解析まで，その方法および検査法の選択と結果の解釈の注意点について解説する．

検体の採取

正確な染色体・遺伝子検査の結果を得るためには，腫瘍細胞を十分に含んだ検体（骨髄液や生検リンパ節および腫瘍細胞を含む体腔液）を用いることが重要である．末梢血であっても，白血病細胞が25％以上含まれていれば腫瘍特異的遺伝子異常の診断は可能であるが，染色体検査の成功率は末梢血では骨髄に比して劣るため，白血病においては，原則骨髄液を染色体・遺伝子検査の検体として用いることが推奨される．骨髄液は抗凝固薬（ヘパリン）入りのシリンジで吸引採取し，各検査会社所定の専用容器に必要量を注入する．

なお，さらに詳細な解析のために，追加の腫瘍細胞が必要となる場合も多く，可能な限り腫瘍検体を保存しておくことが望ましい．

染色体分析

1 G分染法

染色体分析にはいくつかの方法があるが，一般的にはG分染法が用いられる．

造血器腫瘍のG分染法ではフィトヘマグルチニン（phytohemagglutinin：PHA）無添加で検査を行う．得られた核版を20程度観察し，核型を決定する．核型はISCN2020（An International System for Human Cytogenomic Nomenclature 2020）に従い記載する．

2 結果の解釈の注意点

1）クローン性染色体異常の基準

同一検体で，①2細胞以上に同一の染色体数増加や構造異常（転座など）がみられるまたは，②3細胞以上に同一染色体の不足（数的減少：−7など）がみられる場合をクローン性染色体異常と判定する．判断に迷う場合は，FISH（fluorescence in situ hybridization）法や逆転写ポリメラーゼ連鎖反応（reverse transcription polymerase chain reaction：RT-PCR）を追加し解析を進める必要がある．

2）数的異常の評価

染色体分析では芽球の増殖能が結果に影響を及ぼすため，何らかの原因で芽球の増殖能が低ければ，芽球に特異的な染色体異常を検出できない場合も存在する．可能な限りDNAインデックスのデータと比較しながら結果を解釈すべきである．

FISH法

1 検査法

2種類の蛍光色素でラベルされたプローブを用い，蛍光シグナルの融合やスプリットを観察することにより，目的とする融合遺伝子の有無を解析する（図1）．また，目的の染色体およびその一部の領域の増減も評価可能である．通常100個程度の間期核を観察する．

2 SKY（spectral karyotyping）法

24種類の染色体を異なる染色体ペインティングプローブで染色し観察する．G分染法では同定困難な複雑核型において，由来不明染色体の解析に有用である（図2）．

RT-PCR法による融合遺伝子解析

腫瘍特異的融合遺伝子をRT-PCR法を用いて検出する．日本小児がん研究グループ（Japan Children's Cancer Group：JCCG）の臨床試験では，疾患に応じて特異的融合遺伝子スクリーニングを行い，治療層別化因子として利用している（表1）．現在は，定量RT-PCRによる評価が一般的であるが，まれに偽陽性もみられるため，陽性例ではFISH法による確認が望ましい．

遺伝子変異解析

近年の遺伝子解析研究の進歩により，疾患ごとに予後に関連する多くの遺伝子変異が同定され，急性骨髄性白血病（AML）における*FLT3-ITD*のように分子標的薬の治療標的となるものもあり重要である．微小残存病変（minimal residual disease：MRD）とは独立した予後因子や，治療標的として重要な遺伝子

第Ⅰ部　総論

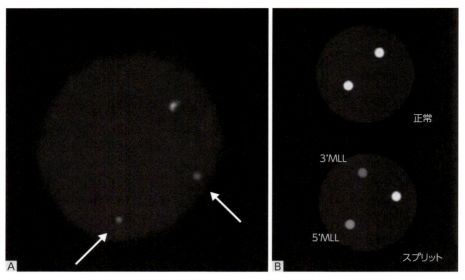

図1 ◆ FISH法で観察される遺伝子再構成パターン（*KMT2A/MLL*再構成）
A：転座による*KMT2A*遺伝子のスプリットシグナル（⇨）の観察．B：*KMT2A*遺伝子の切断点の5'側に緑色，3'側に赤色のプローブを配置．正常では融合シグナル（黄色）が検出されるが，*KMT2A*遺伝子の再構成が陽性の場合は，赤と緑のシグナルが別々に観察される
（口絵4　p.iii 参照）

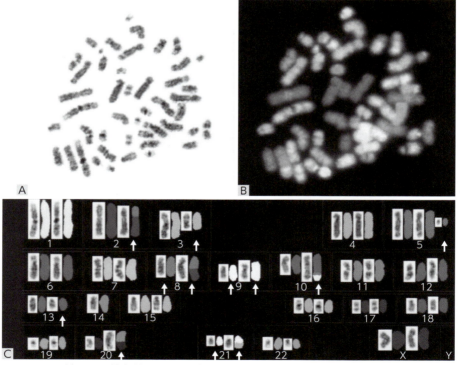

図2 ◆ SKY法による染色体異常の解析
A：reverse DAPI image．B：spectral image．C：comprehensive karyotyping．左側にreverse DAPI，右側にSKYの結果を示す．12か所の染色体異常を同定（⇨）
（口絵5　p.iii 参照）

表1 代表的融合遺伝子

	キメラスクリーニング対象遺伝子
急性リンパ性白血病	ETV6-RUNX1, BCR-ABL1(major and minor)*, TCF3-PBX1, KMT2A(MLL)-AF4*, KMT2A(MLL)-AF6, KMT2A(MLL)-AF9, KMT2A(MLL)-ENL, SIL-TAL1, TCF3-HLF* など
急性骨髄性白血病	RUNX1-RUNX1T1, CBFB-MYH11, PML-RARA, FUS-ERG*, BCR-ABL1(major and minor)*, KMT2A(MLL)-AF9, KMT2A(MLL)-AF6*, NUP98-NSD1* など

日本小児がん研究グループ（JCCG）臨床試験における代表的なスクリーニング対象の融合遺伝子を記載した.
＊：高リスクと考えられる融合遺伝子.

異常については今後解析の対象に加えられる可能性がある.

次世代シークエンサーを用いた遺伝子解析

次世代シークエンサーの登場により、断片化したDNAまたはcDNAを用いて全遺伝子を1～2週間で解析することが可能になった. 蛋白質をコードするエクソン領域のみをプローブを用いて濃縮（キャプチャー）しシークエンスする「全エクソン解析」や、標的とするゲノム領域を選択的に濃縮し解析する「標的シークエンス」により、造血器腫瘍における特異的変異が数多く同定され、病態解明のみならず、新規治療の開発に結びつく知見が得られることが期待される.

また、RNA-Seq（RNA sequencing）は、転写産物のシークエンス量から遺伝子の発現量を定量化し、同時に、その配列情報から選択的スプライシングの検出や未知転写産物の発見を行う技術である. 新規の融合遺伝子の同定に威力を発揮している.

おわりに

造血器腫瘍における染色体・遺伝子検査は、正しい診断と治療のためにきわめて重要であり、小児血液腫瘍専門医が必ず理解しておく必要がある.

特に、治療の層別化にかかわる染色体・遺伝子異常については、結果の解釈を誤ると患者の予後に直結するため、判断に迷う場合は専門家の判断を仰ぐべきである. また、遺伝子解析技術の進歩は目覚しく、今後、こうした最新の技術が造血器腫瘍の診療現場で活用されることが期待される.

■ 参考文献

- McGowan-Jordan J, et al.（eds）：ISCN2020：An International System for Human Cytogenomic Nomenclature 2020. Karger, 2020
- Imamura T：Genetic Alterations of Pediatric Acute Lymphoblastic Leukemia. In：Kato M（ed）, Pediatric Acute Lymphoblastic Leukemia. Springer, 9-19, 2020
- 谷脇雅史, 他（編著）：造血器腫瘍アトラス 形態, 免疫, 染色体から分子細胞治療へ. 第5版, 日本医事新報社, 2016

（今村俊彦）

第 2 章　小児がん

C　小児がんの検査と診断

4 染色体・遺伝子診断（固形腫瘍）

染色体分析・遺伝子診断

　従来の核型分析によって，神経芽腫のdmin（double minutes）やHSRs（homogenously staining regions），Ewing肉腫のt(11；22)などが腫瘍に特徴的な染色体異常として知られていた．分子生物学的解析技術の進歩とともに，遺伝子レベルの異常が明らかにされ，神経芽腫のdminやHSRsはMYCNの増幅であり，t(11；22)によってEWSR1-FLI1融合遺伝子が生じることが明らかになってきた[1]．腫瘍の遺伝子異常として融合遺伝子や遺伝子の変異や欠失，増幅がある．融合遺伝子の多くは，染色体転座により2つの遺伝子が融合することにより生じ，その結果として正常では存在しない融合蛋白が産生され腫瘍発生に関与する．転写因子やシグナル伝達分子の関与する融合遺伝子が報告されている．小児・若年成人の腫瘍に報告される代表的な融合遺伝子を表1に示す．近年の次世代シークエンサーを用いた解析によりさまざまな腫瘍で多数の遺伝子異常が見出されているが，その生物学的意義や治療法との関連，診断上の意義は未解明なものが多い．

分子解析法

1 FISH法

　FISH法では，スライドグラス上の細胞・組織において，目的とする遺伝子と蛍光標識されたプローブをハイブリッド形成させ，蛍光顕微鏡で観察する．核型分析のためには腫瘍細胞の培養が必要であるが，間期核を用いたFISH法は，捺印標本あるいはホルマリン固定標本を用いることが可能である．
　染色体転座を検出するためには，break-apartプローブを用いる方法とfusionプローブを用いる方法がある（図1）．break-apartプローブは，転座の一方の遺伝子に対して異なる蛍光色素によって標識される2種類のプローブを用いる．正常では2色のシグナルが近接するが，転座があると2色のシグナルが離れる．複数の転座相手が存在する融合遺伝子（例えば，EWSR1が関与する融合遺伝子）に対しても1回の解析で転座を同定できるが，転座相手の遺伝子は同定できない．例えば，EWSR1の転座を同定できてもEwing肉腫か線維形成小細胞腫瘍か明細胞肉腫かの鑑別には役に立たない．また，微小な領域の遺伝子再構成は検出できないことがある．fusionプローブを用いる方法では，それぞれの遺伝子に対するプローブを用いる．転座相手が同定できるが，EWSR1のように複数の転座相手がある場合には複数回解析する必要がある．MYCNのように遺伝子増幅を解析する場合は，目的とする遺伝子のプローブと同一染色体上の別の部位のプローブ（染色体数のコントロール）を用いる．それらのシグナル数比で増幅の有無・程度を判定する．

2 RT-PCR法による融合遺伝子解析

　融合遺伝子の検出は，ゲノムDNAのPCRではなくRNAを用いたRT-PCR法によって行われることが多い．パラフィン切片，凍結検体ともに解析可能であるが，パラフィン切片では核酸が断片化するため感度が下がる．

3 そのほかの解析方法

　遺伝子の点変異解析のために変異に特異的なPCRやダイレクトシークエンスが行われる．遺伝子領域のコピー数解析のためにはMLPA（multiplex ligation-dependent probe amplification）法やarray CGH（comparative genomic hybridization）法が用いられる．次世代シークエンサーを用いた解析により，点突然変異や融合遺伝子を解析することも可能であり，小児に特化した遺伝子パネルの開発が期待されている．なお，組織検体を用いた遺伝子解析を行う機会が増えており，検体処理や固定法などの取扱い規定が発刊されている[2]．

小児腫瘍の分子異常の特異性

　Ewing肉腫のEWSR1-FLI1，EWSR1-ERG，胞巣型横紋筋肉腫のPAX3-FOXO1，PAX7-FOXO1は腫瘍特異性が高い．一方でEWSR1-ATF1は，類血管腫型線維性組織球腫，明細胞肉腫などの複数種の腫瘍で報告されている．EWSR1-CREB1も類血管腫型線維性組織球腫，明細胞肉腫などで報告されている．ASPSCR1-TFE3は胞巣状軟部肉腫，TFE3遺伝子融合を有する腎細胞癌でみられる．このように融合遺伝子と腫瘍の組織型は必ずしも1対1で対応しない．ま

表1 小児固形腫瘍にみられる融合遺伝子

腫瘍	染色体転座	融合遺伝子	頻度	腫瘍	染色体転座	融合遺伝子	頻度
Ewing肉腫	t(11;22)	EWSR1-FLI1	80～90％	骨外性粘液型軟骨肉腫	t(9;22)	EWSR1-NR4A3	75％
	t(21;22)	EWSR1-ERG	10～15％		t(9;17)	TAF15-NR4A3	15％
	t(7;22)	EWSR1-ETV1	まれ		t(3;9)	TFG-NR4A3	まれ
	t(17;22)	EWSR-ETV4	まれ	CIC遺伝子再構成肉腫	t(4;19)	CIC-DUX4	不明
	t(2;22)	EWSR1-FEV	まれ	BCOR遺伝子異常を伴う肉腫	不明	BCOR-CCNB3	不明
	t(16;21)	FUS-ERG	まれ				
	t(2;16)	FUS-FEV	まれ	間葉芽腎腫,富細胞型	t(12;15)	ETV6-NTRK3	>90％
線維形成性小細胞腫瘍	t(11;22)	EWSR1-WT1	95％以上	乳児型線維肉腫	t(12;15)	ETV6-NTRK3	>90％
胞巣型横紋筋肉腫	t(2;13)	PAX3-FOXO1	60～70％	炎症性筋線維芽細胞性腫瘍	t(1;2) t(2;17)など	TPM3-ALK, CLTC-ALKなど	不明
	t(1;13)	PAX7-FOXO1	10％				
粘液型脂肪肉腫	t(12;16)	FUS-DDIT3	>90％	隆起性皮膚線維肉腫	t(17;22)	COL1A1-PDGFB	>90％
	t(12;22)	EWSR1-DDIT3	<10％				
滑膜肉腫	t(X;18)	SS18-SSX1	60～70％	巨細胞性線維芽細胞腫	t(17;22)	COL1A1-PDGFB	>90％
	t(X;18)	SS18-SSX2	30～40％				
	t(X;18)	SS18-SSX4	まれ	胞巣状軟部肉腫	t(X;17)	ASPSCR1-TFE3	>90％
明細胞肉腫	t(12;22)	EWSR1-ATF1	90％				
	t(2;22)	EWSR1-CREB1	10％	Xp11.2転座/TFE3融合遺伝子に関連する腎癌	t(X;17)	ASPSCR1-TFE3	70％
類血管腫型線維性組織球腫	t(2;22)	EWSR1-CREB1	70％		t(X;1)	PRCC-TFE3	20％
	t(12;22)	EWSR1-ATF1	20％		t(X;1)	SFPQ-TFE3	まれ
	t(12;16)	FUS-ATF1	<10％				

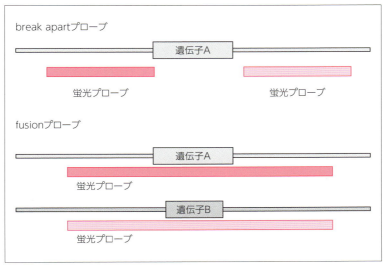

図1 FISHプローブと模式図
break apart probeとfusion probeの例を示す.

た，がん遺伝子やがん抑制遺伝子の変異は，必ずしも腫瘍種に対する特異性や感度は高くない．例えば，*CTNNB1* 変異は肝芽腫，腎芽腫，髄芽腫，膵芽腫，線維腫症など多くの腫瘍で報告されている．そのため腫瘍の診断には，病理組織学的な診断は必須である．

免疫組織化学染色による代替マーカー

遺伝子解析は，必ずしも各施設の検査室で実施できるわけでなく，その代替として，しばしば免疫組織化学染色が用いられる[3]．融合遺伝子を構成する分子を免疫組織学的に検出することによって遺伝子解析の代替とすることがある．線維形成性小細胞腫瘍では WT1（C 末）の免疫染色，*TFE3* 関連融合遺伝子を有する腫瘍では TFE3 染色が行われる．*NTRK1/2/3* 関連融合遺伝子のスクリーニングとして Pan-TRK 染色が用いられる．融合遺伝子の検出のためには，融合遺伝子に含まれる領域に対する抗体を用いる必要がある．SMARCB1 は，ほとんどすべての細胞に発現しているため，これが欠失・変異しているラブドイド腫瘍や非定型奇形腫様/ラブドイド腫瘍（AT/RT）では，免疫染色による発現消失の確認が有用である．近年では BRAFV600E 変異に対する抗体のように変異蛋白を同定するための抗体も開発されている．

小児固形腫瘍診断における分子解析の意義

神経芽腫における *MYCN* 増幅，ploidy，11q LOH（loss of heterozygosity）は，神経芽腫のリスク分類に用いられている．融合遺伝子解析は，肉腫などの腫瘍の確定診断に有用であり，Ewing 肉腫や *CIC* 遺伝子再構成肉腫のように腫瘍の定義に遺伝子融合が含まれる腫瘍も出現してきている．病理学的に非典型的な症例や，発生部位や発生年齢が非典型的な症例では，分子診断が確定診断の決め手になることがある．胎児型と胞巣型横紋筋肉腫の鑑別は病理組織学的に行われるが，*PAX3/7-FOXO1* の有無がより予後と相関するというデータも蓄積されつつある．しかしながら，現時点では保険収載されている検査項目はごく一部であり，多くの分子解析が研究室レベルでの解析に頼らざるを得ないのが現状である．分子標的薬開発に伴って，治療標的を同定するための遺伝子解析が増加することが期待される．

■ 文献

1) Ewing 肉腫/原始神経外胚葉性腫瘍群．日本病理学会小児腫瘍組織分類委員会（編），小児腫瘍組織カラーアトラス 第 3 巻 骨軟部腫瘍．金原出版，33-34，2005
2) ホルマリン固定パラフィン包埋組織・細胞検体の適切な取扱い．日本病理学会（編），ゲノム研究用・診療用病理組織検体取扱い規程．羊土社，130-137，2019
3) 大喜多 肇：腫瘍の鑑別に用いられる抗体（各臓器別）．小児腫瘍．北川昌伸，他（編），免疫組織化学—実践的な診断・治療方針決定のために．病理と臨 38（臨時増刊号）：284-290，2020

（大喜多　肇）

第2章 小児がん

C 小児がんの検査と診断

5 病理診断（細胞診断，組織診断）

　病理診断とは，身体から採取された検体を顕微鏡で観察し，組織学や病理学の知識や手法を用いて，病変の有無，病変の種類や質を診断することを指す．画像診断や内視鏡検査で異常所見があった場合に病変部を部分的に採取して診断することの他，病変の広がりの評価，治療選択や治療効果判定を目的とする場合もある．

病理診断の過程

　病理診断の検体は，生検組織・手術検体・細胞診検体などがあるが，小児腫瘍の病理診断においては，生検組織・手術検体が大多数を占める．その過程を以下に示す．

①固定：自己融解や腐敗を防いで，できるだけ生体内に近い状態に組織や細胞をとどめる操作を指す．目的に応じた適切な固定液に検体を浸漬する．
②切り出し：検体のどの部分を光学顕微鏡もしくは電子顕微鏡（電顕）レベルで観察するかを定めて，適切な部位を採取する行為を指す．小さい検体の場合は，検体全体が後述の③以降の処理をされるので，特に必要のない場合もある．
③パラフィン包埋：固定終了後の検体をパラフィンに埋め込む操作で，その前には組織の大半を占める水分を抜く操作（脱水）が必須である．このパラフィン包埋により作成された組織検体をFFPE（formalin-fixed paraffin-embedded）ブロックとよぶ．光学顕微鏡で観察するに足る薄さの切片の作製が可能となる．
④薄切：細胞の大きさは7～8μmのものもあり，厚い切片では細胞が重なり合って観察が困難になる．ミクロトームという機械で，FFPEを厚さ3～5μmの切片にする操作が薄切である．
⑤染色：染色液は通常水性なので，脂質であるパラフィンとはなじまない．したがって，周囲のパラフィンを有機溶媒で溶かし，組織・細胞のみを光学顕微鏡観察用に染色する．通常用いるのは，ヘマトキシリンとエオジンの2つの色素による二重染色（HE染色）である．そのほかに，色素や化学反応を応用した特定の目的をもつ染色や，抗原抗体反応を利用した免疫染色などがある．
⑥検鏡・診断：光学顕微鏡による観察と診断である．

　以上のうち，②と⑥はほとんどの場合，病理診断医が行う．

　純粋に形態に基づいた病理診断は一定の限界に達しており，それを補う多くの分子病理学的解析手法が開発されている．免疫染色はその代表的なものであり，抗原抗体反応を利用して，細胞に発現・蓄積する蛋白や病原体などを検出する手法である．特定の核酸を検出するISH（in situ hybridization），RT-PCRによるキメラ遺伝子の検出，メチル化の検索などエピジェネティックな解析を含むさまざまな技法が取り入れられている．近年では次世代シークエンサーを用いて，組織スライスの網羅的な遺伝子解析が可能となった．これにより詳細な細胞遺伝学的検索が通常のFFPE検体でも可能となり，診断困難例を中心に徐々に普及している．

　これらの技法の近年の進歩は著しく，病理診断を補完するものとして大きな役割を果たしている．しかし，解析対象となる病変の局在の同定や含まれる腫瘍細胞の面積や数が全体に占める割合などが考慮されない，つまり形態学的な裏付けがない状態では，病変の診断が担保されないばかりか，誤った解釈をして治療の方向性に重大な問題が生じかねない．細胞遺伝学的異常が，結果としての蛋白の異常発現や形態像などとどのように関連するのかなど，古典的な病理診断は変わらず必要である．

　なお，検体を採取する医師と病理診断を行う医師が同一人物であることは判断に間違いを起こしやすい．ともすれば自らがつけた臨床診断に固執して，その成否を問うだけの病理診断を下しかねない．組織を観察して幅広い情報を見つける訓練を積んで得られる情報を増やし，評価が偏る恐れを回避するためにも，病理診断専門医が求められる．

病理診断材料の取り扱い方

　採取・切除された検体は，①未固定のまま病理検査室に提出される場合と，②臨床科で一部を分取した後に病理検査室に提出される場合とがある．いずれにしても検体量が十分にあれば，必要に応じて一

部を遺伝子・蛋白などの検査用に凍結し，−80℃以下の超低温槽で保存する．HE 染色標本など永久標本用の組織の固定は（リン酸）緩衝ホルマリン溶液で行うことが望ましい．また，一部を電顕試料作製用にグルタルアルデヒドで固定することや，生細胞として染色体検査や培養細胞の樹立に用いることもある．

　検体が少量の場合は，ホルマリン固定組織のすべてを永久標本とする．小片状の検体が多数提出された場合も，肉眼的に異なる部位を含めてなるべく多くの組織片から切り出しを行う．一塊に取り出された検体は，基本的に 5～6 mm 幅で全割し，代表的な割面と切除断端（血管・神経・管状構造の断端）など必要な部分を切り出して永久標本にする．

　免疫染色は，腫瘍構成細胞の分化傾向や増殖能の判定，腫瘍化にかかわる遺伝子異常の蛋白レベルでの検出などを目的として行われる．抗原性の失活を防ぐため，固定液や固定時間にも留意する．

　電顕的検索は，標本作製に手間がかかることや専用設備が必要なため，実施される機会が少なくなったが，免疫染色の結果を加えただけでは確定困難な症例の鑑別診断に有用である．電顕材料の固定液は，超微形態保持に優れた 2 % グルタルアルデヒドがすすめられる．検体の一部を固定液に入れておき，組織標本をみてから，電顕検索の必要がある場合に電顕ブロックを作製して観察してもよい．

　術中迅速診断として，凍結標本を作製して組織学的に検索する方法が行われるが，凍結によるアーチファクトなどから，本来の細胞形態を把握できないことがある．細胞診断（細胞診）が小児腫瘍で使われることは，白血病やリンパ腫の場合を除いて少ない．脳腫瘍の細胞像は，提出された検体の一部を使い，擦り合わせ法あるいは圧挫法により細胞診用の塗抹標本を作製し，HE 染色や Papanicolaou 染色を施すことでより詳細に観察できる．組織診と細胞診を併用することも効果的である．

　近年のゲノム研究/診断の進展に対応して，日本病理学会が編集した「ゲノム研究用・診断用病理組織検体取扱い規程」（羊土社，2019）[1]に記載された病理組織検体の取り扱いの要点を以下にまとめて示す．

1）手術による採取・切除直後の組織の取り扱い

- 速やかに冷蔵庫など 4℃以下で保管し，1 時間以内，遅くとも 3 時間以内にホルマリン固定することが望ましい．
- 30 分以上室温に置くことは極力回避する．

2）ホルマリン固定液の組成

- 緩衝ホルマリン溶液とすることが望ましい．
- 濃度は 10 %（3.7 % ホルムアルデヒド）であることが望ましい．

3）ホルマリン固定時間・容量・処理温度

- 組織検体は，コンパニオン診断などの推奨を鑑みて，6～48 時間の固定とすることが望ましい．
- 固定液の容量は，組織量に対し 10 倍量以上とし，処理温度は室温でよい．

4）脱灰処理

- 硬組織を含む検体をゲノム診断に供する可能性がある場合は，酸脱灰ではなく EDTA（ethylene diaminetetraacetic acid）脱灰を行う．

5）FFPE ブロックの保管

- 多湿を避け冷暗所が望ましい（室温可）．ゲノム診断を目的とするときは，冷蔵下の保存が望ましい．

6）FFPE ブロックの選択

- ゲノム診断に供する検体は，病理組織診断時に作製された HE 染色標本の観察や病理診断報告書の記載などに基づき，解析に必要な腫瘍量を有する FFPE ブロックを，原則病理医が選択する．出血や壊死，炎症細胞などの非腫瘍細胞が多いブロックの使用は可能な限り避ける．
- 同一患者において，切除・採取時期が異なる検体が存在する場合は，最新の検体を優先する．

小児腫瘍の特殊性と病理診断

　わが国では約 2,000～2,500 件の新規症例が毎年発生していると見込まれるが，全年齢層の悪性腫瘍からみると，小児悪性腫瘍全体が希少疾患である．35～40 % は白血病で，残りが固形腫瘍である．固形腫瘍のなかでは中枢神経系腫瘍が最も多く，リンパ腫・神経芽腫群腫瘍・軟部肉腫などがこれに続く．成人では圧倒的多数を占める上皮性悪性腫瘍の割合はきわめて低い．小児に固有な，あるいは多い腫瘍として，神経芽腫・網膜芽細胞腫・肝芽腫・腎芽腫（Wilms 腫瘍）・髄芽腫など胎児の組織に類似した形態や特性をもついわゆる胎児性腫瘍や，先天性・乳児性・若年性といった形容詞を冠した腫瘍などがあげられるが，これらの腫瘍が小児腫瘍全体に占める割合は比較的少ない．白血病・中枢神経系腫瘍・軟部肉腫・リンパ腫など，成人でもある程度の数を占める腫瘍が大半であるが，その特性は成人と小児とでかなり異なる．

　発生頻度が低いということは，病理診断医の立場からすると年月をかけても経験数が積み上がらず，

診断に習熟しにくいということでもある．また，免疫染色に特殊な抗体を用いる場合も少なくない．これに対応するには，全国的，場合によっては国際的な多施設共同研究が必要かつ合理的となる．世界的にみても，病理診断に，各施設の病理診断医だけでなく，経験数の高い小児腫瘍に習熟した病理診断医がかかわる傾向にある．

現代の病理診断は国際的に通用することが大前提で，多くの腫瘍の病理診断は，世界的にWHO分類に基づいている．WHO分類は臓器別であり，小児腫瘍は分散して各臓器の分類のなかに組み込まれてきたが，WHO分類第5版では小児腫瘍が初めて独立して扱われ，間もなく発刊される見通しである．わが国では，大部分の腫瘍について臓器別に「癌取り扱い規約」が存在し，そのなかで病理組織分類についても述べられている．しかし，これまで小児腫瘍単独での「取り扱い規約」はなく，日本病理学会小児腫瘍組織分類委員会が編集する「小児腫瘍カラーアトラス」がその代わりを務めてきた．同アトラスは，早くからWHO分類に準拠して作成されている．なお，2019年に発刊された「領域横断的癌取り扱い規約」(金原出版，2019)[2]のなかでは，「癌取り扱い規約」史上初めて小児腫瘍が独立した項目として設定されており，その特殊性が紹介されている．

各小児腫瘍の病理学的概説

1 白血病

白血病の診断は，おもに骨髄塗抹標本とフローサイトメトリーを用いて行われるが，骨髄異形成症候群との鑑別には骨髄生検やクロットを用いた病理標本が有用となる．また，皮下腫瘤などの病理組織から顆粒球肉腫などが診断されることがある．

2 中枢神経系腫瘍

中枢神経系腫瘍は，小児ではほとんどが原発性で，転移性のものは非常に少ない．内容的にも成人のものとは異なり，毛様細胞性神経膠腫，髄芽腫，非定型奇形腫様/ラブドイド腫瘍(AT/RT)，上衣腫，頭蓋咽頭腫など小児に好発するものが多くを占め，悪性神経膠腫，膠芽腫，乏突起細胞膠腫，髄膜腫の頻度が低いなどの特徴がある．中枢神経系腫瘍は病理組織学的には悪性ではないものが多いが，部位的に深刻な障害をもたらすことが多いため，特に小児の場合は悪性腫瘍として扱われる．なお，2016年から中枢神経系腫瘍のWHO分類は，病理組織診断とゲノム診断を合わせた「統合診断」を掲げており，多くの腫瘍で遺伝子診断が必須となりつつある．

3 軟部肉腫

小児の軟部組織の肉腫は多岐にわたるが，横紋筋肉腫(RMS)が最も多く，古くは大部分がこの腫瘍とされていた．しかし，近年の知見・解析により，Ewing肉腫(ES)など多種類の腫瘍が次々と診断・同定され，RMSの占める割合はかなり低下した．RMSを含めた軟部肉腫では，腫瘍に特異性の高い染色体転座やそれに基づくキメラ遺伝子の形成が診断に役立つことが多い．従来，ES様肉腫とされていた小円形未分化細胞腫瘍からも*CIC*再構成を伴う肉腫や*BCOR*の変異を伴う肉腫などが分離・独立した．

4 リンパ腫

リンパ腫は，白血病と同様に細胞マーカーや遺伝子診断が病理形態像以上に重要である．小児のリンパ腫は，リンパ芽球性リンパ腫(LBL)，Burkittリンパ腫，びまん性大細胞性リンパ腫，未分化大細胞型リンパ腫，Hodgkinリンパ腫の5つで90％以上を占めるため比較的診断は絞りやすいが，2017年のWHO分類ではより細分化された疾患単位があげられている．また，NK/T細胞性リンパ腫，末梢性T細胞性リンパ腫なども，少ないながらも小児でも報告されており，基本的な鑑別診断のアプローチは成人の場合と変わらない．

5 神経芽腫群腫瘍

神経芽腫群腫瘍は，分化度によって神経芽腫(NBL)，神経節芽腫(GNBL)，神経節腫(GN)に分けられる．年齢と組み合わせた病理組織学的所見が重要な予後因子となっており，予後良好な組織型(favorable histology群)と予後不良な組織型(unfavorable histology群)に大別される．NBLは，自然退縮やGNへの成熟を示すもの，治療抵抗性で予後不良のもの，その中間的なものなど，生物学的特性に大きな幅のあるものからなる特異な腫瘍である．GNとGNBL，intermixedは良性腫瘍として扱われる．特殊なタイプとしてGNBL，nodularという概念があり，NBLとGN/GNBL，intermixedの組み合わさった多クローン性の病変とされており，NBL部分の組織像でfavorable histology群とunfavorable histology群に分けられる．なお，神経芽腫マススクリーニング実施期間に，わが国の神経芽腫群腫瘍の発見数はそれ以前の約2倍になり，乳児期には，将来成熟ないし退縮することが見込まれる神経芽腫が多数存在することが明らかになった．

病理組織学的所見以外の生物学的予後因子も多数報告されている．おもなものは*MYCN*遺伝子の増幅

の有無（増幅例は予後不良），DNA倍数性パターン（二倍体/四倍体は予後不良），1q欠失の有無（欠失例は予後不良）などであり，これらを組み合わせたタイプ分けもなされている．

6 網膜芽細胞腫

5歳未満にほとんど集中してみられる．特に乳児期に多く，*RB*遺伝子の変異を伴う家族発生例も少なくない．髄芽腫や神経芽腫と同じ神経系の未分化な腫瘍であるが分子病理学的性格は異なる．腫瘍の組織像よりも発見時の進展度が予後にかかわるとされ，強膜の篩状板を越えた視神経への浸潤・脈絡叢への顕著な浸潤・眼球外浸潤・遠隔転移などが予後不良因子である．近年，化学療法を主体とした眼球温存療法が実施される例が増加している．

7 肝腫瘍

悪性腫瘍の主体は肝芽腫で，大部分は5歳未満に生ずる．高分化型胎児型の組織像を示すものは予後良好，小細胞未分化型は予後不良とされる．従来報告されてきた小細胞未分化型には，ラブドイド腫瘍とされるべき例が多く含まれていたと思われ，わが国からの報告例はほとんどない．5～10歳以降では肝細胞癌の頻度が高くなる．まれなものとしては，未分化肉腫，ラブドイド腫瘍，胎児型RMS（多くは胆管原発）などがある．血管腫は新生児や乳児期に多い良性腫瘍で，Kasabach-Merritt症候群を示し重篤な症状を示すことがある．

肝芽腫の場合，生検して診断し〔α-フェトプロテイン（AFP）の著明な上昇など臨床所見が定型的ならば生検されないこともある〕，化学療法で腫瘍を縮小させて完全切除を図るのが近年の治療の主流である．治療後の肝芽腫の組織像は，壊死・出血・線維化など非特異的なものに加えて，類骨や扁平上皮の形成が目立つものがみられる．治療後の壊死・線維化の程度が強いものは，予後良好とする報告がある．

8 腎腫瘍

わが国では約70％が，欧米では85％程度が腎芽腫で，他に腎明細胞肉腫（clear cell sarcoma of the kidney：CCSK），先天性間葉芽腎腫（congenital mesoblastic nephroma：CMN），腎ラブドイド腫瘍（rhabdoid tumor of the kidney：RTK），MiT family translocation renal cell carcinomas（MiT-RCCs），anaplastic sarcoma，ES，滑膜肉腫などがある．

腎芽腫の組織学的予後因子として，退形成（anaplasia）という概念が規定されている．腎芽腫において退形成とするには，①核の巨大化（通常の腫瘍細胞の3倍以上），②核クロマチンの増量，③異常核分裂像が揃うことが必要である．退形成を示す細胞は化学療法抵抗性と考えられており，びまん性に退形成を認める腫瘍はハイリスク群に属する．また，後腎芽細胞優位型（後腎芽細胞が生きている腫瘍細胞の2/3以上を占める）の組織像が治療後（腫瘍部分の1/3以上が生き残っていることが条件）にみられる場合も，ハイリスク群に分類される．CCSKはかつては分子病理学的所見に乏しく，また多彩な組織所見を示すので，腎芽腫と誤診される率が最も高い腫瘍であった．近年*BCOR*遺伝子のinternal tandem duplicationを高率に伴うことが発見され，確定診断が容易になった．

RTKでは，AT/RTと同じく，22番長腕にある*INI1*の欠失や変異により，INI1蛋白の発現を欠く．ES，滑膜肉腫，MiT-RCCs，富細胞型のCMNは，特異性の高い染色体転座やその結果としてのキメラ遺伝子の形成という分子病理学的所見を示すことが多く，確定診断に有用である．MiT-RCCsでは，*TFE3*ないし*TFEB*遺伝子がほかのいくつかの遺伝子とキメラ遺伝子を作り，TFE3蛋白やTFEB蛋白が核に過剰蓄積するので免疫染色が診断に有用である．

9 胚細胞腫瘍

性腺に加えて頭から骨盤までの体の正中部を中心に発生する．中枢神経系，縦隔，後腹膜，卵巣，精巣，仙尾部などが好発部位であるが，小児の場合，部位と年齢により組織型がほぼ限定される．例えば精巣では，5歳以下に生ずる胚細胞腫瘍は卵黄嚢腫瘍，奇形腫とその混合したものであり，5～10歳では胚細胞腫瘍の発生が大きく減少し，10歳以降で増加し，大部分が混合型胚細胞腫瘍を中心とした悪性のものとなる．10歳未満の小児ではセミノーマはほとんどみられない．仙尾部奇形腫は，乳児・年少児の奇形腫としては最も多く，組織学的に良性であっても巨大な腫瘍のために生命予後にかかわることがある．切除後数年以内に卵黄嚢腫瘍が生ずることが約5％の症例でみられる．奇形腫の悪性再発と記載されることもあるが，異なる腫瘍の異時性発生とする見解もある．

10 その他の腫瘍

1）Langerhans細胞組織球症

従来は細胞起源不明の病態としてhistiocytosis Xと称され，臨床的にLetterer-Siwe disease, Hand-Schuller-Christian disease, eosinophilic granulomaなどと分類されていたが，現在では腫瘍性病変とされている．S-100，CD1a，CD207（langerin）などが腫瘍細胞マーカーとなる．骨を中心に肺・肝・皮膚などに

病変が生ずることがあり，多系統の臓器に発生することもある．

2）胸膜肺芽腫

間葉系の多型性の強い異型細胞からなり，軟骨や横紋筋への分化を示すことが多い．かつて肺の横紋筋肉腫と診断されていたものの多くが，これに相当すると思われる．先天性肺気道奇形（congenital pulmonary airway malformation：CPAM）など肺の囊胞性疾患との関連が示唆されており，特に肺の囊胞性疾患と後述のような他の腫瘍を伴う症例では，この腫瘍を併発する可能性が高い．約30％の症例で，他の腫瘍（特に濾胞性甲状腺腫瘍や囊胞性腎腫など）との合併や家族内発生が知られており，miRNAやsiRNAの生成に重要な*DICER1*の遺伝子変異が高率にみられる．anaplastic sarcoma of the kidneyも同じく*DICER1*の遺伝子変異が高率にみられ，組織像も胸膜肺芽腫と酷似している．

3）NUT carcinoma

多くは小児・若年者の横隔膜上組織，特に縦隔や気道などの正中部近傍に好発する予後不良のがんであり，基本的に分化傾向は乏しいが，時に種々の程度に角化を伴う．*BRD4-NUT*・*BRD3-NUT*など*NUT*遺伝子関連のキメラ遺伝子を形成する．扁平上皮癌・未分化癌などと診断された小児・若年者のがんに少なからず含まれると推測される．

4）胃腸管間質腫瘍

胃腸管間質腫瘍（GIST）の小児例はまれで（全体の1〜2％），成人例と大きく異なる特徴（女性に多い，胃に好発する，しばしば多発性，組織像は類上皮型が主体，*c-kit*遺伝子変異はまれなど）を示す．

5）膵腫瘍

10歳未満の小児では膵芽腫が，年長児・若年者ではSPN（solid-pseudopapillary neoplasm），腺房細胞癌，内分泌性膵腫瘍などが主体である．膵芽腫は，腺房への分化に加えて，扁平上皮様小体という特殊な構造を伴う悪性腫瘍で，成人型の膵癌（おもに膵管癌）よりは予後良好とされる．SPNは女性に好発し，時に局所再発や肝転移をきたす低悪性度の腫瘍である．膵芽腫とSPNの多くはβカテニンの過剰蓄積が核・細胞質内にみられ，他の膵腫瘍との鑑別に有用である．

小児腫瘍臨床研究の病理診断支援

小児腫瘍については，多くの臨床研究が行われているが，その実施にあたっては中央診断体制が採用され，病理診断もそのなかに位置づけられている．病理診断の体制は各グループのなかに個別に設置されており，担当病理診断医は，大部分が小児病理を専門としている．日本病理学会小児腫瘍組織分類委員会，次いでJCCG病理委員会が受け皿となり，それぞれの委員が中心となって中央病理診断を行ってきた．日本病理学会小児腫瘍組織分類委員会は，1970年代に日本小児科学会と日本小児外科学会の要請に基づき，わが国における小児がん全国登録の基礎となる病理組織分類を作ることを目的に立ち上げられ，がんの子どもを守る会からの助成を受けて，各種の小児腫瘍カラーアトラスの作成ならびに小児腫瘍診断精度の向上に努め，約50年に渡りわが国の小児腫瘍の診療に貢献している．また，臨床研究への参加を前提とした患者登録の実施がされていない腫瘍や臨床研究に入らない症例にも対応するために，「小児固形腫瘍観察研究」が病理診断医を中心に行われている．

■ 文献

1) 日本病理学会（編）：ゲノム研究用・診断用病理組織検体取扱い規程．羊土社，2019
2) 日本癌治療学会・日本病理学会（編）：領域横断的がん取扱い規約．金原出版，2019

■ 参考文献

- Louis DN, et al.（eds）：WHO Classification of Tumours of the Central Nervous System：WHO Classification of Tumours, revised 4th ed., vol 1. IARC, 2016
- Moch H, et al.（eds）：WHO Classification of Tumours of the Urinary System and Male Genital Organs：WHO Classification of Tumours, 4th ed., vol 8. IARC, 2016
- Swerdlow SH, et al.（eds）：WHO Classification of Tumours of Haematopoietic and Lymphoid Tissues：WHO Classification of Tumours, revised 4th ed., vol 2. IARC, 2017
- 日本病理学会小児腫瘍組織分類委員会（編）：小児腫瘍組織カラーアトラス第7巻胚細胞腫瘍およびその他の臓器特異的希少腫瘍．金原出版，2017
- WHO Classification of Tumours Editorial Board（ed）：Digestive System Tumours：WHO Classification of Tumours, 5th ed., vol 1. IARC, 2019
- WHO Classification of Tumours Editorial Board（ed）：Soft Tissue and Bone Tumours：WHO Classification of Tumours, 5th ed., vol 3. IARC, 2020
- WHO Classification of Tumours Editorial Board（ed）：Thoracic Tumours：WHO Classification of Tumours, 5th ed., vol 5. IARC, 2021

〈田中祐吉〉

第2章 小児がん
C 小児がんの検査と診断
6 画像検査

　小児腫瘍に対する画像診断の目的は，発生部位，診断，周囲臓器との関係（特に血管），病期診断，治療効果判定，合併症の有無，再発の有無の評価である．日本小児がん研究グループ（Japan Children's Cancer Group：JCCG）は，画像診断の質の担保と画像評価の標準化が望まれるなか，中央画像診断システムを導入した．各画像診断法にはそれぞれ長所，短所がある．画像診断法の特徴を表1に示す．

単純X線

　単純X線は，ほとんどの施設で施行可能である．縦隔や骨腫瘍，肺野病変のスクリーニングやカテーテルの位置確認ができる（図1）．

CT

1 特徴

　CTは空間分解能に優れている．MDCT（multidetector CT）により短時間で広範囲撮影が可能となり，鎮静処置を施行せずとも検査が可能な症例が増えた．動きによるアーチファクトも軽減され，小児にとって大きな利点となっている．さらに多断面再構成（multiplanar reconstruction：MPR）画像や三次元画像から，腫瘍の頭尾方向の広がり，腫瘍と周囲臓器や大血管との評価も可能となった（図2）．肺野の評価は単純CTでも十分である（図3）．

2 撮影法

　撮影条件はALARA（as low as reasonably achievable）の概念，つまり，「読影できる最低の線量で，必要な部位のみ撮影する」に従う[1]．CTにおいては不要な被ばく線量を低減することに注意を払い，体格や対象部位，目的に応じて照射パラメータを調整する必要がある[2]．

　成人では腹部腫瘍の際に多相撮影を施行することが多いが，小児では臓器や血管，リンパ節などのコントラストが良好な撮像相（門脈相）の単相撮影を基本とする．ただし，術前の血管評価については，必要に応じて多相撮影を行う．造影剤にはアレルギー反応の副作用がある．使用の際はアレルギーの既往や喘息の有無，腎機能のチェックが不可欠である．

MRI

1 特徴

　MRIは被ばくがなく，組織コントラストに優れる．骨からのアーチファクトがないため，眼窩，後

表1 ◆ 画像診断法のおもな特徴

	利点	欠点
単純X線	安価 短い検査時間	放射線被ばく 空間分解能が低い
CT	空間分解能が高い 三次元表示可能 短時間広範囲撮影	放射線被ばく
MRI	放射線被ばくなし 組織分解能が高い 造影剤なしで血管評価可能	検査時間が長い 磁性体による検査制限 高価
R.I.	全身評価可能 代謝と機能の画像化	放射線被ばく 空間分解能が低い 高価
PET/CT	全身評価可能 集積の半定量化	放射線被ばく 高価
超音波検査	放射線被ばくなし リアルタイムで評価可能 血流評価可能	術者の技量に左右される 空間分解能が低い 骨や空気に制限

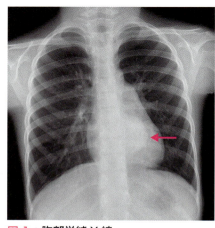

図1 ◆ 胸部単純X線
7歳女児．左後縦隔腫瘍．脊椎右側に境界明瞭な腫瘤影を認める（→）．心陰影はシルエットサイン陰性で腫瘤は後縦隔にある．

C 小児がんの検査と診断　6. 画像検査

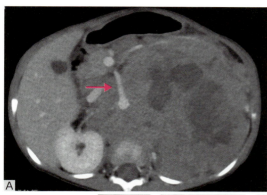

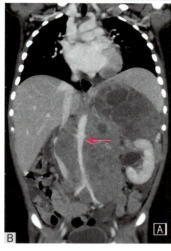

図2◆造影 CT
1歳男児．神経芽腫
A：横断像．右後腹膜の充実性腫瘍が腹腔動脈(→)，左腎動脈を取り囲み椎体の前面で正中を越えている．B：冠状断像．腫瘍は腹部大動脈(→)，左右腎動脈を取り囲む．下大静脈は腫瘍により右に圧排されている．腫瘍は左腎茎部に進展し左腎盂は拡張している．

頭蓋窩，胸郭入口部，脊髄評価に有用である(図4)．一般的に腫瘍組織は，T1強調像で低信号，T2強調像で高信号になる．細胞密度が高いとT2強調像で脳実質や脊髄と等信号から低信号を示す．線維成分が多い場合はT1，T2強調像とも低信号になり，腫瘍内出血を合併すればT1強調像で高信号が出現し，不均一な信号強度を示す．正常骨髄は年齢とともに赤色髄(造血髄)から黄色髄(脂肪髄)に変化する．脂肪髄が腫瘍細胞に置換されるとT1強調像で正常の高信号が認められなくなる(図5)．拡散強調像では悪性腫瘍は高い細胞密度を反映して高信号となり，見かけの拡散係数 (apparent diffusion coefficient：ADC)値が低値を示す傾向がある．悪性腫瘍がすべて高信号になるわけではなく，良性腫瘍でもADC低値を示す場合がある．良性腫瘍と悪性腫瘍にはオーバーラップがあり，腫瘍の特異性に欠けるが，描出率は高い(図6)．また，治療効果により拡散が亢進するとADC値が高くなり，治療効果判定の一助になる．

小児固形腫瘍の転移評価や病期診断に対する

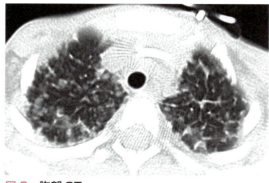

図3◆胸部 CT
6歳女児．神経芽腫の癌性リンパ管症．小葉間隔壁の不規則な肥厚や粒状影を認める．

whole-body MRI の報告がある[3]．AACR(American Association for Cancer Research)は遺伝性腫瘍症候群に対するスクリーニング検査として whole-body MRI を推奨している[4]．

2 撮影法

いずれの部位の評価でも，T1強調像とT2強調像が基本である．脂肪抑制T2強調像，拡散強調像，造影MRIにより，周囲組織とのコントラストがより明瞭になる(図7)．

以前と比べ撮像時間は短くはなったものの，検査時間が長く，音が大きく，鎮静処置を必要とする症例が多い．2020年に「MRI検査時の鎮静に関する共同提言」改訂版が出されている．この内容を参考に，安全に検査ができる環境を整えてから検査を行う[5]．体内，体外に磁性体がある場合は検査室に持ち込めない．造影前にはアレルギー歴や腎機能のチェックが必要である．

核医学(RI)検査

1 特徴

RI標識した薬(放射性医薬品)を体内に投与し，放射性医薬品から出る放射線(γ線，陽電子)を体外から検出，可視化し，臓器組織の形態，機能，代謝を測定して画像化する検査法である．核医学検査の利点は，全身の評価ができることである．放射性薬剤にはほとんど副作用はない．

小児の腫瘍に対して行われる核医学検査は，おもに[123]I-MIBGシンチグラフィと骨シンチグラフィである．MIBGは神経芽腫の原発部位や転移部位に異常集積を示し，腫瘍の広がり，治療効果判定に役立つ(図8)．ただし，約10％の集積陰性例がある．炎症や術後性変化による影響を受けないため，骨転

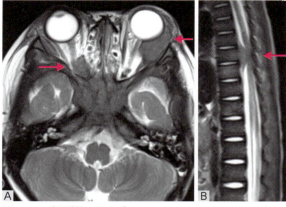

図4 ◆ 4歳男児 AML(acute myeloid leukemia)
A：頭部 MRI T2 強調横断像．両側眼窩に低信号腫瘤を認める(→)．B：脊髄 MRI T2 強調矢状断像．胸椎レベルに硬膜外腫瘍を形成している．

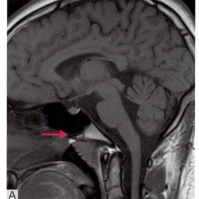

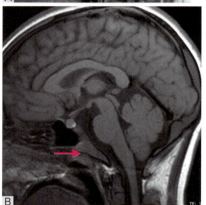

図5 ◆ MRI T1 強調矢状断像
A：14歳男児．てんかん．斜台は正常脂肪髄による均一な高信号を示す．脳梁より高信号である．
B：12歳女児．ALL 治療前．斜台は高信号が認められず異常低信号を示す．脳梁より低信号である．

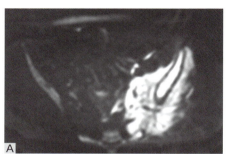

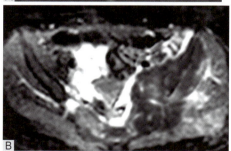

図6 ◆ 11歳女児　左腸骨原発 lymphoblastic lymphoma
A：MRI 拡散強調像．左腸骨と周囲腫瘍が異常高信号を示している．異常信号域の境界は明瞭．B：MRI ADC map．左腸骨と周囲腫瘍が低値を示している．

移の治療効果判定に有用である[3]．日本小児がん研究グループの画像診断委員会では高リスク神経芽腫多施設共同研究の評価に modified Curie スコアを採用している．骨シンチグラフィは原発性骨腫瘍の評価，悪性腫瘍の骨転移の検索に用いられる．

2 検査法

^{123}I-MIBG シンチグラフィでは，^{123}I-MIBG 静注24時間後に，全身像を撮像し，SPECT 撮影を積極的に行う．無機ヨウ素による甲状腺ブロックを考慮する[6]．骨シンチグラフィでは，^{99m}Tc リン酸化合物を静注し，2 時間以降に撮像する．SPECT も用いる．

PET/CT

1 特徴

ポジトロン断層撮像法(positron emission tomography：PET)は，使用される放射線医薬品により用途や有用性が異なる．FDG-PET は腫瘍の代謝を画像化する診断法であり，糖代謝の亢進した腫瘍細胞に優位に集積・増加する．そのため小児固形悪性腫瘍の診断，病期診断，治療効果の判定に有用である．悪性リンパ腫は FDG が高集積する腫瘍の1つである(図9)．組織型により集積程度が異なる．神経芽腫では MIBG が集積しない腫瘍にも集積することがある[6]．しかし，FDG は炎症や肉芽腫性疾患などにも集積する場合が多く，腫瘍特異性ではない．また，口蓋扁桃，褐色脂肪細胞といった生理的な集積もみられることがあり，判断が難しい場合がある．PET

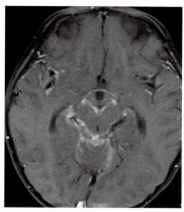

図7 ● 4歳女児　神経芽腫
頭部造影MRI. 脳幹周囲, 両側シルビウス裂, 小脳虫部表面に造影効果がみられる.

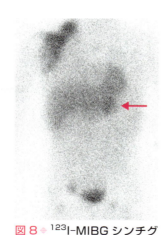

図8 ● ¹²³I-MIBGシンチグラフィ
5歳女児. 神経芽腫. 治療前. 原発巣の左副腎腫瘍(→)と転移巣の右頸部, 鎖骨上窩, 腋窩, 右鼠径リンパ節にMIBGの集積を認める.

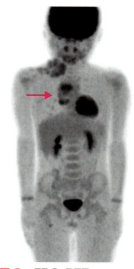

図9 ● FDG-PET
8歳男児. 非Hodgkinリンパ腫. 原発部位の胸腺(→)と右頸部に集積を認める.

では集積度のSUV (standardized uptake values) により半定量的評価ができる.

2 撮影法

検査前4時間以上の絶食が必要である. 注射後約1時間は安静が必要である. 検査時間は約20分である. 近年は大部分の装置がCTを融合したPET/CTであり, FDG投与による被ばくとともにCTによる被ばくに注意が必要である.

超音波検査

1 特徴

被ばくがなく非侵襲性で低コストという利点がある. ほとんどの場合, 鎮静処置を必要としない. 腫瘍が囊胞性か充実性か, 腫瘍の大きさ, 原発臓器, 血管と腫瘍との関係, リンパ節や腹部実質臓器への転移の有無を評価する. カラードプラでは, 血管と腫瘍との関係, 腫瘍の血流量, 腫瘍塞栓の評価ができる. 短い間隔で繰り返し検査可能のため, 治療効果のモニタリングやBeckwith-Wiedemann症候群などの遺伝性腫瘍症候群の腫瘍のスクリーニング検査としても実施される[7].

2 検査法

頸部, 体表についてはリニア型のプローブを使用し, 腹部や骨盤にはコンベックス型あるいはリニア型を併用する.

■ 文献

1) Voss SD, et al.：The ALARA concept in pediatric oncology. Pediatr Radiol 39：1142-1146, 2009
2) 日本放射線技術学会：X線CT撮影における標準化～GALACTIC(改訂2版). 86-91, 2015
3) Swift CC, et al.：Updates in diagnosis, management, and treatment of neuroblastoma. Radiographics 38：566-580, 2018
4) Gottumukkala RV, et al.：Current and emerging roles of whole-body MRI in evaluation of pediatric cancer patients. Radiographics 39：516-534, 2019
5) 日本小児科学会, 他. MRI検査時の鎮静に関する共同提言(改訂版). 日本小児科学会雑誌 124：771-805, 2020
6) 小児核医学検査適正施行検討委員会：小児核医学検査適正施行のコンセンサスガイドライン2020. 日本核医学会, 2020
7) Liu EK, et al.：Syndromic Wilms tumor：a review of predisposing condition, surveillance and treatment. Transl Androl Urol 9：2370-2381, 2020

〈桑島成子〉

第2章 小児がん

C 小児がんの検査と診断

7 小児がんゲノム医療

がん細胞に生じているゲノム異常を検出し，診療に応用することは以前から実施され，治療成績の向上に貢献してきた．研究の進歩により，解析が必要になる遺伝子の数が増加し，遺伝子を一つひとつ検査するには膨大な時間と費用が生じてしまう．また，ゲノム異常から生じる分子を治療の直接の標的とする分子標的薬の開発も進んだことから，がん種ごとに検査対象の遺伝子を限定せず，疾患横断的に多数の遺伝子の異常を検査することも要求される段階に到達した．そのような背景で，一度に多数（100以上）の遺伝子の解析を行うゲノムプロファイリング検査（パネル検査）が診療に実装され（図1），国民皆保険制度のもとで実施するための「がんゲノム医療提供体制」が整備された．

特に小児がん等の希少がんは標準治療が確立していない疾患が多く含まれることもあり，積極的に検査を考慮する対象となっている[1]．

小児がん診療：ゲノム検査の有用性

現在，保険承認されているゲノムプロファイリング検査はおもに直接の治療標的となる変異遺伝子を探索する「治療選択」に主眼がおかれているが，小児がんの治療においては，①直接の治療標的としてゲノムプロファイルを用いる，②診断や細分類の補助を行う，③予後の予測のもとに層別化治療を実施する，という広い用途でゲノム検査の結果が利用されてきた．ゲノム特性に基づいた精密な治療選択（precision medicine）は再発率の低下と合併症の最小化に有用であり，小児がんゲノム医療に大きな期待が寄せられている．

ゲノム医療で検出される遺伝的背景

小児がん患者のごく一部で，遺伝的な症候群と関連した発症（遺伝性腫瘍）が知られているが，あくまでも例外的な，まれなものとして認識されていた．

しかし，近年の大規模なゲノム解析研究の結果，小児がんの発症者には，生殖細胞系列（germline）の遺伝的背景が関与している割合が従来の想定よりも高く，約5～10％の頻度でがん好発素因となる遺伝子（cancer predisposition genes）に機能的な影響を及ぼす変異をもっていることが明らかになった．このようながん好発素因を背景として発症した患者でも，家族歴などを伴っていないことが多く，小児がん患者の発症には，遺伝的な背景の関与が従来の認識よりもはるかに高いことが明らかとなった．

ゲノムプロファイリング検査などで多数の遺伝子を解析すると，本来の目的であるがん細胞の遺伝子変異を検出する「一次的所見（primary findings）」だけでなく，その変異が生殖細胞系列に由来し遺伝性腫瘍が判明することがある．このような所見は「偶発的所見（incidental findings）」とされていたが，一定の割合でがん発症に遺伝的背景が関与し得るという前提にたち，「二次的所見（secondary findings）」との表現が使われるようになった．また，遺伝子の配列変化が腫瘍発症に及ぼす影響の強さはさまざまであり，必ずしも100％の浸透率でがんが発症するとは限らない．これらの点も踏まえ，生殖細胞系列の遺伝子配列の変化については，「異常」という印象に直結することを避けるため，「バリアント」と呼称されることがある．

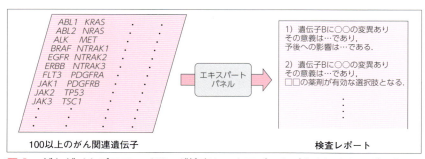

図1 ● がんゲノムプロファイリング検査とエキスパートパネルによるレポート

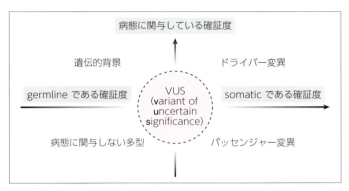

図2 ● がん細胞に生じている変異の分類

　ゲノム医療によって見つかり得る二次的所見は「見つかってしまった」と否定的にとらえるのではなく，適切な情報とともに理解することで今後の健康管理に役立つだけでなく，治療選択の最適化にも貢献し得る，などの有利な面に積極的に目を向けるべきである[2]．

がんゲノム医療提供体制

　がんゲノムプロファイリング検査の結果は複雑である．がん細胞に生じているゲノム異常はすべてが病態に関与しているとは限らず，がん細胞の発生・進展に原因として関与するドライバー変異と，クローン選択の結果としてみられるパッセンジャー変異とが混在している．病的意義が明らかにならないものも多く，意義不明変異（variant of uncertain significance：VUS）と判断せざるを得ないゲノム異常も多数存在する（図2）．

　さらに，ドライバー変異と判断したゲノム異常に対し，病態における意義を解釈し，診断に与える影響，予後因子としての役割，治療標的としての活用の可能性と薬剤への到達性，遺伝性腫瘍である可能性，などを判定する必要がある．

　ゲノム研究の進歩により，VUSと判断されていたものに意義が明らかになることや，臨床試験によりゲノム異常のもつ臨床的有用性が判明することもある．そこで，がんゲノム医療提供体制では，ゲノム解析やがんゲノムについて十分な知識をもった構成員による「エキスパートパネル」によりゲノムプロファイリング検査の解釈をし，レポートを作成する体制を要件とした．現在，がんゲノム医療中核拠点病院・がんゲノム医療拠点病院でエキスパートパネルが実施されている（図1）．さらに，小児がんの特異性に鑑みて，「小児がん等」に対しては小児がんに習熟したエキスパートパネルに依頼する特別対応が認められている．

がんゲノム医療の課題と将来展開

　ゲノムプロファイリング検査で治療標的となる遺伝子変異が検出され，分子標的療法薬剤に期待がもたれても，小児に対する安全性が確認できておらず，用法・用量の設定すらなされていない分子標的薬剤も多く，治験などの参加機会も限られ，薬剤への到達性が限られている点が大きな課題である．ゲノムプロファイリング検査の意義を十分に活かすためには，小児患者を対象とした出口となる早期相試験・治験の体制を整備することが重要である[3]．

　また，前述の通り，小児腫瘍に対するゲノム検査の応用性は治療薬剤の選択にとどまらず，診断や予後予測などにも利用可能である．現在承認されているパネル検査では小児腫瘍の診断分類や予後予測に利用するための遺伝子が搭載されていないものも多くある．小児がんのゲノム医療に適したパネル検査の開発・実装に期待が寄せられる．

　がんゲノム医療は検査や治療などにかかる医療費も高額なだけでなく，遺伝的背景とがん発症の関連など，社会的に検討が必要な点も多い．これまでの医療と異なり，患者（またはその代諾者）を含めた一般社会への啓発とともに，医療制度の構築に患者を参画させ必要な体制の整備を進めることが重要である．

文献

1) Naito Y, et al.：Clinical practice guidance for next-generation sequencing in cancer diagnosis and treatment（edition 2.1）．Int J Clin Oncol 26：233-283, 2021
2) Kratz CP, et al.：Cancer Screening Recommendations for Individuals with Li-Fraumeni Syndrome. Clin Cancer Res 23：e38-e45, 2017
3) Allen CE, et al.：Target and Agent Prioritization for the Children's Oncology Group-National Cancer Institute Pediatric MATCH Trial. J Natl Cancer Inst 109：djw274, 2017. doi：10.1093/jnci/djw274.

（加藤元博）

第 2 章 小児がん

D 小児がんにおける治療法〔抗がん化学療法〕

1 抗がん化学療法の基礎と抗がん薬の分類

理論

1 抗がん薬

1) 分類

　抗がん薬には，細胞障害性抗がん薬と分子標的薬がある．一般的には，それぞれのがんに対して抗がん活性を有する薬剤を複数併用する多剤併用療法が行われる．細胞障害性薬は，その作用機序に基づいて，アルキル化薬，代謝拮抗薬，プラチナ製剤，トポイソメラーゼ阻害薬，微小管作用薬（ビンカアルカロイド），抗がん性抗生物質，ステロイドに分類される．

　一方，がん特異的な分子異常を標的にするのが，分子標的治療薬(低分子化合物・抗体薬)であり，その臨床応用が進んでいる．小児がんの領域では，フィラデルフィア染色体陽性白血病に対するチロシンキナーゼ阻害薬，骨髄系マーカー CD33 を有する白血病細胞に対する抗体製剤「ゲムツズマブオゾガマイシン」（添付文書には小児用量の記載はないが，日本小児血液・がん学会から小児用量とともに小児への適用申請が出されている），悪性神経膠腫に対する血管増殖因子(VEGF)阻害薬などがある．結節性硬化症に伴う上衣下巨細胞性星細胞腫に対してはラパマイシン標的蛋白(mTOR)阻害薬「エベロリムス」の適用がある．また，2020 年に未分化リンパ腫キナーゼ(ALK)阻害薬「アレクチニブ」の小児を含む ALK 陽性未分化大細胞リンパ腫に対する適用が承認されている．さらに，大量化学療法後の神経芽腫に対する抗ジシアロガングリオシド(GD2)抗体「ジヌツキシマブ」が 2021 年に薬事承認を受け，再発または難治性の古典的 Hodgkin リンパ腫に対する免疫チェックポイント阻害薬である抗プログラム細胞死蛋白 1(PD-1)モノクローナル抗体「ニボルマブ」の小児用量・用法が 2021 年に追加承認された．

2) 効果と副作用

　1940 年代，小児急性リンパ性白血病(ALL)に対する葉酸代謝拮抗薬「アミノプテリン」の臨床的有効性の確認から始まった抗がん薬治療は，1980 年代の白金製剤「シスプラチン」の臨床導入による飛躍的進展を経て，2000 年代になり分子標的治療薬の時代になっている．

　細胞障害性薬では，その作用機序や in vitro での抗がん活性を参考に対象とするがん種の絞り込みが行われ，対象とするがん種に対する臨床試験を経て臨床適応が決定される．

　したがって，患者個々のがんについての細胞生物学あるいは分子生物学的特徴に関係なく，がん種ごとに適応疾患が定められる．一方，がん細胞の分子異常を標的とする分子標的薬は，がん種に関係なく標的となる分子異常をもつがんに効果が期待され，標的とする分子異常を有するがんが適応となる．

　小児がん領域で効果が期待される薬剤であっても，小児への使用は薬事承認上適応外である場合もある．そのような場合では，医薬品医療機器総合機構(PMDA)への公知申請の制度がある．未承認薬の適用外使用にあたっては各医療機関に設置された臨床倫理委員会の承認が必要である．

　多くの細胞障害性抗がん薬は，がん細胞の分裂・増殖に伴う高い核酸合成能を標的としているため，増殖が活発な正常細胞である骨髄細胞，粘膜細胞，毛母細胞，精祖細胞への毒性が強い．一般の薬剤に比べて細胞障害性抗がん薬は，用量・作用曲線で示される治療域と毒性域が近接し，50％致死量(LD50)/50％有効用量(ED50)で算出される治療係数が小さい．また，シクロホスファミドにおける出血性膀胱炎，ビンクリスチンにおける末梢神経障害，ドキソルビシンにおける心筋障害などの薬剤特異的な毒性にも注意が必要である．

　分子標的治療薬は，細胞障害性抗がん薬とは異なる毒性を示すことが多い．イマチニブによる成長障害，ゲムツズマブオゾガマイシンの肝類洞閉塞症候群(sinusoidal obstruction syndrome：SOS)，エベロリムスの口腔内潰瘍などに注意が必要である．

2 抗がん化学療法

1) がん治療における化学療法の役割

　化学療法は，白血病・リンパ腫に対する中心的治療として，また，固形がんに対する集学的治療を構成する治療の 1 つとして位置づけられる．手術との併用では，手術侵襲を軽減させる目的で行われる術前補助化学療法と腫瘍摘出後の微少残存病変の根絶

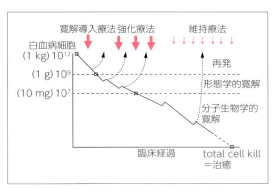

図1 ◆ Skipper-Schabel-Wilcox model
(Skipper HE : Perspectives in cancer chemotherapy : Therapeutic design. Cancer Res 24 : 1295-1302, 1964 より引用)

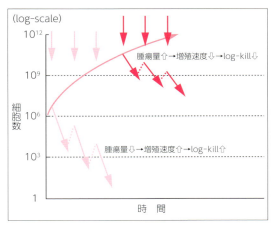

図2 ◆ Gompertzian growth model
(Laird AK : Dynamics of tumor growth. Br J Cancer 13 : 490-502, 1964 より引用)

を目指す術後補助化学療法に区分される．放射線療法に併用されることもあり，テモゾロミド，カルボプラチン，ゲムシタビンなどの放射線感受性増感作用をもつ薬剤が使用される．多くの抗がん薬は経静脈的，または経口的に全身投与されるが，ALL・悪性リンパ腫の中枢神経浸潤予防および治療目的で，メトトレキサート，シタラビン，ヒドロコルチゾンの髄腔内投与も行われる．小児がん領域では，前述以外の経路からの抗がん薬投与が行われることはほとんどない．

2）白血病治療理論

白血病の治療においては，「腫瘍倍加時間は常に一定で，腫瘍の発育速度は体内のがん細胞数に比例する」という exponential growth model と「化学療法による殺細胞効果は，体内のがん細胞数にかかわらず一定である」という Skipper-Schabel-Wilcox model（log-kill model）に従い，複数コースの化学療法により各コース同様の指数関数的な細胞死（log-kill）を誘導することで，白血病の治癒といえる total cell kill を目指す[1]（図1）．

3）固形がん治療理論

固形がんにおいては，「腫瘍倍加時間は腫瘍が大きくなるにつれて長くなり，腫瘍は sigmoid の増殖曲線を描く」という Gompertzian growth model が提唱されている．これは，術後の微小残存病変（minimal residual disease：MRD）に対しては化学療法の有効性が期待できるが，腫瘍量が大きい進行がんや再発後に腫瘍量が増大している患者に対する化学療法の効果が小さいことを意味する（図2）．このような特徴をもつ固形がんに対しては，手術により腫瘍量を縮小させたうえで，「腫瘍の縮小率は化学療法の治療強度（dose intensity）と残存腫瘍の発育速度に比例する」とする Norton-Simon model に基づき，単位期間内に投与できる最大の抗がん薬投与量を設定し，治療コースの間隔（休薬期間）を最小化する治療を行う．これにより，がん細胞に再増殖する時間を与えることなく，がん細胞の根絶を達成することができる．さらに，治療の治療強度を高める工夫として，急性毒性が交差しない薬剤Aと薬剤B，またはレジメンAとレジメンBとを交互に投与する，あるいは AAA→BBB のようにシークエンシャルに組み合わせることで投与間隔を短縮する治療法（dose-dense 療法）がある．

また，1コースでの抗がん薬投与量を増やす治療（dose-escalation 療法）の1つとして，自家血液幹細胞移植併用大量化学療法が神経芽腫などで用いられている．これは，自家血液幹細胞移植を併用することで抗がん薬の用量規定因子である骨髄抑制を回避し，骨髄抑制以外の毒性に対して耐え得る用量まで投与量を増量する方法である．

4）多剤併用化学療法

多剤併用化学療法の理論的背景として Goldie-Coldman の仮説がある[2]（図3）．この仮説は，「がん細胞の総細胞数に比例して一定の確率で耐性をもつ亜集団が存在し，この亜集団が抗がん薬によって選択されることでがんが再増大する．したがって，交叉耐性のない複数の抗がん薬を併用することで耐性をもつ細胞の出現確率を減少させることができる」としている．最近の知見からは，この現象を複数のがん関連遺伝子が関与するゲノムの不安定性によって起こる clonal evolution と捉えることができる．この理論に従えば，異なる抗がん活性をもつ抗がん薬

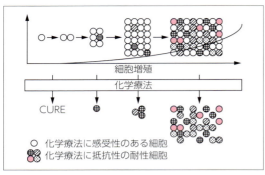

図3 ● Goldie-Coldman の仮説
(Coldman AJ, et al.: Role of mathematical modeling in protocol for mutation in cancer chemotherapy. Cancer Treat Rep 63 : 1041-1048, 1985 より引用)

の投与，または異なる抗がん薬で構成する治療コースを交代で実施する治療が提案される．Ewing 肉腫ファミリー腫瘍（Ewing sarcoma family tumor：ESFT）におけるビンクリスチン・アクチノマイシンD・シクロホスファミド-イホスファミド・エトポシド（VDC-IE）療法が，その1例である．**表1**に，このような理論に基づく多剤併用化学療法の考え方を示す．

3 抗がん化学療法の薬理学

1）PK/PD 理論

PK と PD は，それぞれは pharmacokinetics（薬物動態），pharmacodynamics（薬力学）のことで，PK/PD 理論は，投与された薬剤の体内での動態と標的に対する薬理効果を考える概念である．抗がん薬の高い効果を得るためには，時間依存性薬剤では，より大きな血中濃度曲線下面積（area under curve：AUC）が，濃度依存性薬剤では，より高い最高血中濃度（maximum concentration：Cmax）が必要になる．代謝拮抗薬，ビンカアルカロイド，タキサン，トポイソメラーゼ阻害薬は時間依存性薬剤に，アントラサイクリン，アルキル化薬，プラチナ製剤は濃度依存性薬剤に分類される．また，この理論は，抗がん薬の至適投与量設定にも利用される．カルボプラチンの効果と主たる副作用である血小板減少は，体表面積あたりで示された投与量よりも AUC によく相関することから，カルボプラチンの投与量は以下の Calvert の式により算出される．

投与量（mg/m^2）= AUC 目標値 ×（糸球体濾過量* + 25）

（*：糸球体濾過量は一般的にクレアチニン・クリアランス値で代用される）

表1 ● 多剤併用化学療法の考え方

1. 単剤の使用で有効性が確認されている薬剤を選択する
2. 作用機序の異なる薬剤を併用する
3. 耐性化機序が異なる薬剤を併用する
4. 毒性が重複しない薬剤を併用する
5. 治療強度を高められる用量と投与間隔を設定し，休薬期間を最少化する
6. 併用薬剤の相互作用を考慮した組み合わせと投与スケジュールを計画する

2）ゲノム薬理学

ゲノム薬理学（pharmcogenomics）の発展で，抗がん薬の効果や副作用の発現リスクを治療前に予測することが可能になりつつある．将来的には，がん治療の個別化医療への応用が期待されている．ALL の維持療法薬である6メルカプトプリンに対する高感受性者が日本人に多い理由としてプリン代謝酵素であるヌクレオチド・ジホスファターゼをコードする遺伝子である *NUDT15* の遺伝子多型が明らかにされており[3]，臨床応用が始まっている．また，イリノテカンの使用時には，副作用発現を予測するUDPグルクロン酸転移酵素遺伝子多型検査が行われる．

3）薬剤相互作用

複数の抗がん薬の同時投与，あるいは抗がん薬と支持療法目的で投与される非抗がん薬との同時投与を行う場合は，薬剤間の相互作用を理解し，抗腫瘍効果の減弱や副作用の増強に注意する．臨床的に相乗的な効果が認められる抗がん薬の組み合わせとして，6メルカプトプリン-メトトレキサート，エトポシド-シスプラチン，メトトレキサート-Lアスパラギナーゼなどがあり，胚細胞性腫瘍のブレオマイシン・エトポシド・シスプラチン（BEP）療法などに活かされている．また，エトポシド-シタラビンの組み合わせでは，投与スケジュールが効果発現に影響することが報告されている．非抗がん薬との併用では，非ステロイド系抗炎症薬やスルファメトキサゾール・トリメトプリム（sulfamethoxazole-trimethoprim：ST）合剤はメトトレキサートの毒性を増強させ，アロプリノールは6メルカプトプリンやシクロホスファミドの骨髄抑制を増強させる．肝臓における薬物代謝酵素であるシトクロムP450（CYP）はシクロホスファミド，イホスファミド，ビンクリスチン，イマチニブなどの代謝に関与している．制吐薬であるグラニセトロンやオンダンセトロン，消化性潰瘍薬であるシメチジン，マクロライド系抗菌薬は CYP による代謝に抑制的に作用することで，カルバ

マゼピンやフェニトインなどの抗てんかん薬はCYPを誘導することで，抗がん薬の代謝に影響する．抗がん薬の併用禁忌に関する薬物相互作用情報は各薬剤の添付文書に記載されており，使用前に確認する必要がある．

4）薬剤耐性

化学療法において，がん細胞の薬剤耐性獲得が治療上の問題となる．抗がん薬に対する耐性化機序として，がん細胞内にある薬物代謝酵素活性，がん細胞膜での薬物輸送と排出，DNA修復やアポトーシス誘導，グルタチオンS-トランスフェラーゼやCYPなどの解毒酵素活性などに関連した耐性がある．薬物の細胞外への排出に関連した耐性では，ABC（ATP-binding cassette）トランスポーターの発現増加が知られており，MDR1，MRP1，MRP2などの膜貫通糖蛋白ががん細胞の多剤耐性に関与している．

実践

1 化学療法開始前の評価

1）実施可能性の評価

高い治療効果を得るためには，化学療法を安全かつ治療スケジュールに沿って実施することが肝要であり，治療開始前の治療実施可能性の評価が重要になる．がん発病直後に実施する寛解導入療法においては，感染症の合併，がん細胞の骨髄浸潤に伴う骨髄機能回復の遅延，ステロイドなどの免疫抑制作用などにより重篤な有害事象が起こりやすく，特に注意が必要である．化学療法開始前には，全身状態（performance status：PS），臓器機能，感染症の合併，染色体異常症・遺伝性疾患などの併存疾患を評価する．重症感染症，播種性血管内凝固症候群（disseminated intravascular coagulation syndrome：DIC），腫瘍崩壊症候群（tumor lysis syndrome：TLS），重篤な臓器障害の合併がある場合，それらの合併症に対する治療を優先する．また，脳ヘルニア，気道狭窄，脊髄圧迫などのoncologic emergencyとされる病態に対しては迅速に対応する．

2）注意すべき状況

新生児や乳児は，成人に比較し血清アルブミン値が低いこと，腎機能が未熟であることなどから抗がん薬の投与にあたっては慎重な用量設定が求められる．横紋筋肉腫のビンクリスチン・アクチノマイシンD・シクロホスファミド（VAC）療法では3歳以下でのSOSの発症が多く，アクチノマイシンDの投与量に注意する．胸水，腹水のある患者へのメトトレキサートの投与は，体内へのメトトレキサートの長時間貯留により毒性が増強されるため，原則的に禁忌である．Burkittリンパ腫など腫瘍増殖速度が速い疾患では腫瘍崩壊症候群の合併に注意し，必要に応じて尿酸分解酵素薬を使用する．臓器機能の評価結果に著しい異常を認める場合は，抗がん薬の減量，あるいは治療延期を考慮する．

2 抗がん薬の用量設定

① 1歳未満，または体重10 kg未満の場合，体表面積当たりの用量換算を体重あたりの換算に変更するなどの用量調整が必要である．乳児白血病を対象とした日本小児がん研究グループ（JCCG）治療研究では，1歳未満であっても体表面積を用いて投与量を算出し，月齢に応じて減量することで良好な成績が得られている[4]．

② 高度肥満のある患者では，「体重が標準体重の30％を超える場合，標準体重の1.3倍を体重として投与量を求める」などの標準体重を参考に投与量を設定することが多いが，米国臨床腫瘍学会は，肥満のがん患者においても心疾患や糖尿病などの併存疾患がなければ，実際の体重に基づいて抗がん薬の用量を決定するように勧告している．

③ 年長児では，体表面積や体重から算定される抗がん薬投与量が過剰になる場合があるため注意が必要である．1日最大投与量が規定されている薬剤については，算定量がその量を超えた場合，規定されている最大投与量（極量）を超えないようにする．1日最大投与量は，ビンクリスチンでは2 mg，ブレオマイシンでは30 mgとされている．アクチノマイシンDでは，体重30 kg以上の患者への1回投与の場合は2.3 mg/回に，1日1回5日連続投与の場合は0.5 mg/1回に最大用量が規定されている．

④ 白血病を合併することが多いDown症候群では，メトトレキサートに対する感受性が高く毒性が強くなるため，大量メトトレキサート療法を行う際には，減量あるいはホリナートカルシウム救援の追加を考慮する．

⑤ 蓄積毒性のあるアントラサイクリン系薬剤（心毒性），プラチナ製剤（聴覚毒性・腎毒性），ブレオマイシン（肺毒性），イホスファミド（腎毒性）については総投与量が基準値を超えないように注意する．また，アルキル化剤の総投与量は性腺機能に影響する．詳細については，「第6章 晩期合併症」を参照のこと．

3 化学療法中の管理

① 看護師と連携して口腔や外陰部の感染，出血傾

表2 ◆ RECISTガイドラインでの効果判定基準

反応	標的病変の評価	非標的病変の評価
完全奏効 (complete response：CR)	すべての標的病変の消失かつリンパ節病変は短軸径が10 mm未満に減少	すべての非標的病変の消失かつ腫瘍マーカー値が基準値上限以下．リンパ節はすべて短軸径が10 mm未満に減少
部分奏効 (partial response：PR)	ベースライン総和に比して，標的病変の総和が30％以上減少	—
安定 (stable disease：SD)	経過中の最小総和を基準にPRに相当する縮小がなく，PDに相当する増大がない	
非完全奏効/非進行 (non-CR/non-PD)	—	1つ以上の非標的病変の残存かつ/または腫瘍マーカー値が基準値上限を超える
進行 (progressive disease：PD)	経過中の最小総和を基準に標的病変の総和が20％以上増加し，かつ絶対値も5 mm以上増加	既存の非標的病変の明らかな増悪

(Eisenhauer EA, et al.：New response evaluation criteria in solid tumours：revised RECIST guideline(version 1.1). Eur J Cancer 45：228-247, 2009 より引用)

向，悪心・嘔吐などの合併症を予防するための患者ケアと病態に応じた支持療法の実施に努める．既コースでの合併症の状況を参考に支持療法を計画することも大切である．有害事象に対しては迅速に対応し，重症感染症や脳症，壊死性膵炎などの重篤な合併症の場合は，化学療法中止の判断を行う．

②薬剤師と連携して注射液の調整方法，遮光の必要性，ルート材質の選択，併用薬剤の投与順序，ポンプ使用の可否などを判断する．

③抗がん薬の投与にあたっては，その副作用と患者のQOLに配慮した投与時間帯の設定を行う．夜間に大量メトトレキサートやシスプラチン投与を行った場合，大量輸液に伴い排尿回数が増加するため睡眠が妨げられる．院内学級の授業実施時間での悪心・嘔吐をきたす薬剤の投与は学習の妨げになる．

④合併症を予防することでスケジュールに沿った化学療法の実施に努め，治療遅延に伴う再発リスクの増大を防止する．次コースの治療実施にあたっては，重篤な感染症や合併症がなく，好中球と血小板が一定レベル(好中球数500/μL以上，血小板数50,000/μL以上程度)まで回復していることを確認する．

⑤大量メトトレキサート療法時には十分な輸液を行い，尿のアルカリ化作用を有するアセタゾラミドと炭酸水素ナトリウムを併用する．また，レジメンの規定に従ってホリナートカルシウム救援を行う．シスプラチン投与では，投与前から十分な輸液を行い，尿量を確保する．必要に応じて利尿剤(マンニトール，フロセミド)を投与する．シクロホスファミド，イホスファミド投与時は，出血性膀胱炎予防のため輸液量を増やし，必要に応じてイホスファミド・シクロホスファミド泌尿器系障害発現抑制薬であるメスナを併用する．

⑥抗がん薬投与中は，アレルギー反応，TLS，悪心・嘔吐などの急性毒性に注意して適切な支持療法を行う．

4 化学療法の効果判定

①白血病に対する化学療法の効果は，骨髄が十分に回復したあとの骨髄検体を用いて芽球比率を評価する(血液学的寛解判定)．また，髄外病変の評価目的で髄液検査や画像診断を行う．

②固形がんに対する化学療法の評価は，2009年に改訂されたRECIST(response evaluation criteria in solid tumors)ガイドラインversion 1.1に沿って，画像診断を用いた腫瘍サイズと腫瘍縮小率の評価を行う[5](表2)．また，治療研究においては，計画書に定める効果判定基準に基づいて判定する．

5 化学療法に伴う医療過誤

①化学療法に伴う医療過誤として，薬剤種類，投与量，投与ルート，投与時間の間違い，急性毒性に対する不十分な対応，抗がん薬皮下漏出などがある．これらの医療過誤は，患者の命やQOLに影響するだけでなく，医師患者関係を損ねる原因にもなる．使用する抗がん薬やレジメンについては，薬剤添付文書や臨床研究計画書の確認を行い，経験のある医師・薬剤師・看護師と協力して，治療準備，治療中の急性反応や病態の観察と対応，治療後の有害事象への対策を適切に実施し，医療過誤の発生を防止する．医療過誤が発生した場合は，医療チームで対応策を検討し，遅滞

なく実施する.
②抗がん薬皮下漏出対策としては中心静脈ラインの確保が望まれるが，末梢静脈ルートからの薬剤投与を行わなければならない場合は，神経・動脈に隣接している部位（肘窩など）の静脈を避ける．輸液ポンプは使用せず，適宜，血液逆流の確認，刺入部位周辺の状態の確認を行う．また，患者の自覚症状にも注意する．抗がん薬皮下漏出時の対応の詳細については，文献6）などの他の成書を参照されたい．

■ 文献

1) Skipper HE：Perspectives in cancer chemotherapy：Therapeutic design. Cancer Res 24：1295-1302, 1964
2) Coldman AJ, et al：Role of mathematical modeling in protocol for mutation in cancer chemotherapy. Cancer Treat Rep 63：1041-1048, 1985
3) Moriyama T, et al：*NUDT15* polymorphisms alter thiopurine metabolism and hematopoietic toxicity. Nat Genet 48：367-373, 2016
4) Tomizawa D, et al：A risk-stratified therapy for infants with acute lymphoblastic leukemia：a report from the JPLSG MLL-10 trial. Blood 136：1813-1823, 2020
5) Eisenhauer EA, et al：New response evaluation criteria in solid tumours：revised RECIST guideline（version 1.1）. Eur J Cancer 45：228-247, 2009
6) 関水匡大, 他：［1］薬物治法. 1. 総論. 堀部敬三（編），小児がん診療ハンドブック. 医薬ジャーナル社，124-133，2011

（堀　浩樹）

第2章 小児がん

D 小児がんにおける治療法〔抗がん化学療法〕

2 抗がん薬各論

a. アルキル化薬

シクロホスファミド

概要
① 薬剤名：シクロホスファミド（cyclophosphamide）
② 略号：CPA，CY，CPM
③ 商品名：エンドキサン®（塩野義製薬）
④ 製剤規格
　注射用：100 mg・500 mg
　錠剤：50 mg
　経口用原末：100 mg

適応疾患
急性リンパ性白血病（ALL），Hodgkin リンパ腫，非 Hodgkin リンパ腫など血液腫瘍，神経芽腫，横紋筋肉腫，軟部肉腫，網膜芽細胞腫などの固形腫瘍，造血細胞移植における前治療（大量化学療法）など．腫瘍特異的T細胞輸注療法の前処置にも用いられる．わが国では適応が認められていないが，欧米では脳腫瘍の化学療法，大量化学療法でも用いられる．

薬理作用
① 作用機序：プロドラッグ．肝臓のシトクロム P450（おもに CYP2B6）によって代謝され，4-OH-CPA さらにホスホラミドマスタードとなり抗腫瘍効果を発揮する．おもに N7 位のグアニンに作用する二機能性のアルキル化薬であり，DNA に架橋し DNA 合成を阻害する．細胞周期非依存的抗がん薬である．
② 薬剤耐性：活性化代謝物の細胞内での不活化，DNA 付加体の修復の亢進が報告されている．
③ 薬物代謝と排泄：肝臓の P450（おもに CYP2B6）により，活性代謝物ホスホラミドマスタードとアクロレインになる．排泄の半減期は4〜6時間，腎臓より排泄される．

投与・管理上の注意・禁忌
静注剤，内服薬がある．
・薬物相互作用：P450 の活性に影響する薬剤の併用に注意する．フェノバルビタール，フェニトインの前投与によりシクロホスファミドとその活性代謝物の代謝速度が亢進する．アロプリノールの同時投与により，骨髄抑制が強くなることがある．ワルファリンと併用とした場合，抗凝固能を亢進させる．ドキソルビシンと併用した場合，心筋障害が増強される．ブスルファン投与後24時間以内に用いると，活性代謝物への変換が阻害される．フルコナゾールの同時投与により，活性化が阻止される可能性があり，イトラコナゾールの同時投与により活性化物への代謝が促進され，排泄が促進される可能性がある．

代表的な治療レジメンにおける投与方法
① 軟部肉腫に対する VAC レジメン（3歳以上）
　ビンクリスチン 1.5 mg/m^2　静注×1日
　アクチノマイシン D 0.045 mg/kg　静注×1日
　シクロホスファミド 2,200 mg/m^2　静注×1日（メスナ併用）
② Burkit リンパ腫に対する単独療法
　シクロホスファミド 1,200 mg/m^2　静注（bolus）1，8，15，28，43，57日
　（メスナ併用）
　同時にメトトレキサート 15 mg，ヒドロコルチゾン 15 mg 髄注
③ 白血病に対する移植前処置〔TBI 併用〕
　TBI 150 cGy 1日2回　8，7，6，5，4日前
　シクロホスファミド 60 mg/kg　3，2日前

急性期副作用・合併症と対応方法
① 造血能抑制：用量制限毒性である．
② 悪心・嘔吐：『NCCN（National Comprehensive Cancer Network）悪心・嘔吐対策ガイドライン Version 1.2015（NCCN ガイドライン）』では，1,500 mg/m^2 以下を中等度，それより多い用量では高度の嘔吐リスクとして対応するよう推奨されている．
③ 出血性膀胱炎：代謝産物アクロレインが出血性膀胱炎の原因となる．十分な輸液（3,000 mL/m^2/日）を行い，排尿を促し，メスナを併用することで防ぐことができる．
④ 心毒性．
⑤ 肝類洞閉塞症候群（SOS）：単剤ではまれであるが，ブスルファン・カルムスチンとの併用，全身

放射線照射(TBI)と併用した場合には発症頻度が上昇する．
⑥結膜炎・下顎痛．
⑦大量化学療法では一時的な抗利尿ホルモン不適切分泌症候群(syndrome of inappropriate secretion of antidiuretic hormone：SIADH)を認めることがある．

注意すべき晩期合併症
肺毒性(間質性肺炎，肺線維症)，性腺毒性，二次がん．

イホスファミド

概要
①薬剤名：イホスファミド(ifosfamid)
②略号：IFM
③商品名：イホマイド®(塩野義製薬)
④製剤規格
　注射用：1 g

適応疾患
神経芽腫，Ewing肉腫，横紋筋肉腫，肝芽腫，頭蓋外胚細胞腫瘍，Wilms腫瘍，網膜芽細胞腫などの固形腫瘍，胚細胞腫瘍などの脳腫瘍．

薬理作用
①作用機序：プロドラッグ．肝臓のP450(おもにCYP3A4)により代謝され4-OH IFOとなり，さらに代謝されホスホラミドマスタードとなりN-7位グアニンに架橋し，DNA合成と機能を阻害する．細胞周期非依存的抗がん薬である．
②薬物代謝と排泄：静注後，20％は蛋白と結合する．肝臓のP450(おもにCYP3A4)によりイホスファミドマスタードとアクロレインに代謝される．末梢血において，アルデヒドオキシダーゼ，アルデヒドデヒドロゲナーゼにより不活化される．排泄の半減期は3～15時間で，用量に依存する．尿より排泄される．代謝様式はシクロホスファミドと同様であるが，代謝の速度が違うためにシクロホスファミドとは異なった毒性を発揮すると考えられている．

投与・管理上の注意・禁忌
経静脈投与．
・薬物相互作用：フェノバルビタールやフェニトインのようなP450を誘導する薬剤は併用に注意が必要である．ワルファリンを併用している場合，抗凝固能を亢進させる．シメチジン，アロプリノール，シスプラチンを併用した場合，それぞれの副作用を増強する可能性がある．

代表的な治療レジメンにおける投与方法
①神経芽腫のICE療法
　イホスファミド 1.8 g/m² 静注 1～5日
　エトポシド 100 mg/m² 静注 1～5日
　カルボプラチン 400 mg/m² 静注 4～5日
　経静脈投与である．

急性期副作用・合併症と対応方法
①悪心・嘔吐：NCCNガイドラインでは，中等度の嘔吐リスクとして対応するよう推奨されている．
②出血性膀胱炎：メスナを用いずに治療した場合には，シクロホスファミド以上に重症の出血性膀胱炎を起こすが，補液を行いメスナを併用した場合にはほとんど認めない．
③神経毒性：嗜眠，昏迷，小脳失調，筋力低下，幻覚を認めることがある．症状が悪化し昏睡状態になることもある．腎障害をもつ患者で大量化学療法時に認めることが多い．
④腎毒性：頻度は多いが，多くの場合は可逆的である．多くの場合は尿細管アシドーシス，電解質異常で，時にFanconi症候群，尿崩症様症候群を呈する．大量療法で頻度が高くなる．腎毒性のある薬剤の同時投与をできるだけ避ける．シスプラチンと併用した場合に，発症リスクが最も高くなる．
⑤SIADHを認めることがある．

注意すべき晩期合併症
肺毒性(間質性肺炎)，性腺毒性，二次がん．

ブスルファン

概要
①薬剤名：ブスルファン(busulfan)
②略号：BU，BUS
③商品名：ブスルフェクス®(大塚製薬)，マブリン®(大原薬品工業)
④製剤規格
　散剤：1％(マブリン®)
　注射用：60 mg(ブスルフェクス®)

適応疾患
慢性骨髄性白血病，造血器腫瘍，固形腫瘍における造血細胞移植の前処置(大量化学療法)で使用される．

薬理作用
①作用機序：核酸および蛋白のチオール基と結合し，2個の求核部位をアルキル化する．DNA-DNAおよびDNA-蛋白間に架橋を形成し，DNA合成とその機能を阻害する．細胞周期非依存性抗がん薬である．
②代謝排泄経路：おもに肝臓のP450(主として

CYP3A4)で代謝され，腎より排泄される．血液脳関門をよく通過する．排泄の半減期は3時間である．

投与・管理上の注意・禁忌
経口剤，経静脈剤がある．
・薬物相互作用：アセトアミノフェン，イトラコナゾール，フェニトインは，ブスルファンの代謝を阻害し，毒性を増強する．

代表的な治療レジメンにおける投与方法
・白血病に対する移植前処置(TBI非併用)
　ブスルファン0.8〜1 mg/kg　静注6時間ごとに計4回　移植日より9，8，7，6日前
　シクロホスファミド50 mg/kg　移植日より静注5，4，3，2日前(メスナ併用)

急性期副作用・合併症と対応方法
①骨髄抑制：用量制限毒性である．
②悪心・嘔吐：NCCNガイドラインでは，中等度の嘔吐リスクとして対応するよう推奨されている．
③神経毒性(けいれん，意識障害など)：投与後1〜2日に起こる副作用である．ブスルファンは，髄液移行性が良好であるため，抗けいれん薬の予防投与を行わない場合，患者の10%でけいれんを起こす．投与前日から投与後翌日まで，抗けいれん薬の内服を行い，けいれんの予防を行う．
④肝毒性(SOS)：大量化学療法で発症する可能性がある．
⑤皮膚の色素沈着．

注意すべき晩期合併症
肺毒性(肺線維症)，性腺毒性，二次がん，歯牙異状．

メルファラン

概要
①薬剤名：メルファラン(melphalan)
②略号：MEL，L-PAM
③商品名：アルケラン®(サンドファーマ)
④製剤規格
　注射用：50 mg
　錠剤：2 mg

適応疾患
神経芽腫，横紋筋肉腫などの固形腫瘍に対する大量化学療法，網膜芽細胞腫に対する選択的眼動脈注入で用いられる．

薬理作用
①作用機序：アルキル化薬である．ナイトロジェンマスタードのアナログであり，DNA二重鎖の鎖内あるいは鎖間の架橋を形成し，DNA合成とその機能を阻害する．細胞周期非依存性の薬剤である．
②薬物代謝と排泄：内服の場合は，生物学的利用能は20〜95%と個人差がある．投与後は全身の組織に広がり，蛋白結合能が高い．血漿で加水分解を受け，速やかに代謝され，約2時間の半減期で排泄される．その25%は尿に，50%は糞便に排泄される．腎臓からの排泄は低いとされるが，腎機能障害があると顆粒球減少が重症になる傾向がある．

投与・管理上の注意・禁忌
①日光により急速に変成するため，遮光して室温保存する．希釈後は，1時間で不安定となるため，速やかに静注する．糸球体濾過量(glomerular filtration rate：GFR)が低下しているときには，減量を検討する．
②薬物相互作用：ステロイドはメルファランの活性を増強する．シクロスポリンは腎毒性を増強する．

代表的な治療レジメンにおける投与方法
①難治性固形腫瘍に対する自家造血幹細胞移植の前治療．ブスルファンとの併用において，ブスルファン150 mg/m² 4日間内服，24時間後にメルファラン140 mg/m²静注．

急性期副作用・合併症と対応方法
①骨髄抑制：用量制限毒性である．
②悪心・嘔吐：NCCNガイドラインでは中等度リスクとして対応するよう推奨されている．
③粘膜炎：高用量の場合に発症する．
④紅斑様発疹が出現することがある．
⑤急性腎不全，けいれんを起こすことがある．

注意すべき晩期合併症
肺毒性(肺線維症，間質性肺炎)，二次がん．

テモゾロミド[1]

概要
①薬剤名：テモゾロミド(temozolomide)
②略号：TMZ
③商品名：テモダール®(MSD)，テモゾロミド(日本化薬)
④製剤規格
　錠剤：20 mg・100 mg
　カプセル：20 mg・100 mg
　注射用：100 mg

適応疾患
再発または難治性のEwing肉腫．悪性神経膠腫については成人にのみ適応とされているが，世界的に

は小児にも用いられ，わが国でも用いられている．

薬理作用
構造，作用機序ともダカルバジンと相似した薬剤である．イミダゾテトラジンのアナログで，プロドラッグである．生理的pHで，肝臓で酵素代謝を受けることなく，自動的に代謝され活性化代謝物MTICとなる．DNAのグアニン残基のメチル化薬により，DNA，RNA，蛋白の産生を抑制し抗腫瘍効果を発揮する．

①薬剤耐性：DNA修復蛋白O^6-アルキルグアニン-DNAメチルトランスフェラーゼ(O^6-methylguanine DNA methyltransferas：MGMT)は，グアニンのO^6位からメチルの付加を除去する．テモゾロミドによるメチルの付加は，全DNAの5％に過ぎないが，抗腫瘍効果がこれにより発揮されていると考えられる．MGMT活性の高い細胞はテモゾロミド耐性になる．テモゾロミドと同時にMGMT阻害薬を投与すると，本剤への感受性が増強される．

②薬物代謝と排泄：内服の場合，消化管からほぼ完全に吸収され，内服後0.7時間で血中濃度がピークに達し，半減期は1.8時間である．脂肪親和性が非常に高く，血液脳関門を完全に通過する．未変換体と代謝物はおもに尿から排泄される．

投与・管理上の注意・禁忌
経口薬として開発されたが，経静脈薬も開発されている．注射薬は内服が困難な場合に用いられる．

代表的な治療レジメンにおける投与方法
悪性神経膠腫では，放射線治療と併用して75 mg/m^2を42日間内服する．その後は維持療法として150 mg/m^2で5日間内服，骨髄抑制が強くなければ次回は200 mg/m^2，5日間とし，これを28日おきに行う◆1．

再発または難治性のEwing肉腫に対しては，イリノテカンとの併用において，1回100 mg/m^2を1日1回5日間内服し，16日間以上休薬する．これを1クールとして投与を反復する．

急性期副作用・合併症と対応方法
①骨髄抑制：用量制限毒性である．血小板数，顆粒球減少数が低値となるのは21日目であり，1週間で回復する．
②悪心・嘔吐：NCCNガイドラインでは中等度の嘔吐リスクとして対応を推奨している．
③頭痛，全身倦怠感，めまいを認めることが多い．
④皮疹，搔痒感などの皮膚症状を認めることがあり，軽度の脱毛を認めることがある．
⑤ニューモシスチス肺炎：単剤治療でも，ニューモシスチス肺炎の頻度が上昇することが示されているため，ST合剤を予防内服する．
⑥光線過敏：日光にあたらないように助言する．

注意すべき晩期合併症
二次がん．

その他
空腹時に，制吐薬を内服した後，服用する．

ニムスチン

概要
①薬剤名：ニムスチン（nimustine hydrochloride）
②略号：ACNU
③商品名：ニドラン®（第一三共）
④製剤規格
注射用：25 mg・50 mg

適応疾患
悪性神経膠腫．

薬理作用
①ニトロソウレア系薬剤であり，DNAにアルキル基を結合させ，DNAの複製，機能を阻害する．
②薬物代謝と排泄：分子量が小さく，脂質親和性が高いため，血液脳関門を通過しやすい．投与5分後より髄液（脳室）への移行が認められ，髄液中濃度は投与後30分でピークに達し，以後0.49時間の半減期で低下する．

投与・管理上の注意・禁忌
経静脈投与を行う．

代表的な治療レジメンにおける投与方法
プロカルバジン，ビンクリスチンとの併用治療（procarbazine, ACNU, vincristine：PAV）が悪性神経膠腫に対して行われたが，近年はテモゾロミドが第一選択薬となっている．アレルギーなどの理由で実施できない場合に選択されることが多い．

急性期副作用・合併症と対応方法
①骨髄抑制：3〜4週で最低値となるが遷延する場合もある．
②悪心・嘔吐：NCCNガイドラインには記載されていないが，軽度リスクに相当する．

注意すべき晩期合併症
肺毒性（間質性肺炎，肺線維症），二次がん．

ラニムスチン

概要
①薬剤名：ラニムスチン（ranimustine）
②略号：MCNU

③商品名：サイメリン®（ニプロ ES ファーマ）
④製剤規格
　注射用：50 mg・100 mg
適応疾患
　膠芽腫，悪性リンパ腫，骨髄腫，慢性骨髄性白血病など．小児に使われることは少ない．
薬理作用
　ニトロソウレア系薬剤である．
投与・管理上の注意・禁忌
　経静脈投与である．光線により分解しやすいので遮光する．
急性期副作用・合併症と対応方法
①造血能抑制．
②悪心・嘔吐：NCCN ガイドラインには記載されていないが，軽度のリスクに相当する．
③小児等および生殖可能な年齢の患者に投与する必要がある場合には，性腺に対する影響を考慮する．
注意すべき晩期合併症
　肺毒性（間質性肺炎），二次がん．

プロカルバジン

概要
①薬剤名：プロカルバジン（procarbazine）
②略号：PCA
③商品名：塩酸プロカルバジン（太陽ファルマ）
④製剤規格
　カプセル：50 mg．
適応疾患
　Hodgkin リンパ腫，非 Hodgkin リンパ腫，悪性神経膠腫，低悪性度神経腫などに用いられる◆2．
薬理作用
①作用機序：グアニンの O^6 および O^7 位でメチル化を起こす．酸化されアゾプロカルバジンとなり，放出された過酸化水素がスルフヒドリル（sulfhydryl）グループを介して DNA と蛋白の相互反応に影響を与える．トランスメチレーションの阻害によって t-RNA を阻害する可能性もあると考えられている．モノアミン酸化酵素阻害作用（monoamine oxidase inhibitor：MAOI）を有する．
②薬物代謝と排泄：内服後の生物学的利用能が高く，急速に吸収され，酸化によりアゾプロカルバジンさらに P450 によってメチルアゾキシプロカルバジンとベンジルアゾキシプロカルバジンとなる．これらの活性代謝物は，血液脳関門の通過性が非常に高く，内服後急速に血中濃度と髄液濃度が等しくなる．排泄の半減期は短く 30 分程度であり，多くは尿から排泄される．
投与・管理上の注意・禁忌
　MAOI 活性をもつことから，アルコールやチラミンを含有する食物（熟成したチーズ・肉，空豆，醤油など）と一緒に内服しない．同時に内服すると，悪心・嘔吐，抑うつ状態，急激な血圧上昇を認めることがある．
代表的な治療レジメンにおける投与方法
①悪性リンパ腫の COPP 療法
　シクロホスファミド 500 mg/m² 　静注 1，8 日
　ビンクリスチン 1.5 mg/m² 　静注 1，8 日
　プロカルバジン 100 mg/m²（最大 150 mg） 　静注 1～15 日
　プレドニゾン 40 mg/m² 　1～15 日
②低悪性度神経膠腫に対する TPCV 療法
　thioguanine 　30 mg/m²/回 　経口 1～3 日（6 時間おき 12 回内服）
　プロカルバジン 50 mg/m²/回 　経口 3～4 日（6 時間おき 4 回内服）
　lomustine（CCNU）110 mg/m²/回 　経口 3 日
　ビンクリスチン 1.5 mg/m² 　静注 14，28 日（＜12 kg の場合 0.05 mg/kg）
急性期副作用・合併症と対応方法
①骨髄抑制：用量制限毒性である．血小板減少症と顆粒球減少症が主であり，投与後 4 週間くらいで最低値となる．
②悪心・嘔吐：NCCN ガイドラインでは経口薬の中等度から高度のリスクとされている．
③感冒様症状：発熱，悪寒，筋肉痛，関節痛などを多く認める．
④中枢神経毒性：頭痛，末梢神経障害，感覚異常，失調，嗜眠，昏迷，けいれんなど．
⑤過敏反応．
注意すべき晩期合併症
　肺毒性（間質性肺炎，肺線維症），性腺毒性，二次がん．

ダカルバジン

概要
①薬剤名：ダカルバジン（dacarbazine）
②略号：DTIC，DIC
③商品名：ダカルバジン（サンドファーマ）
④製剤規格
　注射用：100 mg
適応疾患
　Hodgkin リンパ腫，神経芽腫，軟部肉腫など．

薬理作用
①作用機序：プロドラッグ．活性代謝物であるモノメチルトリアゼノイミダゾールカルボキサミド (monomethyl triazenoimidazol carboxamid：MTIC)，5-アミノ-イミダゾール-4-カルボキサミド(4-amino-5-imidazolec-carboxamide：AIC)が，DNA，RNA，蛋白合成を阻害すると考えられている．細胞周期非依存的抗がん薬である．
②薬物代謝と排泄：静注時は，肝臓のP450により代謝され，活性代謝物MTIC，AICとなる．排泄の半減期は3～5時間で，活性代謝物，不活化代謝物ともに尿から排泄される．

投与・管理上の注意・禁忌
静注薬である．
・薬物相互作用：ヘパリン，リドカイン，ヒドロコルゾンは併用禁忌である．同時投与した場合に，結晶析出や概観変化があり，作用への影響が懸念される．フェニトインやフェノバルビタールはP450に干渉し，ダカルバジンの代謝を亢進するため，その効果を減弱する可能性がある．

代表的な治療レジメンにおける投与方法
①悪性リンパ腫のABVD療法
　ドキソルビシン　25 mg/m²　静注0，14日
　ブレオマイシン　10 U/m²　静注0，14日
　ビンブラスチン　6 mg/m²　静注0，14日
　ダカルバジン　375 mg/m²　静注0，14日

急性期副作用・合併症と対応方法
①骨髄抑制：用量制限毒性である．骨髄抑制が最も強くなるのは21～25日である．
②感冒様症状：発熱，悪寒，筋肉痛，関節痛などが多い．
③悪心・嘔吐：催吐性が高く，NCCNガイドラインで高度リスクに分類されている．
④中枢神経系毒性：まれに感覚異常，末梢神経障害，失調，昏迷，頭痛，けいれんなどを認める．
⑤光線過敏：日光への露出を避ける．

注意すべき晩期合併症
二次がん．

チオテパ

概要
①薬剤名：チオテパ(thiotepa)
②略号：TEPA，TT
③商品名：リサイオ®(大日本住友製薬)
④製品規格：リサイオ®点滴静注薬 100 mg

適応疾患
悪性リンパ腫，小児悪性固形腫瘍の大量化学療法(自家造血幹細胞移植の全治療)に用いられる．中枢神経系への到達度がよいとされるため，脳腫瘍に対する大量化学療法で用いられることが多い．

薬理作用
①作用機序：活性代謝物TEPAに代謝され，グアニンのN7位をアルキル化し，DNAに架橋を形成することで，DNA合成とその機能を阻害する．細胞周期非依存性の抗がん薬である．
②薬物代謝および排泄：静注後速やかに全身に広がり，40％は血漿蛋白に結合する．肝臓のP450により活性化および不活化代謝物に代謝される．半減期2～3時間で，おもに尿から排泄される．

投与・管理上の注意・禁忌
①経静脈投与である．
②薬物相互作用：スキサメトニウムと同時に投与されると，その神経筋ブロック作用が増強する．

代表的な治療レジメンにおける投与方法
①小児悪性固形腫瘍に対する自家造血幹細胞移植の前治療．メルファランとの併用療法において，通常チオテパとして1日1回200 mg/m²を24時間かけて点滴静注する．これを2日間連続で行い，5日間休薬した後，さらに同用量2日間連続で行う．

急性期副作用・合併症と対応方法
①骨髄抑制：用量制限毒性である．
②悪心・嘔吐：NCCNガイドラインでは軽度リスクとされている．
③肝毒性：大量化学療法の場合に，肝静脈閉塞症を発症することがある．

注意すべき晩期合併症
性腺毒性，二次がん．

■ 参考文献
・National Comprehensive Cancer Network：Antiemesis. IN：National Comprehensive Cancer Network Guideline. Version 2.2017 http://www.nccn.org/professionals/physician_gls/f_guidelines.asp
・Perry MC (ed.)：Perry's The Chemotherapy Source book. 5th ed., Lippincot Williams and Wilkins, 2012

（柳澤隆昭）

◆1：小児に対する安全性は確立されていない(ほかの脳腫瘍や小児固形腫瘍で第II相臨床試験中)．
◆2：低出生体重児，新生児，乳児，幼児又は小児に対する安全性は確立していない．

b. 代謝拮抗薬

　代謝拮抗薬は，がん細胞の核酸代謝を阻害し，がん細胞の細胞死を誘導する低分子化合物である．代謝拮抗薬の多くは，核酸代謝にかかわる代謝物の誘導体であり，生理的な代謝物と競合的に作用する．小児がんに使用される代謝拮抗薬は，葉酸拮抗薬（メトトレキサート），ピリミジン代謝拮抗薬（シタラビンなど），プリン代謝拮抗薬（6メルカプトプリンなど）に分類される．

葉酸拮抗薬

メトトレキサート◆1

概要
①薬剤名：メトトレキサート（methotrexate）
②略号：MTX
③商品名：メソトレキセート®（ファイザー）
④製剤規格
・錠剤：2.5 mg
　（標準用量）
・注射用：5 mg，50 mg
　（メトトレキサート・ロイコボリン®救援療法）
・点滴静注液：200 mg，1,000 mg

適応疾患
　錠剤・注射薬の適応は，急性白血病，慢性リンパ性白血病（CLL），慢性骨髄性白血病（CML），絨毛性疾患（絨毛癌，破壊胞状奇胎，胞状奇胎）の自覚的ならびに他覚的症状の緩解となっている．メトトレキサート・ロイコボリン®救援療法では，肉腫（骨肉腫・軟部肉腫など），急性白血病の中枢神経系および睾丸への浸潤に対する寛解，悪性リンパ腫の中枢神経系への浸潤に対する寛解を適応としている．一般的には，2.5 mg錠は急性リンパ性白血病（ALL）・悪性リンパ腫の維持療法に，5 mg注射用は急性白血病・悪性リンパ腫での髄腔内投与に，200 mgおよび1,000 mg点滴静注液はALL，悪性リンパ腫，骨肉腫に対する大量療法に使用される．

薬理作用
　メトトレキサートは葉酸アナログで，葉酸を核酸合成に必要な活性型葉酸に還元させる酵素であるジヒドロ葉酸レダクターゼ（dihydrofolate reductase：DHFR）の活性を抑制することで，チミジル酸合成とプリン合成を阻害する．メトトレキサートは能動輸送により細胞内に取り込まれた後，ポリグルタミン酸化を受け，細胞内に長時間とどまることで抗腫瘍効果を発揮する．大量療法は，葉酸を能動的に取り込む機構が欠落しているがん細胞内にメトトレキサートを受動輸送により取り込ませた後，還元型葉酸製剤であるホリナートカルシウム（ロイコボリン®）を投与することで，これを能動的に取り込むことができる正常細胞を救援するという理論に立脚している．また，白血病・リンパ腫に対する大量療法は，聖域療法（中枢神経・精巣浸潤に対する治療）としても位置づけられている．

投与方法
1）大量療法
　ALL・悪性リンパ腫では1〜5 g/m^{2}まで，骨肉腫では100〜300 mg/kgまで使用されるが，治療プロトコールにより用量設定や投与時間が異なる．ホリナートカルシウム救援回数も治療プロトコールによる．メトトレキサートへの感受性が高いDown症候群の患者では，投与量を減量する．

2）髄腔内化学療法
　年齢により投与量が規定されている．日本小児がん研究グループ（JCCG）の治療研究では，1歳未満6 mg，1歳8 mg，2歳10 mg，3歳以上12 mgの用量が採用されている．急性骨髄性白血病（AML）治療研究，乳児白血病治療研究では3か月未満への用量も規定しており3 mgとしている．

3）ALLに対する外来維持療法
　6メルカプトプリン（連日内服）と併用し，週1回のメトトレキサート20 mg/m^{2}の内服を行う（JCCG治療研究での用量）．プロトコール規定に基づき，白血球数（通常，2,000〜3,000/μLに維持），肝機能，血清ビリルビン値により用量を変更する．

急性期副作用
　急性毒性として，骨髄抑制，口内炎などの粘膜症状，悪心・嘔吐，下痢などの消化器症状，肝障害，腎障害を認める．メトトレキサート投与前後での非ステロイド系抗炎症薬，サルファメトキサゾール・トリメトプリム（sulfamethoxazole-trimethoprim：ST）合剤，抗菌薬の使用は，本剤の排泄を遅延させ，急性毒性を増強することがある．メトトレキサート大量療法では，治療前にクレアチニン・クリアランスが正常であること，重篤な肝障害がないこと，胸水，腹水などサードスペースへの水分貯留がないことを確認する．治療後は，血中濃度のモニタリングを行い，治療プロトコールに沿ったホリナートカルシウム救援療法を行う．メトトレキサートの血中濃度の危

険限界は，治療開始後24時間値で$1×10^{-5}$ mol/L，48時間値で$1×10^{-6}$ mol/L，72時間値で$1×10^{-7}$ mol/Lとされており，危険限界以上の濃度では，重篤な骨髄抑制，粘膜障害を回避するため，ホリナートカルシウム投与量の増量，救援の延長を行う．メトトレキサート大量療法を実施する際は，十分な輸液による尿量確保，炭酸水素ナトリウムの併用による尿アルカリ化，アセタゾラミドによる利尿を行い，メトトレキサート結晶の尿細管沈着による腎不全の発症を予防する．また，尿を酸性化するフロセミド，エタクリン酸，サイアザイド系利尿薬の使用を避ける．メトトレキサート・ロイコボリン®救援療法によるメトトレキサート排泄遅延時の解毒の治療薬としてMTX加水分解酵素薬グルカルピダーゼが2021年に薬事承認を受けている．大量療法と髄腔内投与の合併症として高次脳機能低下や白質脳症が報告されている．何らかの神経症状を認める場合には，本剤の継続について慎重に判断する．また，大量療法に伴う骨密度低下や病的骨折に対する注意も必要である．

ピリミジン代謝拮抗薬

シタラビン ◆2

概要
①薬剤名：シタラビン（cytarabine）
②略号：Ara-C
③商品名：キロサイド®/キロサイド® N（日本新薬），シタラビン点滴静注液（武田テバファーマ），スタラシド®（日本化薬）
④製剤規格
　カプセル：50 mg，100 mg
・静注用（キロサイド®注）：20 mg，40 mg，60 mg，100 mg，200 mg
　（標準用量）
・点滴静注用（キロサイド® N注）：400 mg，1 g
　（大量療法）

適応疾患
急性白血病（赤白血病，CMLの急性転化例を含む），消化器癌，肺癌，乳癌，女性性器癌（癌においてはほかの抗がん薬と併用），膀胱腫瘍（膀胱内注入）に適応がある．シタラビン大量療法の適応疾患は，再発または難治性のAML，ALL，悪性リンパ腫（ただしALL，悪性リンパ腫はほかの抗がん薬と併用する場合に限る）となっている．また，シタラビンのプロドラッグである経口薬シタラビン・オクホスファート（スタラシド®）は，骨髄異形成症候群（myelodysplastic syndrome：MDS）に対する適応があり，MDSに対する少量Ara-C療法に使用されてきたが，少量Ara-C療法の有効性を示すエビデンスは乏しく，現在ではほとんど使用されなくなっている．

薬理作用
シタラビンは，デオキシシチジン誘導体でシチジンのリボースがアラビノースに置換されている．細胞内でのデオキシシチジンのリン酸化律速酵素であるデオキシシチジンキナーゼ（deoxycytidine kinase：dCK）によりAra-CMPに変換されたあと，Ara-CDP，Ara-CTPとなってCDPレダクターゼとDNAポリメラーゼを抑制する．また，DNAに組み込まれてDNA合成を阻害する．本剤はDNA合成能が低い休止期の白血病細胞に対しても濃度依存的殺細胞作用を示すことが報告されており，大量療法の理論的根拠になっている．さらに，髄注化学療法および大量療法の薬剤として，中枢神経系白血病の予防と治療にも用いられる．

投与方法
1) 大量療法
1回2～3 g/m²を12時間ごとに3時間点滴静注し，3日間連日投与を行う．AML，高リスクALL，進行型成熟B細胞型リンパ腫などに対する治療レジメンに採用されている．

2) 髄腔内化学療法
年齢により投与量が規定されている．JCCGの治療研究では，1歳20 mg，2歳26 mg，3歳以上30 mgの用量が採用されている．1歳未満への投与量は治療研究により異なり，15～16 mgに設定されている．AML治療研究，乳児白血病治療研究では3か月未満への用量も規定しており6 mgとしている．

3) IDA-FLAG療法
治療抵抗性のAMLに試みられる治療で，イダルビシン（12 mg/m²×3日）およびフルダラビン（30 mg/m²×4日），シタラビン（2 g/m²×4日），G-CSF（400 μg/m²，第1治療日から好中球1,000/μLまで）を併用するレジメンである[1]．

急性期副作用と対応
1) 急性期副作用
嘔吐，食欲不振，下痢などの消化器症状と口内炎などの粘膜症状を高頻度に認める．発疹，肝障害，発熱を認めることがある．重大な副作用である骨髄抑制，消化管出血，急性呼吸窮迫症候群，急性心膜炎，中枢神経障害に注意する．大量療法，髄腔内投

与では，白質脳症を合併することがあり，後遺症として中枢神経障害を残すことがある．

2）シタラビン症候群

大量療法後6〜12時間で発症し，発熱，筋肉痛，骨痛，胸痛，眼症状（結膜炎，眼痛，羞明など），皮膚症状（発疹，発赤，紅斑，痛みなど）を認める．眼症状は副腎皮質ホルモン点眼，皮膚症状は副腎皮質ホルモン薬投与により軽減できる．

3）緑色連鎖球菌感染

緑色連鎖球菌（*Streptococcus viridans*）は，口腔および消化管の常在菌で，化学療法後の好中球減少と粘膜障害に伴う敗血症の原因菌となる．大量Ara-C療法は，がん患者における重症緑色連鎖球菌感染のリスク因子の1つであり，本感染症合併時には適切な抗菌薬の投与と支持療法が必要になる．

アザシチジン ◆3

概要
①薬剤名：アザシチジン（azacytidine）
②略号：AZA
③商品名：ビダーザ®（日本新薬）
④製剤規格
　注射用：100 mg

適応疾患

MDS，AMLに適応がある．JCCGでは，2021年から若年性骨髄単球性白血病に対するアザシチジン療法の多施設共同試験が実施されている．

薬理作用

アザシチジンは，シチジンのピリミジン環5位の炭素原子を窒素原子に変換したシチジンアナログで，ほかのピリミジンアナログ同様に細胞内輸送されたあと，細胞内でウリジン-シチジンキナーゼ2（uridine cytidine kinase 2：UCK2）によりリン酸化を受け核酸に取り込まれる．DNAメチル化を阻害し細胞分化を誘導する作用を有する．MDS患者においてプロモーター領域の異常なメチル化によって抑制されているがん抑制遺伝子の発現を回復させ，細胞増殖抑制作用を示す可能性が報告されている．

投与方法

海外での臨床試験を参考に，成人ではアザシチジンとして75 mg/m^2を1日1回7日間皮下投与，または10分かけて点滴静注し，3週間休薬する．これを1サイクルとし，投与を繰り返す．ほかの抗がん薬との併用についての有効性，安全性は確立していない．

急性期副作用と対応

骨髄抑制，間質性肺炎，心障害などの重篤な副作用の報告がある．

プリン代謝拮抗薬

ネララビン ◆1

製剤
①薬剤名：ネララビン（nelarabine）
②略号：—
③商品名：アラノンジー®（ノバルティス）
④製剤規格
　静注用：250 mg

適応疾患

再発・難治性のT細胞性ALL，T細胞性リンパ芽球性リンパ腫に適応がある．難治性T細胞性ALL，T細胞性リンパ芽球性リンパ腫に対する単剤での効果は，21歳以下の患者での完全寛解導入率が，第一再発期で42%，第二再発期以降では13%であったと報告されている．海外からの報告では，新規診断のT細胞性ALL患者に対する治療においても本剤の追加により治療成績の向上がみられている[1]が，わが国での適用は，再発または難治性のT細胞性急性リンパ性白血病，T細胞性リンパ芽球性リンパ腫となっている．

薬理作用

ネララビンは，デオキシグアノシンの誘導体で，アデノシンデアミナーゼによって活性物質であるAra-Gに変換される．Ara-Gは，細胞内でデオキシグアノシンキナーゼ（deoxyguanosine kinase：dGK）とdCKによりAra-GMPに，さらにはAra-GTPへとリン酸化を受ける．Ara-GTPは，DNAポリメラーゼを抑制するとともに増殖細胞のDNAに取り込まれ，DNA鎖の伸張を阻害する．

投与方法

650 mg/m^2を1日1回，1時間以上かけて点滴静注する．これを5日間連日投与し，その後16日間休薬する．現時点では，単剤での使用に限定されており，他剤との併用療法による有効性と安全性は確立していない．

急性期副作用と対応

傾眠，末梢性ニューロパチー，けいれんなどの神経毒性が用量規定因子であり，一部不可逆的な障害の報告もあることから，神経毒性のある薬剤との併用に注意する．CTCAE（Common Terminology Criteria for Adverse Events）グレード2以上の神経系障害の徴

候が認められた場合は，直ちに投与を中止し，適切な対応をとることが警告されている．

クロファラビン[1]

製剤
①薬剤名：クロファラビン（clofarabine）
②略号：CAFdA
③商品名：エボルトラ®（サノフィ）
④製剤規格
　点滴静注用：20 mg

適応疾患
　適応症は，再発または難治性のALLであり，併用療法での適応はない．単剤治療でも難治性ALLの約20％に完全寛解を期待できる．海外では，クロファラビン（40 mg/m^2），エトポシド（100 mg/m^2），シクロホスファミド（440 mg/m^2）の3剤の5日間投与により，44％の完全寛解が得られたとの報告がある[2]．AMLへの適応はないが，AML治療におけるアントラサイクリン，エトポシドの代替薬としての可能性を示唆する報告がある[3]．Langerhans細胞性組織球症（LCH）への有効性を示す報告もある．

薬理作用
　クロファラビンは，アデニンの2位にクロロ基が，2'-アラビノ位にフッ素原子が導入されたデオキシアデノシンの誘導体で，dCKにより一リン酸化を受けた後，クロファラビン三リン酸に変換される．この三リン酸化体が，DNAポリメラーゼ，RR活性を抑制し，DNA合成を阻害する．また，ミトコンドリアの膜電位を低下させ，シトクロム c やほかのアポトーシス誘導因子に作用しアポトーシスを誘導する．

投与方法
　52 mg/m^{2}を1日1回2時間以上かけて点滴静注する．これを5日間連日投与し，少なくとも9日間休薬する．

急性期副作用と対応
　海外の臨床試験での安全性評価では，抗がん薬一般に認められる毒性に加えて，全身性炎症反応症候群（systemic inflammatory response syndrome：SIRS），毛細血管漏出症候群，静脈閉塞性肝疾患，中毒性表皮壊死融解症，Stevens-Johnson症候群の報告がある．

フルダラビン[4]

概要
①薬剤名：フルダラビン（fludarabine）
②略号：F-ara-AMP，FLU
③商品名：フルダラ®（サノフィ）
④製剤規格
　錠剤：10 mg
　注射用：50 mg

適応疾患
　注射製剤では，貧血・血小板減少症を伴う慢性リンパ性白血病，再発・難治性の低悪性度B細胞性非Hodgkinリンパ腫，マントル細胞リンパ腫，同種造血細胞移植の前治療，腫瘍特異的T細胞輸注療法の前処置に適応がある．
　錠剤の適応は，悪性リンパ腫に限られている．

薬理作用
　フルダラビンリン酸エステル（2F-ara-AMP）は，プリン環にフッ素が導入されたアデノシン誘導体である．2F-ara-AMPは，血漿中で脱リン酸化されて2F-ara-Aとなり，腫瘍細胞内に取り込まれる．2F-ara-AはdCKによりリン酸化された後，最終活性代謝物である三リン酸化体の2F-ara-ATPになる．2F-ara-ATPは，DNAポリメラーゼ，RNAポリメラーゼを抑制し，DNAおよびRNA合成を阻害する．また，休止期にある細胞内のDNA修復過程でDNAに取り込まれ，DNA損傷を蓄積させる．さらに，リボヌクレオチドをデオキシリボヌクレオチドに変換する酵素であるRRの活性を抑制する．

投与方法
　造血細胞移植では，従来の強力な骨髄破壊的な前処置法に代わるRIST（reduced intensity stem cell transplantation）が普及しつつあり，フルダラビン（20 mg/m^2×6日）とブスルファン（4 mg/kg/日×2日，1日量を4分割投与），フルダラビン（20 mg/m^2×6日）とメルファラン（70 mg/m^2×2日），これらの2剤併用に2 Gyの全身放射線照射を追加するなどの組み合わせが移植前処置として用いられている[4]．難治性AMLに対するIDA-FLAG療法（イダルビシン，フルダラビン，シタラビンおよびG-CSFを併用するレジメン）では，フルダラビン30 mg/m^2×4日の投与が行われる[5]．この治療では，Ara-C（2 g/m^2×4日）との併用にあたり，Ara-C投与4時間前のフルダラビン投与が推奨されている．

急性期副作用と対応
　一般的な副作用として，悪心・嘔吐などの消化器症状，発熱，倦怠感，脱力感などがみられる．また，遷延性のCD4陽性リンパ球減少に伴う日和見感染症への注意が必要である．まれな合併症として，自己免疫性溶血性貧血の報告がある．過量投与では，精神神経障害（失明，昏睡）の報告がある．

6メルカプトプリン

概要
①薬剤名：メルカプトプリン（6-mercaptopurine）
②略号：6-MP
③商品名：ロイケリン®（大原薬品工業）
④製剤規格
　10％散

適応疾患
急性白血病，CMLの自覚的ならびに他覚的症状の緩解となっている．

薬理作用
6メルカプトプリンは，ヒポキサンチンのプリン基6位の水素原子をSH基で置換したプリン誘導体である．ヒポキサンチン・グアニンホスホリボシル基転移酵素（hypoxanthine-guanine phosphoribosyl-transferase：HGPRT）により，Thio-IMPに変換され，プリン合成経路の律速酵素であるIMP脱水素酵素やアデニロコハク酸合成酵素を阻害する．また，チオグアニンヌクレオチドとして核酸に取り込まれることでDNAおよびRNA合成を阻害する．

投与方法
ALLの維持療法では，メトトレキサート（週1回内服）と併用し，6メルカプトプリン50 mg/m²の連日内服を行う（JCCG治療研究での用量）．プロトコール規定に基づき，白血球数（通常，2,000〜3,000/μLに維持），肝機能，血清ビリルビン値などにより用量を変更する．

急性期副作用と対応
消化器症状，肝障害，発疹などの過敏症状を認めることがある．本剤を不活化する酵素であるキサンチンオキシダーゼの阻害薬であるアロプリノールとの併用で効果と副作用が増強する．近年のゲノム薬理学の進歩により，日本人小児の本剤に対する高感受性と関連する*NUDT15*遺伝子多型が報告された．2019年に*NUDT15*遺伝子多型検査が保険適用となっている．

クラドリビン◆3

概要
①薬剤名：クラドリビン（cladribine）
②略号：2-CdA
③商品名：ロイスタチン®注（ヤンセン・ファーマ）
④製剤規格
　静注用：8 mg

適応疾患
ヘアリー細胞白血病，再発・治療抵抗性の低悪性度非Hodgkinリンパ腫，濾胞性B細胞性非Hodgkinリンパ腫，マントル細胞リンパ腫に適応がある．わが国での適応はないが，リスク臓器浸潤陰性のLCHに対する単剤での有効性を示す海外の報告がある[6]．

薬理作用
クラドリビンは，プリン環の2位の水素を塩素に置換したデオキシアデノシンの誘導体で，dCKによってリン酸化を受け2-CdAMPになる．さらに活性体である2-CdATPにまで変換され，DNA合成を阻害する．クラドリビンは細胞周期に依存せず，増殖期と休止期の細胞に同様の殺細胞効果を発揮すると考えられており，増殖が遅い細胞や休止期にある細胞の比率が高い慢性リンパ系腫瘍の治療薬として開発された．

投与方法
LCHには，1コースあたり5 mg/m²の用量で5日間投与する．ただし，血球減少の遷延を回避するために最大6コースとされている．

急性期副作用と対応
骨髄抑制に加えて，遷延性のリンパ球減少，特にCD4陽性リンパ球の減少に伴う日和見感染症に注意する．自己免疫性溶血性貧血の合併の報告もある．

ヒドロキシカルバミド◆4

概要
①薬剤名：ヒドロキシカルバミド（hydroxycarbamide）
②略号：HU
③商品名：ハイドレア®（ブリストル・マイヤーズスクイブ）
④製材規格
　カプセル：500 mg

適応疾患
CMLに適応がある．チロシンキナーゼ阻害薬の登場までは，CMLの急性転化を遅延させる薬剤として使用されてきたが，現在ではCMLに使用されることはなくなった．本態性血小板血症，真性多血症への適応が承認されている．また，海外では鎌状赤血球症に対する有効性が注目されている．

作用機序
ヒドロキシカルバミドは尿素誘導体で，リボヌクレオチドをデオキシヌクレオチドに変換する酵素であるRRを阻害することでDNA合成を阻害する．

投与方法

通常，成人1日500〜2,000 mgを1〜3回に分けて経口投与する．

急性期副作用と対応

副作用として発疹，消化器症状，骨髄抑制，間質性肺炎がある．また，長期間の投与で下肢に好発する皮膚潰瘍を認めることがある．

■ 文献

1) Dunsmore KP, et al.：Children's Oncology Group AALL0434：A phase III randomized clinical trial testing nelarabine in newly diagnosed T-cell acute lymphoblastic leukemia. J Clin Oncol 38：3282-3293, 2020
2) Hijiya N, et al.：Phase 2 trial of clofarabine in combination with etoposide and cyclophosphamide in pediatric patients with refractory or relapsed acute lymphoblastic leukemia. Blood 118：6043-6049, 2011
3) Rubnitz JE, et al.：Clofarabine can replace anthracyclines and etoposide in remission induction therapy for childhood acute myeloid leukemia：The AML08 multicenter, randomized phase III trials. J Clin Oncol 37：2072-2081, 2019
4) Fleischhack G, et al.：IDA-FLAG（idarubicin, fludarabine, cytarabine, G-CSF），an effective remission-induction therapy for poor-prognosis AML of childhood prior to allogeneic or autologous bone marrow transplantation：experiences of a phase II trial. Br J Haematol 102：647-655, 1998
5) Ishida H, et al.：Comparison of a fludarabine and melphalan combination-based reduced toxicity conditioning with myeloablative conditioning by radiation and/or busulfan in acute myeloid leukemia in Japanese children and adolescents. Pediatr Blood Cancer 62：883-889, 2015
6) Barkaoui MA, et al.：Long-term follow-up of children with risk organ-negative Langerhans cell histiocytosis after 2-chlorodeoxyadenosine treatment. Br J Haematol 191：825-834, 2020

（堀　浩樹）

◆1：低出生体重児，新生児，乳児に対する安全性は確立していない．
◆2：髄腔内化学療法の場合，低出生体重児，新生児または乳児に対する臨床試験は実施していない．
◆3：小児等を対象とした臨床試験は実施していない．
◆4：低出生体重児，新生児，乳児，幼児または小児に対する安全性は確立していない．

c. 植物アルカロイド薬

本項に掲載の植物アルカロイド薬は，イリノテカン，ノギテカン，エリブリンを除くとすべて肝代謝である．主たる酵素はCYP3A4であり，CYP3A4阻害物質（アゾール系抗真菌薬，マクロライド系抗菌薬，カルシウム拮抗薬，ベンゾジアゼピン系薬剤，グレープフルーツなど）の併用下では抗がん薬の副作用が増強し，CYP3A4誘導物質（フェニトイン，カルバマゼピン，リファンピシン，フェノバルビタール，セイヨウオトギリソウ含有食品）の併用下では抗がん薬の作用が減弱することに注意する．

用量・用法は各プロトコールを遵守する．乳児，特に体重6 kg未満では一般に体表面積換算から体重換算（1 m²相当量を30 kgとして比例計算）に切り換える（これにより新生児では体表面積換算の約50%量に相当となる）．肝代謝の薬剤は，黄疸があればさらに減量する．これらの変更は薬物動態に基づくものではなく，安全性を優先する経験的な減量である．乳児量から漸増せずに漫然と治療を続けると，治癒率を下げることになる．

植物アルカロイド薬に対するがん細胞の耐性化には，膜ポンプによる抗がん薬の細胞外への汲み出しが関与する．ABCトランスポーター（ABCA〜ABCGがある）のうち，P糖蛋白（別名MDR1．*ABCB1*遺伝子の産物）が重要で，MRP2（ABCC2），BCRP（ABCG2）が関与するものもある．

微小管阻害薬

チューブリンが重合した微小管は細胞分裂M期の紡錘体形成に必須である．ビンカアルカロイドはチューブリンの重合を，タキサンは微小管の脱重合を阻害する．微小管は神経細胞の軸索輸送にも関与するため，これらの薬の副作用として末梢神経障害を生じ得る．いずれも血管外漏出時には強い炎症を惹起し，水疱や潰瘍を形成するので注意する．

ビンカアルカロイド系

ビンクリスチンがプロトタイプである．肝CYP3A4で代謝される．投与後は組織内に数日間残留する．中枢神経系への移行は不良である．おもに糞便中に排泄される．腎障害では減量の必要はない（ただし腎不全では50%量に減じる）．肝障害時には，血清総ビリルビン1.5 mg/dL以上で50%量に，3.1 mg/dL以上で25%量に減じる（ビノレルビンのみ設定が異なり後述する）．

ビンクリスチン，ビンデシン，ビンブラスチン，ビノレルビンの4剤は，薬理作用，投与・管理上の注意・禁忌，急性期副作用・合併症と対応方法で共通する点が多いためまとめて記載する．

薬理作用

ビンカアルカロイドはチューブリンの重合を阻害

する．耐性化の機序は，P糖蛋白の発現上昇，およびチューブリンの変異である．

投与・管理上の注意・禁忌

いずれも髄腔内投与は禁忌である．用量制限毒性はビンクリスチンが神経障害，ほかの3薬は好中球減少である．投与間隔は週1回（あるいはそれ以上あける）が原則である．間違って連日投与することのないよう注意する．マイトマイシンCとの併用では，呼吸困難や気管支けいれんに注意する．

急性期副作用・合併症と対応方法

おもな副作用は骨髄抑制，末梢神経障害（知覚異常，末梢神経炎など），中枢神経障害（けいれん，錯乱，昏睡など），消化管障害（イレウス，便秘，消化管出血，消化管穿孔），抗利尿ホルモン不適合分泌症候群（バゾプレシン分泌過剰症，syndrome of inappropriate secretion of antidiuretic hormone：SIADH），ショック，アナフィラキシー様症状，心筋梗塞，狭心症，脳梗塞，難聴，呼吸困難，気管支けいれん，間質性肺炎などである．末梢神経障害の初期症状としてのしびれ，知覚異常，また深部腱反射の低下などに注意する．

ビンクリスチン◆1

概要

①薬剤名：ビンクリスチン（vincristine）
②略号：VCR
③商品名：オンコビン®（日本化薬）
④製剤規格
・注射用：1 mg

適応疾患

急性白血病，悪性リンパ腫，小児固形腫瘍（神経芽腫，Wilms腫瘍，横紋筋肉腫，睾丸胎児性癌，血管肉腫等），神経膠腫．

投与・管理上の注意・禁忌

脱髄型 Charcot-Marie-Tooth 病（Charcot-Marie-Tooth disease：CMTD）の患者には禁忌である．髄注は禁忌である．急性期副作用は便秘，末梢神経障害，疼痛，発熱など．不耐容であれば2倍量換算のビンデシンで代用を試みる．

投与方法

小児の白血病での用量は添付文書上では0.05〜0.10 mg/kgとされているが，実臨床では1.5 mg/m²/回（上限2 mg/回）であり，週1回緩徐に静注する．体重10 kg以下の小児では0.05 mg/kg/回とする．注射用水または生食液で溶解し使用する．

ビンデシン◆1

概要

①薬剤名：ビンデシン（vindesine）
②略号：VDS
③商品名：フィルデシン®（日医工）
④製剤規格
・注射用：1 mg，3 mg

適応疾患

急性白血病，悪性リンパ腫．

投与方法

小児には，1回0.07〜0.10 mg/kgを週1回静注する．ビンクリスチン不耐容の小児では3 mg/m²/回（上限4 mg/回）とし，週1回静注する．

ビンブラスチン◆1

概要

①薬剤名：ビンブラスチン（vinblastine）
②略号：VLB，VBL
③商品名：エクザール®（日本化薬）
④製剤規格
・注射用：10 mg

適応疾患

Langerhans細胞組織球症，悪性リンパ腫など．再発または難治性の胚細胞腫瘍に対しては，確立された他の抗悪性腫瘍薬との併用療法を行い，ビンブラスチン硫酸塩として1日量0.11 mg/kgを1日1回2日間静注し，19〜26日間休薬する．これを1コースとして繰り返す．適応外使用では低悪性神経膠腫（グレードI）に対する治療の1つである[1]．

投与方法

Langerhans細胞組織球症に対して1回6 mg/m²を導入療法においては週1回，維持療法においては2〜3週に1回静注する．

その他

腫瘍血管の抑制による抗腫瘍作用を併せもつ[1]．

ビノレルビン◆3

概要

①薬剤名：ビノレルビン（vinorelbine）
②略号：VNR
③商品名：ナベルビン®（協和キリン），ロゼウス®（日本化薬）
④製剤規格
・注射用：10 mg，40 mg．剤形は液体．

適応疾患

非小細胞肺癌，手術不能または再発乳癌．適応疾患は小児にはない．適応外ではあるが横紋筋肉腫の代替療法の1つとしてシクロホスファミドと併用される（VNR/CPA療法）[2]．

投与・管理上の注意・禁忌

肝障害時には，血清総ビリルビン 2.1 mg/dL 以上で 50％量に，3.1 mg/dL 以上で 25％量に減じる．

タキサン系

先にパクリタキセル（タキソール®）が開発されたが難水溶性で，溶解剤のポリオキシエチレンヒマシ油（クレモホール®）の影響による過敏反応がみられる（前投薬が必須）．また投与順序により，併用する抗がん薬の代謝の速さや副作用の強さに影響を与える．しかしドセタキセルではこれらの影響が少ない．

薬理作用

タキサンは微小管の脱重合を阻害する．耐性化の機序は，P糖蛋白の発現上昇，抗アポトーシス蛋白（bcl-2 など）の発現上昇である．

ドセタキセル◆3

概要
①薬剤名：ドセタキセル（docetaxel）
②略号：DTX
③商品名：ドセタキセル（各社），タキソテール®（サノフィ），ワンタキソテール®（サノフィ）
④製剤規格
・注射用：20 mg，80 mg

適応疾患
乳癌，非小細胞肺癌，胃癌，頭頸部癌，卵巣癌，食道癌，子宮体癌，前立腺癌．

適応外ではあるが，海外ではゲムシタビン/ドセタキセル（GD療法または GEM/DTX療法）は平滑筋肉腫などに用いられる[3]．

投与・管理上の注意・禁忌

ワンタキソテール®は剤形が液体であり，生食液または 5％ブドウ糖液と混和後，速やかに使用開始する．

本剤はポリソルベート 80 を含有する．おもに肝酵素 CYP3A4 で代謝され，おもに糞便中に排泄される．肝障害患者（成人）では，血清ビリルビン正常域上限以上，AST・ALT 正常域上限の 1.5 倍以上，ALP正常域上限の 2.5 倍以上では投与を推奨されない．

ハリコンドリン B 誘導体

クロイソカイメンから単離されたハリコンドリン B の抗腫瘍活性部位から誘導された新薬で，大環状ケトン合成アナログである．

薬理作用

ハリコンドリン B 誘導体は，微小管の伸長側（プラス端）に非可逆結合し，G2/M期にて細胞分裂を停止させる．

エリブリン◆3

概要
①薬剤名：エリブリン（eribulin）
②略号：—
③商品名：ハラヴェン®（エーザイ）
④製剤規格
・注射用：1 mg．剤形は液体．

適応疾患
乳癌，悪性軟部腫瘍．

適応外ではあるが，海外での小児の前臨床試験では急性白血病，Ewing 肉腫，横紋筋肉腫のみならず，骨肉腫や膠芽腫にも効果が認められた．ただ神経芽腫への効果は限定的であった[3]．

投与・管理上の注意・禁忌

希釈する場合は生食液を用いる．5％ブドウ糖液では反応生成物が析出するので用いない．

大部分は代謝を受けることなく，未変化体のままおもに糞便中に排泄される．脳移行性は低く，血漿の約 10％の濃度である．腎障害（CCr 15〜49 mL/分）では薬物血中濃度時間曲線下面積（AUC）が正常者の約 1.5 倍，肝障害（Child-Pugh 分類 A〜B）では 2〜3 倍であった．CCr 30 mL/分以下，総ビリルビン 3.1 mg/dL 以上など（Child-Pugh 分類 C）での安全性は未確立である．

トポイソメラーゼ阻害薬

トポイソメラーゼは DNA の切断と再結合の機能を有する．トポイソメラーゼ I は DNA 二重螺旋の一方のみを切断し，DNA のねじれを解消して再結合する．トポイソメラーゼ II は二本鎖とも切断し，ほかの DNA 鎖が絡まないよう通過させて再結合する．

薬理作用

トポイソメラーゼ阻害薬は，DNA 切断端とトポイソメラーゼの複合体に結合して安定化し，再結合を阻害する．

トポイソメラーゼⅠ阻害薬

カンプトテシンの誘導体で，細胞周期のS期に作用する．イリノテカンは中枢への分布が不良で，用量規定毒性は腸管粘膜障害（下痢や下血など）である．ノギテカン（トポテカン）はカンプトテシン誘導体のなかでは髄液移行が良好（血漿の20～40%濃度）で，用量規定毒性は骨髄抑制（常用量）と口腔粘膜障害（高用量）である．

イリノテカン [1]

概要
① 薬剤名：イリノテカン（irinotecan）
② 略号：CPT-11
③ 商品名：イリノテカン（各社），カンプト®（ヤクルト），トポテシン®（第一三共）
④ 製剤規格
・注射用：40 mg，100 mg．剤形は液体．

適応疾患
小児悪性固形腫瘍，非Hodgkinリンパ腫．

薬理作用
CPT-11の大半はカルボキシルエステラーゼ（肝，腸，腫瘍細胞に存在）による代謝で生理活性物質SN-38となり効果を発揮する（CPT-11の一部はCYP3A4で無毒化される）．SN-38は肝のUDP-グルクロン酸転移酵素1A1（UGT1A1）によりグルクロン酸抱合体（SN-38G）となり，胆汁中に排泄される．なおCPT-11未変化体は一部が脳へ移行し（血漿の20%濃度），脳内で活性化されるが，生理活性物質SN-38は速やかに脳外へ排泄され検出されない．

耐性化の機序は，トポイソメラーゼⅠの変異や発現低下，カルボキシルエステラーゼの発現低下，薬剤排出ポンプ（MRP-2やBCRP）の発現上昇などである．

投与・管理上の注意・禁忌
併用禁忌薬はアタザナビルである（UGTを阻害しCPT-11の副作用が増強する）．併用注意として末梢性筋弛緩薬の作用減弱，およびCYP3A4阻害物質とCYP3A4誘導物質があげられている．

腎障害時の投与は腎機能悪化に注意する．肝障害がある場合，FOLFIRINOX法（膵癌に対する2週間に1回の併用化学療法）ではイリノテカンを血清総ビリルビン2.1 mg/dL以上で67%量に，3.1 mg/dL以上で50%量に減量する．

投与方法
副作用軽減のため少量の長期投与が主流である．

イリノテカン20 mg/m^2/日（60分以上かけて点滴静注）の5日間投与を2週繰り返して1クールとし，3週間以上の間隔で反復する．イリノテカンとテモゾロミドの併用はEwing肉腫や神経芽腫（適応外使用）の救済療法である．またビンクリスチンとイリノテカンの併用（VI療法）では相乗効果があり，横紋筋肉腫の救済療法である．

急性期副作用・合併症と対応方法
副作用としての下痢には早発性（投与24時間以内）と晩発性（24時間以降）がある．早発性下痢はCPT-11のコリン作動性によるもので，抗コリン薬（ブチルスコポラミンなど）で治療する．

晩発性下痢は腸管粘膜障害であり，腸管内へ排泄されたSN-38Gが腸内細菌のグルクロニダーゼで活性物質SN-38に戻され障害を引き起こす．CPT-11投与の2日前から3日後まで抗菌薬（セフポドキシム10 mg/kg/日分3など）を内服する予防法がある．治療としてのロペラミドは，SN-38を腸管内に長く停滞させないために，長期投与を避ける．

その他（代謝の個人差）
UDPグルクロン酸転移酵素（UGT）の1つ *UGT1A1* の遺伝子多型によりSN-38のクリアランスに差がある．多型 *UGT1A1*28* の変異（プロモーターのTATAボックスにおいてTAが6個から7個に増多）および *UGT1A1*6* の変異（第221番アミノ酸残基がグリシンからアラニンに変異）の計4アレルにおいて，2アレル（以上）に変異があると，下痢や好中球減少が有意に多い．遺伝子検査は保険適用となっている．

ノギテカン [1]

概要
① 薬剤名：ノギテカン（nogitecan）
② 略号：—
③ 商品名：ハイカムチン®（日本化薬）
④ 製剤規格
・注射用：1.1 mg．剤形は凍結乾燥製剤．

適応疾患
小児悪性固形腫瘍．適応外使用として造血細胞移植の前処置に高用量で用いられる．

薬理作用
耐性化の機序は，トポイソメラーゼⅠの変異や発現低下，薬剤排出ポンプ（イリノテカンとは異なりP糖蛋白）の発現上昇である．

投与・管理上の注意・禁忌
代謝を受けずに生理活性を有し，また主として代

謝を受けることなく尿中へ排泄される．腎機能低下の患者ではCCr 39 mL/分以下で初回投与量を50％量とし，CCr 19 mL/分以下では投与を推奨しない．

投与方法

併用化学療法において本剤を0.75 mg/m²/日（生食液で溶解後，生食液100 mLに混和し30分かけて点滴静注），5日間投与し16日間以上休薬，これを1コースとして反復する．間質性肺炎に注意する．シクロホスファミドとの併用（TC療法），テモゾロミドとの併用（TOTEM療法）は小児固形腫瘍の救済療法である[4)5)]．

急性期副作用・合併症と対応方法

間質性肺炎に注意する．

その他

海外ではINN命名法による「トポテカン topotecan」が一般名である．わが国では同系薬の商品名との混同を避けるため，医薬品名称調査会登録（JAN）により「ノギテカン nogitecan」と命名された．No-GI（Gastro Intestinal side effects）-tecanの意が由来である．

トポイソメラーゼⅡ阻害薬

エピポドフィロトキシン系薬とアントラサイクリン系薬がある．前者が植物アルカロイドで，わが国ではエトポシド（VP-16）のみが薬価収載されており，teniposide（VM-26）は未発売である．

エトポシド◆1

概要

①薬剤名：エトポシド（etoposide）
②分類：エピポドフィロトキシン系トポイソメラーゼⅡ阻害薬
③略号：VP-16，Etp
④商品名：エトポシド（各社），ラステット®（日本化薬），ベプシド®（ブリストル）
⑤製剤規格
・カプセル剤：25 mg，50 mg
・注射用：100 mg．剤形は液体．

適応疾患

注射剤：急性白血病，悪性リンパ腫，小児悪性固形腫瘍，腫瘍特異的T細胞輸注療法の前処置．適応外使用として血球貪食性リンパ組織球症，造血細胞移植の前処置がある．

カプセル剤：悪性リンパ腫など．適応外使用として脳腫瘍などに対する代替療法に用いられる．

薬理作用

細胞周期のS期～G2期に作用する．おもに肝酵素CYP3A4で代謝され，肝・腎排泄である．脳血液関門の通過は不良である．

耐性化の機序は，トポイソメラーゼⅡの変異や発現低下，DNA修復能の亢進，P糖蛋白の発現上昇である．

投与・管理上の注意・禁忌（注射剤）

生食液などに混和し30～60分かけて点滴静注する．結晶の析出を避けるため濃度0.4 mg/mL以下に調整し速やかに投与を開始する．静注部位に血管痛や静脈炎を，血管外漏出では硬結や壊死を起こし得るので注意する．移植前処置では大量投与となるため原液で4～24時間かけて投与する．

水に不溶性で溶媒にポリソルベート80，エタノールなどを含む．ポリウレタン製，アクリル製，ABS樹脂製の点滴ルートでは亀裂やひび割れが，セルロース系フィルターでは溶解が，ポリ塩化ビニル製ルートではDEHP（diethylhexyl phthalate）の溶出が生じる．

投与方法

小児適応ではほかの抗がん薬と併用して本注射剤100～150 mg/m²/日の3～5日間投与を1クールとし，3週間以上の間隔で反復する．放射線照射時は骨髄抑制増強のため減量など考慮する．

急性期副作用・合併症と対応方法

用量規定毒性は骨髄抑制である．投与後の二次がんは特徴的で，染色体11q23関連の相互転座を伴う急性骨髄性白血病が比較的早期（治療後2～3年）に発症する．

■ 文献

1) Lassaletta A, et al.：Phase II Weekly Vinblastine for Chemotherapy-Naïve Children With Progressive Low-Grade Glioma：A Canadian Pediatric Brain Tumor Consortium Study. J Clin Oncol 34：3537-3543, 2016
2) Minard-Colin V, et al.：Phase II study of vinorelbine and continuous low doses cyclophosphamide in children and young adults with a relapsed or refractory malignant solid tumors：good tolerance profile and efficacy in rhabdomyosarcoma—a report from the Société Française des Cancers et leucémies de l'Enfant et de l'adolescent（SFCE）. Eur J Cancer 48：2409-2416, 2012
3) Maki RG, et al.：Randomized phase II study of gemcitabine and docetaxel compared with gemcitabine alone in patients with metastatic soft tissue sarcomas：results of sarcoma alliance for research through collaboration study 002. J Clin Oncol 25：2755-2763, 2007
4) Kolb EA, et al.：Initial testing（stage 1）of eribulin, a novel tubulin binding agent, by the pediatric preclinical testing program. Pediatr Blood Cancer 60：1325-1332, 2013
5) London WB, et al.：Phase II randomized comparison of topotecan plus cyclophosphamide versus topotecan alone in children with recurrent or refractory neuroblastoma：a Children's Oncology Group study. J Clin Oncol 28：3808-3815, 2010

6) Di Giannatale A, et al.: Phase II study of temozolomide in combination with topotecan (TOTEM) in relapsed or refractory neuroblastoma: a European Innovative Therapies for Children with Cancer-SIOP-European Neuroblastoma study. Eur J Cancer 50: 170-177, 2014

(澤田明久)

◆1:小児には副作用に注意し慎重に投与する．
◆2:小児を対象とした臨床試験は実施していない．
◆3:小児に対する安全性は確立していない．

d. 抗がん抗菌薬

　アントラサイクリン系抗がん抗菌薬の投与時の注意として，静脈内投与に際し，薬液が血管外に漏れると注射部位に硬結，壊死を起こすことがあるので血管外漏出を生じないように注意する．ただし，ブレオマイシンのみは筋注・皮下注としても用いられる．2014年アントラサイクリン系抗がん抗菌薬の血管外漏出治療薬としてデクスラゾキサン(サビーン®)が薬価収載されている．

　アントラサイクリン系抗がん抗菌薬未治療例で，ドキソルビシン(DXR)換算で総投与量が $250\,mg/m^2$ を超えると重篤な心筋障害を起こすことが多くなるので注意する[1]．また，胸部あるいは腹部に放射線照射を受けた患者では心筋障害が増強されることがあるので特に注意する．

抗がん抗菌薬各論

ドキソルビシン◆1

概要
①薬剤名：ドキソルビシン(doxorubicin)
②略号：DXR
③商品名：ドキソルビシン(サンド，日本化薬)，アドリアシン®(サンドファーマ)
④製剤規格
　注射用：10 mg，50 mg

適応疾患
　悪性リンパ腫，肺癌，消化器癌，小児悪性固形腫瘍(Ewing肉腫ファミリー腫瘍，横紋筋肉腫，神経芽腫，網膜芽腫，肝芽腫，腎芽腫など)．

薬物動態
　主として肝臓で代謝される．40～50%が胆汁排泄，4～5%が尿中排泄．生体内半減期18～30時間．

薬理作用
　DNAの塩基対間にインターカレーションし，DNAと安定な結合を作ることにより，二重らせん構造に変化を生じさせ，DNAとDNAポリメラーゼおよびDNA依存性RNAポリメラーゼとの結合を阻害し，DNAあるいはRNAの合成を阻害する．また，インターカレートしたDNAにトポイソメラーゼII(トポII)が結合してDNA-トポII複合体を安定させ，開裂したDNAの再結合を阻害する．この結果，腫瘍細胞の増殖を阻害し，抗腫瘍効果を示す．

　ドキソルビシンをリポソームに閉じ込めたリポソーマルドキソルビシン(ドキシル®)が薬価収載されているが，適応はエイズ関連カポジ肉腫と再発した卵巣癌のみである．

代表的な治療レジメンにおける投与方法
・Ewing肉腫ファミリー腫瘍：VDC療法＋IE療法[2]
①レジメンI(VDC)：day 1，2
　ビンクリスチン $1.5\,mg/m^2$　1日，静注(最大量 $2.0\,mg$/回)
　ドキソルビシン $37.5\,mg/m^2$　1日と2日，48時間持続点滴静注
　シクロホスファミド $1.2\,g/m^2$　1日，1時間点滴静注，メスナを使用する
②レジメンII(IE)：day 15～19
　イホスファミド $1.8\,g/m^2$　1～5日，1時間点滴静注，メスナを使用する
　エトポシド $100\,mg/m^2$　1～5日，1～2時間点滴静注

急性期副作用・合併症
　骨髄抑制，悪心・嘔吐，粘膜障害，下痢，口内炎，慢性・急性心毒性，心筋障害，ショック，萎縮膀胱．

注意すべき晩期合併症
　心筋障害に注意が必要(総投与量が $500\,mg/m^2$ を超えると重篤な心筋障害を起こすことが多いので注意する)．定期的な心機能検査を実施することが望ましい．

ダウノルビシン◆2

概要
①薬剤名：ダウノルビシン(daunorubicin)
②略号：DNR

表1 ● 標準リスク群共通の寛解導入療法

週	2	3	4	5
日	8	15	22	29
PSL	■■■■■■■■■■■■■■■■■■▶			
VCR	○	○	○	○
DNR	●	●		
L-ASP	◇	◇◇◇	◇	◇ ◇
TIT				
注:( )はCNS2のみ	◎	(◎)	(◎)	◎
骨髄検査		★(BMA2)		★(BMA3:TP1)

VCR:点滴静注 1.5 mg/m²(最大量 2.0 mg)8, 15, 22, 29日.
PSL:経口投与 もしくは 点滴静注 分3 60 mg/m² 8〜28日.
PSL 経口投与 もしくは 点滴静注 分3 30→15→7.5 mg/m² 29〜37日(9日間で漸減中止).
DNR:点滴静注(1時間)30 mg/m² 8, 15日.
L-ASP:筋注もしくは 点滴静注(1時間)5,000 U/m² 12, 15, 18, 21, 24, 27, 30, 33日.
(Koh K, et al.: Phase II/III study in children and adolescents with newly diagnosed B-cell precursor acute lymphoblastic leukemia: protocol for a nationwide multicenter trial in Japan. Jpn J Clin Oncol 48: 684-691, 2018より引用)

③商品名:ダウノマイシン®(MeijiSeika ファルマ)
④製剤規格
　注射用:20 mg

適応疾患
急性白血病(慢性骨髄性白血病の急性転化を含む).

薬物動態
主として肝臓で代謝される.排泄経路はおもに胆汁中である.投与24時間までの尿中総排泄率は6.5〜17%である.本剤の尿中排泄により尿が赤色になることがある.

作用機序
細胞の核酸合成過程に作用し,直接DNAと結合する.その結合部位はプリンおよびピリミジン環上にあると考えられ,このためDNA合成とDNA依存RNA合成反応を阻害する.

投与・管理上の注意・禁忌
心筋障害に注意が必要である(総投与量が25 mg/kgを超えると重篤な心筋障害を起こすことが多い).

代表的な治療レジメンにおける投与方法
・ALL寛解導入療法:JPLSG ALL-B12;I_A2/I_A4[3)]

標準リスク(standard risk:SR)群共通の寛解導入療法を表1に示す.

急性期副作用・合併症
心筋障害,心不全,貧血,顆粒球減少,血小板減少,出血傾向などの骨髄抑制,ショック,ネフローゼ症候群.

ピラルビシン[3]

概要
①薬剤名:ピラルビシン(pirarubicin)
②略号:THP, THP-ADR
③商品名:テラルビシン®(MeijiSeika ファルマ),ピノルビン®(日本化薬)
④製剤規格
　注射用:10 mg, 20 mg

適応疾患
急性白血病,悪性リンパ腫など.

薬物動態
主として肝臓で代謝される.排泄経路はおもに胆汁中である.尿中排泄により尿が赤色になることがある.

作用機序
核酸合成を阻害し,細胞に障害を与える.細胞分裂G2期で細胞回転を止め,がん細胞を死滅させる.

投与・管理上の注意・禁忌
心筋障害に注意が必要である.本剤はpH6付近で最も安定であり,酸性側(pH5以下)およびアルカリ性側(pH8以上)で経時的に力価が低下する.溶解時のpHにより力価の低下および濁りを生じることがあるので,ほかの薬剤との混合を避ける.ピラルビシンとして10 mg(力価)当たり5 mL以上の5%ブドウ糖液,注射用水または生理食塩液を加えて溶解する.溶解後はできるだけ速やかに使用する.なお,やむを得ず保存を必要とする場合には,室温保存では6時間以内に使用すること.

代表的な治療レジメンにおける投与方法
・AML-D05:寛解導入療法(CET)[4)]
　表2に投与方法を示す.

急性期副作用・合併症
骨髄抑制,心筋障害,心不全,口内炎,悪心・嘔吐,脱毛,局所壊死(薬剤の血管漏出時).

ミトキサントロン[3]

概要
①薬剤名:ミトキサントロン(mitoxantrone)
②略号:MIT
③商品名:ノバントロン®(あすか製薬)
④製剤規格:
　注射用:10 mg, 20 mg

適応疾患
急性白血病(慢性骨髄性白血病の急性転化を含む),悪性リンパ腫など.

表2 JPLSG AML-D05：寛解導入療法（CET）

日	1	2	3	4	5	6	7
THP-ADR	↓	↓					
VP-16			↓	↓	↓		
Ara-C	■	■	■	■	■	■	■

THP-ADR：25 mg/m², 1時間 点滴静注 計2回 1日, 2日.
VP-16：150 mg/m²/日, 2時間 点滴静注 計3回 3〜5日.
Ara-C：100 mg/m²/日, 1時間 点滴静注 計7回 1〜7日.
(Taga T, et al.：Preserved High Probability of Overall Survival with Significant Reduction of Chemotherapy for Myeloid Leukemia in Down Syndrome：A Nationwide Prospective Study in Japan. Pediatr Blood Cancer 63：248-254, 2016 より引用)

表3 JPLSG AML-05：寛解導入療法 1（ECM）

日	1	2	3	4	5	6	7	8	9	10	11	12
VP-16	↓	↓	↓	↓	↓							
Ara-C						■	■	■	■	■	■	■
MIT						▼	▼	▼	▼	▼		
TIT						●						

VP-16 150 mg/m²/日, 点滴静注（2時間）計5回 1〜5日.
Ara-C 200 mg/m²/日, 点滴静注（12時間）計7回 6〜12日.
MIT 5 mg/m²/日, 点滴静注（1時間）計5回 6〜10日.
TIT MTX＋Ara-C＋HDC 髄注 6日.
(Hasegawa D, et al.：Attempts to optimize postinduction treatment in childhood acute myeloid leukemia without core-binding factors：A report from the Japanese Pediatric Leukemia/Lymphoma Study Group（JPLSG）. Pediatr Blood Cancer 67：e28692, 2020 より引用)

薬物動態

半減期は 10 mg/m², 30分点滴静注 1.6時間（β相），83時間（γ相）

作用機序

DNA鎖と架橋を形成し，腫瘍細胞の核酸合成を阻害する．また，トポⅡによるDNA鎖切断作用を阻害することが確認されている．

溶解方法

生理食塩液または5％ブドウ糖液 100 mL以上で希釈し，点滴静脈内投与する．保存方法は室温保存である．

投与・管理上の注意・禁忌

総投与量が 160 mg/m² を超えるとうっ血性心不全を起こす．また，ほかのアントラサイクリンによる治療歴や心臓部に放射線治療を受けた患者では，本剤の投与量が 100 mg/m² を超える場合は十分注意すること．

代表的な治療レジメンにおける投与方法

・AML-05：寛解導入療法 1（ECM）[5]
　投与方法を表3に示す．

急性期副作用・合併症

うっ血性心不全，心筋障害，骨髄抑制，汎血球減少，間質性肺炎，ショック，アナフィラキシー様症状，不整脈，発疹，紅斑，肝・腎・胃腸障害など．

イダルビシン [3,4]

概要

①薬剤名：イダルビシン（idarubicin）
②略号：IDR
③商品名：イダマイシン®（ファイザー）
④製剤規格
　注射用：5 mg

適応疾患

急性骨髄性白血病（慢性骨髄性白血病の急性転化

を含む）．

薬理作用

ダウノルビシンより脂溶性が増し，速やかに高濃度に細胞内に取り込まれる．DNAと結合後，核酸ポリメラーゼ活性を阻害し，また，トポⅡ阻害によりDNA鎖を切断する．

薬物動態

代謝物の半減期は 43〜51時間（血漿），37〜55時間（血球）である．

溶解方法

注射用蒸留水 5 mL を加えて溶解し 1.0 mg/mL にする．生理食塩液または5％ブドウ糖液 100 mL 以上で希釈し，点滴静脈内投与する．調整した溶液は 2〜8℃で48時間，常温で24時間は化学的に安定であるが，2〜8℃でも24時間以上保存しないことが望ましい．

投与・管理上の注意・禁忌

総投与量が 120 mg/m² を超えるとうっ血性心不全を起こす．また，ほかのアントラサイクリンによる治療歴のある患者では，それまでのダウノルビシン，ドキソルビシンの用量の1/4が加算される．

代表的な治療レジメンにおける投与方法

・AML-05：寛解導入療法 2（HCEI）[5]
　表4に投与方法を示す．

急性期副作用・合併症

うっ血性心不全，心筋障害，骨髄抑制，汎血球減少，間質性肺炎，ショック，アナフィラキシー様症状，不整脈，発疹，紅斑，肝・腎・胃腸障害など．

アクラルビシン [3]

概要

①薬剤名：アクラルビシン（aclarubicin）
②略号：ACR

表4 ● JPLSG AML-05：寛解導入療法2（HCEI）

日	1	2	3	4	5
Ara-C	■■	■■	■■		
VP-16	↓	↓	↓	↓	↓
IDA	▼				
TIT	●				

Ara-C 3 g/m²/回，点滴静注（3時間）12時間ごと計6回 1～3日．
VP-16 100 mg/m²/日，点滴静注（2時間）計5回 1～5日．
IDA 10 mg/m²/日，点滴静注（1時間）計1回 1日．
TIT MTX＋Ara-C＋HDC 髄注）1日．
（Hasegawa D, et al.：Attempts to optimize postinduction treatment in childhood acute myeloid leukemia without core-binding factors：A report from the Japanese Pediatric Leukemia/Lymphoma Study Group（JPLSG）. Pediatr Blood Cancer 67：e28692, 2020 より引用）

表5 ● 横紋筋肉腫VAC療法第1コース

週数	0	1	2	3	4	5	6	7	8	9	10	11	12
VCR	V	V	V	V	V	V	V	V	V				
ActD	A			A			A			A			
CPA	C			C			C			C			

投与量：VCR：1.5 mg/m²（最大投与量2 mg）．
　　　　ActD：0.045 mg/kg（1日のみ投与）（最大投与量2.5 mg）．
　　　　CPA：2.2 g/m²点滴静注（30分で）（メスナを使用）．
（Breneman JC, et al.：Prognostic factors and clinical outcomes in children and adolescents with metastatic rhabdomyosarcoma-a report from the Intergroup Rhabdomyosarcoma Study IV. J Clin Oncol 21：78-84, 2003 より引用）

③商品名：アクラシノン®（日本マイクロバイオファーマ）
④製剤規格：
　注射用：20 mg
適応疾患
悪性リンパ腫，急性白血病．
薬理作用
がん細胞のDNAに結合して核酸合成，特にRNA合成を強く阻害する．
溶解方法
20 mgを生理食塩液または5％ブドウ糖液10 mLに溶解する．
代表的な治療レジメンにおける投与方法
1）固形がんおよび悪性リンパ腫
　アクラルビシン塩酸塩として1日量40～50 mg（力価）〔0.8～1.0 mg（力価）/kg〕を1週間に2回，1，2日連日または1，4日に静脈内へワンショット投与または点滴投与する．
　アクラルビシン塩酸塩として1日量20 mg（力価）〔0.4 mg（力価）/kg〕を7日間連日静脈内へワンショット投与または点滴投与後，7日間休薬し，これを反復する．
2）急性白血病
　アクラルビシン塩酸塩として1日量20 mg（力価）〔0.4 mg（力価）/kg〕を10～15日間連日静脈内へワンショットまたは点滴投与する．

アクチノマイシンD◆4

概要
①薬剤名：アクチノマイシンD（actinomycin D）
②略号：Act D
③商品名：コスメゲン®（ノーベルファーマ）
④製剤規格：
　注射用：0.5 mg
適応疾患
小児悪性固形腫瘍（Ewing肉腫ファミリー腫瘍，横紋筋肉腫，腎芽腫，そのほかの腎原発悪性腫瘍）など．
薬物動態
半減期は，静注では36時間である．
作用機序
DNAのグアニンと結合し，複合体を作り，そのためDNA依存性のRNAポリメラーゼによるDNAの転写反応が阻害され，RNA生成が抑制される．
溶解方法
本剤1バイアルにつき1.1 mLの注射用水（保存剤を含まないもの）を加え，溶解する．この溶解液は，1 mL中にアクチノマイシンDを約0.5 mg含有する．1.1 mLの生理食塩液では完全に溶解せず白濁するので，必ず注射用水で溶解すること．
代表的な治療レジメンにおける投与方法
1）横紋筋肉腫VAC療法[6]
　投与方法を表5に示す．
急性期副作用・合併症と対応方法
　肝静脈閉塞症，DIC，中毒性表皮壊死融解症（toxic epidermal necrolysis：TEN），皮膚粘膜眼症候群（Stevens-Johnson症候群）が現れることがあるので観察を十分に行い，異常が認められた場合には中止し，適切な処置を行う．

ブレオマイシン◆4

概要
①薬剤名：ブレオマイシン（bleomycin）
②略号：BLM
③商品名：ブレオ®（日本化薬）
④製剤規格
　注射用：5 mg，15 mg

適応疾患

悪性リンパ腫，神経膠腫，胚細胞腫瘍（精巣腫瘍，卵巣腫瘍，性腺外腫瘍）など．

作用機序

DNA合成阻害およびDNA鎖切断作用がある．後者の機序は次のように考えられている．ブレオマイシンと二価鉄イオンとがキレートし，二価鉄ブレオマイシン錯体となる．この二価鉄ブレオマイシン錯体はDNAと結合した状態で酸素を活性化し，活性化された酸素によってDNA鎖が切断される．

溶解方法

1) 静注

15～30 mg（力価）を生理食塩液またはブドウ糖液などの適当な静脈用注射液5～20 mLに溶解し，緩徐に静注する．

2) 筋注・皮下注

15～30 mg（力価）を生理食塩液などの適当な溶解液約5 mLに溶解し，筋注または皮下注する．患部の周辺に皮下注する場合は1 mg（力価）/mL以下の濃度とする．

3) 動注

5～30 mg（力価）を生理食塩液またはブドウ糖液などの適当な注射液に溶解し，シングルショットまたは連続的に注射する．

代表的な治療レジメンにおける投与方法

1) BEP療法：胚細胞腫瘍[7]

投与方法を表6に示す．

急性期副作用・合併症と対応方法

投与により間質性肺炎，肺線維症などの重篤な肺症状を呈することがあり，ときに致命的な経過をたどることがあるので，本剤の投与が適切と判断される症例についてのみ投与し，投与中および投与終了後の一定期間（およそ2か月くらい）は患者を医師の監督下におくこと．

表6 ◆ 胚細胞腫瘍におけるBEP療法

週数	1	2	3
BLM		■	
VP-16	↓	↓	↓
CDDP	↓		

BLM：15 mg/m²．
VP-16：120 mg/m²．
CDDP：100 mg/m²．

(Cushing B, et al.: Randomized comparison of combination chemotherapy with etoposide, bleomycin, and either high-dose or standard-dose cisplatin in children and adolescents with high-risk malignant germ cell tumors: a pediatric intergroup study-Pediatric Oncology Group 9094 and Children's Cancer Group 8882. J Clin Oncol 22：2691-700, 2004 より引用)

■ 文献

1) JCCG長期フォローアップ委員会長期フォローアップガイドライン作成ワーキンググループ（編）：小児がん治療後の長期フォローアップガイド．クリニコ出版，2021
2) Chin M, et al.: Multimodal treatment including standard chemotherapy with vincristine, doxorubicin, cyclophosphamide, ifosfamide, and etoposide for the Ewing sarcoma family of tumors in Japan: Results of the Japan Ewing Sarcoma Study 04. Pediatr Blood Cancer 67：e28194, 2020. doi：10.1002/pbc.28194
3) Koh K, et al.: Phase II/III study in children and adolescents with newly diagnosed B-cell precursor acute lymphoblastic leukemia: protocol for a nationwide multicenter trial in Japan. Jpn J Clin Oncol 48：684-691, 2018
4) Taga T, et al.: Preserved High Probability of Overall Survival with Significant Reduction of Chemotherapy for Myeloid Leukemia in Down Syndrome: A Nationwide Prospective Study in Japan. Pediatr Blood Cancer 63：248-254, 2016
5) Hasegawa D, et al.: Attempts to optimize postinduction treatment in childhood acute myeloid leukemia without core-binding factors: A report from the Japanese Pediatric Leukemia/Lymphoma Study Group（JPLSG）. Pediatr Blood Cancer 67：e28692, 2020
6) Breneman JC, et al.: Prognostic factors and clinical outcomes in children and adolescents with metastatic rhabdomyosarcoma-a report from the Intergroup Rhabdomyosarcoma Study IV. J Clin Oncol 21：78-84, 2003
7) Cushing B, et al.: Randomized comparison of combination chemotherapy with etoposide, bleomycin, and either high-dose or standard-dose cisplatin in children and adolescents with high-risk malignant germ cell tumors: a pediatric intergroup study-Pediatric Oncology Group 9094 and Children's Cancer Group 8882. J Clin Oncol 22：2691-2700, 2004

（工藤寿子）

◆1：低出生体重児，新生児に対する安全性は確立していない．
◆2：副作用の発現に特に注意すること．
◆3：低出生体重児，新生児，乳児，幼児または小児に対する安全性は確立していない（使用経験が少ない）．
◆4：小児に投与する場合には副作用の発現に注意し，慎重に投与すること．

e. プラチナ製剤

プラチナ製剤にはシスプラチン（CDDP），カルボプラチン（CBDCA），オキサリプラチン，ネダプラチンがあるが，小児に適応がある薬剤はシスプラチンとカルボプラチンである．1970年代後半より臨床の場で使用されている．プラチナ製剤は，非古典的アルキル化薬に分類される．DNAを構成するグアニ

ンとアデニンの N^7 位に結合し，DNA 鎖内に架橋を形成し，これによって DNA 複製過程の二重らせんの解除を妨げ DNA 合成阻害をもたらす．同様な作用機序はマスタード薬（シクロホスファミド，イホスファミド，メルファラン，ブスルファン），ニトロソウレア薬（ラニムスチン，ニムスチン），抗がん抗菌薬（マイトマイシン C，ドキソルビシン）などでもみられる．

シスプラチン

概要

① 薬剤名：シスプラチン（cisplatin）
② 略号：CDDP
③ 商品名：ランダ®（日本化薬），シスプラチン（日医工，ヤクルト，ファイザー）
④ 製剤規格
　注射液：10 mg，25 mg，50 mg

ほかに肝細胞癌を適応とした動注用製剤であるアイエーコール®（日本化薬）注射液 50 mg，100 mg がある．

適応疾患

睾丸腫瘍，膀胱癌，腎盂・尿管腫瘍，前立腺癌，卵巣癌，頭頸部癌，非小細胞肺癌，食道癌，子宮頸癌，神経芽腫，胃癌，小細胞肺癌，骨肉腫，胚細胞腫瘍（精巣腫瘍，卵巣腫瘍，性腺外腫瘍），悪性胸膜中皮腫，胆道癌がある．また，悪性骨腫瘍，子宮体癌（術後化学療法，転移・再発時化学療法），再発・難治性悪性リンパ腫，小児悪性固形腫瘍（横紋筋肉腫，神経芽腫，肝芽腫その他肝原発悪性腫瘍，髄芽腫等）などに対してはほかの抗がん薬との併用療法時に認められている．

薬理作用

がん患者での点滴静注後の血中濃度の推移は二相性の減衰曲線を示し，その β 相の半減期は 100 時間前後と長く，投与後 14 日目の血中においても白金化合物が検出される．また尿中排泄は非常に緩慢であり，投与後 24 時間では 15.6〜51.3％で，投与後 5 日目でも排泄率の高い例においては 45〜75％と報告されている．

投与・管理上の注意・禁忌

使用禁忌の患者として，プラチナ製剤に過敏症のある患者，重篤な腎障害のある患者，妊婦または妊娠している可能性のある女性があげられる．

おもな併用注意薬剤・療法としては，以下のことが起こる恐れがあることが知られている．① ほかの抗がん薬と放射線治療との併用で骨髄抑制が増強する．② パクリタキセルでは，併用時に CDDP をパクリタキセルより先行投与した場合には，逆の順序で投与した場合より骨髄抑制が増強する．③ パクリタキセル併用により末梢神経障害が増強する．④ アミノグリコシド系抗菌薬，バンコマイシン塩酸塩，注射用アムホテリシン B，フロセミドなどとの併用では，腎障害，聴器障害が増強する．頭蓋内放射線療法では聴器障害が増強する．⑤ フェニトインでは，フェニトインの血漿中濃度が低下する．しかし，併用禁忌とされる薬剤はない．

代表的な治療プロトコールにおける投与方法

日本小児がん研究グループ（JCCG）神経芽腫委員会（JNBSG）臨床試験プロトコール 05A1 や 05A3 では，高リスク神経芽腫に対し，多剤併用療法の 1 つとして，CDDP 20 mg/m^2/日を 5 日間 24 時間持続点滴静注（合計 100 mg/m^2/5 日）で投与する治療計画を指定している．患者体重が 10 kg 未満の場合は，0.66 mg/kg/日を同量と規定している．最大投与量の規定はない．日本肝芽腫研究グループ臨床試験プロトコール CITA では，CDDP 80 mg/m^2 を 1 日 24 時間持続点滴静注で投与する．

推奨される投与方法として種々の詳細な注意事項がある．① CDDP は原液，または生理食塩液 500 mL に混和して 24 時間持続点滴静注する．② 本剤投与中および投与後 3 時間以上は尿量確保に注意し，必要に応じてマンニトールなどの利尿薬を投与する．③ 本剤を点滴静注する際に，クロールイオン濃度が低い輸液を用いた場合には活性が低下するので，必ず生理食塩液に混和する．④ 本剤を点滴静注する際には，アミノ酸輸液，乳酸ナトリウムを含有する輸液を用いると分解が起こるので避ける．⑤ 本剤は，アルミニウムと反応して沈殿物を形成し活性が低下するので，使用にあたってアルミニウムを含む医療用器具を用いない．また，錯化合物であるので，ほかの抗がん薬とは混注しない．⑥ 本剤は光により分解されるので，直射日光を避ける．点滴時間が長時間に及ぶ場合には，遮光して投与する．JNBSG の臨床試験では，腎障害を認めた場合に CDDP や CBDCA の厳格な減量規定を次のように設けている．① クレアチニンクリアランス（creatinine clearance：CCr）が 70 mL/分/1.73 m^2 以上であれば CDDP，CBDCA の投与量の減量は行わない．② CDDP，CBDCA 投与中にクレアチニン値がコース開始前の 50％ 以上の上昇を認めた場合は，そのコースの残りの CDDP，CBDCA の投与を休止する．この場合，次のコースの CDDP，CBDCA は CDDP 80％，CBDCA 75％ に

減量して投与する．③CCrが70 mL/分/1.73 m²未満であれば次コースの開始を1週間を限度に延期し，再度CCrを測定する．再検の結果70 mL/分/1.73 m²以上の場合は，CDDP，CBDCAを減量せず投与する．再検の結果，70 mL/分/1.73 m²未満40 mL/分/1.73 m²以上の場合はCDDP，CBDCAの投与量をCDDP 80％，CBDCA 75％に減量する．40 mL/分/1.73 m²未満の場合は以降のCDDP，CBDCAの投与は休止とする．

急性期副作用・合併症と対応方法

おもな薬物有害反応として，消化器症状（悪心・嘔吐，食思不振，下痢，口内炎，イレウス，腹痛，便秘，腹部膨満感，口角炎），末梢神経障害（しびれ，麻痺など），腎障害，聴力低下・難聴，汎血球減少等の骨髄抑制などがみられる．そのほかにも多くの有害反応が報告されている．末梢神経障害や聴器障害は総投与量が300 mg/m²以上になると顕著となるとされている．

カルボプラチン

概要

①薬剤名：カルボプラチン（carboplatin）
②略号：CBDCA
③商品名：パラプラチン®（ブリストル・マイヤーズスクイブ），カルボプラチン（日医工，日本化薬，サンド，沢井製薬，武田テバ薬品）
④製剤規格
　注射液：注50 mg（5 mL），150 mg（15 mL），450 mg（45 mL）

適応疾患

頭頸部癌，肺小細胞癌，睾丸腫瘍，卵巣癌，子宮頸癌，悪性リンパ腫，非小細胞肺癌，乳癌である．また，小児悪性固形腫瘍（神経芽腫・網膜芽腫・肝芽腫・中枢神経系胚細胞腫瘍，再発または難治性のEwing肉腫ファミリー腫瘍・腎芽腫）に対しては，ほかの抗がん薬との併用療法時に認められている．

薬理作用

血中濃度半減期（T1/2）は，α相0.16〜0.32時間，β相1.29〜1.69時間，γ相22〜32時間で，尿中排泄は24時間で57〜82％である．

投与・管理上の注意・禁忌

プラチナ製剤に過敏症のある患者，重篤な骨髄機能抑制のある患者，妊婦あるいは妊娠の可能性のある女性では使用禁忌である．併用禁忌とされる薬剤はない．併用注意薬剤は，シスプラチンの場合と同じである．

代表的な治療プロトコールにおける投与方法

JNBSG臨床試験プロトコールICE療法では，高リスク神経芽腫に対し，多剤併用療法の1つとしてCBDCA 400 mg/m²/日を2日間1時間点滴静注する．患者体重が10 kg未満の場合は，13.3 mg/kg/日を使用する．また多剤併用大量化学療法のMEC療法として，CBDCA 400 mg/m²/日を4日間24時間持続点滴静注する．患者体重が10 kg未満の場合は，13.3 mg/kg/日を使用する．CBDCAの投与量は，CCr（体表面積補正）が70 mL/分/1.73 m²以上140 mL/分/1.73 m²未満であった場合に，以下の計算式によって，target AUCを4.1としたCBDCAの投与量を算出しこれを投与量とする．この算出された投与量は体表面積あたりの投与量ではなく，実際に投与する絶対投与量である．

CBDCA投与量（mg）＝4.1×［CCr〔mL/分〕＋（体表面積×15）］

※ただし，この式におけるCCrは，体表面積補正を行っていない値を用いる

推奨される投与方法としては，生理食塩液などの無機塩類（NaCl，KCl，$CaCl_2$ など）を含有する輸液に混和するときは，8時間以内に投与を終了する．本剤投与中および投与後3時間以上は，尿量確保に注意し，必要に応じてマンニトールなどの利尿薬を投与する．本剤を点滴静注する際，硫黄を含むアミノ酸（メチオニンおよびシスチン）輸液中で分解が起こるため，これらのアミノ酸輸液との配合を避ける．本剤は，アルミニウムと反応して沈殿物を形成し活性が低下するので，使用にあたってアルミニウムを含む医療用器具を用いない．また，錯化合物であるので，ほかの抗がん薬とは混注しないこと．

急性期副作用・合併症と対応方法

おもな薬物有害反応はシスプラチンとほぼ同等である．腎毒性と悪心・嘔吐，神経毒性はシスプラチンよりも軽減されているが，骨髄抑制は強く，特に血小板減少は遷延する恐れがある．

■ 参考文献

- Susan MB, et al.（eds.）：Principles and practice of pediatric oncology. 8th ed., Wolters Kluwer, 2021
- 日本小児がん学会（編）：小児がん診療ガイドライン 2016年版. 金原出版，2016
- 七野浩之，他：悪性新生物に用いられるくすり．小児看護 19：1389-1395，1996

（七野浩之）

f. 分子標的薬

分子標的薬とは

分子標的治療薬は，腫瘍細胞に対して選択的に作用するように設計されており，その構造や目的とする標的から低分子医薬品と抗体医薬品との2つに大別される．本項では低分子医薬品について概説し，抗体医薬品については次項（g. 抗体療法）で後述する．

低分子医薬品（低分子阻害薬）

正常細胞では，蛋白質キナーゼ（リン酸化酵素）が標的基質をリン酸化することで，細胞の成長・分化・接着・代謝・アポトーシスなどの重要なプロセスを制御するシグナル伝達経路が活性化される．がん細胞では，蛋白質キナーゼの変異，過剰発現，転座などにより，キナーゼ機能の正常制御が変化することがある．キナーゼが融合蛋白質などを形成して恒常的に活性化したがん細胞は，キナーゼ阻害薬に対して選択的に感受性が高くなるため，よい治療標的となり得る．チロシンキナーゼのATP結合ドメインを標的とした低分子阻害薬が代表的である．

分子標的薬の課題

1 off target 効果

標的に対する効果（on target 効果）を目的に投与したとしても，親和性を有するほかの分子への影響（off target 効果）が現れ，副作用のため忍容性が低下してしまうために十分量の投薬を行うことができない場合がある．また off target 効果は薬剤抵抗性にも関連する．ゲノム変化によりバイパスシグナル伝達経路が活性化されることで，がん細胞が分子標的薬の阻害作用から回避することがある．この対抗策としては化学療法との併用が有望である．小児フィラデルフィア染色体陽性急性リンパ性白血病（PhALL）においては標準化学療法とイマチニブの併用により治療成績の向上が得られた．

2 未知の晩期合併症

使用されるようになって間もない新規薬剤の場合，従来の抗がん薬とは異なった晩期合併症が出現する可能性がある．慢性骨髄性白血病（CML）やPhALL に対するイマチニブ，未分化大細胞リンパ腫（ALCL）に対するアレクチニブ，クリゾチニブなど，分子標的薬は長期にわたって使用されることが多く，注意深い経過観察が求められる．

3 小児がんにおける開発

わが国において小児適応のある低分子阻害薬は，一部のチロシンキナーゼ阻害薬（BCR-ABL1），mTOR 阻害薬，ALK 阻害薬，NTRK 阻害薬などに限られている．希少疾患である小児がんの新規薬剤開発には国際協力が必須であろう．また，Ewing 肉腫のように，分子メカニズムが明らかである小児がんに対する新規薬剤の開発が期待される．

イマチニブ◆1

概要

①薬剤名：イマチニブメシル（imatinib）
②分類：チロシンキナーゼ阻害薬
③略号：—
④商品名：グリベック®（ノバルティス），イマチニブ（各社）
⑤製剤規格：錠剤 100 mg，200 mg

適応疾患

CML，KIT（CD117）陽性消化管間質腫瘍，PhALL，FIP1L1-PDGFRα 陽性の好酸球増多症候群および慢性好酸球性白血病．

薬理作用

①抗腫瘍効果のメカニズム：CML および PhALL 細胞に特異多岐に BCR-ABL1 チロシンキナーゼ活性阻害により，白血病細胞の増殖を抑制する．同様に KIT チロシンキナーゼや FIP1L1-PDGFRα 活性の阻害作用を介して対象疾患への抗腫瘍効果を示す．
②併用効果：PhALL では化学療法との併用で治療成績の向上が報告されている．
③耐性化メカニズム：*BCR-ABL1* キメラ遺伝子の増幅や変異により耐性を獲得する．また，BCR-ABL1 チロシンキナーゼ非依存性の増殖能獲得，イマチニブの吸収・代謝・細胞膜輸送の変化も耐性化の一因と考えられる．

投与・管理上の注意・禁忌

成人 CML の場合には，慢性期 400 mg/日（最大量 600 mg），移行期または急性期 600 mg/日（最大量 800 mg），成人 PhALL では 600 mg/日を投与する．おもにシトクロム P450（CYP3A4）で代謝されるため，CYP3A4 活性阻害薬または CYP3A4 によって代謝される薬剤との併用により，血中濃度が上昇する可能性がある．一方，CYP 酵素を誘導する薬剤との併用により，代謝が促進され血中濃度が低下する可能性

代表的な治療レジメンにおける投与方法

小児初発時慢性期 CML に対するフランスでの第 IV 相試験では，260 mg/m²/日（最大量 400 mg）が使用された．小児 PhALL を対象とした COG で行われた AALL0031 研究では 340 mg/m²，EsPhALL 研究では 300 mg/m² が設定されている．なお，米国添付文書での小児推奨用量は，初発 CML で 340 mg/m²/日（最大量 600 mg），初発 PhALL では化学療法と併用下で 340 mg/m²/日（最大量 600 mg）である．

急性期副作用・合併症と対応方法

血球減少・肝機能障害などが認められた場合には減量もしくは休薬する．胸水，腹水，心膜滲出液，うっ血性心不全が現れることがある．急激な体重増加や呼吸困難などの異常が認められた場合には投与を中止し，利尿薬などで対応する．CML 治療開始時には腫瘍崩壊症候群への予防対策を行う．

注意すべき晩期合併症

小児での成長遅延が報告されている．

ダサチニブ◆2

概要

①薬剤名：ダサチニブ（dasatinib）
②分類：チロシンキナーゼ阻害薬
③略号：—
④商品名：スプリセル®（ブリストル・マイヤーズスクイブ）
⑤製剤規格：錠剤 20 mg，50 mg

適応疾患

CML，再発または難治性 PhALL

薬理作用

①抗腫瘍作用のメカニズム：BCR-ABL1 のみならず SRC ファミリーキナーゼ，c-KIT，EPHA2 受容体および血小板由来増殖因子（platelet-derived growth factor：PDGF）β受容体を阻害する．イマチニブに比べて中枢神経移行性が良好で中枢神経浸潤例に適している[1]．
②併用効果：成人 PhALL では hyper-CVAD 療法にダサチニブを併用して良好な成績が報告されている．小児 PhALL におけるランダム化比較試験ではイマチニブ 300 mg/m² に比較してダサチニブ 80 mg/m² の有用性が示された[2]．
③耐性化メカニズム：イマチニブ参照．

投与・管理上の注意・禁忌

成人 CML の場合には，慢性期 1 日 1 回 100 mg（最大量 140 mg），移行期または急性期では 1 回 70 mg（最大量 90 mg）を 1 日 2 回経口投与する．再発または難治性の PhALL には 1 回 70 mg（最大量 90 mg）を 1 日 2 回経口投与する．CYP3A4 阻害薬や CYP3A4 誘導薬との併用に注意する．本剤の成分に対し過敏症の既往歴のある場合，妊婦または妊娠している可能性のある女性は禁忌である．

代表的な治療レジメンにおける投与方法

初発小児慢性期 CML と移行期・急性期 CML における第 II 相試験ではそれぞれ 60 mg/m²/日，80 mg/m²/日の投与量が設定されている．また初発小児 PhALL における併用療法の第 II 相試験では，PSL との併用では 80 mg/m²/日，多剤併用化学療法では 60 mg/m²/日の投与量が設定されている．

急性期副作用・合併症と対応方法

呼吸器症状などを伴う重篤な胸水を認める場合には減量，休薬，利尿薬投与，胸腔穿刺を行う．消化管出血などが数 % に認められる．QT 延長が認められた場合は減量または休薬する．

ニロチニブ◆3

概要

①薬剤名：ニロチニブ（nilotinib）
②分類：チロシンキナーゼ阻害薬
③略号：—
④商品名：タシグナ®（ノバルティス）
⑤製剤規格：カプセル 50 mg，150 mg，200 mg

適応疾患

慢性期または移行期の CML

薬理作用

①抗腫瘍作用のメカニズム：BCR-ABL チロシンキナーゼを阻害する．イマチニブよりも BCR-ABL に対し選択的に作用する．またニロチニブは疎水性相互作用によって，T315I 以外の多くのイマチニブ抵抗性 BCR-ABL 変異体も阻害する．
②併用効果：報告はない
③耐性化メカニズム：イマチニブ参照

投与管理上の注意・禁忌

CYP3A4 阻害薬や CYP3A4 誘導薬との併用に注意する．QT 間隔延長が認められており，心タンポナーデによる死亡も報告されているので，循環器系症状には注意して投与する．本剤の成分に対し過敏症の既往歴のある場合，妊婦または妊娠している可能性のある女性は禁忌である．

代表的な治療レジメンにおける投与方法

小児には1回約230 mg/m^{2}を空腹時に1日2回投与する．小児適応を有する．

急性期副作用・合併症と対応方法

投与開始前も含めK値，Mg値，心電図の定期的なモニタリングが必要である．骨髄抑制，高血糖，膵炎，高ビリルビン血症などの異常を認めた場合には減量・休薬で対応する．

注意すべき晩期合併症

2〜18歳の患者では，成長遅延の傾向が認められた．

ポナチニブ◆2

概要

①薬剤名：ポナチニブ（ponatinib）
②分類：チロシンキナーゼ阻害薬
③略号：—
④商品名：アイクルシグ®（大塚製薬）
⑤製剤規格：錠15 mg

適応疾患

前治療薬に抵抗性または不耐容のCML．再発または難治性のPhALL．

薬理作用

・抗腫瘍作用のメカニズム：T315I等の変異型を含めBCR-ABL1チロシンキナーゼ活性を阻害する．

投与・管理上の注意・禁忌

重篤な血管閉塞性事象が現れることがあるため，心筋梗塞，末梢動脈閉塞性疾患，静脈血栓塞栓症，網膜動脈閉塞症，脳梗塞などの徴候に注意し，投与の可否を慎重に判断する．血管閉塞性事象は，胸痛，腹痛，四肢痛，片麻痺，視力低下，息切れ，しびれ等の症状としても現れ得る．過敏症の既往歴がある，妊婦または妊娠している可能性のある女性は禁忌である．本薬剤はおもにCYP3Aによって代謝されるため，CYP3A阻害薬および誘導薬との併用は注意して行う．

代表的な治療レジメンにおける投与方法

成人にはポナチニブとして45 mgを1回/日投与する．JPLSG-PedPona19研究では15〜25 mg/m^2/日の設定となっている．本剤の投与に際しては，他の治療の選択肢についても慎重に検討し，可能であれば臨床試験に参加したうえでの治療が望ましい．

成人PhALLに対して，第II相試験でhyper-CVADとの併用が報告されている．またポナチニブ併用はダサチニブよりも良好であったと報告もある[3)4)]．

急性期副作用・合併症と対応方法

血管閉塞症，高血圧，体液貯留などの症状について観察を十分に行う．

パゾパニブ◆1

概要

①薬剤名：パゾパニブ（pazopanib）
②分類：キナーゼ阻害薬
③略号：—
④商品名：ヴォトリエント®（ノバルティス）
⑤製剤規格：錠200 mg

適応疾患

悪性軟部腫瘍，根治切除不能または転移性の腎細胞癌

薬理作用

①抗腫瘍作用のメカニズム：血管内皮細胞増殖因子受容体（VEGFR-1，VEGFR-2およびVEGFR-3），血小板由来増殖因子受容体（PDGFR-αおよびPDGFR-β），ならびに幹細胞因子受容体（c-Kit）に対して阻害作用を有する．また血管新生に対して阻害作用を示す．
②併用効果：成人および2歳以上の小児を対象とした術前化学療法（イホスファミドとドキソルビシン）との併用を行った第II相ランダム化比較試験（ARST1321）で対象群に比較してパゾパニブ併用群では90％以上の壊死率を示した症例の割合が22％から58％と有意に増加した．
③耐性化メカニズム：VEGF非依存性の血管新生シグナル伝達系の活性化，血管新生にかかわるサイトカインや増殖因子の産生亢進が考えられるが，詳細は不明である．

投与・管理上の注意・禁忌

錠剤の粉砕は吸収が増加するため避ける．おもにCYP3A4阻害薬および誘導薬との併用を避ける必要がある．成分に対し，過敏症の既往歴のある場合，妊婦または妊娠している可能性のある女性への投与は禁忌である．成人にはパゾパニブとして800 mg/日を投与する．

代表的な治療レジメンにおける投与方法

ARST1321では，18歳未満350 mg/m^2/日 18歳以上600 mg/日の1回投与とした[5)]．

急性期副作用・合併症と対応方法

肝不全，肝機能障害がある患者での死亡例も報告されている．心機能障害，不整脈の評価のため，治療開始前には必ず心臓超音波検査を定期的に行う．高血圧，疲労，悪心，甲状腺機能障害，血栓症など

を認める.

注意すべき晩期合併症

VEGF 受容体は,破骨細胞と骨芽細胞に存在するため,VEGFR 阻害は成長板に影響を与え,長管骨の成長や骨修復に影響する可能性がある.

エヌトレクチニブ◆4

概要
①薬剤名:エヌトレクチニブ(entrectinib)
②分類:チロシンキナーゼ阻害薬
③略号:—
④商品名:ロズリートレク®(中外製薬)
⑤製剤規格:カプセル 100 mg,200 mg

適応疾患

NTRK 融合遺伝子陽性の進行・再発の固形がん,*ROS1* 融合遺伝子陽性の切除不能な進行・再発の非小細胞肺がん.小児では *NTRK1/2/3* 融合遺伝子は,高悪性度神経膠腫,乳児型繊維肉腫,甲状腺乳頭がん,中胚葉性腎腫で *NTRK* 融合遺伝子陽性例が報告されている[6)7)].

薬理作用

①抗腫瘍作用のメカニズム:TRK 融合蛋白,ROS1 融合蛋白等のリン酸化を阻害し,下流のシグナル伝達分子のリン酸化を阻害することにより,腫瘍増殖抑制作用を示す.
②耐性化メカニズム:動物モデルにおいて腫瘍細胞の *NTRK* 融合遺伝子の変異による耐性獲得の報告がある.また,*in vitro* の解析において P 糖蛋白を介した細胞膜輸送の変化も耐性化の一因と考えられている.

投与・管理上の注意・禁忌

小児固形腫瘍においては,コンパニオン診断薬である Foundation One CDx がんゲノムプロファイルによる *NTRK1/2/3* 融合遺伝子の同定が行われた場合に投与可能となる.過敏症の既往歴のある場合は禁忌である.本薬剤はおもに CYP3A4 によって代謝され,CYP3A の阻害作用を示す.

投与方法

成人にはエヌトレクチニブとして 1 日 1 回 600 mg を経口投与する.小児にはエヌトレクチニブとして 1 日 1 回 300 mg/m^2(600 mg 上限)を経口投与する.

急性期副作用・合併症と対応方法

貧血,白血球減少などの血液学的有害事象の頻度が高い.

ラロトレクチニブ

概要
①薬剤名:ラロトレクチニブ(larotrectinib)
②分類:チロシンキナーゼ阻害薬
③略号:—
④商品名:ヴァイトラックビ®(バイエル)
⑤製剤規格:カプセル 25 mg,100 mg,内用液 20 mg/mL

適応疾患

NTRK 融合遺伝子陽性の進行・再発の固形癌.

薬理作用

①抗腫瘍作用のメカニズム:TRK を選択的に阻害する.TRK 融合タンパクのリン酸化を阻害し,下流のシグナル伝達分子のリン酸化を阻害することにより,腫瘍増殖抑制作用を示す.

投与・管理上の注意・禁忌

小児固形腫瘍においては,コンパニオン診断薬である Foundation One CDx がんゲノムプロファイルによる *NTRK1/2/3* 融合遺伝子の同定が行われた場合に投与可能となる.過敏症の既往歴のある場合は禁忌である.本薬剤は,おもに CYP3A4/5 によって代謝され,CYP3A に対して弱い阻害作用を示す.

代表的な治療レジメンにおける投与方法

成人には 1 回 100 mg を 1 日 2 回経口投与する.小児には 1 回 100 mg/m^2(最大投与量 100 mg)を 1 日 2 回経口投与する.国際共同第 I/II 相試験では,18 歳未満の小児 47/51 例(92%)に奏効が得られた[8)].

急性期副作用・合併症と対応方法

18 歳未満小児におけるおもな有害事象は ALT 上昇,好中球減少,腹痛などであった[8)].

アレクチニブ◆5

概要
①薬剤名:アレクチニブ(alectinib)
②分類:ALK 阻害薬
③略号:—
④商品名:アレセンサ®(中外製薬)
⑤製剤規格:カプセル 150 mg

適応疾患

ALK 融合遺伝子陽性の切除不能な進行・再発の非小細胞肺癌.再発または難治性の *ALK* 融合遺伝子陽性の未分化大細胞リンパ腫.

薬理作用

①抗腫瘍作用のメカニズム:ALK チロシンキナーゼ活性が異常に亢進している腫瘍細胞に対して,

ALKチロシンキナーゼ活性を阻害することにより，*ALK*融合遺伝子陽性の腫瘍細胞の増殖を抑制する．
②耐性化メカニズム：前臨床モデルにおいてABCトランスポーター（ABCC11）の発現がアレクチニブに対する獲得耐性に関与している可能性が示されている．

投与・管理上の注意・禁忌

十分な経験を有する病理医または検査施設における検査により，*ALK*融合遺伝子が陽性であることを確認する必要がある．過敏症の既往歴がある場合，妊婦または妊娠している可能性のある女性は禁忌である．本薬剤はおもにCYP3A4によって代謝され，CYP3Aの阻害作用を示す．

投与方法

*ALK*融合遺伝子陽性の切除不能な進行・再発の非小細胞肺癌：成人にはアレクチニブとして1回300 mgを1日2回経口投与する．

再発または難治性の*ALK*融合遺伝子陽性の未分化大細胞リンパ腫：アレクチニブとして1回300 mgを1日2回経口投与するが，体重35 kg未満の場合の1回投与量は150 mgとする．

急性期副作用・合併症と対応方法

間質性肺疾患が現れることがあるので，初期症状（息切れ，呼吸困難，咳嗽，発熱等）の確認および胸部CT検査等の実施など，観察を十分に行う必要がある．

その他

2021年1月FDAは，第一世代ALK阻害薬であるクリゾチニブを1歳以上の再発・難治ALCLに適応拡大した．現在わが国でも小児適応拡大のための治験が進行中である．

トレチノイン ◆6

概要

① 薬剤名：トレチノイン（tretinoin）
② 分類：急性前骨髄球性白血病治療薬
③ 略号：ATRA（all-trans retinoic acid）
④ 商品名：ベサノイド®（富士製薬）
⑤ 製剤規格：カプセル10 mg

適応疾患

急性前骨髄球性白血病（acute promyelocytic leukemia：APL）

薬理作用

① 抗腫瘍作用のメカニズム：APLにみられるt（15；17）（q22；q21）から生じるPML-RARA融合蛋白は，正常RARA蛋白のDNAへの結合を競合的に阻害することで転写を抑制して，骨髄球系細胞の分化障害をきたす．ATRAはPML-RARA融合蛋白の作用を抑制することで分化障害を解除し，抗白血病作用を示す．
② 併用効果：化学療法を併用することで良好な成績が得られている．
③ 耐性化メカニズム：代謝の促進，細胞内レチノイン酸結合蛋白の増加による核への移行障害，また*RARA*遺伝子や転写にかかわる遺伝子の変異などが考えられる．

投与・管理上の注意・禁忌

成人では寛解導入療法として1日60〜80 mg（45 mg/m²）を3回に分けて食後経口投与する．未治療症例の寛解導入時には線溶亢進型の播種性血管内凝固（DIC）症候群を伴うことが多く，その評価と対策を行いながらATRAを使用する．禁忌として，妊婦または妊娠している可能性のある女性，本剤の成分に対し過敏症の既往歴，肝障害，腎障害，ビタミンA製剤を投与中，ビタミンA過剰症があげられる．

代表的な治療レジメンにおける投与方法

わが国では，JPLSG AML99-M3，AML-P05，AML-P13研究を通じて，化学療法との併用で45 mg/m²/日を分2内服で使用している．PETHEMAではLPA99研究でATRAを25 mg/m²/日に減量している．

急性期副作用・合併症と対応方法

① APL分化症候群：成熟好中球に分化したAPL細胞の組織浸潤により発熱，呼吸困難，胸水貯留，間質性肺炎，心嚢液貯留，腎不全，肝不全など多臓器不全を合併する．本剤を中止し，副腎皮質ホルモン薬の投与を行う．
② 頭蓋内圧亢進症：頭痛，嘔吐など比較的軽症の場合には副腎皮質ホルモン薬併用，痙攣，意識障害などの場合には休薬が必要である．
③ 血栓症：脳梗塞，肺梗塞などが報告されている．

注意すべき晩期合併症

類似化合物（エトレチナート）の投与を受けた場合，過骨症および骨端の早期閉鎖を起こすことが報告されている．

その他

神経芽腫の治療に用いられるisotretinoinとは異なる薬剤である．

エベロリムス◆7

概要
①薬剤名：エベロリムス（everolimus）
②分類：mTOR 阻害薬
③略号：—
④商品名：アフィニトール®（ノバルティス）
⑤製剤規格：錠剤 2.5 mg，5 mg（水に溶解して内服することを前提とした分散錠がある）

適応疾患
根治切除不能または転移性の腎細胞癌，神経内分泌腫瘍，手術不能または再発乳癌，結節性硬化症．

薬理作用
①エベロリムスは細胞内イムノフィリンである FKBP12 と複合体をつくり，セリン・スレオニンキナーゼである mTOR を選択的に阻害する．
②エベロリムスは TSC2 遺伝子をヘテロで欠損させたマウスでみられる腎腫瘍形成を抑制した．

投与管理上の注意・禁忌
エベロリムスは主として肝代謝酵素 CYP3A4 によって代謝され，P 糖蛋白（Pgp）の基質でもある．したがって CYP3A4 または Pgp 阻害あるいは誘導作用を有する薬剤との併用は可能な限り避ける．結節性硬化症患者では，関連する薬剤を併用あるいは中止する場合は，必ずエベロリムスの血中トラフ濃度を測定し，投与量を調節すること．本剤の成分に対し過敏症の既往歴のある場合，妊婦または妊娠している可能性のある女性は禁忌である．

代表的な治療レジメンにおける投与方法
小児には 3.0 mg/m^2 を 1 日 1 回経口投与する．第II相臨床試験（C2485 試験）および第III相比較検証試験（EXIST-1 試験）[9)10)]において，結節性硬化症に伴う上衣下巨細胞性星細胞腫への有効性が示された．なお小児適応を有するのは結節性硬化症のみであり，腎細胞癌，神経内分泌腫瘍，乳癌においては小児における安全性は確立していない．

急性期副作用・合併症と対応方法
口内炎（口腔内潰瘍形成を含む），細菌，真菌，ウイルスあるいは原虫による感染症（ニューモシスチス肺炎を含む肺炎，アスペルギルス症，カンジダ症，敗血症等）や日和見感染が発現または悪化することに注意を要する．

文献
1) Porkka K, et al.：Dasatinib crosses the blood-brain barrier and is an efficient therapy for central nervous system Philadelphia chromosome-positive leukemia. Blood 112：1005-1012, 2008
2) Shen S, et al.：Effect of Dasatinib vs Imatinib in the Treatment of Pediatric Philadelphia Chromosome-Positive Acute Lymphoblastic Leukemia：A Randomized Clinical Trial. JAMA Oncol 6：358-366, 2020
3) Jabbour E, et al.：Combination of hyper-CVAD with ponatinib as first-line therapy for patients with Philadelphia chromosome-positive acute lymphoblastic leukaemia：long-term follow-up of a single-centre, phase 2 study. Lancet Haematol 5：e618-e627, 2018
4) Sasaki K, et al.：Hyper-CVAD plus ponatinib versus hyper-CVAD plus dasatinib as frontline therapy for patients with Philadelphia chromosome-positive acute lymphoblastic leukemia：A propensity score analysis. Cancer 122：3650-3656, 2016
5) Weiss AR, et al.：Pathological response in children and adults with large unresected intermediate-grade or high-grade soft tissue sarcoma receiving preoperative chemoradiotherapy with or without pazopanib（ARST1321）：a multicentre, randomised, open-label, phase 2 trial. Lancet Oncol 21：1110-1122, 2020
6) Albert CM, et al.：TRK Fusion Cancers in Children：A Clinical Review and Recommendations for Screening. J Clin Oncol 37：513-524, 2019
7) Desai AV, et al.：Updated entrectinib data in children and adolescents with recurrent or refractory solid tumors, including primary CNS tumors. J Clin Oncol 38：15_suppl 107 2020
8) Hong DS, et al.：Larotrectinib in patients with TRK fusion-positive solid tumours：a pooled analysis of three phase 1/2 clinical trials. Lancet Oncol 21：531-540, 2020
9) Krueger DA, et al.：Everolimus for subependymal giant-cell astrocytomas in tuberous sclerosis. N Engl J Med 363：1801-1811, 2010
10) Franz DN, et al.：Efficacy and safety of everolimus for subependymal giant cell astrocytomas associated with tuberous sclerosis complex（EXIST-1）：a multicentre, randomised, placebo-controlled phase 3 trial. Lancet 381：125-132, 2013

参考文献
・Fox E, et al.：Small-Molecule Pathway Inhibitors, General Principles of Chemotherapy. In：Blaney SM, et al.（eds）, Pizzo & Poplack's Pediatric Oncology. 8th ed, Wolters Kluwer, 287-290, 2020

（服部浩佳）

◆1：小児等を対象にした臨床試験は実施していない．
◆2：小児に対する安全性は確立していない．
◆3：低出生体重児，新生児，乳児又は 2 歳未満の幼児を対象とした臨床試験は実施していない．
◆4：4 歳未満の患者に対する本剤の用法及び用量について，十分な検討は行われていない．
◆5：6 歳未満の幼児を対象とした臨床試験は実施されていない．
◆6：小児に対する安全性は確立されていないが，幼児又は小児へ投与する場合には，観察を十分に行い慎重に投与すること．
◆7：結節性硬化症患者において，低出生体重児，新生児または乳児に対する安全性は確立していない（臨床試験において使用経験はない）．

g. 抗体療法

 Milstein と Kohler によるマウスハイブリドーマ作成技術の確立以来，多くのモノクローナル抗体が医薬品としての応用を試みられてきた．マウス-ヒトキメラ型抗体，ヒト化抗体作成などの技術的進歩を経て，現在では世界中で 50 種類を超える抗体医薬品が使用されるようになり，がん領域においてもリツキシマブをはじめ，すでに多くの抗体医薬品が臨床に用いられている．抗がん薬として用いられる抗体医薬品には，リツキシマブのように自然由来抗体が本来有する補体依存性細胞障害作用（complement-dependent cytotoxicity：CDC）や抗体依存性細胞介在性細胞障害作用（antibody-dependent cell-mediated cytotoxicity：ADCC）による抗腫瘍効果を期待するもののほか，イノツズマブオゾガマイシン（INO）やゲムツズマブオゾガマイシン（GO）のように抗体を腫瘍に対する特異的な carrier として利用し，細胞障害性薬剤を標的に作用させるものなどがある．近年では，T 細胞の腫瘍に対するリダイレクションを可能にする二重特異抗体（ブリナツモマブ）や，T 細胞上の免疫抑制シグナル受容体への中和作用により抗腫瘍免疫を賦活化する抗体（ニボルマブなど）といった，抗原-抗体反応を利用したさまざまな作用機序を有する抗がん医薬品が開発されている．

 抗体医薬品の最大の特徴は，抗体分子における可変領域の多様性により，潜在的には無数の治療標的が考えられること，かつ標的とする抗原に対しきわめて特異的に作用させることができる理想的な分子標的薬であるという点である．抗原-抗体反応に依存しない作用が少ないために安全性が高く，従来の細胞障害性抗がん薬を使用したレジメンのなかに上乗せされて使用される抗体医薬品がある．Fc 領域を保持した医薬品では neonatal Fc 受容体を介したリサイクリング作用により，長い血中半減期が得られる点も抗体医薬品の長所である．しかし，がん細胞表面で安定的に発現し，かつがん以外の組織における発現が少ない抗原の特定は必ずしも容易ではない．

 本項では，多くの抗体医薬品のなかでも小児がんの治療に使用される抗体医薬品について述べる．

腫瘍細胞表面抗原に対する抗体医薬品

 リツキシマブは，抗 CD20 マウス-ヒトキメラ型抗体であり，日本では 2001 年に「CD20 陽性の低悪性度または濾胞性 B 細胞性非ホジキンリンパ腫，マントル細胞リンパ腫」を適応症として承認された，最も長い歴史をもつ抗がん抗体医薬品である．CD20 陽性の非腫瘍性 B リンパ球に対する障害作用も有することから，現在は CD20 陽性悪性リンパ腫，慢性リンパ性白血病のほか，免疫抑制状態でのリンパ増殖性疾患やネフローゼ症候群，免疫性血小板減少性紫斑病などの非悪性疾患に対しても保険適用が認められている．CD20 陽性細胞に対する殺細胞効果には CDC 活性および ADCC 活性がかかわっている．成人のびまん性大細胞 B 細胞リンパ腫において，標準的化学療法である CHOP 療法との併用療法が，CHOP 療法単独よりも治療成績が優れていることが示され，現在ではさまざまな併用化学療法レジメンが開発されている．

 小児においては，CD20 陽性成熟 B 細胞リンパ腫のうち進行期症例（LDH 上昇を伴う stage III および急性白血病を含む stage IV）を対象として，標準的化学療法単独群とリツキシマブ併用群の治療成績を比較する第 III 相試験が行われ，リツキシマブを併用した群の治療成績が，化学療法単独群を有意に上回ったことが報告された（図 1）[1]．ジヌツキシマブは抗 GD2 マウス-ヒトキメラ抗体である．GD2 は皮膚，中枢および末梢神経組織に発現し，神経芽腫細胞において強く発現している．このため神経芽腫に対する治療薬として開発が進められ，2021 年 9 月に日本でも薬事承認された．ジヌツキシマブによる抗腫瘍効果には ADCC 活性，CDC 活性の両者がかかわっており，特に ADCC 活性は GM-CSF あるいは IL-2 との併用によって増強されることが示されている．米国の Children's Oncology Group が実施した臨床試験では GM-CSF/IL-2 と併用したジヌツキシマブ維持療法が有意に生存率を改善した（図 2）[2]．

抗体薬物結合型医薬品

 GO，INO はそれぞれ，ヒト化抗 CD33 あるいは抗 CD22 抗体に抗がん抗生物質であるカリケアマイシンを結合させた抗体薬物複合体（antibody-drug conjugate：ADC）である．GO は CD33 陽性急性骨髄性白血病に，INO は CD22 陽性 B 細胞性急性リンパ性白血病に使用される．ブレンツキシマブベドチンは抗 CD30 キメラ抗体に微小管阻害薬である monomethyl auristatin E（MMAE）を結合させた ADC であり，CD30 陽性のホジキンリンパ腫をはじめとするリンパ性悪性腫瘍の治療に用いられる．いずれも強力な細胞障

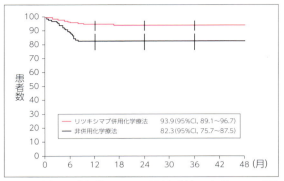

図1 ● 小児の進行期CD20陽性成熟B細胞リンパ腫に対するリツキシマブ併用化学療法の効果
3年無イベント生存率の比較においてリツキシマブ併用化学療法(93.9％)は非併用化学療法(82.3％)を有意に上回った。
(Minard-Colin V, et al. : Rituximab for High-Risk, Mature B-Cell Non-Hodgkin's Lymphoma in Children. N Engl J Med 382 : 2207-2219, 2020 より引用)

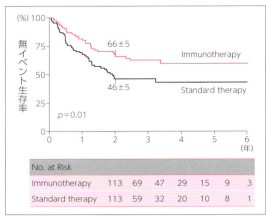

図2 ● 高リスク神経芽腫に対するジヌツキシマブの効果
高リスク神経芽腫に対する大量化学療法後の維持療法としてイソトレチノイン(isotretinoin)単独療法群(standard therapy)とイソトレチノイン療法にジヌツキシマブ/GM-CSF/IL-2を追加した群(immunotherapy)を比較した。2年無イベント生存率の比較で, immunotherapyがstandard therapyを上回った(66％ vs 46％).
(Yu AL, et al. : Anti-GD2 antibody with GM-CSF, interleukin-2, and isotretinoin for neuroblastoma. N Engl J Med 363 : 1324-1334, 2010 より引用)

害作用のある薬剤を，抗原-抗体反応をデリバリーシステムとして利用し，腫瘍特異的に作用させることを期待して開発された．これらの抗体は細胞表面の抗原に結合したあと，エンドサイトーシスによって細胞質内に取り込まれ，一部はneonatal Fc受容体の介在により細胞外へ搬出される．再利用されない残りの抗体を含むエンドソームは蛋白分解酵素を含んだリソソームと結合し，抗体が分解されるとともに，抗体に結合していた薬剤が細胞質内に放出され，薬剤の作用により細胞にアポトーシスが誘導される（図3）．カリケアマイシンなどの薬剤はP糖蛋白，multidrug resistance protein 1（MRP1）など，細胞形質膜efflux pumpの基質であるため，これらの蛋白発現が従来の抗腫瘍薬同様にADCの耐性機序にかかわっている．

細胞質内に放出された薬剤は，細胞外へも流出し，周囲の細胞に対して障害を及ぼしうる（バイスタンダー効果）ため，また標的とする抗原は必ずしも腫瘍特異的に発現しているわけではないので，ADCを用いた治療においても，正常臓器への障害が発生し得る．カリケアマイシンは肝障害作用を有し，特に造血細胞移植前にGOあるいはINOを使用した患者では肝類洞閉塞症候群（SOS）の発症率が高い可能性が報告されている[3]．いずれの薬剤も，従来の最大耐用量の考え方に基づいて設定された投薬量が，特に他の抗腫瘍薬と併用するときには過量である可能性があり，少量・分割投与法の有用性が報告されるなど，より安全かつ効果的な使用法の探求が続けられている．

二重特異性T細胞誘導抗体

二重特異性T細胞誘導抗体には複数の構造体が開発されているが，BiTE®は免疫グロブリン軽鎖および重鎖の可変領域のみをリンカーペプチドによって結合させた二重特異性T細胞誘導抗体である（図4）．ブリナツモマブは抗CD3-抗CD19のBiTE®であり，CD19を発現する急性リンパ性白血病（ALL）や悪性リンパ腫に対する治療薬として開発された．ブリナツモマブはCD19陽性腫瘍細胞とCD3陽性T細胞との間で，T細胞受容体に依存しない結合をもたらし，細胞障害性T細胞から放出されるパーフォリンおよびグランザイムの作用により腫瘍細胞にアポトーシスを誘導する．さらに標的の存在下で，抗CD3抗体作用によるT細胞のポリクローナルな増殖を促進する．BiTE®は抗体のFc領域を欠くため，他の抗体薬とは異なり血中半減期が短い．有効な血中濃度を維持するためには持続点滴で用いる必要があり，ブリナツモマブは28日間の持続点滴を1コースとして投与される．再発・難治小児ALLを対象とした第I/第II相試験ではブリナツモマブ単独治療2コース以内の血液学的寛解率は40〜50％であった[4]．

ブリナツモマブによる治療効果には，治療開始前の残存腫瘍量が関係しており，微小残存病変としてALL細胞が検出される段階で投与されると高い奏効率が得られることが報告されている．腫瘍細胞の標的抗原の喪失は他の抗体薬による治療においても

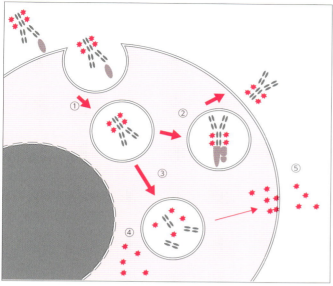

図3 ● 抗体薬物結合型医薬品の作用機序
①抗体薬物結合型医薬品は抗原と結合したあと，エンドサイトーシスによって細胞質内に取り込まれる．②一部は neonatal Fc 受容体により細胞外へ搬出され，再利用サイクルに回る．③エンドソーム内の抗体はリソソームの作用により分解され，結合していた薬剤が細胞質内に放出される．④薬剤によりアポトーシスが誘導される．⑤薬剤の一部は細胞外に流失し周囲の組織に障害を及ぼす．

図4 ● ブリナツモマブの構造と作用機序
ブリナツモマブは CD3 陽性 T リンパ球と CD19 陽性細胞との T 細胞受容体非依存性結合を促す．①T リンパ球から放出される細胞障害性顆粒により CD19 陽性細胞のアポトーシスが誘導される．②抗 CD3 抗体作用により，T 細胞の増殖シグナルが刺激される．

認められる問題であるが，CD19 喪失は ALL 細胞のブリナツモマブへの耐性獲得メカニズムの1つであることがわかっている．CD19 は ALL に対する CAR-T 細胞療法の標的でもあり，ブリナツモマブによる治療歴は抗 CD19 CAR-T 細胞療法の効果に影響する可能性がある[5]．BiTE® の血管外移行性は詳しくわかっていないが，髄液内浸潤に対するブリナツモマブの治療効果はない．

ブリナツモマブによる副作用は，従来の細胞障害性抗がん薬とはプロファイルが異なる．すでに感染症などの合併症を有する場合や，抗がん薬治療による臓器障害をもつ患者への治療にも利用できるという長所があるが，T 細胞から増殖・活性化に伴う IL-10，IL-6 などのサイトカイン放出が起こるため，サイトカイン放出症候群や神経障害など，独特な副作用が認められる．

その他の抗体医薬品

ベバシズマブは，vascular endothelial growth factor（VEGF）に対する中和作用を有するヒト化抗体であり，VEGF/VEGF 受容体シグナルの阻害により，腫瘍における血管新生を阻害することで抗腫瘍効果を発揮する．おもに成人期腫瘍に対して使用されるが，悪性神経膠腫の治療にも用いられ，小児においても脳腫瘍を中心に使用経験が報告されている．

ニボルマブ，ペムブロリズマブはヒト化抗 PD-1 モノクローナル抗体であり，がん細胞による PD-L1/PD-1 シグナルを介した T 細胞抑制を阻止する免疫チェックポイント阻害薬である．悪性黒色腫，非小細胞肺癌などに使用され，小児の悪性黒色腫症例にも奏功例が報告されている．悪性黒色腫以外の小児がんにおいても，他の治療との併用療法の有効例などが報告されている．

〔第Ⅰ部/第2章/A/5．腫瘍免疫（p.76～78）を参照〕

■ 文献

1) Minard-Colin V, et al.：Rituximab for High-Risk, Mature B-Cell Non-Hodgkin's Lymphoma in Children. N Engl J Med 382：2207-2219, 2020
2) Yu AL, et al.：Anti-GD2 antibody with GM-CSF, interleukin-2, and isotretinoin for neuroblastoma. N Engl J Med 363：1324-1334, 2010
3) Jabbour E, et al.：The clinical development of antibody-drug conjugates-lessons from leukaemia. Nat Rev Clin Oncol 18：418-433, 2021
4) Horibe K, et al.：A phase 1b study of blinatumomab in Japanese children with relapsed/refractory B-cell precursor acute lymphoblastic leukemia. Int J Hematol 112：223-233, 2020
5) Dourthe ME, et al.：Determinants of CD19-positive vs CD19-negative relapse after tisagenlecleucel for B-cell acute lymphoblastic leukemia. Leukemia doi：10.1038/s41375-021-01281-7, 2021

（後藤裕明）

第2章 小児がん

D 小児がんにおける治療法〔外科治療〕

1 脳腫瘍

小児脳腫瘍における外科治療の意義

多くの悪性脳腫瘍，ことに小児脳腫瘍に関しては，摘出度を上げることにより治療予後がよくなる，とみなされている．しかし，手術療法の意義が高いエビデンスレベルで証明されている脳腫瘍は1つもない．"surgical disease"とまでもよばれる上衣腫であっても，手術療法に関する無作為比較試験・非無作為前向き比較試験はなく，複数の観察研究結果にとどまる．

エビデンスレベルを向上できない一番の理由は，疾患の稀少性であり，さらには不確実なエビデンスながらも治療予後改善に重要であるというコンセンサスとなった手術療法を行わない，もしくは摘出度を落とすことを求める前向き比較試験を実施することが，倫理的に許されないからである．

脳腫瘍は，2016年のWHO分類改訂第4版によって156種類に分類されている．肺がんの罹患数・死亡数と比較すると，1/30程度しか存在しない希少疾患である脳腫瘍が，さらにこれだけ細分化されているのである．細分化されている理由は簡単で，発生母地と生物学的性格が異なるからである．当然の結果として，治療方法も異なることが理解できる．しかし，残念ながらその稀少性がゆえに，それぞれの治療方法の妥当性を立証する大規模臨床研究が行われておらず，多くの疾患では少数の臨床研究，後方視的研究，もしくは症例報告をもとにして最適な治療方法を選択せざるを得ない．

きわめて緻密に機能分化している脳実質に浸潤性に増殖する悪性脳腫瘍に対しての手術は，腫瘍細胞が確実に存在しない領域まで摘出する「絶対治癒切除」とはならない．「絶対非治癒切除」となる．こういった状況では，摘出度の低い手術となるか，きわめて限られた人間の「匠の技」に頼ったうえでの，神経機能を障害しないでしかも腫瘍が最大限に摘出される手術（maximize surgical resection & minimize surgical morbidity, maximum safe resection）のいずれかに偏ることになる．

われわれ脳神経外科医は，この問題を解決し，より普遍的・論理的な手術を行えるように努力してきた．浸潤性性格をもつ代表格である神経膠腫に対する手術を例にすれば，過去30年間に行われたMRI，ニューロナビゲーションシステム，脳機能マッピング，蛍光診断などの導入は，もともときわめて普遍化しがたかった手術を，より客観的に評価し，学会や論文上で論議できるものへ向上させていった．この結果，ようやく神経膠腫に対して可及的摘出を行うことの意義を明らかにすることができた[1]．すなわち残存腫瘍が少なければ少ないほど，摘出率が高ければ高いほど，生命予後は改善するという結果である．しかし冷徹に評価すれば，「絶対非治癒切除」のなかで切除率の高さ・残存腫瘍量の少なさと予後との相関を検討してきたことになる．一般外科医の感覚からは，大きく逸脱した領域での検討であろう．

摘出率を上げることに伴う手術合併症，神経症状悪化は最低限にとどめたうえで，ぎりぎりまで腫瘍摘出を極めていくこと自体によって，その脳腫瘍の治療成績が向上したという結果は存在しない．すなわち，手術療法が治療成績を向上させたという直接的なデータは存在しないということである．いかに普遍的・論理的手術を目指してきたといえども，手術には不確実性が伴う．例えば，無症候性内頸動脈狭窄に対する頸動脈内膜剝離術においては，3%以下の低い合併症発生率で手術された場合，初めて外科医療がその有効性を表明できる，という事実から考えると，到底この安全レベルに到達しない神経膠腫手術が，治療成績向上に結びついたという結論を導き出すのはむずかしいことは想像できる．

米国のSurveillance, Epidemiology and End Results（SEER）データベースは，5つの州と4つの大都市に発生した悪性脳腫瘍を登録しており，予後調査の結果が報告されている．このSEERデータベースから，「星細胞腫系では過去30年間全く治療成績が向上していなかった」という衝撃的な論文が2003年に報告された[2]．一方，髄芽腫は1980年代に入り，有意に治療成績が向上している．髄芽腫の治療成績向上に最も寄与したのは，1980〜1990年代に行われたランダム化比較試験によって得られた化学放射線療法の均一化であると推測されている[3]．その後SEERデータベースの解析により，2003年以降に星細胞腫

D 小児がんにおける治療法〔外科治療〕 1.脳腫瘍

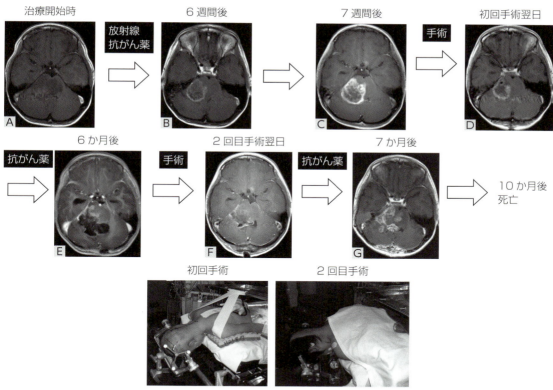

図1 ◆ 7歳男児：びまん性橋膠腫
組織学的に膠芽腫と診断された7歳男児の治療経過．各MRIは造影T1強調画像水平断．経過中生じた壊死組織に対する減圧手術と，囊胞形成に対する開放術を放射線化学療法と併用するも，全経過10か月で死亡した．

系の治療成績を向上させたと認めさせたのは，やはり化学療法剤であるテモゾロミドの導入であり，また再発膠芽腫に対して用いられるようになったベバシズマブであった．

このような脳腫瘍の特殊性と手術療法の意義に関する背景を理解したうえで，今回は4つの脳腫瘍を代表として脳腫瘍に対する手術療法をまとめる．

各腫瘍における外科治療の意義

1 びまん性橋膠腫（DIPG）

脳幹部神経膠腫は DIPG，exophytic medullary glioma，tectal glioma の3つに分類される．exophytic medullary glioma や tectal glioma では手術療法がその有用性を発揮できる症例が存在するが，生命維持装置である脳幹部実質に浸潤性に発生する DIPG に対しては，そもそも摘出を目的とした手術を行うことができない．この事実は，脳腫瘍に対してどうにかして自らが手を下し，患者をよくしたいという脳神経外科医の心をえぐる．治療経過中に生ずる壊死や囊胞領域を部分摘出することによって，残存する正常領域に対する圧迫を解除して，少しでも症状軽快を目標とする手術を行う場合もある（図1）が，手術が生存期間延長に結びついたという客観的データは全く存在しない．

さらに，残念ながら化学療法の意義も確認されておらず，現時点でわれわれができる初期治療は放射線治療単独ということになる．こういった状況はすでに30年以上続いている．

現在，積極的に組織を得て遺伝子解析を行ったうえで H3K27M を治療標的とした研究が行われている．

2 ジャーミノーマ（胚腫）

もともと悪性，すなわち高い増殖能と浸潤能を有しているにもかかわらず，化学放射線療法に対する治療反応性がきわめて高いために，手術による摘出は組織確認にとどめることが妥当な脳腫瘍がジャーミノーマである．それほど効果を示す化学放射線療法が存在するということである．脳腫瘍治療に関与する人間の多くが，このジャーミノーマを悪性脳腫瘍として認識することはないと思われる．しかし，ジャーミノーマは放っておけば増大し死に至る（図2）．また化学放射線療法で完治を得ても，10年以上

経過してからも再発の可能性がある(図3)[4]．決して甘く考えてはならない．さらには，20〜30年という長期間患者を診て，再発に対する再治療，治療による二次発がん・脳血管障害・内分泌障害・高次機能障害・社会適応性の問題等を実感しない限り，行ってきた治療の妥当性は決して評価できないことを理解してほしい．現在の目標は，再発リスクを抑えたうえで放射線量を減量し，上述のような放射線晩期合併症を減らすことにある．

3 上衣腫(ependymoma/anaplastic ependymoma)

上衣腫は比較的境界鮮明な腫瘍であるために，摘出をするうえできわめて有利な特徴を有している．しかし，上衣腫の腫瘍境界がよりはっきりしているといっても，腫瘍が後頭蓋窩に発生する場合，生命維持装置である脳幹部への浸潤と下位脳神経を巻き込むことが摘出のうえで大きな障害となる(図4)．

上衣腫に対しては，手術摘出状況は重要な予後因子であると考えられている[5]．追加治療方法としての放射線治療は有用で，一方現時点では化学療法の有効性は証明されていない．全摘出できた場合に放射線治療を追加すべきなのか，放射線治療をできれば避けたい3歳未満の症例に対する治療方法はいかにすべきなのか，残存腫瘍に対する治療アルゴリズムは何が最適なのか，再発時の治療方法はどうすべきなのか，が現時点での検討課題となっている．

4 髄芽腫(medulloblastoma)

髄芽腫は，1970年以前の教科書には，「最も陰惨な章の1つ」と記載されており，小児悪性脳腫瘍の代表として認識されてきた．しかし，手術による腫瘍容積の可及的減量と適切な化学放射線療法の確立により，近年30年間で明らかな治療成績向上が得られた(図5)．2005〜2008年の日本の脳腫瘍全国統計[6]における髄芽腫の5年生存率は，72.1％(139例)となっている．2012年にSmollらによってCancerに報告された2001〜2006年のSEER data baseの統計結果[3]でも，ほぼ同等の69％(2,037例)であった．時代変遷に伴ってSEERデータベースにおいても髄芽腫の治療成績は向上しているが，1985〜1987年を境にして最も大きく改善したと報告されている．

髄芽腫が上衣腫と異なるのは，手術療法が治療成

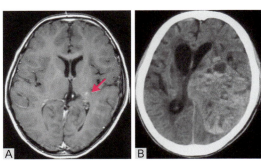

図2 ● 8歳男児：左基底核部胚腫
左基底核部胚腫症例の経過．治療開始時のMRI造影T1強調水平断(A)で，矢印にて淡く造影された腫瘍を示す．治療後，寛解を得たが，再発腫瘍(B，単純CT水平断)に対して治療を希望されず腫瘍死した．

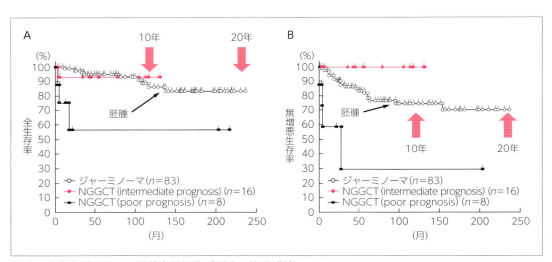

図3 ● 東北大学における頭蓋内胚細胞系腫瘍の治療成績
A：全生存率(OS)．B：無増悪生存率(PFS)．胚腫をそれぞれ→で示した．10年以上経過しても再発を生じ，必ずしも救命できるわけではないことがわかる．
NGGCT：non-germinomatous germ cell tumor.
(Kanamori M, et al.：Optimal treatment strategy for intracranial germ cell tumors：a single institution analysis. J Neurosurg Pediatrics 4：506-514, 2009 より引用，改変)

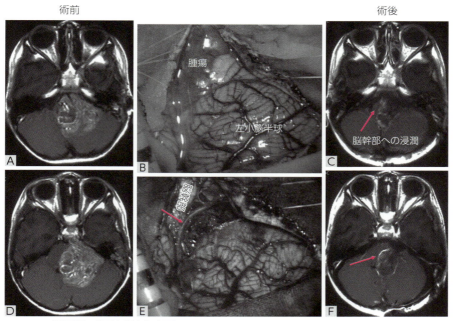

図4 ◆ 4歳男児：退形成性上衣腫
4歳男児の左小脳延髄裂から発生した退形成性上衣腫症例．A・D：術前MRI造影T1強調像水平断，B：術中摘出前，C・F：術後MRI造影T1強調像水平断．E：摘出後，腫瘍は脳幹部（延髄-橋，矢印），下位脳神経と強く癒着しており，亜全摘手術に終わっている．
（口絵6 p.iv参照）

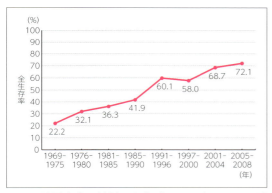

図5 ◆ 脳腫瘍全国統計から作成した日本における髄芽腫治療成績の推移
時代が新しくなるに従って治療成績が向上している．2005〜2008年の5年生存率は72.1%に到達している．
(Report of Brain Tumor Registry of Japan(2005-2008). 14th edition. Neurol Med Chir(Tokyo) 57(Suppl 1): 9-102, 2017より作成)

4の4型に分類されるようになった[8]．この分類は生命予後を含めた臨床病態に直接関与する．この遺伝子分類で見直すと，Group 4以外では摘出度は予後良好因子となっていなかったことがTaylorらのグループから報告された[9]．すなわち残存腫瘍を認めた場合，特にWNT，SHH，Group 3に分類される腫瘍では，手術リスクや化学放射線療法開始を遅くすることを覚悟して2回目の手術に向かうことは，必ずしも妥当ではないのではないかと疑問を投げかけた．さらに，2018年のシステマティックレビューでも，髄芽腫に対する摘出度が本当に予後に影響するかどうかは不明確であるという結果であり，遺伝子学的分類を明確にしたうえでの手術療法の意義の再評価が必要であると報告されている[10]．

おわりに

われわれ脳神経外科医は，悪性腫瘍，ことに小児脳腫瘍のなかのある一群に対して，神経症状を悪化させることなく，確実に腫瘍を摘出することによって有意義な人生を送ることが可能な症例が存在していることを経験している．それがどういった症例であるか，明確にできていない．われわれは，どうにかして外科治療の有効性を証明したいと考えてい

績向上に寄与すると考えられて治療されている点である．髄芽腫は従来，予後良好群と不良群を，年齢・播種の有無・手術後の残存腫瘍量によって分類されており，残存腫瘍が<1.5 cm²であった場合，予後良好であると報告されていたからである（図6）[7]．

近年，遺伝子学的分類が髄芽腫に導入され，TaylorらのグループによってWNT，SHH，Group 3，Group

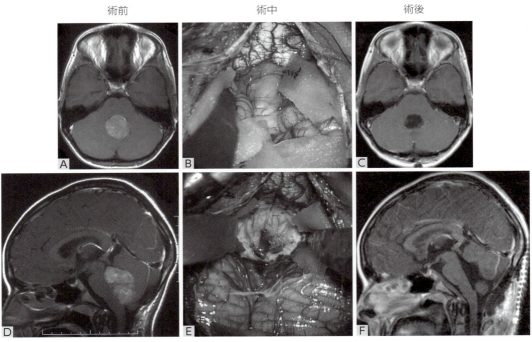

図6 ◆ 13歳男児：髄芽腫
13歳男児の髄芽腫症例．A・D：術前 MRI 造影 T1 強調像水平断(A)と矢状断(D)，B：術中摘出前，E：摘出後，C・F：術後 MRI 造影 T1 強調像水平断(C)と矢状断(F)を示す．腫瘍は完全摘出されている．
(口絵7 p.iv 参照)

る．それは自らの存在価値を証明することに等しい．

　手術をするうえでは，解剖学的な腫瘍の浸潤・進展形式が大きくその摘出操作に影響する．あくまでも人間が手術をするのであるから，境界鮮明・脳機能領域(eloquent area)に関係ない・重要な血管構築を含まない・腫瘍存在部位に到達可能，といったような手術操作が容易である症例と，境界不鮮明・eloquent area を含む・温存不能な重要な血管構築を含む・腫瘍への到達困難，といったような手術操作が困難である症例では当然のことながらその結果は異なる．

　われわれが行うべきことは，手術療法の必要・有効な症例に対して，確実に手術を遂行し，その後の追加治療を行い，症例によっては数十年にわたる予後を自ら確認し，本当に正しい治療方法を確立することにある．決して脳神経外科だけでできる仕事ではなく，病理・分子生物学・小児科・血液内分泌内科・化学療法部門・放射線科・リハビリテーション科，等多くの分野と協力して，この目標を達成したいと考えている．

■ 文献

1) Stummer W, et al.：Extent of resection and survival in glioblastoma multiforme：identification of and adjustment for bias. Neurosurgery 62：564-576, 2008
2) Barnholtz-Sloan JS, et al.：Relative survival rates and patterns of diagnosis analyzed by time period for individuals with primary malignant brain tumor, 1973-1997. J Neurosurg 99：458-466, 2003
3) Smoll NR：Relative survival of childhood and adult medulloblastomas and primitive neuroectodermal tumors(PNETs). Cancer 118：1313-1322, 2012
4) Kanamori M, et al.：Optimal treatment strategy for intracranial germ cell tumors：a single institution analysis. J Neurosurg Pediatr 4：506-514, 2009
5) Massimino M, et al.：Final results of the second prospective AIEOP protocol for pediatric intracranial ependymoma. Neuro Oncol 18：1451-1460, 2016
6) Report of Brain Tumor Registry of Japan(2005-2008). 14th edition. Neurol Med Chir(Tokyo)57(Suppl 1)：9-102, 2017
7) Albright AL, et al.：Effects of medulloblastoma resections on outcome in children：a report from the Children's Cancer Group. Neurosurgery 38：265-271, 1996
8) Taylor MD, et al.：Molecular subgroups of medulloblastoma：the current consensus. Acta Neuropathol 123：465-472, 2012
9) Thompson EM, et al.：Prognostic value of medulloblastoma extent of resection after accounting for molecular subgroup：a retrospective integrated clinical and molecular analysis. Lancet Oncol 17：484-495, 2016
10) Thompson EM, et al.：The clinical importance of medulloblastoma extent of resection：a systematic review. J Neurooncol 139：523-539, 2018

(隈部俊宏)

第2章 小児がん
D 小児がんにおける治療法〔外科治療〕

2 骨・軟部腫瘍

悪性骨・軟部腫瘍の治療成績は，強力な全身化学療法の普及，画像診断技術の進歩，切除縁の概念の普及，再建技術の向上によって，大きく進歩した．以前は切・離断が行われていた症例でも，患肢温存手術が可能となってきた．当初は患肢が温存できれば，ある程度機能が不良でも満足する患者が多かったと思われる．しかし現在では，多くの症例で患肢温存が行われ，さらに患肢機能について患者の要求も高いものになっている．現時点では悪性骨腫瘍切除後の機能再建として，人工関節を用いた非生物学的再建手術や，処理骨などを用いた生物学的再建が行われる．本項では，一般的に行われている骨・軟部腫瘍の外科治療について述べる．

骨・軟部腫瘍の切除縁評価

悪性骨・軟部腫瘍の切除には広範切除縁の獲得が必要とされている．広範切除縁は切除部位が反応層を超えた同一コンパートメント内の正常組織にあるものであるが，その範囲が広く，評価する者により判定が異なる点が問題であった[1]．わが国では「悪性骨腫瘍取扱規約」「悪性軟部腫瘍取扱規約」に従った切除縁評価法が，多くの骨・軟部腫瘍専門施設で行われている[2][3]．この評価法は切除標本の肉眼的所見を用いて行われ，バリア（barrier）の存在と腫瘍反応層からの距離で総合的に決定される．

具体的には次のようになる．
①治癒的広範切除縁（curative wide margin）：腫瘍の反応層からの距離が5cmあるいはそれに相当する組織外を通過する切除縁．
②広範切除縁（wide margin）：治癒的広範切除縁には満たないが，腫瘍の反応層より外側にある切除縁．
③腫瘍辺縁部切除縁（marginal margin）：腫瘍周囲の反応層を通過する切除縁．
④腫瘍内切除縁（intralesional margin）：腫瘍実質内を通過する切除縁．

最近では手術縮小のさらなる解析を進めるため，広範切除縁を不適切な広範切除縁（inadequate wide margin：1cmの切除縁）と適切な広範切除縁（adequate wide margin：2〜4cmの切除縁）の2種類に分けて解析するとしている．また，広範切除縁をcm別に分け，W(1)〜W(4)などと評価することもある．この際，小数点以下の端数は切り上げcmで評価する．この評価法では切除材料の断面で切除縁を評価するが，腫瘍に近接した危険な部位があれば，そこが断面となる割面作りが重要となる．

悪性骨腫瘍切除術における2cm以上の広範切除縁は治癒的切除縁の再発率と同等であると報告され[4]，現在では2cm以上の広範切除術（adequate wide margin）が推奨されている．わが国の切除縁評価法は優れた精密な評価法であるが，バリアの概念はやや複雑であることや術前化学療法著効例の切除縁縮小手術など，解決すべき問題点もある[1]．

良性骨腫瘍の手術

良性腫瘍である骨軟骨腫や内軟骨腫，腫瘍類似疾患である線維性骨皮質欠損，非骨化性線維腫や線維性骨異形成症のなかには，単純X線での経過観察のみ行われる症例も多い．

良性骨腫瘍で最も頻度の高い骨軟骨腫は，美容的な問題や関節運動に伴い神経や軟部組織の刺激症状が出現した場合などは切除術の適応となる．軟骨帽を含め，本来の骨皮質のレベルまで腫瘍を切除するが，術後X線で切除が不十分であったことが判明することもあり，術中X線画像や透視画像で確認しながら切除を行う必要がある．多発性骨軟骨腫の場合は，手関節の変形を伴うことが多く，腫瘍切除と矯正骨切り術や骨延長術の適応となる．

病巣掻爬術（腫瘍内切除術）は良性骨腫瘍に対する一般的な手術方法である．内軟骨腫やLangerhans細胞組織球症（好酸球性肉芽腫）などは，病巣掻爬のみで治癒することが多い．再発傾向のある骨巨細胞腫や動脈瘤様骨囊腫などでは，鋭匙による単純掻爬のあとで，追加処置を行うことが多い．ハイスピードドリルで腫瘍内の骨性隔壁を正常骨構造が出るまで削ったり，掻爬した骨面をアルゴンレーザーによる焼灼処理など行って，残存腫瘍組織を完全に除去する．掻爬後には大きな骨欠損が生じるため，自家骨移植や人工骨移植を行う．人工骨としては，顆粒状やブロック状のヒドロキシアパタイト（hydroxyapatite：HA）やβ-リン酸三カルシウムなどが用いられる[5]．骨巨細胞腫の掻爬後の骨欠損部には，残存腫瘍細胞に対する熱による殺細胞効果や関節周辺の力学的な安定性を目的として骨セメントが充填されることがある．また，大きな病巣の骨巨細胞腫では広範切除術後に人工関節置換術が行われることがある．

類骨骨腫の疼痛に対しては非ステロイド性抗炎症薬（non-steroidal anti-inflammatory drugs：NSAIDs）の効果があるが，腫瘍本体の病巣（nidus）を外科的に処理する必要がある．従来は局所を切開しnidusを切除する方法が一般的であった．しかし手術中に肉眼やX線像でnidusの位置を同定することがむずかしく，特に大腿骨頸部発生例ではその傾向が強い．さらに，荷重骨の類骨骨腫切除後の場合，術後免荷が必要になることもある．そこで，CTガイド下ラジオ波焼灼術が行われている（図1）．低侵襲の術式で再発も切除術と同等であり，有用な方法である．しかし，日本では保険診療として認められていないため，ナビゲーション技術を応用した低侵襲な切除術も行われている[6]．

単発性骨嚢腫は小児期に発生することが多く，嚢腫内外の循環障害による内圧上昇が成因と考えられている．特に骨嚢腫が骨端線に接している活動期には再発傾向が高く，病巣掻爬と骨移植を行っても再発しやすい．このような成長期の小児に発生した活動期の骨嚢腫に対して，嚢腫内圧を減少させ嚢腫内に骨形成を促す方法がある．チタン製中空スクリューを用いる方法や，HA中空ピンを用いる方法などがある（図2）．完全な治癒が得られなくても，ある程度の骨形成が得られれば骨強度が増加する．

線維性骨異形成（fibrous dysplasia）が大腿骨近位部に発症すると，特徴的なShepherd's crook deformity（羊飼いの杖変形）とよばれる内反股を呈し，矯正手術が行われることがある．一方，骨線維性異形成（osteofibrous dysplasia）では手術より経過観察が推奨されている[7]．

原発性悪性骨腫瘍の手術の進歩

骨肉腫を中心とする悪性骨腫瘍に対しては，1980年頃までは切・離断術が行われていた．しかし，多くの原発性悪性骨腫瘍は診断後にすぐに患肢切断を行ってもほとんどの症例で肺転移を生じ，予後はきわめて不良であった．その後，原発巣が発見された時点ですでに肺に微小転移が存在しているという概念が導入されるようになり，術前より全身化学療法を行うようになった．1980年代に入り系統的化学療

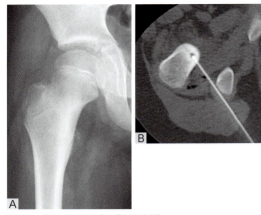

図1● 右大腿骨頸部 類骨骨腫
9歳男児．A：単純X線，B：ラジオ波焼灼術時のCT．

法の導入により生命予後が改善されたこと，MRIを中心とする画像診断技術の進歩により腫瘍進展範囲が正確に把握できて局所制御率が上昇したこと，さらに手術材料や手術手技の進歩により患肢温存手術が広く行われ，悪性骨腫瘍の治療成績は大きく改善した．

切除手術の基本は，広範切除を達成することである．骨肉腫をはじめとする高悪性度悪性骨腫瘍は原則として2cm以上の広範切除縁，すなわちadequate wide marginを確保する必要がある．さらに腫瘍広範切除後に骨欠損部をさまざまな再建方法を用いて再建し，有用な機能をもった患肢を残すことが重要な課題である．

悪性骨腫瘍切除後の再建手術

現在，悪性骨腫瘍切除後広範囲骨欠損の再建には人工関節などを用いる非生物学的再建と，同種骨，自家処理骨や血管柄付き腓骨を用いる生物学的な再建方法がある．一般的には，広範な骨欠損の再建法として，腫瘍用人工関節による再建が最も広く用いられている．腫瘍用人工関節置換術は，広範な骨・関節欠損部に対し，欠損部の補填，関節機能の温存，早期の歩行機能の獲得を達成できる最も確実な再建方法である．延長型人工関節の開発により，成長期の患者であっても人工関節により患肢を温存することが可能となっている（図3）．しかし，人工関節の弛みや折損，感染の問題などが未解決である．

一方，わが国では地域骨銀行（ボーンバンク）が発達しておらず同種骨の入手が困難で，同種骨移植はまだ普及していないのが現状である．そこで罹患骨をPasteur処理（60℃加温処理）（図4），あるいは液体

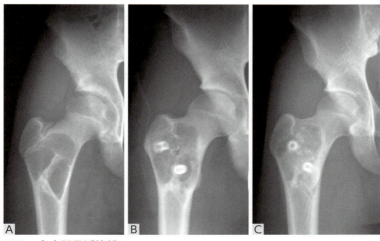

図2 ◆ 右大腿骨近位部
17歳男子．A：単純X線，B：HAピン挿入術直後，C：最終手術後1年6か月

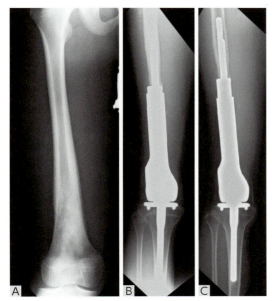

図3 ◆ 右大腿骨遠位部骨肉腫
12歳男児．A：初診時，B：人工関節置換術後1年（1 cm 延長），C：術後4年（3 cm 延長）

窒素のなかで凍結処理したあとに骨欠損部に戻す手法が開発され，有用な生物学的再建法と考えられている．また，一部では骨延長術（bone transport）による再建も行われている．

一方，局所進行例や術前化学療法で効果が得られないなど，患肢温存手術で局所根治性が得られないと判断した場合には，切・離断術や回転形成術も選択肢の1つである．回転形成術は，悪性骨腫瘍の存在する部位を分節状に切除し，残存する遠位部を180°回転させて残存する近位に接合し，切除された関節の機能を担わせる方法である．膝関節回転形成術（type A, knee rotationplasty）や股関節回転形成術（type B, hip rotationplasty）がある．脚長差は義足を用いて補正することになる．整容面での問題は残るが，機能的には切・離断術よりはるかに良好である．

良性軟部腫瘍

良性腫瘍の場合，一般的には腫瘍辺縁切除術を行う．神経鞘腫では被膜を切開し腫瘍の発生している神経束のみを切断する腫瘍核出術を行う．デスモイド型線維腫症のような局所再発傾向の高い腫瘍に対しては広範切除術が行われてきたが，切除後の再発率が高いことや機能障害が大きいことから，症状が軽度であったり広範切除が困難な場合はCOX-2 阻害薬などの内服薬で経過観察が多く行われるようになった．日本整形外科学会のホームページにガイドラインが公開されている[8]．

悪性軟部腫瘍（軟部肉腫）

低悪性度の軟部肉腫の場合も，治療の中心は外科治療である．高悪性度軟部肉腫の場合は局所再発の可能性を最小限にするために広範切除術，特に近年では2 cm 以上の広範切除縁が原則である．また，神経血管束に接した腫瘍に対しては in situ preparation 法が行われることがある．これは腫瘍に近接した重要な神経や血管を温存するために，腫瘍に神経や血管が付着したまま周辺組織より wide margin で剥離し，腫瘍塊の下にビニールシートを敷きこみ，シートのうえで腫瘍から神経や血管を剥離する．その後，剥離した神経や血管を100 % アルコールで処理

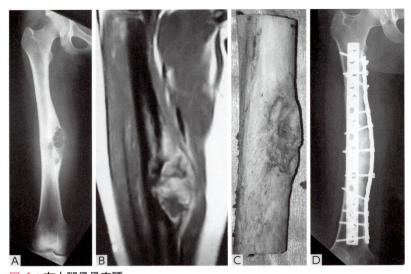

図4 ◆ 右大腿骨骨肉腫
17歳女子．A：初診時単純X線，B：造影MRI T1強調像，C：Pasteur処理骨，D：単純X線（術後8年）

するものである[9]．本方法が実用化され腫瘍に近接した神経や血管の温存率は高くなった．

さらに，術前に化学療法や放射線療法を行い腫瘍の縮小が得られれば，正常組織を温存して安全な切除縁での切除が可能になるため，神経や血管に隣接する悪性軟部腫瘍でも患肢を温存できる可能性がある．前医で良性疾患として不適切な切除縁で単純切除された軟部肉腫は，手術侵襲の加わった部位全体をすべて含めて追加広範切除を行う必要があるため，安易な軟部腫瘍切除は慎むべきであり，「軟部腫瘍診療ガイドライン2020」[10]に詳しく解説されている．

悪性軟部腫瘍切除後の再建手術の段階では，広範な皮膚欠損が生じやすく形成外科との共同手術で皮弁が用いられることが多い．

おわりに

良性骨腫瘍では，手術手技の工夫やIVR（interventional radiology）技術の応用などにより低侵襲な手技が行われるようになった．悪性腫瘍でも系統的化学療法の導入により生命予後の改善に加えて局所制御率が上昇したこと，MRIの進歩により腫瘍進展範囲が正確に把握できるようになったこと，腫瘍用人工関節などの手術材料やナビゲーション技術などの手術手技が進歩[11]したことなどにより，患肢温存手術が一般的に行われるようになった．今後は患肢のよりよい機能再建がさらに重要になるとともに，感染などの合併症の危険性の低い材料や手術術式の開発が期待される．

■ 文献

1) 国定俊之，他：切除縁評価法の問題点：悪性骨腫瘍．日整会誌 88：588-594，2014
2) 日本整形外科学会骨・軟部腫瘍委員会（編）：整形外科・病理 悪性骨腫瘍取扱い規約．第4版，金原出版，2015
3) 日本整形外科学会骨・軟部腫瘍委員会（編）：整形外科・病理 悪性軟部腫瘍取扱い規約．第3版，金原出版，2002
4) Kawaguchi N, et al.：The concept of curative margin in surgery for bone and soft tissue sarcoma. Clin Orthop Relat Res 419：165-172, 2004
5) Kunisada T, et al.：Radiographic and clinical assessment of unidirectional porous hydroxyapatite to treat benign bone tumors. Sci Rep 10：21578, 2020
6) Fujiwara T, et al.：Mini-open excision of osteoid osteoma using intraoperative O-arm/Stealth navigation. J Orthop Sci 24：337-341, 2019
7) Nakahara H, et al.：Minimally invasive plate osteosynthesis for osteofibrous dysplasia of the tibia：a case report. J Orthop Surg (Hong Kong) 18：374-377, 2010
8) 日本整形外科学会骨軟部腫瘍委員会：腹腔外発生デスモイド型線維腫症診療ガイドライン2019年版．2019 （https://www.joa.or.jp/public/bone/）
9) Matsumoto S, et al.："In situ preparation"：new surgical procedure indicated for soft-tissue sarcoma of a lower limb in close proximity to major neurovascular structures. Int J Clin Oncol 7：51-56, 2002
10) 日本整形外科学会診療ガイドライン委員会/軟部腫瘍診療ガイドライン策定委員会編：軟部腫瘍診療ガイドライン2020．改訂第3版，南江堂，2020
11) Fujiwara T, et al.：Intraoperative O-arm-navigated resection in musculoskeletal tumors. J Orthop Sci 23：1045-1050, 2018

（国定俊之，尾﨑敏文）

第2章 小児がん

D 小児がんにおける治療法〔外科治療〕

3 内臓固形腫瘍

成人の内臓固形腫瘍の治療の主体は，外科切除である場合が多いが，小児の内臓固形腫瘍は，化学療法や放射線治療の奏効する症例が少なくない．そのため，外科治療は集学的治療の一部として，根治性とともに患者の数十年先のQOLを考慮したストラテジーが必要とされる．そのような観点から，小児の内臓固形腫瘍に対する外科治療のストラテジーは，症例ごとに，①生検，②診断時摘出（primary surgery），③待機的な根治術（second look surgery あるいは delayed primary surgery）の3つに大別される．本項においては，小児の内臓固形腫瘍の代表的疾患である神経芽腫，腎芽腫（Wilms 腫瘍），肝芽腫のそれぞれについての外科治療に関して記載する．

表1 ◆ INRG staging system

Stage	
L1	IDRFで定義される主要な臓器・構造を巻き込んでいない局所性腫瘍
L2	1項目以上のIDRFを有する局所性腫瘍
M	遠隔転移例（Stage Ms を除く）
Ms	皮膚，肝，骨髄に限局した遠隔転移例

INRG：International Neuroblastoma Risk Group（国際神経芽腫リスクグループ）

神経芽腫

低中間リスク群神経芽腫に対する外科療法

1 IDRF

神経芽腫の病期分類としては，術後分類である神経芽腫国際病期分類（International Neuroblastoma Staging System：INSS）が長年使用されてきたが，現在は，国際神経芽腫リスクグループ（International Neuroblastoma Risk Group：INRG）による治療前の画像評価による staging が取り入れられている[1]（表1）．このなかで用いられている IDRF（image defined risk factors）は，限局性神経芽腫の症例に対し，画像所見から手術のリスクを推定し，初回手術として摘出を試みるか，生検のみでとどめるのかを判定するための評価項目である．具体的には，治療前の画像所見（造影CTまたはMRI）を用いて IDRF の有無を判定する．それぞれの原発巣の占拠部位に応じて，1項目でも該当すれば IDRF 陽性と判断する．特に，最も重要となる血管系に対する判定規準は，encasement があれば IDRF 陽性，その他の項目では yes であれば IDRF 陽性とする（表2）．血管に対する contact，encasement の判定基準を示すシェーマ（図1）を呈示する[2]．すなわち，動脈に関しては，血管が全周性に腫瘍に取り囲まれている場合（total encasement），あるいは，動脈管腔の半周以上腫瘍に取り囲まれている場合（contact≧50％）を encasement（＋）と して IDRF 陽性とし，動脈管腔の半周未満が腫瘍に取り囲まれている場合は contact（＋）として IDRF 陰性とする．また，静脈に関しては，腫瘍に圧迫されて，内腔が潰れて同定できない場合は，flattened with no visible lumen となり IDRF 陽性と判断し，内腔が同定できる場合は，flattened with visible lumen として IDRF 陰性とする[3,4]．

2 初回手術の術式適応

IDRF に基づく初回手術の適応を以下に記す．
①術前画像評価（造影CTまたはMRI）によるIDRFを有しない症例：一期的手術を行う．
②術前画像評価（造影CTまたはMRI）によるIDRFを1つでも有する症例：生検のみとする．

3 原発巣の摘出

低中間リスク群神経芽腫における外科治療の原則は，残存腫瘍があった場合でも良好な予後が期待できることから，正常臓器の温存を最大限考慮した手術を行うことである．そのため，限局性神経芽腫に対して，IDRF が陰性であれば，原則として周囲臓器を温存して原発巣を全摘出する．IDRF 陰性でも術中の所見で，腫瘍を摘出するために臓器合併切除や主要血管の損傷を回避できない場合は，生検にとどめるべきである．

高リスク群神経芽腫に対する外科治療

高リスク群神経芽腫の外科治療は初診時に腫瘍生検を行い，化学療法後に second look operation による根治術を行う．2021年現在，JCCG 神経芽腫委員会（日本小児がん研究グループ〔Japan Children's Cancer Group〕内の委員会，Japan Neuroblastoma Study Group：JNBSG）における高リスク群に対する臨床

表2 ◆ IDRF 一覧

解剖学的部位	項目
多部位	以下の2つの部位に進展している片側性腫瘍：頸部-胸部，胸部-腹部，腹部-骨盤
頸部	頸動脈，椎骨動脈，内頸静脈を巻き込んでいる腫瘍 頭蓋底に進展している腫瘍 気管を圧迫している腫瘍
頸胸部	腕神経叢根部を巻き込んでいる腫瘍 鎖骨下動静脈，椎骨動脈，頸動脈を巻き込んでいる腫瘍 気管を圧迫している腫瘍
胸部	大動脈またはその分枝を巻き込んでいる腫瘍 気管または主気管支を圧迫している腫瘍 T9-T12椎体レベルの肋椎関節に浸潤している下縦隔腫瘍
胸腹部	大動脈または大静脈を巻き込んでいる腫瘍
腹部と骨盤	肝門部または肝十二指腸間膜に浸潤している腫瘍 腸間膜根部で上腸間膜動脈の分枝を巻き込んでいる腫瘍 腹腔動脈幹起始部または上腸間膜動脈起始部を巻き込んでいる腫瘍 片側または両側腎茎部に浸潤している腫瘍 大動脈または大静脈を巻き込んでいる腫瘍 腸骨動静脈を巻き込んでいる腫瘍 坐骨切痕を越える骨盤腫瘍
脊髄内腫瘍伸展	横断像で脊柱管の1/3以上に浸潤している，または脊髄周囲くも膜下腔が消失している，または脊髄の異常信号が認められる脊髄内腫瘍伸展
隣接する臓器・構造に浸潤	心膜，横隔膜，腎臓，肝臓，膵島十二指腸，腸間膜

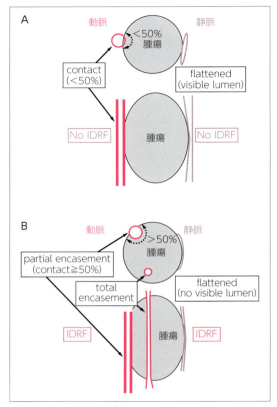

図1 ◆ IDRF判定基準シェーマ
(Brisse HJ, et al.: Guidelines for imaging and staging of neuroblastic tumors: consensus report from the International Neuroblastoma Risk Group Project. Radiology 261: 243-257, 2011 より引用，改変)

試験は，JN-H-07，JN-H-11，JN-H-15 がすでに終了している．JN-H-07 においては，シスプラチン，シクロホスファミド，ビンクリスチン，ピラルビシンからなる寛解導入を5サイクル，大量レジメンはMEC（ミトキサントロン＋エトポシド＋シタラビン）を用い，大量療法前に外科療法を組み込んで行われたが，3年全生存率が69.5％，無増悪生存率が36.5％の成績であった[5]．JN-H-11 においては化学療法のスケジュールの遅延を避ける目的で手術時期を骨髄破壊的大量療法のあとに行う遅延局所療法を導入し，さらにJN-H-15 においては寛解導入療法にICE（イホスファミド＋エトポシド＋カルボプラチン）を組み込み，骨髄破壊的大量化学療法にはBU/L-PAM（ブスルファン＋メルファラン）を採用している．JN-H-20 においては，KIR リガンドミスマッチ臍帯血移植を組み込み，外科治療は施設判断で任意のタイミングで施行可能となる．これらの高リスク群治療のなかの外科治療の位置づけは，あくまで集学的治療の一部としての局所治療であり，何より安全性が優先される．そのため，手術適応としては，患児の全身状態が改善しており，十分な骨髄機能を有し，心機能，呼吸機能などが全身麻酔に耐えられる状態であることが必須条件である．そして，小児腫瘍手術に精通した外科医が，外科チームのリーダーシップをとって手術および周術期管理を行うことが望ましい．

1 原発巣の摘出

高リスク群神経芽腫の外科治療に関しては，臓器合併切除の有効性を示すエビデンスに乏しいため，JNBSG では，切除の程度（gross total resection/complete resection であるか partial resection であるか）による生存率の差はないという立場をとっている．原

発部位にかかわらず，腎を含む周囲臓器を温存した手術を行うことが重要である．

腎芽腫（Wilms 腫瘍）

病期

わが国では，1996年より日本 Wilms 腫瘍スタディグループ（Japan Wilms Tumor Study Group：JWiTS，現 JCCG 腎腫瘍委員会）が発足し臨床試験が開始された．JWiTS-2（2014年1月にクローズ）では，NWTS（National Wilms Tumor Study）-5 に準拠したプロトコールを採用しており，ここでは手術時の肉眼的，病理組織学的腫瘍進展度と切除性の両者を加味したNWTS 病期分類が用いられ，これにより治療方針が決定される．同時性両側性の腎芽腫は病期 V に分類される．

外科治療方針

腎芽腫の治療は，北米を中心とした NWTS〔現在は COG（Children's Oncology Group）〕による，腫瘍摘除後に化学療法，放射線治療を行うプロトコールと，欧州を中心とした SIOP（International Society of Paediatric Oncology）による，化学療法を先行させたあとに腫瘍摘除を行うプロトコールに大別される．両プロトコールともに治療成績に大差はない．JWiTS-1，2 では，NWTS に準拠して腫瘍摘除を先行するが，腫瘍が大きく一期的切除が困難な場合や，両側性または下大静脈腫瘍塞栓がある場合は，術前に化学療法を行うケースもある．

両側性腎芽腫に関しては，JWiTS-1，2 では最初に手術を行い，腫瘍摘出可能であれば腫瘍を摘出し，摘出困難な場合は生検を行う方針となっていたが，生存率はそれほど悪くないものの，治療中に腎不全に陥り，透析や腎移植を必要とする症例が少なからず存在したため，腎温存を主眼においたプロトコール（RTBL14）が 2014 年からスタートした．ここでは，腎温存の観点から化学療法を先行して，腫瘍の縮小を図ってから腎部分切除にて切除する方針であった．両側の腫瘍を同時に摘出するのか，別々に摘出するのか，別々の場合どちらを先に手術するのかなど，手術のタイミングについては慎重な検討が必要であるが，まず大きいほうの腫瘍の手術を行い，術後全身状態と，残存腎の機能が十分に回復してからもう一方の腫瘍を摘出するほうが安全であると考えられる[6]．RTBL14 は 2019 年に試験終了となったが，登録症例 3 例中，両腎温存できたのが 1 例，片腎温存が 2 例との結果であり，両側性腎芽腫の腎温存率向上のためにはさらなる治療プロトコールの改善と症例の蓄積による解析が必要である[7]．

手術の実際

手術では，経腹的に腎摘出およびリンパ節のサンプリングを行う．術中操作に伴う血行性転移を最小限にとどめるため，原発巣を授動する前に腎動静脈を剝離・結紮するよう努める．副腎に関しては，腫瘍に接していない副腎は残してよいが，腎上極から発生した腫瘍の場合には副腎を合併切除する．尿管は可及的に遠位で結紮切離するが，全摘する必要はない．周囲組織（結腸，脾臓，膵尾部，胃，横隔膜，腸腰筋など）の合併切除は，すべての病変を完全に切除できると判断される場合に限って実施する．腫瘍遺残がある場合や，腫瘍被膜による spillage がある場合には，病期は stage 3 以上となるため，放射線照射野の決定のためクリップによる病変部位のマーキングを行う．

腎部分切除を行う場合は，治療前に分腎機能を評価することは重要である．手術として，腫瘍の破裂や腫瘍細胞の散布は避け，出血のコントロールを行いながら，超音波凝固切開装置などを用いて，腎被膜を円周状に切り込み被膜をむいて隣接する腎実質を明らかにし，楔状，あるいは垂直に削ぐようにして切除を行う．マージンは余裕をもって 0.5〜1.0 cm を確保する．

肝芽腫

病期

肝芽腫の治療には，化学療法と肝切除による完全腫瘍摘出が原則である．わが国では，1991 年に日本小児肝癌スタディグループ（Japanese Study Group for Pediatric Liver Tumor：JPLT，現 JCCG 肝腫瘍委員会）が発足した．JPLT-1（1991〜1998 年）では，日本小児外科学会の病期分類に基づいて術前術後化学療法と外科切除を行う観察研究が行われた．JPLT-2（1999〜2012 年）では，国際的にほかのグループとも比較できるように PRETEXT（pre-treatment extent of disease）分類[8]〔第 II 部/第 2 章/B/5．肝腫瘍　図1（p.553）参照〕を臨床病期に用いて観察研究が行われた．ここでは原則として，遠隔転移のない PRETEXT I を除くすべての腫瘍に対して術前化学療法を実施することとした[9]．JPLT-3（2013 年〜現在登録終了）では，小児肝腫瘍国際共同研究（Children's Hepatic tumors International Collaboration：CHIC）における解析に基づき，肝芽腫を標準，中間，高リスクの3群に分ける新たなリスク分類が導入されることになった．

- 高リスク：以下のいずれかの患者
  血清AFP＜100 ng/mL，PRETEXT付記因子：M＋，N2（遠隔のリンパ節転移）
- 中間リスク：以下のいずれかの患者
  PRETEXT IV，PRETEXT付記因子：E＋，V＋，P＋，H＋，N1，多発，診断時年齢が3歳以上，初診時肝破裂例
- 標準リスク：上記以外のすべての患者

さらに，2018年からは，国際共通リスク分類（CHIC分類）をもとに作成した小児肝細胞癌も含めたリスク別国際共同臨床試験 PHITT（Paediatric Hepatic International Tumour Trial）試験（JPLT4/PHITT）が開始され，日米欧3極にて，共通の病期，病理分類を中央診断し，極低，低，中間，高などのリスク層別に基づくランダム化試験として実施中である．

外科治療方針

肝芽腫に対する治療の最終目標は，術前化学療法後に肉眼的に認められる病変を，原発巣，転移巣も含めてすべて外科的に完全切除することである．肝芽腫の治癒には，腫瘍の完全切除が必須であるため，肝移植，肺転移巣切除術を含めたあらゆる手段を考慮すべきである．

手術の実際

1 治療前生検

プロトコール上は生検は全例に実施することが原則とされ，唯一の例外は腫瘍破裂により血行動態が不安定な状況やabdominal compartment syndromeにより生検が患者の状態を危険にさらす可能性がある場合である．開腹手術やコアニードルバイオプシーによる生検が推奨される．

2 根治的切除

原発巣の完全切除は，定型的肝切除，非定型的高度肝切除，全肝摘出/同種肝移植によって可能となる．切除性の評価はきわめて重要であり，術前に適切な画像診断（超音波検査やアンギオCT構築など）を行う．腫瘍が残存するリスクが高い，高難度の肝切除が予想される症例については，必要により肝移植可能施設に患者を移送し，肝移植のバックアップのもとに手術に臨む必要がある．

3 肺転移巣手術

JPLT-4では，肺転移は「胸部CTで少なくとも径5 mm以上の非石灰化結節を1個以上，それぞれの径が3 mm以上の非石灰化結節を2個以上認める場合」と定義されている．診断時に肺転移が認められた場合も，原発巣が切除可能であれば，化学療法のあとに転移巣に対する積極的な外科療法を行うことで，生存率の向上が期待できる．転移巣の検索には，術前のthin-slice CTに加えて，開胸手術による術中の触診が推奨されており，原則はできるだけ肺容量を残すため，切除容積が最小となるように楔状切除することである．原発巣手術が肝移植となる場合は，肺転移巣切除を先行させ，完全切除を確認する必要がある．

おわりに

小児の内臓固形腫瘍の外科治療は，外科医自身が，集学的治療全体を理解し，腫瘍のバイオロジーを踏まえた手術法を選択することが最も重要である．また，小児外科医以外に関連臓器のエキスパートの外科医の協力が必要となってくる場合も多いことから，症例ごとにキャンサーボードを活用し，小児がん外科治療チームとして，連携して患者にベストな外科治療を行うことが肝要である．

■ 文献

1) Monclair T, et al.：The International Neuroblastoma Risk Group（INRG）staging system：an INRG Task Force report. J Clin Oncol 27：298-303, 2009
2) Brisse HJ, et al.：Guidelines for imaging and staging of neuroblastic tumors：consensus report from the International Neuroblastoma Risk Group Project. Radiology 261：243-257, 2011
3) 米田光宏，他：神経芽腫におけるIDRFの概念．小児外科 42：627-632，2010
4) 田尻達郎，他：神経芽腫低・中間リスク群に対する臨床研究におけるIDRFの評価と外科治療ガイドライン．小児外科 43：1173-1178，2011
5) Hishiki T, et al.：Results of a phase II trial for high-risk neuroblastoma treatment protocol JN-H-07：a report from the Japan Childhood Cancer Group Neuroblastoma Committee（JNBSG）. Int J Clin Oncol 23：965-973, 2018
6) 越永従道：腎芽腫（Wilms腫瘍）．小児内科 41（suppl/小児疾患診療のための病態生理2）：1225-1230，2009
7) 大植孝治，他：JCCG腎腫瘍委員会報告：両側Wilms腫瘍臨床研究RTBL14の結果―希少疾患に対する臨床試験施行上の問題点．日小児血がん会誌 57：318-325，2020
8) Towbin AJ, et al.：2017 PRETEXT：radiologic staging system for primary hepatic malignancies of childhood revised for the Paediatric Hepatic International Tumour Trial（PHITT）. Pediatr Radiol 48：536-554, 2018
9) Hishiki T, et al.：Outcome of hepatoblastomas treated using the Japanese Study Group for Pediatric Liver Tumor（JPLT）protocol-2：report from the JPLT. Pediatr Surg Int 27：1-8, 2011

（田尻達郎，文野誠久）

第2章 小児がん

D 小児がんにおける治療法〔放射線治療〕

1 総論

a. 脳腫瘍

　原発性脳腫瘍は，他臓器やリンパ節に転移することはまれなため，手術や放射線治療の局所治療としての役割が大きい．しかし，多くの原発性悪性脳腫瘍は，周囲正常組織に浸潤性に進行するため，機能を温存しつつ全摘するのは難しく，体幹部悪性腫瘍に比し放射線治療の役割が大きくなる．一方で，小児の原発性悪性脳腫瘍は，その診断により好発年齢，好発部位，腫瘍の進展パターン，治療の感受性などが大きく異なるため，適用すべき放射線治療の方法や手術・化学療法との併用タイミングが重要になる．放射線治療の有害反応，それぞれの原発性脳腫瘍の疫学や併用する手術，化学療法については別項に譲り，本項では原発性悪性脳腫瘍に対する放射線治療の方法と選択法，並びに代表的な小児の原発性脳腫瘍の放射線治療法について述べる．

放射線治療の方法に関する総論的事項

　脳腫瘍に用いる放射線治療には，照射範囲の広い順に，①全脳全脊髄照射，②全脳照射，③全脳室照射，④拡大局所照射・局所照射，⑤定位放射線照射の5つの方法がある．いずれの方法を選択すべきかは，腫瘍の性質からは，脳脊髄液を介した播種の可能性，放射線感受性，化学療法感受性，腫瘍周囲への浸潤度などが，患者因子としては，年齢，全身状態などが，あがってくる．今回は，腫瘍の性質の面から選択すべき放射線治療の方法を考える．

1 全脳全脊髄照射

　脳・脊髄とその周囲にある脳脊髄液を十分に含めた範囲に照射する方法であり，脳脊髄液を介して播種しやすい腫瘍に対して選択される．しかし，放射線治療の有害反応は，照射範囲が広いほど，あるいは投与線量が高いほど，影響が大きくなるため，全脳全脊髄照射では多くの線量を投与できない．したがって，根治を期待した全脳全脊髄照射は，放射線感受性が高い腫瘍がよい適応となり，髄芽腫，脊髄播種を伴う頭蓋内胚細胞腫，化学療法の併用が困難な頭蓋内胚細胞腫，上衣芽腫などが適応となる．一方で，放射線感受性が十分に高くなくても化学療法との併用で放射線治療の効果増強を期待して全脳全脊髄照射が選択される頭蓋内高悪性胚細胞腫瘍や，ほかに期待できる治療法がないために全脳全脊髄照射が選択される脊髄播種を伴う上衣腫（WHO Grade II, III）などがある．つまり，放射線感受性が明らかに低い腫瘍では，脊髄播種があったとしても，全脳全脊髄照射を選択する場合には十分な理由が必要ということになる．

2 全脳照射

　頭蓋内の脳とその周囲にある脳脊髄液を十分に含むような範囲に照射する方法であり，脳内に多発する性格をもつ腫瘍や脳内に広範囲に進展した腫瘍に対して選択される．脳病変を生じた白血病の治療や脳病変を生じやすい白血病症例に予防的な目的で用いられる．そのほか，化学療法を併用する頭蓋内胚細胞腫のなかで，脊髄播種はないが脳表播種を伴う症例や基底核原発例などに行われる．

3 全脳室照射

　脳室壁と脳室内の脳脊髄液を十分に含むような範囲に照射する方法で，播種を生じやすい腫瘍で好発部位が脳室内かその近傍にあり，さらに細胞レベルの播種には化学療法で十分な効果が期待できる腫瘍の，化学療法と放射線治療の併用時に選択される．つまり，松果体や鞍上部初発の頭蓋内胚細胞腫が適応となるが，同じ頭蓋内胚細胞腫であっても，化学療法の併用がむずかしく放射線単独治療となる症例や，原発巣が脳室内やその近傍にない基底核原発例などには，別の照射法が用いられる．

4 拡大局所照射・局所照射

　腫瘍周囲を十分に含むような範囲に照射する方法で，播種よりも腫瘍周囲への浸潤性が強い場合に選択される．浸潤性が強い場合には拡大局所照射が，浸潤がそれほど強くない場合には局所照射が選択される．その違いは，画像で腫瘍と考えられる部位からの照射範囲（局所照射は5～10 mm程度，拡大局所照射は15～20 mm程度まで）が基準となる．拡大局所照射は高悪性度神経膠腫（WHO Grade III, IV）など，局所照射は低悪性度神経膠腫（WHO Grade II），

上衣腫（WHO Grade II，III）など，多くの悪性原発性脳腫瘍の放射線治療に用いられる．

5 定位放射線照射

3次元的に多数の方向から照射することで腫瘍周囲の正常組織への投与線量をできるだけ低減した，いわゆる狙い撃ち照射法であり，良性腫瘍あるいは播種や周囲への浸潤の性質が乏しい悪性腫瘍に対して選択される．腫瘍サイズが2～3cm程度までが適応で，それ以上の大きな腫瘍には局所照射を行う．小児脳腫瘍の根治を期待した標準的治療のなかで定位放射線照射が選択されることはほとんどなく，放射線治療後の再発腫瘍などに姑息的・緩和的に用いられる．定位放射線照射には，侵襲的固定で位置精度を向上させ1回で治療する定位手術的照射（stereotactic radiosurgery：SRS）と，侵襲的固定はせずに複数回で照射する定位放射線治療（stereotactic radiotherapy：SRT）があり，定位放射線照射の適応範囲のなかで腫瘍サイズが大きい場合や腫瘍近傍に放射線治療の影響を受けやすい正常組織がある場合にはSRTを選択したほうがよい．

各脳腫瘍の放射線治療

標準的な放射線治療を明らかにするためのランダム化比較試験が行われている小児の悪性原発性脳腫瘍はほとんどないため，わが国で広く行われている放射線治療法について根拠とともに記載する．

1 髄芽腫

Packerら[1]が行ったCOG（Children's Oncology Group）の標準リスクに対して，標準的化学療法を明らかにするための臨床試験の結果が良好であったことから，今でもこの臨床試験時の方法が標準リスクの原形となっている．現状では少し修正され，全脳全脊髄照射23.4 Gy/13回後に腫瘍周囲の摘出腔周囲（後にPackerらの後頭蓋と腫瘍周囲の摘出腔周囲の照射で差がないことが示された[2]）に30.6～32.4 Gy/17～18回を行い，摘出腔周囲に総線量54～55.8 Gy/30～31回が標準的である．一方で，高リスクでも放射線治療が有用であるとする試験[3]はあるが，放射線治療の線量を明確にする試験はなく，全脳全脊髄照射30.6～36 Gy/17～20回後に摘出腔周囲に18～23.4 Gy/10～13回を行い，摘出腔周囲に総線量54～55.8 Gy/30～31回の投与が一般的である．

2 頭蓋内胚細胞腫瘍

1）胚細胞種

化学療法を併用する場合の基本となる投与線量は23.4～25.2 Gy/13～14回で，効果が乏しい場合には5.2 Gy/3回～10.4 Gy/6回程度の局所照射を追加することもある．放射線療法は，脊髄播種を伴う例には全脳全脊髄照射，脊髄播種がなく脳表のみに播種を伴う症例や基底核原発例には全脳照射，脳室内のみの播種や播種のない松果体原発例と鞍上部原発例には全脳室照射が選択される[4]．

2）悪性胚細胞腫瘍

現在までの報告から標準的な放射線治療法を明らかにできない．しかし，一般的な方法は全脳全脊髄照射30.6～36 Gy/17～20回後に腫瘍周囲に総線量50.4～59.4 Gy/28～33回となるように局所照射を行うことである．

3）上衣腫

明らかな放射線治療法を示すランダム化比較試験はない．播種を生じやすい腫瘍であるが，全脳全脊髄照射と局所照射を比較した複数の報告では，ほとんどの再発が摘出腔周囲を含んでいたことから，播種のない症例には局所照射で50.4～59.4 Gy/28～33回の照射が行われている[5]．

おわりに

小児原発性悪性脳腫瘍に対する根治を期待した放射線治療には，腫瘍の性質に応じて照射法を検討する必要がある．しかし，小児の放射線治療の晩期有害反応は，照射範囲や投与線量が同じでも年齢が低いほど影響が大きいなど，他の因子を加味せずに腫瘍の性質のみで放射線治療法を決めるのは慎むべきということを忘れてはならない．現状では3歳未満の患児には，可能であれば化学療法を先行することで放射線治療開始の延期を検討するなど，基本的な放射線治療法をベースに症例に応じた照射法を選択するのが重要である．

■ 文献

1) Packer RJ, et al.：Phase III study of craniospinal radiation therapy followed by adjuvant chemotherapy for newly diagnosed average-risk medulloblastoma. J Clin Oncol 24：4202-4208, 2006
2) Michalski JM, et al.：Children's Oncology Group Phase III trial of reduced-dose and reduced-volume radiotherapy with chemotherapy for newly diagnosed average-risk medulloblastoma. J Clin Oncol 20：2685-2697, 2021
3) Evans AE, et al.：The treatment of medulloblastoma. Results of a prospective randomized trial of radiation therapy with and without CCNU, vincristine, and prednisone. J neurosurg 72：572-582, 1990
4) Aoyama H, et al.：Pathologically-proven intracranial germinoma treated with radiation therapy. Radiother Oncol 47：201-205, 1998
5) Combs SE, et al.：Influence of radiotherapy treatment concept on the outcome of patients with localized ependymomas. Int J Radiat Oncol Biol Phys 71：972-978, 2008

（前林勝也）

b. その他の固形腫瘍・血液疾患

小児がんの治療は集学的に行われることが多く，そのなかで放射線治療は重要な役割を果たしている．脳腫瘍を除く各種小児がんの治療における放射線治療の役割について表1に示す．今回は代表的な疾患の放射線治療について以下に記述する．

神経芽腫

神経芽腫の治療において低リスク・中リスク症例では放射線治療が併用されることはまれであるが，高リスク症例において放射線治療は欠くことのできないものである．

高リスク神経芽腫の原発巣に対しては，寛解導入化学療法後（大量化学療法前）の原発巣および初発時に認められた所属転移リンパ節に対して，20 Gy程度の線量が処方される．日本小児がん研究グループ（Japan Children's Cancer Group：JCCG）の臨床試験では肉眼的に全摘された症例に対しては19.8 Gy/11回の照射を行い，肉眼的残存腫瘍が認められる場合には10.8 Gy/6回の追加照射を行う（図1）．原発巣への術中照射の報告もあり，その際は腫瘍床へ5～6 MeVのエネルギーで10～12 Gyの照射を行う．

転移巣についても，根治目的で可能な限り照射を検討する必要がある．初診時転移のあった骨転移のうち，照射しなかった骨転移部は25.3%（128/506）が再発したのに対し，照射した骨転移部は15.8%（3/19）しか再発しなかったとの報告もある[1]．可能な限り原発巣と同様に19.8 Gy/11回を照射することが推奨される．

また，MS期肝転移による呼吸困難症状に対する緩和照射の有効性も認められている．新生児に腹部膨満で発見されるMS期は予後良好であるが，肝転移が巨大で呼吸不全を併発している場合があり，緊急的に肝臓へ2～6 Gy/2～4回（JCCGでは4.5 Gy/3回）の照射が有効である（図2）．

横紋筋肉腫

放射線治療は，外科的切除術後あるいは化学療法後の腫瘍残存量に応じて行われる．JCCGでは，原則として顕微鏡的腫瘍残存例に41.4 Gy/23回，肉眼的腫瘍残存例に50.4 Gy/28回の術後照射が標準照射線量として推奨されている．

横紋筋肉腫の場合も，転移巣にも根治目的に照射することがある．転移巣が多部位にある場合，①化学療法に不応性の病変，②病変の増悪により臨床的に問題が生じる可能性がある病変，③治療対象として十分に確認可能な病変，に優先して照射を施行する．転移部位に対する処方線量は，50.4 Gy/28回が基本である．

傍髄膜原発症例で頭蓋内浸潤がある症例では化学療法開始と同時に照射を開始することが必要であ

表1 ◆ 脳腫瘍を除いたおもな小児がんの放射線治療の役割

急性リンパ性白血病	①一部の腫瘍でPCI（高リスクT細胞白血病） ②中枢神経浸潤腫瘍への治療的CRT ③再発，高リスク腫瘍への骨髄移植前のTBI
急性骨髄性白血病	①骨髄移植前のTBI
ホジキン病	①集学的治療の一環としてISRT ②再発時の骨髄移植前のTBI
その他の悪性リンパ腫	①一部の症例でISRT ②骨髄移植前のTBI
神経芽腫	①局所進行腫瘍に対する局所領域リンパ節への放射線治療 ②緩和照射（骨，軟部） ③骨髄移植前のTBI（研究的）
網膜芽腫	①眼球温存時や再発腫瘍時の眼球照射 ②視神経の断端陽性の場合の術後照射
Wilms腫瘍	①進行期腫瘍や予後不良組織型腫瘍に対する局所領域リンパ節への照射 ②転移腫瘍に対する全肝もしくは全肺放射線治療
横紋筋肉腫	①多くの症例で局所領域リンパ節への放射線治療
その他の軟部腫瘍	①組織型，部位，サイズ，年齢によって局所領域リンパ節への放射線治療

PCI：prophylactic cranial irradiation　CRT：cranial radiation therapy　TBI：total body irradiation　ISRT：involved site radiation therapy

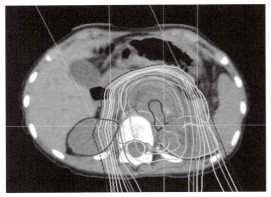

図1 ◆ 神経芽腫の陽子線治療の線量分布図
(口絵8 p.v 参照)

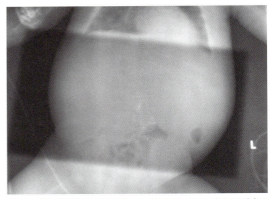

図2 ◆ 神経芽腫MS期の症状緩和目的の全肝照射のリニアコグラフィー像

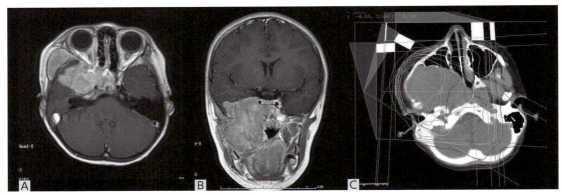

図3 ◆ 横紋筋肉腫治療前MRI画像と線量分布図
A：MRI画像（水平断像） B：MRI画像（全額断像） C：線量分布図．
(口絵9 p.v 参照)

る．化学療法と同時に放射線治療を行い，寛解を続けている症例を図に示す（図3）．

Ewing 肉腫ファミリー腫瘍

Ewing 肉腫ファミリー腫瘍においても，局所療法として放射線治療が行われることがある．また，転移に対して根治目的に照射することがあるのは上記疾患と同様である．Ewing 肉腫ファミリー腫瘍の場合，骨盤部に巨大腫瘍が形成されることがあり，そのような腫瘍に対しては卵巣温存の観点から陽子線治療が有効なこともある（図4）．

悪性リンパ腫に対する腫瘍体積

悪性リンパ腫の照射方法として，かつては involved field radiation therapy（IFRT）として悪性リンパ腫で定められたフィールドに対して照射体積が設定されていたが，この照射体積は2次元で治療を行っていた時代の照射体積であり，現在の3次元治

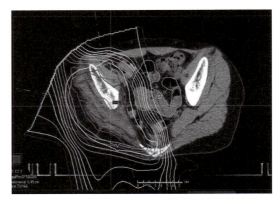

図4 ◆ Ewing 肉腫ファミリー腫瘍の陽子線治療の線量分布図
(口絵10 p.v 参照)

療計画には概念を当てはめにくくなっている．さらに，局所の再発がもとのリンパ節であることが多いため，照射体積を初診時に浸潤のあったリンパ節を中心にする治療体積に照射する involved site radiation

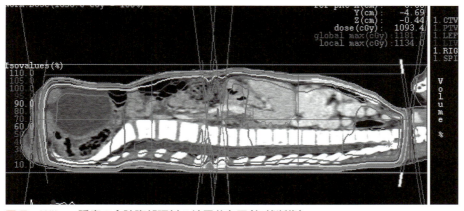

図5 Wilms 腫瘍の全肺腹部照射の線量分布図(矢状断像)
(口絵11 p.v参照)

therapy(ISRT)が International Lymphoma Radiation Oncology Group(ILROG)で提唱され，一般化してきている[2]．小児においても同様であり，照射体積の縮小が有害事象の減少につながる可能性が高くなると考えられている．

造血細胞移植の前処置としての全身照射

造血細胞移植の前処置として全身照射が併用されることもあるが，全身照射の方法についてはわが国においても海外においても施設間で相違があることが知られている．そこで日本放射線腫瘍学研究機構(Japanese Radiation Oncology Study Group：JROSG)は，2015年に全身照射に関する全国調査を実施した[3]．照射法は74施設(90%)で long SSD 法，8施設(10%)で寝台移動法が用いられていた．総照射線量と照射スケジュールで最も多かったのは 12 Gy/6回/3日が52施設(63%)，次いで 12 Gy/4回/4日が11施設(13%)，12 Gy/4回/2日が9施設(11%)であった．臓器遮蔽について，肺と水晶体を遮蔽している施設が48施設(59%)，肺のみを遮蔽している施設が21施設(26%)，水晶体のみ遮蔽している施設が5施設(6%)であった．

腎芽腫(Wilms 腫瘍)

Wilms 腫瘍ではⅢ期の腫瘍で手術後9日目までに照射開始することが推奨されている．処方線量は JCCG では 10.8 Gy/6回の照射もしくは広範な腹膜播種などでは 10.5 Gy/7回の全腹部照射を行うことになっている．また，術前肺転移がある症例では全肺照射が有効であり，12 Gy/8回の照射が行われる．

全腹部照射と全肺照射は同時に行われることもあり，図5に全腹部照射と全肺照射を同時に行った際の線量分布を示す．

緩和照射

小児腫瘍にとっても成人と同様に，症状緩和としての放射線治療は有効である．再発神経芽腫に対する緩和照射としては，骨や軟部組織の転移に対する照射が有効である．1回2〜8.5 Gy で合計4〜32 Gy の総線量が有効とされている．緩和照射の適応に関しては放射線腫瘍医にコンサルトし，十分に協議することが必要である．

おわりに

放射線治療は一部の小児がんに非常に重要な役割を果たしている．そのなかで近年，陽子線治療の有効性が評価され，放射線治療として陽子線治療施設に紹介される場合も多い．その際には自施設の放射線腫瘍医と相談し，十分に連携することが望まれる．

■ 文献
1) Polishchuk AL, et al.：Likelihood of bone recurrence in prior sites of metastases in patients with high risk neuroblastoma. Int J Radiat Oncol Biol Phys 89：839-845, 2014
2) Illidge T, et al：Modern radiation therapy for nodal non-Hodgkin lymphoma-target definition and dose guidelines from the International Lymphoma Radiation Oncology Group. Int J Radiat Oncol Biol Phys 89：49-58, 2014
3) Ishibashi N, et al.：National survey of myeloablative total body irradiation prior to hematopoietic stem cell transplantation in Japan：survey of the Japanese Radiation Oncology Study Group(JROSG). J Radiat Res 59：477-483, 2018

(副島俊典)

第 2 章 小児がん

D 小児がんにおける治療法〔放射線治療〕

2 放射線治療の物理学・生物学・種類と適応

放射線治療の物理学

1 医療に用いる放射線の種類

広義の放射線には，エネルギーをもつ波である可視光線や電磁波から加速された原子が飛ぶ重粒子線まで多様なものが含まれる．そのなかで放射線治療や放射線診断で用いるのはもっぱら電離放射線である．電離放射線には可視光線や赤外線などのように電離を起こさない放射線は含まれない．

電離とは，原子内の軌道電子を飛び出させて自由電子を生じさせる現象である．電離放射線は電磁波と粒子線に分けられる．X線やγ線は，可視光線や通信などで用いる電磁波と比べて非常に短い波長の電磁波であり，粒子に近い性質をもち光子とよばれる．光子は電子に衝突して電離を生じさせる．粒子線のうち電子線，陽電子線，陽子線，α，炭素線などの荷電粒子線は電荷をもち，物質内を通過中に電気的相互作用により電離を生じさせる．これに対して非荷電粒子線は，直接電子に働きかけて電離させることはない．しかし原子核と衝突することで，原子核が励起され，そのエネルギーをγ線として放出するため，間接的に電離を生じる（図1）．

2 放射線の線量

電離放射線の線量とは，体積あたりに生じる電離の量（J/kg）であり，グレイ（Gy）で表される．1 Gy の線量が生物や細胞に与える影響は放射線の種類やエネルギーによって異なる．放射線の種類によって電離の機序，衝突する対象，飛程周囲での電離の密度が異なることによる．従来から放射線治療に用いられてきた X 線，γ 線，電子線の 1 Gy の生物学的効果は等価である．しかし陽子線，重粒子線，中性子線は 1 Gy あたりの生物学的効果が X 線などとは異なる．このため，これらの粒子線治療では生物学的効果比（relative biological effect）という係数を用いて，X 線や γ 線における 1 Gy 等価の線量で表示することが多い．生物学的効果比を掛け合わせ値の単位には GyE もしくは生物学的等価線量と注釈したうえで Gy と表記される．

電離放射線は，飛程中で周囲の物質と相互作用を起こすために深さに応じて付与するエネルギーも変化する．深さごとの付与されるエネルギーの量の曲線を深部線量曲線とよぶ．図2 は，放射線の種類やエネルギーごとの深部線量曲線を模式的に示したものである．10 cm の深さをみると，低エネルギーの

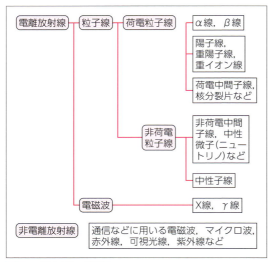

図1 ◆ 放射線の種類
医療では電離放射線が用いられる．電離放射線は粒子線と電磁波である X 線，γ 線に大きく分けられる．

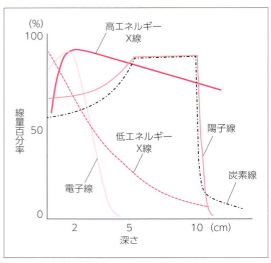

図2 ◆ 深部線量曲線
体表からの深さによる付与される線量の変化を深部線量曲線で表す．放射線の種類によって曲線は異なる

X線の付与するエネルギーが5％程度に減るのに対し，高エネルギーのX線は80％にしか減っていない．高エネルギーのX線のように深部線量曲線が緩やかな場合，体の深部までX線を届かせることができるので治療に用いることができる．低エネルギーのX線は深さ，すなわち対象の厚みによって透過する放射線の量が大きく変わる．低エネルギーX線のこの性質を利用するとX線写真やCTのように内部の構造の違いをコントラストの強い画像にすることができる．

電子線はX線に比べると深部線量曲線が急激に低下する．このため深部の臓器の線量の治療には不向きであるが，表在性の病巣の治療には有利である．

X線や電子線の深部線量曲線が深部に行くほど下降するのに対し，陽子線や重粒子線は浅い部分よりも，深部のほうが線量が高くなる．そして線量が最大になった直後にはほぼゼロに低下する．この現象は粒子が進行するにつれて速度が落ち，速度が落ちるほど粒子による周囲の電子への影響が大きくなることによる．荷電粒子線が飛程の末端付近で線量のピークを生じる現象をブラッグピーク（bragg peak）とよぶ．

3 治療計画と照射

治療計画は臓器の障害のリスクを許容範囲に保ちつつ，目標の線量を標的に投与するために，放射線の出力，照射の向き，照射野などを調整・選択する作業である．

体内の線量を計算するために体内の臓器や部位のCT値を用いること，治療時の臓器や病巣の位置，形，患者の体形を知る必要があることから，治療の直前に単純CT（治療計画CT）を撮影し，この画像上に標的体積や臓器の輪郭を入力する．単純CTだけでは病巣や臓器の輪郭を知るのが難しい場合には，ほかの画像も参照しながら輪郭を入力する．脳腫瘍のMRI画像や神経芽腫のMIBG[123]Iを用いたMIBG（metaiodobenzylguanidine）シンチグラフィなどは病巣や臓器入力に欠くことができない画像である．治療計画で計算された線量で治療するためには，照射時には病巣の位置や患者の姿勢が，この治療計画CT撮影時と同じにする必要がある．そのため固定具，着衣，おむつなども含めて，治療時には，治療計画CT撮影時と同じになるようにする必要がある．高精度の放射線治療を行う場合，より高い精度で位置や姿勢を再現する必要がある．照射中，動かないようにすることが難しい小児では，麻酔や鎮静などの処置のもとで行われることがある．

放射線治療の生物学

1 放射線による遺伝子損傷

電離を起こさない可視光線やマイクロ波などに比較すると，電離放射線はきわめてわずかなエネルギーで生物学的な効果をもたらす．それは電離による分子の変化がわずかであるにもかかわらず，細胞の生存を左右していることを示唆する．放射線による細胞障害作用の主たるものは遺伝子の損傷である．ATMに代表される染色体修復機構の傷害により，生体の放射線感受性が増すことは放射線の細胞障害に遺伝子損傷が大きな役割を担っている証拠といえる．電離による遺伝子損傷の代表的なものは一重鎖切断と二重鎖切断である．二重鎖切断は，相補的な部位を同時に損傷するような，密な電離や強い電離が生じたときに起き，一重鎖切断は疎な電離でも起きる．重粒子線では，X線と比べて二重鎖切断が起きやすい．そして相補するDNAの連続性が保たれている一重鎖切断では，修復が容易なのに対して，二重鎖切断は修復されにくい．このように放射線の種類により遺伝子の損傷や修復のされ方が違うことが，放射線の線量あたりの生物学的効果が異なる原因の1つである．

2 細胞の反応と分割照射

放射線によるDNA修復は遺伝子が損傷された数分後には始まっている．図3は，放射線を照射された培養細胞の生存割合と線量の関係を模式的に示したものである．1〜2 Gy以上の1回照射では生存する細胞が指数関数的に低下するのに対し，これより少ない線量では，生存する細胞の減少は指数関数よりも緩やかである．このように少ない線量の照射

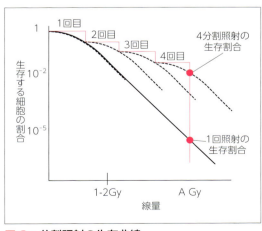

図3 分割照射の生存曲線

で，線量あたりの細胞死が少なくなるのは，放射線によるDNA損傷に対応する修復機構によるものと考えられている．

がんの治療や移植前処置の全身照射では分割照射が用いられることが多い．分割照射では2 Gyに近い線量で複数回照射する．図3に示すように総線量（A Gy）は同じでも，分割照射と1回照射を比較すると，分割照射のほうが生存する細胞は多くなる．臨床的にも総線量が同じである場合，分割照射のほうが1回照射よりも有害事象が少なくなる．

放射線治療技術の種類

1 高精度照射

小児がんの多くは放射線に対する感受性が高く，放射線治療が根治的役割を担うことが多い．一方で小児がんの放射線治療では，成人がんの放射線治療に比べて，長期に深刻な有害事象が生じることが多い．高精度放射線治療は病巣に目標の線量を付与しつつ，正常臓器の線量を低減しやすいので，小児にも積極的に適用すべきである．現代の高精度放射線治療は，①標的に対し多方向から照射して線量を集中させる集光的照射，②細分化したビームの強弱をつけて不均質な線量分布を作り，これを多方向から組み合わせる強度変調放射線治療（intensity modulated radiation therapy：IMRT），③特異な深部線量曲線を有する粒子線治療を骨格としている．これらの技術のなかでも粒子線治療の1つである陽子線治療は，小児がん治療の特性上，最も有益な治療と考えられる．

2 集光照射

集光照射では，ガンマナイフやサイバーナイフなどのように三次元的に多様な方向のビームや多軌道の回転照射を組み合わせる．集光照射では標的部分に高線量を付与できるが，その周囲に広く低線量照射される部分ができてくる．集光照射は標的が小さいほど，標的周囲の線量を減らすことができる．また定位放射線手術のように1～3回の少ない回数の照射に向いている．

3 強度変調放射線治療

従来の3次元原体照射（3D-CRT）は標的体積全体を囲むような照射野を設定して，照射野全体に同じ強度のビームで均質に照射する．強度変調放射線治療（intensity modifying radiotherapy：IMRT）はビームを細分化し，それぞれのビームの強度を変えることができる．このような多様な強度のビームからなる照射野を組み合わせることで，いびつな形状の標的体積であっても，その体積に一致した高線量部分を作ることが可能になる．強度変調放射線治療でも，5以上の向きのビームを組み合わせたり，回転照射が行われたりするので，集光照射としての特性，すなわち低線量照射される体積が大きくなるという性質をもつ．

4 陽子線治療

陽子線治療のブラッグピーク部分で標的を照射すると，標的より深部の線量はゼロに，標的より浅い部分の線量も標的よりも少なくできる．このように一方向からの照射でも標的に対する線量を集中できる陽子線では，集光照射法に比べ，正常組織の低線量で照射される体積を少なくすることができる．また小児がんの放射線治療では，術後照射や予防的照射が行われることが多い．術後照射や予防的照射では，摘出された病巣自体よりも広い範囲を照射する必要がある．このような広い範囲の照射の際，集光照射では線量集中性がよくならないうえに，広い範囲が照射されてしまう．これに対し，陽子線は標的体積が大きくても，標的体積以外の正常臓器の線量を減らせる．このような理由から，小児がんにおいて正常臓器に不要な線量の付与を避けられる点で陽子線治療が優れている．そのことから臨床的には二次がんの減少に役立つと考えられる．

5 小線源治療

小児がんの放射線治療では，体外の放射線発生装置から病巣に向けて照射する外照射が中心であるが，海外では横紋筋肉腫などに対し，病巣近傍に放射線同位元素を配置して，そこから発生する放射線で照射する小線源治療も行われている．小線源治療ではあらかじめ手術により病巣に複数のカテーテルを配置する．このカテーテル中にワイヤー上の放射性同位元素を送り込み，しばらく留置することで，規定の線量を照射する．病巣部分を直視して照射すべき部分を決められること，残存腫瘍や摘出部により線量を選択して照射できることから，根治照射と臓器機能温存の両立が期待できる治療である．

〈藤　　浩〉

第 2 章　小児がん

D　小児がんにおける治療法〔放射線治療〕

3　放射線治療の合併症

　放射線はがん細胞に対する殺細胞効果をもつが，同時に照射された範囲の正常組織にも損傷を与える．これが副作用として現れるが，放射線治療では，照射中あるいは照射終了後にすぐに現れる早期有害事象のほか，照射後数か月〜数年あるいは数十年経過後に現れる晩期有害事象が存在する．一般に早期有害事象は速やかに軽快・治癒するものが多いが，晩期有害事象は治療が困難なものが多いのが特徴である．

　放射線治療は，救命のため必須の治療であるが，成長過程にある小児患者では，成人と同様の副作用に加えて骨成長障害，知能発達障害，内分泌臓器への影響など小児特有の副作用が存在する．照射時の年齢が副作用の発現に大きな影響を与え，一般に低年齢であるほど放射線の影響を受けやすい．2016 年 4 月には X 線治療と比較して線量集中性に優れた陽子線治療が小児腫瘍に対して保険適用となり二次がんや晩期有害事象のリスク低減が期待されている．

成長障害

　骨や軟部組織の耐容線量は低く，骨は 20 Gy，軟部組織は 4 Gy 程度で成長障害が生じるとの報告がなされている．近年，強度変調放射線治療（intensity modulated radiation therapy：IMRT）や粒子線治療が小児腫瘍に対して一般的に使用されるようになり，腫瘍周辺の正常組織の照射線量は最小限になるように調整可能となった．Ng 等は神経芽腫に対する IMRT 後の椎体成長について解析を行い，非照射椎体と比較すると 13 Gy と 22 Gy が照射された椎体はいずれも成長率低下を認め，成長率低下は照射線量に依存すると報告している[1]．

　われわれのグループも小児腫瘍に対する陽子線治療後の椎体成長について解析を行い，Ng 等の解析結果と同様に 10 Gy 程度の低い線量でも椎体の成長障害を認め，照射線量が高いほど成長率が低下することを明らかにした．解析症例数はまだ少ないが，非照射椎体の成長率を 100 ％ とした場合，20 Gy 照射椎体の成長率が 58 ％，40 Gy 照射椎体の成長率が 26 ％ 程度との結果となった[2]．St Jude Children's Research Center Hospital での全脳全脊髄照射後の椎体成長の後ろ向き研究でも，椎体への照射線量が高いほど高度な低身長，椎体低成長が認められたと，われわれの報告と同様の結果が示されている[3,4]．

　一般的な小児腫瘍の治療線量が 20〜60 Gy であるので，照射範囲に含まれる骨や皮膚・筋には十分な注意が必要である．骨の成長障害では骨変形が生じる．例えば，四肢の長幹骨が左右非対称に照射されると手足の左右差が生じ，生活に支障をきたす可能性がある．椎体が不均一に照射されると側彎や亀背の原因になる．関節が照射されると可動制限が生じ，歯の萌出前に照射されると歯牙形成不全が生じる．

発達障害

　頭蓋内に放射線が照射されると，IQ の低下が生じることがある．低下の程度は照射範囲，照射線量とともに治療時の年齢が関係する[5]．また Merchant らは，中枢神経照射後の IQ は表 1 の式で予測できることを示しており[6]，照射時の年齢と照射線量が将来の IQ に影響することがわかる．

　少なくとも小児期の 23.4 Gy 以上の全脳照射により IQ 低下が生じることは避けられないと考えられるが，全脳照射の線量をさらに低減した場合や，局所照射が IQ に与える影響については今後の検証が待たれる．局所照射が与える影響は全脳照射と比較すると軽微であるとの報告もある．

　また，下垂体や視床下部の照射により内分泌異常も生じ得る．特に成長ホルモン（GH）は影響を受けやすく，18 Gy 程度から分泌不全を生じる可能性がある．GH 以外の分泌不全は一般に 50 Gy 以上で生じるが，思春期早発症はゴナドトロピン分泌神経の障害により，18〜47 Gy でも生じる可能性があるので注意が必要である．

生殖器系

　成人に対する影響と共通するが，生殖器は男女とも放射線感受性が高い．卵巣は 2〜6 Gy 照射されると一時的な不妊が生じ，3〜10 Gy 照射されると永久不妊になる[7]．精巣は 0.15 Gy で一過性の精子の減少が生じ，1〜6 Gy で永久不妊となる[8]．小児で腹部，

表1 ◆ Merchantらの中枢神経照射後のIQ計算式

IQ＝93.00＋(0.024×照射時年齢－0.0091×正常脳に対する平均照射線量)×経過時間

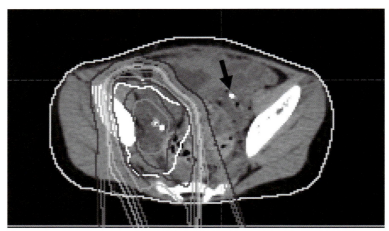

図1 ◆ 骨盤腫瘍に対する陽子線治療の線量分布図
緑線（色線は口絵を参照のこと）で囲まれた腫瘍床に陽子線治療を施行した．腫瘍切除時に卵巣マーキング（黒矢印）を留置して，同部位を完全に避ける照射を行った．この計画では左卵巣の線量は0となっている．
（口絵12　p.vi参照）

骨盤腫瘍として一般的な横紋筋肉腫やEwing肉腫では少なくとも36 Gy以上の線量が必要となるため，卵巣の線量を永久不妊となる線量未満に抑えることは困難なことが多い．陽子線治療は，X線治療と比較して低線量領域を最小限にすることが可能であり，不妊のリスクを低減することが期待されている．われわれも骨盤照射の際に卵巣温存を希望する場合は，卵巣マーキングや卵巣固定術などを行うこともあり，化学療法や手術が行われる前から小児内科医や外科医との連携が重要である〔図1, 2（口絵12, 13, p.vi参照）〕．

脳幹壊死

脳壊死は，50～60 Gy程度の放射線治療を施行した際に数％程度で認められる有害事象であり，発生時は外科的切除，ステロイド内服や経過観察などが行われる．特に脳幹部の壊死は生命にかかわる重篤な症状を呈することがあるため，脳幹への照射線量は最小限に調整する必要がある．当院でも脳幹が照射範囲に含まれる場合は，少なくとも45～50.4 Gy以上の照射は最小限になるように留意している．日本放射線腫瘍学会／日本小児血液・がん学会の『小児・AYA世代の腫瘍に対する陽子線治療ガイドライン2019年版』（金原出版）では，陽子線治療はX線治療と比較して線量集中性に優れており，二次がんや晩期有害事象の軽減が期待されている．

しかしながら，陽子線治療が開始された当初は，陽子線治療による脳幹壊死のリスクが従来のX線治療と比較して高い可能性があるとの報告もあり，近年も検証が続いている．Indelicatoらは，脳幹部に50.4 Gy(RBE)以上の照射が施行された小児陽子線治療例313例について後ろ向きの解析を行い，2年間での脳幹晩期有害事象発症率は3.8％，Grade 3以上の脳幹晩期有害事象発症率は2.1％程度とX線治療と同程度の発症率であったと報告している[9]．Gentileらは，陽子線治療の脳幹線量を最大55.8 Gy(RBE)未満かつV_{55}＜6.0％未満では脳幹壊死の発症率が2.0％未満であると報告している[10]．陽子線治療での脳幹壊死のリスクは同程度の照射を施行した際のX線治療でのリスクとほぼ同程度にみえるが，これらの報告は脳幹への照射線量が不均一にならないように慎重に調整された結果であり，脳幹近傍の腫瘍に陽子線治療を施行する際は脳幹への照射体積を最小限とし，かつ脳幹内に不均一な高線量領域を

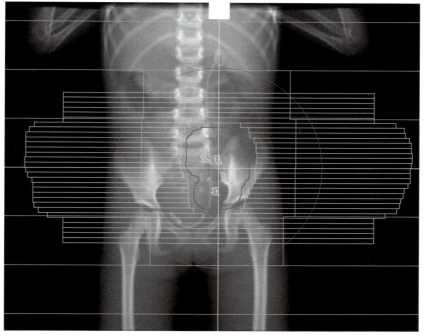

図2 ● 骨盤腫瘍術後照射のイメージ図
術中に腫瘍付着部の断端に金属マーキング（オレンジ線；色線については口絵を参照のこと）を留置して，マーキングを参考に照射範囲を設定した．術後照射では術前の腫瘍浸潤範囲の評価が重要となり，術中マーキングは浸潤範囲を同定する貴重な情報となる．
（口絵13　p.vi 参照）

作らないことに留意する必要があると考えられる．

二次がん

　放射線による発がんは，照射後10年後頃から生じ得るので，治療後の経過が長い小児にとっては重大な問題である．また，発がんのリスクに閾値はなく，どれほど低線量であっても，放射線が照射された場合には発がんの可能性がある（確率的影響）．

　放射線治療においては，通常20〜60 Gy，つまりCTの100〜1,000倍の線量が照射される．すなわち，照射後の発がんには非常に注意を要する．特にHodgkin病や白血病の治療後の骨肉腫，乳癌，甲状腺癌，脳腫瘍などがよく知られている．照射後の骨肉腫の発症リスクは照射線量と相関し，60 Gy以上で40倍のリスクがあるとされている[11]．胸部照射後の乳癌のリスクは健常者の16倍，甲状腺癌のリスクは，わずか0.5 Gyで35倍に増加し，3.6 Gyで73倍に増加するといわれている[12]．頭蓋内の照射後は，神経膠腫や髄膜腫が二次性に発症することが知られており，頭蓋内の二次がんの頻度は3〜20％と考えられている[13]．

　陽子線治療は照射されない正常組織を最大限にする点で非常に優れており，二次がんのリスク低減が期待される．Sethiらは，84例の網膜芽細胞腫症例で照射野内の二次がん発症率が，X線14％に対して陽子線では0％であったと報告しているが[14]，陽子線治療例の観察期間中央値は10年に達しておらず，正確な評価にはより長期の追跡結果が待たれる．

その他

　照射技術の進歩により放射線治療はここ10〜20年で大きく変化している．特に陽子線治療はX線治療と比較して低線量領域の体積を大幅に低減することが可能となるため，晩期有害事象や二次がんのリスクを最小限にすることが期待されている．しかしながら，新しい照射技術には予想外の結果が出ることもあるため，照射後の結果を慎重に評価していく必要がある．特に小児腫瘍治療後の長期的な影響の評価を行うためには，数年の経過観察では不十分であるため，10〜20年後の変化を評価する体制を確立することが重要であり，小児腫瘍に対して放射線治療を行う放射線腫瘍医の責務であると考える．

■ 文献

1) Ng LW, et al.：Dose sculpting intensity modulated radiation therapy for vertebral body sparing in children with neuroblastoma. Int J Radiat Oncol Biol Phys 101：550-557, 2018
2) Baba K, et al.：An Analysis of Vertebral Body Growth after Proton Beam Therapy for Pediatric Cancer. Cancers（Basel）13：349, 2021
3) Mizumoto M, et al.：Height after photon craniospinal irradiation in pediatric patients treated for central nervous system embryonal tumors. Pediatr Blood Cancer 67：e28617, 2020
4) Oshiro Y, et al.：Spinal changes after craniospinal irradiation in pediatric patients. Pediatr Blood Cancer 67：e28728, 2020
5) Meadows AT, et al.：Declines in IQ scores and cognitive dysfunctions in children with acute lymphocytic leukaemia treated with cranial irradiation. Lancet 2：1015-1018, 1981
6) Merchant TE, et al.：Modeling radiation dosimetry to predict cognitive outcomes in pediatric patients with CNS embryonal tumors including medulloblastoma. Int J Radiat Oncol Biol Phys 65：210-221, 2006
7) Wallace WH, et al.：Ovarian failure following abdominal irradiation in childhood：natural history and prognosis. Clin Oncol（R Coll Radiol）1：75-79, 1989
8) Thomson AB, et al.：Late reproductive sequelae following treatment of childhood cancer and options for fertility preservation. Best Pract Res Clin Endocrinol Metab 16：311-334, 2002
9) Indelicato DJ, et al.：Incidence and dosimetric parameters of pediatric brainstem toxicity following proton therapy. Acta Oncol 53：1298-1304, 2014
10) Gentile MS, et al.：Brainstem injury in pediatric patients with posterior fossa tumors treated with proton beam therapy and associated dosimetric factors. Int J Radiat Oncol Biol Phys 100：719-729, 2018
11) Tucker MA, et al.：Bone sarcomas linked to radiotherapy and chemotherapy in children. N Engl J Med 317：588-593, 1987
12) de Vathaire F, et al.：Thyroid carcinomas after irradiation for a first cancer during childhood. Arch Intern Med 159：2713-2719, 1999
13) Taddei PJ, et al.：Stray radiation dose and second cancer risk for a pediatric patient receiving craniospinal irradiation with proton beams. Phys Med Biol 54：2259-2275, 2009
14) Sethi RV, et al.：Second nonocular tumors among survivors of retinoblastoma treated with contemporary photon and proton radiotherapy. Cancer 120：126-133, 2014

（水本斉志）

第2章 小児がん

D 小児がんにおける治療法〔細胞・遺伝子治療〕

1 CAR-T細胞療法

基礎的事項

1 キメラ抗原受容体とは[1]

　キメラ抗原受容体(chimeric antigen receptor：CAR)は，免疫グロブリンの抗原選択性と結合力を利用した人工受容体で，がん細胞の表面に発現している抗原分子に結合するモノクローナル抗体の重鎖および軽鎖の可変部位(variable region：V_H，V_L)を連結した単鎖抗体(single chain variable fragment：scFv)を抗原結合部位としてもつ(図1A)．CARは，HLAにかかわらず万人に使用できる点が重要な特徴である．CAR遺伝子は，抗原認識部位(scFv)，細胞外ヒンジ部位，膜貫通部位，共刺激受容体シグナル伝達部位(おもにCD28，4-1BB由来)，活性化シグナル伝達部位(おもにCD3ζ由来)から構成される(図2A)．scFvの代わりに，生体内のリガンドや受容体を改変して利用するCARも報告されている．CAR-T細胞は，CAR遺伝子をウイルスベクター(レンチウイルス/レトロウイルス)やトランスポゾン法によりT細胞に遺伝子導入し，体外増幅培養を経て製造される(図2B)．$\alpha\beta$T細胞のほかに，NK細胞，$\gamma\delta$T細胞，NKT細胞がエフェクター細胞として用いられ，最近ではマクロファージも試されている．

2 CAR-T細胞療法の歴史[2]

　1993年にイスラエルのEshharらが，現在のCARにつながる「1本鎖で機能し得る人工受容体」のコンセプトを発表した．T細胞の完全な活性化にはTCR(CD3複合体)からの「シグナル1」に加えて，

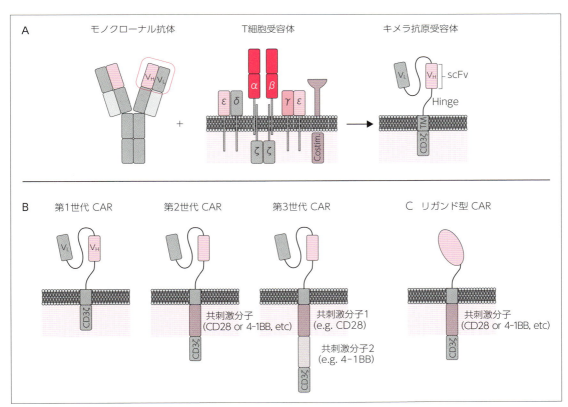

図1 ● キメラ抗原受容体(CAR)
A：CARの構造，B：共刺激受容体シグナルドメインの挿入による改変，C：リガンド型CAR．
(Majzner RG, et al.：Clinical lessons learned from the first leg of the CAR T cell journey. Nat Med 25：1341-1355, 2019より引用)

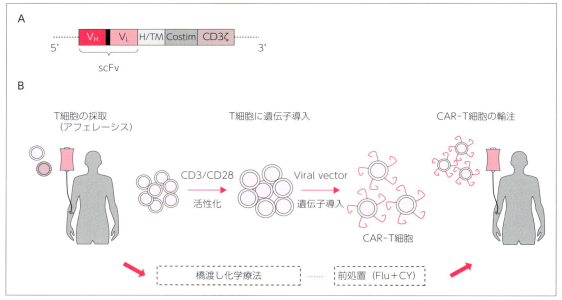

図2 ◆ CAR遺伝子の構造とCAR-T細胞療法のプロトコール
A：CAR遺伝子．H/TM：ヒンジ／膜貫通部位，Costim：共刺激．B：CAR-T細胞は，アフェレーシスにより採取した患者のT細胞を，抗体刺激により活性化したあとでCAR遺伝子を搭載したウイルスベクターにばく露することで作成される．一定期間の拡大培養後にCAR-T細胞は患者に輸注される．
(Majzner RG, et al.：Clinical lessons learned from the first leg of the CAR T cell journey. Nat Med 25：1341-1355, 2019 より引用)

CD28を代表とする共刺激受容体(costimulatory receptor)からの「シグナル2」が必要であり，シグナル2を欠く活性化はT細胞のアポトーシスを誘発する．1998年にシグナル1とシグナル2（CD28）を同時に生じるCARが初めて発表され，後に第2世代，第3世代（共刺激が2種類）とよばれるようになった（図1B）．がん細胞には共刺激受容体のリガンドは発現していないことが多いため，2000年代に行われた第1世代CARの臨床試験はすべて失敗に終わったが，第2世代CAR-T細胞を用いた臨床試験により臨床的有効性が示されるに至った．

3 CD19特異的CAR-T細胞療法の開発

CAR-T細胞療法の開発当初は，おもに成人がんを狙いCEA（大腸癌），HER2（乳癌，胃癌），PSMA（前立腺癌）などを標的としたCARの研究が進められた．一方で，B細胞性急性リンパ性白血病（B-cell acute lymphoblastic leukemia：B-ALL）に対しては，米国のCity of Hope National Medical Center，Memorial Sloan-Kettering Cancer Center，St. Jude Children's Research HospitalでそれぞれCD19を標的とするCARが開発され，2003年に相次いで発表された．2010年に成人の難治性リンパ腫における有効性が初めて示されると，続いて小児B-ALLに対する4-1BBを共刺激分子として用いた第2世代CD19特異的CAR-T細胞療法（tisagenlecleucel：tis-cel）の劇的な効果が示された．同治療のB-ALLに対する国際治験では輸注3か月時点で82％が完全奏功（全例で微小残存病変が消失）を示し，12か月の無イベント生存率／全生存率は50％／76％であった（図3)[3]．このデータに基づき，2017年にtis-celが米国で認可され，2019年にはわが国でも25歳以下のB-ALLおよび成人の再発・難治のびまん性大細胞型B細胞リンパ腫を対象として保険診療として実施可能となっている．なお，市販後の後方視的解析でも治験と同等の成績が確認されている[4]．2021年，わが国でaxicabtagene ciloleucel（共刺激：CD28）とlisocabtagene maraleucel（共刺激：4-1BB）が成人リンパ腫に対して相次いで承認された（いずれもB-ALLは適応疾患に含まれていない）．

CD19特異的CAR-T細胞療法の実際

1 tis-cel 投与の適応

現在わが国におけるB-ALLに対する適応は，CD19陽性，投与時点で25歳以下，かつ次のそれぞれの場合に限られている．
①初発の患者では標準的な化学療法を2回以上施行したが寛解が得られない場合．
②再発の患者では化学療法を1回以上施行したが寛

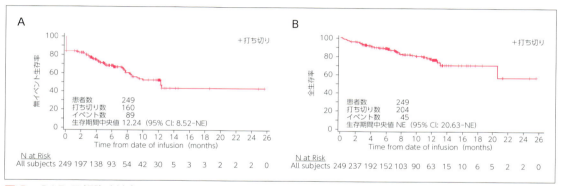

図3 ● CAR-T細胞療法（tisagenlecleucel）の市販後の治療成績
A：無イベント生存率，B：全生存率．
(Pasquini MC, et al.：Real-world evidence of tisagenlecleucel for pediatric acute lymphoblastic leukemia and non-Hodgkin lymphoma. Blood Adv 4：5414-5424, 2020 より引用)

解が得られない場合
③同種造血幹細胞移植の適応とならないまたは同種造血幹細胞移植後に再発した場合

なお，2回目の投与は保険上は認められていない．

米国では，初発高リスクB-ALLの第1寛解期におけるtis-cel輸注を含む臨床試験が実施されている（AALL1721；CASSIOPEA試験）．将来的には第1寛解期における同種移植の代替治療になることが期待されている．

2 橋渡し化学療法と前処置

患者からT細胞を採取したあとで，いわゆる「橋渡し化学療法」が行われるが，患者の状態を保つことが目的で白血病細胞を殲滅させることは目指さないので過度に強力すぎないことがポイントである．細胞製剤が完成し治療施設に届いてから，リンパ球抑制を目的にフルダラビン，シクロフォスファミドを主体とする前処置を行ってから，CAR-T細胞が輸注される（図2B）．なお，tis-cel輸注は最終治療との位置づけが多く，輸注後の同種移植は治験では9％，市販後の後方視的解析でも16.1％と限られていた．

3 CAR-T細胞療法における特徴的な副作用と再発

1）サイトカイン放出症候群

体重あたり10^6個程度のCAR-T細胞の投与（血液1μLあたり10個程度に相当）で全身の白血病細胞を駆逐するには，輸注後に患者体内でCAR-T細胞が増幅する必要がある．通常，CAR-T細胞が末梢血で検出され数的ピークとなるのは輸注してから1～2週間後とされるが，この急激な増幅に関連して，高度のサイトカイン放出に伴う臓器障害が生じることが知られており，サイトカイン放出症候群（cytokine release syndrome：CRS）とよばれている．CRSはIL-6，IL-1などの種々のサイトカインにより引き起こされ，発熱，低酸素血症，低血圧などが主症状である．特異的治療としてトシリズマブ（抗IL-6R抗体）やステロイドが用いられており，昇圧剤や人工呼吸管理といった集中治療が必要となる場合がある．tis-celの市販後の後方視的解析ではALLにおけるCRS発生頻度は54.9％（グレード3以上は16.1％），発症日（中央値）は輸注後6日，持続期間は7日間と報告されている[4]．

2）中枢神経症状（脳症）

特有の合併症の1つで，さまざまな名称でよばれてきたがImmune effector cell-associated neurotoxicity syndrome（ICANS）の用語で統一された．ICANSに対しては特異的な治療法は少なく，デキサメサゾンなどのステロイド投与と支持療法が行われる．ICANSの発生頻度は27.1％（グレード3以上9.0％），発症日（中央値）は輸注後7日，持続期間は7日間と報告されている[4]．CRSおよびICANSの診断基準が作成されているので参照されたい[5]．

3）B細胞消失（無ガンマグロブリン血症）

tis-cel輸注後にCAR-T細胞が末梢血で検出される期間は平均168日とされ，年余に渡る場合もある．寛解が維持される場合にはCD19陽性の正常B細胞の消失も続き，ガンマグロブリン定期補充が必要となる．

4）CD19抗原消失による再発

tis-cel輸注後の再発では，多くの再発でCD19抗原の消失がみられることが特徴的である．CD19の遺伝子変異やスプライシング異常が原因とされている．CD19抗原消失による再発を防ぐ目的で，CD19とCD22を同時に標的とするCAR-T細胞療法が試

されているが，有用性はまだ確認されていない．

他疾患に対するCAR-T細胞療法

1 その他の造血器腫瘍

2021年4月，多発性骨髄腫に対してB-cell maturation antigen（BCMA）を標的としたCAR-T細胞療法（idecabtagene vicleucel）が米国で認可された．一方，B細胞性腫瘍以外に対するCAR-T細胞療法の臨床的有用性はいまだに十分な証明がない．急性骨髄性白血病に対してはLewis-Y，CD33，CD123，CLL-1，NKG2DリガンドなどがCD123臨床試験で試されているが，このうちCD123やCLL-1で一定の臨床効果がみられているものの，実用化にはさらなる研究が必要である．なお，GM-CSF受容体を標的としたCAR-T細胞療法はわが国で開発中であり結果が待たれる．

2 神経芽細胞腫

GD-2特異的第1世代CARを遺伝子導入したEBウイルス特異的細胞傷害性T細胞クローンを輸注した11例の再発・難治神経芽腫の患者で3例に完全寛解が得られたと報告されている．しかし，GD-2を標的とした第3世代CAR-T細胞療法の臨床試験では明らかな奏功は得られなかった．

3 sarcoma

骨肉腫，Ewing肉腫，横紋筋肉腫などにおいてHER2がしばしば発現しており，発現量が低いためHER2抗体は無効であるものの，HER2特異的CAR-T細胞が期待されている．前臨床試験における抗腫瘍効果だけでなく，転移性横紋筋肉腫の7歳男児例における複数回投与による長期にわたる腫瘍制御が報告されている．

off-the-shelf CAR細胞療法

現在認可されているCAR-T細胞療法は，患者自身のT細胞を遺伝子改変し治療に用いる「オーダーメイドの細胞療法」であるがゆえに，薬価はきわめて高額である．また，リンパ球を採取してから投与するまでに1〜2か月の期間が必要であるため投与の時期を逸する可能性があること，濃厚な抗がん剤治療に起因するリンパ球の疲弊，製剤作成不全が一定頻度で生じることが問題となっている．これらの問題を解決するためには，Off-the-shelf（OTS：棚から降ろしてすぐに使える）製剤化，すなわち健常な第三者細胞による大量製造・備蓄が必要と考えられている．移植片対宿主病（GvHD）の制御のためゲノム編集技術を使ってTCR遺伝子を削除した他家CAR-T細胞が，再発・難治B-ALLにおける同種移植への橋渡しとして一定の成果をあげている．また，（抗原特異的受容体をもたないためGvHDを生じない）NK細胞を用いた「他家CAR-NK細胞」が成人のBリンパ腫で成果をあげている．CAR遺伝子を含む複数の遺伝子改変を施したiPS細胞から遺伝子改変T細胞/NK細胞を製造する方法も検討されている．

■ 文献

1) Majzner RG, et al.：Clinical lessons learned from the first leg of the CAR T cell journey. Nat Med 25：1341-1355, 2019
2) 今井千速：CAR-T細胞療法の歴史と展望．日小児血がん会誌 57：354-359，2020
3) Maude SL, et al.：Tisagenlecleucel in children and young adults with b-cell lymphoblastic leukemia. N Engl J Med 378：439-448, 2018
4) Pasquini MC, et al.：Real-world evidence of tisagenlecleucel for pediatric acute lymphoblastic leukemia and non-Hodgkin lymphoma. Blood Adv 4：5414-5424, 2020
5) Lee DW, et al.：ASTCT consensus grading for cytokine release syndrome and neurologic toxicity associated with immune effector cells. Biol Blood Marrow Transplant 25：625-638, 2019

（今井千速）

第2章 小児がん

D 小児がんにおける治療法〔細胞・遺伝子治療〕

2 その他の遺伝子細胞治療

本項では，小児がん治療において利用されているCAR-T療法以外の細胞・遺伝子治療として，間葉系幹細胞について概説する．

間葉系幹細胞（MSC）とは

間葉系幹細胞（mesenchymal stem cell：MSC）は，骨髄や脂肪，軟骨，歯髄，胎盤などに存在する幹細胞で，幹細胞としての機能である自己複製能（self-renewal capacity）と中胚葉系への分化能（骨および軟骨，脂肪への分化能）を有している．MSCは多くの異なった機能を有しており，組織の再生だけでなく免疫調整作用，組織修復作用をもっていることから，その機能を活かしてさまざまな疾患への治療効果が報告されている．また，MSCの存在する組織の採取が比較的容易であることに加えて培養操作も簡便であること，重篤な有害事象が報告されていないことから，安全で利用しやすい幹細胞としてMSCによる細胞治療への期待が高い．

MSCの定義

MSCは骨髄から単離された線維芽細胞様の骨形成細胞集団として最初に報告され，造血幹細胞が存在する間質微小環境の形成に加えて，骨細胞，脂肪細胞および軟骨細胞に対する分化能力を有する紡錘形の接着細胞として位置づけられている．近年，骨盤だけでなく脂肪，軟骨，筋肉，腱・靱帯，滑膜，歯髄，臍帯血，臍帯，胎盤などの広範な組織からMSCを培養できることが報告されている．しかし，それぞれの組織に存在するMSCは同等か，それとも組織特有の性質をもっているかはさまざまな意見がある．また，in vitroでは，これまで骨芽細胞，脂肪細胞および軟骨細胞に分化するだけでなく，筋肉や心筋細胞，血管などのほかの中胚葉系の細胞に加えて，神経細胞，皮膚，網膜色素上皮，肺，肝細胞，腎尿細管細胞を含む外胚葉系および内胚葉系の細胞にも分化することが明らかとなっている[1]．しかし，in vivoでは骨，軟骨，脂肪への分化は認めるが，それ以外の組織や臓器への分化は明らかでないため，真の幹細胞ではなく，「間葉系」由来の多分化能性細胞であると考えられている．したがって，現時点でのMSCの定義としては，International Society for Cellular Therapyによって以下の基準が提案されている．

① 標準的な培養条件（minimal essential medium［MEM］＋20％ウシ胎児血清［fetal bovine serum：FBS］）下でのプラスチック接着性を認めること．
② CD105，CD90，CD73およびCD44の発現が陽性であること．
③ CD45，CD34，CD14，CD11b，CD79，CD44，CD19およびHLA-DRの発現が陰性であること．
④ in vitroで骨芽細胞，脂肪細胞および軟骨芽細胞に分化すること．

MSCは間葉系幹細胞か間葉系間質細胞の両方を意味する

間葉系幹細胞は略語表記ではMSCが使用されているが，MSCには2つの意味がある．1つはmesenchymal stem cellで，もう1つはmesenchymal stromal cellである．訳語は前者が間葉系幹細胞で，後者は間葉系間質細胞となる．間葉系とは中胚葉に由来する結合織（骨，軟骨，脂肪など）を示し，間質（stroma）とは骨髄，骨，脂肪，筋肉，軟骨，神経などに存在する間葉系の細胞が存在する組織を指す．間葉系幹細胞が間質である骨髄などに存在しているため，間葉系間質細胞の一部が間葉系幹細胞と考えることに異論はない．しかし，この2つの細胞を厳格に分けて使用していることが少ない．現在臨床で用いられているMSCの多くが間質細胞を培養して使用しているため，幹細胞だけでなくさまざまな種類の細胞を含んでいる[2]．したがって，自己複製能および骨，軟骨，脂肪への分化能といった本来の幹細胞としての機能をもった細胞が間葉系幹細胞であることを考えると，培養したMSCは間葉系幹細胞と間葉系間質細胞が混在しているheterogenousな細胞集団であることを理解しておく必要がある（図1）．

多機能を有し多くの疾患に対して臨床応用されているMSC

MSCは，骨，軟骨，脂肪への分化能だけでなく，免疫調整作用，抗炎症作用，抗菌作用，抗酸化作用，抗アポトーシス作用などの多種多様な能力を有して

いる[2]．これらの作用を機能別に分けると，cell replacement（細胞置換）と trophic action（栄養効果）に分けられる[2]．前者は MSC あるいは MSC から分化した細胞が目的の組織・臓器に到達（homing）して，生着（engraftment）し，障害された細胞と置換（replacement）して，機能が回復する（組織の恒常性・再生・修復）ことをもたらす一方，後者は MSC が直接あるいは MSC により刺激されたほかの細胞が，栄養因子，サイトカイン，細胞外基質，細胞外小胞（微小胞，エクソソーム），ナノチューブを産生することによって，また MSC がほかの細胞と接着・融合することによって機能が回復すること（免疫異常の正常化や組織の恒常性，修復）に寄与している（図2）．したがって，細胞置換は MSC が病気の MSC と置き換わることで機能を発揮することから細胞移植としての役割を果たす一方，栄養効果は MSC が分泌したり放出したりするサイトカインやエクソソームによって一過性に免疫調整作用や組織修復作用を発揮する薬剤としての役割がある（図3）．これらの多機能に加えて，MSC の採取に関して，MSC が存在する骨髄，脂肪，胎盤，臍帯から比較的容易かつ安価に採取できるだけでなく倫理的配慮の必要性が少なくてすむこと，MSC の増殖に関して培養操作が簡便で確立した手法が存在すること，これまでの多くの MSC を用いた臨床研究において投与された MSC が腫瘍を形成した例や死亡例などの重篤な副作用が報告されていないことから，安全で利用しやすい幹細胞として MSC による細胞治療への期待が高い．2021 年 5 月時点で約 1,000 件もの臨床研究が国内外で進められており（図4A），また，MSC の研究論文も造血幹細胞（HSC）よりも多く，年々増えていること（図4B）から，今後ともさらなる臨床研究が行われることが予想される．

造血器腫瘍における MSC 治療

1 移植片対宿主病（GVHD）に対する治療と予防

　MSC の最も一般的に行われている臨床応用は，移植片対宿主病（GVHD）に対する治療と予防である．急性 GVHD は同種造血細胞移植の最も多い合併症であり，死亡率にも影響している．特にステロイド

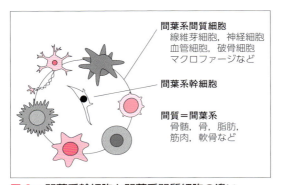

図1 ● 間葉系幹細胞と間葉系間質細胞の違い
間質（骨髄，骨，脂肪，筋肉，軟骨など）のなかに，さまざまな間葉系間質細胞（線維芽細胞，神経細胞，血管細胞，破骨細胞，マクロファージなど）の1つとして，間葉系幹細胞が存在する．

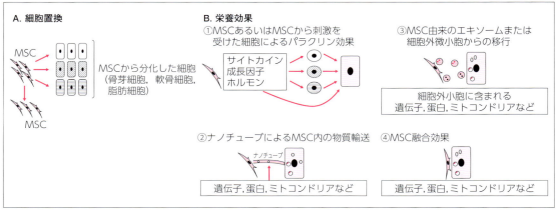

図2 ● MSC の機能
A：細胞置換．MSC または MSC から分化した細胞が標的組織/器官に生着し，損傷細胞と置換される．
B：栄養効果．MSC あるいは MSC によって刺激された細胞がサイトカイン，成長因子，細胞外マトリックスを産生して，あるいは間接的に細胞外微小胞，エキソソーム，ナノチューブを介して細胞内物質（遺伝子，蛋白，ミトコンドリアなど）を移入して，損傷した細胞を回復させる．①MSC および MSC により刺激される細胞のパラクリン効果．MSC は，成長因子，サイトカイン，ホルモンなどのパラクリン因子を分泌する．②ナノチューブによる MSC 内の物質輸送．MSC は，ナノチューブを介してオルガネラ（ミトコンドリアなど）および/または分子（遺伝子，蛋白質など）を転送する．③MSC 由来のエキソソームまたは細胞外微小胞からの移行．MSC は，エキソソームや細胞外微小胞によってオルガネラおよび/または分子を輸送する．④MSC 融合効果．MSC がほかの細胞と接着・融合して，MSC 内のオルガネラおよび/または分子（遺伝子，蛋白質など）を輸送する．

抵抗性急性GVHDの治療は確立していない．MSCのGVHDに対する有効性について，2004年に，ステロイドとシクロスポリンが無効であった9歳男児の急性GVHDにMSCを投与し，症状が改善したことが初めての報告である．これは，MSCの免疫調節作用に起因する（図5）．適応免疫応答において，

MSCはB細胞の増殖や分化の抑制，エフェクターT細胞の増殖と細胞傷害機能の抑制，制御性T細胞（Treg）の動員をもたらす．また，自然免疫応答において，MSCはNK細胞の細胞傷害機能の抑制，炎症性M1マクロファージの低下と抗炎症作用を有するM2マクロファージの動員，抗原特異的T細胞応答

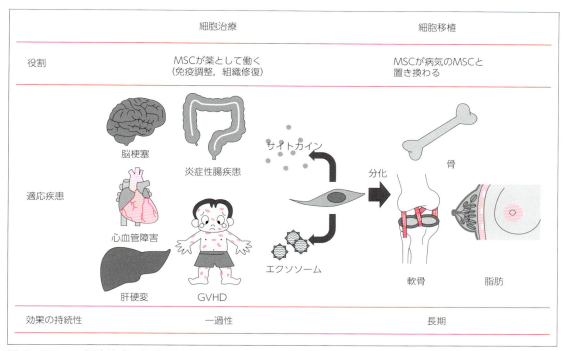

図3 ● MSCの細胞治療と細胞移植の役割

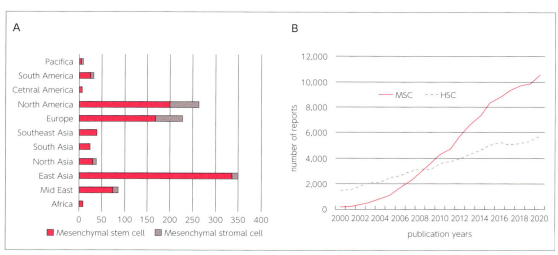

図4 ● MSCに関する臨床試験と論文
A：MSCの臨床試験．https://ClinicalTrials.gov（2021年5月現在）に登録されている地域ごとの臨床試験の数を示す．
B：MSCとHSCの論文数．http://apps.webofknowledge.com（2021年5月現在）からの検索結果に基づいて2000年から2020年の間に掲載されたMSCとHSC（造血幹細胞）の論文数．

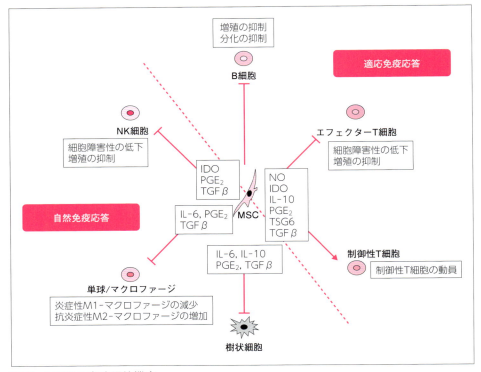

図5 ● MSCの免疫調節機序
MSCは，自然免疫応答と適応免疫応答に対する免疫調整作用である．MSCは，単球，マクロファージ，樹状細胞，NK細胞，T細胞，B細胞などのさまざまな免疫担当細胞の活性化と機能を調節する．
NO：一酸化窒素，PGE_2：プロスタグランジン E_2，IDO：インドールアミン 2,3-ジオキシゲナーゼ，$TGF\beta$：トランスフォーミング成長因子 β，IL-6：インターロイキン6，TSG-6：$TNF\alpha$ 誘導遺伝子/蛋白質6．

に必要な樹状細胞の成熟の抑制に働く．急性GVHDは宿主抗原に対するドナーT細胞の活性化，クローンT細胞増殖および炎症性サイトカイン（IL1，$TNF\alpha$ など）の放出を引き起こすことで，宿主組織（皮膚，肝臓，腸管など）の損傷を起こすため，おもにT細胞の活性化抑制にMSCが関与していると考えられている．また，慢性GVHDは近年増加しているが，治療はほとんど進展がなく，免疫抑制薬の長期間のばく露により，その副作用が問題になっている．慢性GVHDの病態は，炎症性T細胞が関与しており，制御性B細胞（Breg），TregおよびIL10の質的量的低下を伴う組織損傷をもたらす．したがって，急性GVHD同様に，MSCは炎症性T細胞の抑制やTregの動員により慢性GVHDへの治療効果が期待されている[3]．

これまで国内外でGVHDに対する臨床研究が数多く行われているが，最近，コクランレビューによって，終了した12件のランダム化比較試験（879人）と13件の進行中の臨床試験（1,532人）を検討している[4]．MSCのGVHDに対する予防効果および治療効果を検討する試験が，それぞれ7つおよび5つ行われた．MSCはいずれの予防試験においても死亡と悪性疾患の再発リスクにはならなかった．また，MSCに関連する毒性やMSCのがん化は報告されていない．GVHDの予防効果に関して，MSCは慢性GVHDのリスクを低下させる可能性が示唆された（相対危険度［RR］0.66，95％信頼区間［CI］0.49〜0.89）が，急性GVHDのリスクにほとんど影響がない（RR 0.86，95％CI 0.63〜1.17）．GVHDの治療に関する影響は，MSCが急性GVHD（RR 1.16，95％CI 0.79〜1.70）または慢性GVHD（RR 5.00，95％CI 0.75〜33.21）ともに有効性を示すことができなかった．したがって，このコクランレビューではMSCは慢性GVHDの予防効果の可能性があることと有害事象は認めないことを示唆する結果となったが，急性および慢性のGVHDに対する治療効果は認められなかった．しかし，小児の急性GVHDに限って検討すると，有効性を示す臨床試験が報告されている[3]．その結果を踏まえて，カナダとニュージーランドで小児の急性GVHDに対するMSC治療が認められている[3]．今後，MSCが小児に対してより効果的であるメカニズムを明らかにして，成人における

MSCの有効性を高めることが重要である．

コクランレビューでも指摘されているが，年齢，疾患，HSCのソース（骨髄，末梢血，臍帯血），造血細胞移植ドナーの条件（性差，血縁/非血縁，HLAの一致度），前処置レジメン（骨髄破壊的，骨髄非破壊的移植），治療開始時の合併症，MSCのソース（骨髄，臍帯，脂肪），MSCの培養に用いる培地の種類と培地に加える血清（FBS，ヒト血小板溶解液），MSCの培養継代数，使用までの保存状態（凍結保存されたMSC，凍結されずに新鮮に単離され培養されたMSC），MSCの投与量と投与回数など，治療効果に影響を及ぼす可能性のある多くの因子が存在する．したがって，MSC治療が有効なサブグループを明らかにすることが重要であると思われる．

2 MSCの効果やMSC投与後の予後を予測するバイオマーカー

急性GVHDに関して，6つの可溶性バイオマーカー（IL2Rα，TNF receptor 1, hepatocyte growth factor, IL-8, elafin and regenerating islet-derived protein 3α），アポトーシスしたMSC，MSC投与1週間後の臨床症状の改善などが予後を予測するバイオマーカーとして報告されている[5]．慢性GVHDに対するMSCの有効性を予測するバイオマーカーとして，CD27陽性memory B細胞数の増加およびB細胞活性化因子（B cell activating factor：BAFF）の血漿レベル，IL10産生CD5陽性Breg数が期待されている[5]．

3 造血幹細胞の生着の促進

MSCは，造血サイトカインを分泌したり，移植された移植片を拒絶する可能性のある残存宿主免疫を抑制したりすることにより，HSCの生着を促進する可能性がある．動物実験でも，MSCがサイトカインを分泌することにより，HSCの生着および造血の再構成を促進することが報告されている[3]．しかし，HSCの生着効率を改善するためのMSC投与の臨床研究では，自家移植および臍帯血移植を含めた同種移植において，MSC投与が安全であるが，生着に関する有効性については議論の余地がある結果となっている[3]．

4 そのほかの移植後合併症への効果

GVHDに対して投与したMSCが，障害された組織に遊走して，その組織の修復をもたらすことが報告されている[3]．また，血栓性微小血管障害症（thrombotic microangiopathy）や肝中心静脈閉塞症/肝類洞閉塞症候群（veno-occlusive disease/Sinusoidal obstruction syndrome）の発症を予防する可能性を示した報告もある．しかし，いずれも症例数が少ないため，症例数の蓄積が必要である．

MSCの問題点

1 移植片対腫瘍（GVT）効果の抑制

同種移植の治療の柱は2つある．1つは前処置による悪性腫瘍を根絶することである．もう1つは，残存腫瘍に対する移植片対腫瘍（Graft-versus-tumor：GVT）効果とよばれる同種免疫である．MSCが図5のような細胞傷害性T細胞やNK細胞の抑制に働くため，GVT効果が抑制されて再発が増える懸念がある．しかし，多くの研究では再発の有意な増加は報告されていない[3]．

2 感染症の悪化

MSCは免疫応答を抑制するので，造血細胞移植後のMSC治療は感染症を悪化させることが懸念されるが，好中球減少や免疫抑制薬治療などにより造血細胞移植自体が感染症の発症率が高い状況であるため，MSC治療の影響を判断することは困難である．しかし，MSC治療により，サイトメガロウイルス（CMV），エプスタインバーウイルス（EBV），アデノウイルス感染などの日和見感染の発生率が増加しないことは報告されている[3]．

3 MSCの形質転換およびがん化

胚性幹（embrionic stem cell：ES）細胞や誘導された多能性幹（induced pluripotent stem：iPS）細胞などの多能性幹細胞は，免疫不全マウスに注入されると奇形腫を形成する．また，造血細胞移植ではドナー由来造血幹細胞が白血病化する報告がある．MSCも多能性幹細胞の1つであるため，形質転換やがん化への懸念がある．実際に，長期間培養したマウス由来MSCでは発がんが示されている．しかし，これまでヒト由来MSCでの臨床応用ではがんを発症した報告はない[3,6]．MSCは治療に必要な十分な細胞数を得るためにex vivoで増殖させる必要があるが，培養条件によっては，MSCの悪性形質転換の素因となる細胞遺伝学的異常を獲得する可能性がある．事実，後期継代だけでなく初期段階（3/4継代）のMSCにおいて細胞遺伝学異常が見つかっている．しかし，in vivoモデルでは，これらの細胞は腫瘍を形成せず，in vitroでこれらの細胞の悪性形質転換も観察されなかった．これは，培養されたMSCは細胞遺伝学異常に関係なく，テロメアが短く細胞が老化することに起因することが報告されている[6]．したがって，ヒト由来MSCの重大な形質転換やがん化の証拠はまだ存在しない．

4 培養に用いる FBS

　骨髄や臍帯などに存在する MSC は臨床に用いるには非常に数が少ないために，*ex vivo* で培養増殖させる必要がある．これまでに報告されている多くの臨床研究で使用されている MSC は，増殖因子として FBS が用いられている．しかし，病原菌（細菌，ウイルス，マイコプラズマ，プリオン）に汚染されている危険があること，FBS の成分が一定ではないこと，同じ FBS 製剤でもロットごとにその成分が変化することなどの FBS の問題点があるため，培養して増殖した MSC の質的量的均一性が担保されるとはいえない．また，FBS に含まれている蛋白質による異種免疫反応や，反復投与によるアレルギー反応を引き起こす可能性がある．最近，FBS の代わりに血小板溶解物（platelet lysate：PL）を使用して培養した MSC を用いた臨床研究が増えているが，PL も感染リスクやロット間の品質のばらつきは解決されていない．

おわりに

　MSC は，前臨床動物モデルや臨床研究だけでなく，*in vitro* でも明確に骨，軟骨，脂肪の再生，免疫調整作用および組織修復作用がある．ただし，最も適切な臨床適応症と治療効果の程度はしっかりと確立されていない．特に，MSC は造血細胞移植を受けている患者の標準的な治療オプションになる大きな可能性を秘めているが，GVHD または造血細胞移植のほかの毒性を迅速かつ完全に治療することはできない．むしろ，MSC は，現在の治療オプションと比較して重要な利点をもつ細胞である．MSC 治療の最も大きな長所は，毒性のない免疫調整作用および組織修復作用であり，MSC が白血病の再発または日和見感染のリスクを高めることはない．MSC がすべての疾患ですべての可能な作用を最大限発揮する可能性は低いため，標的となる疾患に有効性を示す MSC の機序を明らかにして，その効果を実行できる MSC の細胞調整方法を確立する必要がある．

■ 文献

1) Kobolak J, et al.：Mesenchymal stem cells；Identification, phenotypic characterization, biological properties and potential for regenerative medicine through biomaterial micro-engineering of their niche. Methods 99：62-68, 2016
2) 宮本憲一，他：間葉系幹細胞の分類とその臨床応用．再生医療，16：204-209，2017
3) Burnham AJ, et al.：Mesenchymal stromal cells in hematopoietic cell transplantation. Blood Adv 4：5877-5887, 2020
4) Fisher SA, et al.：Mesenchymal stromal cells as treatment or prophylaxis for acute or chronic graft-versus-host disease in haematopoietic stem cell transplant (HSCT) recipients with a haematological condition. Cochrane Database Syst Rev 1：CD009768, 2019
5) Cheung TS, et al.：Mesenchymal Stromal Cells for Graft Versus Host Disease：Mechanism-Based Biomarkers. Front Immunol 11：1338, 2002
6) De Becker A, et al.：Mesenchymal Stromal Cell Therapy in Hematology：From Laboratory to Clinic and Back Again. Stem Cells Dev 24：1713-1729, 2015

〈竹谷　健〉

第2章 小児がん
E AYA世代のがん

1 AYA世代がんの疫学・予後・治療課題

定義と概念

　AYA世代とは，「adolescent and young adult（思春期・若年成人）」世代のことであり，小児と成人の狭間の世代である．がんの種類が小児がんから成人がんに移行する時期にあたり，対応する診療科が小児診療科から多様な専門領域に分かれる成人診療科まで幅広い．AYA世代は，人生の重要なライフイベントが多く，世代特有の共通した課題が多いものの，A（思春期）世代とYA（若年成人）世代に相違点も多い．AYA世代の定義は，国や文脈によってさまざまである．豪州では12～25歳，英国では13～24歳，カナダでは15～29歳である．米国では，15～39歳ががんの治療成績の改善率が最も低い世代であることが報告されたのを契機に2006年に本格的にAYA世代のがん対策が開始された．わが国では，特有の課題が多いAYA世代についてがん対策のすき間をなくす観点から15～39歳を指す場合が多い．

AYA世代がんの疫学

　わが国のがんの罹患数は，年間約98万856人，そのうち15歳以上39歳以下の罹患数は2万810人であり，全体の2.1％である．さらに15～24歳に限ると罹患数は2,497人であり，がん罹患数全体の0.25％に過ぎず，小児期（0～14歳）の2,094人よりやや多い[1]．がん種の内訳は**表1**に示すように[2]，15～19歳では，白血病，脳腫瘍，リンパ腫，胚細胞腫瘍，骨・軟部腫瘍のいわゆる小児がんが多い．20歳代では，性腺・胚細胞腫瘍が最も高頻度になり，甲状腺腫瘍，子宮頸がん，次いで乳がんが増加する．30歳代になると，乳がんが急増して子宮頸がんを抜いて第1位となり，次いで大腸がん，胃がん，肺がんが増加し，成人がんが多くを占めるようになる．しかし，成人がんは高齢者に多いため，40歳未満の割合は，比較的若年層に多い子宮頸がんで40.9％であるが，AYA世代で最も多い乳がんでは5.2％に過ぎず，AYA世代は，成人がんの希少な年齢層である．

　同じ臓器の腫瘍でも，A世代とYA世代で好発の

表1 ◆ 小児・AYA世代に好発するがんの種類

罹患順位	0～14歳	15～19歳	20～24歳	25～29歳	30～34歳	35～39歳
第1位	白血病（43）	白血病（30）	性腺・胚細胞腫瘍（33）	性腺・胚細胞腫瘍（50）	乳がん（109）	乳がん（260）
第2位	脳腫瘍（22）	脳腫瘍（17）	白血病（32）	子宮頸がん（46）	子宮頸がん（105）	子宮頸がん（122）
第3位	リンパ腫（10）	リンパ腫（17）	リンパ腫（27）	甲状腺がん（41）	性腺・胚細胞腫瘍（65）	大腸がん（93）
第4位	神経芽腫（9）	性腺・胚細胞腫瘍（16）	甲状腺がん（27）	白血病（33）	甲状腺がん（63）	胃がん（79）
第5位	軟部肉腫（7）	骨腫瘍（12）	脳腫瘍（20）	リンパ腫（32）	大腸がん（40）	性腺・胚細胞腫瘍（79）
第6位	胚細胞腫瘍（5）	軟部肉腫（9）	軟部肉腫（12）	乳がん（31）	リンパ腫（36）	甲状腺がん（76）
第7位	骨腫瘍（4）	甲状腺がん（9）	子宮頸がん（8）	脳腫瘍（19）	胃がん（36）	リンパ腫（43）
第8位	網膜芽腫（3）	皮膚がん（1.9）	大腸がん（8）	大腸がん（18）	白血病（31）	白血病（42）
第9位	腎腫瘍（3）	上咽頭がん（1.4）	骨腫瘍（6）	軟部肉腫（17）	軟部肉腫（22）	肺がん（33）
第10位	肝腫瘍（3）	腎腫瘍/大腸がん（1.2）	胃がん/乳がん（5）	胃がん（15）	脳腫瘍（20）	脳腫瘍（25）

括弧内数値：人口100万人あたりの罹患数（推計値）
（Katanoda K, et al.：Childhood, adolescent and young adult cancer incidence in Japan in 2009-2011. Jpn J Clin Oncol 47：762-771, 2017をもとに作成）

表2 ◆ AYA世代（15～39歳）のがん種別5年生存率

小児がん	5年生存率（SE）	成人がん	5年生存率（SE）
胚細胞腫瘍（性腺）	94.7（0.1）[*1]	甲状腺癌	99.2（0.1）[*2]
Hodgkinリンパ腫	92.9（0.2）[*3]	子宮体癌	89.9（0.9）[*2]
非Hodgkinリンパ腫	77.4（0.4）[*3]	悪性黒色腫	88.9（0.3）[*2]
髄芽腫（脳腫瘍）	69.3（2.3）[*1]	精巣癌	87.5（2.3）[*2]
骨肉腫	61.5（1.5）[*3]	乳癌	83.5（0.2）[*4]
急性リンパ性白血病	55.6（0.9）[*3]	子宮頸癌	83.3（0.3）[*2]
急性骨髄性白血病	49.8（0.8）[*3]	腎癌	83.0（0.6）[*2]
Ewing肉腫ファミリー腫瘍	49.3（1.8）[*3]	膀胱癌	81.4（1.0）[*2]
星細胞腫（脳腫瘍）	46.4（0.7）[*3]	前立腺癌	79.9（4.0）[*4]
横紋筋肉腫	37.8（2.2）[*3]	虫垂癌	77.2（3.7）[*2]
		卵巣癌	72.8（0.7）[*2]
		頭頸部癌	69.9（0.6）[*2]
		肺・気管癌	32.1（0.7）[*2]
		肝癌・肝内胆管癌	25.2（1.4）[*2]

[*1]：小児（0～14歳）と比べて有意に高い
[*2]：成人（40～69歳）と比べて有意に高い
[*3]：小児（0～14歳）と比べて有意に低い
[*4]：成人（40～69歳）と比べて有意に低い
SE：標準誤差

(Trama A. et al.：Survival of European adolescents and young adults diagnosed with cancer in 2000-07：population-based data from EUROCARE-5. Lancet Oncol 17：896-906, 2016をもとに作成)

がん種は異なる[2]．血液腫瘍では，小児期に多い急性リンパ性白血病（acute lymphoblastic leukemia：ALL）が減少し，15～19歳で急性骨髄性白血病（acute myeloid leukemia：AML）と罹患率が同程度になり，その後はAMLが増加する．また，リンパ腫も年齢とともに増加傾向を認め，30歳を超えると白血病より罹患率が高くなる（**表1**）．骨腫瘍は15～19歳で最も罹患率が高く，そのなかで骨肉腫が最も多い．脳腫瘍は，小児期に多い髄芽腫，毛様細胞状星細胞腫，上衣腫が減り，20歳代になると膠芽腫，びまん性星細胞腫の罹患率が高くなる．性腺腫瘍では，10歳代～20歳代に精巣胚細胞性腫瘍が急増する．卵巣胚細胞腫瘍は10歳代～20歳代前半に多く，その後は卵巣癌が急増する．

AYA世代がんの予後

AYA世代のがん種別5年生存率を世代間で比較すると，小児がんの多くは小児期に比べてAYA世代で有意に5年生存率が低く，なかでもAML，Ewing肉腫ファミリー腫瘍，星細胞腫（脳腫瘍），横紋筋肉腫の5年生存率は50％を下回る[3]（**表2**）．一方で成人がんについては，乳癌と前立腺癌を除くほとんどのがん種でAYA世代のほうが成人期に比べて有意に生存率が高い．しかし，肺・気管癌と肝癌・肝内胆管癌の5年生存率は50％を大きく下回っている（**表2**）[3]．国内ではAYA世代の予後の推移に関する情報は限られるが，15～29歳の全がん種の10年相対生存率は，男性で66.0％，女性で75.3％と報告されており，小児期に比べてやや低い[4]．

AYA世代がんの治療成績や予後の改善率が不良な理由には，さまざまな要因がある．がん種の生物学的特性として，ALLや乳癌などではAYA世代に予後不良な遺伝子型や組織型が多いことや，ALLでは小児型レジメンによる治療が成人型レジメンによる治療に比べて有意に予後がよいことが知られている．また，臨床試験による治療のほうが，そうでない治療に比べてよい成績を期待できるとされ，5年生存率の改善率と臨床試験参加者数に相関関係が認められており，AYA世代の臨床試験参加者の少なさと5年生存率の改善率の低さが一致する[5]．AYA世代患者は，絶対数が少なく，臨床試験参加率も低いことから臨床試験参加者数が最も少ない世代であり，治療に関するエビデンスが乏しい．

診療上にもAYA世代特有の課題が存在する．患者ががんを疑おうとせず，生活や仕事を優先して病院に行かない傾向がみられたり，医師も不定愁訴や疼痛に対してがんを積極的に疑おうとしないことが，診断の遅れにつながる可能性がある．さらにAYA世代は，小児や成人よりも治療不遵守の傾向があり，特に抗がん薬内服の不遵守は，再発リスクを増加させる可能性がある．希少であるがゆえに医療者の診療経験が乏しく，AYA世代の特徴を認識できていないことも影響し得ると考えられる．

AYA世代がんの治療課題

　AYA世代のがん患者の多くは，成人診療科で治療を受けている．15～19歳のA世代のがん診療における小児診療科の関与は，全体の約40％と考えられるが，新規診断例に限れば約20％である．白血病・リンパ腫の治療レジメンは小児科と血液内科で大きく異なり，ALLを除いて有効性安全性の優劣は明らかでなく，AYA世代の白血病・リンパ腫の標準治療が確立しているとはいえない．ALLにおいて，年齢が高くなるにつれて小児レジメンによる有害事象が多くなることが知られており，成人における小児レジメンの安全性の確立と最適化が求められる．小児期と共通する固形がんの治療についても，小児科と成人診療科の情報共有と協働による標準治療の確立が望まれる．

　AYA世代特有の課題として，がん治療による不妊のリスクが予測される場合は，必ず治療開始前に妊孕性温存の選択肢を提示し，がん治療に差し支えない範囲で希望を叶える治療選択の意思決定支援が重要である．その際，自立過程にあるA世代においては，親権者のみならず，本人の意思を尊重した治療方針決定が望まれる．また，AYA患者の臨床試験への参加を一層進めるには，各医療機関における成人診療科との一層の交流が必要である．そして，患者の声を反映させながら診療・研究を進めることが疾患の克服とともに患者の生活の質の向上をはかるうえで重要である．

■ 文献

1) 厚生労働省健康局がん・疾病対策課：平成30年　全国がん登録　罹患数・率　報告．2021
https://www.mhlw.go.jp/content/10900000/000794199.pdf
2) Katanoda K, et al.：Childhood, adolescent and young adult cancer incidence in Japan in 2009–2011. Jpn J Clin Oncol 47：762–771, 2017
3) Trama A, et al.：Survival of European adolescents and young adults diagnosed with cancer in 2000–07：population-based data from EUROCARE-5. Lancet Oncol 17：896–906, 2016
4) Ito Y, et al.：Long-term survival and conditional survival of cancer patients in Japan using population-based cancer registry data. Cancer Sci 105：1480–1486, 2014
5) Unger JM, et al.：The Role of Clinical Trial Participation in Cancer Research：Barriers, Evidence, and Strategies. Am Soc Clin Oncol Educ Book 35：185–198, 2016

〈堀部敬三〉

第2章 小児がん
E AYA世代のがん

2 AYA世代がんの包括医療

AYA世代の特徴

AYA（思春期・若年成人，15歳以上39歳以下）世代は，身体的精神的に成長発達し自立して社会人として活躍し始める重要な時期である．患者は，闘病中およびその後に就学，就労，結婚，出産など人生を決める重要な出来事と向き合う機会が多く，世代特有の心理社会的課題がある．それらは，AYA世代を通じて共通なものだけでなく，A世代とYA世代で異なる課題もある．

特にA世代は，エリクソンの心理社会的発達理論によれば，自己同一性の確立の混乱期にあり，自分の存在や生き方など自身について思い悩む時期である．自己同一性の確立は個人差が大きく，学校や職場などさまざまな社会生活を通して自分の居場所を見つけることが，自己同一性の確立に重要である．そのような時期に突然にがんに罹患することは計り知れないストレスであり，自己の混乱は不可避と考えられる．それぞれに個別性が高く，本人の自立度を勘案しながら丁寧な対応が望まれる．

AYA世代のがん患者が抱える課題

厚生労働科学研究「総合的な思春期・若年成人（AYA）世代のがん対策のあり方に関する研究」で行われたAYA世代のがん患者へのアンケート調査によると，悩みの上位は自身の将来，仕事，経済面，診断・治療，生殖機能であったが，15～19歳では，学業や体力の維持・運動が自身の将来に次いで上位であり，この年齢層の特徴である[1]（表1）．患者が望む情報や相談の内容は多岐にわたるが，その多くが満たされておらず，多様なアンメット・ニーズが存在する[1]（図1）．入院中においては，同世代の患者との出会いの場やインターネット環境を望む声が強く，また，若年ほど食事に不満が強い傾向がみられる．AYA世代のがん患者は，同世代の患者が周りに少ないため悩みや情報を共有しにくく，孤立しやすい傾向にある．また，治癒困難な状況においては，AYA世代の88％が予後告知を望み，62％が終末期の療養場所として自宅を希望している[1]．

AYA世代のがん対策

AYA世代のがん患者が抱える課題を解決するために，第3期がん対策推進基本計画（平成30年3月策定）において初めてAYA世代のがん対策が明記された．それにより，生殖機能に関する情報提供と対応の体制整備，長期フォローアップの体制整備，教育環境の整備，就労支援に関する連携強化，緩和ケアの連携に関する取り組みが行われている．厚生労

表1 ◆ AYAがん患者の年齢階層別の治療中の悩み（上位5つ）

	全体 (n=213)		15～19歳 (n=33)		20～24歳 (n=22)		25～29歳 (n=33)		30～39歳 (n=119)	
1位	今後の自分の将来のこと	60.9%	今後の自分の将来のこと	63.6%	今後の自分の将来のこと	72.7%	仕事のこと	63.6%	今後の自分の将来のこと	57.1%
2位	仕事のこと	44.0%	学業のこと	57.6%	仕事のこと	50.0%	今後の自分の将来のこと	63.6%	仕事のこと	47.1%
3位	経済的なこと	41.5%	体力の維持，または運動すること	45.5%	経済的なこと	45.5%	経済的なこと	48.5%	経済的なこと	43.7%
4位	診断・治療のこと	36.2%	診断・治療のこと	42.4%	診断・治療のこと	40.9%	不妊治療や生殖機能に関する問題	48.5%	家族の将来のこと	42.0%
5位	不妊治療や生殖機能に関する問題	35.3%	後遺症・合併症のこと	36.4%	後遺症・合併症のこと	31.8%	診断・治療のこと	39.4%	不妊治療や生殖機能に関する問題	36.1%

（清水千佳子，他：厚生労働科学研究費補助金（がん対策推進総合研究事業）総合的な思春期・若年成人（AYA）世代のがん対策のあり方に関する研究．（研究代表者：堀部敬三）平成28年度総括・分担研究報告書，2017より引用）

E AYA世代のがん 2. AYA世代がんの包括医療

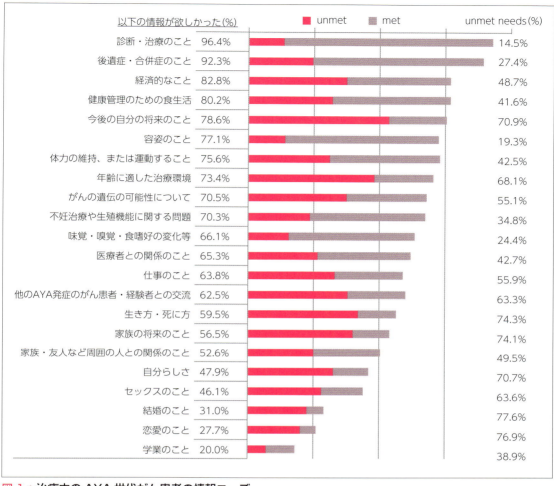

図1 ◆ 治療中のAYA世代がん患者の情報ニーズ

アンメットニーズ：情報が欲しかったが，なかった＝unmet，あった＝met．治療中に必要だった情報順（15歳以上発症，その他，無回答を除く）
（清水千佳子，他：厚生労働科学研究費補助金（がん対策推進総合研究事業）総合的な思春期・若年成人（AYA）世代のがん対策のあり方に関する研究．（研究代表者：堀部敬三）平成28年度総括・分担研究報告書，2017より引用）

働省は，小児がん拠点病院に地域における小児・AYA世代がん患者に適切な医療・支援を提供することを求めている．一方，がん診療連携拠点病院には，AYA世代がん患者について治療，就学，就労，生殖機能等の状況や希望を確認し，対応可能な医療機関やがん相談支援センターに紹介することを求めており，がん相談支援センターがAYAがん患者の治療療養や就学，就労支援に関する相談業務を担うものとされている[2]．

AYA世代のがん患者の包括ケア

AYA世代の患者は少なく，成人がん診療のなかで埋もれやすいため，AYA世代の患者の存在を網羅的に把握し，悩みやニーズを適切に評価して，必要な対応につなげることが重要である．また，AYA世代のニーズは多様で複数の課題を抱えることが少なくないため，多職種チーム（AYA支援チーム）による包括ケアが望ましい[3]．しかし，がん拠点病院であってもAYAがん患者数は多くなく，医療者の診療経験が蓄積されにくいことから，医療機関の交流が望まれる．また，生殖医療，教育支援，就労支援，ピアサポートなど院内だけで対応が完結することが困難な課題については，院外の専門機関や団体との連携が必要であり，こうした領域において地域をあげた連携体制の構築が望まれる．

AYA世代のがん患者の医療的支援

1 妊孕性温存

がんの治療成績の向上と生殖補助医療の進歩により，小児・生殖年齢のがん患者に対して，治療開始

前に治療に伴う妊孕性低下や妊孕性温存の選択肢に関する情報提供が求められるようになった[4]．しかし，がん治療を優先することが前提であり，すべての患者に妊孕性温存をすすめるものではない．情報提供により妊孕性について考える機会を与え，適切に心理支援を行うことが肝要である．がん診療施設において生殖補助医療が可能な施設は限られるため，医療連携が必要であり，全国各地で地域単位のがん・生殖医療ネットワークが整備されつつある．

2 精神心理的支援

診断早期から，患者の悩みや不安をいち早く把握し，課題に応じて専門家と連携して適切に対応・医療介入することが大切である．治療方針の意思決定において，A世代では保護者や主治医への依存が認められるものの，AYA世代の多くは，主治医と相談しつつ自分で意思決定する意向が強い．そのため，特にこの世代においては，患者・家族と医療者が協働して治療方針を決定・実行するshared decision making（意思決定の共有）が重要である．

3 長期フォローアップ（長期的健康管理）

晩期合併症の予防，早期発見治療には，サバイバー自身が，既往歴，治療歴から想定される晩期合併症を理解し，ヘルスリテラシーを獲得して，自立した健康管理ができるように指導することが大切である．また，長期フォローアップの受け皿として，専門外来や院内の総合診療医のほか，地域のプライマリケア医が期待される．

4 遺伝性腫瘍

がんの5〜10％に家族集積が認められ，小児・思春期がん患者の8.5％にがん素因関連の遺伝子変異が同定されている．2019年6月にがん遺伝子パネル検査が保険収載され，二次的所見として遺伝性が確認される場合も想定される．患者・家族の不安に適切に対応するため遺伝性腫瘍の専門チームと連携した体制整備が求められる．

AYA世代のがん患者の生活支援

1 教育支援

高校生の学習支援は，義務教育と異なり，病院内に特別支援学校・高等部を設置している病院がほとんどなく，訪問教育だけでは，進級・進学が困難な場合が少なくない．2020年にメディアを利用して行う授業による履修の単位数が拡大され，在籍校と連携した遠隔教育による支援の拡大が期待される．本人の学習継続への意欲の保持に努め，学習スペースやネット環境など教育環境の整備が望まれる．

2 就労支援

AYA世代は，進路や職業を決定し，希望に満ちてキャリアを形成する時期である．すでに就労している場合は，治療と仕事の両立に向けた支援が，新規就労の場合は，仕事の適性や治療と就労時期等にかかわる意思決定支援が求められる．

3 経済的支援

診断時18歳以上のがん患者は，小児慢性特定疾病医療費助成制度の対象から外れ，高額療養費制度等を利用できるものの経済的負担が大きい．また，AYA世代は，末期がんであっても介護保険サービスが受けられない．しかしながら，他疾病や障害者向け制度が活用できる場合や自治体によって医療費以外のさまざまな費用助成制度があるため，診断早期から相談支援センターへつなぐことが大切である．

4 家族支援

AYA世代は，治療選択や生活について自ら意思決定を望む時期である一方，子どもががんと診断された家族の衝撃が大きく，家族のコミュニケーションが困難になる場合が少なくない．また，子育て中の患者も多く，チャイルドサポートが重要である．

5 ピアサポート

ピアサポートとは，同じような経験をした仲間による支援を指すが，AYA世代は，高校生から社会人，介護や子育ての世代まで幅が広く，ニーズも多様であり，AYA世代で括ることは困難である．診療現場での出会いを通じた自然発生的なつながりもあるが，孤立を防ぐために，さまざまな形態の場の提供や患者会等の団体の紹介など工夫が必要である．

■ 文献

1) 清水千佳子，他：厚生労働科学研究費補助金（がん対策推進総合研究事業）総合的な思春期・若年成人（AYA）世代のがん対策のあり方に関する研究．（研究代表者：堀部敬三）平成28年度総括・分担研究報告書，2017
2) がん診療連携拠点病院等の整備について．厚生労働省健康局長通知 平成30年7月31日，2019
3) 平成27〜29年度厚生労働科学研究費補助金（がん対策推進総合研究事業）「総合的な思春期・若年成人（AYA）世代のがん対策のあり方に関する研究」班（編）：医療従事者が知っておきたいAYA世代がんサポートガイド．金原出版，2018
4) 日本癌治療学会（編）：小児，思春期・若年がん患者の妊孕性温存に関する診療ガイドライン2017年版．金原出版，2017

（堀部敬三）

第3章 造血細胞移植

1 小児造血細胞移植総論

造血細胞移植は，化学療法などを含む通常の治療が無効と考えられる場合に原疾患を根治する最終手段であり，腫瘍性疾患のみならず非腫瘍性疾患を含む多くの疾患に対して実施されている．近年，移植細胞源が多様化し，また，移植後の免疫抑制療法および支持療法の発展によって小児に対する造血細胞移植の成績は向上しつつある．その実施にあたっては個々の疾患および病態に応じて適応が決定される．急性期および晩期の移植関連合併症に対してはそれらを減弱する方法も検討されており，原疾患の治療成績向上のみならず QOL の改善についても展望が開けつつある．

小児造血細胞移植の歴史

米国において 1956 年に Thomas らにより一卵性双生児間で初の骨髄移植が成功し，その後，ヒト主要組織適合遺伝子複合体抗原である HLA の発見をもとに 1968 年に Minnesota 大学において Good らにより初の同種骨髄移植が HLA 一致同胞間で重症複合型免疫不全症（severe combined immunodeficiency：SCID）の乳児に対して成功し[1]，その後，Seattle を中心として今日の造血細胞移植の基礎が築かれた．日本国内の小児における骨髄移植としては，1966 年に小倉記念病院において実施された非寛解期急性リンパ性白血病（ALL）に対する父と母からの骨髄移植が最初とされる[2]．HLA の同定後としては 1972 年に九州がんセンターで実施された ALL に対する HLA 一致同胞間骨髄移植が最初であり，同時に日本初の骨髄内移植でもあった．その後，同胞間移植が盛んになったが，非血縁者間骨髄移植としては 1982 年に名古屋大学において SCID に対してボランティアドナーから実施されたのが最初であり[3]，その後初の民間骨髄バンクとして東海骨髄バンクが 1989 年に設立され，1992 年には骨髄移植推進財団（現日本骨髄バンク）設立に発展した．

臍帯血移植に関しては，1988 年にパリで Gluckman らにより実施された Fanconi 貧血患者に対する HLA 一致同胞間移植が最初の成功例であるが[4]，国内においては 1994 年に東海大学において HLA 一致同胞間移植が実施されたのが最初である．その後，1995 年に国内初の臍帯血バンクである神奈川臍帯血バンクが設立されて 1997 年に横浜市立大学において非血縁者間臍帯血移植が実施された．以降，今日まで骨髄および臍帯血移植を中心にさまざまな小児科疾患に対して実施されている．

小児造血細胞移植の特徴

小児に対する造血細胞移植には次のような特徴がある．
①対象疾患の種類
　悪性疾患では急性白血病〔ALL や急性骨髄性白血病（AML）など〕や固形腫瘍（神経芽腫など）が多い．非悪性疾患や先天性疾患の比率が高く，対象疾患の種類が多い．
②患者の身体的事項
　移植年齢が乳児から思春期にかかる成長期であるため移植関連合併症の成長発達への影響が大きい．移植前の合併症保有率が低い．
③患者の処置など
　年少児では内服，採血，処置，鎮静，および清潔ケアなどに対する理解や協力が得られないため，医療者の負担が大きい．
④小児ドナーに関する事項
　骨髄移植ドナーは 1 歳以上，末梢血幹細胞移植ドナーは 10 歳以上に限られる．同胞間移植では患者がドナーよりも体重が重い場合も少なくない．

小児に対する造血細胞移植に際して留意すること

造血細胞移植の実施においては次の項目に留意する必要がある．

1 移植適応

移植適応の決定には過去の報告，ガイドラインおよび自施設の経験のみならず，疾患ごとに移植以外の治療方法との比較検討が必要である．すなわち悪性腫瘍であれば化学療法，再生不良性貧血であれば免疫抑制療法，および先天代謝異常症であれば酵素補充療法との比較である．ALL や AML などの急性白血病においても，分子生物学的解析の発展により新たな予後不良因子が明らかになってきており，移

図1 ● 造血細胞移植件数の幹細胞種類別の年次推移
0～15歳の同種移植において，血縁者間移植に比較して非血縁者間移植の伸び率は高い．近年は，血縁者間と非血縁者間の移植件数はほぼ横ばいであり，非血縁者間移植の割合は65％前後である．
(日本造血細胞移植データセンター（編）：2020年度全国調査報告書別冊．日本造血細胞移植データセンター，2020．
https://www.jdchct.or.jp/data/slide/2020/より引用)

植適応が変化しつつあるため注意が必要である．

2 移植のタイミング

移植適応があると判断した場合に，移植のタイミングを誤ると不幸な転帰をたどる可能性もあるため，時期を逸することなくドナー検索および移植の準備を開始すべきである．

3 ドナー選択

今日，移植細胞源のみならずHLA適合度に関してもドナーの選択肢が拡大しており，詳細なHLA検索も可能になってきたため，ドナー選択が困難な場合は日本骨髄バンクの医療委員会にコンサルトすることが望ましい．

4 移植後の合併症に対する対応

移植に伴う合併症は急性期のみならず晩期障害も含め重症化する可能性があるため，急性期における重症管理体制および永続する合併症に対する長期フォローアップの環境を構築する必要がある．

移植件数の推移

わが国での成人も含め，自家と同種を合わせた年間の総移植件数は約5,500件であり，そのうち小児（15歳以下）は約500件前後で推移している．小児に対する累積の造血細胞移植件数は1991年から2019年までで約16,000件とされている．2020年度の日本造血細胞移植データセンターからの全国調査報告書別冊をもとに移植件数の推移を示す[5]．

1 ドナー別移植件数の推移

図1に1991年以降の小児の同種移植における幹細胞種類別移植件数の年次推移を示す．小児の同種移植において，血縁者間移植に比較して非血縁者間移植の伸び率が高い．特に臍帯血移植が2000年以降約1.5倍に増加している．近年は，血縁者間と非血縁者間の移植件数はほぼ横ばいであり，非血縁者間移植の割合は65％前後である．自家移植はおもに固形腫瘍に対して実施され，近年は年間約200件が行われている．

2 疾患別移植件数の推移

図2に1991年以降の小児における疾患別同種移植件数の推移を示す．小児における同種移植は，急性白血病（ALL，AML）が最も多い．年間の同種移植件数はいずれの疾患においてもこの10年ではほぼ横ばいである．

国内の非血縁造血細胞の供給体制

1 日本骨髄バンク

わが国における非血縁者間骨髄移植および末梢血幹細胞移植は，1992年に設立された骨髄移植推進財団を前身とする日本骨髄バンク（Japan Marrow Donor Program：JMDP）によるコーディネートを介し，ボランティアドナーからの幹細胞の供給を受けて，その認定病院において実施される．2021年4月現在，ドナー登録数は532,030人，骨髄移植患者数は24,228人，末梢血幹細胞移植患者数は1,206人であ

1. 小児造血細胞移植総論

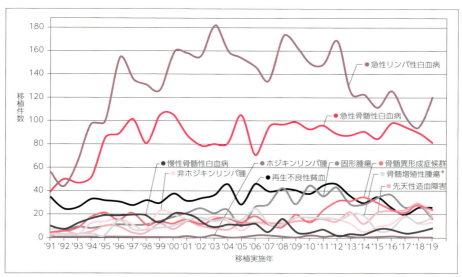

図2 造血細胞移植件数のおもな疾患別の年次推移

小児における同種移植件数は、いずれの疾患においてもこの10年ではほぼ横ばいである。＊骨髄異形成/骨髄増殖性腫瘍を含む。
（日本造血細胞移植データセンター（編）：2020年度全国調査報告書別冊．日本造血細胞移植データセンター，2020．
https://www.jdchct.or.jp/data/slide/2020/より引用）

る．過去3年間で，年間約1,200〜1,300件の造血細胞移植が実施されている．患者とドナー候補とのHLA照合はインターネット上での造血幹細胞適合検索サービス（http://search.bmdc.jrc.or.jp/web/pbcmp/top/）によりなされる．

2 臍帯血バンク

1999年，国内の8か所の臍帯血バンクが連携して日本さい帯血バンクネットワークが形成され，最大11か所の臍帯血バンクが稼働したが，2014年4月以降は日本赤十字社傘下の北海道，関東甲信越，近畿および九州の各さい帯血バンク，中部さい帯血バンク，および兵庫さい帯血バンクの6か所が臍帯血の採取，保存および供給を行っている．臍帯血を採取する産科病院は全国で約100か所あり，出産時に採取された臍帯血は生後6か月以降の児の健康状態の確認後，インターネット上で公開され登録病院に供給される．公開臍帯血の検索は前述の骨髄バンクドナーと同じサイトで行われる．2021年4月現在の累積移植件数は20,247件であり，過去3年間で年間約1,300〜1,400件台の臍帯血移植が実施されている．国際的にも年間の臍帯血移植件数が非血縁者間骨髄移植件数に匹敵するのはわが国のみであり，一国としての累積移植件数は北米全体や欧州全域の件数よりも多い．

造血細胞移植に関する法律の制定

2014年1月「移植に用いる造血幹細胞の適切な提供の推進に関する法律」が施行され，日本骨髄バンクおよび6か所の臍帯血バンクは厚生労働省から造血幹細胞提供の斡旋事業の許可を得て造血幹細胞の供給を行っている．この法律には，非血縁者からの造血幹細胞を必要とする患者に対して適切に提供がなされるために，国の責務としての施策の策定と実施，財政支援，および情報公開，ならびに骨髄バンク，臍帯血バンクおよび造血幹細胞提供支援機関としての日本赤十字社の責務が規定されている．この法律の制定によって造血幹細胞の提供がより安定し，国民の福祉向上に貢献している．

■ 文献

1) Gatti RA, et al.：Immunological reconstitution of sex-linked lymphopenic immunological deficiency. Lancet 2：1366-1369, 1968
2) 古庄巻史，他：小児白血病治療における骨髄移植の試み．小児科紀要 13：228-240，1967
3) 松岡 宏，他：HLA-partially mismatched MLC negative unrelated donorからの骨髄移植により，免疫学的再建に成功した重症複合免疫不全の一例．日医誌 88：1898-1905，1984
4) Gluckman E, et al.：Hematopoietic reconstitution in a patient with Fanconi's anemia by means of umbilical-cord blood from an HLA-identical sibling. N Engl J Med 321：1174-1178, 1989
5) 日本造血細胞移植データセンター（編）：2020年度全国調査報告書別冊．日本造血細胞移植データセンター，2020 https://www.jdchct.or.jp/data/slide/2020/

（濱　麻人）

第3章 造血細胞移植

2 小児における造血細胞移植の適応

小児に対する造血細胞移植適応はこの5年間で移植前治療や移植方法の進歩により大きく変化した．適応疾患については日本造血・免疫細胞療法学会（JSTCT）の『造血細胞移植ガイドライン』に詳細が記載されているが，小児における造血細胞移植を行う目的は以下の3つといえ，このことによって治癒が目指せる疾患である．

①悪性細胞の根絶（大量の抗がん薬，同種免疫による抗腫瘍効果），造血機能の回復．
②造血細胞から発生した免疫担当細胞による免疫機能の回復．
③遺伝子疾患により欠損ないしは機能が低下した遺伝子産物を造血細胞移植によって補充する．

おおよその適応疾患を**表1**に示す．

悪性細胞の根絶

放射線照射および抗がん薬においては，耐性用量が骨髄機能である場合には増量することによって骨髄機能が破綻し造血機能が低下するが，同種造血細胞を移植することで骨髄機能を回復させ，免疫反応による治療効果が期待できる．近年，移植前治療薬剤の開発により移植適応が大きく変わっている．以下，わが国の小児に対する移植適応を『造血細胞移植ガイドライン』に沿って述べる．

1 de novo AML

わが国では，AML99試験および日本小児白血病リンパ腫研究グループ（JPLSG）のAML-05試験の解析結果から低・中・高リスクに分けられている．

①低リスク群：t(8;21)(q22;q22)/*RUNX1-RUNX1T1*，inv(16)(p13.1q22)あるいはt(16;16)(p13.1;q22)/*CBFB-MYH11*．
②中間リスク群：低リスク群，高リスク群のいずれにも属さない症例．
③高リスク群：モノソミー7，5q-，t(16;21)(p11;q22)/*FUS-ERG*，t(9;22)(q34;q11.2)/*BCR-ABL1*，t(6;11)(q27;q23)/*KMT2A-MLLT4*，t(5;11)(q35;p15.5)/*NUP98-NSD1*，*FLT3-ITD*等を有する症例．あるいは，初回寛解導入療法後に完全寛解が得られなかった症例．

日本小児がん研究グループ（JCCG）のAML20プロトコールにおいては第一寛解期の移植適応は高リスク群のみである．第二寛解期以降は化学療法のみで治癒が得られる確率は非常に低く，全例移植適応である．

2 APL

全トランスレチノイン酸（ATRA），亜ヒ酸を従来の化学療法に導入することにより寛解導入療法中の死亡が減少し，寛解導入率が上昇し，劇的に治療成績が向上した．このため，再発後の第二寛解期や難治例，非寛解例に対して移植を考慮する．

3 AML-DS

Down症候群に発症した急性骨髄性白血病（myeloid leukemia associated with Down syndrome：AML-DS）は，AML-non DSに比べ，治療合併症が多い一方で治療反応性がよい．このため第一寛解期では移植適応ではない．

4 ALL

再発例を対象に，CD3/CD19に対する二重特異性（bispecific）抗体であるブリナツモマブ（blinatumomab）や抗CD19キメラ抗原受容体T細胞療法などの画期的な新薬が開発され，移植の適応が変化すると予想される．また微小残存病変（MRD）による層別化も行われており総合的に移植適応を決定する必要がある．現時点での第一寛解期での移植適応を示す．

①Ph-ALL：t(9;22)
Ph陽性急性リンパ性白血病（Ph-ALL）においてMRD陽性群では第一寛解期に移植適応がある．
②染色体本数43本以下の低二倍体ALL
現時点ではMRDにかかわらず全例第一寛解期での移植適応である．
③t(4;11)：MLL-AF4陽性ALL，1歳以上
全例が第一寛解期での移植適応ではなくプレドニゾロン反応性不良またはMRD陽性の場合は移植適応である．
④*MLL*遺伝子再構成陽性乳児ALL
現在のコンセンサスは第一寛解期での同種造血細胞移植を考慮することとされている．特に高リスク因子（月齢が低い，MRD陽性）を有する場合は移植を考慮する．
⑤t(17;19)：TCF3-HLF陽性ALL

表1 ◆ 小児の造血細胞移植の適応疾患

疾患			適応	
悪性疾患	血液腫瘍	ALL	寛解導入不能，予後不良遺伝子，治療反応不良	第二寛解期以降は再発時期，再発時治療反応不良
		AML	第一寛解：モノソミー7，5q-，予後不良遺伝子，治療反応不良	第二寛解期以降は症例ごとに検討．APL，AML-DSは再発，難治例のみ
		JMML	Noonan症候群に合併症例以外	
		MDS	RAEB，RAEB-t，モノソミー7，二次性MDS，複雑核型をもつRC	
		悪性リンパ腫	治療抵抗例，再発例	
	固形腫瘍	神経芽腫	Ewing肉腫，髄芽腫，Wilms腫瘍，胚細胞腫なども考慮	
免疫機能，造血系の回復	再生不良性貧血			
	原発性免疫不全症	SCID		
		Non-SCID	CD40L欠損症，Wiskott-Aldrich症候群，XLP，家族性血球貪食症候群，Chédiak-Higashi症候群，貪食細胞の異常（好中球接着機能欠損症，慢性肉芽腫症）	
		遺伝性骨髄機能不全症	臨床像により適応が決定される	
欠損または不完全な遺伝子産物の補充	代謝性疾患	Hurler病（MPS-IH）		
		Hunter病（MPS-II）	重症型D型の病初期	第一選択は酵素補充療法（ERT）
		X-ALD cerebral type	高度進行例は適応外	
		MLD Late onset	病初期のみ	
		Krabbe病	進行例は適応外	
	骨系統疾患	大理石骨病	破骨細胞系列の細胞に発現する遺伝子の変異をもつ症例	

⑥初期治療反応性不良群ALLのうち，予後不良因子を有する場合
　PSLなどによる初期治療に反応不良．
⑦早期強化療法終了後MRD陽性
⑧寛解導入不能再発例

第二寛解期の移植適応は再発までの期間，再発部位，表現型（phenotype）によって移植適応が決まる．治療終了後6か月以内の早期の骨髄再発症例はHLA不適合移植も含めた移植の適応である．治療終了後6か月以降の骨髄単独再発はMRD陽性例では移植適応である．治療開始後18か月以内の超早期再発では，骨髄単独，骨髄髄外同時期再発は全例移植が適応であり，治療終了後6か月以内の再発ではMRD陽性例が移植適応である．T細胞性では晩期の髄外単独再発以外は移植適応である．

5 JMML，MDS

若年性骨髄単球性白血病（juvenile myelomonocytic leukemia：JMML）はNoonan症候群に合併したJMML症例では自然寛解する場合があるが，それ以外は造血細胞移植が根治的治療であり適応である．

MDSは，一次性，二次性，治療関連のいずれにおいても移植適応である．

6 悪性リンパ腫

標準的な化学療法により良好な治療成績が示されているため，第一寛解期の造血細胞移植の適応はない．予後不良である治療抵抗例，再発例が適応である．

7 小児固形腫瘍

小児固形腫瘍に対しては，大量に抗がん薬を投与し腫瘍細胞を根絶することによって，生じた骨髄機能の破綻を自家造血細胞を用いて救援する．

前向き試験によって自己造血細胞救援大量化学療法の有効性が報告されているのは神経芽腫のみである．再発，転移病変のあるEwing肉腫，髄芽腫，再発高リスク群のWilms腫瘍，治療反応不良の中枢神経系原発の胚細胞腫は大量化学療法の報告がある．

造血系もしくは免疫機能の回復

本来備わっている免疫が破綻しており，さまざま

な感染の重症化や自己免疫性疾患，悪性腫瘍を合併することがある．このため，造血細胞移植が行われる目的は造血系もしくは免疫系の置換，調整である．

1 原発性免疫不全症

原発性免疫不全症によって生じる感染症や合併症（腫瘍，自己免疫疾患，炎症など）が問題となる場合に移植が適応となる．

SCID（X-SCID，Jak3 欠損症）は正常な免疫機能がほとんどないため，診断がつき次第移植の準備が必要である．non-SCID には CD3 δ 欠損症，CD40L 欠損症，Wiscott-Aldrich 症候群，X 連鎖血小板減少症（X-linked thrombocytopenia），家族性血球貪食性リンパ組織球症，X 連鎖リンパ増殖症候群，貪食細胞の異常（好中球接着機能欠損症，慢性肉芽腫症など）などが含まれ，造血細胞移植適応である．慢性肉芽腫症では，軽症の場合に移植適応に迷うが次の場合は適応である．①重症感染症を反復する，②炎症性腸疾患が難治である，③HLA 一致ドナーがいる．

2 再生不良性貧血

小児再生不良性貧血は末梢血所見から重症度分類がなされ，重症度およびドナーとの関係で適応が決まる．初回治療例では最重症，重症型で移植が標準治療である．免疫抑制薬療法不応例においては HLA 適合ドナーがいれば移植が標準治療である．中等症では輸血依存症例は HLA 適合血縁ドナーからの移植を考慮にいれる．

3 遺伝性骨髄機能不全症

汎血球減少をきたす遺伝性骨髄不全症候群（Fanconi 貧血，先天性角化不全症（dyskeratosis congenita：DC），Blackfan-Diamond 症候群（BDS），Kostmann 症候群，先天性無巨核球性血小板減少症（congenital amegakaryo-cytic thrombocytopenia：CAMT）などにおいては臨床像が再生不良性貧血，骨髄異形成症候群/白血病，単一系統のみの血球減少のいずれを呈しているかによって異なる．臨床像の重症度は再生不良性貧血に準じ移植適応は以下のとおりである．

①Fanconi 貧血（FA）

不応性貧血で顕著な異形成や染色体核型異常を伴う症例．

②Dyskeratosis congenita（DC）

重症または最重症例では造血細胞移植が適応となる．

③Blackfan-Diamond 症候群（BDS）

ステロイド治療不耐応やステロイド依存症例が移植適応である．

④Kostmann 症候群

rHuG-CSF 不応例や白血病発症例が移植適応である．

⑤先天性無巨核球性血小板減少症（CAMT）

生下時から血小板減少をきたし MDS や白血病に至ることがある．根治的治療は造血細胞移植である．

欠損または不完全な遺伝子産物の補充

先天性代謝異常症において造血細胞移植が有効であるメカニズムは，①欠損する酵素が移植した健常人の造血細胞から産生され酵素補充療法（ERT）となる，②移植したドナー由来の骨髄中の単球がレシピエントの組織マクロファージに分化し病変を修復する，ことである．このため先天代謝異常症のうち造血細胞によって欠損した酵素が産生されるライソゾーム病と，ペルオキシソーム病の 1 種である副腎白質ジストロフィーなどが対象となる．一方で酵素補充療法が存在し，中枢神経系に異常のないような疾患では酵素補充療法が優先される．酵素補充療法（ERT）が開発された現在では，代謝異常症各疾患における造血幹細胞移植の適応基準には検討を要する．

1 ムコ多糖症

I 型（Hurler 病，Hurler/Scheie 病，Scheie 病）については酵素補充療法があるが，骨，神経には無効で有り移植の有効性もあるとされている．II 型（Hunter 病）については軽症型で骨病変，神経病変を除き移植の有効性が期待できる．

2 リピドーシス

I 型では酵素補充療法が第 1 選択，Krabbe 病では発症早期の移植により，病状の進展を緩和しうるが適応は慎重であるべきである．

3 大理石骨病

TCIRG1 や CLCN7，TNFRSF11A など破骨細胞系列の細胞に発現する遺伝子の変異をもつ症例では，早期の造血細胞移植の適応である．

■ 参考文献

- J. Apperley, et al.：EBMT-ESH Handbook on Haemapoietic Stem Cell Transplantation 6th ed, furum service editore, 490-611, 2012
- 日本造血・免疫細胞療法学会（編）：造血細胞移植ガイドライン，小児急性骨髄性白血病 第 3 版, 2018 年 12 月), 小児急性リンパ性白血病 第 3 版, 2018 年 9 月, 悪性リンパ腫（小児）第 2 版, 2019 年 5 月, 小児固形腫瘍 第 2 版, 2019 年 5 月, 再生不良性貧血, 2018 年 9 月, 先天代謝異常症, 2019 年 5 月, 原発性免疫不全症, 2018 年 2 月, 遺伝性骨髄不全症候群, 2018 年 12 月, 骨髄異形成症候群・骨髄増殖性腫瘍（小児）第3版, 2018 年 12 月
- 厚生労働省先天代謝異常症に対する移植療法の確立とガイドラインの作成に関する研究班（研究代表者　加藤俊一）：先天代謝異常症に対する造血細胞移植ガイドライン．厚生労働省, 2014

〔橋井佳子〕

3 ドナー/造血細胞の選択

難治性固形腫瘍などを対象に自家造血細胞移植が行われているが，本項では同種造血細胞移植に焦点を当てて，ドナー/造血細胞の選択について解説する．

ヒト白血球抗原（human leukocyte antigen：HLA）適合同胞ドナーが得られなければ同種骨髄移植を諦めざるを得なかった1990年代前半までと異なり，現在では骨髄バンク，臍帯血バンクを介して非血縁ドナーから移植が行える．また，免疫抑制薬の進歩や移植片対宿主病（GVHD）予防法が工夫され，HLA不適合移植が可能になっている．

HLA適合同胞が理想的ドナーであるとはいえ，少子化の今日，HLA適合同胞ドナーが得られる可能性は限定的であるため，骨髄バンクでHLA適合ドナーを探すか，臍帯血バンクからの移植を考慮することが必要である．状況によってはHLA不適合血縁・非血縁ドナーを選択せざるを得ない場合もある．移植チーム・主治医は，患者の疾患・病期を踏まえて，骨髄，末梢血幹細胞，臍帯血，それぞれの特性を考慮しながら，最適なドナー/造血細胞を決定することが求められる[1]．

ヒト白血球抗原

HLAは，白血球型として発見されたが，ほぼすべての体細胞に発現している主要組織適合性複合体（major histocompatibillity complex：MHC）である．HLAは自己・非自己を識別するために重要な役割を担っていることから，ドナー・レシピエント間のHLA不適合は，造血細胞移植における移植細胞拒絶，GVHDの最大要因である．HLAクラスⅠのHLA-A，B，CとクラスⅡのHLA-DR，DQ，DPがよく知られており，ドナー選択においてHLA-A，B，DRの適合が重要視されてきた．

同胞の場合，両親からハプロタイプを受け継ぐため，HLAは$1/2 \times 1/2 = 1/4$の確率で遺伝学的に適合することが想定される．すなわち，血清学的検査により同定されるHLA抗原 HLA-A，B，DRが適合（6/6適合）していることを確認すれば，HLA全体が遺伝学的にも適合していると判断できる（ただし，まれに遺伝子組み換えが生じる場合がある）．しかし，非血縁者間移植の場合，ハプロタイプが不確定であることや多型性を考慮すると，HLA遺伝子型のHLA-A，B，DRB1を確認することが必要である．また，非血縁者間移植においてHLA-A，B，DRB1に加えてHLA-C，DQB1も適合すること（10/10適合）により，HLA適合同胞間移植と同等の成績が得られることが報告されている[2]．

わが国における非血縁者間移植（骨髄バンク，臍帯血バンク）においては，HLA遺伝子型のHLA-A，B，C，DRB1の確認が可能である．一般的には，理想的ドナーであるHLA適合同胞ドナーが得られない場合，HLA-A，B，C，DRB1適合（8/8適合）骨髄バンクドナーが選択肢となる．8/8適合骨髄バンクドナーが得られない場合は，血縁・非血縁者間HLA不適合移植を考慮することになる．臍帯血移植においては，HLA2抗原不適合移植が可能である（バンクを介した移植を行うためには，認定施設であることが必要）．

近年，親や同胞をドナーとするHLA半合致移植が急速に増加している．一般的にHLA半合致移植ではHLAが半分しか一致していないため，通常のGVHD予防法では重症GVHDを発症する可能性が高いが，HLA半合致移植に対するGVHD予防法が大きく進歩した．GVHDの原因となるドナー由来T細胞を除去するというもので，特殊な機器・抗体ビーズを用いて体外で除去する方法（ex vivo T細胞除去法）と，薬剤をレシピエントに投与し除去する方法（in vivo T細胞除去法）がある．

後者の方法としては，抗胸腺細胞グロブリン（anti-thymocyte globulin：ATG）や移植後シクロフォスファミド（posttransplant cyclophosphamide：PTCy）があげられる．ATGは，T細胞を非選択的に除去する一方，PTCyは，GVHDを惹起しうる増殖・活性化したアロ応答性T細胞を選択的に除去するという特徴をもつ．そのため，PTCyにおいてはアロ非応答性T細胞が温存され，生着・ウイルス感染に対しては有利な状況が保たれるという利点がある．

これらのGVHD予防法により，HLA半合致移植の成績は非血縁ドナーと比較して遜色ないと報告されており，さらに無GVHD/再発生存率（GVHD/

表1 ◆ 造血細胞種別の特徴

	骨髄 （バンク）	臍帯血 （バンク）	末梢血幹細胞 （血縁）
利用可能性	調整困難あり	高い	高い
提供までの期間	数か月	迅速（最短数日）	迅速（最短数日）
生着	基準	遅延 拒絶・生着不全のリスクが高い	迅速
GVHDリスク	基準	低い HLA不一致移植可	慢性GVHDのリスクが高い
感染症リスク	基準	高い	同等

relapse-free survival：GRFS）に関しては，非血縁ドナーより良好とも報告されている[3]．このGVHD予防法の進化に加え，身近な血縁者をドナーにできるという利便性がHLA半合致移植の急速な増加の理由と考えられる．さらに，HLA半合致移植はalternative transplantation の1つとなりつつあることのみならず，より強い移植片対白血病 graft versus leukemia（GVL）効果に期待し，寛解導入不応や移植後再発などの難治症例に対する有力な移植片の候補にもなりつつある[4,5]．

造血細胞種別の特徴

1 骨髄

骨髄バンクドナーから移植する場合，ドナー候補者や採取病院との調整が必要になる．通常，申込から採取（移植）まで数か月の期間を要する．また，何らかの理由でドナー候補者が最終同意・採取に至らない場合があることも知っておく必要がある．生着，GVHDリスク，感染症リスクについて，骨髄を基準として，臍帯血，末梢血幹細胞について解説する（表1）．

2 臍帯血

臍帯血バンクは，現在わが国では以下の6バンクが稼働している．すなわち，日本赤十字社北海道さい帯血バンク，日本赤十字社関東甲信越さい帯血バンク，中部さい帯血バンク，日本赤十字社近畿さい帯血バンク，兵庫さい帯血バンク，日本赤十字社九州さい帯血バンクである．臍帯血ユニットは凍結保存されていることから，骨髄のようにドナーとの調整は必要なく，申込から数日以内の提供も可能である．また，HLA不適合移植が許容されていることから，臍帯血ユニットの検索において選択肢に余裕があることが多い．GVHDリスクが低いことから，臍帯血移植においては，HLA適合度もさることながら，有核細胞数・CD34陽性細胞数の多いものが選択される．骨髄移植と比較して，拒絶・生着不全のリスクが高く，生着は遅延する傾向にあるため，生着に至るまでの骨髄抑制期間中の感染症リスクに注意が必要である．

3 末梢血幹細胞

末梢血幹細胞採取は骨髄採取と比較してドナーの負担が軽度であることなどから，欧米では非血縁ドナーからの造血細胞提供は末梢血幹細胞が多数を占めている．わが国でも骨髄バンクを介する非血縁ドナー末梢血幹細胞提供が開始されたが，わが国における非血縁者間末梢血幹細胞移植の発展は今後の課題である．

血縁ドナーからの末梢血幹細胞提供においては，骨髄提供の場合のように自己血採取・保存の必要がないことから，移植決定から採取までは最短数日である（ドナー健診，幹細胞動員に必要な日数）．生着が迅速に得られることから骨髄抑制時の感染症リスクは高くなく，骨髄移植と比較して輸血回数を大幅に低減できることは大きな利点と考えられる．一方で慢性GVHDの頻度が高い傾向にあることから，特に再生不良性貧血などのGVL効果を期待する必要のない非悪性疾患においては適応を慎重に判断すべきである．

最適なドナー/造血細胞の選択

ドナー/造血細胞の選択については，日本造血・免疫細胞療法学会の『造血細胞移植ガイドライン』を参考にしながら，悪性疾患，非悪性疾患，悪性疾患の病期，移植を急ぐ必要があるかどうか，合併症（臓器障害，感染症リスク，その他）など，レシピエントのさまざまな要因を踏まえて判断することになる（表2）．

非悪性疾患においては確実な生着が期待できるドナー/造血細胞を選択し，かつGVHDリスクを最小限に抑えたい一方，悪性疾患においてはGVL効果

表2 ● レシピエントの要因

分類	考慮すべき要因
疾患	悪性，非悪性，疾患特性
病期（リスク）	スタンダードリスク，ハイリスク
移植時期の設定	急ぐ移植かどうか
移植前合併症	臓器障害，感染症リスク，など

を期待するという観点から，GVHDリスクの許容範囲を非悪性疾患より広く設定することが可能かもしれない．

HLA適合同胞ドナー，あるいはHLA8/8適合骨髄バンクドナーが得られない場合，HLA不適合移植を計画せざるを得ない．HLA不適合ドナー候補を選定する際に，日本骨髄バンクが公開している「HLAに関する資料集」(https://www.jmdp.or.jp/medical/family doctor/hla_reference.html)の「HLA適合度に基づいた治療成績の分析」の項を参照することが可能である．移植を急ぐために骨髄バンクの調整期間を待てない場合は，臍帯血移植やHLA不適合血縁者からの移植を考慮することになる．

レシピエントがドナーHLAに対する特異的抗HLA抗体を保有している場合，生着不全・遅延の頻度が高いことが報告されている．HLA不適合移植を行う場合，抗HLA抗体検査結果を踏まえてドナー選択・対策を講じることが可能である．

感染症リスクが高い症例などで早期生着が望ましい場合には，末梢血幹細胞を優先的に選択すべきである．

おわりに

造血細胞移植は，進歩の著しい領域であり，造血細胞ソースが骨髄だけでなく，末梢血幹細胞，臍帯血に拡大し，新規免疫抑制薬の導入がHLA不適合移植を可能にした．また，移植前処置は従来型の骨髄破壊的前処置に加えて，強度減弱前処置が行われるようになった．このように多彩な要因が複雑に絡み合って移植成績に影響を及ぼす状況のなかで，HLA不適合移植における最適なドナー/造血細胞の選択は，最新情報を参照しながら，画一的でなく柔軟に判断する必要がある．

■ 文献

1) Kanda J : Effect of HLA mismatch on acute graft-versus-host disease. Int J Hematol 98 : 300-308, 2013
2) Yakoub-Agha I, et al. : Allogeneic marrow stem-cell transplantation from human leukocyte antigen-identical siblings versus human leukocyte antigen-allelic-matched unrelated donors (10/10) in patients with standard-risk hematologic malignancy : a prospective study from the French Society of Bone Marrow Transplantation and Cell Therapy. J Clin Oncol 24 : 5695-5702, 2006
3) Shernan G, et al. : Optimizing donor choice and GVHD prophylaxis in allogeneic hematopoietic cell transplantation. J Clin Oncol 39 : 373-385, 2021
4) Ikegame K, et al. : Unmanipulated haploidentical reduced-intensity stem cell transplantation using fludarabine, busulfan low-dose antithymocyte globulin, and steroids for patients in non-complete remission or at high risk of relapse : a prospective multicenter phase I/II study in Japan. Biol Blood Marrow Transplant 21 : 1495-1505, 2015
5) Sano H, et al. : T-cell-replete haploidentical stem cell transplantation using low-dose antithymocyte globulin in children with relapsed or refractory acute leukemia. Int J Hematol 108 : 76-84, 2018

（樋口紘平，井上雅美）

第3章 造血細胞移植

4 移植前治療

　移植前治療（前処置，conditioning）とは，造血細胞移植に先行して実施される化学療法（時に免疫抑制薬）や放射線治療などを組み合わせた治療をいう．前処置の目的は，自家移植においては移植片の拒絶を懸念する必要はなく，大量化学療法を用いて腫瘍細胞をできる限り根絶することである．一方で同種移植においては，①患者の免疫を適切に抑制し，移植片の拒絶を予防すること（免疫抑制効果），②患者の体内に残存する腫瘍細胞をできる限り減少させること（抗腫瘍効果），③患者の骨髄内に移植片の生着を得るために患者自身の造血機能を廃絶させること（造血スペースを作る）とされる[1]．これらの目的を達成するために，従来の前処置では大量化学療法や全身放射線照射（total body irradiation：TBI）で構成されていたが，前処置関連毒性（regimen-related toxicity：RRT）に起因する非再発死亡率（non-relapse mortality：NRM）の増加が報告されており，近年ではRRT減弱を目指した移植前処置が行われるようになった．

　成人と小児の前処置は同様に考えられるが，以下の点での相違がみられる．一般に，小児のほうが成人よりもRRT治療関連毒性に対する忍容性が高く，より高用量の化学療法が投与できる．その一方で，小児患者においては前処置が成長発達や性腺機能障害などの晩期合併症をきたすことが問題となる．TBIを含む前処置と化学療法のみの前処置の治療成績に明確な違いがみられないことから，原則的に2歳以下の小児に対しては移植後晩期合併症を考慮してTBIを使用しない[2]．

移植前処置の強度からみた分類

　造血細胞移植における前処置の強度は3種類に分類される（図1）．それぞれを強度の強い順に，①骨髄破壊的前処置（myeloablative conditioning：MAC），②強度減弱前処置（reduced intensity conditioning：RIC），③骨髄非破壊的前処置（nonmyeloablative conditioning：NMA）とされる．①のMACは重度の汎血球減少をきたすため造血の回復に幹細胞の輸注を必要とし，高線量のTBIまたは大量化学療法を含む移植前処置である．②のRICはMACにもNMAにも分類されない移植前処置であり，比較的重度の血球減少を認め，幹細胞の輸注を必要とするが血球減少は可逆的なこともある．③のNMAは軽度の汎血球減少をきたすが，理論上は幹細胞の輸注がなくとも造血回復を認めうる[2]．

1 骨髄破壊的前処置（MAC）

　TBIはMACレジメンの主要な構成要素であり，シクロフォスファミド（cyclophosphamide：CY）と組み合わせることで急性白血病の患者の標準的なレジメンとなる．高容量TBIは通常12 Gyの線量を6分割で投与するのが標準で，抗腫瘍効果と免疫抑制効果とともに生着を促進する．また，TBIは全身化学療法では聖域とされる中枢神経や精巣を含めて均一な線量を照射できる．急性毒性としては粘膜炎，間質性肺炎，類洞閉塞症候群（sinusoidal obstruction syndrome：SOS），および出血性膀胱炎があり，長期毒性としては成長発達障害，内分泌障害，性腺機能障害，白内障，および二次性悪性腫瘍がある．TBIによる抗白血病効果については，特にALLの前処置においては多くの施設でTBIが選択される傾向が強い[3]．

　高線量のTBIによる有害事象を回避したい場合や過去に放射線治療歴を有する患者の場合では，non-TBI大量化学療法として，おもにブスルファン（busulfan：BU）などのアルキル化薬が使用される．アルキル化薬は非分裂期の腫瘍細胞に対しても効果を示すことから，歴史的にBU＋CYがnon-TBI-MACの原型とされた．特にAMLに対しては，BU＋CYの前処置とTBI＋CYの前処置との比較研究において差がないとされる．また，小児ALLに対する後方視的研究では，TBI＋CYに比してエトポシド（etoposide：VP-16）を追加したTBI＋VP16＋CYが有意に生存率を改善し，再発率を低下させた．しかも，高用量VP16の使用にもかかわらず，NRMにおいても優位性を示したとの報告がある．元来よりBUは経口使用されてきたが，消化管からの吸収には個体差があり，患者間の体内薬物動態のばらつきがあるため，治療関連毒性（SOSなど）に関与してきた．静注用BUが開発され，試験投与の必要性がなく用量調整が可能となり，SOSなどのTRMを大幅

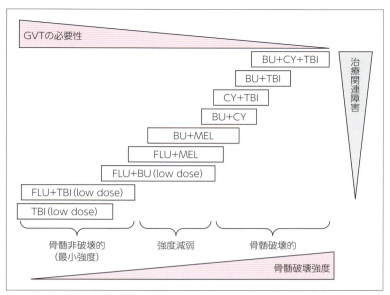

図1 ● 移植前治療の強度と抗腫瘍効果

移植前治療の強度を高めれば抗腫瘍効果が増強するが，短期的および長期的な治療関連障害が増加する．TBIやアルキル化薬による移植前治療を軽減しつつFLUなどを追加して免疫抑制を強化すれば，移植前治療自体の抗腫瘍効果は低下するものの治療関連障害が低下し，免疫学的な移植片対腫瘍(GVT)効果の必要性が増加する．
(Gyurkocza B, et al.: Conditioning regimens for hematopoietic cell transplantation: one size does not fit all. Blood 124：344-353, 2014より引用，改変)

に軽減させた[4]．

小児において性腺機能障害は避けられないものの，成長発達障害，二次性悪性腫瘍の観点からMACにおいてはBUを選択する傾向がある．小児AMLではTBI-MACとBU-MACの成績の比較において差はみられず，小児AMLでは特にTBIを控える傾向がある．

2 強度減弱前処置(RIC)および骨髄非破壊的前処置(NMA)

生着のために移植前処置の免疫抑制効果を維持しながら，RRTを軽減させるために抗腫瘍効果を許容できる範囲で強度減弱した前処置としてRICやNMAが開発された．フルダラビン(fludarabin：FLU)は強い免疫抑制能をもつヌクレオシド類似体で，DNA修復を阻害することによりアルキル化薬との相乗効果をもち，RICやNMAとして広く用いられる．FLUとアルキル化薬によるRICにおいては，低線量($2\sim4$ Gy)のTBIや抗ヒト胸腺細胞免疫グロブリン(anti-thymocyte globulin：ATG)が併用される．エルサレムで開発されたFLU＋BUでは，それぞれの前処置の強度によりMAC，RICおよびNMAを決定できる．

用量強度の軽減は再発率の増加と関連するがNRMは低下させうる．ドイツのランダム化比較試験では，2 GyのTBI，FLU 150 mg/m²×4のRICレジメンと，12 GyのTBIとCY 120 mg/kgのMACレジメンを比較したところ，RIC群では毒性の低下を示したが，再発率，TRM，および生存率では同等であり，長期的にもその効果が維持されることが確認された．特にAML患者において，BUとFLUの組み合わせは，効果を弱めることなく毒性も許容されることが見出されている．また，BU＋CYとBU＋FLUレジメンを比較した研究では，BU＋FLUにおいて再発率の増加はなくTRMでの大幅な軽減が示されている．小児におけるRICやNMAでは，特に性腺機能障害の観点から，さらにBUを控えたレジメンでメルファラン(melphalan：MEL)主体のFLU＋MELレジメンが選択されることが多い．

代替ドナーからの前処置

本来，HLA一致同胞が最適ドナーとされているが，最適ドナーが得られない場合，HLA不一致骨髄や末梢血ドナーあるいは臍帯血ドナーなどが選択される．近年では移植技術の進歩によりHLA不一致でも特にハプロ一致(HLA半合致)ドナーによる骨髄・末梢血幹細胞移植が盛んに行われるようになった．歴史的に，これらのタイプの同種造血細胞移植は生着率が低く，TRMも高いことから，挑戦的なも

のであった．ハプロ一致移植の前処置レジメンでの重要な要素は当初は ATG であり，ATG は抗腫瘍効果を減弱することなく GVHD および TRM を減少させることが示され，再発率の増加につながらないことが示された．近年，米国のボルチモアのグループによって移植後大量 CY 投与による GVHD 予防法（PT-CY）が開発された．作用機序として移植後早期に同種抗原に応答した活性化同種応答性 T 細胞の選択的殺細胞効果がみられ，同種非応答性 T 細胞が温存されることから免疫回復が良好で強力に GVHD が抑制される．PT-CY の導入により成人領域では急速に普及するようになったが，移植片対白血病（graft versus leukemia：GVL）効果の減弱が懸念されている．また，小児領域では ATG と PT-CY のどちらを選択するかは移植条件により検討の余地があるが，今後の動向に注意が必要である．

おわりに

同種造血細胞移植における移植前処置強度の選択において，患者要因（年齢，全身状態，併存症），疾患要因（原疾患，病期），移植要因（ドナーの種類や幹細胞源，HLA 適合度）などを考慮すべきである．造血細胞移植の移植前処置の実際は，きわめて多彩であり，多様な移植前処置の有効性や安全性を比較評価することは非常に困難である．近年においても造血細胞移植の移植前処置を選択する標準的な方法や判断基準は確立されていない．多様化する移植医療における前処置は前述の要因を多面的，総合的に考慮して判断すべきである．

■ 文献

1) Gyurkocza B, et al.：Conditioning regimens for hematopoietic cell transplantation：one size does not fit all. Blood 124：344-353, 2014
2) Bacigalupo A, et al.：Defining the intensity of conditioning regimens：working definitions. Biol Blood Marrow Transplant 15：1628-1633, 2009
3) Cahu X, et al.：Impact of conditioning with TBI in adult patients with T-cell ALL who receive a myeloablative allogeneic stem cell transplantation：a report from the acute leukemia working party of EBMT. Bone Marrow Transplant 51：351-357, 2016
4) Nagler A, et al.：Allogeneic hematopoietic SCT for adults AML using i. v. BU in the conditioning regimen：outcomes and risk factors for the occurrence of hepatic sinusoidal obstructive syndrome. Bone Marrow Transplant 49：628-633, 2014
5) Luznik L, et al.：HLA-haploidentical bone marrow transplantation for hematologic malignancies using nonmyeloablative conditioning and high-dose, posttransplantation cyclophosphamide. Biol Blood Marrow Transplant 14：641-650, 2008

〈平山雅浩〉

第3章 造血細胞移植

5 造血幹細胞採取など

本項では小児ドナーからの骨髄採取あるいは末梢血幹細胞（peripheral blood stem cell：PBSC）採取において，ドナーの人権と安全を守るために注意すべき事項および手技について述べる．手順に従って，インフォームド・コンセント，ドナーの適格性，術前健診，自己血貯血，骨髄採取，末梢血幹細胞採取の順に解説する．

ドナー選定から採取まで

1 インフォームド・コンセント

小児をドナー候補とした時点で HLA 検査を行う前に，小児血液・がん学会造血細胞移植委員会から公表されている「健常小児ドナーからの造血幹細胞採取に関する倫理指針」（https://www.jspho.org/activity/disease_committee_hematopoietic_cell_transplantation.html）に基づいた説明をドナー候補の小児およびその保護者に行い，同意を得る．保護者に対しては，すべての同種造血細胞移植の比較を説明したうえで，予定されている移植法，採取法について詳しく説明し，文書による同意を得る．小児ドナー本人に対する説明には，小児血液・がん学会造血細胞移植委員会が作成した説明資料など（前述の URL）を用いる．

2 ドナーの適格性

1）年齢

骨髄ドナーの場合は 1 歳以上とし，末梢血幹細胞ドナーの場合は 10 歳以上とする．1 歳未満の乳児や重度の心身障害のある同胞については，細胞源にかかわらず原則としてドナーとはしない．

2）既往歴・現病歴

これまでの知見から，次のような場合にはドナーとしない．①顆粒球コロニー刺激因子（G-CSF）に対するアレルギー歴（末梢血幹細胞ドナーのみ），②造血幹細胞以外のドナー歴，③脾腫，血液疾患，悪性腫瘍の既往，④骨髄増殖性疾患の疑い，⑤Fanconi 貧血，サラセミアなどの遺伝性疾患．

3 術前健診

問診，身体的診察，血液像を含む全血球計算値，生化学，凝固能，感染症，尿定性，心電図，胸部 X 線の検査を実施する．骨髄ドナーでは年齢により呼吸機能検査を行い，末梢血幹細胞ドナーでは腹部超音波検査で脾腫のチェックを行う．

検査結果による適格性の判断に際しては，可能な限り各専門領域の医師や麻酔科医など第三者の意見を求める．また，適格基準を外れる場合は倫理委員会あるいは臨床研究審査委員会（institutional review board：IRB）の審議を経るなど，各施設の責任でより慎重にドナーの適格性を判定する．

4 自己血貯血

ドナーへの同種血輸血は原則として行わない．

1）1 回自己血採血量の上限として，小児は成人に比較し体重あたりの循環血液量が多いため，循環血液量の 12％の自己血採血（10 mL/kg）まで可能であるが，中学生以上は実質的に成人と同様に 8 mL/kg とする．

2）骨髄採取の際の自己血総貯血量は原則として「骨髄採取予定量−10 mL（中学生以上 8 mL）×kg（ドナー体重）」とする．末梢血幹細胞採取においてはアフェレーシス体外循環回路内容量が 1 回の自己血採血量を超える場合は，その差に相当する血液量を貯血する．

骨髄採取

1 骨髄採取量

骨髄採取量は「10〜15 mL/kg 患者体重」を目安とし，ドナー体重および患者との体重差などを考慮して決定する．目標細胞数は有核細胞数として患者体重あたり 3×10^8/kg，CD34 陽性細胞数として患者体重あたり 2×10^6/kg とするが，これ以下でも生着は得られている．

2 骨髄採取の実際[1]

詳しくは日本骨髄バンクの『骨髄採取マニュアル ホームページ版（2019.8.15 改訂）[1]』（https://www.jmdp.or.jp/documents/file/04_medical/f-up02-all-201908.pdf）を参照いただきたい．

1）骨髄採取の準備

採取は手術室で行い，気管内挿管での全身麻酔を原則とする．採取担当医師の少なくとも 1 人は採取経験の豊富な医師とし，ペアの医師の監督・指導を行う．採取針はディスポーザブル針とし，太さは 15

Gまで，長さは骨髄に到達可能ななるべく短い（2インチを推奨）単孔針を選択する．抗凝固薬はヘパリンを使用し，希釈液に生理食塩液を用いて，最終濃度を10単位/mL前後とする．採取バッグはボーンマロウコレクションキット（フレゼニウスカービジャパン），ボーンマロウコレクションシステム（エイチピーシーメディックス）のいずれかを用いる．

2）骨髄採取の手技
① 術野の消毒は外科手術と同様に確実に行い，滅菌覆布で無菌野を設定する．
② 穿刺部位の確認は最初に上後腸骨棘を触知し，仙腸関節に沿って腸骨稜を確認，上後腸骨棘を含む腸骨稜（翼）後ろ1/3を穿刺部位とする．上級医師は必ず対側の穿刺部位も確認する．
③ 骨髄採取針は，針先の斜面を錐もみ回転の内側にし，グリップを母指球筋内側に当て，針先を示指で固定してもつ．
④ 骨髄採取針を刺入する際は，皮下組織をゆっくりと進め，骨膜にあたったところで骨の手応えを確認，針先が滑らないように骨表面と刺入角度を垂直に近くし，力を加えて錐もみしながら進める．
⑤ 皮質骨を抜けて抵抗が減弱するか，針先が5 mm強挿入されて針が固定できれば内針を抜き，素早くシリンジを挿入固定して，勢いよく陰圧をかけて吸引する．1回の吸引は末梢血の混入を防ぐために3～5 mLにとどめる．
⑥ シリンジを外したら速やかに内針を挿入し，採取針全体を120°あるいは180°回転させ，再び新しいシリンジを挿入固定して2～3回目の吸引を行う．また，同一穿刺部位で深さを変えて吸引・採取することも可能である．この場合，貫通を防ぐために初めに深めに穿刺し，2回目は針を慎重に浅くして吸引・採取する．年長児〜成人では上後腸骨棘を目標に垂直に穿刺するが，幼児〜年少児では腸骨稜の厚さが薄く，仙腸関節を穿刺するリスクが高くなるため，腸骨稜に沿った腸骨翼を側面穿刺することもある．
⑦ 同じ皮膚の穿刺孔を用いて皮膚を数mmずつずらし，新しい皮質骨を穿刺して採取を繰り返す．皮膚の穿刺孔は片側あたり2ないし3か所とする．採取速度は10 mL/kg/30分以下とする．自己血は採取開始後，適宜輸血する．

3）術後管理
採取終了後は穿刺部位全体を少なくとも3分以上かけて圧迫止血し，ガーゼで厚めに覆う．全覚醒までは呼吸・循環モニターを装着し，酸素投与も継続する．予防的抗菌薬の投与については，小児ドナーでの重篤な有害事象報告（腸骨骨髄炎，敗血症性ショック）から推奨される．

末梢血幹細胞採取

1 G-CSFの投与法
G-CSFは10 μg/kg/日あるいは400 μg/m^2/日を皮下投与する．保険診療で認められているG-CSFの投与量はレノグラスチム（lenograstim）が10 μg/kg/日，フィルグラスチム（filgrastim）が400 μg/m^2/日である．G-CSF投与後は連日末梢血一般検査を行い，白血球50,000/μL以上，血小板100,000/μL以下になった場合は投与量を減量，白血球数が75,000/μL以上，血小板50,000/μL以下に達した場合は投与をいったん中止する．

2 アフェレーシス
1）アフェレーシス開始時期
G-CSF投与後4～6日目に1～2回のアフェレーシスを実施する．末梢血CD34陽性細胞は4日目より増加するが，フローサイトメーターで確認したうえで開始することが望ましい．アフェレーシス開始時間は，G-CSF投与後4時間以降とする．

2）血管確保
静脈留置針穿刺に際しては，30分ないし60分前に穿刺部位の皮膚に貼付用局所麻酔薬を貼り付け，静脈穿刺部位の消毒を十分に行い，両側前肘部の可能な限り太い静脈を確保する．採血側の血流が不安定な場合は，マンシェットを利用して駆血するが，過度に動脈を圧迫しないように注意する．静脈確保が困難な場合は習熟した医師による橈骨動脈穿刺により採血ラインを確保し，中心静脈穿刺は避ける．

3）アフェレーシスの方法
処理血液量は150～250 mL/kgあるいは循環血液量の2～3倍が一般的で，血液流量は採血ラインから40～60 mL/分程度が必要であり，「体重（kg）×1.5 mL/分」を超えないようにする．採取時間は処理量と血液流量によるが，長時間に及ぶのでストレスの軽減や水分の補給を心がけ，3時間以内を目安とする．採取目標はCD34陽性細胞数として，2×10^6/kg（レシピエント体重）以上であるが，$1 \sim 2 \times 10^6$/kgでも生着は可能であると考えられている．

4）アフェレーシスの副作用
抗凝固薬のACD液によるクエン酸中毒として口唇・四肢のしびれ，血管迷走神経反射（vaso-vagal reflex：VVR）の結果，めまい，悪心・嘔吐などが出現することがある．クエン酸中毒はグルコン酸カル

シウム 5～10 mL/時の持続注入によってほぼ予防できる．VVR は重篤な場合に高度の徐脈，意識喪失を認め，心停止に至る可能性もあることから，心電図モニターを装着し，救急薬品を準備しておく．また，末梢血幹細胞動員からアフェレーシス終了までアスピリン製剤は使用しない．

ドナー登録とフォローアップ

血縁ドナーは，採取前に日本造血細胞移植データセンターの血縁ドナー登録に申請し，ドナー傷害保険について説明する．骨髄，末梢血幹細胞にかかわらず，採取後，1 週間から 1 か月程度を目処に血液検査を含む診察を行い，さらに長期フォローアップ調査を実施する．

■ 文献

1) 秋山秀樹, ほか：採取担当医師の見地から．骨髄採取マニュアルホームページ版（2019.8.15 改訂）．日本骨髄バンク, 2015 https://www.jmdp.or.jp/documents/file/04_medical/f-up02-all-201908.pdf〔2021 年 9 月アクセス〕

■ 参考文献

- 矢部普正：健常小児ドナーからの骨髄・末梢血幹細胞採取．日本造血細胞移植学会ガイドライン委員会（編）．造血細胞移植学会ガイドライン 第 2 巻．医薬ジャーナル社, 110-126, 2015
- Yabe M, et al.：Feasibility of marrow harvesting from pediatric sibling donors without hematopoietic growth factors and allotransfusion. Bone Marrow Transplant 49：921-926, 2014

（矢部普正）

第3章 造血細胞移植

6 移植後合併症

a. 移植片対宿主病

定義・概念

移植片対宿主病(GVHD)は造血細胞移植時に輸注されるドナーT細胞がレシピエントのさまざまな組織を傷害する病態を示す．移植後100日以内に発症する急性GVHDと，100日以降に発症する慢性GVHDに分類されるが，100日を超えて急性GVHDの症状がみられる場合や，急性と慢性の症状が重複して出現する場合もある．

病因・病態

造血細胞移植に際しては，ドナー由来の免疫担当細胞がレシピエントに輸注されるが，それらの細胞はレシピエントを非自己と認識し，さまざまな臓器を排除しようと攻撃をすることになる．移植細胞からT細胞を除去することによりGVHDが抑制されることから，GVHDの発症にはT細胞が強く関与していることは明らかであるが，NK細胞などのほかの免疫担当細胞もGVHDの発症にかかわっている．

急性GVHD

臨床徴候

急性GVHDは移植後早期に発症する，皮疹，黄疸と下痢を特徴とする症候群である．皮疹は多くの患者で移植片の生着に前後してみられ，斑状丘疹が手掌や足底から全身へと広がっていくことが多い．肝GVHDは直接ビリルビンが優位の黄疸が主症状で，ほかのGVHD症状と併せて発症する．皮膚や消化管の症状を伴わない肝障害では，急性GVHDよりも移植前処置による肝障害や類洞閉塞症候群(SOS)などのほかの疾患を疑う必要がある．消化管GVHDでは，

表1 ◆ 急性GVHD臓器障害のstage

stage[*1]	皮膚 皮疹 (%)[*2]	肝 総ビリルビン (mg/dL)	消化管 下痢[*3]
1	<25	2.0〜3.0	成人 500〜1,000 mL 小児 280〜555 mL/m² (10〜19.9 mL/kg) または持続する悪心[*4]
2	25〜50	3.1〜6.0	成人 1,001〜1,500 mL 小児 556〜833 mL/m² (20〜30 mL/kg)
3	>50	6.1〜15.0	成人>1,500 mL 小児>833 mL/m² (>30 mL/kg)
4	全身性 紅皮症， 水疱形成	>15.0	高度の腹痛 (+/−腸閉塞)[*5]

*1：ビリルビン上昇，下痢，皮疹を引き起こす他の疾患が合併すると考えられる場合はstageを1つ落とし，疾患名を明記する．複数の合併症が存在したり，急性GVHDの関与が低いと考えられる場合は主治医判断でstageを2〜3落としてもよい．
*2：火傷における"rule of nines"(成人)，"rule of fives"(乳幼児)を適応．
*3：3日間の平均下痢量．小児の場合はmL/m²とする．
*4：胃・十二指腸の組織学的証明が必要．
*5：消化管GVHDのstage 4は，3日間平均下痢量成人>1,500 mL，小児>833 mL/m²でかつ，腹痛または出血(visible blood)を伴う場合を指し，腸閉塞の有無は問わない．
(日本造血細胞移植学会(編)：造血細胞移植ガイドライン．GVHD(第4版)．造血細胞移植学会，2018より引用)

表2 ◆ 急性GVHDのgrade

grade	皮膚 stage		肝 stage		腸 stage
I	1〜2		0		0
II	3	あるいは	1	あるいは	1
III	—		2〜3	あるいは	2〜4
IV	4	あるいは	4		—

*1：PSが極端に悪い場合〔PS4，またはKarnofsky performance score(KPS)<30％〕，臓器障害がstage 4に達しなくともgrade IVとする．GVHD以外の病変が合併し，そのために全身状態が悪化する場合，判定は容易ではないが，急性GVHD関連病変によるPSを対象とする．
*2："あるいは"は，各臓器障害のstageのうち，1つでも満たしていればそのgradeとするという意味である．
*3："—"は障害の程度が何であれgradeには関与しない．
(日本造血細胞移植学会(編)：造血細胞移植ガイドライン．GVHD(第4版)．造血細胞移植学会，2018より引用)

下痢のほか腹痛や嘔吐，食思不振として発症する．

急性 GVHD は移植前治療あるいは移植後に投与されている薬剤や感染症による臓器障害との鑑別が困難な場合があり，病理学的な診断も考慮する必要がある．急性 GVHD の臓器障害の程度により stage を決定し（表 1）[1]，それぞれの臓器の stage により重症度の判定を行う（表 2）[1]．

診断・検査

急性 GVHD は同種造血細胞移植を受けたすべて

表3 ◆ 慢性 GVHD の臨床徴候

臓器	診断的徴候	特徴的徴候	他の徴候	共通徴候
皮膚	多形皮膚萎縮症 扁平苔癬様皮疹 硬化性変化 斑状強皮症様変化 硬化性苔癬様変化	色素脱失 鱗屑を伴う丘疹性病変	発汗障害 魚鱗癬様変化 毛孔角化症 色素異常（沈着，脱失）	紅斑 斑状丘疹性紅斑 搔痒症
爪		爪形成異常，萎縮，変形爪床剝離，翼状片，対称性爪喪失		
頭皮，体毛		脱毛（瘢痕性，非瘢痕性） 体毛の減少，鱗屑	頭髪減少，白髪化	
口腔	扁平苔癬様変化	口腔乾燥症，粘膜萎縮 粘液囊腫，偽膜形成，潰瘍形成		歯肉炎，口内炎 発赤，疼痛
眼球		眼球乾燥症，疼痛 乾燥性角結膜炎 融合性の点状角膜障害	眩光症 眼球周囲の色素沈着 眼瞼浮腫と発赤	
生殖器	扁平苔癬様，硬化性苔癬 女性：腟瘢痕形成・狭窄 陰核，陰唇の癒合 男性：包茎，尿管・尿道口の瘢痕形成・狭窄	びらん，潰瘍，亀裂		
消化器	食道ウェブ 上部食道の狭窄		膵外分泌能の低下	食欲不振，嘔気，嘔吐
肝				総ビリルビン，ALP，ALT/AST >2x 基準値上限
肺	生検で確定した閉塞性細気管支炎（BO），閉塞性細気管支炎症候群（BOS）	肺機能検査や画像による BO	特発性器質化肺炎（COP） 拘束性肺障害	
筋，関節	筋膜炎 関節拘縮	筋炎，多発筋炎	浮腫，筋痙攣 関節痛，関節炎	
造血・免疫			血小板減少 好酸球増多，リンパ球減少 低・高ガンマグロブリン血症 自己抗体（AIHA，ITP） レイノー症状	
その他			心囊水・胸水，腹水 末梢神経障害 心筋障害，伝導障害 ネフローゼ症候群 重症筋無力症	

診断的徴候：その所見単独で慢性 GVHD と診断できるもの
特徴的徴候：慢性 GVHD に特徴的であるが臨床所見だけでは診断価値がなく，組織学的，画像所見などにより証明され，他疾患が否定される場合に診断できるもの
他の徴候：慢性 GVHD と確定診断できた場合に慢性 GVHD の一症状として取り上げることができるもの
共通徴候：急性 GVHD，慢性 GVHD どちらでもみられるもの
(日本造血細胞移植学会（編）：造血細胞移植ガイドライン．GVHD（第4版）．日本造血細胞移植学会，2018 より引用)

の患者で発症する可能性があるため，皮疹や黄疸，下痢がみられたときは常に疑わなくてはならない．

鑑別すべき疾患としては皮膚症状では薬疹，ウイルス性発疹，生着症候群，放射線皮膚炎などがあげられる．皮膚生検は小児でも比較的安全に実施可能なため，診断に有用である．消化器症状は消化管感染症，薬剤性・消化性潰瘍や代謝異常でも観察される．黄疸の鑑別ではSOS，移植前処置の影響やウイルス性肝炎を考慮する．

予防・治療

GVHDの予防はカルシニューリン拮抗薬であるシクロスポリン（cyclosporin：CSP）やタクロリムス（tacrolimus：TAC）とメトトレキサートの2剤併用により行われているが，近年の造血細胞移植の多様化によりさまざまなGVHD予防が試みられている．CSPやTACの投与に際しては，血中濃度測定によるモニタリングが必要である．免疫抑制薬の投与期間はHLA適合者間移植においては，GVHDがコントロールされていれば，移植後半年を目処に減量・中止を試みる．急性GVHDでは原則としてgrade II（表2）[1]以上を対象に治療を開始し，ステロイドの全身投与が第一選択である．

慢性GVHD

臨床徴候

慢性GVHDは自己免疫疾患様の多臓器を含む複雑な臨床症状を示し，移植後の患者のQOLを著しく障害するとともに，生命予後にも影響を与える．慢性GVHDは先行する急性GVHDに続いて発症する場合が多く，急性GVHDは慢性GVHDの最も重要な危険因子である．そのほか，HLA不一致，ドナーとレシピエントの性別の違いや移植片の種類（末梢血＞骨髄，臍帯血）などが発症の危険因子となっている．

診断・検査

慢性GVHDは表3[1]に示す診断基準に基づき診断が行われている．診断的徴候が最低1つ，あるいは生検やほかの検査で支持される特徴的徴候が1つ以上で，ほかの疾患が除外される場合に慢性GVHDと診断する．生検による病理学的な手法は慢性GVHDの診断のための重要な手段となる．

予防・治療

急性GVHDの予防と治療を適切に行うことが慢性GVHDの予防にはもっとも重要である．

慢性GVHDの治療は重症度と傷害されている臓器数によって患者ごとに決定する．慢性GVHDが1～2臓器に限局し，機能障害がみられない場合は局所療法を選択するが，より重症の場合はステロイドの全身投与が適応となる．カルシニューリン拮抗薬に加えてステロイドが十分に有効でない場合，さまざまな治療が選択されているが，明らかに優れている治療法は確立されていない．

慢性GVHDは長期間にわたる治療を必要とするため，全身療法は感染症の増加やさまざまな有害事象を引き起こすことになる．そのため，局所療法は慢性GVHDの治療で重要な位置づけとなる．局所療法として，皮膚病変に対しては日焼けの防止やステロイドの外用薬，口腔病変には人工唾液や口腔ケア，眼の病変には頻回の点眼，肺病変ではステロイド吸入，気管支拡張薬，呼吸リハビリが有用とされている．

■ 文献

1) 日本造血細胞移植学会（編）：造血細胞移植ガイドライン．GVHD（第4版）．造血細胞移植学会，2018

■ 参考文献

- Penack O, et al.：Prophylaxis and management of graft versus host disease after stem-cell transplantation for haematological malignancies：updated consensus recommendations of the European Society for Blood and Marrow Transplantation. Lancet Haematol 7：e157-e167, 2020
- Gonzalez RM, et al.：Evolving Therapeutic Options for Chronic Graft-versus-Host Disease. Pharmacotherapy 40：756-772, 2020

（田内久道）

b. 生着不全

定義・概念

生着不全（graft failure）は，頻度は少ないが重大かつ致死的な造血細胞移植合併症である．造血細胞移植における生着とは，移植後にドナー型の造血が十分に得られることをいうが，一般的には末梢血好中球数が連続する3ポイント以上の検査日において500/μL以上を達成することと定義され，その初日

表1 ◆ 生着不全リスク因子

輸注細胞	造血環境	免疫機序
臍帯血移植	非腫瘍性疾患	HLA不適合
輸注細胞不足	骨髄非寛解・線維化	抗HLA抗体
CD34陽性細胞不足	鉄過剰	ABO血液型不適合
細胞凍結保存	薬剤毒性	GVHD
ドナー高齢		強度減弱前処置
T細胞除去		ウイルス感染症
脾腫		血球貪食症候群
		輸血歴

を生着日としている[1]．末梢血好中球数だけでなく，網状赤血球1％以上または輸血なしでHb 8 g/dL以上，輸血なしで血小板数2万/μL以上となることも生着の目安として重要である．

生着不全は，移植後血球回復を認めない一次性生着不全（primary graft failure）と一旦生着したあとに造血機能が低下する二次性生着不全（secondary graft failure）に大別される．移植後28日（臍帯血移植では42日）までに好中球生着基準を達成できなかった場合に一次性生着不全と判断される．二次性生着不全は生着後に2系統以上の造血低下が認められた場合とされるが，臨床的には，原病の増悪を除く何らかの理由によって末梢血好中球数が生着の条件を満たさなくなった場合と定義されることが多い．免疫学的機序などによりドナー型造血が消失した場合は移植片拒絶（graft rejection）とされ，レシピエント型の造血回復を認めることを自己造血回復（autologous recovery）という．ドナー型キメリズムが得られているにもかかわらず血球が減少する場合には，移植片機能不全（poor graft function）やドナー型造血不全（donor-type aplasia）とよばれる．

病因・リスク因子

生着不全の病因として，ドナー造血幹細胞の質・量，リンパ球を主体とした細胞性免疫・液性免疫，レシピエントの骨髄環境などさまざまな因子が複合して関与する（表1）．

1 幹細胞源と移植細胞数

幹細胞源および移植細胞数は生着に最も重要な因子である[1,2]．臍帯血では，骨髄および末梢血幹細胞に比べて生着不全のリスクが高い．幹細胞源別に安定した生着に必要とされる細胞数は異なり，同種移植では，骨髄で有核細胞数$3×10^8$/kg，末梢血幹細胞でCD34陽性細胞数$2～4×10^6$/kg，臍帯血で有核細胞数$2.5～3×10^7$/kgおよびCD34陽性細胞数$1×10^5$/kg以上が望まれる[1]．

2 HLA適合度

HLA適合度が低いほど生着不全は増加し，特にHVG（host versus graft）方向の不適合はそのリスクを上昇させる[1,2]．

3 移植前処置

骨髄非破壊的前処置や強度減弱前処置では，骨髄破壊的前処置よりも生着不全のリスクが高い[1,2]．これらの前処置において，フルダラビンや低線量の全身放射線照射（total body irradiation：TBI）の併用は生着不全のリスクを低下させる．

4 疾患

非腫瘍性疾患では生着不全のリスクが高い[1,2]．一次性生着不全だけでなく混合キメラや二次性生着不全となる頻度も高く，特に再生不良性貧血では，移植片機能不全やドナー型造血不全が他の疾患に比べて多くみられることが知られる．骨髄の線維化や非寛解など移植前骨髄環境も生着に影響を与える[1]．

5 抗HLA抗体

HLA不適合移植（特に臍帯血移植・HLA半合致血縁者間移植）において，レシピエントが不適合抗原に対するドナー特異的抗HLA抗体（donor-specific antibodies，DSA）をもつ場合，生着率の低下がみられる[3]．頻回の輸血や妊娠による感作が抗HLA抗体産生の原因となる．

6 その他

そのほかにABO血液型主不適合，移植片の凍結保存，女性ドナーから男性レシピエントへの移植，移植片のT細胞除去処理などが一次性生着不全のリスク因子として報告されている[1]．また，ウイルス感染や血球貪食症候群を契機とする生着不全がしばしばみられる．

疫学

生着不全には，前述のようにさまざまな因子が関与するため，その発生率は移植条件により異なる．HLA適合骨髄・末梢血幹細胞移植では数％，HLA半合致血縁者間移植や臍帯血移植では10〜20％の生着不全率とされる[1,2]．非腫瘍性疾患では10％を超える生着不全率が報告されており，再生不良性貧血では前処置の改良などにより一次性生着不全は減少傾向にあるが，HLA適合血縁・非血縁者間骨髄移植においても移植片機能不全やドナー型造血不全を含む二次性生着不全が10〜15％程度にみられる[4]．

診断・検査

移植後21日を過ぎても末梢血白血球数が$100/\mu L$未満といった低値の場合，一次性生着不全を疑う．通常，一次性生着不全の診断は移植後28日でされるが，臍帯血移植では生着速度が遅くその診断時期については議論がある．Eurocordの研究によると，臍帯血移植では生着の可能性が移植後21日をピークに減少し，31日では22％，42日では5％となることが示されており，42日を診断時期とする提案がされている．しかしながら，生着不全が生命予後に及ぼす影響を考慮すると，早期に生着不全の徴候を発見し，再移植の必要性を念頭において対応することが望まれる．生着不全が疑われた場合，骨髄検査で造血前駆細胞の出現など生着の徴候があるか，血球貪食像やマクロファージの活性化など生着不全の徴候がないかを確認し，キメリズム検査でドナー由来の細胞が生着しているかどうかを評価する．生着不全のリスクが高い移植では，計画的かつ経時的な骨髄検査が有用であり，European Society for Blood and Marrow Transplantation（EBMT）では，移植後14日などの早期に骨髄検査および骨髄キメリズムの評価を行うことを推奨している[1]．臍帯血移植においても，移植後28日の時点で骨髄に造血回復の兆しがなければ，再移植の準備を行う必要がある．

治療・予後

1 予防

生着不全対策の第一は予防である．造血細胞移植計画時は，生着不全のリスクを考慮し，ドナー・幹細胞源・前処置の選択を行う必要がある[2]．HLA不適合移植では大量のCD34陽性細胞を含む移植片の輸注がHLAのバリアを越える可能性が示唆されており，HLA半合致血縁者間移植で試みられることがある．また，抗HLA抗体関連生着不全の予防には，事前にレシピエントの抗HLA抗体検査を行い，DSAをもたないような臍帯血やHLA不適合ドナーを選択することが重要である[1,3]．これらが選択できない場合には，リツキシマブやボルテゾミブ投与による抗体産生細胞の抑制，不適合抗原を発現する血小板輸血や血漿交換によるDSAの吸着，免疫グロブリンやエクリズマブの投与などが試みられる[1]．

2 治療

1）再移植以外

生着が遅延し，骨髄検査で生着前免疫反応（pre-engraftment immune reaction）や血球貪食症候群の所見を認める場合には，ステロイド（メチルプレドニゾロン，デキサメタゾン・パルミテートなど）やエトポシドの投与による改善が期待される．また，サイトメガロウイルスなどの合併する感染症の治療，顆粒球コロニー刺激因子（G-CSF）の投与，可能であれば関与が疑われる薬剤の中止が検討される．

生着不全となった場合の治療選択には，リンパ球と顆粒球を分離したキメリズム解析が有用である．どちらも完全ドナー型で移植片機能不全やドナー型造血不全をきたしている場合，同一ドナーからの造血幹細胞ブーストあるいは免疫磁気ビーズを用いて純化したCD34陽性細胞ブーストが試みられる[1]．リンパ球でドナー型の減少を認め混合キメリズムとなっている場合には，免疫抑制薬の減量・中止により完全ドナー型キメリズムが得られる可能性があるが，移植前に抗胸腺細胞グロブリン（anti-thymocyte globulin：ATG）の投与などのT細胞除去が行われた場合にはドナーとレシピエントの免疫の力関係は複雑であり，免疫抑制強化がドナー型優位につながることもある[1]．混合キメリズム時にはドナーリンパ球輸注（donor lymphocyte infusion：DLI）も治療選択肢であるが，急性・慢性移植片対宿主病（graft-versus-host disease：GVHD）発症リスクがあることに留意する必要がある．

2）再移植

リンパ球キメリズムでレシピエント型優位である生着不全の場合，患者免疫による病態と考えられ，前処置併用再移植が必要となる[1]．また，キメリズムの状態にかかわらず前述の治療が奏功しない場合にも再移植が検討される．

一次性生着不全時の再移植には，フルダラビン，アルキル化薬（シクロフォスファミド，メルファランなど），低線量TBIを組み合わせた移植前処置を数日間で行う短縮強度減弱前処置が用いられること

が多い．前処置期間をさらに短縮し1日で行う one day regimen も開発され，国内外から成功例が報告されている．一次性生着不全時に速やかに利用可能な再移植ドナー・幹細胞源は，臍帯血または血縁ドナーからの骨髄・末梢血幹細胞である．再移植では，初回移植と異なるドナーが選択される傾向にあるが，現時点でドナー変更の意義は明らかになっていない．日本造血細胞移植学会登録データを用いた小児の一次性生着不全102例に対する再移植の後方視的検討では，HLA適合または1抗原不適合血縁ドナーからの再移植成績が最も良好であり，1年全生存率(overall survival：OS)は69％，HLA 2〜3抗原不適合血縁者間移植と臍帯血移植の成績は同等であり，1年OSはそれぞれ48％，46％であった[5]．近年，HLA半合致血縁者間移植法の進歩によりその成績は向上しており，生着不全に対しても今後期待される治療選択肢である．

3 予後

生着不全は生命にかかわる病態であり，特に一次性生着不全では自己造血回復のない場合には再移植なしでの救命は難しい．Center for International Blood and Marrow Transplant Research(CIBMTR)は，非血縁者間造血細胞移植後の生着不全で再移植を受けなかった817例のうち99％が1年以内に死亡したことを報告している[6]．再移植後のおもな死因は感染症や臓器障害であり，再移植までにこれらを併発している場合，再移植自体が困難となることもある．最近の報告では，生着不全を早期に診断し，速やかに再移植を行うことで成績の改善がみられている．

■ 文献

1) Carreras E, et al.(eds.)：The EBMT Handbook：Hematopoietic Stem Cell Transplantation and Cellular Therapies. Springer, 2019
2) Olsson R, et al.：Graft failure in the modern era of allogeneic hematopoietic SCT. Bone Marrow Transplant 48：537-543, 2013
3) Takanashi M, et al.：The impact of anti-HLA antibodies on unrelated cord blood transplantations. Blood 116：2839-2846, 2010
4) Bacigalupo A, et al.：Current outcome of HLA identical sibling versus unrelated donor transplants in severe aplastic anemia：an EBMT analysis. Haematologica 100：696-702, 2015
5) Kato M, et al.：Salvage allogeneic hematopoietic SCT for primary graft failure in children. Bone Marrow Transplant 48：1173-1178, 2013
6) Schriber J, et al.：Second unrelated donor hematopoietic cell transplantation for primary graft failure. Biol Blood Marrow Transplant 16：1099-1106, 2010

〈吉田奈央〉

c. 移植に関連する感染症とその予防

造血細胞移植が行われるようになって30年以上が経過し，幹細胞源や前処置も多様化している．しかしながら，現在においても感染症のコントロールは移植の成否を決める重要なポイントである．移植に関連する感染症と予防について述べる．

移植に関連する感染症と発症時期

図1に示すように，移植後早期の好中球減少の時期には細菌および真菌感染症，ならびに単純ヘルペスウイルス(herpes simplex virus：HSV)感染症が多いとされており，さらに最近はこの時期にヒトヘルペスウイルス(human herpes virus：HHV)6の再活性化が多いことも注目されている．

好中球が増加してからの移植後中期には，サイトメガロウイルス(cytomegalovirus：CMV)による肺炎や腸炎，EB(Epstein-Barr)ウイルスによるリンパ球増殖性疾患，アデノウイルスやBKウイルスによる出血性膀胱炎に注意が必要である．また移植後100日前後になってからの移植後後期には帯状疱疹に罹患することが多いことが知られている．さらに，HLA半合致移植や急性・慢性移植片対宿主病(GVHD)の合併例ではGVHDにより免疫機能の回復が遅いことに加え，免疫抑制薬の投与により易感染性となり，感染症，特に真菌感染症に注意しなければならない．

細菌感染症

造血細胞移植は前処置により骨髄抑制をきたすため，細菌感染症をきたしやすいのは自明の理であるが，意外にも小児において敗血症の発症因子に言及した報告は少ない．血流感染症(blood stream infection：BSI)の合併率は20〜30％とするものが多い．われわれの検討[1]によると，253例の造血細胞移植症例において24例(8.7％)にBSIが合併しており，生着前が75％を占めた．起因菌は，化学療法におけるBSIと差異はなくGram陽性球菌が多い傾向を認めた．BSIの発症因子としては，非腫瘍性疾患(再生不良性貧血，Wiskott-Aldrich症候群など)，抗胸腺細胞グロブリン(antithymocyte globulin：ATG)の使用，エトポシドの非使用があげられた．多変量解析では，再生不良性貧血もしくはWiskott-Aldrich症候群が唯一の危険因子であった．しかしながら，BSI

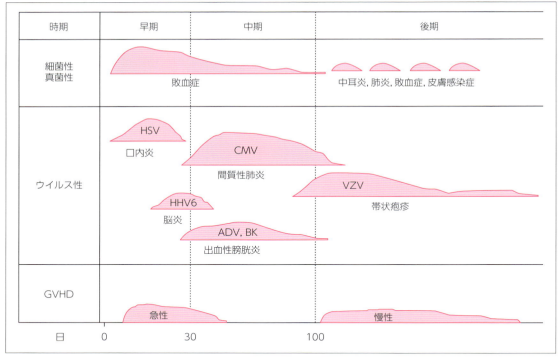

図 1 ◆ 造血細胞移植後の感染症と発症好発時期
HSV：単純ヘルペスウイルス，CMV：サイトメガロウイルス，VZV：水痘帯状疱疹ウイルス，HHV6：ヒトヘルペスウイルス 6，ADV：アデノウイルス，BK：BK ウイルス．

の有無による生存率に差はみられなかった．さらに日本造血細胞移植学会の移植登録一元管理プログラム（transplantation resource unfied management program：TRUMP）データを用いた再生不良性貧血症例351 例の検討では，39 例（11.1 ％）に BSI がみられた[2]．発症中央値は 8.5 日であった．起因菌が Gram 陽性球菌に多いのはやはり同じであった．しかしながら，再生不良性貧血症例においては BSI の有無によって大きく生存率が異なることが明らかとなった（5 年生存率：BSI 非合併例 93.35 ± 1.44 ％，BSI 合併例 65.32 ± 7.90 ％，$p < 0.0001$）．発症因子としては，移植前の免疫抑制治療，非血縁ドナー，20 回以上の輸血歴，血液型 major mismatch，シクロスポリンではなくタクロリムスの使用，発症から移植までの期間が 300 日以上であった．このうち多変量解析では，発症から移植までの期間が唯一の危険因子であった．

　細菌感染症の予防に特筆すべきものはなく，無菌室管理をポイントに沿ってきちんと行うことである．発熱がみられた場合には早急に血液培養を行い，広域スペクトルの抗菌薬の投与を行うことが肝要である．再生不良性貧血など発症頻度が高い場合には，移植前の感染症チェックをくまなく行うことも重要と思われる．特に CT などで副鼻腔炎のチェックも行う必要がある．

真菌感染症

　世界的には移植後の真菌感染症は好中球減少のみられる早期と GVHD に合併した後期の 2 峰性がみられるとされるが，わが国では無菌管理が厳密な傾向があるせいか，後期の症例がほとんどであるとされている．最近の小児における移植後の深在性真菌症のレビュー報告においては，発症危険因子として急性 GVHD・慢性 GVHD の合併，ステロイドホルモンの投与，さらに年齢 10 歳以上が多いことが記されている[3]．

　深在性真菌感染症の予防は，移植後早期には保険適用となっているフルコナゾール 12 mg/kg/日もしくはミカファンギン 1 mg/kg/日が推奨される．特にミカファンギンはフルコナゾールより予防効果が高いとする報告がみられ，わが国でも成人・小児において有用性を認める報告がみられている．一方，慢性 GVHD を合併し長期に免疫抑制薬を投与する際にも，抗真菌薬による予防が推奨される．しかしながら，保険適用となっている薬剤はほとんどなく，

われわれはボリコナゾールを10 mg/kg/日にて経口投与を行い真菌症の発症はみられていない．最近，わが国にて使用可能となったポサコナゾールは小児の適用がない．

ウイルス感染

1 単純ヘルペスウイルス

予防として保険適用となっているアシクロビルの移植前7日～移植後35日の投与が推奨される．

2 サイトメガロウイルス

CMVは歴史的に間質性肺炎が有名であるが，網膜炎，腸炎や脳炎などをきたすことも知られている．現在は，CMV抗原血症法（アンチゲネミア）の検査により抗原血症の段階で早期に診断し治療することができるようになった．しかしながら，腸炎の場合には30％ほどしかアンチゲネミア検査が陽性とならないことが報告されており，注意が必要である．そもそもCMVの移植後における再活性化はレシピエント，ドナーに感染既往がなければきわめて可能性が低いものであるが，われわれは，それに加えて移植前の低γ-グロブリン血症がCMV再活性化の危険因子であることを報告した[4]．

従来より広く行われていたγ-グロブリンの定期投与による予防は，最近では疑問視されている．また，ガンシクロビルやホスカルネットの予防投与も現実的とはいいがたく，早期診断による早期治療が現実的な選択肢と思われる．最近，成人においてはレテルモビルが承認され用いられつつあるが，小児でのデータは少ない状況である．今後，どのような危険因子をもった症例に使用すべきか明らかになると思われる．

3 EBウイルス

EBウイルスによるリンパ増殖性疾患（lymphoproliferative disorder：LPD）は，TRUMPデータの解析で小児において0.6％の発症となっている．最近，増える傾向にあるが，早期診断が得られている可能性もあり，実際に増加しているかは不明である．若干古いデータであるが，その死亡率は54.4％で，危険因子としてはATGの使用があげられる．

4 アデノウイルス

アデノウイルス感染症の罹患は小児において90％が移植後3か月以内，50％以上が移植後30日以内とされている．出血性膀胱炎として症状をきたすことも多くみられるが，時に重篤となり致命的になる．発症因子としては，T細胞除去，CD34陽性細胞移植やATG，アレムツズマブを投与した症例で多いとされている．治療としてはcidofovirやribavirinが海外では用いられるがわが国では使うことがむずかしい．

5 帯状疱疹ウイルス

帯状疱疹は，造血細胞移植後には比較的よくみられる合併症である．Onozawaら[5]の報告によると成人も含めて発症率は18.7％とされ，このうち15％が全身播種したとされている．自家移植に比べると同種移植のほうが発症が早いとされ，75.5％が1年以内に発症している．さらに，同種移植では非血縁者間移植のほうが，血縁者間移植に比べて帯状疱疹の発症頻度が高い．帯状疱疹後神経痛は35％の患者にみられているが，20歳未満の症例の発症はみられていない．最近は長期にわたるアシクロビルを少量予防投与する試みがなされて有効とする報告がみられるが，保険適用にはなっていない．

6 ヒトヘルペスウイルス6（HHV6）

HHV6が移植後早期に再活性化することは成人で広く認められており，脳炎や脊髄炎を起こし，時にcalcineurin inhibitor induced pain syndrome様の体の痛みやかゆみの原因になる．また成人の脳炎は予後不良であり，その早期診断と予防が重要な課題である．Ogataら[6]は成人の解析で，臍帯血移植が移植後のHHV6再活性化ならびに脳炎発症の危険因子であることを報告しており，ホスカルネットによる予防投与を検討している．一方，小児における報告は徐々に増えつつあるが，われわれの検討では自家移植も含めた80例中35％において移植後20日に再活性化がみられ，臍帯血移植が危険因子であることが明らかとなった[7]．その一方で，脳症症状を呈する症例は多くないことも報告されている．しかし，抗利尿ホルモン不適切分泌症候群（syndrome of inappropriate secretion of antidiureteic hormone：SIADH）との関連性を指摘する論文がいくつもみられており，移植後にSIADHが合併した例においては（特に臍帯血移植例では），HHV6の再活性化を疑い早期治療を検討すべきである．

■ 文献

1) Sarashina T, et al.：Risk factor analysis of bloodstream infection in pediatric patients after hematopoietic stem cell transplantation. J Pediatr Hematol Oncol 35：76-80, 2013
2) Kobayashi R, et al.：Bloodstream infection after stem cell transplantation in children with idiopathic aplastic anemia. Biol Blood Marrow Transplant 20：1145-1149, 2014
3) Fisher BT, et al.：Risk factors for invasive fungal disease in pediatric cancer and hematopoietic stem cell transplantation：a systematic review. J Pediatric Infect Dis Soc 7：191-198, 2018
4) Kobayashi R, et al.：Lower gamma globulin level before condition-

ing is a risk factor for CMV antigenemia after pediatric allogeneic stem cell transplantation. Pediatric Blood & Cancer 66：e27586, 2019
5）Onozawa M, et al.：Incidence and risk of postherpetic neuralgia after varicella zoster virus infection in hematopoietic cell transplantation recipients：Hokkaido Hematology Study Group. Biol Blood Marrow Transplant 15：724-729, 2009
6）Ogata M, et al.：Human herpesvirus 6（HHV-6）reactivation and HHV-6 encephalitis after allogeneic hematopoietic cell transplantation：a multicenter, prospective study. Clin Infect Dis 57：671-681, 2013
7）Toriumi N, et al.：Risk factors for human herpesvirus 6 reactivation and its relationship with syndrome of inappropriate antidiuretic hormone secretion after stem cell transplantation in pediatric patients. J Pediatr Hematol Oncol 36：379-383, 2014

（小林良二）

d. 感染症以外の早期合併症

造血細胞移植後は，感染症以外にも種々の合併症をきたすことがあり，これらの予防や治療は移植成績の向上のためにも重要である．本項では，造血回復期から移植後おおむね1年までに発症する移植時に注意すべきおもだった合併症について解説する．

生着症候群

1 概念・病態

生着症候群は，好中球回復期に認められる炎症性サイトカイン過剰産生に基づく症候群である．血管透過性の亢進も認め，毛細血管漏出症候群（capillary leak syndrome）を引き起こす場合もある．

2 臨床徴候・所見と診断

発熱，皮疹，低酸素血症や胸部X線異常陰影などを認める．提唱されている診断基準を示す（表1）．このほかMaiolinoらの診断基準も提唱されている．この基準では，非感染性発熱を大基準，皮疹，肺浸潤影，1日2回以上の水溶性下痢を小基準として，末梢血へ好中球出現の前後24時間に発症し，大基準と1つ以上の小基準を満たす場合に診断される．時に急性GVHDとの鑑別がむずかしい場合がある．

3 治療・予後

多くの場合はステロイドが奏功し，メチルプレドニゾロン1～2 mg/kg/日などで改善する．

呼吸器合併症：①特発性肺炎症候群

1 概念・病態

特発性肺炎症候群（idiopathic pneumonia syndrome：IPS）は，移植に引き続いて発症する感染症や心不全によらない肺胞障害をきたす症候群である．おもな原因は移植前治療の薬剤関連毒性であり，全身放射線照射（TBI）との関連は深い．

2 臨床徴候・所見と診断

発熱，咳，呼吸困難などを呈する．広汎な肺胞障害として胸部X線やCT上の多発浸潤影，肺機能検査における拘束性パターンを認める．診断にあたっては，可能な限り気管支肺胞洗浄（bronchoalveolar lavage：BAL）による感染症の否定が望ましい．移植後20日前後の発症が多いとされ，骨髄破壊的前処置（myeloablative conditioning：MAC），強度減弱前処置（reduced-intensity conditioning：RIC）の発症頻度は各々8％，2％と報告されている[1]．

3 治療・予後

確立された治療法はなく，ステロイドも用いられるがその有効性は明らかではない．近年では抗TNFα抗体であるエタネルセプトについてステロイドの併用が有効との報告を認める．予後は不良で死亡率60～80％との報告が多い[1]．

呼吸器合併症：②びまん性肺胞出血

1 概念・病態

びまん性肺胞出血（diffuse alveolar hemorrhage：DAH）は，移植前処置などに関連して起こる肺毛細血管基底膜の障害により急性呼吸不全に至る疾患である．

表1 ● 生着症候群の診断基準：Spitzerの診断基準

大基準	・非感染性の38.3℃以上の発熱 ・対表面積25％以上の非薬剤性皮疹 ・びまん性肺浸潤影と低酸素血症を伴う非心源性肺水腫
小基準	・肝障害（総ビリルビン2 mg/dL以上またはトランスアミナーゼが正常の2倍以上） ・腎障害（血清クレアチニン値がベースラインの2倍以上） ・体重増加（ベースラインの2.5％以上） ・原因不明な一過性脳症
診断	生着から96時間以内に発症し，以下のいずれかを満たす ・3つの大基準 ・2つの大基準と1つ以上の小基準 　（ただし，ほかに急性GVHDの所見を認めないこと）

（Spitzer TR：Engraftment syndrome following hematopoietic stem cell transplantation. Bone Marrow Transplant 27：893-898, 2001を参考に作成）

表2 ● VOD/SOS の診断基準

McDonald らの診断基準（Seattle）	Jones らの診断基準（Baltimore）
移植後20日以内に3項目のうち少なくとも2項目を満たす	移植後21日以内に総ビリルビン≥2 mg/dL を認め，3項目のうち少なくとも2項目を満たす
・黄疸（総ビリルビン＞2 mg/dL） ・右上腹部痛を伴う肝腫大 ・腹水または原因不明の体重増加（＞2％）	・肝腫大（有痛性の有無は問わない） ・腹水 ・体重増加（≥5％）

（日本造血・免疫細胞療法学会：造血細胞移植ガイドライン SOS/TA-TMA（第2版）．2．2022 より引用）

2 臨床徴候・所見と診断

IPS の1亜型であり症状は IPS 類似であるが，時に血痰を認め，診断には BAL にて血性洗浄物の確認が重要である．生着の時期に好発し，発症頻度は2～14％とも報告されている[1]．

3 治療・予後

大量ステロイド療法が予後の改善に有効との報告もあるが，死亡率は高く，移植後100日で85％とも報告されている[1]．

呼吸器合併症：③閉塞性細気管支炎症候群

1 概念・病態

閉塞性細気管支炎症候群（bronchiolitis obliterans syndrome：BOS）は，細気管支の障害と器質化に起因して細気管支の閉塞に至る疾患である．原因はまだ不明の部分も多いが，同種移植後に発症し，慢性 GVHD との関連が深い．

2 臨床徴候・所見と診断

咳，呼吸困難などを呈するが，発熱はみられない．胸部 X 線では肺透過性の亢進を認める．肺機能検査では閉塞性障害を示す．発症は移植後おもに3か月以降で1年後くらいが多く，同種造血細胞移植後の発生頻度は近年の報告で3～11％程度である[1]．

3 治療・予後

確立された治療法はなく，ステロイドや免疫抑制薬などで治療されてきた．近年の報告ではアジスロマイシン，モンテルカスト，フルチカゾン吸入の併用療法が有効との報告もある[1]．しかし予後は一般的に不良であり，5年生存率40～50％とも報告されている．

呼吸器合併症：④特発性器質化肺炎

1 概念・病態

特発性器質化肺炎（cryptogenic organizing pneumonia：COP）は，器質化肺炎を伴う閉塞性細気管支炎（bronchiolitis obliterans organizing pneumonia：BOOP）ともよばれる．肺胞空内に進展する肉芽組織の存在が特徴である．同種移植や GVHD との関連も深く，発症には免疫学的機序が考えられる．

2 臨床徴候・所見と診断

発熱，咳，呼吸困難，CRP 上昇などを呈する．胸部 X 線では斑状の浸潤影を認め，肺機能検査では拘束性パターンを示す．発症時期は移植後2～12か月，わが国の発生頻度は2％と報告されている[2]．

3 治療・予後

プレドニンによく反応し，1 mg/kg から開始して，1年かけて緩やかに漸減していく．一方，3年非再発死亡率29％とも報告されており注意を要する[2]．

肝中心静脈閉塞症／類洞閉塞症候群

1 概念・病態

肝中心静脈閉塞症（hepatic veno-occlusive disease：VOD）は，近年では類洞閉塞症候群（sinusoidal obstruction syndrome：SOS）ともよばれ，肝の類洞内皮細胞障害に起因して類洞閉塞をきたす疾患であり，肝中心静脈の閉塞へと波及する．発症にかかわる移植関連リスク因子として放射線照射やブスルファンなどがある．

2 臨床徴候・所見と診断

黄疸，有痛性肝腫大，体液貯留を3主徴とする疾患であり，輸血不応性の血小板減少を呈する．経皮肝生検は多くの場合困難であり，診断は臨床的特徴に基づいて行われる．修正 Seatle および Baltimore 診断基準を表2に示す．近年では欧州造血細胞移植学会（European Society for Blood and Marrow Transplantation：EBMT）から成人に加えて小児の新しい診断基準や重症度分類も示されており，小児基準を表3に示す．わが国の報告によると発症時期は移植後平均12日，発生頻度は修正 Seatle 基準で9.3％である[3]．

3 治療・予後

重症例では，移植後100日の全生存率が15％とも報告され予後不良である[3]．治療として，遺伝子

組み換えトロンボモジュリン製剤（rTM）やメチルプレドニゾロンが有効との報告もあり，今後の検討が望まれる[4]．2019年にデフィブロタイド（DF）が本症に対して日本でも承認され，国内第二相試験にて移植後100日生存率は47.4％で，発症から2日以内の早期治療群でより有効であった[4]．一方で予防も重要であり，ウルソデオキシコール酸は発症予防に有効であることが示唆されているが，ヘパリンやアンチトロンビンの有効性は明確ではない[4]．

移植関連血栓性微小血管症

1 概念・病態

移植関連血栓性微小血管症（transplant-associated thrombotic microangiopathy：TA-TMA）とは，さまざまな原因によって引き起こされる血小板血栓に起因する微小循環不全である．TA-TMAは，移植前治療やGVHD，補体，免疫抑制薬などが複雑に関与して微小血管の内皮細胞が障害され発症する．

2 臨床徴候・所見と診断

血小板減少，溶血性貧血，そして微小血管不全に基づく臓器障害が特徴的な臨床症状である．フィブリノゲン・フィブリン分解産物（fibrinogen/fibrin degradation products：FDP）やD-dimer上昇は顕著ではない．提唱されている診断基準のまとめを示す（表4）．近年，小児においては発生頻度16％，発症時期の中央値は移植後22日との報告がみられる[5]．

3 治療・予後

発症例の非再発死亡率は43.6％との報告もあり，予後は不良である．現在確立された治療法はなく，免疫抑制薬の中止はまず試みるべき治療であるが，

表3 ◆ 小児VOD/SOSのEBMT診断基準

SOS発症時期についての規定はない
以下の2項目以上を満たす ・原因不明の消費性で輸血不応性の血小板減少 ・体重増加：利尿薬を使用しても体重増加が3日間以上続く，またはベースライン時の5％を超える体重増加 ・肝腫大：ベースラインを超える肝腫大（画像で確定することが望ましい） ・腹水：ベースラインを超える腹水（画像で確定することが望ましい） ・ビリルビン上昇：ベースラインより上昇した値が3日間続く，または72時間以内にビリルビンが2 mg/dL以上に上昇

（日本造血・免疫細胞療法学会：造血細胞移植ガイドライン SOS/TA-TMA（第2版）．4, 2022より引用）

表4 ◆ TA-TMAの診断基準

	BMT-CTN	IWG of the EBMT	TMA by Cho et al.	TMA by Jodele et al.
破砕赤血球	≧2個/HPF	>4％	≧2個/HPF	有
LDH	上昇	急速に出現，遷延性の上昇	上昇	上昇
腎機能	血清Cr値の2倍上昇またはCcrが移植前より50％低下	NA	NA	蛋白尿≧30 mg/dL以上もしくは尿蛋白/クレアチニン≧2 mg/mg
高血圧	NA	NA	NA	>140/90
血小板低下	NA	<5万/μLまたは50％以上の低下	<5万/μLまたは50％以上の低下	新たな血小板減少または血小板輸血の増加
貧血	NA	Hb値の低下または赤血球輸血の増加	Hb値の低下	新たな貧血または赤血球輸血の増加
中枢神経障害	有	NA	NA	NA
Coombs試験	陰性	NA	陰性	NA
ハプトグロビン	NA	低下	低下	NA
DIC	NA	NA	無	NA
補体活性化	NA	NA	NA	C5b-9上昇

HPF：high-power field, TMA：thrombotic microangiopathy, BMT-CTN：Blood and Marrow Transplant-Clinical Trials Network, IWG：European LeukemiaNet International Working Group, EBMT：European Group for Blood and Marrow Transplantation, LDH：lactate dehydrogenase, DIC：disseminated intravascular coagluation, NA：not applicable.
（日本造血・免疫療法学会（編）：造血細胞移植ガイドライン SOS/TA-TMA第2版．p.18, 2022より引用）

確たるエビデンスは存在しない．血漿交換の有効性は明らかではない．新しい薬物療法の試みとしてDF，rTM，リツキシマブ等に加えて，近年では抗補体（C5）モノクローナル抗体であるエクリズマブによる有意な予後の改善も報告されてきている[5]．しかし，いずれの薬剤もわが国では保険適用外であり，今後の進歩が期待される．

■ 文献

1) Carreras E, et al.：Noninfectious pulmonary complications. In：Carreras E, et al, (eds.), The EBMT Handbook：Hematopoietic Stem Cell Transplantation and Cellular Therapies. 393-401, 2019
2) Nakasone H, et al.：Pre-transplant risk factors for cryptogenic organizing pneumonia/bronchiolitis obliterans organizing pneumonia after hematopoietic cell transplantation. Bone Marrow Transplant 48：1317-1323, 2013
3) Yakushijin K, et al.：Sinusoidal obstruction syndrome after allogeneic hematopoietic stem cell transplantation：Incidence, risk factors and outcomes. Bone Marrow Transplant 51：403-409, 2016
4) 菊田 敦：肝中心静脈閉塞症（SOS/VOD）の治療．日造血細胞移植会誌 10：36-47，2021
5) Dandoy CE, et al.：A pragmatic multi-institutional approach to understanding transplant-associated thrombotic microangiopathy after stem cell transplant. Blood Adv 5：1-11, 2021.

（佐藤　篤）

e. 移植後晩期合併症

1970年代にわが国において始まった造血細胞移植は，血液悪性疾患・原発性免疫不全など各種疾患の根治療法として広く施行されるようになり，移植後長期生存例の増加を背景に，患者のQOLに影響を与える晩期合併症やQOLの重要性が認識されてきている．小児の場合には成人にみられる晩期合併症に加えて，成長発育の問題・復学・不妊・二次がんなどの問題が加わり，移植後の問題点はより複雑である．なお，造血細胞移植は最も晩期合併症リスクの高い治療法の1つであり，（移植後の）晩期合併症の原因として，図1に示すように全身放射線照射（TBI）と大量化学療法などのいわゆる前処置に伴うものと慢性移植片対宿主病（GVHD）によるものと大きく2つの機序に分けて考えることができる[1][2]．

各臓器別の晩期合併症[3]

1 皮膚

慢性GVHDを有する患者の70％程度に皮膚病変が存在するとされ，扁平苔癬様変化，皮膚萎縮・硬化性変化，脱毛症，爪形成異常，皮膚色素沈着，皮膚癌などがある．定期的な自己チェックを推奨し，日光ばく露を避けること，SFP20以上の日焼け止めを塗るなど皮膚保護とスキンケアを心がけるように指導する．

2 眼

乾燥性角結膜炎や白内障があり，前者は慢性

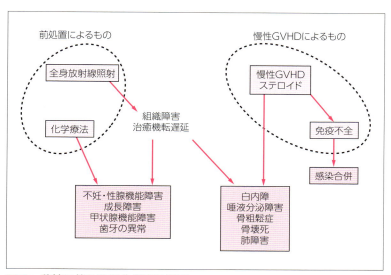

図1 ● 移植に伴う晩期合併症の機序
(Socié G, et al.：Nonmalignant late effects after allogeneic stem cell transplantation. Blood 101：3373-3385, 2003 より引用)

GVHD，後者は TBI やステロイドがリスク因子になる．移植後6か月時，1年時，その後も毎年定期的な眼評価を行い，症状がある際には速やかに眼科にコンサルトする．

3 歯科・口腔

慢性 GVHD に関連する口腔乾燥（唾液分泌低下）と口腔内潰瘍，扁平苔癬，過角化斑および口周囲筋膜炎/開口制限などがある．小児では歯の異常（歯欠損，矮小歯などの形成障害，短根歯など歯根形態異常，う歯多発，歯周疾患）に注意が必要で，臨床的な口腔評価を半年から毎年実施し，適切な歯科受診と必要に応じて X 線診断評価を行う．

4 呼吸器

肺障害は移植後の生命予後にかかわる重要な合併症であり，移植後免疫不全に伴うさまざまな感染症のほかに，非感染性の呼吸器合併症についてスクリーニング・早期介入を行うことは，長期生存患者の予後・QOL の改善に重要である．同種移植後の非感染性肺合併症のおもなものとして，閉塞性細気管支炎（bronchiolitis obliterans：BO）と特発性器質化肺炎（cryptogenic organizing pneumonia：COP）があげられる．移植後晩期の慢性肺障害の進行は非常に緩徐で潜在性である場合も多い．問診，診察とともに呼吸機能検査による評価を定期的に行うようにし，慢性 GVHD を有する患者では症状がなくても3か月に1回は呼吸機能検査を行い早期発見に務める．

5 消化器

同種造血細胞移植後の長期生存者に特有の消化管障害は少なく，おもな原因は GVHD であり，そのほかに感染症，薬剤などがあるが比較的まれである．例外は食道病変の症状である嚥下障害および食道扁平上皮がんは通常慢性 GVHD を生じた部位に発生する．

6 肝臓

移植後晩期の肝障害の原因はさまざまであり，慢性 GVHD，肝炎ウイルスなどのウイルス感染症，薬剤，鉄過剰症などがおもな原因となる．肝機能検査異常の経過やパターン，移植前の肝炎の既往の有無，他臓器 GVHD の有無，移植前後の輸血量は，肝障害の原因を特定するのに役立つ．

7 感染症

リスク因子は，慢性 GVHD による免疫抑制剤やステロイドの長期投与，脾摘または機能的無脾症（放射線照射を含む）による免疫不全である．移植後のワクチン再接種は不可欠であり，日本造血・免疫細胞療法学会の『造血細胞移植ガイドライン』を参考にして行う．2歳以下の小児ではパリビズマブの投与も考慮する．

8 心血管

心不全をはじめとする心血管イベントはアントラサイクリン系抗がん薬の慢性毒性以外に高用量化学療法〔特にシクロホスファミド（CY）による前処置〕と TBI に関連するものが知られており，直接の心毒性としてはアントラサイクリン系薬剤の総蓄積量が密接に関連するものの，移植例では高血圧・高血糖・脂質異常症・肥満（特にサルコペニア肥満）などの心血管系リスク因子が高くなると指摘されており，遺伝子多型が関連するという結果も示されている．

9 腎・泌尿器

慢性腎臓病（CKD），ネフローゼ，膀胱機能障害などが知られており，リスク因子は白金製剤や TBI の使用，急性腎障害（AKI）や血栓性微小血管症（TMA）の既往，慢性 GVHD などである．外来では血圧を測定し高血圧の予防・治療を行い，定期的に尿素窒素・クレアチニンおよび尿蛋白を測定する．CKD ステージ G3 区分以降〔体表面積あたりの糸球体濾過量（glomerular filtration rate：GFR）が 60 mL/分未満〕となった患者は早めに腎臓専門医にコンサルトする．

10 神経・認知障害・易疲労

移植後に神経・認知障害が増えるというデータは少なく，多くの研究では正常な神経発達が報告されているが，軽度の認知障害がみられたとする報告も散見される．障害が認められる高リスク群としては，3歳未満の小児で TBI を行った症例が多い．免疫不全時のウイルス性脳炎，慢性 GVHD に伴う末梢性神経炎や重症筋無力症が報告されている．移植後の易疲労の原因は明確ではなく，身体的異常や精神心理的問題など，複数の要因が存在する場合も多く，治療に際して背景因子を考慮することが重要である．

11 骨・筋肉

骨量低下や虚血性骨壊死，慢性 GVHD に伴うミオパチーや筋炎・筋膜炎がある．ステロイドや慢性 GVHD，二次的な性腺障害などがリスク因子になる．同種移植では全例少なくとも移植後1年で二重エネルギー X 線吸収測定法（dual-energy X-ray absorptiometry：DXA）による骨密度測定を行い，ステロイドやカルシニューリン阻害薬の長期投与例など骨粗鬆症高リスク患者では移植後もスクリーニングが必要になることがある．大腿骨頭骨壊死においては早期から整形外科医の介入が必要である．移植

中からリハビリテーションを導入し，慢性GVHD患者では徒手筋力テストや関節可動域の定期的な評価を行う．

12 内分泌・代謝

移植後最も高頻度にみられる問題であり，成長障害・甲状腺機能異常，性腺機能異常，骨代謝異常，脂質代謝異常，糖尿病，高血圧，副腎不全などさまざまである．小児の移植後の成長障害の原因としては，移植前の全脳・全脊髄照射やTBI，下垂体前葉・甲状腺への鉄沈着による成長ホルモン分泌不全や甲状腺機能低下，放射線照射による骨端線の直接障害，原疾患やGVHD治療を目的としたステロイド使用，栄養障害，性腺機能不全により思春期の第二次性徴（成長スパート：growth spurt）が障害されること，などが知られている．このように，移植後の成長障害の要因は多様であるため，発生頻度は20〜84%と報告によりばらつきがみられる．最終身長は照射線量が多いほど，低年齢で治療を受けた症例ほど低くなる．移植後の甲状腺機能低下症は，観察期間28年で約30%に起こるとされ，移植時10歳以下，TBI，ブスルファン（BU）とCYによる骨髄破壊的移植，原疾患が造血器腫瘍であることがリスクとの報告がある．同種造血細胞移植後の脂質代謝異常発症率は9〜61%と報告されており，ステロイドやカルシニューリン阻害薬の使用により誘発される．糖尿病罹患率は3〜41%と報告されており，特に移植後1〜2年の期間に高いとされている．

13 性腺・不妊

思春期前に移植を施行した小児については，定期的に性成熟の評価（Tanner分類）を行い，思春期早発/遅発の場合は小児内分泌を専門とする医師に紹介する．女児で全脳や視床下部下垂体への照射を行った場合は思春期早発症のリスクが高いため，3か月ごとに観察する．男児では精巣容量も評価する．性腺機能不全の程度は，年齢，性別，移植前の治療および前処置レジメンにより異なり，一般に女性のほうが男性よりも高い．骨髄破壊的な通常移植後の不妊率はかなり高い（男性では92%，女性では99%という報告あり）が，移植を受けたのが幼少時期だとTBI後であっても妊娠可能なことがある．挙児希望のある患者は移植前に生殖医療の専門家に紹介する．不妊状況であることも多いが，性感染症を防ぐ目的でも移植後2年間は避妊が必要であることを指導する．移植後妊娠はハイリスク妊娠と考えるべきであり，妊娠希望のある患者は専門医に紹介する．

14 二次がん

移植後の二次がんは，①移植後1年以内（2〜3か月）に発症のピークがある移植後リンパ増殖性疾患（posttransplant lymphoproliferative disorder：PTLD），②2〜3年の間に発症のピークがあるtherapy-related MDS/AML（t-MDS/AML），③移植後1年頃から発症し始め，時間の経過とともに発症のリスクが上昇し続けるとされている固形腫瘍の3つに分類される．リスク因子には，放射線療法，免疫抑制薬投与量とその期間，慢性GVHDがある．日本のデータで二次がんは，移植後15年の累積発症割合は2.9%とされ，慢性GVHDが存在すると口腔・食道癌の持続的な増加が認められた[4]．

15 QOLとサバイバーシップ支援

GVHDは，多くの研究報告で移植後QOL低下の主要な影響因子とされ，NIH（National Institute of Health）分類で重症度が高いほどQOLは低くなる．長期化する慢性GVHDは骨髄移植よりも末梢血幹細胞移植で高頻度であり，末梢血幹細胞移植は移植後QOL低下により影響が大きい可能性も示唆される．GVHDの有無は就労・就学にも影響を及ぼし，結果として移植後のQOLに影響することが報告されている．心理的適応や記憶障害，情緒的ストレス，自尊感情，人生への満足感に関する問題は移植後の長期にわたる．精神疾患既往歴，慢性GVHD，性腺障害，家庭環境などがリスク因子である．心理的側面の問題が長期化する一方で，外傷後成長（post traumatic growth：PTG）やresponse shiftを示すポジティブな心理的変化の報告もある．成長発達期にある小児では思春期から成人への移行とその後の長い人生を控えているため，移植経験者のケアには多職種による複数の側面からのアプローチと長期的な視点が必要である．

長期フォローアップのためのガイドライン

造血細胞移植後の問題に関しては，2012年に欧米のおもな移植グループ（EBMT/CIBMT/ASBMT）による移植後の長期フォローアップのスクリーニングと予防に関する推奨ガイドラインが出され，2014年に日本語訳も発表された[5]．日本造血・免疫細胞療法学会でも成人・小児共同で移植後の『造血細胞移植学会ガイドライン第4巻 移植後長期フォローアップ』を作成し2017年に出版されており，日本造血・免疫細胞療法学会ホームページ（https://www.jshct.com/）から参照可能である[3]．2012年の診療報

酬改訂で「造血細胞移植後患者指導管理料」が算定可能となり，定期的に移植後フォローアップのための看護師研修会が開催されている．

■ 文献

1) Socie G, et al.：Nonmalignant late effects after allogeneic stem cell transplantation. Blood 101：3373-3385, 2003
2) 石田也寸志：小児造血幹細胞移植後の晩期合併症とQOL．日造血細胞移植会誌 5：51-63, 2016
3) 日本造血細胞移植学会ガイドライン委員会（編）：造血細胞移植学会ガイドライン第4巻．医薬ジャーナル社，2017
4) Atsuta Y, et al.：Continuing increased risk of oral/esophageal cancer after allogeneic hematopoietic stem cell transplantation in adults in association with chronic graft-versus-host disease. Ann Oncol 25：435-441, 2014
5) Majhail NS, et al.：造血幹細胞移植後長期生存者に推奨されるスクリーニングおよび予防診療．臨血 55：607-632, 2014

〔石田也寸志〕

第3章 造血細胞移植

7 患者と家族への心理的サポート

造血細胞移植時の心理的サポートの重要性

　造血細胞移植（hematopoietic cell transplantation：HCT）を受ける患児は，自身の血液・免疫または腫瘍性疾患の根治を目指して大変な治療を行う．その経験は患児の身体的な負担とともに，心理的・認知機能的・社会的な観点でも多大な影響を及ぼす．造血細胞移植を受けた生存者は，認知機能に懸念があり，就学において十分な心理および認知機能的サポートが重要という報告もある[1]．

　患児の心理面に十分に注意が必要であるが，加えて患児が難治性疾患を発症したことによる両親の負担，きょうだいのストレスなどにも十分な配慮が必要である．

　医療者は患児の疾患予後のみならず，患児の心理社会的なアウトカムや親のメンタルヘルス，きょうだいを含む家族との関係性など長期的な観点での支援が必要である．そのためには造血細胞移植を計画している初期段階から多職種による医療チームを構成し，退院後も長期にわたった家族支援体制を継続する必要がある．

造血細胞移植を受ける患児の心理的反応とそのサポート

　一般的に造血細胞移植を受ける患者が直面する精神神経学的な問題として，うつおよび不安，苦痛，心的外傷後ストレス障害（PTSD），せん妄，認知機能障害などが知られており，精神科医を含む多職種で，造血細胞移植やその合併症予防に使用する薬物の評価や造血細胞移植そのものによる合併症の影響の理解，そして患者の不安感や孤立感を軽減することが重要である[2]．小児および思春期の患者に対しても，成人同様の注意に加えて各発達段階を理解することが必要である[3]．移植時の年齢が教育および認知機能のアウトカムに影響し，造血細胞移植時の年齢が高いことに加えて親の年齢が高いこと，親にうつ病の症状が少ないことなど，親の要因も患者の心理的アウトカムが良好とされている[3]．患児の評価の不安については，その評価尺度も重要であり，Children's Manifest Anxiety Scale（Mandarin version）などの多項目尺度，Faces Pain Scale-Revised（FPS-R）などの単項目尺度は，小児がん患者における不安度の評価について信頼性と妥当性がある[4]．小児がんを含む入院急性期の心理的影響を軽減するために，図を用いたガイド，気晴らし，段階的説明などの手法が一般的であり，このような認知行動学的アプローチを造血細胞移植の際にも利用すべきである[3]．

　患児の造血細胞移植が終了し，副反応を克服して退院する際は，年齢に応じた退院支援・就学支援を行うべきである．就学は通常，造血細胞移植終了後1年以内に可能となるが，通学できなかった期間による学業の遅れも問題となるかもしれない[3]．

親の心理的反応とそのサポート

　造血細胞移植を受ける患児の親は，造血細胞移植後18か月頃までに心理的に回復するとされているが，長期的に苦痛を抱える親のリスク要因としては，親自身が急性期にうまくストレスに対処できたかどうかがある．また，患児が回復して病院を訪れる頻度が少なくなった際にも親のケアが必要である[5]．造血細胞移植を受けた患児の親における不安，抑うつ，PTSDの有病率と予測因子を検討した別の報告でも，約20％の親が臨床的に有意な苦痛反応を示し，約1/3の親が何らかの持続的な苦痛を呈していた．リスクの高い親は，若くて移植時に不安や抑うつ症状が認められる場合であり，早期介入を要する[6]．2回以上の造血細胞移植を受ける必要のある患児やその親のストレスの問題，慢性移植片対宿主病（GVHD）などの深刻な晩期障害に苦しんでいる場合も多大な支援が必要である．

きょうだいの心理的反応とそのサポート

　一般にがん患児のきょうだいでは，心理社会的負担を経験していることが示され，一部のきょうだいでは長期的苦痛のリスク因子となりうる[7]．また，造血細胞移植を受けた患児のきょうだいでは，中等度以上のPTSDが1/3に認められるという報告もある[8]．特に造血細胞移植が不成功に終わる場合もあ

るため，きょうだい，特にドナーとなったきょうだいでは発達段階に応じた正確な情報と長期的な心理的サポートを提供する必要がある[9]．

造血細胞移植のドナーとなった場合の格段の配慮

造血細胞移植のドナーは身体的，心理社会的な合併症のリスクを抱えている．特に血縁ドナーの意思決定には，「命を救う」「家族への忠誠」「ポジティブなアイデンティティの構築」「宗教的信念」「侵襲的な処置への恐怖」「社会的圧力と義務」が関与し，一方でドナーの体験は，「心の準備（痛み，レシピエントの死に対する強い失望，期待以上のもの，レシピエントのプラスの利益を重視する）」「責任の重さ（質の高いドナーになろうとする努力，未解決の罪悪感，悪化した悲しみ）」「無視された気分（医療側の見下し，家族の不注意）」「人間関係の強化（家族の絆の強化，血のつながりの確立）」「個人的な達成感（満足感と誇り，自己啓発，ヒーローとしての地位，社会的評価）」という感情が発生する．造血幹細胞の提供は，命を救う機会として評価されているが，ドナーのなかには不安や提供を過度に強要されたと感じる場合もあるため，ドナーの不安，強制感，罪悪感，悲嘆などの感情的課題に対処する戦略があらかじめ必要である[10]．ドナーとレシピエント（親子，またはきょうだい）の関係性もドナーとなること（ドネーション：donation）への動機となるため，両者への心理的なケアが必要である[11]．

特にドナーとなったきょうだいは，その他のきょうだいよりも高い苦痛を感じる場合がある[8]．両親の注目がレシピエントである患児に過度に集中してしまうが，きょうだいドナーが抱える健康上または心の問題などの健常ドナーがもつ本質的な葛藤を理解する必要がある．同様に，きょうだいドナーとレシピエントとの関係性についても配慮を要する[12]．また，ドナーに何かしらの問題を抱えている場合は，最初からHLAタイピングは行わない方が望ましい[12]．一旦造血細胞移植のドナーになったならば，採取前・急性期・長期にわたる心理社会的評価が必要である．サポートやフォローアップなどのケアを必要とする親やきょうだいを特定することが必要である[5]．

きょうだいが年齢に応じた医療的なアクティビティに参加し，気持ちや心配事を話し合うようなプログラムも有用である[3,8]．

ほとんどの家族は，自身やきょうだいのHLAタイピングの経験を肯定的に受け止め，後悔の念を抱かないという報告もあるが，HLAタイピング前にきょうだいに対する教育，移植前の医療者によるドナーへの包括的な教育，移植後のドナーの体系的なフォローアップが求められる[13]．

■ 文献

1) Bingen, K., et al.：A multimethod assessment of psychosocial functioning and late effects in survivors of childhood cancer and hematopoietic cell transplant. J Pediatr Hematol Oncol 34：22-28, 2012
2) Nakamura, Z. M., et al.：Psychiatric care in hematopoietic stem cell transplantation. Psychosomatics 60：227-237, 2019
3) Packman, W., et al.：Psychological effects of hematopoietic SCT on pediatric patients, siblings and parents：a review. Bone Marrow Transplant 45：1134-1146, 2010
4) Lazor, T., et al.：Instruments to measure anxiety in children, adolescents, and young adults with cancer：a systematic review. Support Care Cancer 25：2921-2931, 2017
5) Vrijmoet-Wiersma, C. M., et al.：Parental stress before, during, and after pediatric stem cell transplantation：a review article. Support Care Cancer 17：1435-1443, 2009
6) Manne, S., et al.：Anxiety, depressive, and posttraumatic stress disorders among mothers of pediatric survivors of hematopoietic stem cell transplantation. Pediatrics 113：1700-1708, 2004
7) Peikert, M. L, et al.：Psychosocial interventions for rehabilitation and reintegration into daily life of pediatric cancer survivors and their families：A systematic review. PLoS One 13：e0196151, 2018
8) Wiener, L. S., et al.：Hematopoietic stem cell donation in children：a review of the sibling donor experience. J Psychosoc Oncol 25：45-66, 2007
9) MacLeod, K. D., et al.：Pediatric sibling donors of successful and unsuccessful hematopoietic stem cell transplants（HSCT）：a qualitative study of their psychosocial experience. J Pediatr Psychol 28：223-230, 2003
10) Garcia, M. C., et al.：Motivations, experiences, and perspectives of bone marrow and peripheral blood stem cell donors：thematic synthesis of qualitative studies. Biol Blood Marrow Transplant 19：1046-1058, 2013
11) Kisch, A. M., et al.：The meaning of being a living kidney, liver, or stem cell donor-a meta-ethnography. Transplantation 102：744-756, 2018
12) Bitan, M., et al.：Determination of eligibility in related pediatric hematopoietic cell donors：ethical and clinical considerations. recommendations from a working group of the worldwide network for blood and marrow transplantation association. Biol Blood Marrow Transplant 22：96-103, 2016
13) Pentz, R. D., et al.：Unmet needs of siblings of pediatric stem cell transplant recipients. Pediatrics 133：e1156-62, 2014

（末延聡一）

第4章 がん救急（oncologic emergency）

1 心，胸郭

胸腔内占拠性病変

上大静脈の閉塞によって上半身のうっ血をきたす上大静脈症候群（superior vena cava syndrome：SVCS）はよく知られている．小児，特に乳幼児においては上大静脈症候群が単独で発症することはまれで，細く脆弱な気管や主気管支の圧迫による気道狭窄を伴っていることが多い．このような病態を上縦隔症候群（superior mediastinal syndrome：SMS）とよぶ[1]（図1）．

上大静脈の閉塞による症状として顔面や上肢，上半身の浮腫が一般的であるが，重篤化すると脳浮腫をきたし意識障害を呈することもある．気道圧迫症状として，努力呼吸，多呼吸，チアノーゼ，起坐呼吸をきたし，嗄声や胸痛を生じることもある．メタアナリシスでは，小児SVCS全体の31％が腫瘍性疾患によるもので，腫瘍性疾患の内訳は38％が固形腫瘍，38％が悪性リンパ腫，24％が白血病であったとされる[2]．前縦隔腫瘍が原因となることが多く，悪性リンパ腫，急性リンパ性白血病，胚細胞腫瘍などが鑑別にあがる．中心静脈ルートや凝固異常を呈する疾患などによる血栓もSVCSの原因となることがあり，メタアナリシスで全体の32％を占めていたことにも注意が必要である．

SMSを呈している場合は，リスクが高いので重症度を正確に評価し，慎重に検査治療計画を立案する必要がある[3]．重篤な合併症は，鎮静や全身麻酔時に生じ，特に筋弛緩薬を使用して自発呼吸を止めると突然気道閉塞を生じ心停止に至る．肺動脈閉塞による循環不全を生じた報告もある[4]．画像診断にて気管断面積が50％未満の場合，主気管支の閉塞または強い狭小化，呼吸不全を示唆する臨床症状，大血管の圧迫，胸水の存在をリスク因子としてあげている報告がある[5]．生検が必要な場合，自発呼吸を維持しながらの全身麻酔や静脈麻酔，局所麻酔の併用を考慮する．最重症例については，経皮的心肺補助装置（percutaneous cardiopulmonary support：PCPS）など緊急心肺バイパスに備えて血管確保を行っておくことも推奨されている[6]．あえて生検を行わず，まず治療を開始し，縦隔病変の縮小後に全身麻酔を要する外科的処置を延期する選択肢もある[3]（図1）．コア針生検（core needle biopsy）による組織採取で分子診断を含めた確定診断が得られる場合があることや局所麻酔下に末梢血管から挿入できる中心静脈カテーテルを使用することなどを考慮に入れ，初期治療の選択肢を拡げて関連各科で緊密に協力して安全な治療計画を立てるべきである．

神経芽腫に代表される後縦隔腫瘍の場合は，上大静脈症候群を伴う頻度は下がるが，腫瘍サイズが増大すれば呼吸不全を発症することもある（図2）．

治療は腫瘍性の場合，原疾患の治療目的に化学療法を行う．悪性リンパ腫や白血病の場合はステロイド投与も有効である．化学療法無効例や良性腫瘍，著明な胸腺腫大に対しては手術による摘出も考慮されるが，気道狭窄を伴っていることが多いので慎重な全身管理のもとに手術を計画するべきである．特に前述のように巨大前縦隔腫瘍については，細心の注意が必要である．

心タンポナーデ

白血病細胞浸潤，心外膜の炎症や感染，移植片対宿主病（GVHD），放射線による線維化，心筋や心内膜に生じた腫瘍による流出路閉塞などにより心嚢液が貯留し，左室拍出能が低下する状態．静脈圧の上昇と低血圧（脈圧の低下）が特徴的である．症状としては，咳嗽，胸痛，呼吸困難に加え，吃逆や腹痛を生じることもある．臨床所見では，頻脈，チアノーゼ，低血圧，奇脈がみられる．心臓超音波所見により診断は確定する．治療は，酸素投与，利尿薬，強心薬，体位（心拍出量を増加させる体位）などがあげられる．心嚢液貯留が著明であれば，超音波ガイド下の心嚢ドレナージが効果的であるが，二次的な心嚢液貯留の場合は，原疾患の治療が中心となる．

胸水

悪性腫瘍，感染，GVHDなどが誘因となり，胸腔内に滲出液が貯留して呼吸困難，多呼吸，起坐呼吸，胸痛，陥没呼吸，咳嗽などの症状を呈する．無症候性の胸水は診断目的以外に処置を要することはないが，症状が強く肺の拡張を阻害して全身状態の悪化

第Ⅰ部　総論

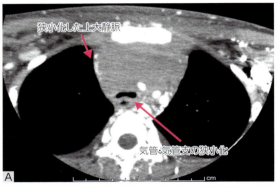
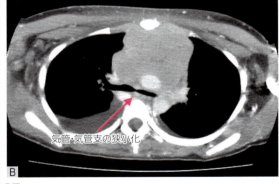

図1 ◆ 上縦隔症候群を呈した悪性リンパ腫症例の造影CT
13歳女児．流行性耳下腺炎を疑われ，約1週間の経過観察中に眼瞼浮腫と頸部腫脹の増悪を認めた．造影CTにて気管から気管分岐部の狭窄（A，B），上大静脈の狭窄（A）および閉塞，胸水を認めたため転入院となった．来院時仰臥位はとれなかったが，坐位で呼吸状態は維持できた．2日間化学療法を先行させ，腫瘍の縮小が得られたあとに全身麻酔下右開胸（側臥位）で腫瘍生検を行い，T細胞性悪性リンパ腫の診断を得た

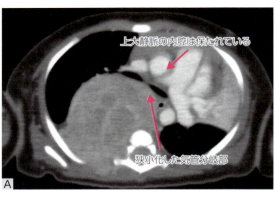
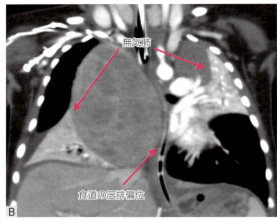

図2 ◆ 呼吸不全を認めた後縦隔神経芽腫症例の造影CT
5か月女児．喘鳴を伴う呼吸困難にて緊急搬送となった．挿管後に撮影した造影CTでは，巨大な後縦隔腫瘍により気管分岐部が腹側に偏位して狭小化し，心臓も腹側左方に偏位していたが，上大静脈の内腔は保たれている（A）．食道も左側に圧排偏位，右肺下葉と左肺上葉に無気肺を認めていた（B）．化学療法後に呼吸状態は安定し亜全摘を行った

をきたしている場合は，穿刺ドレナージが適応となる．超音波検査で胸水量，部位を確認し，肋間動脈損傷や気胸に注意して穿刺する．一時的な胸水除去であれば，穿刺針または静脈留置針による穿刺吸引でよいが，持続的にドレナージが必要となる場合もある．胸腔内に癒着が強くコンパートメントに分かれている場合は，複数のドレーン留置を要することもある．シスプラチン[5]などの薬剤注入により胸膜に炎症を起こして胸水の減少を期待する場合もある．まれに胸管圧迫による乳び胸水を生じることがあるが，原疾患の治療により胸管圧迫が解除されれば消退する（図3）．原因が手術などによる胸管損傷の場合は，脂肪摂取制限，絶食やソマトスタチンアナログ製剤▲の投与を行う．奏効しない場合は，胸管結紮術が適応となることもある．

気胸，気縦隔

小児がん発症時や治療中に生じる気胸は，感染，肺転移巣の増大，放射線やブレオマイシンによる肺線維症，肺Langerhans細胞組織球症，肺芽腫，肺切除後，医原性などが原因となる．気縦隔の原因としては，化学療法に誘発される嘔吐や粘膜障害による食道穿孔，気管・主気管支レベルの気道損傷，原因が特定できない特発性のものもある．診断は胸部X線，CTによる．軽症の際は経過観察や酸素投与で対応できるが，重症例，特に緊張性気胸を生じた場合は，緊急ドレナージが必要である．気胸に対しては胸腔ドレナージが行われるが，胸水と同様で胸腔内

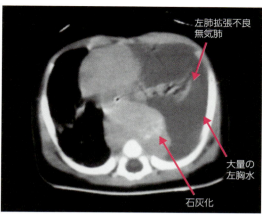

図3 ◆ 乳び胸水を呈した新生児神経芽腫の単純CT
生後7日目女児．呼吸状態が悪化し，挿管下に緊急搬送された．単純CTにて石灰化を伴う後縦隔腫瘍と大量の左胸水（胸腔穿刺で乳び胸水）を認め，左肺は拡張不良のため完全に無気肺となっていた．尿中VMA，HVA上昇から神経芽腫と診断．化学療法にて胸水は消失し，3コース後に亜全摘を行い治療終了した

忘れてはならない．また，ドレーンの長期留置を要する場合は，二次感染にも留意する必要がある．ドレナージによって改善しない場合は，胸水同様，薬剤注入，自己血注入[7]や原因に対する外科的アプローチも考慮される．

に癒着が強い場合は，複数のドレーン留置を要することがある．気縦隔に対しては，胸骨柄直下を皮膚切開しドレーン挿入を行う．小児がん治療中の患者においては，出血傾向を伴っている場合が多いので，血小板輸血などあらかじめ対策を講じることも

■ 文献

1) Jain R, et al.：Superior mediastinal syndrome：emergency management. Indian J Pediatr 80：55-59, 2013
2) Nossair F, et al.：Pediatric superior vena cava syndrome：An evidence-based systematic review of the literature. Pediatr Blood Cancer 65：e27225, 2018
3) Perger L, et al.：Management of children and adolescents with a critical airway due to compression by an anterior mediastinal mass. J Pediatr Surg 43：1990-1997, 2008
4) Takeda S, et al.：Surgical rescue for life-threatening hypoxemia caused by a mediastinal tumor. Ann Thorac Surg 68：2324-2326, 1999
5) Anghelescu DL, et al.：Clinical and diagnostic imaging findings predict anesthetic complications in children presenting with malignant mediastinal masses. Paediatr Anaesth 17：1090-1098, 2007
6) Blank RS, et al.：Anesthetic management of patients with an anterior mediastinal mass：continuing professional development. Can J Anaesth 58：853-859, 860-867, 2011
7) Lillegard JB, et al.：Autologous blood patch for persistent air leak in children. J Pediatr Surg 48：1862-1866, 2013

（米田光宏）

第4章 がん救急（oncologic emergency）

2 腹部

　本項ではがん救急（oncologic emergency）のうち腹部臓器を主座とする代表的な病態について概説する．

腹部コンパートメント症候群

　腹部コンパートメント症候群（abdominal compartment syndrome：ACS）は，腹腔内圧がさまざまな原因により著明に上昇することにより，心，血管，肺，腎，消化管，脳などの多臓器が機能不全に陥った状態を表す．小児では，「腹腔内圧が10 mmHg以上で，かつ腹腔内圧の上昇に起因する新たなあるいは増悪する臓器機能不全が存在すること」とする定義が提唱されている[1]．小児がんでは腹部腫瘍が腹痛などの他覚症状がないまま増大し，初発時に巨大腫瘍として発見されることも珍しくない．腫瘍が急速に著しく増大する状況では潜在的にACSに陥るリスクがある．小児がん患者におけるACSの発症は比較的まれではあるが，ひとたび起こると加速度的に病状が悪化し，致死的となりうるため，迅速な初期対応が極めて重要な病態である．

　ACSの典型的な症状は，著明な腹部膨満のほかに呼吸促迫，進行性のSpO$_2$低下，頻脈，尿量の減少などである．血液検査では尿素窒素の上昇をみとめ，超音波検査では消化管や肝臓の血流低下のほかに心拍出量の低下がみられる．

　腹部神経芽腫（特に乳児の多発肝転移を有する症例），巨大Wilms腫瘍（特に両側例），急性リンパ性白血病（acute lymphoblastic leukemia：ALL）の肝浸潤，巨大卵巣腫瘍におけるACSの報告があるほか，乳児巨大血管腫でもACSによる死亡が報告されている．腫瘍により二次的に生じる腹水や腫瘍破裂に伴う腹腔内出血もACSの原因となりうる．

　ACSの治療は病態や病状によっても異なる．非腫瘍性病変に起因する一般的なACSでは緊急開腹による減圧が他の方法よりも推奨される．しかし，開腹手術を行ったとしても致死率は50％にのぼるとされ，ACSの定義を満たす前にそれを未然に防ぐ努力が必要となる．

　腫瘍性病変によるACSでは，最も有効な方法は腫瘍切除による減圧であるが，多くの場合では腫瘍は血流豊富で周囲臓器や主要血管への浸潤があり，安全に切除できる症例はごく限られる．切除できない場合は可及的速やかに診断を得て化学療法（疾患によっては放射線療法）を行う．化学療法により腫瘍内部に壊死が起こり，腫瘍が増大することもあるため，集中治療管理下に持続的なモニタリングを行う．これらの治療が奏功しない場合には，非腫瘍性病変によるACSと同様に開腹減圧管理が必要となることもあるが，その適応は限られる．

　乳児期早期に発症するびまん性肝転移を伴う神経芽腫（おもにstage MS）は致命的なACSをきたしうる代表的な疾患である．stage MSは一般に予後良好であるが，肝病変の急速な増大によりACSの徴候がみられる場合は治療介入の適応となる．この場合，生検を含めた外科的な介入は肝腫大を増強させる危険性があり避けるべきである．化学療法は低用量シクロホスファミドなどが用いられることが多い．緊急放射線治療も有効とされ，一般に4.5 Gy/3日の照射により肝病変の制御が試みられる[2]．

腸重積症・腸閉塞症および消化管穿孔

　腸重積症は小腸に腫瘍性病変がある場合の初発症状として重要である．Burkittリンパ腫の18％は腸重積症により発症するとする報告もあり[3]，特に幼児期以降の年長児における腸重積症を診察する際には小腸病変を念頭におく必要がある．

　腸重積症に併発する腸閉塞のほかに腹腔内，消化管，後腹膜，骨盤，仙尾部のさまざまな腫瘍により消化管が圧迫され腸閉塞が引き起こされることがある．進行症例では腫瘍の浸潤により腸閉塞をきたすこともある．

　消化管穿孔も小児がん治療中の患者において緊急対応を要する病態として重要である．消化管リンパ腫の6.7％に腸穿孔を伴うという報告があるように[4]，消化管リンパ腫に比較的高頻度にみられる合併症である．このほかにステロイド性消化管潰瘍穿孔も血液腫瘍の治療中にみられるまれな偶発症である．

　比較的急激に発症する強い腹痛と腹膜刺激症状がみられる場合に消化管穿孔が疑われる．典型的な例

では，胸腹部単純 X 線像にて立位で横隔膜下に free air が描出されるが，立位が困難な際には左側臥位 (decubitus 位) で肝表面の free air を確認する．しかし，単純 X 線での free air の描出は 70% 前後とされ，病歴や症状，腹部所見から消化管穿孔が疑わしい場合には CT の撮像を躊躇するべきではない．

消化管穿孔に対しては，従来は外科的介入が第一選択であったが，近年は胃・十二指腸潰瘍の穿孔に対しては H_2 受容体拮抗薬，プロトンポンプ阻害薬 (PPI) などの保存的治療が試みられることが多い．

閉塞性黄疸

肝胆膵領域を原発とする腫瘍や肝門部リンパ節の腫大をきたす腫瘍では閉塞性黄疸を生じうる．胆道または膵を原発とする横紋筋肉腫，Langerhans 組織球症，非 Hodgkin リンパ腫，肝細胞癌，膵頭部腫瘍，神経芽腫などによる閉塞性黄疸が報告されている．成人がんによる閉塞性黄疸と異なり，小児や思春期の悪性腫瘍による閉塞性黄疸は，初発例であれば多くの場合には一時的であり，腫瘍が治療により縮小すると改善される可能性がある[5]．

血液生化学検査では直接 (抱合型) ビリルビン優位の高ビリルビン血症を呈し，腹部超音波検査では総胆管や肝内胆管の拡張が描出される．閉塞部位の正確な同定には MR 胆管膵管造影 (magnetic resonance cholangio pancreatgraphy：MRCP) が有用である．

閉塞性黄疸は速やかに改善される必要がある．胆汁うっ滞は重度の肝障害を招き，これらは化学療法により増悪する．ドキソルビシン等の胆汁に排泄される薬剤は胆汁うっ滞下で薬物動態が変化する．閉塞を解除することにより脂肪吸収が促進されることもあり，ただでさえも低栄養状態になりがちな小児がん患者においては重要であると考えられる．

黄疸の速やかな解除のために診断に応じた治療が選択されるが，小児では化学療法への感受性が高いこともあり，緊急化学療法による速やかな腫瘍の縮小と胆管閉塞の解除が図られることが多く，外科的な減黄の適応となることは少ない．膵の充実性偽乳頭状腫瘍 (solid pseudopapillary neoplasm：SPN) など，化学療法の効果が期待できない疾患では，病変が切除可能な場合は手術により黄疸が改善する．化学療法の効果がなく，かつ切除不能な状況では緩和的な目的で何らかのドレナージが行われることがある．成人領域では同様の病態に対して一般的には経皮経肝的胆道ドレナージ (percutaneous transhepatic biliary drainage：PTBD) または内視鏡的逆行性胆道ドレナージ (endoscopic retrograde biliary drenage：ERBD) が行われるが，小児では体格や腫瘍サイズによる技術的な制限もあり ERBD の報告は極めて少ない．

出血

腹部腫瘍の被膜が破綻することはまれではないが，それにより制御不能な腹腔内出血をきたすことは極めてまれである．そのなかで代表的な肝腫瘍である肝芽腫では，初発時に約 3～10% に腫瘍破裂がみられ，大量出血により緊急対応を迫られる可能性の高い腫瘍である．輸液・輸血，カテコラミン投与など出血性ショックに対する保存的治療を迅速に行い，バイタルサインが安定すれば保存的治療を継続するが，これらに反応しない場合には速やかな止血処置が必要になる．緊急止血処置の第一選択は interventional radiology (IVR) による経カテーテル的肝動脈塞栓術 (transcatheter arterial embolization：TAE) である．開腹手術による止血や一期的切除による止血が行われる場合もある．

化学療法・造血細胞移植の合併症としてのがん救急

1 急性膵炎

急性膵炎は，アスパラギナーゼによる重篤な副作用であり，急性リンパ性白血病治療中の患児の 1.5～10% に発症するとされる．腹痛，悪心・嘔吐，発熱，腰痛などの症状が L-アスパラギナーゼ投与後 6～14 日に出現する．一部は急激に重症化し集中治療を要する病態に陥る．

膵炎発症のリスク因子としては，L-アスパラギナーゼの累積使用量が多い・使用期間が長い，年長児，ステロイド・アントラサイクリン併用，重度の高脂血症などが知られる[6]．診断は血清中の膵酵素 (アミラーゼ，リパーゼ) の上昇と，腹部超音波検査，腹部 X 線 CT，腹部 MRI により診断する．

補液，鎮痛および抗菌薬の投与が標準的な治療である．わが国ではさらにガベキサートメシル酸塩，ナファモスタットメシル酸塩などの蛋白合成阻害薬が用いられることが多い．

2 肝中心静脈閉塞症

肝中心静脈閉塞症 (veno-occlusive disease：VOD, sinusoidal obstruction syndrome：SOS) は，造血細胞移植前処置後やアクチノマイシン D，ブスルファン，シクロフォスファミド，ダカルバジン，メルファランなど一部の抗腫瘍薬使用後に生じる重篤な合併症であり，腹痛，肝腫大，黄疸，著明な浮腫と

腹水などの症状を呈する[7]．近年はSOSの呼称が使われることが多い．発症すると重篤化し死亡率が高いことから緊急処置が必要となる．SOSの本態は類洞の閉塞による還流障害であり，肝静脈レベルでの閉塞はより重症化した例で顕在化する．診断は病歴と特徴的な臨床症状のほか，血液検査では血小板減少，高ビリルビン血症，高トランスアミナーゼ血症を呈する．腹部超音波検査，腹部CT検査も有用であり，初期には胆嚢壁の浮腫状の肥厚，肝腫大，腹水がみられ，進行すると肝静脈分枝の狭小化，さらに重症化すると門脈圧亢進に伴う門脈血流の低下や逆流，脾腫，門脈副血行路の形成がみられる．

治療は支持療法，抗凝固療法，線溶療法，ウルソデオキシコール酸内服を中心とした治療が行われてきたが，確立した治療法はない．近年，内外でデフィブロタイドの有効性が報告され，SOSに唯一有効な治療として国内では2019年に保険適用となっている．

3 消化管出血

がんの治療中にさまざまな要因により消化管の出血をきたすことがある．化学療法の副作用による粘膜障害に伴う出血，薬剤誘導性の消化管潰瘍，造血細胞移植後の移植片対宿主病（GVHD）による粘膜障害などが代表的である．特に骨髄抑制下では保存的治療による自然止血が得られにくい場合も想定され，緊急内視鏡下による止血対応を時期を逸することなく行うことが肝要である．

■ 文献

1) Kirkpatrick AW, et al.：Pediatric guidelines sub-committee for the world society of the abdominal compartment syndrome. Intensive Care Med 39：1190-1206, 2013
2) Nickerson HJ, et al.：Favorable biology and outcome of stage IV-S neuroblastoma with supportive care or minimal therapy：a Children's Cancer Group study. J Clin Oncol 18：477-486, 2000
3) Gupta H, et al.：Clinical implications and surgical management of intussusception in pediatric patients with Burkitt lymphoma. J Pediatr Surg 42：998-1001, 2007
4) Ahmed G, et al.：Surgery in perforated pediatric intestinal lymphoma. Eur J Surg Oncol 45：279-283, 2019
5) Roebuck DJ, et al.：External and internal-external biliary drainage in children with malignant obstructive jaundice. Pediatr Radiol 30：659-664, 2000
6) Oparaji JA, et al.：Risk factors for asparaginase- associated pancreatitis：a systematic review. J Clin Gastroenterol 51：907-913, 2017
7) 菊田　敦：肝中心静脈閉塞症（SOS/VOD）の治療．日造血細胞移植会誌 10：36-47，2021

（菱木知郎）

第4章 がん救急（oncologic emergency）

3 神経（脳，脊髄）

頭蓋内圧亢進

　頭蓋内圧亢進（raised intracranial pressure）は，小児脳腫瘍で多く認める診断・治療に緊急を要する病態である．髄芽腫，上衣腫，小脳星細胞腫などにより第四脳室が圧排され髄液環流が阻止され，閉塞性水頭症を発症し頭蓋内圧亢進を起こすものが最も多い．ほかに，胚細胞腫瘍や松果体芽細胞腫など松果体腫瘍による閉塞性水頭症がある．まれに，脈絡叢乳頭腫のように髄液を過剰に産生する腫瘍によって起こるものや，多発播種性病変があるときに髄液吸収障害により起こるものがある．テント上腫瘍でもその増殖が急速な場合には，頭蓋内圧亢進症状を呈することがある．

症状・徴候

1 発症早期の症状・徴候

①頭痛・嘔吐：起床直後の頭痛が典型的であり，横になると悪化し，初期には時間とともに改善する．早朝以外にも1日中どの時間帯にも出現することがあり，出現時間が除外診断の根拠とはならない．前頭部，後頭部の痛みとして訴えられることが多い．
②頭囲拡大：頭蓋骨融合の起きていない乳幼児で頭囲の急速な拡大を認める．
③大泉門膨隆：大泉門が閉鎖していない乳幼児では大泉門の膨隆を認める．
④非特定的症状として，学力低下，倦怠感，性格変化，成長障害がある．

2 発症後期の症状・徴候

①頭痛：症状が進行すると頭痛は頻回になり，鎮痛薬ではおさまらなくなる．偏頭痛筋緊張性頭痛など以前から頭痛の訴えのある場合には，頭痛の変化を見落としやすく留意が必要であることが指摘されている．
②視神経乳頭浮腫・うっ血乳頭：眼底検査により認める場合は頭蓋内圧亢進の診断根拠となる．乳幼児では認めない場合もあり留意が必要である．
③眼科学的症状：第Ⅵ脳神経障害による複視を多く認め，ほかに斜視，眼振，Parinaud症候群（上方注視麻痺，偽Argyll Robertson瞳孔，輻輳・眼球後退眼振など），乳幼児では落陽現象を認める．
④項部硬直を認め，さらに小脳扁桃ヘルニアにより頭部後屈が起こることがある．
⑤けいれん重積発作：けいれんが長時間持続し，意識障害が遷延することがある．
⑥意識障害：症状が進行すると意識障害を起こす．
⑦徐脈と高血圧：テント切痕ヘルニアを起こしている場合にみられる．

診断

　眼底検査と画像検査が診断に不可欠である．眼底検査で視神経乳頭の浮腫を認めれば頭蓋内圧亢進が強く疑われる．スクリーニングとしてCTを行い，原因の確定も含め，診断のためにはMRIを行う必要がある（図1）．
　特に乳幼児ではMRIに鎮静が必要であるが，頭蓋内圧亢進を認める場合には鎮静には危険を伴う場合があり，注意が必要である．

治療

　診断を疑ったら脳神経外科医，ICU医師に直ちに連絡する．症状が軽微にみえる場合にも，短時間で急速に症状が進行する場合があり，注意が必要である．特に次の症状を認める場合には，緊急の対応が必要である．
①頸部痛と項部硬直．
②意識レベルの低下．
③除脳姿勢．
④Cheyne-Stokes呼吸など呼吸の変化．
⑤血圧上昇と徐脈．
⑥視機能低下．

　腫瘍による閉塞性水頭症を認めた場合，浮腫の改善のため，直ちにデキサメタゾンの投与を開始する（治療例：0.1〜0.25 mg/kg 点滴静注　6時間ごとに投与）．これにより髄液環流が改善し，症状が改善することがある．
　意識障害を認める場合，気管挿管が必要になるが，喉頭鏡の使用と挿管が頭蓋内圧をさらに急激に上昇させることがあり注意が必要である．

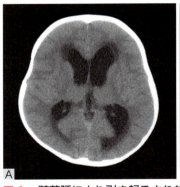
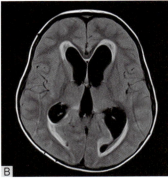
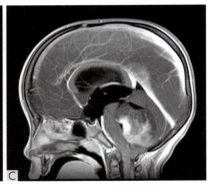

図1 ● 髄芽腫により引き起こされた水頭症
A：単純CT水平断像，B：MRI FLAIR水平断像，C：MRI ガドリニウム造影T1強調矢状断像．

　緊急を要する徴候を認める場合には，直ちに脳脊髄液転換が必要である．閉塞の部位にしたがって，次のいずれかを用いる．
①脳室底開窓術（ventriculostomy）：神経内視鏡を用いて第三脳室底の膜に穴を空ける．
②脳室外ドレナージ．
③脳室腹腔（ventriculo-peritoneal：V-P）シャント：腫瘍の摘出により脳脊髄液の灌流を確保することができる場合が多いが，髄液の経路が確保されても水頭症が改善しない場合があり，術後にV-Pシャントが必要となることがある．

予後

　緊急に診断し対処しなければ生命予後もQOLも不良となる．治療後も，定期的に眼科学的検査を続けることにより，再発あるいは慢性の頭蓋内亢進を検出し，視神経萎縮や失明を防ぐことができる．

脊髄圧迫

　脊髄圧迫（spinal cord compression）は，腫瘍や腫瘍に対する治療の副作用により脊髄あるいは馬尾が外部から圧迫され，正常な神経機能が障害される病態である．神経圧迫は，白血病を含めすべての小児悪性腫瘍患者の3〜5％に認める合併症である．

原因

　脊髄圧迫は，血液腫瘍より固形腫瘍の患者において認めることが多い．半数は肉腫の患者で，ほかに神経芽腫，胚細胞腫瘍，悪性リンパ腫，白血病，脳腫瘍の脊髄播種により起こる．
①10〜20％の患者に認めるもの：Ewing肉腫，髄芽腫．
②5〜10％の患者に認めるもの：神経芽腫，胚細胞腫瘍（頭蓋外），軟部肉腫，骨肉腫．
③5％以下の患者に認めるもの：腎芽腫（Wilms腫瘍）などほかの固形腫瘍．
④1〜2％の患者に認めるもの：白血病，悪性リンパ腫など血液腫瘍．

　脊髄圧迫の約65％は，初発症状として認められ，そのほかの多くは再発あるいは治療中の進行時に認める．まれにステロイド長期使用による椎体圧潰など，治療の副作用として出現する．
　脊髄圧迫は次のような異なった腫瘍進展様式によって引き起こされる．
①傍脊椎腫瘍が椎間孔から硬膜外腔に侵入して起こるもの：神経芽腫や横紋筋肉腫などで，約40％が硬膜外腫瘍である．
②脳脊髄液播種：髄芽腫，テント上原始神経外胚葉性腫瘍（supratentorial primitive neuroectodermal tumor：sPNET）など中枢神経系腫瘍が播種し，くも膜下腔に下降して広がる．
③腫瘍の直接浸潤：約10％が髄内腫瘍．

臨床症状

　脊髄圧迫の症状は病変の部位により異なるが，次のような症状を呈する．
①運動機能障害（筋力低下）：90％以上に認める．
②神経根性痛または背部痛：55〜95％に認める．
③感覚障害：10〜55％に認める．
④膀胱直腸障害：10〜35％に認める．
⑤2〜3％の患者では，脊髄圧迫にもかかわらず無症状である場合がある．

診断

　診断にあたって，血管障害や横断性脊髄炎など腫瘍以外の原因による可能性も検討する．画像診断に

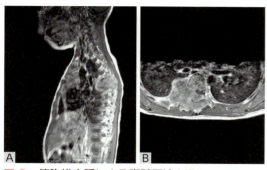

図2 傍胸椎肉腫による脊髄圧迫MRI
A：ガドリニウム造影T1強調矢状断像，B：同水平断像．

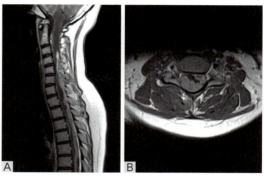

図3 脳幹部神経膠腫の脊髄播種病変による脊髄圧迫MRI
A：ガドリニウム造影T1強調矢状断像，B：同水平断像．

は脊髄MRIを用いる（図2，3）．神経学的診察により診断を確定するとともに，その後の治療効果の判定のため，ベースラインとして治療開始前の状態を詳細に記載する．

治療

回復不可能な神経障害をきたす可能性も高いため，診断を疑った場合には早急に治療を開始することが重要である．

診断がついたら，時には診断を疑う段階で，直ちにデキサメタゾンを投与し，腫瘍周辺の浮腫を軽減し，症状の改善を図る．神経芽腫や，白血病，悪性リンパ腫など早期の効果が期待できる場合には，化学療法を開始する．有効であれば手術や放射線治療を用いた場合の晩期障害を軽減することができる．

放射線治療に感受性が高いことがわかっている場合には，腫瘍および上下1椎体の高さまで局所照射を行う．肉腫など放射線感受性がよくない腫瘍と思われる場合には，椎弓切開あるいは椎弓切除を行い，緊急に減圧を図る．

予後

神経学的予後を左右するのは，発症から診断までの症状の持続期間よりは，神経障害の重症度である．症状が軽度な患者の場合には，90％以上の患者で完全な症状の改善が得られるが，診断時にすでに四肢麻痺を呈している場合には65％の患者にしか回復を認めない．

■ 参考文献

・Freedman JL, et al.：38. Oncologic Emergencies. In：Pizzo PA, et al.（eds.），Principles and Practice of Pediatric Oncology. 7th ed., Lippincott Wiliams & Wilkins, 966-990, 2017

（柳澤隆昭）

第4章 がん救急 (oncologic emergency)

4 代謝：腫瘍崩壊症候群など

背景

がん救急のなかで代謝異常による病態として、代表的なものとしては腫瘍崩壊症候群 (tumor lysis syndrome：TLS)、乳酸アシドーシス、低ナトリウム血症〔抗利尿ホルモン不適合分泌症候群 (syndrome of inappropriate secretion of antidiuretic hormone：SIADH)、中枢性塩類喪失症候群 (central salt wasting syndrome：CSWS)〕、腫瘍随伴症候群である高カルシウム血症などがあげられる。本項では、腫瘍崩壊症候群の診断と治療、低ナトリウム血症を呈する2つの病態の概略について解説する。

腫瘍崩壊症候群

定義・概念

腫瘍崩壊症候群とは、腫瘍細胞が急速かつ大量に崩壊することにより発症する代謝性異常で、laboratory TLS、clinical TLS の2つに分けて定義されている (表1)[1]。

病因・病態

急速に放出される核酸、リン、カリウムなどにより、高尿酸血症、低カルシウム血症を併発した高リン血症、高カリウム血症をきたし、その結果として腎不全、不整脈、けいれんを起こし、さらには致命的になる。TLS の症状は、がん診断時または治療開始12～72時間以内に発症し、適切かつ積極的な管理を必要とする。治療開始後2日以内に TLS が発症しない場合には、TLS はほぼ回避できていると考えられている。

疫学

小児がんの場合、腫瘍の細胞増殖能が高く、また化学療法に対する感受性が高いため、TLS を発症する危険性の高いがん種が多い。低リスク疾患 (low risk disease：LRD) とはこれまでの報告で TLS 発生危険率が1％未満の疾患、中等度リスク疾患 (intermediate risk disease：IRD) は TLS 発生危険率が1～5％、高リスク疾患 (high risk disease：HRD) は TLS

表1 ◆ TLS 診断規準

laboratory TLS
以下の臨床検査値異常のうち2個以上が化学療法開始3日前から開始7日後までに認められる
- 高尿酸血症：正常上限を超える
- 高カリウム血症：正常上限を超える
- 高リン血症：正常上限を超える

clinical TLS
laboratory TLS に加えて以下のいずれかの臨床症状を伴う
- 腎機能：血清クレアチニン＞正常上限の1.5倍
- 不整脈、突然死
- けいれん

(Cairo MS, et al.：Recommendations for the evaluation of risk and prophylaxis of tumour lysis syndrome (TLS) in adults and children with malignant diseases：an expert TLS panel consensus. Br J Haematol 149：578-586, 2010 より引用、改変)

発生危険率が5％以上と定義されている。

疾患の進行度、腎機能障害の程度をもとに TLS 発症のリスクを評価 (表2)[1] し、定期的に laboratory TLS を含む TLS 発症の有無、TLS 発症リスクの再評価を行う (図1)[2]。

前述の発症リスク評価は従来の抗がん薬治療に対するものであり、異なる作用機序をもつ分子標的薬や免疫チェックポイント阻害薬といった薬剤、CAR-T 細胞療法など新規治療における TLS リスク評価ではない。これら新規治療に対する TLS 発症も、少しずつ報告されるようになってきている。特に BCL-2 阻害剤であるベネトクラクスは、TLS 予防のため段階的な増量が推奨されている等、使用前に確認することを強く勧める。新規薬剤の多くは小児適応を有していないが、今後の適応拡大に伴い使用する機会も想定され、十分な注意を要する。

診断・検査

LRD、IRD に分類された場合には、腎機能障害の有無によるリスクの再評価を定期的に行う必要がある。また TLS 発症リスクの評価時には、同時に laboratory TLS の基準を満たしていないかについても評価を繰り返し行う (図1)。期間は最終の化学療法薬投与24時間後まで行うことが推奨されている。

表2 ◆ 小児がん種別TLS疾患リスクおよび腎機能によるリスク修正

		がん種	病期	変数	疾患リスク	最終リスク
A	白血病	急性リンパ性白血病	WBC≧100,000/μL		HRD	HR
			WBC<100,000/μL	LDH≧正常上限の2倍	HRD	HR
				LDH<正常上限の2倍	IRD	表2B
		Burkitt白血病			HRD	HR
		急性骨髄性白血病	WBC≧100,000/μL		HRD	HR
			WBC≧25,000/μL, かつ<100,000/μL		IRD	表2B
			WBC<25,000/μL	LDH≧正常上限の2倍	IRD	表2B
				LDH<正常上限の2倍	LRD	表2B
		慢性骨髄性白血病(慢性期)			LRD	表2B
	リンパ腫	Burkittリンパ腫/白血病 リンパ芽球型	進行期		HRD	HR
			限局型	LDH≧正常上限の2倍	HRD	HR
				LDH<正常上限の2倍	IRD	表2B
		成人T細胞白血病/リンパ腫 (adult T-cell leukemia/lymphoma) びまん性大細胞型B細胞リンパ腫 (diffuse large B cell lymphoma：DLBCL) 末梢性T細胞リンパ腫(peripheral T-cell)	stage III/IV	LDH≧正常上限の2倍	HRD	HR
				LDH<正常上限の2倍	IRD	表2B
		Transformed マントル細胞リンパ腫芽球様バリアント (mantle cell(blastoid variants))	stage I/II		LRD	表2B
		未分化大細胞型リンパ腫 (anaplastic large cell lymphoma：ALCL)	stage III/IV		IRD	表2B
			stage I/II		LRD	表2B
		上記以外			LRD	表2B
	固形腫瘍	神経芽腫 胚細胞腫瘍			IRD	表2B
		上記以外			LRD	LR
		腎因子		変数	修正リスク	
B	白血病/リンパ腫 かつLRD	腎機能障害 腎浸潤			IR	
		腎機能正常			LR	
	すべてのIRD	腎機能障害 腎浸潤			HR	
		腎機能正常		尿酸, 血清リン, 血清カリウム ≧正常上限	HR	
				尿酸, 血清リン, 血清カリウム <正常上限	IR	

HR：high risk, LR：low risk, IR：intermediate risk.
(日本臨床腫瘍学会：腫瘍崩壊症候群(TLS)診療ガイドライン 第2版. 金原出版, 2021より引用)

治療・予後

TLS, 特にclinical TLSを発症した場合のQOL, 生命予後は非常に悪化するため, 基本的にはTLS発症リスクに基づいた適切な予防処置が重要になる. 各リスク別の予防処置, 発症時の治療については**表3**に記すが, ①定期的なモニタリング, ②十分な補液と十分な利尿, ③尿酸対策, ④電解質管理, ⑤速やかな化学療法導入と化学療法の減弱を考慮することがポイントである[4]. TLSに関しては, 日本臨床腫瘍学会からTLS診療ガイダンス[5]が発刊されている.

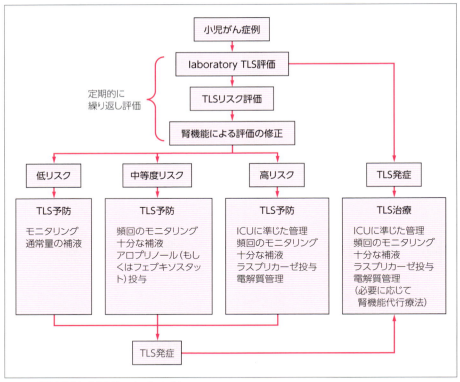

図1 ◆ 腫瘍崩壊症候群アルゴリズム
(小児白血病・リンパ腫診療ガイドライン 2016 年版, 金原出版, 125, 2016 より引用)

表3 ◆ リスク別 TLS 予防および TLS 治療

	LR における予防	IR における予防	HR における予防	TLS 治療
モニタリング(体重, 水分 in/out, 心電図, 電解質など生化学的検査)	24 時間ごと	8～12 時間ごと	4～6 時間ごと(ICU 考慮)	
補液(カリウム, リン酸, カルシウムを含まない)	維持量の補液	十分な補液	2,500～3,000 mL/m²/日, 体重≦10 kg の場合には 200 mL/kg/日	
尿酸対策		アロプリノール/フェブキソスタット/(ラスブリカーゼ)	ラスブリカーゼ投与	
高リン血症, 高カリウム血症, 低カルシウム血症対策	各施設のプロトコルに則って対応			
その他			十分な利尿(目標≧2 mL/kg/時) 化学療法の減弱考慮	十分な利尿(目標≧2 mL/kg/時) 腎機能代行療法考慮 化学療法の減弱考慮

LR : low risk, IR : intermediate risk, HR : high risk.

1 尿酸対策

尿酸生成阻害薬であるアロプリノール, フェブキソスタットはいずれも厳密には小児適応を有していないが, 単施設の前向き研究でアロプリノール 300 mg/m²/日とフェブキソスタット 10 mg/日を 5～15 歳の laboratory, clinical TLS の基準を満たしていない小児造血器腫瘍患者に投与したところ, フェブキソスタット群の患者で有意に投与 2 日目の血清尿酸値の低下〔$4.5±2.8$ mg/dL 対 $6.6±3.8$ mg/dL ($p<0.001$)〕と, 尿中尿酸/クレアチニン比の減少〔$0.51±0.26$ 対 $0.98±0.85$ ($p=0.010$)〕を認めたと報告している[6].

表4 ◆ 低ナトリウム血症の鑑別

		SIADH	CSWS
原因		ADH分泌異常	不明
病態		自由水貯留	尿中への塩排泄亢進
所見		脱水所見なし	脱水所見
		体重正常〜増加	体重減少
循環血液量		正常〜軽度増加	減少
検査所見	血清Na	<135 mEq/L	<135 mEq/L
	血漿浸透圧	<280 mOsm/kg	<280 mOsm/kg
	Ht	正常〜低下	上昇
	BUN/Cr比	正常	上昇
	尿浸透圧	>300 mOsm/kg	>100 mOsm/kg
	尿中Na	>20 mEq/L	>40 mEq/L
治療		自由水制限,高張食塩水	生理食塩液による脱水補正

ラスブリカーゼは遺伝子組み換え型尿酸オキシダーゼであり,尿酸と直接分解することにより血中尿酸濃度を急速に低下させる.酵素製剤であるため,再投与は原則禁忌となっている.また水酸化ペルオキシダーゼを産生することにより,グルコース-6-リン酸脱水素酵素欠損症(glucose-6-phosphate dehydrogenase deficiency:G6PD)患者への使用も禁忌となっている.投与量と投与期間は0.15〜0.2 mg/kg/日,5日間までが一般的であるが,近年のメタ解析等の結果を踏まえて,2015年にBritish Committee for Standards in Hematologyが出したガイドラインでは,「LaboratoryもしくはClinical TLSではない大多数の小児造血器腫瘍患者では,TLSはラスブリカーゼ0.2 mg/kg単回投与で十分である.その場合,LaboratoryもしくはClinical TLSに関する厳密なモニタリングの継続が重要である(Grade 2C).もう1つのオプションとしてラスブリカーゼ3 mg/単回投与も有効である」と記載されている[7].

ラスブリカーゼの登場により,「尿のアルカリ化」目的での重炭酸ナトリウム投与は不要となり,むしろ重炭酸ナトリウム投与はリン酸カルシウム結石生成のリスクを高める.重炭酸ナトリウム投与は著明な代謝性アシドーシス,高カリウム血症の場合,ラスブリカーゼ投与禁忌患者にのみ限られる.

2 電解質管理

腎機能代行療法は持続する高カリウム血症,重症代謝性アシドーシス,利尿薬に反応しない容量負荷,心外膜炎や脳症など尿毒症症状出現時に行う.また「予防的」な腎機能代行療法導入基準として,重篤かつ進行性の高リン酸血症(>6 mg/dL),重篤な症候性低カルシウム血症があげられている.この場合,腎機能代行療法はためらうべきではないと考えられている.

3 化学療法

化学療法はラスブリカーゼ投与後4〜24時間経過し,尿酸値が下がった段階から開始する.緩やかな腫瘍量減量のために化学療法の強度軽減も考慮すべきである.

低ナトリウム血症

近年,特に脳腫瘍領域で鑑別が問題になる低ナトリウム血症の2病態がある.SIADH[8],CSWS[9]であるので鑑別を表4に示す.

定義・概念

1 SIADH

抗利尿ホルモン(antidiuretic hormon:ADH)の分泌異常により正常な浸透圧調整機構が破綻,体液量増加をきたし希釈性低ナトリウム血症(<135 mEq/L)を呈する病態である.中枢性疾患,肺疾患異所性ADH産生腫瘍による場合,および抗がん薬(ビンクリスチン,シスプラチン,シクロホスファミドなど)による二次性の場合があるが,小児においては抗がん薬によるものが大部分である.

2 CSWS

脳外科手術後など頭蓋内疾患に伴って,尿中への不適切なナトリウムおよび水排泄が増加し,ナトリウム喪失により,脱水と低ナトリウム血症を呈する病態である.

治療

1 SIADH

水制限と高張食塩水補液.

2 CSWS

前述のようにSIADHにおいては自由水制限が治療の主体であるが，CSWSにおいては脱水補正のための補液が必要になってくるので，この2つの病態の鑑別は重要である.

■ 文献

1) Cairo MS, et al.：Recommendations for the evaluation of risk and prophylaxis of tumour lysis syndrome (TLS) in adults and children with malignant diseases：an expert TLS panel consensus. Br J Haematol 149：578-586, 2010
2) 日本小児血液・がん学会：小児白血病・リンパ腫診療ガイドライン2016年版．金原出版，2016
3) Howard SC, et al.：Tumor lysis syndrome in the era of novel and targeted agents in patients with hematologic malignancies：a systematic review. Ann Hematol 95：563-573, 2016
4) Howard SC, et al.：Tumor lysis syndrome in the era of novel and targeted agents in patients with hematologic malignancies：a systematic review. Ann Hematol 95：563-573, 2016
5) 日本臨床腫瘍学会（編）：腫瘍崩壊症候群（TLS）診療ガイダンス．第2版，金原出版，2021
6) Kishimoto K, et al.：Febuxostat as a prophylaxis for tumor lysis syndrome in children with hematological malignancies. Anticancer Res 37：5845-5849, 2017
7) Jones GL, et al.：Guidelines for the management of tumour lysis syndrome in adults and children with haematological malignancies on behalf of the British Committee for Standards in Haematology. Br J Haematol 169：661-671, 2015
8) 日本小児内分泌学会：抗利尿ホルモン（ADH）不適合分泌症候群．小児慢性特定疾病情報センターホームページ，2014 https://www.shouman.jp/disease/details/05_07_010/［2021年9月アクセス］
9) 日本小児内分泌学会：中枢性塩喪失症候群．小児慢性特定疾病情報センターホームページ，2014 https://www.shouman.jp/disease/details/05_09_014/［2021年9月アクセス］

〈湯坐有希〉

第4章 がん救急(oncologic emergency)

5 血液異常

白血球増加症

定義・概略

　一般に，末梢血の白血球数が 100,000/μL 以上であるものを白血球増加症(hyperleukocytosis)と定義する[1)〜3)]．ただし，白血球数が 100,000/μL 以下の白血病でも，白血球増加症と同様の合併症は起こり得る．白血病における白血球増加症では，臓器への白血球停滞(leukostasis)，腫瘍崩壊症候群(TLS)，播種性血管内凝固(DIC)を生じやすい．白血球増加症は，白血病患者における早期死亡の原因として重要である[3)]．本項では白血球停滞を中心に述べる．

疫学

　小児白血病のなかで白血球増加症をきたすのは，急性骨髄性白血病(AML)の 5〜22％，急性リンパ性白血病(ALL)の 9〜13％，多くの慢性骨髄性白血病(CML)である[1)]．AML では FAB 分類 M4 や M5 の単球系で多く，ALL では乳児期発症の *KMT2A*(*MLL*)遺伝子再構成陽性例，フィラデルフィア染色体陽性例や T 細胞性で多い[2)]．

病態生理

　白血球停滞にはいくつかの機序が想定されている[2)4)]．白血病細胞は正常白血球と比べ変形能に乏しく，白血球増加症では微小循環中で凝集を起こし，血行障害をもたらす．また，白血病細胞は代謝が活発であり，凝集部位は低酸素となる．さらに，白血病細胞が分泌するサイトカインが血管内皮における接着因子の発現を高め，血管内皮障害をもたらす．以上の結果，白血病細胞の凝集部位から出血をきたすとともに，白血病細胞が血管外へ浸潤してさらなる臓器障害をもたらす．治療によって白血球数が減少し，血流の停滞が解除されたときにも出血が生じ得る．白血球停滞は，白血病細胞の径が大きいAMLで併発しやすく，脳と肺で特に発生しやすい．白血球増加症をきたす白血病は，白血病細胞の増殖が速い一方，細胞死も一定の比率で生じるため，治療開始前から TLS を併発することがある．また，白血病細胞が発現する組織因子によって外因系凝固反応が亢進し，DIC を合併しやすい[4)]．

臨床徴候

　白血球増加症があっても無症状であることが多い[1)]．白血球停滞，TLS，DIC を併発すると，これらによる症状が出現する．

　白血球停滞による症状は，主として中枢神経と肺に出現する[1)2)4)]．中枢神経症状として視力障害，頭痛，めまい，耳鳴り，歩行障害，錯乱，意識障害などがある．呼吸器症状は多呼吸，呼吸困難，チアノーゼである．そのほか陰茎や陰核の持続的勃起，四肢の虚血，腸管の梗塞による腹部症状が出現し得る．TLS や DIC は，それぞれの項を参照されたい．

　ALL と AML における白血球増加症による早期合併症を表1に示す[1)]．ALL では TLS による電解質異常が，AML では白血球停滞による出血や呼吸器症状が出現しやすい．短時間で白血病細胞が急激に増加し，症状が急速に増悪し得る点が重要である．

診断

1 血液検査

　白血球増多を証明する．自動血球計数装置では白血球の破片を血小板と判定して血小板数を過大評価する危険性があり[2)]，塗抹標本を確認しつつ血小板数を評価することが重要である．肺への白血球停滞によって呼吸障害をきたすと，低酸素血症を認める．低酸素血症の評価には経皮酸素分圧測定が有用である．動脈血ガス分析では，検体中に多数存在する白血病細胞が酸素を消費し，酸素分圧が実際より低値となるため，検体は採取後直ちに氷冷して迅速に測定する必要がある[2)4)]．膨大な腫瘍量のため LDH は上昇する．TLS を合併すると尿酸やリン，カリウムが上昇してカルシウムが低下する．プロトロンビン時間の延長，FDP や D-ダイマーの上昇などの DIC の所見も認める．

2 画像検査

　白血球停滞をきたすと，頭部 CT や MRI では出血や出血性梗塞像を認める．胸部単純 X 線や胸部 CT では肺野の浸潤影やすりガラス陰影を認め[2)4)]，呼

表1 ◆ 白血球増加症における早期合併症

	ALL (161人)	AML (73人)	p値
代謝性合併症	22	4	0.08
高カリウム血症	16	2	
低カルシウム血症・高リン血症	15	3	
急性腎不全	5	4	
呼吸器合併症	0	6	<0.001
出血性合併症	4	14	<0.001
中枢神経	2	9	
消化管	0	2	
肺	2	3	
心膜腔	0	1	
死亡	8	17	<0.001

(Fisher MJ, et al. : Oncologic emergencies. In : Pizzo PA, et al.(eds.), Principles and Practice of Pediatric Oncology. 6th ed, Lippincott Williams & Wilkins, 1125-1151, 2011より引用)

吸器感染症との鑑別を要する.

3 眼底検査

白血球停滞を反映した眼底動静脈の怒張やうっ血乳頭，網膜出血を認める.

治療

白血球増加症，特に白血球停滞は，一刻の猶予も許されないがん救急であり，厳重な全身管理が必要である．診断がつき次第，対応に習熟した施設で直ちに治療を始めるべきである.

1 支持療法

カリウムを含まない細胞外液による大量補液と，水分出納の厳重な管理は必須である．出血を防ぐために，血小板数 20,000〜30,000/μL 以上を保つように血小板輸血を積極的に行う．血小板輸血は血液粘稠度を上昇させない．一方，赤血球輸血は血液粘稠度を高め，白血球停滞を増悪させるため，循環動態が安定している限り避けるべきである[1)2)]．TLS による高尿酸血症の予防や治療として，アロプリノールやラスブリカーゼを用い，DIC に対する抗凝固療法では出血の危険性に留意する．呼吸障害をきたした場合は人工呼吸器管理を念頭におく.

2 速やかな寛解導入療法の開始

状態が許す限り寛解導入療法を速やかに始める．ただし，白血病細胞が崩壊し TLS や DIC が増悪することがあり，白血球が減少して白血球停滞が解除された際にも出血を起こし得るため，厳重な観察が必須である．急速な腫瘍崩壊を避けるため，ALL ではステロイド先行投与をより少量で開始し，AML ではエトポシドや少量シタラビンの先行投与を行う[5)].

3 白血球除去療法

白血球増加症への対応として，以前から白血球除去療法〔アフェレーシス(leukapheresis)や交換輸血〕が行われてきた[1)4)]．大血管を確保できる場合はアフェレーシスが，確保できない場合(体格が小さい乳幼児など)は交換輸血が選択される．白血球除去療法は末梢血の白血球数を一時的に減少させるが[1)4)]，早期死亡を減らす効果については結論が出ておらず[3)5)]，症候性の白血球停滞を認める場合に施行を検討するが，白血球増加症に対してルーチンで行うものではない[3)]．白血球除去療法を行う場合でも，寛解導入療法を遅滞なく始める必要がある．なお，急性前骨髄球性白血病では，致死的出血や血栓症の危険性により，白血球除去療法は行わない[3)5)].

予後

白血球停滞による頭蓋内出血や呼吸不全を発症した場合は，今なお早期死亡の危険性がある[3)].

極度の貧血

小児の血液腫瘍性疾患では，時にヘモグロビンが 5 g/dL を下回る極度の貧血をきたす．急性の出血では，出血量やバイタルサインを参考に急速輸血を行う．慢性の貧血では，心不全徴候がある場合には心負荷を軽減するために緩徐に輸血を行う．心不全徴候がない場合の輸血速度は現在でも議論がある[6)].

■ 文献

1) Fisher MJ, et al. : Oncologic emergencies. In : Pizzo PA, et al.(eds.), Principles and Practice of Pediatric Oncology. 6th ed, Lippincott Williams & Wilkins, 1125-1151, 2011
2) Porcu P, et al. : Hyperleukocytic leukemias and leukostasis : a review of pathophysiology, clinical presentation and management. Leuk Lymphoma 39 : 1-18, 2000
3) Padmanabhan A, et al. : Guidelines on the Use of Therapeutic Apheresis in Clinical Practice—Evidence-Based Approach from the Writing Committee of the American Society for Apheresis : the Eighth Special Issue. J Clin Apher 34 : 171-354, 2019
4) Ganzel C, et al. : Hyperleukocytosis, leukostasis and leukapheresis : practice management. Blood Rev 26 : 117-122, 2012
5) Oberoi S, et al. : Leukapheresis and low-dose chemotherapy do not reduce early mortality in acute myeloid leukemia hyperleukocytosis : a systematic review and meta-analysis. Leukemia Res 38 : 460-468, 2014
6) Agrawal AK, et al. : Hematologic supportive care for children with cancer. In : Pizzo PA, et al.(eds.), Principles and Practice of Pediatric Oncology. 6th ed, LWW, 1125-1151, 2011

〈大曽根眞也〉

第4章　がん救急（oncologic emergency）

6　泌尿器

がん救急（oncologic emergency）における泌尿器領域の病態としては，高血圧，血尿，乏尿・無尿，出血性膀胱炎，急性腎不全，急性尿路閉塞，膀胱直腸障害などがあげられる．

高血圧

腫瘍が腎実質，あるいは腎血管を圧迫することにより生じる．特に腎芽腫（Wilms腫瘍），褐色細胞腫，胚細胞腫瘍，神経芽腫などは腫瘍自体がレニンを産生することがあり，高血圧の原因となる．

高血圧により，頭痛，脳症様の症状，さらに心不全症状を伴うこともあり，迅速な対応が必要である．バイタルサインをモニタリングし，状況に応じて適切な降圧薬を使用する．適切な輸液を行い，必要時には利尿薬を使用し，長期的にはACE阻害薬やカルシウム拮抗薬の投与を必要とすることもある．

腫瘍崩壊症候群を併発している場合には輸液の速度などに関して慎重な対応が必要である．また，腎芽腫でしばしば認められる腎静脈内の腫瘍塞栓は高血圧の原因になり得るのはもちろん，腫瘍塞栓が下大静脈内から心房へ進展することで他臓器への影響も起こり得る．

血尿

腎芽腫の約1/4の症例で血尿の症状を呈することがある．そのほか，横紋筋肉腫，胚細胞腫瘍などが泌尿器系臓器に発生した場合に血尿の症状を呈することがある．治療に関連した血尿としては，腫瘍崩壊症候群における症状として認められることもある．また，化学療法に伴う出血性膀胱炎や放射線照射に伴う放射線性膀胱炎なども血尿の原因となる．治療に関しては原因に応じた対処が必要となる．

乏尿，無尿

腎不全の病態により，乏尿・無尿の状況となる．腎前性のものとしては，腫瘍の急速な増大，腫瘍出血などによる血液量減少性ショックや感染症を合併した場合の敗血症性ショックなどが原因となり得る．

腎性のものとしては腫瘍崩壊症候群が最も重要であり，腫瘍細胞の崩壊により尿酸やカリウム，リンなどが腎での排泄能を超えると高尿酸血症，高リン血症，低カルシウム血症，高カリウム血症から腎不全，多臓器不全に至る場合がある〔本章/4．代謝：腫瘍崩壊症候群など（p.232〜236参照）〕．

腎後性のものとしては骨盤内腫瘍の尿路への機械的圧迫によるものが直接的な原因となる（本項「急性尿路閉塞」を参照）．脊髄神経を圧迫するような腫瘍では膀胱直腸障害を呈することがある（本項「膀胱直腸障害」を参照）．治療に関しては，それぞれの腎不全の病態に応じた対処が必要となる．

出血性膀胱炎

化学療法開始に伴ってシクロホスファミドやイホスファミドなどの使用時に起こり得る．アルキル化薬の代謝産物であるアクロレインが膀胱上皮を傷害して投与後数日以内に血尿，排尿痛，腹痛といった症状で発症する．出血性膀胱炎による凝血塊が膀胱内や尿道を閉塞する可能性もある．発症予防としては十分な輸液を行い，利尿を促進し，メスナの投与を行う．また必要時には凝固系の補正，輸血，洗浄のための膀胱内へのカテーテル留置を行う．それでも出血のコントロールがむずかしい場合には，膀胱鏡下に凝固止血を行うこともある．

急性尿路閉塞

神経芽腫，腎芽腫，胚細胞腫瘍，悪性リンパ腫などの腫瘍が腹部，あるいは骨盤内を占拠し，泌尿器系臓器を機械的に圧迫することで水腎水尿管症，尿道閉塞などを起こす（図1，2）．尿路系への救済療法（サルベージ療法）として状況に応じて以下のような対応を行う．

尿道の閉塞症状に対しては尿道カテーテルを留置する．尿道内，膀胱頸部や前立腺部からの圧迫で尿道カテーテルの挿入自体が困難である場合には，膀胱瘻を造設する．また水腎水尿管症をきたしている場合は，可能であれば膀胱鏡下にダブルJカテーテルの挿入・留置を行う．放射線治療などが必要になるときに，ステント留置は尿路の確保という意味でも有用である．圧迫による狭窄が強く，ステント留置がむずかしければ，経皮的に腎瘻を造設する．

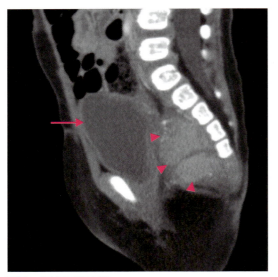

図 1 ◆ 下部尿路閉塞
仙骨前面神経芽腫(▶)の尿道圧迫により排尿困難となり，膀胱(→)内に多量の尿が貯留している．

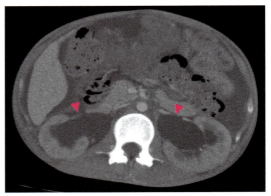

図 2 ◆ 上部尿路閉塞
腹腔内 desmoplastic small round cell tumor に伴う大量の腹水により尿管が圧迫され両側水腎症(▶)をきたしている．

膀胱直腸障害

　ダンベル型神経芽腫など脊髄神経を圧迫するような腫瘍においては四肢の筋力低下・麻痺，歩行障害，知覚障害に加えて，膀胱直腸障害として排便・排尿困難の病態をきたすことがある．神経因性に排尿困難になっている状況に対して，まずは尿道カテーテル留置により対処するが，原疾患に対しても早急な治療が必要である．神経障害が疑われればステロイド投与により血管性浮腫による脈管系および神経の直接的な圧排の軽減を図る．
　診断が未確定の場合は生検を兼ねた椎弓切除術による除圧が有効なことがあり，また放射線に感受性のある腫瘍であれば放射線照射も適応であるが，これらの治療は長期的には亜脱臼や脊椎側彎症のリスクもあるので整形外科医，放射線治療医と適応を十分に検討する必要がある．

■ 参考文献

- Fisher MJ, et al.：Supportive Care of Children with Cancer Genitourinary Emergencies. In：Pizzo PA, et al.(eds.), Principles and Practice of Pediatric Oncology. 6th ed, LWW, 1134-1135, 2011
- Seth R, et al.：Management of Common Oncologic Emergencies. Indian J Pediatr 78：709-717, 2011
- 林　富：小児固形腫瘍の外科的治療．小児診療 67：551-557, 2004
- 鎌田　綾，他：oncologic emergency．[支持療法・長期フォローアップ] 小児診療 73：1395-1399, 2010

〈木下義晶〉

第5章　支持療法

1　消化器症状への対応

概要

がん化学療法において，悪心・嘔吐，下痢や便秘，口内炎などの消化器症状は自覚症状が強く，身体的にも精神的にも辛い病状である．特に悪心・嘔吐は治療ごとに繰り返し経験され得るものであり，その後の治療への不安や恐怖の増強を招きかねない．また，これらの消化器症状が重篤化すれば脱水症や電解質異常などを引き起こし，治療遂行にも影響を与える．したがって消化器症状に対して適切な対処を行うことは患者側・医療側の双方にとって大切なことである．

悪心・嘔吐

1 機序

悪心・嘔吐は，延髄外側網様体背側部にある嘔吐中枢が何らかの刺激を受けた結果として生じる反応であり，特に抗がん薬刺激によるものを化学療法誘発性悪心・嘔吐（chemotherapy-induced nausea and vomiting：CINV）とよぶ．

悪心・嘔吐の発生にはおもに5つの神経伝達経路が知られている．そのうちCINVに関連する伝達経路は，①第4脳室の最後野にある化学受容器引き金帯（chemoreceptor trigger zone：CTZ）が受けた刺激が嘔吐中枢に伝達される経路，②上部消化管にある腸クロム親和性細胞から放出されたセロトニン刺激が迷走神経/内臓交感神経求心路を介してCTZや嘔吐中枢に達する経路，③不安感情のような情動性刺激が大脳辺縁系を介して嘔吐中枢に達する経路，の3つである．これらの伝達系に関連する神経伝達物質には，セロトニン，サブスタンスP，ドパミンがあり，対応する受容体はそれぞれ5-HT$_3$受容体，NK（neurokinin）-1受容体，ドパミンD$_2$受容体である．したがってこれらの受容体機能を遮断することによりCINVの制御が可能となる．

抗がん薬の催吐性の強度について，成人におけるリスク分類が広く用いられているが，最近小児における分類[1]もみられるようになった（表1）．ここでは単剤だけではなく，複数の薬剤の組み合わせによる催吐性も評価されており参考となる．

2 分類

CINVは発生時期やその特徴から次の3つに分類される．
① 急性期悪心・嘔吐：治療開始後24時間以内に生じるもので，セロトニンの関与が強い．
② 遅発性悪心・嘔吐：治療開始後24時間以降に生じ，セロトニンよりもサブスタンスPの関与が強いと考えられている．
③ 予測性悪心・嘔吐：治療歴のある場合にみられ，治療開始前から生じ得る．

3 対策

CINVは予防することが重要であり，当該治療の催吐性リスクを判定し，適切な薬剤選択を行う．薬物治療が重きを占めるが，患児の不安が和らぐような精神面や環境面への働きかけを忘れてはならない．

1）5-HT$_3$受容体拮抗薬

セロトニンの5-HT$_3$受容体への結合を拮抗する作用をもち，特に急性期CINVに有効である．国内ではオンダンセトロン，グラニセトロン，ラモセトロン，アザセトロンが第1世代薬として使用可能であるが，小児用量が設定されているのは前者2剤のみである．第1世代薬は遅発性CINVに効果が不十分という点があったが，第2世代薬であるパロノセトロンはこの点が改善されている．海外ではすでに多数の小児使用例が報告され，制吐ガイドライン内にまとめられているが[2]，国内においても2021年5月に18歳以下の患者に対する用法および用量が先発品に対して追加承認された．

2）NK-1受容体拮抗薬

サブスタンスPのNK-1受容体への結合を拮抗する作用をもち，急性期および遅発性CINVに有効である．国内ではアプレピタント（内服）が12歳以上，ホスアプレピタント（静注）が生後6か月以上で用量設定がなされ，原則としてコルチコステロイドおよび5-HT$_3$受容体拮抗薬と併用する．両剤はCYP3A4の基質であり，代謝にCYP3A4が関連する薬剤との併用の際には注意が必要である．使用頻度の増加につれ薬物間相互作用による有害事象の報告が国外から多数みられるようになり，イホスファミドの神経毒性やオキシコドンの作用を増強するなどの報告も

表1 ◆ 小児がん治療薬の催吐性リスク分類（高度～中等度，ただし国内未承認の内容を含む）

高度（≧90％）	中等度（30～90％）
〈単剤レジメン〉 ・Asparaginase（Erwinia）IV ≧20,000 IU/m² ・Busulfan IV ≧0.8 mg/kg ・Busulfan PO ≧1 mg/kg ・Carboplatin IV ≧175 mg/m² ・Cisplatin IV ≧12 mg/m² ・Cyclophosphamide IV ≧1,200 mg/m² ・Cytarabine IV ≧3 g/m²/日 ・Dactinomycin IV ≧1.35 mg/m² ・Doxorubicin IV ≧30 mg/m² ・Idarubicin IV ≧30 mg/m² ・Melphalan IV ・Methotrexate IV ≧12 g/m² 〈多剤レジメン〉 ・Cyclophosphamide IV ≧600 mg/m² 　　＋dactinomycin IV ≧1 mg/m² ・Cyclophosphamide IV ≧400 mg/m² 　　＋doxorubicin IV ≧40 mg/m² ・Cytarabine IV ≧90 mg/m² 　　＋methotrexate IV ≧150 mg/m² ・Cytarabine IV 　　＋teniposide IV ・Dacarbazine IV ≧250 mg/m² 　　＋doxorubicin IV ≧60 mg/m² ・Dactinomycin IV ≧900 μg/m² 　　＋ifosfamide IV ≧3 g/m² ・Etoposide IV ≧60 mg/m² 　　＋ifosfamide IV ≧1.2 g/m² ・Etoposide IV ≧250 mg/m² 　　＋thiotepa IV ≧300 mg/m²	〈単剤レジメン〉 ・Cyclophosphamide IV 1,000 mg/m² ・Cytarabine IV 75 mg/m² ・Dactinomycin IV 10 μg/kg ・Doxorubicin IV 25 mg/m² ・Gemtuzumab IV 3～9 mg/m² ・Imatinib PO ＞260 mg/m²/日 ・Interferon alpha IV 15～30 million U/m²/日 ・Ixabepilone IV 3～10 mg/m² ・Methotrexate IV 5 g/m² ・Methotrexate IT ・Topotecan PO 0.4～2.3 mg/m²/日 〈多剤レジメン〉 ・Cytarabine IV 100 mg/m² 　　＋daunorubicin IV 45 mg/m² 　　＋etoposide IV 100 mg/m² 　　＋prednisolone PO 　　＋thioguanine PO 80 mg/m² ・Cytarabine 60 or 90 mg/m² 　　＋methotrexate IV 120 mg/m² ・Liposomal doxorubicin IV 20～50 mg/m² 　　＋topotecan PO 0.6 mg/m²/日

（Paw Cho Sing E, et al.：Classification of the acute emetogenicity of chemotherapy in pediatric patients：A clinical practice guideline. Pediatr Blood Cancer 66：e27646, 2019 より抜粋）

あることから[3]，予想外の有害事象にも留意しつつ使用すべきである．

3）ステロイド薬

催吐性の強い治療レジメンに対し，コルチコステロイドと5-HT$_3$受容体拮抗薬と併用することで制吐性が強化され，加えて遅発性CINVを軽減できることが知られている．おもにデキサメタゾン，メチルプレドニゾロンが使用されるが，作用機序は明らかでなく，小児での推奨量も定まっていない．

4）消化管運動機能改善薬

メトクロプラミドやドンペリドンは，末梢性ドパミンD$_2$受容体で拮抗的に作用し，消化管運動を促進して悪心を軽減する．剤形の種類が多く使い勝手がよいが，錐体外路症状の出現に注意が必要である．

5）抗ヒスタミン薬

抗ヒスタミン薬は前庭器官や嘔吐中枢に分布するヒスタミンH$_1$受容体に作用することで制吐作用を発揮する．眠気を誘導するため安静が必要な際に用いると効果的である．また，体動により生じる悪心・嘔吐にも有効とされている．ヒドロキシジンやジフェンヒドラミンが代表的薬剤である．

6）抗不安薬・抗精神薬

予測性CINVが懸念される場合に有効で，クロルプロマジン，ロラゼパム，ジアゼパムなどが用いられる．効果が期待できる一方，催眠性や呼吸抑制などの副作用が強く出る場合も多く，精神科医や緩和ケアチームなど扱いに慣れたスタッフの協力を得るのが望ましい．

下痢

抗がん薬による下痢には大きく分けて2つのタイプがある．1つは早発性下痢で，腸管の蠕動運動が誘発され治療当日から数日間の間にみられる．もう1つは粘膜障害による遅発性下痢で，治療から10～14日後にみられることが多く，この時期は骨髄抑制の時期と重なるため感染症との併発や，使用した抗

菌薬の影響などを同時にみる.

　下痢をきたしやすい抗がん薬には多くの種類がある. イリノテカンは, コリン作動性の早発性下痢と, 活性代謝物 SN-38 の直接粘膜障害による遅発性下痢の両者をきたす薬剤である.

　ほかにはエトポシド, メトトレキサート, ドキソルビシン, シタラビン, アクチノマイシン D, メルファラン（大量化学療法時）, 分子標的薬の一部などで遅発性下痢をみることが多い.

　予防は実際にはむずかしく, 対症的な対応となることが多い. イリノテカンの場合, 代謝酵素の1つである UGT1A1 の遺伝子変異により SN-38 の代謝が遅延し有害事象を生じるため, 投与前には必ず UGT1A1 遺伝子多型（*UGT1A1*6*, *UGT1A1*28*）を確認し, 投与量の調整を行う. 下痢の予防には半夏瀉心湯が有効で, その作用機序も明らかになりつつある[4].

　一般的な治療薬として, 収斂薬のタンニン酸アルブミン, 吸着薬のケイ酸アルミニウム, 腸管運動抑制薬のロペラミドやブチルスコポラミン臭化物, ロートエキス散などが用いられる.

便秘

　小児がん治療は入院治療がほとんどであり, それまでの生活内容が一変する. 日常の生活リズムや食行動が医療機関の規則のもとに変化を受け, 多くの医療スタッフや他児とその家族などと一緒の生活といった, それまでに経験のないさまざまな生活環境が強いストレスとなり得る. また, 活動範囲は施設内の限られた空間に制限され, 体調によっては安静・臥床となる時間が多くなるなど, 身体的な活動量は急激に減少する. これらの点は便通異常, 特に便秘傾向を引き起こす可能性をもつ. オムツの使用時や, 排便の際に家族などが付き添う児の場合は排便状況が把握しやすいが, 年長児の場合は排便回数や便の性状を丁寧に聞き取り, その変化を把握しなければならない.

　一部の薬剤は副作用として便秘を誘発する. 化学療法薬では, ビンカアルカロイド系薬剤のなかでもビンクリスチンが代表的であり, 小児がん領域では使用頻度は低いもののパクリタキセルやドセタキセルなどのタキサン系薬剤があげられる. オピオイド鎮痛薬の副作用としての便秘はよく知られている. また, 制吐薬である $5-HT_3$ 受容体拮抗薬も腸管運動を抑制するため便秘の原因となる.

　小児がん治療時の便秘に対する薬物治療では, 大腸刺激性をもつピコスルファートナトリウム, ビサコジル, センノサイドや, 浸透圧性下剤の酸化マグネシウムなどが用いられる. オピオイド性の便秘には, 成人のみの適応であるがナルデメジンが 2017 年より使用可能である.

　化学療法中は便秘を引き起こす要因が多くあることから, 日常から適切な水分摂取を心がけ, 腹部マッサージや可能な範囲での体動を促すなど腸管に少しでも刺激が入るよう取り組むことが大切である.

■ 文献

1) Paw Cho Sing E, et al.：Classification of the acute emetogenicity of chemotherapy in pediatric patients：A clinical practice guideline. Pediatr Blood Cancer 66：e27646, 2019
2) Patel P, et al：Guideline for prevention of acute chemotherapy-induced nausea and vomiting in pediatric cancer patients：A focused update. Pediatr Blood Cancer 64：e26542, 2017
3) Sherani F, et al：Latest Update on Prevention of Acute Chemotherapy-Induced Nausea and Vomiting in Pediatric Cancer Patients. Curr Oncol Rep 21：89, 2019
4) Urushiyama H, et al：Effect of Hangeshashin-To（Japanese Herbal Medicine Tj-14）on Tolerability of Irinotecan：Propensity Score and Instrumental Variable Analyses. J Clin Med 7：246, 2018

〔矢野道広〕

第 5 章 支持療法

2 栄養療法

小児がんの治療における栄養療法の重要性

　小児がんの治療成績は，化学療法，造血細胞移植，手術，放射線治療を組み合わせた高度な集学的治療方法の進歩により飛躍的に向上した．

　一方で，がんによるエネルギーの消費に加え，化学療法中や周術期にはエネルギー代謝が亢進し，栄養必要量は通常の状態よりも増加する．その一方で治療による消化管粘膜障害，悪心，嘔吐，口内炎，味覚障害により経口摂取量は著しく減少する．その結果，蛋白栄養障害（protein energy malnutrition：PEM）が進行し，感染や創傷治癒遅延などの合併症の発症率も高くなり，治療が遅滞し，治療成績にも悪影響を及ぼす．このような栄養障害を防ぎ，治療中の合併症を抑え，有効な治療を継続するために，支持療法としての栄養療法は重要である．

　治療終了後も食思不振が長期継続する症例も少なくない．同種移植後では慢性の移植片対宿主病（GVHD）により長期間消化器症状が継続することもまれではなく，長期の栄養障害が継続し，成長・発達に重大な影響を及ぼす危険があることも知られている[1]．治療終了後も継続して適切な栄養療法を行うことが重要である．

栄養療法の種類と選択

　小児がん治療中においても，可能な限り経腸栄養を優先させるべきである．しかし化学療法時，周術期，造血細胞移植の前後では消化管のダメージが強く，経腸栄養を行うことが困難な場合がしばしばみられる．経腸栄養に難渋する場合は中心静脈栄養（total parenteral nutrition：TPN）の導入をためらうべきではない．

1 経口摂取・経腸栄養

　化学療法中はさまざまな合併症により経口摂取は著しく低下する．味覚障害も起こり，通常の病院食ではほとんど摂取できないことも多い．養育者とも協力し，好みや嗜好に合わせた食事を個々に選択する．食事を摂る環境に対しても配慮する．

　消化管の合併症がない，または軽度であるにもかかわらず，経口摂取が進まない場合は，経鼻胃管による経管栄養を検討する．長期にわたる経口摂取障害が予想される場合には胃瘻による経腸栄養も考慮する．

2 静脈栄養

　化学療法中は食思不振にとどまらず，嘔吐や腹痛，下痢といった消化器症状が必発する．無理な経口摂取や経腸栄養はそれらの症状を増悪させ，ますます栄養障害を進行させる．治療の休止中にはこのような症状は改善するが，化学療法を繰り返し行うことにより同様の症状を繰り返すことになる．小児がん治療中は中心静脈カテーテルが挿入されていることが多く，経口摂取，経腸栄養が困難な場合には速やかにTPNを行う．

　同種移植における慢性のGVHDによる蛋白漏出性胃腸症，血栓性微小血管障害による血便，下痢が遷延することもあり，症状が継続している間はTPNを継続する[2]．

　多少は経腸栄養や経口摂取が可能であっても，十分でない場合には静脈栄養を併用し不足分を補う補完的静脈栄養（supplemental parenteral nutrition：SPN）を行う．

投与量と処方

1 栄養投与量

　わが国では年齢・性別などを考慮した推奨量（栄養必要摂取量）が，厚生労働省の「日本人の食事摂取基準」として報告されている[3]．化学療法時，造血細胞移植時，周術期においてはエネルギーの必要量は増大していることが多く，間接熱量計によるエネルギー消費量を測定しながら投与量を決定するのが望ましい．いずれの場合にも栄養状態を評価しながら増減する．TPNが行われる場合の投与カロリーの設定には，表1の換算表も使用される．

2 蛋白

　体蛋白は日々分解と合成を繰り返して動的な平衡を保っているが，小児の成長期においては合成・分解速度とも増加している．さらに，小児がんの治療時には異化が亢進し，窒素バランスも負に傾く．このため，小児がんの集学的治療時において，異化亢

表1 ◆ エネルギー投与量

月年齢 （歳）	投与熱量 （kcal/kg/日）	投与アミノ酸量 （g/kg/日）
早産による低出生体重児	120～140	2.0～0.5
～生後6か月	90～120	2.3～2.5
6～12か月	80～100	2.3～2.5
1～3	80～90	2.0～2.3
3～6	70～80	1.8～2.0
6～12	50～70	1.6～2.0
12～15	40～50	1.3～1.6
16～	30～40	1.0～1.3

進を防ぎ，窒素バランスを正に保つために，十分なエネルギー量に加えて蛋白質，アミノ酸を必要とする．経口摂取が困難な場合には速やかに静脈よりアミノ酸製剤を投与する．投与量については栄養指標を参考に1.0～2.0g/kg/日を目標とする[4]．

3 脂肪

脂肪は効率のよいエネルギー源としてだけでなく，身体の構成やサイトカインの合成にも使用される．蛋白質と同様に小児がんの治療中には異化が亢進するため，十分に投与する必要がある．投与量は全エネルギー量のうちの20～40%が望ましい[4]．TPNの施行中は，必須脂肪酸（リノール酸，α-リノレン酸，アラキドン酸）の欠乏を予防するためにも脂肪乳剤の投与が必須である．近年，抗炎症作用を有するω3系脂肪酸の1つであるEPA（eicosapentaenoic acid）の経腸投与が悪性腫瘍患者の栄養状態を改善するという報告[5]がある．

4 炭水化物

小児おける炭水化物の必要量は，おおむね総エネルギーの40～50%程度とされている[4]．体蛋白分解の予防のためにも炭水化物の投与は必要である．ただし，過剰投与には十分に注意する．

5 微量元素・ビタミン

ビタミンはそれぞれ微量であっても生体に必須であり栄養管理中は健常な成長を維持するためにも必ず適正量を投与しなければならない．ビタミンC，E，およびβ-カロチンの抗酸化作用が化学療法，放射線治療の副作用を軽減するといわれている．過剰投与も問題となるため，適正な投与が必須である．

亜鉛や銅，マンガンなどの微量元素も生体の構成成分であるばかりでなく，各種の生理作用や酵素作用，代謝調節作用を有するため，成長発達や免疫，創傷治癒に必要である．

静脈栄養投与中はビタミンB_1欠乏によるアシドーシスのリスクがあり，たとえ少量の経口摂取が行われていてもビタミンB_1の補充を必要とする．

6 経腸栄養剤の選択

消化管の粘膜障害がある場合には成分栄養剤が推奨される．わが国では小児用の成分栄養剤としてエレンタールP®がある．消化吸収障害を伴わない場合には半消化態栄養剤を用いる．成人用の半消化態栄養剤は非蛋白カロリー/窒素比（NPC/N）が低く，小児に投与すると高尿素窒素血症を呈することがあるので注意を要する．

7 静脈栄養剤の選択

糖・電解質基本液にアミノ酸製剤，総合ビタミン製剤，微量元素製剤を無菌調剤して用いる．これに加えて脂肪乳剤を投与する．成人用のキット製剤は簡便で無菌的に使いやすいが，NPC/N，ビタミン量が成人用に設定されており，小児では適応が限られる．年齢，病状に合わせて適切なメニューを選択する（表2）．小児では200～250のNPC/N比が適切とされている．

合併症とその対策

1 経腸栄養の合併症と対策

経腸栄養を行ううえで問題となるのは下痢と腹痛である．特に下痢は開始後3～4日以内に起こりやすく，大量投与，急な増量など不適切な投与法によることが多い．半消化態の場合は下痢が起こると注入速度を落としてみる．成分栄養剤の場合は浸透圧による下痢が考えられるので濃度を下げる．消化吸収障害による場合には静脈栄養を導入する．

2 静脈栄養に基づく合併症とその対策

静脈栄養，特にTPNにおいては，経腸栄養に比べて合併症も起こしやすく，時には重篤な経過をたどることもあるので細心の注意を要する．カテーテルの管理，感染予防については細心の注意を払う（I/第5章/4．静脈アクセス参照）．

代謝性合併症としての肝障害の頻度が高く注意が必要である．血清トランスアミナーゼの上昇，脂肪肝，肝内胆汁うっ滞などが指摘されている．同種造血細胞移植後の肝静脈中心閉塞症（veno-occlusive disease：VOD）による肝障害との鑑別が必要である．

手術侵襲やストレス，ステロイドや免疫抑制薬の投与は高血糖を惹起しやすいため，TPN中には血糖値を定期的に測定する必要がある．ビタミンB_1の相対的欠乏状態下での糖液の投与は，意識障害を伴う重篤なアシドーシスをきたすことが指摘されてい

表2 ◆ 中心静脈栄養(TPN)組成例

処方名	処方内容		総容量(mL)	全カロリー(kcal)	(kcal/mL)	糖質(g)	アミノ酸(g)	BCAA 含有率(%)	NPC/N
新生児・5kg以下乳児	リハビックス®-K2号輸液 プレアミン®-P 注射液 50％ブドウ糖 10％NaCl エレメンミック®注	500 mL 200 mL 100 mL 10 mL 1 mL	811	681	0.8	155	15.2	39.5	263.8
5kg以上6歳未満	ハイカリック®液-3号 プレアミン®-P 注射液 10％NaCl カルチコール® エレメンミック®注	700 mL 400 mL 30 mL 20 mL 1 mL	1151	1122	1.0	250	30.4	39.0	212.8
6歳以上	ハイカリック®液-3号 アミニック®輸液 エレメンミック®注	700 mL 400 mL 1 mL	1101	1160	1.1	250	41.0	36.0	164.0
	ピーエヌツイン®-3号 エレメンミック®注	1,200 mL 1 mL	1201	1160	1.0	250	41.0	22.6	164.0

※ビタミン投与量：2.5 kg 以下の未熟児：ビタジェクト® A, B 液 各 1 mL/kg/日
　　　　　　　　：11 歳未満：ビタジェクト® A, B 液 各 4 mL/日
　　　　　　　　：11 歳以上：ビタジェクト® A, B 液 各 5 mL/日

る．脂肪，ビタミン，微量元素の欠乏症・過剰症にも留意すべきである．

おわりに

小児がんにおける栄養管理について概説した．小児がんの治療成績は劇的に向上したが，これらは化学療法をはじめとした腫瘍に対する治療に加え，全身的なサポートを含む多角的集学的治療に負うところも大きい．今後，ますます栄養管理が重要となってくると思われる．

■ 文献

1) Rodgers C, et al：Growth patterns and gastrointestinal symptoms in pediatric patient safter hematopoietic stem cell transplantation. Oncol Nurs Forum 35：443-448, 2008
2) 曹　英樹，他：小児の造血幹細胞移植．日本臨牀 68：574-577, 2010
3) 「日本人の食事摂取基準(2020 年版)」策定検討会：「日本人の食事摂取基準(2020 年版)」策定検討会報告書．厚生労働省，2020
4) 日本静脈経腸栄養学会編：静脈経腸栄養ガイドライン．第 3 版，照林社，2013
5) Bayram I, et al：The use of a protein and energy dense eicosapentaenoic acid containing supplement for malignancy-related weight loss in children. Pediatr Blood Cancer 52：571-574, 2009.

（曹　英樹）

第5章 支持療法

3 歯科・口腔ケア

概要

がん治療では，口腔内にもさまざまな副作用（口腔合併症）が現れることが明らかとなっている[1)2)]（図1）．最近の研究では，口腔粘膜炎などによる経口摂取低下が誘因となり栄養不良や体力が低下して，がん治療効果の低下や抗がん薬の副作用の悪化，予後への悪影響など，がん治療に影響を及ぼすことがわかってきた．すべての口腔合併症の発症を予防することは困難であるが，早期対応により症状緩和が可能なものもあり，歯科専門家の治療や指導も取り入れた予防が効果的である．

病態・疫学

1 口腔粘膜炎

口腔粘膜炎の発生機序は，抗がん薬が口腔粘膜へ直接作用して障害が生じるものと，白血球減少などに伴う骨髄抑制による口腔内感染が原因となるものが考えられている[3)]．口腔粘膜は細胞周期が早いため副作用が強く現れやすく，粘膜上皮基底細胞層を中心とした細胞から発生した活性酸素により，細胞のDNAが損傷され，炎症反応やアポトーシスを導くサイトカインが誘導され粘膜上皮の崩壊が生じると考えられている．また，がん治療の影響によって唾液分泌が低下し口腔乾燥が起こったり，体調不良に伴ってブラッシングが困難となり口腔衛生状態が悪化したりすると，口腔粘膜炎は発症しやすく，増悪や遷延も起こしやすくなる．

一般に，化学療法で約40％，移植療法では約80％，口腔領域を含む放射線療法では100％の口腔粘膜炎の発症を認める．口腔粘膜炎を発症しやすい代表的な抗がん薬を表1に示すが，使用薬剤の組み合わせや全身状態などによりその発症状況は変化する．化学療法による粘膜炎は通常投与7日前後で症状が現れ，投与10～12日でピークとなる．好発部位としては，下口唇や舌側縁部，頬粘膜など可動性があり非角化粘膜で機械的刺激を受けやすい場所が多い（図2）．

2 う蝕・口腔感染症

1）う蝕・歯周病

う蝕とは，おもに *Streptococcus Mutans* といった細菌が歯垢内の糖質から酸を産生し，歯質を脱灰してできた実質欠損である．また，歯周病は歯垢と歯周病菌などが原因となり炎症を起こして，歯肉炎や歯槽骨吸収などの症状を示したものである．う蝕や歯周病は放置し重症化すると，歯性感染症の誘発原因となるため注意が必要である．

2）ヘルペス性口内炎

単純ヘルペスウイルスによる口内炎は，がん治療中の免疫力の低下が原因で発症する．造血細胞移植中の免疫抑制薬やステロイドが投与されている場合に生じることが多い．

3）カンジダ性口内炎

カンジダ性口内炎は，がん治療中の全身状態の低下や，唾液分泌低下，ステロイド使用などで口腔内常在菌であるカンジダが増加する日和見感染が原因

図1 口腔合併症の種類

がん治療中に生じる口腔内合併症

- 化学療法
  - 口腔粘膜炎
  - う蝕症
  - 口腔乾燥症
  - 味覚異常
- 外科療法
  - 創部感染
  - 誤嚥性肺炎
- 移植療法
  - 慢性GVHD
- 放射線治療
  - 放射線性粘膜炎
  - 唾液腺障害
  - 味覚異常
  - ランパントカリエス
  - 放射線性顎骨壊死
  - 開口障害

GVHD：移植片対宿主病．

表1 ◆ 口腔粘膜炎を起こしやすい抗がん薬

分類	おもな薬剤
アルキル化薬	シクロホスファミド，イホスファミド，ブスルファン，メルファラン，プロカルバジン，ThioTEPA
プラチナ製剤	シスプラチン，カルボプラチン
アントラサイクリン系	ダウノルビシン，ドキソルビシン，イダルビシン，エピルビシン，ミトキサントロン
代謝拮抗薬	メトトレキサート，シタラビン，ゲムシタビン，ヒドロキシカルバミド，フルオロウラシル
抗がん抗菌薬	アクチノマイシン，ブレオマイシン，マイトマイシンC
タキサン系	ドセタキセル，パクリタキセル
トポイソメラーゼ阻害薬	エトポシド，ノギテカン，イリノテカン，Teniposide
分子標的薬	エベロリムス

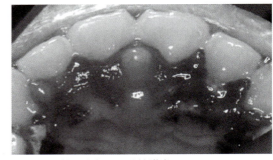

図2 ◆ 化学療法中の口腔粘膜炎
(口絵14 p.vii参照)

で発症する．*Candida albicans* が原因であることが最も多い．

3 口腔乾燥症

唾液腺，特に耳下腺が照射野に含まれる頭頸部癌の放射線治療で起こり，照射量によっては不可逆的な唾液分泌障害が起こる．化学療法でも発症するが，その症状は比較的軽い．

唾液には粘膜保護作用や抗菌作用，緩衝作用，消化作用など多彩な役割がある．唾液分泌が低下すると口腔内の自浄作用や抗菌作用が低下し，口腔粘膜炎・う蝕の誘発や嚥下障害，味覚異常などの原因にもなる．

4 味覚障害

化学療法や放射線治療による味覚異常は，治療後に自然に改善することがあり，そのメカニズムについては不明な点も多い．化学療法薬による味蕾や神経線維の損傷による味覚などの情報伝達の遮断，口腔内細菌や全身栄養不良による味覚感受性の低下などが考えられている．小児では味覚異常を強く訴えるものは少ないが，濃い味を好むようになることが多い．

口腔合併症の管理

1 予防

口腔内合併症の発症やその重症度，治癒経過は患者のセルフケアレベルが大きく影響する．小児の場合，患者の年齢や口腔状況(乳歯，永久歯の萌出状態など)により適切な口腔ケア用品の選択や，特に注意すべき刷掃部分が変化する．したがって，口腔合併症の予防のために，がん治療開始前から発症リスクの評価や口腔ケアについて歯科医師や歯科衛生士からアドバイスを受けることは有効である．

1) 歯磨き

歯磨きは基本的に1日3回毎食後が推奨されるが，少なくとも1日1回は歯面の歯垢が除去されることを目標にする．特に就寝前の歯磨きはう蝕予防のために重要である．磨き方はスクラビング法(歯ブラシを歯面に直角に当てる方法)を用いて，1〜2歯を対象に細かく動かし，毛先で歯垢をよく除去する．全身状態のよいときには，特に歯と歯肉の境目の歯垢が残存しやすい部分を丁寧に磨いておくことが，歯肉炎予防のために大切である．

口腔ケア用品は患者の全身状態や口腔内の状態に合わせて適宜適切なものに変更していくことが望ましい．

a. 歯ブラシ

歯ブラシは小さいヘッド(植毛部)のものを選択する．ブラシの硬さは通常時は，ふつうの硬さのものが歯垢を除去しやすいが，歯肉の状態によってやわらかめ，あるいは1歯用歯ブラシ(タフト)などに替えることも必要になる．好中球減少時や口腔粘膜炎の状態により，歯ブラシの使用が困難なときにはスポンジブラシや綿棒などに変更する．しかし，これらは歯ブラシに比べると歯垢除去効果は大幅に低く，長期の歯垢残存は炎症を助長させるため，常時使用はしない．

b. 歯磨剤

歯磨剤は口内炎が認められないときには，研磨剤や発泡剤を含むペーストタイプの普通の歯磨剤を併

用して歯磨きすると清掃効果が高い．現在市販されている小児用歯磨剤にはほぼすべてにフッ化物が配合されており，フッ化物含有歯磨剤の使用はう蝕予防効果を高める．しかし，歯垢除去の基本は歯ブラシによる機械的除去になるので，歯磨剤使用を好まない小児の場合には無理に使用する必要はない．また，歯磨剤も口腔粘膜の状態に合わせて発泡剤無配合ジェルタイプや低刺激性の液体歯磨剤を利用することも可能である．

2）含嗽

口腔粘膜炎の予防には，口腔内の保清と保湿が有効である．口腔内の細菌は，含嗽後数時間で元の状態に戻るので毎食後の歯磨きを行うとともに，数時間ごとに含嗽して口腔内の清潔・保湿に努める．含嗽方法は「ガラガラうがい」ではなく「ブクブクうがい」をすすめるが，低年齢では困難な場合がある．

含嗽剤は保湿目的では水による洗口でよいが，感染予防の目的も兼ねるときにはアズレン製剤やヨード製剤などの含嗽液を使用する．ヨード製剤はアルコールを含有するため乾燥を助長し粘膜に刺激を与えること，またヨード含有であることを配慮して使用期間については考慮が必要である．

3）食事・間食

水分補給は重要であるが，水やお茶（無糖）が推奨される．これは乳歯や萌出したばかりの永久歯はう蝕に罹患しやすく進行しやすいためで，間食や飲料物の選択には保護者に注意を促す．特に100％果汁ジュースや炭酸飲料水，イオン飲料は思いのほか糖分が多く含まれているので，時間・量を決めてだらだらと飲食しないようにする．

2 治療

う蝕などの口腔疾患は，がん治療前までに歯科治療を終えていることが望ましいが，即時に治療が困難な場合は可能な限り早期に歯科処置を受けることが推奨される．また実質欠損を伴うう蝕は自然治癒しないので，歯科治療を受けるまでに重症化しないように，特に口腔衛生状態に注意する．

口腔粘膜炎の対処方法としては，刷掃や含嗽により口腔内常在菌叢のバランスを保つことで二次感染予防や治癒促進が期待できる．あわせて疼痛がある場合には，局所麻酔薬や鎮痛薬を使用して疼痛のコントロールを行い，食事摂取不良や全身状態の悪化を防ぐ[4]．含嗽には水や生理食塩水などを用い，それらを体温に近い温度に加温するとさらに低刺激となる．また，ステロイド軟膏は口腔内の細菌感染症などの悪化に注意して使用する．食事は，口腔粘膜炎の症状に合わせた内容や形態の工夫，酸味や辛みの強い味は除去するなど風味の工夫によって経口摂取量の維持を図る．

おわりに

口腔合併症は，がん治療中の患者のQOLを著しく低下させ，治療を延期・中断させる原因になることもある．2012年よりがん対策推進基本計画に口腔機能管理を医科歯科連携で行うことが明文化され，全国で医科歯科連携講習会が開催され，連携歯科診療所が認定されている．かかりつけ歯科や連携歯科診療所を利用して，がん治療前より，患者および家族が口腔管理の意義・手技について理解すること，医療者も患者の口腔内に気を配り，多職種連携にて口腔機能管理を行うことが，苦痛の少ないがん治療の実践につながると考えられる．各地域の「がん診療連携歯科医」の情報はインターネット上で公開されている．

文献

1) Ritwik P：Dental Care for Patients With Childhood Cancers. Ochsner J 18：351-357, 2018
2) 山田慎一：がん支持療法としての口腔機能管理の有効性．信州医学雑誌，67：279-288, 2019
3) 仲江川雄太，他：化学放射線療法による口内炎への内服・外用薬の使い方．MB ENTONI 231：109-113, 2019
4) 春日井悠司：口腔粘膜・味覚障害．YORi-SOUがんナーシング，10：112-117, 2020

（河上智美）

第5章 支持療法

4 静脈アクセス

　小児がん治療における静脈アクセスは，安全で確実な集学治療を行うために必須である．特に化学療法を予定する症例では，長期留置型のダブルルーメンカテーテルを中心静脈内へ留置することが多い．中心静脈カテーテルは，治療に大変便利な点滴ルートであると同時にカテーテル関連の合併症を誘発するリスクもあるため，カテーテルを留置する際にはその合併症の予防方法や対処方法を理解したうえで使用するべきである．なお，治療中の食思不振や消化管症状に対する中心静脈カテーテルを用いた静脈栄養については，本章/2．栄養療法（p.244～246）を参照いただきたい．

静脈アクセス方法（表）

　静脈アクセス方法には，末梢静脈と中心静脈がある．末梢静脈から投与が可能な薬剤と中心静脈からの投与が望ましい薬剤があるので，使用予定の薬剤および治療目的に応じて適切にカテーテルの挿入方法を選択する．また，カテーテル留置期間を考慮して，留置するカテーテルを選択する．

1 末梢静脈から挿入するカテーテル

　通常の薬剤投与目的に留置する末梢静脈留置針と，末梢挿入型中心静脈カテーテル（peripherally inserted central catheter：PICC）がある．

1）末梢静脈留置針

①24時間以上の持続点滴が必要な場合や薬剤投与のための確実な血管確保が必要な場合に，上肢・下肢の末梢静脈に穿刺法で留置する．

②短期間の使用に用いられる点滴で，定期的な入れ替えが必須である．成人のCDCガイドラインでは，血液製剤などの投与を受けていない場合，4日以内の交換が推奨され，少なくとも7日ごとには交換する必要があると勧告されている．小児でもそれに準じた管理が必要である．特に小児では点滴漏れに注意を払う必要がある．

2）PICC

①肘の静脈（尺側皮静脈，橈側皮静脈，肘正中皮静脈など）より清潔操作にて穿刺でカテーテルを挿入する．先端は，腋窩静脈，鎖骨下静脈を経由して上大静脈に留置する．

②エコーガイド下に血管の走行や太さを確認し，安全に穿刺することが推奨されている．

③使用されるカテーテルは，グローション®カテーテルが多いが，近年，耐圧のPower PICC®も使用されている．

④カテーテルの挿入された血管に沿って血管炎・血管痛が出現することがある．また，穿刺法のため皮膚刺入部が汚染しやすく，刺入部の観察・消毒とともに定期的な入れ替えが必要となる．

⑤末梢静脈留置針よりは長めの期間の留置が可能であるが，PICCカテーテルも中心静脈カテーテルと同様にカテーテルが閉塞したり，カテーテル関連血流感染などの合併症があるため，中心静脈の使用方法に準じた管理を行う（本項の静脈アクセス確保後の合併症を参照）．

2 中心静脈カテーテル（表1）

①小児では全身麻酔下に挿入・留置することが多い．成人では局所麻酔での挿入が可能であるが，カテーテル挿入に所要する時間など，患者の全身状態を把握して麻酔を選択する．

②中心静脈カテーテルの挿入は，年齢に関係なく，手洗い後，帽子，マスク，滅菌ガウン，清潔手袋を装着し，広く十分に消毒された皮膚へ，十分な術野を確保できるような大きめの穴空き覆布を用いる高度バリアプレコーションで実施することが標準的とされる．

③挿入したカテーテルは，皮下トンネル型や埋没ポート型にすることで長期留置が可能となる．

④挿入方法には穿刺法と静脈切開法があるが，最近では安全なエコーガイド下の穿刺法が推奨されている．しかし，穿刺法ではまれながら血腫や気胸など予定された治療に支障を生じる合併症もあり，より安全な挿入方法が必要な場合には静脈切開法を選択することも多い．

1）穿刺法

①超音波を用いて，穿刺予定の静脈の内腔を確認し，安全に穿刺することが推奨される．

②穿刺法で使用するおもな血管：内頸静脈・鎖骨下静脈・大腿静脈など．

③清潔操作にて体表から血管を穿刺し，血管内腔へ

4. 静脈アクセス

表1 ◆ 静脈アクセスの種類と使用するカテーテル

挿入部位	挿入方法	カテーテル留置期間	カテーテルの固定方法	カテーテルの種類	カテーテルのルーメン数（カテーテルサイズ）	
末梢静脈	穿刺法	短期	穿刺部	末梢静脈留置針	シングル（サイズ各種）	
	穿刺法または静脈切開法	短期〜中期	穿刺部	末梢留置型中心静脈カテーテル（PICC）	シングル（3 Fr）	
					シングル/ダブル（4 Fr）	
					シングル/ダブル/トリプル（5 Fr）	
					ダブル/トリプル（6 Fr）	
中心静脈	穿刺法	短期	穿刺部	中心静脈カテーテル（各種メーカーあり）	シングル〜トリプル（サイズ各種）	
	穿刺法または静脈切開法	中期〜長期	皮下トンネル型（カフ）	ブロビアック®	シングル（2.7/4.2/6.6 Fr）	
				ヒックマン®	シングル（9.6 Fr）	
					ダブル（7/9/10/12 Fr）	
			皮下埋込型静脈用ポート	グローション型（サイドスリット）	シングル	MRIポート（8 Fr）
						バード®ポート（8 Fr）
				オープンエンド型		バード®ポート（6 Fr）
						MRIポート（6.6 Fr）

ガイドワイヤーなどを挿入し、ガイドワイヤーを軸にダイレーターを用いてカテーテルを挿入する。
④穿刺法によるカテーテル挿入がむずかしい場合は、静脈切開法へ変更する。

2）静脈切開法

①静脈切開法で使用するおもな血管：外頸静脈・顔面静脈・橈側皮静脈、大伏在静脈などの太い血管へ流入する血管、場合によっては内頸静脈そのものが対象となる。
②清潔操作にて外科的に露出させた血管を直視下に切開し、カテーテルを留置する。止血機能などに問題がある患者では、直接止血処置ができる。
③留置したカテーテルは切開した血管に固定されるため、カテーテル先端の位置が適切かどうかを胸部X線や術中透視検査を行い確認する。

ブロビアック®カテーテル（図1），ヒックマン®カテーテル（図2）

①体外に薬剤投与の接続部がある、長期留置を目的としたカテーテルである。
②シリコーン製のカテーテルで、カテーテルの外側に1cm弱のダクロンカフが付着しており、このカフが皮下トンネル内で線維性に癒着しカテーテルを固定することでカテーテルの事故抜去を予防することができる。このカフは約1か月で皮下組織に癒着し固定されるため、固定すればカテーテル出口の固定糸は不要となる。しかし、患者の栄養状態や治療内容によって固定されにくいこともあ

るので、固定糸の抜糸後もカテーテル先端の位置を定期的にX線で確認し、カフの位置を定期的に体表より観察する。
③ダブルルーメンのヒックマン®カテーテルは、移植などの積極的ながん化学療法実施症例などに用いられることが多く、1つのルーメンは栄養補充用のルートとして用い、ほかのルーメンは薬剤投与のほか、（積極的には推奨されないが）輸血・採血などに使用するという方法もある。
④カテーテルが破損した場合、挿入用キットとは別販売のリペアキットで修復すれば継続使用が可能である。
⑤フィルターつきの閉鎖回路となった輸液ルートを使用する。このルートは定期的に交換する（最低週1回）。
⑥カテーテルの継続使用の有無にかかわらず、定期的な希釈ヘパリンロックを実施し（最低週1回）、カテーテル閉塞を予防する。
⑦カテーテルへ接続したプラグは、定期的に交換する（最低月1回）。

完全皮下埋め込み式カテーテル（ポート）（図3）

①体内に薬剤投与用のリザーバーのついた、長期留置を目的としたカテーテルである。必要時、皮下へ埋め込んだリザーバーの内腔に皮膚の上から針を留置し、輸液・薬剤を投与する。
②体外露出がないため、針を留置しない期間には入

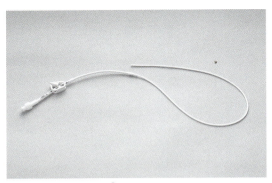

図1 ● ブロビアック®カテーテル
(写真提供：メディコン)

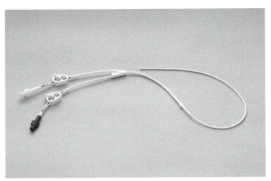

図2 ● ヒックマン®カテーテル
(写真提供：メディコン)

浴なども可能である．
③小児で長期留置を目的としたカテーテル（ポート）を選択する場合，リザーバーへの留置針の穿刺（疼痛など）と留置針の安全な固定などに長期に協力できるかよく相談する．小児に適切な太さのカテーテル（ポート）がない場合には，無理せず先述のブロビアック®カテーテル，ヒックマン®カテーテルなどの長期留置カテーテルを選択し，安全に使用することを推奨する．
④挿入・留置方法：穿刺法あるいは静脈切開法でカテーテルを静脈内に挿入後，皮膚の切開を広げ皮下のポケットを作成する．カテーテルの末梢側にリザーバーを接続し，カテーテル（ポート）全体を皮下に埋め込み，リザーバーがはずれないようにしっかりと皮下組織と固定する．
⑤リザーバーの内腔へ留置針を穿刺して使用するため，リザーバーのゴムの劣化などのカテーテル破損が生じた場合には，早期にリザーバーの付け替えを行うことで継続使用は可能である．
⑥カテーテルの継続使用の有無にかかわらず，輸液全体のルート交換とともに定期的な希釈ヘパリンロックが必要である（最低週1回）．
⑦カテーテルを完全に抜去する場合，挿入時と同様に手術が必要である．

静脈アクセス確保後の刺入部の管理

①カテーテル刺入部の清潔な管理は，皮膚挿入部からの微生物の侵入を予防するために大切である．後述のカテーテル関連血流感染（catheter related blood stream infection：CRBSI）の予防を参照．
②皮膚の消毒は，0.5％を超える濃度のクロルヘキシジンアルコール製剤または，ポビドンヨード製剤を用いて，皮膚刺入部から外側へ円を描くように少なくとも直径5 cmぐらい周囲の皮膚を中心から外へ円を描くように最低2回消毒する．
③滅菌ガーゼ，滅菌透明ドレッシング材，ガーゼ付きドレッシング材のいずれかで刺入部を保護する．小児では掻痒感が出現すると不意に触ってカテーテル自己抜去のリスクがあるので，皮膚かぶれの少ない消毒・ドレッシング材を選択するなどの工夫を行う．
④消毒回数・ドレッシング材は，短期留置カテーテルの刺入部は2日ごと，長期留置カテーテルの場合は最低週1回交換する．

静脈アクセス確保後の合併症

注意すべき合併症としては，カテーテル閉塞・血栓などの機械的合併症と，CRBSIがある．

1 機械的合併症

①カテーテルの閉塞：フィブリン形成と薬剤の結晶成分が付着するためにカテーテルが閉塞することがある．カテーテルの持続使用を中断する際には，カテーテル閉塞を防止するために定期的なヘパリンロックを行う．ウロキナーゼロックが有効な場合もある．
②静脈内血栓：通常，長期的にカテーテルを静脈内に留置した際に合併しやすい．予防にはカテーテルの早期抜去を心がける．長期留置が必要な患者で，CRBSIなどを繰り返す患者で問題となる合併症である．
③カテーテルの位置異常：カテーテルを留置した患者では，定期的に胸部X線でカテーテルの先端が適切な位置にあるかどうかを定期的に確認する．また，カテーテル刺入部（出口）を消毒する際に，留置されたカテーテルの長さや皮下に触知するカフの位置を確認することも大切である．まれなが

図3 ◆ 完全皮下埋め込み式カテーテル（ポート）
（写真提供：メディコン）

ら，上大静脈穿孔・右心房穿孔による心タンポナーデや，遅発性静脈壁穿孔による心囊液貯留や胸水貯留が生じる可能性もある．また，カテーテル先端が大血管外に抜浅または移動すると，輸液の血管外漏出などの合併症が生じる可能性もある．

④カテーテルの破損：カテーテルに必要以上の牽引力・損傷力・内腔圧がかかった場合に生じる．カテーテル閉塞を再開しようとしてフラッシュ時に破損することもあるため，十分に注意する．損傷したカテーテルは，修復が不可能な場合は，早急に抜去し，再挿入する．修復する場合は，清潔操作にてリペアキットを用いて適切に修復する．

2 カテーテル関連血流感染

①CRBSIの診断は，ⓐ弛張熱などの臨床症状，ⓑ血液検査にて左方移動を伴う白血球数増多，CRPの上昇，血小板数，血糖値，ⓒ血液培養，ⓓほかの感染源の検索などの結果から総合的に行う．

②カテーテルに起因する合併症のなかで，CRBSIは最も重篤化する可能性がある．特に真菌感染は真菌性眼内炎に至り失明したり，感染性心内膜炎に至ったりすることもあり，注意が必要である．

③CRBSIを発症した場合，重篤化する前にカテーテル抜去が可能な患者ではカテーテルの抜去を優先する．容易に抜去できない患者では，近年，エタノールロック療法やシースを用いたカテーテルの入れ替えが行われている．

④CRBSIの原因：CRBSIの原因は，ⓐカテーテル外表面からの感染，ⓑカテーテル内腔からの感染，ⓒほかの感染部位からの二次的な感染の移行の3つに大別される．

⑤CRBSIの予防：カテーテル挿入時に高度バリアプレコーションを行うことが最大の予防である．カテーテル留置後は，カテーテル刺入部の清潔管理と定期的な消毒により皮膚挿入部からの微生物の侵入を予防する．また，無菌調剤室やクリーンベンチでの専門の薬剤師による薬剤調製，コネクターのない一体型の輸液閉鎖システムの利用，不必要な薬剤ショットの回避などにより，輸液バッグ・輸液ラインから微生物がカテーテル内腔へ侵入することを予防する．二次的な感染の移行によるCRBSIが疑われる場合は，感染源（腸炎など）に対する治療を行う．

⑥栄養サポートチーム等によるカテーテルの管理が，CRBSIの発生の減少に寄与すると報告されている．

■ 参考文献

- Walker G, et al.：Capter 27. Central Venous Access. In：Carachi R, (eds.), The Surgery of Childhood Tumors. Springer, 587-596, 2008
- 土岐誠二，他：静脈カテーテルの挿入，留置法，アクセス管理．静脈・経腸栄養（第3版）．日本臨牀社，152-159，2010
- 土岐誠二：静脈栄養の多種投与経路．日本静脈経腸栄養学会（編），日本静脈経腸栄養学会静脈経腸栄養ハンドブック．南江堂，246-262，2011
- 井上善文：経腸栄養剤の種類と特徴．日本静脈経腸栄養学会（編），日本静脈経腸栄養学会 静脈経腸栄養ハンドブック．南江堂，263-274，2011
- 米国疾病対策センター（原著），矢野邦夫（監訳）：留置カテーテル由来感染の予防のためのCDCガイドライン2011．メディコン，2011
- Centers for Disease Control and Prevention（原著），井上善文（監訳）：CDCガイドライン 血管内留置カテーテル関連血流感染症予防対策ガイドライン2011．ニプロ，2011

（田附裕子）

第5章 支持療法

5 感染予防と治療

a. 標準感染予防

定義・概念

感染症は，小児血液・腫瘍患者の大きな死亡原因である．この数十年における支持療法の発達により化学療法，造血細胞移植，放射線治療，外科療法および著明な免疫抑制状態における合併症から回復できるようになり，特に感染症対策の発達は感染症からの生存率および疾患予後を改善した．しかし，免疫抑制状態において感染症がいったん発症してしまうと，重症化し，回復まで時間を要することになり，入院期間の延長，治療強度の低下につながり，患者のQOL，原疾患の予後にも影響することから，感染症の標準予防策は小児血液・がん治療を成功させるための重要な要素となる．

病因・病態

化学療法中は好中球数の多寡にかかわらず免疫抑制状態にあるため，感染の頻度と重篤化に応じたリスク別感染予防が必要である．リスク因子は好中球数，粘膜および皮膚の創傷，留置カテーテルの有無，治療強度，原疾患の進行度，移植の有無などのほかに，個人的要因（服薬コンプライアンス），衛生習慣，環境も考慮しなければならない．細菌感染の多くは消化管内の病原菌に由来するため，過去には消化管から吸収されない非吸収性抗菌薬（アミノグリコシド，ポリミキシン，バンコマイシンなど）の組み合わせが使用された．しかしながら，ランダム化比較試験では一貫してスルファメトキサゾール・トリメトプリム（ST合剤）や高リスク群に対するキノロン系抗菌薬などの経口抗菌薬の有用性が報告されている．

真菌感染症は診断・治療とも困難で，予防投与が適切であるが，アスペルギルス感染は施設環境により発症頻度が異なることが多いため施設に応じた対応が必要である．

また，顆粒球コロニー刺激因子（G-CSF）製剤を好中球減少時の患者にルーチンに使用することは推奨されないが，高リスクの患者に対する予防投与は適切である．

好中球減少の定義は末梢血好中球絶対数（absolute neutrophil count：ANC）が500/μL未満の場合，またはANCが1,000/μL未満で今後48時間以内に500/μL未満になることが予測される場合を好中球減少と定義する．重度好中球減少は，このうちANCが100/μL以下の場合か，または好中球減少期間が7日間を超えるような場合であり，より感染リスクが高いと考えられる．

さらに化学療法後にはリンパ球数と機能も低下するため，ウイルス感染の重症化や再活性化を引き起こす．特に，造血細胞移植後など長期に免疫抑制薬の服用を必要とする場合には注意が必要である．

感染予防（図1）[1)]

1 環境対策[2)]

感染症の多くは内因性菌に由来し，内因性菌叢の多くは院内菌叢から獲得される．このため，最も効果的な予防策は手洗いによる手指消毒である．標準予防策として医療者，患者，付き添い者，面会者全員に対する手洗いの励行が重要である．次に好中球減少期間中は加熱調理した食事を摂取し，生野菜，果物，非加工の乳製品，賞味期限・消費期限を過ぎたものは摂取しない．このようなものには大腸菌，肺炎桿菌，緑膿菌が付着している可能性がある．

また，環境中には真菌（特に*Aspergillus*属と*Fusarium*属）が浮遊しており，造血細胞移植時などの重度好中球減少時には陽圧に設定した病室とHEPAフィルターの使用が有用である．

2 ST合剤[2)]

ST合剤は，化学療法中の好中球減少患者および好中球数が正常の患者に対しても，ニューモシスチス感染の予防に対して高い有効性を示す．好中球減少の有無にかかわらずリスクが高い疾患・病態は，白血病，リンパ腫，組織球症，進行期固形腫瘍，造血細胞移植後である．化学療法後の好中球減少期間が2週間以上続く場合には，ST合剤の予防投与群ではプラセボ対照群に比較して，感染症発症頻度が有意に減少する．ST合剤は週3日以上，全治療期間を

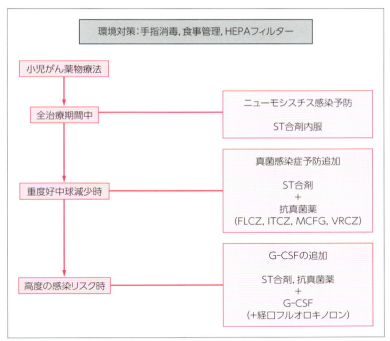

図1 ● 小児がんにおける感染予防
(日本小児血液・がん学会(編):小児白血病・リンパ腫診療ガイドライン2016年版.金原出版,2016より引用,一部改変)

通じて継続することが望ましい.一方,ST合剤の副作用はスルファメトキサゾールによる骨髄抑制(症例による),耐性菌の出現,口腔カンジダ症の出現である.また,ST合剤の抗菌スペクトラムは緑膿菌をカバーしていない.ST合剤による副作用出現時にはペンタミジンエアロゾル吸入▲(1回/月)で代用できる.治療の場合はST合剤の治療量を内服または静脈内投与,あるいはペンタミジンの治療量を静脈内投与または吸入する.

3 経口フルオロキノロン薬[3]

成人を中心に,好中球減少時の経口フルオロキノロン薬(ノルフロキサシン,レボフロキサシン,シプロフロキサシン)の予防投与は感染症の発症頻度と死亡率の低下に寄与しているとするメタ解析があり,積極的な予防投与が行われている[4].小児においても,急性リンパ性白血病(ALL)および急性骨髄性白血病(AML)の寛解導入療法時,造血細胞移植時など血流感染および感染死のリスクが高い場合には,経口フルオロキノロン薬(シプロフロキサシン)を予防投与することにより,血流感染および感染による死亡頻度を減少させたとする報告がある[5)6)].しかし,わが国では予防投与の保険適用はない.

4 抗真菌薬[7]

近年,真菌感染症の頻度は増加しており,フルコナゾール(fluconazole:FLCZ),イトラコナゾール(itraconazole:ITCZ),ミカファンギン(micafungin:MCFG),ボリコナゾール(voriconazole:VRCZ),カスポファンギン(caspofungin:CPFG;予防の保険適用なし)▲の予防投与がすすめられている.好中球減少を伴う成人がん患者におけるランダム化比較試験では,FLCZの予防投与は表在性および深在性真菌症の頻度と死亡率を減少させる.しかし,FLCZは*Candida krusei*,*C. glabrata*,および糸状菌に対して抗菌作用を示さないのでその効果は限られている.

ITCZ内用液の予防投与はカンジダの全身感染症と感染による死亡率を減少させ,MCFGは造血細胞移植時の深在性真菌症の予防に有効である.

同種造血細胞移植などの高リスク群に対する侵襲性カンジダ症の予防にはVRCZ,MCFG,CPFGが優れている.また,侵襲性アスペルギルス症の予防にはITCZ,VRCZが優れている.移植時の予防投与期間については十分な検討はなく,免疫抑制薬の中止までとする意見もあるが検証はされておらず,GVHDなどの合併症の有無により異なる.

5 G-CSF[3]

G-CSFの予防投与は，発熱性好中球減少症（febrile neutropenia：FN）の発症頻度が20％以上に認められる強力な化学療法においては適用があるとされている．FNの頻度が低い場合であっても，個々の要因により感染症発症のリスクが高い場合〔PS（performance status）の低下，FNの既往，放射線治療との併用，開放性創傷や活動性感染症の存在など〕にはG-CSFを予防的に使用することは推奨される．無熱性好中球減少症に対するルーチンの使用は推奨されない．

また，前回の化学療法後にG-CSFを使用していない状況で好中球減少に伴う合併症を発症した患者など，化学療法の減量や期間の延長が好ましくない患者に限り，予防投与が考慮される．G-CSFは化学療法終了後24～72時間以内に開始し，好中球数が2,000～3,000/μL以上に回復するまで継続する．

小児におけるメタ解析ではG-CSFの予防投与は，FNおよび感染症の発症頻度，アムホテリシンBの使用率を有意に低下させ，入院期間を短縮したが，感染症に起因する死亡率の改善は認められなかった[8]．

G-CSFに関する有害事象にはいくつかの報告がある．特に小児ALL患者では治療関連性骨髄性白血病や骨髄異形成症候群（myelodysplastic syndrome：MDS）の発症リスクが増加することが報告されており，放射線照射，トポイソメラーゼⅡ阻害薬，アルキル化薬との併用に対して注意を喚起している[9]．

また，G-CSFは小児および若年成人標準リスクAMLの一部のサブグループにおいて再発リスクを高めるとする報告がある[10]．

■ 文献

1) 日本小児血液・がん学会（編）：小児白血病・リンパ腫診療ガイドライン2016年版，金原出版，2016
2) Pizzo PA：Infectious Complications in Pediatric Cancer Patients. In：Pizzo PA et al.（eds），Principles and Practice of Pediatric Oncology. 5th ed., Lippincott Williams & Wilkins, 1269, 2006
3) Freifeld AG, et al.：Clinical practice guideline for the use of antimicrobial agents in neutropenic patients with cancer：2010 update by the Infectious Diseases Society of America. Clin Infect Dis 52：e56-e93, 2011
4) Engels EA, et al.：Efficacy of quinolone prophylaxis in neutropenic cancer patients：a meta-analysis. J Clin Oncol 16：1179-1187, 1998
5) Yeh TC, et al.：Severe infection in children with acute leukemia undergoing intensive chemotherapy can successfully be prevented by ciprofloxacin, voriconazole, or micafungin prophylaxis. Cancer 120：1255-1262, 2014
6) Alexander S, et al.：Effect of Levofloxacin Prophylaxis on Bacteremia in Children With Acute Leukemia or Undergoing Hematopoietic Stem Cell Transplantation：A Randomized Clinical Trial. JAMA 320：995-1004, 2018
7) Groll AH, et al.：Fourth European Conference on Infections in Leukaemia（ECIL-4）：guidelines for diagnosis, prevention, and treatment of invasive fungal diseases in paediatric patients with cancer or allogeneic haemopoietic stem-cell transplantation. Lancet Oncol 15：e327-e340, 2014
8) Sung L, et al.：Prophylactic granulocyte colony-stimulating factor and granulocyte-macrophage colony-stimulating factor decrease febrile neutropenia after chemotherapy in children with cancer：a meta-analysis of randomized controlled trials. J Clin Oncol 22：3350-3356, 2004
9) Relling MV, et al.：Granulocyte colony-stimulating factor and the risk of secondary myeloid malignancy after etoposide treatment. Blood 101：3862-3867, 2003
10) Ehlers S, et al.：Granulocyte colony-stimulating factor（G-CSF）treatment of childhood acute myeloid leukemias that overexpress the differentiation-defective G-CSF receptor isoform Ⅳ is associated with a higher incidence of relapse. J Clin Oncol 28：2591-2597, 2010

（菊田　敦，小林正悟）

b. 発熱性好中球減少症

概念

小児がんに対する化学療法あるいは造血細胞移植における好中球減少時に発症する感染症は，しばしば急速に重症化し，死に至る危険性も高い．しかし，原因微生物や感染部位を同定できることは少なく，従来は敗血症疑いや不明熱として扱われてきた．一方，発熱後に直ちに広域抗菌薬を投与すると症状が改善し，死亡率が低下することが経験的に知られている．そのことから，このような好中球減少時の発熱性疾患を「発熱性好中球減少症（FN）」とする概念が提唱された．FNの診療における重要な点は，oncologic emergencyであるとの認識のもと，患者の状態の把握と発熱の原因検索を直ちに行うとともに，経験的な感染症治療を開始することである．本項では，FNの初期対応および細菌感染症を想定した抗菌薬治療について述べる．なお，深在性真菌症やウイルス感染症に関しては，別項を参照されたい．

定義

日本小児血液・がん学会の『小児白血球・リンパ腫診療ガイドライン2016年版[1]』で，小児においては「末梢血好中球絶対数（ANC）が500/μL未満または今後48時間以内に500/μL未満に減少することが予想される状態で，かつ腋窩温測定値で38.0℃以上に発熱した状態」と定義されている．

5. 感染予防と治療

患者背景によるリスク群分類

重度の好中球減少（ANC が 100/μL 未満）が 7 日間を超えると予測される場合は，FN の経過中に重篤な合併症を発症するリスクが高い[1)2)]．また，血圧低下，呼吸障害，神経学的変化，重度な口腔粘膜障害，重度な下痢などの全身状態に重大な症状が併存あるいは新たに出現した場合も高リスク群として取り扱うべきである[1)2)]．一方，好中球減少期間が 7 日間以内と予測され，重い併存病態がない場合は低リスク群として取り扱う[1)2)]．

FN における血液培養の高頻度分離菌

従来は，緑膿菌を代表とするブドウ糖非発酵 Gram 陰性桿菌群および Enterobacter 属や大腸菌などの腸内細菌科の Gram 陰性桿菌の頻度が高かった．1980 年代以降になると，Gram 陽性球菌の頻度がより高くなってきている[3)]．Gram 陽性球菌では，コアグラーゼ陰性ブドウ球菌，黄色ブドウ球菌，ビリダンス群レンサ球菌，腸球菌が分離菌の上位を占める[3)]．

FN の初期評価

1 バイタル・身体所見
直ちにバイタルサインや身体所見をチェックする．

2 血液検査
血算および白血球分画，凝固・線溶検査，腎機能検査・肝機能検査・電解質を含む生化学検査など．

3 炎症マーカー検査
血清 CRP やプロカルシトニン（procalcitonin：PCT）は，細菌や真菌感染症の代替的指標として有用である．しかし，感染例でも発熱初期には CRP や PCT が陽性とならないことがあり，PCT はコアグラーゼ陰性ブドウ球菌の菌血症などでは上昇しないこともあるので注意すべきである．発熱初日に CRP あるいは PCT が陰性でも抗菌薬治療不要の根拠とはならない[1)~3)]．

4 培養検査
抗菌薬開始前の血液培養検査および，感染が疑われる症状・徴候を示す身体部位（尿，便，喀痰，髄液など）からの培養検査を行う．中心静脈カテーテルが留置されている場合には，カテーテルの各内腔と末梢静脈穿刺からそれぞれ検体を同時に採取することが望ましい．

5 画像検査
呼吸器感染が疑われる場合には胸部単純 X 線を行うが，好中球減少患者では X 線で浸潤影を呈さないことがあるので，必要に応じて CT を追加する．

治療

1 初期治療

1）経験的治療

FN を認めたら，病原微生物を同定する前から抗菌薬による経験的治療（empiric therapy）を直ちに開始する．原則として経静脈的に抗菌薬の投与を行う．可能性のある感染症を抗菌薬で広くカバーすることが重要であるが，広範囲の細菌をすべてカバーすることはできない．FN の経験的抗菌薬治療の目標としては，最も可能性が高く，重篤な合併症や生命を脅かす感染症を引き起こしやすい病原体をカバーすることである．FN 患者の血液培養分離菌としては，近年では Gram 陽性球菌の頻度が高くなってきている．しかし，死亡率の高さは緑膿菌などの Gram 陰性桿菌による敗血症のほうがはるかに高いため，現在でも FN では緑膿菌に対する抗菌活性が高い抗菌薬をまず選択する[1)~3)]ことが，初期の経験的抗菌薬治療において重要であることに変わりはない．

従来，FN の経験的治療として β-ラクタム系抗菌薬とアミノグリコシド系抗菌薬との併用が広く行われてきた．近年の広域抗菌スペクトラムを有する β-ラクタム系抗菌薬は単剤でも併用療法と同等の効果を有し，併用ではアミノグリコシド系抗菌薬による腎毒性が問題となることから，β-ラクタム系抗菌薬単剤が推奨される[1)~4)]．初期治療に用いられる抗菌薬はタゾバクタム・ピペラシリン（tazobactam/piperacillin：TAZ/PIPC），セフタジジム（ceftazidime：CAZ），セフォゾプラン（cefozopran：CZOP）などである．なお，セフェピム（cefepime：CFPM）◆は成人ではエビデンスがあり推奨されているが，わが国の保険診療では小児への使用は未承認である．重症な臨床症状を伴う場合には，カルバペネム系抗菌薬のメロペネム（meropenem：MEPM），ドリペネム（doripenem：DRPM）を考慮してもよい．なお，経験的治療として抗メチシリン耐性黄色ブドウ球菌（methicillin-resistant *Staphylococcus aureus*：MRSA）薬を初期から併用する根拠は乏しく，推奨されない[1)~3)]．また，各種抗菌薬の感受性には施設間格差があるので，当該施設での臨床分離菌の感受性（アンチバイオグラム：antibiogram；抗菌薬感受性率一覧表）も参考にするとよい．

2）感染巣を伴う場合

感染部位に好発する微生物を考慮して抗菌薬を選

択する．例えば，カテーテル関連感染症や皮膚・軟部組織感染症などで多剤耐性 Gram 陽性球菌感染が強く疑われる状況であれば，前項で示した広域抗菌スペクトラムを有する β-ラクタム系抗菌薬にバンコマイシン（vancomycin：VCM）またはテイコプラニン（teicoplanin：TEIC）の併用を考慮する[2,3]．なお，リネゾリド（linezolid：LZD）は長期間使用すると骨髄抑制を起こすため，FN に対する初期治療の第一選択とはならない．

2 経験的治療開始後 2〜4 日間を経過

1）感染症が特定された場合

感染部位と分離された細菌の感受性に応じた適切な抗菌薬を用いて治療を行うべきである．治療期間は，特定された感染症に応じて決定するが，好中球減少から回復（ANC が 500/μL 以上）するまでは適切な抗菌薬を継続することが好ましい．

2）明確な原因が特定できない場合

経験的抗菌薬治療にもかかわらず 2〜3 日間以上発熱が持続している場合には，新たな血液培養および臨床症状に基づく検査を含め，感染症の原因探索を行う．好中球数が回復するまでは抗菌薬治療を継続する．高リスク患者においては，薬剤耐性菌や嫌気性菌をカバーできるように抗菌活性の範囲を拡大すべきである．すなわち，初期に用いた抗菌薬からカルバペネム系抗菌薬へ変更[1,2,4]あるいはアミノグリコシド系抗菌薬の併用[2]や抗 MRSA 薬の追加[4]などを考慮する．

3 経験的治療開始後 4 日間以上発熱が持続

連日，問診や診察を行い，血液培養を適宜反復して実施し，感染が疑われる部位の培養を行う．広域抗菌薬を 4〜7 日間投与しても発熱が持続あるいは再発熱し，好中球数に回復傾向がみられない場合には，深在性真菌症の可能性も考慮すべきである．アスペルギルス症の鑑別として肺や副鼻腔の CT を，*Candida* 属などによる肝脾膿瘍の鑑別として腹部の MRI か造影 CT あるいは超音波検査を行う[5]．さらに，(1→3)-β-D-グルカンやガラクトマンナン抗原などの真菌感染症の血清マーカー検査も実施する．高リスク群であれば，経験的抗真菌薬治療〔次項 c. 深在性真菌症を参照〕も開始することが推奨される[1-5]．一方，好中球減少期間が 7 日間以内と予測される低リスク患者では，経験的抗真菌薬治療は推奨されない[1,2,5]．

病原体が確定している場合には，それに合わせて治療を変更する．ただし，感染徴候の悪化がみられる場合には，再度原因検索を行い，抗菌薬のスペクトラムおよび用量の再検討，経験的な抗真菌薬の追加などを考慮する．

ピットフォールと対策

化学療法や造血細胞移植後では，ウイルス感染の再活性化，移植片対宿主病（GVHD）や高サイトカイン血症などによる免疫反応，薬剤誘発性などの細菌あるいは真菌感染症以外が原因の発熱もあり得る．抗菌薬不応の発熱をみた場合，抗菌薬や抗真菌薬の投与を闇雲にエスカレートすべきではなく，細菌や真菌感染以外にも原因はないか，発熱の原因探索も考慮すべきである．

■ 文献

1) 福島啓太郎：発熱性好中球減少症の標準的治療は何か．日本小児血液・がん学会（編），小児白血病・リンパ腫診療ガイドライン 2016 年版．金原出版，133-138，2016
2) Freifeld AG, et al.：Clinical practice guideline for the use of antimicrobial agents in neutropenic patients with cancer：2010 update by the Infectious Diseases Society of America. Clin Infect Dis 52：e56-e93, 2011
3) 日本臨床腫瘍学会（編）：発熱性好中球減少症（FN）診療ガイドライン〜がん薬物療法時の感染対策〜．改訂第 2 版，南江堂，2017
4) Lehrnbecher T, et al.：Guideline for the Management of Fever and Neutropenia in Children With Cancer and Hematopoietic Stem-Cell Transplantation Recipients：2017 Update. J Clin Oncol 35：2082-2094, 2017
5) 福島啓太郎，他：小児領域．真菌症フォーラム深在性真菌症のガイドライン作成委員会（編），深在性真菌症の診断・治療ガイドライン 2014 小児領域改訂版．協和企画，2016

（福島啓太郎）

c. 深在性真菌症

小児がんに対する治療が強力になるにつれ，日和見感染症として深在性真菌症の発症頻度は増加している．発熱性好中球減少症（febrile neutropenia：FN）として発症することがほとんどである．FN に対して初期選択薬としての広域抗菌薬を使用しても不応であった場合に，いつの時点で深在性真菌症を疑い，検査・診断できるかが重要なポイントとなる．

原因菌種別の深在性真菌症

1 侵襲性アスペルギルス症

経気道的に胞子を吸入することで生じる外因性感染症であり，抗菌薬不応の発熱や胸痛・多呼吸など

で発症する．侵襲性肺アスペルギルス症や副鼻腔炎を呈し，血行性に全身へ播種する．

2 カンジダ血症・播種性カンジダ症

消化管からのトランスロケーションによる内因性感染と，血管内留置カテーテルなどを介しての外因性感染とがある．血行性に諸臓器へ播種すると慢性播種性カンジダ症に進展する．

3 その他の深在性真菌症

ムーコル症は，肺に病変を形成することが多くアスペルギルス症に似るが，血清(1→3)-β-D-グルカン($β$-DG)は陰性であり，血清学的検査法もないことから病理組織学的検査によって診断する．

フサリウム症は，形態的には糸状菌で，白血病治療時や造血細胞移植後に発症がみられる．トリコスポロン症は，酵母様の形態で，好中球減少時に播種性病変を生じる．クリプトコックス症は，細胞性免疫の低下時に発症しやすく，肺炎から髄膜脳炎へ進展する．

リスク因子

末梢血好中球数の減少（500/μL 未満）が 10 日間以上遷延する場合には発症リスクが高い[1)2)]．特に，好中球数 100/μL 未満が 7 日間以上となる場合には高リスクとなる．がん治療による消化管粘膜障害が引き起こされると，粘膜バリアの破綻からの血流感染のリスクが高まる．血管内のカテーテル留置はカンジダ血症のリスクとなる．同種造血細胞移植は重要なリスク因子であり，移植後早期ではカンジダ症とアスペルギルス症の両者のリスクが高く，生着後でも細胞性免疫の再構築の遅延によりアスペルギルス症のリスクが残存する[2)3)]．特に慢性移植片対宿主病（GVHD）を発症するとリスクは高まる．おもなリスク因子を表 1[1)]に示す．

診断・検査

造血細胞移植やがん化学療法で発症する深在性真菌症の診断には，EORTC/MST の診断基準[4)]を用いるのが一般的である．リスク因子を有する患者で，無菌的部位からの真菌の検出や病変部位での典型的な病理像が証明された場合を「確定診断例（proven）」，真菌症を疑わせる画像所見と血清学的検査所見のみの場合には「推定診断例（probable）」と診断する．リスク因子と画像所見のみ満たす場合を「可能症例（possible）」と規定されている．

小児がん患者では，病巣から無菌的に培養検体や病理組織検体を採取することが困難なことが多い．

表 1 ◆ 深在性真菌症のおもなリスク因子

真菌感染症共通	
・遷延性好中球減少（<500/μL が 10 日以上） ・同種造血細胞移植 ・ステロイド（プレドニゾロン換算 0.3 mg/kg 以上）3 週間以上使用 ・過去 90 日以内の細胞性免疫抑制薬の使用	

カンジダ症	アスペルギルス症
・中心静脈カテーテル留置 ・消化管粘膜障害 ・カンジダのコロナイゼーション	・侵襲性アスペルギルス症の既往 ・HEPA フィルターのない状況下での好中球減少 ・同一施設内での検出事例集積 ・施設内での建設工事

（日本小児血液・がん学会（編）：小児白血病・リンパ腫診療ガイドライン 2016 年版．金原出版．140．2016 より引用）

そうした場合，$β$-DG やアスペルギルス抗原としてのガラクトマンナン（galactomannan：GM）などの定量的な血清学的検査は補助診断法として有用である．

肺アスペルギルス症では胸部 CT が有用であり，halo sign や air-crescent sign などが特徴的である．消化管からの播種性カンジダ症では，超音波検査で bull's eye sign とよばれる肝脾膿瘍を認める．真菌性膿瘍は単純 CT では検出しにくいので，腹部では造影 CT か MRI を選択する．中枢神経系への侵襲の鑑別には頭部 MRI を行う．真菌性眼内炎を生じると失明する恐れがあるので，深在性真菌症を診断したら眼底検査も必須である．

治療

1 小児における抗真菌薬の薬物動態と投与設計

小児では，成長とともに腎機能や肝機能が変化していくため，薬物のクリアランスや分布容積が年齢とともに変化していく．それゆえ，成人での用量から単純に体重換算で投与してはならないことがある．

1）トリアゾール系薬

真菌の細胞膜を構成するエルゴステロールの生合成を阻害して細胞膜の合成を阻害することで作用する．いずれの薬剤も肝代謝酵素であるシトクロム P450（CYP）系で代謝を受ける．小児では，成人に比べて CYP による代謝活性が高く，クリアランスが大きいため，体重あたりの投与量は成人より高用量に設計する必要がある[5)]．小児のうちでも，年齢が低いほど（新生児・乳児を除く）クリアランスが大きくなることにも注意する．

トリアゾール系薬には CYP の基質阻害作用があるため，多くの薬剤との相互作用が問題となる．ビンクアルカロイド系薬や大量投与時のシクロホス

ファミド[3]などでは代謝が阻害されるので，抗腫瘍薬の効果を増長することで有害事象を生じさせる．がん治療時には，当該薬投与の前後数日はトリアゾール系薬を避けるか，化学療法終了後から開始するなどの配慮が必要である．

a．フルコナゾール（FLCZ）

小児における薬物動態から，体重あたりの投与量は成人のおおむね倍量が必要とされ[6]，添付文書通りの 3 mg/kg/日での治療では有効な血中濃度が得られない．6〜12 mg/kg/日（最大 400 mg/日）が推奨される[2)5)]．

b．ボリコナゾール（VRCZ）

小児では年齢によるクリアランスの差が大きく，体重あたりの投与量の設計では年少者ほどトラフ血中濃度が上がりにくい傾向にある．また，おもに CYP2C19 により代謝されるが，遺伝子多型が存在するために酵素活性の差により薬物動態が大きく異なる．代謝活性欠損者（poor metabolizer）による有害事象の出現に注意が必要であることとともに，代謝活性が高い小児期においては高代謝群（extensive metabolizer）では有効血中濃度に達しにくい症例があることにも注意すべきである[5]．それゆえ，小児では血中濃度モニタリングによる評価が必要である．また，小児では生物学的利用能（bioavailability）が低いため，注射薬から開始することが望ましい[5]．

c．イトラコナゾール（ITCZ）

カプセル・錠剤は吸収の個人差が大きく，食事や胃内 pH の影響も受けるため，経口薬としては内用液が推奨される．小児では代謝が速いために内用液の 1 日量（5 mg/kg）を 2 回に分割で投与することが勧められる[7]．

2）キャンディン系薬

真菌の細胞壁を構成する β-DG の合成を阻害することで作用する．

a．ミカファンギン（MCFG）

わが国における小児の FN 患者を対象とした解析では，薬物動態（pharmacokinetics：PK）パラメータは成人での報告値とほぼ同等であるが，クリアランスはやや高い結果であった．小児における治療量は，3〜6 mg/kg/回（最大 300 mg）1 日 1 回点滴静注が推奨されている[2)5)]．

b．カスポファンギン（CPFG）

小児では初日に 70 mg/m^2 を，2 日目以降は 50 mg/m^2 を 1 日 1 回点滴投与する．ただし，70 mg/日を超えない．この投与量での乳児，小児，思春期の 3 群間の解析では，PK パラメータはほぼ同等で，70 mg/日で投与された成人とほぼ同等であった[5]．

3）ポリエン系薬

真菌細胞膜のエルゴステロールに結合して細胞膜を破壊することで殺菌する．

a．アムホテリシン B（AMPH）

腎障害の軽減などの点から AMPH のリポソーム製剤（L-AMB）が勧められる．年齢による PK の差異はほとんどないため，体重あたりの用量は小児でも成人と同様でよい．

小児において，予防投与に AMPH のシロップ剤が長らく使用されてきた．しかし，AMPH は高用量でも消化管からほとんど吸収されないため，深在性真菌症の予防や治療にはシロップ剤は勧められない．

2 確定診断および推定診断例に対する標的治療

血液培養や病理検査などで深在性感染症が証明された場合，直ちに標的治療を開始する．また，画像所見や血清学的検査所見などによる推定診断例も同様に扱う．

1）侵襲性アスペルギルス症

VRCZ 点滴静注が第一選択薬として推奨される[2)7)]．特に中枢神経系感染症では血液脳関門（blood-brain barrier：BBB）を越えての薬剤移行性から考慮すべきである．腎障害などの有害事象による忍容性の面から L-AMB はこれに次ぐ．これらの単剤治療では効果に乏しい場合には，真菌感染症以外の可能性を踏まえつつ，VRCZ あるいは L-AMB との併用で CPFG または MCFG を考慮してもよい．投与期間については定まった見解はないが，最低でも 6〜12 週間の継続が必要である．病変が限局しているが，抗真菌薬での治療のみでは不十分な場合には外科的摘出も考慮される[1]．

2）カンジダ血症および播種性カンジダ症

カンジダ血症に対しては，MCFG あるいは CPFG または VRCZ 点滴静注が推奨される．原因菌が Candida albicans であり，予防にトリアゾール系薬を用いていない場合には FLCZ 点滴静注でもよい．播種性カンジダ症の場合には L-AMB あるいは MCFG ないし CPFG が推奨される．ただし，C. parapsilosis の場合には，キャンディン系薬に対する最小発育阻止濃度（minimum inhibitory concentration：MIC）が高い傾向にあることに注意すべきである．推奨される治療期間は，カンジダ血症であれば好中球減少から回復したうえで，血中からカンジダの消失確認後 2 週間である．播種性カンジダ症の場合には数か月間は治療継続を必要とする．

3 経験的治療

　FNを生じ，数日間の広域抗菌薬の投与にもかかわらず，発熱が持続あるいは再燃する場合には，深在性真菌症が強く疑われる．確定診断を待っていては致死的になりかねないので，こうした場合には経験的抗真菌治療を検討する．なお，好中球減少期間が10日未満と予想される場合には，真菌症の所見に乏しければ経験的治療は推奨されない．

　まだ菌種が同定されていないので，アスペルギルスを含む糸状菌に活性を有する薬剤を選択すべきである．CPFGとL-AMBには保険適用もあり推奨される．MCFGあるいはVRCZも推奨される．FLCZの選択は，カンジダ症の可能性が疑われ，かつ抗真菌薬の予防投与が行われていない場合に限られる．アスペルギルス症様の画像所見を認めるが，血清$β$-DGとGMともに陰性の場合などムーコル症の可能性が否定できない例ではL-AMBを選択すべきであろう．発熱の原因検索を継続して行い，真菌感染症と診断されれば前述の標的治療へ移行する．

ピットホールと対策

　FNにおける深在性真菌症の診断・鑑別のためには，血液検査ばかりではなく，胸部CTや腹部の超音波あるいは造影CTなどの画像検査を行うことが推奨される．

　小児においては，好中球減少期に深部の感染部位からの培養検査や病理検査を行うことは困難であることが多い．しかし，菌種の同定や薬剤感受性は抗真菌薬の選択には重要であり，可能な限り真菌の分離・同定・感受性確認を行うよう努力すべきことはいうまでもない．

　治療のうえでは，キャンディン系薬投与中でのトリコスポロン症やVRCZ投与中でのムーコル症などのブレイクスルー感染症の発症には注意すべきである．また，アスペルギルス症におけるL-AMBに低感受性の *Aspergillus terreus* やカンジダ症におけるキャンディン系薬に低感受性の *C. parapsilosis* などの無効菌種にも注意を要する．

■ 文献

1) 日本小児血液・がん学会（編）：小児白血病・リンパ腫診療ガイドライン2016年版．金原出版，139-146，2016
2) 福島啓太郎，他：小児領域．真菌症フォーラム，深在性真菌症のガイドライン作成委員会（編），深在性真菌症の診断・治療ガイドライン2014　小児領域改訂版．協和企画，182-197，2016
3) 森　有紀，他：真菌感染症の予防と治療（第2版）．日本造血・免疫細胞療法学会（編），造血細胞移植ガイドライン．2021 https://www.jshct.com/uploads/files/guideline/01_04_shinkin02.pdf［2022年2月アクセス］
4) Donnelly JP, et al：Revision and update of the consensus definitions of invasive fungal disease from the European Organization for Research and Treatment of Cancer and the Mycoses Study Group Education and Research Consortium. Clin Infect Dis 71：1367-1376, 2020
5) 福島啓太郎：小児における薬物動態と投与設計．日本医真菌学会（編），侵襲性カンジダ症に対するマネジメントのための臨床実践ガイドライン．日本医真菌学会，100-104，2021
6) Pappas PG, et al：Clinical practice guideline for the management of candidiasis：2016 update by the Infectious Disease Society of America. Clin Infect Dis 62：e1-50, 2016
7) Groll AH, et al：Fourth European Conference on Infections in Leukaemia（ECIL-4）：guidelines for diagnosis, prevention, and treatment of invasive fungal diseases in paediatric patients with cancer or allogeneic haemopoietic stem-cell transplantation. Lancet Oncol 15：e327-340, 2014

（福島啓太郎）

d. ウイルス感染症

　小児悪性腫瘍患者は，基礎疾患および集中的な化学療法によって続発性免疫不全の状態であり，ウイルス感染に対する細胞性免疫能，液性免疫能の低下をきたしている．化学療法中のウイルス感染症は，多くがこのような続発性免疫不全を背景にした潜在ウイルスの再活性化であるが，一部では医療者や面会者からのウイルスの伝播による病院感染もみられる．健常人であれば，軽症あるいは無症状で経過するウイルス感染が，非定形な経過をとる場合や重症化することも少なくなく，それが適切な診断・治療の遅れにつながることもある．

　化学療法中に問題となるウイルス感染としては，単純ヘルペスウイルス（HSV），水痘・帯状疱疹ウイルス（VZV），サイトメガロウイルス（CMV），気道ウイルス感染症などがあげられる．

単純ヘルペスウイルス

　悪性腫瘍治療中のHSV感染症は，一部には初感染のケースもあるが，多くは化学療法中の続発性免疫不全状態に伴う再活性化で発症する．造血細胞移植患者では重症の歯肉口内炎，肺炎，肝炎，脳炎などの合併症をきたすことが知られているが，急性白血病の寛解導入などの際にもHSVの再活性化はしばしば経験される[1]．化学療法中の患者の場合は大部分が口腔内の粘膜病変であるが，まれにHSVによる臓器病変をきたした報告もある．

治療としてのアシクロビル静注（5 mg/kg または 250 mg/m² を 8 時間ごとに 1 日 3 回，7～10 日間投与）の有効性は確立しており，さらに肺炎，髄膜脳炎などの臓器病変を合併しているときは，アシクロビルの倍量投与（10 mg/kg または 500 mg/m² を 8 時間ごとに 14～21 日間投与）が推奨される[2]．重篤な臓器病変がなく，口腔粘膜病変が軽度の場合には，アシクロビル（20 mg/kg を 1 日 4 回）またはバラシクロビル（25 mg/kg を，体重 10 kg 未満は 1 日 3 回，10 kg 以上は 1 日 2 回）の経口投与も考慮する．

水痘・帯状疱疹ウイルス

水痘に未罹患の患者が，化学療法中に VZV にばく露したときは，高率に重症化することが知られており，播種性血管内凝固（DIC）を合併して，肺炎，脳炎，肝炎に進展し，致命的になることがある．また，免疫不全状態では非定形な経過（発症早期には水痘疹の出現が少数またはない状態で，強い腹痛や背部痛を訴える）をとる場合があることも報告され，診断・治療開始の遅れにつながっている．急性リンパ性白血病（ALL）の治療中に水痘を発症した症例を検討した報告では，寛解導入のような強い免疫抑制状態以外でも水痘の重症化は起こり，特に，全身のステロイドの投与中または投与後 3 週以内では重症化率が高かったことが述べられている[3]．

一方，血清学的に VZV 抗体陽性の患者も，化学療法で細胞性免疫が低下したときには，VZV の再活性化，すなわち帯状疱疹をしばしば合併する．この場合も，強い免疫抑制状態下では，水疱が帯状疱疹の病変部だけでなく，全身に広がる播種性帯状疱疹を発症することがある[2]．

VZV の初感染（水痘），帯状疱疹いずれの場合でも，初期治療としてアシクロビル（10 mg/kg または 500 mg/m² の 8 時間ごと 1 日 3 回投与）が推奨され，投与期間は 7 日以上で，かつすべての発疹が痂皮化したあと 2 日まで行う[2]．

水痘に未罹患の患者が水痘ウイルスにばく露したあとの予防法として，保険診療では認められていないが，ばく露後 7 日目からアシクロビル 40～80 mg/kg/日の経口投与を 7 日以上行うことは，発症率の低下，重症化予防に有効であるといわれている[2]．

水痘は，結核，麻疹と同様に空気感染で伝播する感染症であり，化学療法中の患者が水痘や播種性帯状疱疹を発症したときには慎重な対応が求められる．

CDC ガイドラインでは，空気感染の予防としては，室内を陰圧にした空気感染隔離病室で管理することが推奨されている[4]．化学療法中の患者で水痘，播種性帯状疱疹が発生したときには，各施設の感染対策チーム（infection control team：ICT）と緊密な連絡を取り，感染の拡大を阻止する必要がある．

サイトメガロウイルス

同種造血細胞移植の患者では，造血回復後に定期的に CMV 抗原陽性多形核白血球の検出（CMV 抗原血症法）を行って再活性化をモニタリングする．陽性化すれば臨床症状を確認し，症状を認めれば CMV 感染症と診断して早急にガンシクロビルの投与を開始する．また，臨床所見を認めなくても CMV 抗原が一定基準以上になればガンシクロビルを投与する preemptive therapy（先制治療）が主流となっている[5]．

小児の造血器腫瘍の化学療法でも T リンパ球の抑制によって CMV の再活性化が起こり，腸炎や網膜炎，間質性肺炎を合併した報告はあるが，合併症発症の頻度は低く，定期的なウイルス抗原のモニタリングは必要ない．

CMV 感染症を発症したときには，ガンシクロビルの静注の導入（5 mg/kg を 12 時間ごとに点滴静注）が推奨される[6]．導入量の投与期間について検討した報告は少ないが，通常 2～3 週間投与され，その後，5 mg/kg を 1 日 1 回の維持療法を行うことが多い．間質性肺炎では，抗ウイルス薬治療に加えて CMV 高力価免疫グロブリンの併用がしばしば行われる．

気道ウイルス感染症

インフルエンザウイルス，RS（respiratory syncytial）ウイルス，パラインフルエンザウイルス，ヒトメタニューモウイルス，アデノウイルスなど多くの呼吸器系の市中感染ウイルスについては，続発性免疫不全患者が罹患すると，肺炎など下気道感染に進展し，重症化する可能性がある．このうち，治療，予防の可能なインフルエンザウイルス，RS ウイルスについて解説する．

1 インフルエンザウイルス

化学療法中の悪性腫瘍患者や造血細胞移植患者は，インフルエンザに罹患すると下気道感染の合併率が高く，人工呼吸管理を要することも多い[7]．

インフルエンザ感染の重症化のリスク因子としては，末梢血リンパ球減少（300/μL 未満），化学療法中または化学療法終了後早期の患者，ステロイドの長期使用，インフルエンザ罹患後すぐに抗ウイルス薬

が投与されていないことなどがあげられる．多くの悪性腫瘍患者は前述のリスクを保有しているため，化学療法中の患者がインフルエンザ様症状を発症した場合には，確定例，疑い例にかかわらず，インフルエンザ治療薬の投与を開始する．また，ウイルスにばく露した直後でインフルエンザをいまだ発症していないときにも，オセルタミビル，ザナミビル，ラニナミビル，バロキサビルについては予防投与が可能である．

悪性腫瘍患者に対する季節性の不活化インフルエンザワクチンの有効性については，健常人には劣るものの血清学的な有効性が示されている．望ましい接種時期としては，直近の化学療法終了から1週以上経過し，次の治療開始から2週以上前の時期，末梢血好中球およびリンパ球数が500/μL以上のときである．さらに，悪性腫瘍患者では，ワクチンの有効性が健常人よりも劣るため，患者だけでなく，その家族，医療者もインフルエンザワクチンを接種すべきである[7]．

2 RSウイルス

抗がん薬投与中の悪性腫瘍患者，造血細胞移植患者がRSウイルスに罹患すると，下気道感染症のリスクが増加し，死亡率が上昇することが知られている．特に，死亡のリスク因子としては，$0.2×10^3/μL$以下のリンパ球減少，造血細胞移植の生着前または同種造血細胞移植後1か月以内の罹患などである[8]．RSウイルスに対する治療としては，欧州のガイドラインではリバビリンの吸入が推奨されているが，わが国ではこの治療は認められていない．一方，化学療法中の悪性腫瘍患者，造血細胞移植患者を含む免疫機能の低下した患者に対するパリビズマブの予防投与は，重症化予防の点で効果が認められている[9]．2歳以下で，RSウイルスの流行シーズンでのパリビズマブの月1回の筋注は保険適用があり，考慮してよい予防方法である．

■ 文献

1) Ferrari A, et al.：Herpes simplex virus pneumonia during standard induction chemotherapy for acute leukemia：case report and review of literature. Leukemia 19：2019-2021, 2005
2) Styczynski J, et al.：Management of HSV, VZV and EBV infections in patients with hematological malignancies and after SCT：guidelines from the Second European Conference on Infections in Leukemia. Bone Marrow Transplant 43：757-770, 2009
3) Hill G, et al.：Recent steroid therapy increases severity of varicella infection in children with acute lymphoblastic leukemia. Pediatrics 116：e525-e529, 2005
4) Sehulster L, et al.：Guidelines for environmental infection control in health-care facilities. Recommendations of CDC and the Healthcare Infection Control Practices Advisory Committee (HICPAC). MMWR Recomm Rep 52 (RR-10)：1-42, 2003
5) 日本造血細胞移植学会：造血細胞移植ガイドライン　サイトメガロウイルス感染症．第4版，2018
https://www.jshct.com/uploads/files/guideline/01_03_01_cmv04.pdf
6) Ljungman P, et al.：Management of CMV, HHV-6, HHV-7 and Kaposi-sarcoma herpesvirus (HHV-8) infections in patients with hematological malignancies and after SCT. Bone Marrow Transplant 42：227-240, 2008
7) Engelhard D, et al.：European guidelines for prevention and management of influenza in hematopoietic stem cell transplantation and leukemia patients：summary of ECIL-4 (2011), on behalf of ECIL, a joint venture of EBMT, EORTC, ICHS, and ELN. Transpl Infect Dis 15：219-232, 2013
8) Khanna N, et al.：Respiratory syncytial virus infection in patients with hematological diseases：single-center study and review of the literature. Clin Infect Dis 46：402-412, 2008
9) Hirsch HH, et al.：Fourth European Conference on Infections in Leukaemia (ECIL-4)：guidelines for diagnosis and treatment of human respiratory syncytial virus, parainfluenza virus, metapneumovirus, rhinovirus, and coronavirus. Clin Infect Dis 56：258-266, 2013

（田内久道）

e. 予防接種

原疾患やその治療によって患者が免疫不全状態にあるときには，予防接種が患者に重大な副反応を起こす危険性はないか，予防接種は有効か，積極的に行うべき予防接種はないか，などの点を考慮して，患者の病態に沿って予防接種を計画する．

予防接種総論

血液・腫瘍性疾患患者は，化学療法や生物学的製剤などによる治療や原疾患自体によって免疫不全状態になりやすい．原疾患の状態や治療スケジュールを考慮し，効果が期待できる時期に予防接種を行うことはいうまでもないが，重症の副反応が起こらないように，患者の免疫不全状態の程度や病態，接種するワクチンの特徴をよく理解して，適応を正しく判断する必要がある．化学療法や免疫抑制薬，ステロイド投与中などの免疫抑制状態では，生ワクチン接種は原則禁忌である．原発性免疫不全症では，疾患の種類によってワクチン接種の方針が異なるため，病態に即したワクチンスケジュールを立てる必要がある．免疫抑制状態の種類によっては，特定のワクチン接種を積極的に行う必要がある．

予防接種各論

1 化学療法による治療終了後

悪性腫瘍の患者で化学療法を受けている場合には著しい免疫不全状態になる．獲得していた病原体に対する抗体価は化学療法を受けることで低下する．悪性腫瘍や化学療法の影響によって，患者のナイーブT細胞は長期間減少する．一般的に液性免疫は，治療終了後6～9か月後には正常化する．リンパ球数は治療終了後3か月後には回復するが，T細胞の機能の回復には治療終了後6～9か月かかるという報告もある．血清IgG値は，通常治療終了後6か月以内には回復する．リンパ球サブセット解析でT細胞数やB細胞数が正常であり，フィトヘマグルチニン（phytohemagglutinin：PHA）に対するリンパ球の反応性が正常であれば，不活化ワクチンも生ワクチンも接種できる．治療終了後3か月を過ぎれば不活化ワクチンの接種は可能であるが，この時期の予防接種の効果は不十分であり，該当する感染症を急いで予防する必要がある場合以外は推奨されない．通常は治療終了後6か月以降，細胞性免疫能が回復した時点で接種を行う[1)2)]．事前に該当する病原体や抗原に対する抗体価を測定し，接種が必要かどうかを判断しておくことが推奨される．インフルエンザワクチンは，治療が終了していない場合でも，すべての患者で毎年適切なタイミングで接種することが推奨される．インフルエンザワクチンは，できるだけ化学療法後3～4週以降に，好中球数やリンパ球数が回復している時期に接種する．

2 造血細胞移植後

造血細胞移植後，徐々に免疫再構築がなされていくが，移植前処置の種類や移植源，合併する感染症や慢性移植片対宿主病（GVHD）などによって免疫能の回復は大きく影響を受ける[3)]．以前有していた抗体価は，造血細胞移植によって早期に減衰する．造血細胞移植後は長期間ステロイドや免疫抑制薬が投与されていることが多く，その場合，生ワクチンは接種しない．不活化ワクチンに対する反応性も弱いため通常ワクチン接種はこの時期には行わない．

移植後6～12か月を経過し，慢性GVHDの増悪がなければ不活化ワクチン接種が可能である．生ワクチンは移植後24か月を経過し，慢性GVHDや免疫抑制薬投与がなく，輸血や免疫グロブリン製剤の投与後3か月以降，大量免疫グロブリン療法や抗CD20抗体投与後6か月以上経過していれば接種が可能である[4)]．できるだけ事前にリンパ球サブセット解析によるT細胞数やB細胞数，PHAに対するリンパ球増殖能を確認しておく．不活化ワクチン，特に4種混合ワクチンDPT-IPV（ジフテリア，百日咳，破傷風，不活化ポリオ）から開始するが，インフルエンザワクチンが先行してもよい．

3 原発性免疫不全症，自己炎症性疾患

原発性免疫不全症と診断される以前に生ワクチン接種が行われると重症副反応が起こる場合がある．また，原発性免疫不全症と診断されている場合，疾患ごとに予防接種の方針が大きく異なる．

BCGやロタウイルスワクチンは生後比較的早期に接種される生ワクチンであり，それまでに原発性免疫不全症患者に症状が出現していない場合がある．あるいは咳嗽や下痢などの症状のみであれば，原発性免疫不全症が疑われないことがある．特に，重症複合免疫不全症を代表とする複合免疫不全症，慢性肉芽腫症，メンデル遺伝型マイコバクテリア易感染症（mendelian susceptibility to mycobacterial diseases：MSMD），高IgE症候群患者で，生ワクチン接種による重症副反応の報告が多い．これらは遺伝性疾患であり，早期発見には家族歴が重要である．

1）重症複合免疫不全症

鵞口瘡，気道感染症，慢性の下痢，体重増加不良で発症することが多く，ニューモシスチス肺炎，カンジダ肺炎，サイトメガロウイルス感染症などの重症感染症を起こし，造血細胞移植を受けなければ乳児期に死亡する疾患である．BCG接種やロタウイルスワクチンを接種すると重症副反応が起こり，生命予後に直接影響する．生ワクチンは禁忌であり，不活化ワクチンは接種しても効果がないので，造血細胞移植後に予防接種計画を立てる．

2）慢性肉芽腫症

白血球の活性酸素産生能が欠損する疾患である．好中球の活性酸素産生能が欠損することから，ブドウ球菌や大腸菌，セラチア，カンジダ，アスペルギルスなどに易感染性を呈し，また，単球，マクロファージの活性酸素産生能も欠損するため抗酸菌に易感染性を呈する．肛門周囲膿瘍や難治性の肺炎，臓器内感染症を起こし，感染症が重症化する．BCG接種は禁忌である．

3）メンデル遺伝型マイコバクテリア易感染症

抗酸菌やサルモネラなどの細胞内寄生菌にのみ易感染性を呈する疾患であり，播種性BCG感染症を起こすため，BCGは禁忌である．IL-12/IFN-γ経路に関連する分子の異常による．遺伝形式はさまざまである．BCG感染症は病理像が結核と同じであるた

め，BCG 感染症は結核と誤診されている場合がある．家族歴をとる際には，骨や関節の病変がなかったかなど，詳細な問診が重要である．

4）複合免疫不全症

複合免疫不全症では，生ワクチンの接種によって重症副反応が生じる可能性があるため，生ワクチンは禁忌である．高 IgE 症候群や Wiskott-Aldrich 症候群などの，複合免疫不全を伴う症候群でも同様である．例外的に毛細血管拡張性失調症では，細胞性免疫不全状態が軽度であり予防接種のメリットのほうが大きいため，生ワクチンを含むすべてのワクチン接種を通常通り行うことが推奨される．複合免疫不全症では，ある程度の抗体産生能が認められる場合には不活化ワクチンの接種は可能である．

5）抗体産生不全症

Bruton 無ガンマグロブリン血症など，全く抗体を産生することができない原発性免疫不全症では，不活化ワクチンの接種や BCG 以外の生ワクチン接種は行わない．BCG 接種前に T 細胞や食細胞に異常がないことを確認する．

6）自己炎症性疾患

特に副反応が起こった既往がなければ予防接種の制限はないが，自然免疫が過剰に活性化していることから，ワクチン接種によって発熱や皮疹が生じやすく，原疾患の発熱発作を誘発することもあるので，注意が必要である．

4 ステロイドや免疫抑制薬，生物学的製剤などの薬剤による治療

ステロイドや免疫抑制薬，生物学的製剤の投与中は，生ワクチンは接種しない．不活化ワクチンの接種は可能である．ただし，高用量のステロイド（プレドニゾロン換算 2 mg/kg/日あるいは 20 mg/日以上）を使用しているときは不活化ワクチンの効果は乏しいため接種しない．

5 免疫不全状態と予防接種（種類別）

1）肺炎球菌ワクチン，Hib ワクチン，髄膜炎菌ワクチン

肺炎球菌，インフルエンザ菌，髄膜炎菌は莢膜多糖体を有する細菌である．無脾症や IRAK4 欠損症，MyD88 欠損症，無汗性外胚葉形成不全免疫不全症候群，補体欠損症の一部，および C5 開裂阻害薬投与時には，肺炎球菌による敗血症や髄膜炎が起こりやすく死亡率が高い．適切な抗菌薬の予防投与に加えて，肺炎球菌ワクチン接種は必須である．結合型肺炎球菌ワクチン接種後に 23 価肺炎球菌ワクチン接種を行う．無脾症では Hib ワクチンも必須である．髄膜炎菌に易感染性を呈する補体欠損症や C5 開裂阻害薬投与開始前には髄膜炎菌ワクチンを接種することが推奨される．

2）インフルエンザワクチン

不活化ワクチンであるが，細胞性免疫もある程度誘導すると考えられている．抗体産生能が期待できなくとも，細胞性免疫能が保たれている場合には，接種が推奨される．

3）抗 RS ウィルス抗体製剤

免疫不全状態で，適応患者には積極的に投与する．

■ 文献

1) 日本小児感染症学会（監修），「小児の臓器移植および免疫不全状態における予防接種ガイドライン 2014」作成委員会：小児の臓器移植および免疫不全状態における予防接種ガイドライン 2014．協和企画，2014
2) Ruggiero A, et al：How to manage vaccinations in children with cancer. Pediatr Blood Cancer 57：1104-1108, 2011
3) Velardi E, et al：T cell regeneration after immunological injury. Nat Rev Immunol 21：277-291, 2021
4) 日本造血細胞移植学会：造血細胞移植ガイドライン 予防接種．第 3 版，2018
https://www.jshct.com/uploads/files/guideline/01_05_vaccination_ver03.pdf

（高田英俊）

第5章 支持療法

6 小児がん・血液診療の輸血

a. 輸血指針と製剤，輸血関連検査

概念

輸血療法は，さまざまな疾患の治療の支持療法として重要であるが，免疫血液学の深い理解が求められる治療法である．輸血に用いる血液製剤は，日本赤十字社の献血事業を通じて供給される善意の血液である．その善意を無駄にしないためには，より適切で適正な製剤管理，輸血量の管理が必要であり，さらには効果確認，副反応対策，輸血後感染症対策まで一連の医療が必要である．このような輸血療法に関しては，「安全な血液製剤の安定供給の確保等に関する法律（血液法）」（昭和31年法律第160号）が整備され，厚生労働省は「輸血療法の実施に関する指針」「血液製剤の使用指針」「血液製剤等に係る遡及調査ガイドライン」を提示している．

血液法に示された医療者の責務

血液製剤の原材料は，人工的に作り出されたものではなく，ヒトに由来する．そのため，未知の感染症を含めた重篤な副反応をゼロにすることはできない．血液製剤の使用過程において，過去にさまざまな健康被害を生じたこともある．血液製剤のこのような特徴により，血液製剤の適正使用，適切な輸血療法の実施，必要な情報収集は，血液法に示された医師の責務である．

献血事業，血液製剤供給事業

1 献血事業

わが国では輸血用血液採血業者として日本赤十字社が計画的に献血事業を行っている．全国の献血者数は徐々に減少，特に若者世代が多く減少しており，今後の超高齢社会における血液製剤需要への危機感が高まっている．

2 安全な血液製剤供給

近年，日本赤十字社から供給される血液製剤は，さまざまな検査と処理により，安全な血液製剤供給体制が整備されている．

1) ドナー選択

献血者への詳細な問診（既往歴・投薬内容はもちろんのこと，海外居住・滞在歴，ワクチン接種歴，3日以内の観血的歯科処置の有無など）により適切なドナー選択を行っている．

2) 細菌汚染防止

献血採血時に初流血除去を行っている．一般に用いられる消毒薬はヨード系消毒薬であるが，ヨード過敏者に別の消毒薬を用いた場合には血小板採血は実施しない．

3) 保存前白血球除去

血液製剤中に白血球が多く存在すると，保管中に血液凝集や非溶血性輸血副反応（発熱など）の原因になることが知られている．そのため，すべての血液製剤を採血後の処理段階で，白血球除去フィルターによりバッグ内の白血球を除去し，バッグ内総白血球数を 1×10^6 以下にしている．

4) 輸血前放射線照射

血液製剤中に存在するリンパ球のために，輸血後に受血者体内で輸血後移植片対宿主病（post-transfusion graft-versus-host disease：輸血後GVHD）を発症することがある．これを防止するため，血液製剤に15〜50 Gyの放射線照射を行っている．2000年以降，わが国では輸血後GVHDの報告はない．

5) 血液型関連検査（血液型，不規則抗体検査）

血液製剤は，ABO血液型，Rh式血液型，不規則抗体が検査され，臨床的に意義（副作用を起こす可能性のある）のある不規則抗体が検出された血液は，製剤から除外される．

6) 血液媒介感染症検査（血清学的スクリーニングと核酸増幅法）

血液製剤には血清学的スクリーニング検査と核酸増幅法による検査が実施される．

血清学的スクリーニング検査としては，以下の検査を実施している．HBs抗原・抗体，HBc抗体，HCV抗体，HIV-1/2抗体，HTLV-1抗体，ヒトパルボウイルスB19抗体，梅毒血清学的検査．核酸増幅法は，HBV，HCV，HIVに対し個別核酸増幅検査

(single nucleic acid amplification test：個別NAT) として実施され，ウインドウ期（感染してから検査で検出できるまでの期間）の短縮に貢献している．2020年に輸血が原因と特定された輸血後感染症は，HBV 2例，E型肝炎（HEV）が6例，細菌感染が2例の10例であった．2020年8月からはHEVも個別NAT検査が実施されるようになった．

血液製剤の特徴とその管理

血液製剤は，保管温度，保管期間が厳密に定められている．最近は照射済み（Ir），白血球除去済み（LR）の血液製剤が用いられるが，施設で輸血直前に放射線照射されることもある．

1 赤血球製剤

赤血球製剤には，照射赤血球液-LR「日赤」，照射洗浄赤血球液-LR「日赤」，照射合成血液-LR「日赤」，照射解凍赤血球液-LR「日赤」などがある．全血献血の90％以上を占める400 mL由来の製剤は，血液保存液CPD液56 mLを含んで400 mL採血され，白血球除去フィルターを通したのち，赤血球液作成では全血を遠心分離して血漿を除去してMAP液92 mLで置換した製剤である．容量は約280 mLである．2～6℃で貯蔵．MAP液成分のマンニトールは新生児への大量投与時には腎機能負荷となるので注意する．

1）照射赤血球液-LR「日赤」

日常的に用いられる赤血球製剤有効期限は21日である．照射後日数が経過するにつれて上清カリウム値（赤血球から溶出する）が増加するため，急速輸血や交換輸血の際には照射後の保存期間が短い製剤を選択するか，施設の輸血部門での赤血球液洗浄，カリウム除去フィルターを用いる．

2）照射洗浄赤血球液-LR「日赤」

ヒト血液200 mLまたは400 mLから白血球および血漿の大部分を除去した後，生理食塩液で洗浄した赤血球層に，生理食塩液をそれぞれ約45 mL，約90 mL加えた製剤である．血漿成分による副反応が予想される場合に使用する．有効期間は洗浄後48時間．洗浄後カリウムが上昇することに注意．

3）照射合成血液-LR「日赤」

O型のヒト血液200 mLまたは400 mLから白血球および血漿の大部分を除去し洗浄した赤血球層に，白血球の大部分を除去したAB型のヒト血漿を約60 mLまたは約120 mL加えた濃赤色の液剤で，適応はABO式血液型不適合による新生児溶血性疾患である．有効期間は製造後48時間．合成後にカリウム値は上昇する．製剤のpHが低い，ナトリウム濃度が高い場合がある．製造に数時間を要することもあり，製造できるブロック血液センターからの距離によっては入手が困難であり，血液センターとの連絡を密にする必要がある．

2 血小板製剤

血小板製剤には，照射濃厚血小板-LR，照射洗浄血小板-LR，照射濃厚血小板HLA-LR，照射洗浄血小板HLA-LRがある．血液成分採血装置により採血し，白血球の大部分を含まない層から血小板を採取し，さらに白血球除去フィルターを通し，血液保存液（ACD-A液）を含んでいる．20～24℃で浸透しながら貯蔵する．保存バッグはガス透過性の特殊バッグであり，貯蔵中のpH低下を防止している．

1）照射濃厚血小板-LR

日常的に用いられる血小板である．有効期間は採血後4日である．10単位製剤は約200 mL，5単位製剤は約100 mL，15単位製剤，20単位製剤は約250 mLである．

2）照射洗浄血小板-LR

種々の薬剤の前投与の処置などで予防できない副反応が2回以上観察された場合に適応となる．ただし，アナフィラキシーショックなどの重篤な副反応については1回でも観察された場合，またやむなく異型PC-HLAを輸血する場合も適応となる（異型赤血球型の抗体価が128倍以上の場合，または患者が低年齢の小児の場合には，可能な限り洗浄血小板を考慮することが望ましい）．有効期間は洗浄後48時間．

3）照射濃厚血小板HLA-LR，照射洗浄血小板HLA-LR

免疫学的機序で起こる血小板輸血不応状態の90％は患者が保有するHLA抗体が原因である．通常の血小板輸血に不応（補正血小板増加数，corrected count increment：CCIで評価），かつ患者にHLA抗体が証明された場合に，HLA適合血小板で輸血に応答することがある．血小板は，ABO血液型抗原を表面に有さないため，輸血に際してABO血液型よりもHLA型が優先されることがある．

3 血漿製剤

血漿製剤には，新鮮凍結血漿-LR「日赤」があり，血液量により，新鮮凍結血漿-LR「日赤」120，新鮮凍結血漿-LR「日赤」240，新鮮凍結血漿-LR「日赤」480と表示されている．有効期間は採血後1年であるが，採血後6か月間は市場には出回らない．−20℃で凍結保管し，使用直前に30～37℃の恒温槽

で融解し，できるだけ速やかに使用する．やむを得ず，融解後に保管する場合は4℃の血液保冷庫で保管し，24時間以内に投与する．

輸血関連検査

1 血液型検査（ABO血液型，RhD血液型）

ABO血液型検査にはオモテ検査とウラ検査があり，オモテ検査として血球表面のA抗原，B抗原の有無を調べ，ウラ検査として抗A抗体，抗B抗体の有無を調べ，双方を総合して血液型を判定する．免疫未発達の乳児では抗A・抗B抗体の力価が弱く，また生後早期では母からの移行抗体が影響することもあり，血液型が判定できない場合がある．正式な判定は2歳以降がよいとされている．

RhD抗原は胎児期の早い時期に発現するといわれており，型判定は成人と同様に行う．

2 新生児，生後4か月未満の乳児における輸血前検査

新生児期から乳児期早期に輸血が想定される場合は，母親血を採血し，胎盤を介して児に移行するIgG型不規則抗体の有無を確認する．未輸血の新生児の場合，母由来移行抗体の有無が重要であり，不規則抗体検査の検体としては母親血が適切である．

3 交叉適合試験

血液製剤は，基本的にはABO型同型，RhD陰性の場合はRhD陰性血液を用いる．不規則抗体を見逃さないように，反応増強剤（低イオン強度溶液やポリエチレングリコールなど））を添加した間接抗グロブリン法で交叉適合試験を行うことが重要である．

生後4か月未満の乳児にO型以外の赤血球を輸血する場合は，間接抗グロブリン法による主試験を行い，母親血で抗A抗体，抗B抗体を確認する．ABO不適合の新生児溶血性疾患の治療の場合，児に抗A抗体，抗B抗体が残存している間はO型赤血球またはO型赤血球＋AB型血漿の合成血を使用する．

近年のわが国の小児への輸血後の抗体産生に関する研究では，生後4か月未満の児で1/9,424の同種抗体産生が報告された．

輸血の説明と同意の取得

輸血療法で説明が必要な事項は，以下の5つに集約される．①治療に輸血が必要な理由，②輸血の効果と危険性（感染症リスクには輸血前後の検体保管や感染症検査についても言及する），③輸血をしない場合に予想される不利益，③使用する血液製剤の種類と量，⑤輸血を回避する方法（自己血輸血など）．

小児輸血についても「児童の権利」「自己決定権」を尊重し，子ども本人の年齢に応じて理解を得る援助を行いながら，疾患と輸血の必要性，輸血治療の説明を行い自発的な賛意（アセント）を得ることが必要である．中学生以上であれば，文書による賛意（同意）表明が可能と予想されるので積極的に活用する．

両親が輸血実施を認めない信条を有する場合，子どもの治療に必要不可欠であることを十分説明しても同意が得られないことがある．その場合は，病院としての対応，また児童相談所・家庭裁判所などと連携をすることも考慮する．

輸血後肝炎関連感染症対策

1 輸血後肝炎関連感染症検査

輸血前にHBs抗原，HBs抗体，HBc抗体，HCV抗体，HCVコア抗原，輸血3か月後にHBVDNA，HCVコア抗原検査を実施することは診療報酬上認められている．最近の日本赤十字社の対策により輸血後肝炎（HBV，HCV）の発症がほぼみられなくなり，感染が疑われる場合に実施することとなった．

2 検体保管

輸血後HBV，HCV，HIV感染症が減少したとはいえ，未知の感染症の発生に対応するために，輸血前の血清（血漿）2mL程度を保管する．可能であれば，輸血3か月後の血清（血漿）も保管できればなおよい．

■ 参考文献

・厚生労働省医薬・生活衛生局：血液製剤の使用指針（平成31年3月）．2019
・厚生労働省医薬・生活衛生局：輸血療法の実施に関する指針（平成17年9月［令和2年3月一部改正］）．2020
・日本赤十字社：輸血情報（日本赤十字社ホームページ）．
 https://www.jrc.or.jp/mr/news/transfusion/
・日本輸血・細胞治療学会：指針/ガイドライン（日本輸血・細胞治療学会ホームページ）．
 http://yuketsu.jstmct.or.jp/medical/guidelines/
・大戸斉，他（編）：小児輸血学．中外医学社，2006

（北澤淳一）

b. 輸血療法

適応と製剤の選択

輸血の適応と製剤の選択について，表1にまとめた．

1 各製剤に共通する事項

わが国では輸血用血液製剤の保存前白血球除去が行われている．しかし，赤血球製剤および血小板製剤については，輸血後移植片対宿主病（GVHD）防止のための放射線照射を必ず行う．保存前白血球除去により，輸血によるサイトメガロウイルス（cytomegalovirus：CMV）感染も減少することが期待されているが，CMV未感染の新生児や原発性免疫不全症に対する造血細胞移植時の輸血には，CMV陰性製剤（赤血球製剤，血小板製剤）の使用を考慮する．製剤種を問わず，開始後15分間は1 mL/kg/時，以後は4〜5 mL/kg/時の速度で輸血する．

2 赤血球液の投与について

赤血球輸血の目的は，末梢循環系へ十分な酸素を供給し，貧血による症状や臓器障害が出現しない程度にヘモグロビン（hemoglobin：Hb）値を維持することである．

血液・腫瘍性疾患に伴う貧血があり，一般状態が安定している場合には，Hb 7〜8 g/dLを赤血球輸血の目安（トリガー値）とする[1]．心疾患や呼吸器疾患，感染症合併などにより，呼吸循環動態が不安定な場合には，より高いHb値（10 g/dL程度）を目安とする．

10 mL/kgの赤血球液を2〜3時間かけて輸血する．貧血が強い場合は，輸血関連循環過負荷（transfusion associated cardiac overload：TACO）の発生リスクがあるため，1回の輸血量を（Hb値）mL/kg程度に抑え，時間をかけて輸血する．放射線照射後時間が経過した赤血球製剤では，上清中のカリウム値が上昇するため，新生児や腎機能障害のある患児では，直前に照射した製剤を用いるか，カリウム吸着フィルターの使用を考慮する．赤血球輸血を継続的に行う患児では，適切な時期に鉄キレート療法を導入する．アレルギー性副作用が問題となる場合，洗浄赤血球液の使用を考慮する．

3 新鮮凍結血漿の投与について

新鮮凍結血漿（FFP）の投与の目的は，肝障害や播種性血管内凝固（DIC）などで生じる複数の凝固因子の不足による出血傾向を改善することである．事前にプロトロンビン時間（PT），活性化部分トロンボプラスチン時間（APTT），フィブリノゲンの評価を行い，PT 30％以下，APTTは基準値上限の2倍以上，フィブリノゲン150 mg/dL以下の場合に，FFPの投与を考慮する．先天性の凝固因子欠乏症で濃縮製剤や遺伝子組み換え製剤のないもの（第V因子，第XI因子）や，血栓性血小板減少性紫斑病と溶血性尿毒症症候群（通常凝固系の異常は認められないが，

表1 ◆ 輸血の適応と投与量

基本的には厚生労働省の「血液製剤の使用指針」に従う

1. **共通する事項**
    1) 赤血球製剤，血小板製剤には輸血後GVHD防止のため放射線照射を行う
    2) 製剤種を問わず，開始後15分間は1 mL/kg/時，以降は4〜5 mL/kg/時の速度で輸血する
2. **赤血球輸血**
    1) 内科的輸血
        適応：一般状態が安定している血液・腫瘍患者ではHb 7〜8 g/dLを輸血の目安（トリガー値）とする
        投与量：10 mL/kgの赤血球液を2〜3時間かけて輸血
            貧血が強い場合：1回の輸血量は（Hb値）mL/kg程度
            輸血に6時間以上要する場合，あらかじめ無菌的に分割
    2) 手術時の出血への対応
        適応：周術期輸血のトリガー値はHb 7〜8 g/dLとする
3. **新鮮凍結血漿（FFP）**
    適応：PT 30％以下，APTT基準値上限の2倍以上，フィブリノゲン150 mg/dL以下
    投与量：1回10 mL/kg
4. **血小板濃厚液**
    適応：腫瘍の骨髄浸潤や抗腫瘍薬による骨髄抑制，造血細胞移植に伴う血小板減少には，血小板値を1万/μL以上に保つよう輸血を行う
        ただし，髄液検査時や中心静脈カテーテルの挿入時には血小板値を5万/μL以上とすることが望ましい
    投与量：0.4単位/kgあるいは10単位/m^2

PT：プロトロンビン時間，APTT：活性化部分トロンボプラスチン時間．

ADAMTS13の補充が治療的効果をもつ）もFFPの適応となる[1]．投与量はおおむね10 mL/kg/回である．

L-アスパラギナーゼ（L-asparaginase：L-Asp）投与時，肝での蛋白合成が阻害され，フィブリノゲンなどの凝固因子やアンチトロンビン（antithrombin：AT）などの抗凝固因子が減少することが知られている．L-Aspの投与終了後，凝固因子の回復が抗凝固因子よりも早く起こるために，血栓症のほうが出血よりも多く発生するとされる[2]．フィブリノゲン低下による出血の予防を目的としたFFP投与には意味がなく，血栓症予防にはATの投与が考慮される．

4 血小板濃厚液の投与について

血小板輸血は，血小板成分を補充することにより止血を図り，あるいは出血を防止することを目的として行う．血小板輸血にあたっては，血小板数を目安とするが，状況に応じた対応が必要である．

急性白血病やそのほかの悪性腫瘍の骨髄浸潤による血小板減少，抗がん薬による骨髄抑制に際しては，血小板数1万/μLをトリガー値として，計画的に血小板輸血を行うことが推奨されている．患者の状態や医療環境によっては血小板数1～2万/μLをトリガー値とすることも許容されており，急性前骨髄性白血病では病期や合併症に応じてトリガー値を2～5万/μLとすることが推奨されている[1]．小児，特に5歳以下では，成人や年長児に比べて出血の頻度が高いことが報告されており[3]，この点も考慮する必要がある．

髄液検査時には血小板5万/μL以上とすることが望ましい[4]．一方，骨髄検査後の止血では局所の圧迫が大切で，血小板数は少なくても実施可能とされている．中心静脈カテーテルの挿入時にも血小板数5万/μL以上とすることが望ましい[3]．

血小板の投与量は，0.4単位/kgあるいは10単位/m²を目安とする．抗ヒスタミン薬やコルチコステロイドの前投薬を行っても重症アレルギー性副反応が生じる場合，洗浄血小板が有用である．抗HLA抗体による血小板輸血不応に対しては，HLA適合血小板濃厚液を用いる．

小児の輸血に用いる器材

1 留置針

原則として23Gより太いものが望ましい．乳幼児では24Gでもやむを得ないが，加圧しすぎると溶血を起こす．中心静脈カテーテルの場合も同様に考える．

2 輸血セット

FFPを含むすべての輸血用血液製剤について，フィルター（メッシュ孔サイズ170 μm）を有する輸血セットを通し，凝集物を除去する．

3 輸血に用いることのできる輸液ポンプ

小児では輸血にポンプを使用する場合が多い．輸血に使えるのは，シリンジポンプまたはミッドプレス式（輸液回路のチューブがつぶされない機構）の輸液ポンプに限られる．

製剤の分割について

1 赤血球液

赤血球液を室温に置けるのは6時間までである．あらかじめ赤血球液を数本の小バッグに無菌的に分割し，有効期限内に同じ患児が輸血を行う場合に限り使用すれば，供血者数を減らすことができ，製剤の有効利用の点からも好ましい．分割されたそれぞれの製剤には新たな製剤番号を付与し，通常の製剤と同様に患者—バッグ間の照合が行えるようにする．シリンジへの分割保存は，細菌汚染や取り違えのリスクが大きいので望ましくない．

2 血小板濃厚液

シリンジで血小板を4時間以上保存すると，生化学的変化や，血小板凝集能の低下など品質の低下につながることが明らかになった．血小板についてもバッグへの分割を行い，シリンジには4時間以内に投与できる量を移す必要がある．

造血細胞移植時の輸血

血液型不一致の同種造血細胞移植では，移植時および移植前後の輸血療法にあたり，血液型に配慮する．臍帯血・末梢血幹細胞の移植では，移植片中の赤血球は少なく問題とならない．骨髄移植の場合，主不適合（レシピエントがドナー赤血球に対する抗体を保有する組み合わせ）であれば移植片からの赤血球除去処理，副不適合（レシピエント赤血球に対する抗体をドナーが保有する組み合わせ）であれば血漿除去処理が必要となる．血液型ミスマッチ造血細胞移植の場合，一時的に血液型キメラとなるので，ドナー・レシピエントいずれの型の赤血球についても溶血を起こさないような血液型の製剤を選択する必要がある．

交換輸血

交換輸血について**表2**にまとめた．新生児溶血性疾患や新生児敗血症の治療，乳児白血病での腫瘍量

表2 ◆ 交換輸血

1. **交換輸血の適応疾患**
   1) 高ビリルビン血症（新生児溶血性疾患）
      抗体に感作された赤血球の除去，抗原性のない赤血球の補充
      母由来の抗体の除去，遊離ビリルビンの除去
   2) 新生児敗血症
      細菌やトキシンの除去，抗体補充，好中球補充
   3) DIC
   4) 薬物・化学物質の除去
      肝不全や代謝異常でのアンモニアの除去
   5) 異常な白血球の除去
      先天白血病など
   6) 多血症に対する部分交換輸血
2. **輸血量**
   循環血液量の2倍，160～180 mL/kg
   90％の赤血球が交換され，50％のビリルビンが除去される
   80～100 mL/kg/時の速度で
3. **方法**
   isovolemic method（脱血と返血が等量になる）が望ましい
   心拍呼吸モニター，血圧，SaO_2，体温のチェック
4. **使用する製剤**
   「新鮮全血」は血液センターからの入手困難なため，
   ①赤血球濃厚液と新鮮凍結血漿から調製（各医療機関）
   ②合成血
   ③院内採血同種血
      のいずれかで対応
5. **合併症**
   低カルシウム血症，高カリウム血症，血小板減少，低血糖，アシドーシスなど

減少などを目的として，交換輸血が行われる．体重1 kgあたり160～180 mLの交換輸血を行う．

母児間血液型不適合による新生児溶血性疾患の場合，交換に用いる血液の血液型は，RhD不適合であればRhD陰性で患児とABO同型，ABO不適合であれば合成血（O型赤血球とAB型血漿を合わせたもの），そのほかの不規則抗体が原因であれば，対応抗原を含まず患児とABO同型とする．また，交換する血液は新鮮全血が望ましいが，日本赤十字社からの供給は得られない．このため，各医療機関で赤血球液から赤血球保存用添加液（MAP液）を洗浄除去したものにFFPを合わせて調製する，母児間ABO不適合に限らず合成血を用いる，院内採血同種血輸血を行うなどの対応になっている．交換輸血の手技は，循環血液量の変動が少ないisovolemic法が望ましい．交換輸血の合併症として，血小板減少・低カルシウム血症・低血糖・高カリウム血症・アシドーシスなどがあるので注意する．

リスクマネジメントとインフォームド・コンセント

小児に特有な輸血関連のインシデント・アクシデントとして，輸血量や速度に関する過誤がある．また幼児期までは，患者確認に本人が協力することがむずかしい．ネームバンド，リストバンドなどの有効活用を図る．

小児患者では，家族に対し輸血についてのインフォームド・コンセントを必ず行うほか，小学生以降ではアセント（賛意）を得るようにする．

親権者が宗教的な理由で輸血を拒否するケースへの対応については，「宗教的輸血拒否に関するガイドライン」を参照する[5]．

■ 文献

1) 厚生労働省医薬・生活衛生局：血液製剤の使用指針（平成31年3月）．2019
   https://www.mhlw.go.jp/content/11127000/000493546.pdf［2021年9月アクセス］
2) Mitchell L, et al.：Increased endogenous thrombin generation in children with acute lymphoblastic leukemia：risk of thrombotic complications in L-Asparaginase induced antithrombin III deficiency. Blood 83：386-391, 1994
3) Bercovitz RS, et al.：Thrombocytopenia and bleeding in pediatric oncology patients. Hematology Am Soc Hematol Educ Program 2012：499-505, 2012
4) British Committee for standards in Haematology, Blood Transfusion TaskForce：Guidelines for the use of platelet transfusions. Br J Haematol 122：10-23, 2003
5) 宗教的輸血拒否に関する合同委員会：宗教的輸血拒否に関するガイドライン．2008
   https://anesth.or.jp/files/pdf/guideline.pdf［2021年9月アクセス］

〈梶原道子〉

c. 輸血副作用

本項では，輸血に伴って発生する有害な事象について解説するが，厚生労働省の「輸血療法の実施に関する指針（令和2年3月一部改正）」に準じて「輸血副作用」と表記した．

溶血性輸血副作用

溶血性輸血副作用は，急性と遅発性とに分類される．急性では大部分が血管内溶血であり，おもにABO主不適合輸血のときに起こる．輸血した赤血球

が患者体内の規則抗体(抗A抗体および抗B抗体，サブクラスIgM)と反応し，続いて補体が活性化され，赤血球は補体によって血管のなかで急速に破壊される．遅発性では大部分が血管外溶血であり，ABO血液型以外の不適合輸血でみられ，不規則抗体(抗A抗体および抗B抗体以外の赤血球同種抗体，サブクラスIgG)と反応した赤血球が網内系細胞のFc受容体を介して脾臓に運ばれ，食細胞により破壊される．輸血中に溶血が発生した場合には直ちに輸血を中止する．輸血セットを交換し，ショック，ヘモグロビン血症(尿症)，播種性血管内凝固(DIC)，腎不全への対応として乳酸Ringer液などの細胞外液系輸液，利尿薬，昇圧薬，ヘパリンなどを投与する．

非溶血性輸血副作用

1 発熱性非溶血性輸血副作用(FNHTR)

発熱の原因が輸血以外認められず，輸血中あるいは輸血後数時間以内に38℃以上でかつ輸血前より1℃以上の体温上昇を認めた場合に発熱性非溶血性輸血副作用(febrile nonhemolytic transfusion reactions：FNHTR)と定義される．悪寒・振戦，呼吸数の増加，血圧異常を伴う場合もある．溶血性輸血副作用，敗血症，輸血関連急性肺障害との鑑別が必要である．発症機序として，白血球抗体，血小板抗体による抗原抗体反応と製剤中に放出され蓄積した生理活性物質の2つが考えられている．わが国においては後者の予防策として，すでに保存前白血球除去が導入されている(2004年10月～成分採血由来血小板製剤，2007年1月～全血採血由来製剤)．

2 アレルギー反応

アレルギー反応(allergic transfusion reaction)は輸血副作用のなかで最も頻度が高く，多くは輸血開始後早期に症状が出現する．症状は蕁麻疹のみの軽症のものから，悪心，嘔吐，喘鳴，呼吸困難，血圧低下，ショックなどの重篤な症状を呈することもある．製剤別では血小板が最も多く，2019年1年間の供給本数に対する副作用報告頻度は約940本に1件であった(日本赤十字社/医薬品情報/輸血の副作用．http://www.jrc.or.jp/mr/reaction/)．原因として特定されているのは血漿蛋白(IgA，ハプトグロビン，C4など)欠損症患者における抗体産生のみであり，そのほかの発生機序については十分に解明されていない．輸血中のアレルギー反応に対する治療として抗ヒスタミン剤の使用は推奨されるが，輸血前予防投与は必ずしも有効ではない[1]．血漿成分に起因すると考えられる場合には洗浄赤血球製剤，洗浄血小板製剤が効果的である[2]．

3 輸血関連急性肺障害(TRALI)

輸血関連急性肺障害(transfusion-related acute lung injury：TRALI)は，輸血中もしくは輸血後6時間以内に画像上明らかな両側肺野の浸潤影と重篤な低酸素血症($PaO_2/FiO_2 \leq 300$ mmHgまたは$SpO_2 < 90$%室内気)を伴う急性の呼吸不全状態であり，心不全による肺水腫は含まれない．2019年にTRALIについての再定義および新たな診断基準が公表され[3]，新基準に基づく診断へ移行することが推奨された．この分類では，急性呼吸窮迫症候群(acute respiratory distress syndrome：ARDS)の危険因子(肺炎，胃内容物の誤嚥，吸気障害，肺挫傷，肺血管炎，溺水，敗血症，外傷，膵炎，重症熱傷，非心原性ショック，薬物過剰投与)との関連を有していないものをTRALI Type I，輸血前からARDS危険因子が存在したが，輸血前12時間は呼吸状態が安定していたものをTRALI Type II(これまでのpossible TRALIが含まれる)と定義した．

TRALIの発症要因に関連するものとしては血液製剤中に存在する抗白血球抗体やその他の因子が知られている[3]．大部分の症例では抗白血球抗体〔抗ヒト白血球抗原(human leukocyte antigen：HLA)抗体，抗ヒト好中球抗原(human neutrophil antigen：HNA)抗体〕が関与しているとされる(antibody-mediated TRALI)．抗白血球抗体との反応により活性化された好中球が，肺の血管内皮に損傷を与えることで発症すると推測されている．多くの場合，輸血用血液(経産婦ドナー由来)に抗白血球抗体が検出されるが，患者血液中に検出される場合もある．わが国においては2011年から男性由来新鮮凍結血漿(FFP)の優先的製造が開始された．抗体が関与しないTRALIでは製剤中に蓄積する可溶性CD40リガンド(CD40L)，活性脂質(lysophosphatidylcholine)が好中球を活性化するという機序が考えられている(non-antibody-mediated TRALI)．TRALIの治療は酸素療法，人工呼吸管理などの対応療法である．多くは48～96時間以内に改善するが，20%前後の患者は遷延性または致死的な経過をたどる．

4 輸血関連循環過負荷(TACO)

輸血関連循環過負荷(transfusion-associated circulatory overload：TACO)の基本的病態は心不全であり，輸血による循環器系への過剰な量負荷もしくは過剰な速度負荷と，患者の心，腎，肺機能の低下などにより呼吸困難をきたす[4]．TACOについては統一された基準はないが，2018年に国際輸血学会が国際ヘ

モビジランスネットワーク，AABB（旧称 American Association of Blood Banks）とともに TACO の定義を提唱した[5]．輸血中または輸血後 12 時間以内に，「急性または増悪する呼吸障害」と「肺水腫の所見」の両方またはどちらかがあり，心血管系所見の変化（頻脈，血圧上昇，脈圧拡大，頸静脈怒張，心陰影拡大，末梢浮腫など），過剰輸液，脳性ナトリウム利尿ペプチド前駆体 N 端フラグメント（N-terminal fragment of brain natriuretic peptide precursor：NT-pro BNP）が年齢別の基準値以上または輸血前の 1.5 倍以上の上昇を含む 3 つ以上を満たすものをいうとされ，この定義に基づいた症例の評価が国際的に実施されるようになった．呼吸困難，低酸素血症は TRALI においても認められ，いずれについても輸血中または輸血後 6 時間以内に発症することが多いため，鑑別診断が必要である[6]．新生児，乳幼児，高齢者，心機能または腎機能低下を有する患者では輸血速度に注意を要する．

5 輸血後移植片対宿主病[7]

輸血後移植片対宿主病（輸血後 graft-versus-host disease：輸血後 GVHD）は，輸血用血液に含まれる供血者の T リンパ球が排除されず，患者の HLA を認識して急速に増殖し，患者の体組織を攻撃，傷害することによって起きる病態である．免疫不全のない患者であっても，HLA 一方向適合（供血者が HLA ホモ接合で，患者がその 1 ハプロタイプを共有するヘテロ接合の場合，患者は供血者 T リンパ球を拒絶できない）を条件として発症する．輸血後 GVHD の場合には患者の造血系も標的になるため，最終的には骨髄無形成，汎血球減少症，さらには多臓器不全を呈し，輸血から 1 か月以内にほとんどの症例が致死的な経過をたどる．輸血後 GVHD の effector である T リンパ球の増殖を抑制するために，赤血球製剤および血小板製剤に対し 15～50 Gy の放射線照射が必要である．

6 輸血後紫斑病（PTP）

輸血後紫斑病（posttransfusion purpura：PTP）は輸血から 5～10 日後に突然発症し，一過性に経過する血小板減少が特徴的である．ヒト血小板抗原（human platelet antigen：HPA）-1a 陰性（日本人の頻度 0.1％未満）患者において，妊娠または輸血により感作され産生された抗 HPA-1a 抗体が輸血された HPA-1a 陽性の血小板を破壊することにより発症する場合が最も多い（約 70％）．血小板輸血が必要な場合には HPA-1a 陰性ドナー由来のものを使用する．HPA-1b，2a，3a/b，4a，5a/b 抗体が PTP の原因のこともある．

7 血小板輸血不応状態

血小板輸血直後の血小板増加数は，輸血血小板総数を循環血液量で除した値の 2/3（1/3 は脾臓で捕捉される）と予測される．血小板輸血不応状態（refractoriness to platelet transfusions）においては，実測による血小板増加数が予想を大きく下回るが，血小板輸血の効果を評価する場合には，循環血液量（体表面積）と輸血血小板総数によって補正された補正血小板増加数〔corrected count increment：CCI（/μL）＝血小板増加数（/μL）×体表面積（m^2）/輸血血小板総数〕を用いて判定されることが多い．連続した 2 回の輸血において，CCI 値が輸血 1 時間後で 7,500/μL，24 時間後で 4,500/μL を下回る場合には血小板輸血不応状態と判断される．血小板輸血不応状態をきたす要因としては，大量出血，発熱，敗血症，脾腫，DIC，薬剤などの非免疫性の要因と，抗 HLA（Class I）抗体や抗 HPA 抗体などの血小板同種抗体が関与する免疫学的機序とがあげられる．この場合には HLA 適合あるいは HPA 適合（または当該抗原陰性）血小板輸血で対応する．

8 鉄過剰症[8]

全血 1 単位（200 mL）由来の赤血球には 100 mg の鉄（Fe）が含まれ，1 日の食事から十二指腸で吸収される量の 50～100 倍に相当する．月に 2 単位を必要とする輸血依存性貧血患者の場合，年間 24 単位，4 年で 96 単位となり，鉄の蓄積量は 10 g に達する．これは健常者の体全体に存在する鉄の量（total body iron：TBI）の 2.5～3 倍に相当する．ヒトでは余剰な鉄を能動的に排泄する生理機構は備わっていないので，TBI はほぼ例外なく十二指腸からの吸収によって調節されている．TBI を評価するうえで最も簡便な指標は血清フェリチン値であり，輸血による鉄過剰負荷のスクリーニングあるいはモニタリング法として有用である．血清フェリチン値が持続性に 1,000 ng/mL を超えていると鉄過剰負荷が示唆される．一方，血清フェリチンは急性期反応物質であり，そのレベルは肝疾患，急性および慢性炎症，網内系の血球貪食亢進などの影響を受けるので，数値の解釈には注意を要する．肝臓における長期間の鉄過剰は，肝障害，肝硬変，肝細胞癌の原因となる．心筋内の鉄の蓄積は肝臓における鉄過剰の後から起こり，心不全（拡張障害や左室駆出率低下）をきたす．膵 β 細胞への鉄沈着により糖尿病が出現する．輸血依存性患者の持続的な鉄過剰を防止するためには，長期の鉄キレート治療を実施する必要がある．キ

レート剤としてはデフェロキサミンメシル酸塩，deferiprone※，デフェラシロクスの3剤がある．デフェラシロクスは経口投与が可能であり，血漿中半減期が長く，1日1回で24時間作用が持続するため忍容性に優れている．

感染性副作用

輸血感染症における代表的な病原体はB型肝炎ウイルス（HBV），C型肝炎ウイルス（HCV），ヒト免疫不全ウイルス-1/2（HIV-1/2）である．血液センターにおける輸血用血液のスクリーニング検査としては，血清学的検査のほかに2014年7月まではプール検体を用いた核酸増幅検査（nucleic acid amplification test：NAT）が行われ，同年8月からは個別検体を用いたNATに移行した．個別検体NATのウインドウ期は，KleinmanらによりHBV（DNA）21日，HCV（RNA）3〜5日，HIV（RNA）5日と報告されている[9]．個別検体NAT移行後から2020年までに輸血後感染症として特定されたのはHBV 5例のみである．そして2020年8月からは，近年臓器移植例や血液疾患症例で輸血後感染症として報告されるようになったE型肝炎ウイルス（HEV/RNA）についても，個別検体NATが導入された．医療機関における対応としては，輸血前後の感染症検査または検体保管が重要である．献血血液の感染症検査陽転化などの献血後情報に基づく遡及調査の情報提供に対しては，当該献血者由来血液製剤の輸血を受けた患者の感染症検査を速やかに実施することが肝要である．

輸血感染症の原因となる病原体には，前述したウイルス以外にヒトパルボウイルス，ヒトT細胞白血病ウイルス（HTLV），サイトメガロウイルス（CMV），スピロヘータ，寄生虫（マラリア，トリパノソーマなど），異常プリオン蛋白質，細菌などが確認されている．CMV抗体陰性の妊婦，あるいは極低出生体重児，造血細胞移植患者・ドナーの両者がCMV抗体陰性の場合には，CMV抗体陰性の赤血球，血小板製剤の使用を考慮する．輸血後4時間以内に39℃以上の発熱，悪寒，頻脈，血圧低下または上昇などが認められた場合は，血液製剤を介した細菌感染症も鑑別診断にあげられる．細菌混入の可能性が高い採血初期段階の血液を取り除く初流血除去や保存前白血球除去などの対策が講じられているが，特に室温で保存される血小板製剤については，まれではあるが細菌混入・増殖が起こることがある．溶血，黒色化，凝固物の析出などの外観異常により，細菌汚染が疑われる血液製剤は使用すべきでない．

輸血に伴う副作用・合併症と対策については「科学的根拠に基づいた輸血有害事象対応ガイドライン」[1]を参照されたい．

文献

1) 岡崎 仁, 他：科学的根拠に基づいた輸血有害事象対応ガイドライン．Japanese J Transfus Cell Ther 65：1-9，2019
2) Ikebe E, et al：Reduction in adverse transfusion reactions with increased use of washed platelet concentrates in Japan-A retrospective multicenter study. Transfus Apher Sci 58：162-168, 2019
3) Vlaar APJ, et al：A consensus redefinition of transfusion-related acute lung injury. Transfusion 59：2465-2476, 2019
4) Hod EA, et al：Noninfectious complications of blood transfusion. In：Cohn CS, et al.(eds), Technical Manual. 20th ed, AABB, Bethesda, 643-645, 2020
5) International Society of Blood Transfusion Working Party on Haemovigilance in collaboration with the International Haemovigilance Network and AABB：Transfusion-associated circulatory overload（TACO）Definition（2018）
https://www.isbtweb.org/fileadmin/user_upload/TACO_2018_definition_March_2019.pdf
6) Semple JW, et al：Transfusion-associated circulatory overload and transfusion-related acute lung injury. Blood 133：1840-1853, 2019
7) Uchida S, et al：Analysis of 66 patients definitive with transfusion-associated graft-versus-host disease and the effect of universal irradiation of blood. Transfus Med 23：416-422, 2013
8) Shander A, et al：Clinical consequences of iron overload from chronic red blood cell transfusions, its diagnosis, and its management by chelation therapy. Transfusion 50：1144-1155, 2010
9) Kleinman SH, et al：Infectivity of human immunodeficiency virus-1, hepatitis C virus, and hepatitis B virus and risk of transmission by transfusion. Transfusion 49：2454-2489, 2009

〔峯岸正好〕

第6章 晩期合併症

1 長期フォローアップ

定義・概念

近年の小児血液腫瘍疾患の治療成績の進歩は著しく，小児がんの5年無イベント生存（EFS）率はわが国でも70～80％に及んでいると推測されるが，治療終了後さまざまな身体的晩期合併症や心理的・社会的適応不全を呈する小児がん経験者も少なからず存在する．一方，小児血液疾患の多くは鉄欠乏性貧血や急性型血小板減少性紫斑病のように小児期に治癒して問題がなくなるものと，血友病のように成人期になっても治療の継続が必要なものが存在する．小児がん経験者の治癒後の晩期合併症の予防・診断・治療，教育や社会心理的な支援をしていくこと，血友病のように治療を継続しながら合併症対策をしていくことを含め，長期フォローアップとよぶ．

小児がん経験者の疫学

1 長期生命予後

欧米においては，小児がん経験者本人からの情報による大規模後ろ向きコホート研究が複数行われている．そのなかで代表的な北米 Childhood Cancer Survivor Study（CCSS）の報告では，小児がん経験者において長期生命予後は同じ年齢の対照群と比較して30年後には約80％に低下しており，診断後20年以上たってからも対照群と差が広がり続けている．しかし，全体的な死亡率は，図1に示したように治療時期が新しくなるにつれて低下してきており（図1A），この低下は原発がん再発による死亡が減少し（図1B），治療関連毒性による死亡に関連した増加がないこと（図1C）に関係している[1]．また早期AYA世代（15～21歳発症）がんに関しても，到達年齢

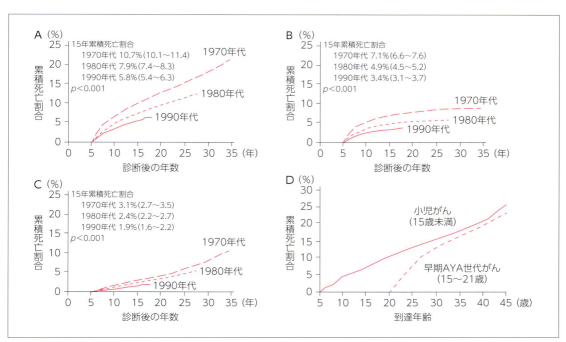

図1 ◆ 長期的生命予後
A：すべての死亡，B：原病による死亡，C：原病以外の健康問題による死亡，D：小児と早期AYA世代のがん経験者．
(Armstrong GT, et al.: Reduction in Late Mortality among 5-Year Survivors of Childhood Cancer. N Engl J Med 374: 833-842, 2016 および Suh E, et al.: Late mortality and chronic health conditions in long-term survivors of early-adolescent and young adult cancers: a retrospective cohort analysis from the Childhood Cancer Survivor Study. Lancet Oncol 21: 421-435, 2020 より引用)

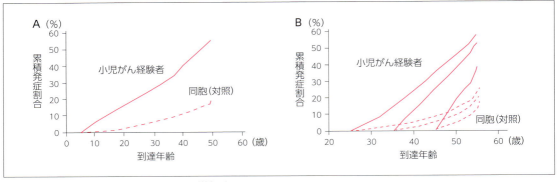

図2 ● 加齢による重篤な晩期合併症の増加
A：Grade 3以上の身体的問題，B：条件付きGrade 3以上の身体的問題．
(Armstrong GT, et al.：Aging and risk of severe, disabling, life-threatening, and fatal events in the childhood cancer survivor study. J Clin Oncol 32：1218-1227, 2014より引用)

でみると30歳くらいから小児期がん(15歳未満発症)と累積死亡率がほぼ重なってくる(図1D)[2]．

2 晩期合併症の累積割合

重篤な晩期合併症の累積割合は，図2に示したように30歳代を過ぎても増加することが明らかで，自己報告による要医療以上の健康障害(有害事象共通用語規準[Common Terminology Criteria for Adverse Events：CTCAE]のGrade 3～5)の50歳までの累積発生割合は，経験者が53.6％であったのに対して，同胞対照では19.8％であった(図2A)[3]．25歳まで，35歳まで，45歳までそのような合併症がみられなかった経験者でも，その後の増加の傾向は明らかに同胞よりは急峻であった(図2B)．St. Jude Lifetime Cohort(SJLIFE)研究の結果[4]では，加齢とともに慢性的健康問題(≒晩期合併症)の累積発症割合はさらに増加し，綿密な医学的なスクリーニングを施行した際に何らかの慢性的健康問題(Grade 1～5)を認める割合は，30歳で98.7％，40歳で99.7％，50歳時点では99.9％とされ，要医療の健康問題(Grade 3～5)を認める割合はそれぞれ30歳で78.4％，40歳で89.8％，50歳時点では96.0％であったと報告されている．臓器別発症割合としては，心血管93.2％，内分泌91.6％，筋骨格83.6％が高値であり，1人あたりの合併症数は17.1(対照同胞では9.2)と報告されている．

小児がん経験者の代表的な晩期合併症

身体的合併症としては，病気自体によって診断後早期に起きるもの，治療に伴い始まり，その後ずっと続くもの，治療が終了したときには何も問題がなかったのに治療終了後数十年以上たってから成長・発達・加齢に伴い問題になってくるものもある．この点から治療終了後数年あるいは5年たった時点で合併症がないからといってフォローアップを中止/終了することは適切ではなく(図2B)，長期にわたるフォローアップとリスクに応じた適切なスクリーニングは必須である．臓器別には表1[5]に示したように，皮膚感覚器から，心血管系，呼吸器系，消化器系，腎・泌尿器系，内分泌系，骨・筋肉系，神経・認知，免疫能の問題に加え，AYA期がん患者でも問題になってきている妊娠・出産など生殖機能に関するものに分類される．また表1にはないが，社会心理的・性的成熟などの問題もあり，精神症状(抑うつなど)，易疲労，就学，社会復帰や就労に関連するものなど幅広い．

小児がんの長期フォローアップに必要なツール

1 長期フォローアップツール

日本小児がん研究グループ(JCCG)の長期フォローアップ委員会では長期フォローアップを支援するために以下のようなツールを作成している．①晩期合併症の情報整理(海外の書籍やガイドラインの日本語への翻訳・監訳)，②治療のまとめ(サマリー)の全国標準化・活用・入力支援，③フォローアップ手帳の作成・活用，改訂，④わが国独自の長期フォローアップガイドライン/ガイドの作成，⑤長期フォローアップの必要性を患児家族に説明する教育ツール，復学支援ツールなどである．

2 リスク因子とフォローアップレベル

晩期合併症のリスクは，患児の背景を含めて多くの因子によって規定されるが，小児がんにおいては約1割にみられるとされる遺伝性素因に加えて，最

表1 ▶ 小児がん経験者のおもな身体的晩期合併症

臓器	ばく露された治療因子			可能性のある晩期合併症
	化学療法	放射線照射野	手術	
皮膚	―	あらゆる領域	―	異形性，黒子，皮膚癌
眼球	BU，ステロイド	頭蓋：眼窩・眼球，TBI	脳外科手術	白内障，網膜症（30 Gy 以上），脳神経麻痺（脳外科手術のみ）
聴力	CDDP，CBDCA	頭蓋，耳，側頭部，鼻咽頭部 30 Gy 以上	―	感音性難聴，伝音性難聴・耳管機能障害（放射線のみ）
歯	あらゆる抗がん薬	口腔や唾液腺を含む頭頸部，TBI	―	歯発育障害（歯/歯根無形性，小歯症，エナメル形成異常），歯周病，う歯，骨壊死
心血管	アントラサイクリン系薬剤	胸部，上腹部	―	心筋症，心不全，不整脈，放射線のみ：弁膜症，動脈硬化，心筋梗塞，心外膜炎，心外膜線維化
呼吸器	BLM，BU，CCNU/BCNU	胸部，TBI	肺切除，肺葉切除	肺線維症，間質性肺炎，拘束性/閉塞性肺疾患，肺機能障害
乳房	―	胸部，TBI	―	乳房発育障害，乳癌（20 Gy 以上）
消化器	―	腹部，骨盤（30 Gy 以上）	腹腔鏡，骨盤/脊髄手術	慢性腸炎，消化管狭窄，癒着/閉塞，失禁，大腸がん（30 Gy 以上）
肝臓	代謝拮抗剤（6-MP，MTX）	腹部（30 Gy 以上）	―	肝機能障害，肝中心静脈閉塞症，肝線維症，肝硬変，胆石症
腎臓	CDDP，CBDCA，IFO，MTX	腹部（腎臓を含む場合）	腎摘出	糸球体障害，尿細管障害，腎不全，高血圧
膀胱	CPM，IFO	骨盤（膀胱を含む場合）；腰・仙椎体	脊髄手術，膀胱摘出	出血性膀胱炎，膀胱線維化，尿排出障害，神経因性膀胱，膀胱腫瘍（CPM，放射線）
性腺/不妊 男性	アルキル化薬（例：BU，CCNU/BCNU，CPM，L-PAM，PCZ）	視床下部-下垂体，精巣，骨盤，TBI	骨盤・脊髄手術，性腺摘出	思春期遅発/停止，性腺機能低下，不妊，勃起/射精障害
性腺/不妊 女性		視床下部-下垂体，骨盤，卵巣，脊髄（腰・仙椎），TBI	性腺摘出	思春期遅発/停止，早発無月経，性腺機能低下，不妊，子宮血流低下，腟繊維化/狭小化
内分泌/代謝	―	視床下部-下垂体，頸部（甲状腺），腹部，TBI	甲状腺摘出	成長ホルモン分泌不全，思春期早発，甲状腺機能低下，甲状腺腫/癌，高プロラクチン血症，副腎不全，性腺機能障害，甲状腺機能亢進症，耐糖能障害，糖尿病
骨・筋肉	ステロイド，MTX	―	―	骨塩量減少/骨粗鬆症，骨壊死
	―	あらゆる領域	―	成長障害/左右非対称，機能/運動障害，低形成，線維化，骨折（40 Gy 以上），側湾症/後湾症，二次性腫瘍/がん
	―	―	患肢切断，患肢温存	成長障害/左右非対称，機能/運動障害
神経認知	MTX，Ara-C（髄注/大量）	頭蓋；耳/テント下	脳外科手術	知能・認知障害（高次機能，集中力，記憶，処理スピード，統合機能），学習障害，知能低下
中枢神経	MTX，Ara-C（髄注/大量）	頭蓋，眼窩/耳/側頭，鼻咽頭部 18 Gy 以上	脳外科手術	白質脳症，けいれん〔化学療法と放射線〕，運動感覚障害，脳血管障害（脳卒中，もやもや病，脳梗塞）〔放射線と手術〕，二次性脳腫瘍
末梢神経	VCR，VLB，CDDP，CBDCA	―	脊髄手術	末梢感覚または運動神経障害
免疫		腹部，左上腹部，脾臓（40 Gy 以上）	摘脾	致死的な感染，脾機能不全（機能性/解剖学的）

MTX：メトトレキサート，CDDP：シスプラチン，CBDCA：カルボプラチン，CPM：シクロホスファミド，BLM：ブレオマイシン，IFO：イホスファミド，6-MP：メルカプトプリン，L-PAM：メルファラン，PCZ：プロカルバジン，BU：ブスルファン，VCR：ビンクリスチン，VLB：ビンブラスチン，TBI：total body irradiation，CCNU/BCNU：ニトロソウレア薬，Ara-C：シタラビン．
(American Academy of Pediatrics Section on Hematology/Oncology, Children's Oncology Group：Long-term follow-up care for pediatric cancer survivors. Pediatrics 123：906-915, 2009 より引用)

大のリスク因子は原疾患(腫瘍要因)と受けた治療内容である．治療サマリーをもとに小児がん経験者ごとにリスクに応じたフォローアップが重要で，長期フォローアップ委員会で作成したガイド[6]では5段階のリスク別フォローアップを提唱している．

成人医療への移行

1 移行期医療

移行期医療に関しては6つの構成要素があるとされる[7]．①移行ポリシー：移行の実際的な方法を説明する文書を作成し，患者・家族に伝え，スタッフに実践的なアプローチを教育する．移行ポリシーを公開し，患者・家族と共有・検討し，移行支援の内容は定期的に見直す．②移行の追跡とモニタリング：移行中の患者の進捗を確認する基準を作成し登録する．その後も移行フォローと登録を若年成人まで継続する．③移行の準備：セルフケアの必要性や目標を患者と家族と確認し議論するため，移行評価シートを使用する．患者と家族でセルフケアのゴールを作成する．④移行計画：移行支援計画を作成し，評価シートの定期的チェック，治療サマリーの共有，緊急時のケアプランを作成する．治療の意思決定を保護者から患者本人へ移行する準備，転科の最適時期について話し合う．⑤転科：患者の状態が安定しているときに転科を行う．移行に必要な資料(移行評価シート，治療サマリー，緊急時ケアプラン，そのほか必要な情報提供書など)を準備する．成人診療科で必要資料を含む診療情報提供書を送付し，受け入れ確認をする．成人側では情報をアップデートする．⑥転科の完了：患者・家族とは6か月は連絡をとり連携を図る．成人側では，支援・専門診療科の連携などケアチームを構築する．移行の完了を確認し，成人側での評価やフィードバックを受ける．

2 成人期のケアプロバイダー

小児がん経験者のケアプロバイダーとしての成人医療移行先の選定は難しく，成人がん治療専門医が候補になることは少ない．家庭医や総合診療専門医などのプライマリケア医は，特定の晩期合併症の専門診療が必要ない経験者ではゲートキーパー的には最適と考えられる．最近小児がんの移行先の現状について世界の状況が調査されたが，プライマリケア医との連携ができている国はきわめて少数であった．内分泌科医や心臓専門医などは，その経験者の治療を必要とする主たる晩期合併症がある際には考慮されるが，ほかの全身的な問題や未発症の病態に対しては対応困難であり，小児がんにとって移行先の成人科診療医は永遠の大きな課題である．

血友病など血液腫瘍以外の血液疾患では，血液内科医などが成人移行医療における移行先の候補となるが，原発性免疫不全症などは成人診療科医の経験が乏しいこともあり，移行先の選定が必ずしも容易ではない．今後，日本小児血液・がん学会でも成人診療科医と連携して取り組んでいくべき課題である．

■ 文献

1) Armstrong GT, et al.：Reduction in Late Mortality among 5-Year Survivors of Childhood Cancer. N Engl J Med 374：833-842, 2016
2) Suh E, et al.：Late mortality and chronic health conditions in long-term survivors of early-adolescent and young adult cancers：a retrospective cohort analysis from the Childhood Cancer Survivor Study. Lancet Oncol 21：421-435, 2020
3) Armstrong GT, et al.：Aging and risk of severe, disabling, life-threatening, and fatal events in the childhood cancer survivor study. J Clin Oncol 32：1218-1227, 2014
4) Bhakta N, et al.：The cumulative burden of surviving childhood cancer：an initial report from the St Jude Lifetime Cohort Study (SJLIFE). Lancet 390：2569-2582, 2017
5) American Academy of Pediatrics Section on Hematology/Oncology, Children's Oncology Group：Long-term follow-up care for pediatric cancer survivors. Pediatrics 123：906-915, 2009
6) JCCG 長期フォローアップ委員会長期フォローアップガイドライン作成ワーキンググループ(編)：小児がん治療後の長期フォローアップガイド．クリニコ出版，2021
7) White PH, et al.：Supporting the Health Care Transition From Adolescence to Adulthood in the Medical Home. Pediatrics 142：e20182587, 2018

(石田也寸志)

第6章 晩期合併症

2 各論

a. 神経・認知

　小児がん経験者は，全例潜在的に神経・認知機能障害のリスクを有している．その理由は原疾患や治療の影響に加え，長期の学習空白があるからである．ただ実際に認知面での合併症が認められるのは，小児がん経験者の約3分の1とする報告がある[1]．実際にわが国では，いまだ認知機能障害についてのアセスメントと介入は過小評価される傾向にあり，適切な支援が十分に提供できていない状態にある[2]．また，神経系の問題は多動やけいれんなど短時間で判別できる症状から，神経専門医の評価で初めて明らかになる記憶障害やコミュニケーションの障害まで症候が幅広いことも問題への対処を困難にする理由となっている．

　血液腫瘍専門医は，治療開始から患者と密接にかかわることのできる立場を最大限に利用し，多職種連携を活用し診断後早期から神経・認知障害のリスクを評価し，小児がん治療と並行して適切な支援につなぐ役割が期待される．

神経・認知面での晩期合併症のリスク因子

1 原疾患が脳腫瘍

　脳腫瘍の摘出術を行うと，神経・認知障害が生じやすい．治療時年齢3歳未満，切除部位と範囲や放射線照射（40 Gy以上），髄注もリスク因子である[3]．

2 代謝拮抗薬

　大量メトトレキサート（$1\,g/m^2$以上），大量シタラビン，髄注シタラビンのいずれかの代謝拮抗薬を投与した患児．ほかに髄注の併用はリスク因子である．

3 放射線照射

　頭部放射線照射は，ワーキングメモリーの低下や末梢神経運動障害を含む処理速度の低下だけでなく，実行機能の不全や注意・集中力の低下を引き起こす恐れがある[4]．

①治療時15歳未満では低年齢ほど影響が大きく，特に3歳未満は高リスクである．
②どの年齢でも投与線量が高いほど影響が大きい．
③大脳の照射範囲が広いほど影響が大きい．
④低い投与線量でも照射からの経過年数が長い（数十年）と影響がでることがある．
⑤女児で影響が大きい．
⑥中枢神経病変（原発性脳腫瘍や中枢神経浸潤など）を有すると影響が大きい．
⑦デキサメタゾン，大量メトトレキサート，大量シタラビンいずれかの薬剤の併用．
⑧造血細胞移植時の全身放射線照射．

4 その他

・小児がん罹患以前に神経・認知面での問題を有していたこと．
・神経・認知障害を有する家族歴があること．
・前述の要因に加え，不適切な生活習慣（喫煙，飲酒，清涼飲料水の大量摂取，肥満，カルシウムとビタミンDの不適切な摂取）．

症状，診察と検査

　以下の症状は本人の自覚がないことがあり，親や教育者のほうが気づきやすい．本人にかかわる大人からの聴取は欠かせない．

1 症状

①注意・集中力の低下．
②処理速度の低下に関しては，筆記や作業に変化が表れやすい．
③実行機能計画を立てて見通しをもって課題に取り組むことが苦手になる．
④記憶力・ワーキングメモリーの低下．
⑤書字困難．
⑥読書困難．
⑦言葉の語彙が増えない．
⑧算数・数学が困難．
⑨てんかん，けいれん．
⑩情報を段階的に処理することが困難．
⑪問題解決が困難．
⑫社会的技能，社交術が不得意．
⑬慢性的な疼痛．
⑭脳血管障害に伴う発作症状（頭痛，けいれん，意識障害ほか）．

表1 ● 神経認知面における評価尺度

機能領域	検査名	対象年齢	実施時間
発達	Bayley III	1歳～42か月	30～90分
知能	WISC-IV 知能検査	5歳～16歳11か月	60～70分
	WAIS-R 知能検査	16歳～成人	60～95分
	日本版 KABC-II	2歳6か月～18歳11か月	30～60分
	田中ビネー知能検査 V	2歳～18歳11か月	35～50分
空間構成能力	コース立体組合わせテスト	6歳～成人	35分
動作性知能	Goodenough 人物画知能検査	3歳～10歳	5分
視覚運動能	Bender・ゲシュタルトテスト	児童用5歳～10歳 成人用11歳～成人	5分
高次脳機能	Benton 視覚記銘検査	8歳～成人	5分
記憶	Wechsler 記憶検査	16歳～74歳11か月	45～60分
注意機能	注意機能スクリーニング検査	18歳～成人	5分

(日本医療研究開発機構研究費「革新的がん医療実用化研究事業」「小児脳腫瘍に対する多施設共同研究による治療開発」日本小児がんグループ脳腫瘍委員会神経心理評価小委員会(編):小児脳腫瘍治療後の神経心理学的合併症についての手引き 第1.1版. 2018 より引用)

2 診察・検査

神経・認知面での障害は,医師による行動観察と患者の主訴から日常生活における困難の程度を特定し,認知機能検査の結果を合わせて総合判定される.脳波検査や画像検査(MRI,SPECT),心理検査はあくまで補完的な役割を担っている.心理検査は小児の検査に熟達した神経心理士により,その意義を十分に検討したうえで行われることが望ましい(表1).

検査の時期としては次のような時期が望ましい.
・小児がんの治療が終了し,長期フォロー移行時期.
・小学校,中学校,高校への進学時期.
・大学受験を計画するとき.
・学校生活において,学業や集団生活で困難をきたした時期.
・その他,必要に応じて.

3 スクリーニングの時期と方法

認知機能の検査は,患者が対象年齢に達していたら治療終了後早期に Wechsler 系知能検査による年1回の測定を推奨する.Wechsler 系知能検査によって知能の水準を測定し,学業に困難がみられる場合,読み書き障害のスクリーニングを追加実施することが望ましい.

神経・認知機能の検査結果を踏まえた対応

1 神経・認知障害を最小限にとどめるための対応

・急性リンパ性白血病における頭蓋照射適応症例数の縮小.
・脳腫瘍症例における3歳未満での頭蓋照射回避.
・高リスク患者における症状の早期発見〔神経学的な診察所見(筋力低下や痙攣発作の有無)や特殊教育の必要性について経過観察〕.

2 二次障害の予防

認知機能障害を背景とした身体・心理・社会的な障害を二次障害とよぶ.二次障害が深刻になれば社会生活に支障をきたす.その予防のためにも,早くから生活習慣を整え,教育から就労への移行が円滑に進むように,能力に応じた環境調整を行う必要がある[2].認知機能に脆弱性がある場合,小児がん経験者は食事管理,金銭管理,適度な運動ができないことがある.その結果,肥満,糖尿病,高脂血症などの生活習慣病に罹患したり,金銭トラブルに巻き込まれたりする恐れがある.適度な運動が認知機能を改善させるという報告もされており,小児がん経験者には健康的な食生活と適度な運動習慣が推奨される[5].

3 行動面に問題のある学童期の子どもへの学校での取り組み(合理的配慮)

・支援級・交流級・通級などを有効に活用する.
・通常級で不得意な科目においては,加配の先生をつける.
・教室で前の席を確保する.
・手書きよりコンピューターのタイプ入力を取り入れる.
・数学で計算機を使うことを許可する.
・テストの形態に配慮する(制限時間の延長,口頭

での回答を許容するなど）.

■ 文献
1) Cheung YT, et al.：chronic health conditions and neurocognitive function in aging survivors of childhood cancer：a report from the childhood cancer survivor study. J Natl Cancer Inst 110：411-419, 2018
2) Peng L, et al.：Neurocognitive impairment in Asian childhood cancer survivors：a systematic review. Cancer Metastasis Rev 39：27-41, 2020
3) 日本医療研究開発機構研究費「革新的がん医療実用化研究事業」「小児脳腫瘍に対する多施設共同研究による治療開発」日本小児がんグループ脳腫瘍委員会神経心理評価小委員会（編）：小児脳腫瘍治療後の神経心理学的合併症についての手引き 第1.1版. 2018
4) Jacola LM, et al.：Cognitive, behaviour, and academic functioning in adolescent and young adult survivors of childhood acute lymphoblastic leukaemia：a report from the Childhood Cancer Survivor Study. Lancet Psychiatr 3：965-972, 2016
5) Wurz A, et al.：A proof-of-concept sub-study exploring teasibility and preliminary evidence for the role of physical activity on neural activity during executive functioning tasks among young adults after cancer treatment. BMC Neurol 21：300, 2021

（大園秀一）

b. 内分泌

多くの小児がん経験者は何らかの晩期合併症を有し，なかでも内分泌疾患は最も頻度が高い合併症の1つである[1]．それらは成長や思春期に直接影響を与え，そのほとんどが一生に渡ることから，晩期内分泌合併症を適切に診断・治療することは小児がん経験者のQOLを考えるうえでも重要な課題である．

リスク因子別晩期内分泌合併症の概略

1 放射線照射

頭蓋，特に視床下部・下垂体系への放射線照射は，その照射線量から出現してくる晩期内分泌合併症の種類と時期を推測することができる．最も放射線感受性の高いのが成長ホルモン系で，次いで性腺系，副腎系，甲状腺系の順に分泌不全が出現してくると考えられている[2]．照射線量が多いほど機能障害をきたしやすいが，治療終了10〜15年後になって初めて機能障害が出現することもあるので，注意が必要である．頭蓋への放射線照射はおもに下垂体前葉系に障害をもたらすが，下垂体後葉の機能は放射線照射の影響をほとんど受けず機能は温存されることが多い．性腺，甲状腺への直接的な放射線照射の影響は，放射線照射時年齢，性別でその発症する晩期内分泌合併症が異なる．

2 抗がん薬

アルキル化薬やアントラサイクリン系薬は，性腺機能障害を引き起こす代表的な薬剤である．これらは総投与量により性腺機能障害の危険性が異なる．また，チロシンキナーゼ阻害薬は成長障害をきたし，免疫チェックポイント阻害薬は甲状腺機能異常や副腎機能低下症を引き起こす可能性があり，注意が必要である．

3 造血細胞移植

造血細胞移植はその前処置に全身放射線照射（TBI）と大量化学療法薬，特にアルキル化薬を用いることが多く，化学療法単独あるいは手術療法のみの症例と比較すると，晩期合併症を発症する危険性はきわめて高い．また，慢性移植片対宿主病（GVHD）では長期間に渡る副腎ステロイドホルモンを使用する場合があり，これもまた晩期内分泌合併症のリスク因子となる．

4 手術療法

視床下部・下垂体系近傍の脳腫瘍はその腫瘍の脳組織への直接的傷害により，また手術療法の関連合併症として内分泌合併症を生じる．さらに頭蓋への放射線照射や抗がん薬の影響も受け，晩期内分泌合併症発症のリスクが一層増加する．

代表的な晩期内分泌合併症

1 成長ホルモン系

成長ホルモン分泌不全性低身長症が代表的な疾患である．18 Gy以上の頭蓋放射線照射では，成長ホルモン分泌不全症を合併する危険性が高い．しかし，小児期では7〜12 Gyの低線量でもgrowth hormone neurosecretory dysfunctionを呈する場合がある．これは薬物による成長ホルモン分泌刺激試験では正常反応を示すものの，生理的成長ホルモン分泌能が低下しているものをいう．また，成長ホルモンが最も放射線感受性が高いため，成長ホルモン以外の下垂体前葉ホルモン分泌不全症状を認める場合には，積極的に成長ホルモン分泌能検査を行う．成長ホルモン分泌不全は頭蓋放射線照射後の年数とともに増加するので，1回の検査で成長ホルモン分泌が正常であっても，成長ホルモン分泌能がその後も一生正常とは限らない．一部の症例では，成長ホルモン分泌不全にもかかわらず成長ホルモン治療なしに身長が伸びる"growth without growth hormone"という病

表1 ◆ 治療別内分泌合併症一覧

		成長ホルモン	性腺系	副腎系	甲状腺系	肥満脂質異常症	糖代謝	骨代謝	水電解質	高血圧
放射線照射	頭蓋照射 大量(>30 Gy)	◎	◎	○	◎	◎	○	△*3		△
	頭蓋照射 中等量(>18 Gy)	◎	◎*1	△	○	○	○	△*3		△
	頭蓋照射 少量(7〜12 Gy)	△			△	△				
	局所照射		◎		◎				○	△
	腹部照射		○				△		△	
	全身照射(TBI)	△	○		○	△	△			
化学療法剤	アルキル化薬*2		○						△	
	アントラサイクリン		○							
	メトトレキサート							○	△	△
	白金製剤		○			○			○	○
	副腎皮質ステロイド薬					○	○			○
	L-アスパラギナーゼ						△			
	チロシンキナーゼ阻害薬				○		○*4			
	免疫チェックポイント阻害薬	△*5	△*5	○*6	○*7			○*8		
	mTOR阻害薬						○			

◎:可能性が高い ○:可能性が十分ある △:可能性があり得る.
＊1:中枢性思春期早発症の可能性があるが,次第に性腺機能低下症に移行する場合もある. ＊2:ブスルファン,シクロホスファミドなど.
＊3:成長ホルモン分泌不全や中枢性性腺機能低下症を伴った場合. ＊4:特にニロチニブ. ＊5:特にCTLA4抗体. ＊6:特に抗PD-1抗体.
＊7:機能亢進低下とも可能性あり. ＊8:小児での報告はない.
(日本小児内分泌学会(編):小児がん内分泌診療の手引き.診断と治療社,2021より引用)

態がみられるが,次第に身長の伸びは不良となることが多い.

2 性腺系

放射線照射による視床下部・下垂体障害は,機能低下症のみならず,機能亢進症をもきたすことがある.視床下部・下垂体系に対する放射線照射では18 Gy以上で視床下部を活性化し思春期早発症をきたし,また30 Gy以上ではゴナドトロピン分泌不全による性腺機能低下症を合併する危険性が増加する.これは男子より女子で頻度が高い.女子で14歳まで,男子で15歳までに二次性徴の徴候が現れない場合は,思春期遅発症と考える.反対に思春期早発症では,低年齢で二次性徴が出現し成長率の上昇をきたす.一時的に高身長となるが,骨年齢の進行を伴い早期に骨端線が閉鎖するため,未治療の場合は最終的に低身長となる.

一方で精巣,卵巣に対する局所放射線照射は,性ホルモン産生と配偶子形成に影響を及ぼす.男子では,12 Gyを超えない程度の精巣への放射線照射はLeydig細胞によるテストステロン産生能は比較的維持され,平均的な二次性徴の進行を認めるが,黄体形成ホルモン(LH)は高値のpartial Leydig cell dysfunctionを示すことが多い.また,Sertoli細胞や胚細胞は2 Gy程度の低線量でも障害を受けやすく,著しい造精能低下を認める.造精能低下を認める症例では精巣発育も不良で,精巣サイズは12 mL(成人の−2 SDに相当)を超えることはほとんどない.女子では,低線量の放射線照射でエストロゲン産生能低下と卵子数減少の両方を認め,また子宮の発育不全も認める.

3 副腎系

頭蓋への放射線照射による中枢性副腎機能低下症は,ほかの下垂体前葉ホルモン分泌不全症に比べると頻度は低く,臨床的にも症状が非特異的なことがある.しかし,それが認識されない場合は急性副腎不全を呈し,重大な結果を招くことがあるため注意が必要である.易疲労感,体力減少,急性疾患からの体調回復の遅延など非特異的な症状に加え,早朝(8時頃)の血清コルチゾール値18 μg/dL未満の場合は副腎不全の存在を疑い,さらに精査が必要となる.

4 甲状腺系

視床下部・下垂体への30 Gy以上の頭蓋放射線照射では,中枢性甲状腺機能低下症を合併する危険性が高くなる.一方,甲状腺に対する局所放射線照射は10 Gy以上では原発性甲状腺機能低下症,20 Gy以上では甲状腺癌の発生頻度が上昇する.しかし,30 Gy以上では甲状腺細胞がアポトーシスをきたし,甲状腺癌発生率は低下する.また低線量の放射線照

射では，甲状腺ホルモンは正常範囲に保たれるものの，甲状腺刺激ホルモンが軽度上昇する subclinical compensated hypothyroidism が比較的多く認められる．

フォローアップガイドの活用

日本小児内分泌学会CCS委員会は，小児がん経験者のフォローアップにかかわるすべての医師が，小児がん治療前に必要な内分泌学的対応，治療中に生じる内分泌疾患への対応，そして晩期内分泌合併症に対応できることを目標に『小児がんの内分泌診療の手引き』を作成し公開している[3]．そのなかで，本手引きのサマリーに相当する一覧表が示され，それを入口として本文の必要な項目を読むことができ

るよう工夫されている（表1）．フォローアップ項目に異常を認めた場合は，内分泌専門医に紹介することが適切と思われる．

■ 文献

1) Gebauer J, et al.：Long-Term Endocrine and metabolic consequences of cancer treatment：A systematic review. Endocr Rev 40：711-767, 2019
2) Shalet SM, et al.：Growth and pituitary function in children treated for brain tumours or acute lymphoblastic leukaemia. Horm Res 30：53-61, 1988
3) 日本小児内分泌学会（編）：小児がんの内分泌診療の手引き．診断と治療社，2021

（石黒寛之）

c. 心臓

概念

晩期合併症のなかでも心合併症は生命予後を左右することがある重大なものである．心合併症には心筋症，心不全（心不全はさまざまな心合併症から起こり得る），不整脈，心筋虚血，心膜疾患，弁膜疾患などがある．心合併症は，近年成人がんでもその重要性が注目されつつあり，腫瘍学と循環器学の分野が協働して広く研究を行うために日本腫瘍循環器学会が設立され，2018年11月に第1回の学術集会が開催された．

以前より治療に伴う心合併症としてアントラサイクリン（anthracycline：ATC）系抗がん薬による心筋障害の問題はよく知られていたが，そのほかにもシクロフォスファミドなどのアルキル化薬，クロファラビン，フルオロウラシル，パクリタキセルやドセタキシル等のタキサン系抗がん薬，三酸化ヒ素などでも心合併症が起こり得るとされている．

近年，新たに使用されることが多くなってきた分子標的薬や免疫チェックポイント阻害薬による心合併症に関しても，徐々にさまざまな知見が明らかになってきている．しかし小児では使用頻度が低いため，現在のところまだ大きな問題までにはなっていない．また，シクロフォスファミドのように使用中や使用直後に心機能障害が出現する薬剤もあるが，今回は小児がんの治療後の晩期合併症として重要と考えられるATCや放射線治療による心筋症を中心に心合併症について述べる．

病因・病態

1 ATCによる心筋障害の病因・病態

ATCによる心筋障害の機序は，まだ全貌は明らかにはされていないが，おもにフリーラジカルの産生による心筋細胞障害といわれている．ATCは強い酸化還元反応を示すキノン基をもち，この部位を介して3価鉄イオンと結合し，2価鉄イオンに還元される．この2価鉄イオン-ATCは不安定なため，3価鉄イオンに速やかに戻るが，この際に酸素を還元してフリーラジカルを生じ，これが細胞障害を起こす．さらにATCのキノン基はシトクロムP450（CYP）により還元されるが，この際にもフリーラジカルが生じる．心臓ではスカベンジャーが少なく心筋細胞膜脂質の過酸化による細胞障害が出現する．その結果としてネクローシス約80％，アポトーシス約20％の心筋細胞障害が惹起されるといわれている．

ヒトの心筋細胞は，生後6か月を過ぎると増殖はほとんどなくなるため，障害され消失した細胞の補充は残存細胞のサイズが肥大して補われる．ATCの心毒性は薬剤が体内に累積するほど，つまり使用量の増加とともに，心室壁の厚さの非薄化と間質の線維化を伴った細胞の肥大が起こり，拡張型心筋症を呈し，さらに進行するとうっ血性心不全に陥るとされている．

ATCの心毒性は薬剤により異なる．例えば，日本で開発されたテラルビシンは心毒性が少ないといわれている．心毒性の評価を行うときにはドキソルビシン（doxorubicin：DOX）に換算して検討されていることが多いが，それらの比較に関してはいくつかの

表1 ◆ ATCの心毒性の比較

ATC名	DOXを1としたときの比
ドキソルビシン（DOX）	1
ダウノルビシン	0.83[9]
イダルビシン	5[9]
ミトキサントロン	4[9]
エピルビシン	0.67[9]
ピラルビシン	0.6[12)13]

(Children's Oncology Group : Long-term follow-up guidelines for survivors of childhood, adolescent, and young adult cancers. Version 3.0-October 2008. Children's Oncology Group, 2008を参照／Ewer MS, et al. : Cardiac Complications. In : Holland JF, et al.(eds.), Cancer Medicine. 3rd ed, Lippincott Williams & Wilkins, 3197-3215, 1997/Mathe G, et al. : An oriented phase II trial of THP-adriamycin in breast carcinoma. Biomed Pharmacother 40 : 376-379, 1986をもとに作成)

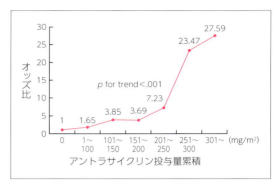

図1 ◆ アントラサイクリン累積使用量と心筋症との関係
(Blanco JG, et al. : Anthracycline-related cardiomyopathy after childhood cancer : role of polymorphisms in carbonyl reductase genes-a report from the Children's Oncology Group. J Clin Oncol 30 : 1415-1421, 2012より引用)

意見がある．ダウノルビシンとDOXの比だけをみても1：1から0.83：1，最近では0.6：1や0.5：1という説もある．またミトキサントロンの心毒性もDOXとの比は1：4といわれていたが，最近では1：10.5という説もある[1]．われわれが使用している換算を表1に示す．

ATCと心毒性に関した報告として，うっ血性心不全のリスクはATC累積投与量400 mg/m²以下では0.15％，500/m²以上は7％という報告[2]，DOX累積投与量400 mg/m²では11％，400～599 mg/m²では23％，600～799 mg/m²では47％，800 mg/m²以上では100％で心合併症が生じるという報告[3]が古くからあるが，最近では250 mg/m²を超えると心筋症の確率が7.25倍，300 mg/m²を超えると25倍増加するとの報告[4]がある．さらに1～100 mg/m²の使用であってもハザード比は1.65と1よりは高く，わずかな使用量でも心筋症のような心合併症が起こる可能性がないとはいえない（図1）．

ATCの心毒性の危険因子は，蓄積量のほかに幼少時での治療歴，女子ということもいわれている．女子に多い理由としては，ATCは脂肪組織へはなかなか浸透しないが，女子は脂肪が多くATCの代謝が遅いため，長時間にわたりATCが体内に残存するという説や，女子は脂肪が多いため同じ投与量であっても心臓における濃度が高くなっているためではないかという説がある．

同じ投与量や同じ投与方法でも心毒性を起こしやすい人がおり，これは遺伝子多型と関係が深いのではないかということで，これに関する研究も進んできている．

2 胸部放射線照射による心合併症の病因・病態

放射線治療の効果は，放射線が直接DNAを損傷させる直接効果と，細胞核内の水分子を電離させることにより電子とフリーラジカルを発生させて間接的にDNAを傷害する間接的効果の両者ががん細胞のDNA障害を起こすことによるとされている．一方，心筋や心膜，弁の細胞は分裂が盛んではないため，急性の障害を起こすことは少ないが，組織の線維化や硬化を促すためにしばらく経過したあとに心機能低下や冠動脈の狭窄などが起こることがあり，これが放射線治療の晩期合併症の原因となる．

放射線治療が原因となる心合併症を放射線起因心合併症（radiation induced heart disease：RHID）とよんでいる．一般的に胸部放射線照射量が30 Gy以上になるとRHIDのリスクが増加するとされるが，近年，平均心臓線量が15 Gy以上の場合，心疾患リスクが高まるとの報告もある[5]．また5～19.9 Gyであっても心臓体積の半分以上が照射された場合にはRHIDのリスクが高まるとの報告[6]もあり，より低い線量被ばくであっても経過観察が必要であるといわれている．さらにATCの使用（特に100 mg/m²以上）と胸部放射線照射の併用は心合併症のリスクを上げるとされ，COGのガイドライン[7]や国際ガイドラインハーモナイゼーションの報告[8]でも注意喚起がなされている．

心合併症の疫学

2008年に発表された北米のコホート研究であるChildren Cancer Survivors Study（CCSS）からの報告では，1976～1986年に診断された小児がん経験者で5年以上生存した20,483人のうち最終的に死亡した

2,534人の死因の6.9％（176人）が心疾患によるとされている[9]．このうち心筋症が46人，虚血性心疾患が44人，心不全が6人であった．また，小児がん患者が化学療法もしくは放射線治療を受けた場合の心不全，心血管系の障害のリスクは，健常人に比し，それぞれ15倍，10倍になるとの報告がある[10]．

ATCの心筋症をはじめとする心毒性は，投与直後に起こる急性心毒性と，使用量が増加すると起こす蓄積性の慢性心毒性がある．特にATC投与から1年以内に起こる慢性心毒性を早期慢性心毒性，それ以降に起こるものを後期慢性心毒性とよぶ．後期慢性心毒性に関しては，使用後数年以上してから発症する場合もある．このなかで最も頻度が高いのは後期慢性心毒性といわれている．

臨床徴候・診断・検査

心機能低下が起きても軽症，あるいは中等症の場合は症状としてはほとんど現れず，心エコー検査，あるいはその他の検査をして初めて診断されることが多い．病態が進むと，いわゆる心不全の徴候が出現する．診断に用いる検査としては，心エコー，心電図，核医学的検査，MRI等の画像検査や血液検査などがある．心エコー検査では，検査項目によって心臓の機能障害の比較的早い段階から異常が認められるものから，高度の障害が出るまで異常が認められにくいものまである．また同じ検査項目であってもトレッドミルや強心薬などの負荷をかけたほうが早い段階で異常が指摘できるともいわれている．左室収縮能としては左室駆出率（left ventricular ejection fraction：LVEF），拡張能としては拡張早期波/心房収縮波（E/A）比，Tei index，ストレインなどがよく用いられている．核医学的検査も心機能評価には有用であるが，放射線を使用した検査であるため頻回な検査は推奨できない．MRI検査での心機能評価も可能であるが，一般的なスクリーニングの方法としては心エコーが最も簡便であり有用である．血液バイオマーカーとしては，脳性ナトリウム利尿ペプチド（brain natriuretic peptide：BNP）やヒト脳性ナトリウム利尿ペプチド前駆体N端フラグメント（NT-proBNP）は，心筋ストレスマーカー，トロポニンTまたはトロポニンIは心筋障害マーカーとして有用であるといわれているが，心機能障害の早期の段階での評価方法としては疑問である．

予防・治療

ATCは，小児がん治療では全小児がんの40〜60％に使用されている治療に不可欠な抗がん薬である．ATCの心毒性を少なくする最もよい方法は，ATCの使用量が少ない治療プロトコールの作成，あるいは心毒性の少ないATCの使用であるが，それにも限界はあろう．

欧米ではデクスラゾキサンという鉄のキレート薬により，フリーラジカルの産生を抑制する薬剤が使用されており，心毒性予防効果が報告されている．ただし，エトポシドとの併用で二次がんのリスクがやや高かったとの報告もある．デクスラゾキサンは日本では心毒性予防では承認されていない．

一方，胸部放射線照射においては心臓にかかる放射線量の減弱化を図る試みもされている．

また，予防としては潜在期におけるスクリーニングを行うことにより，早期に心機能の評価を行うことが大切である．心毒性が顕性化する危険因子として，運動，特にウエイトリフティングなどのような等尺運動，妊娠・出産などがあげられる．心機能を評価しながら，運動の制限を検討しなければならないこともある．ATCの投与量によっては，妊娠前に心機能評価を行うことがすすめられる．

うっ血性心不全の徴候があるときは，心機能障害の進行の防止として，アンジオテンシン変換酵素（angiotensin converting enzyme：ACE）阻害薬，アンジオテンシンⅡ受容体拮抗薬，β遮断薬，抗利尿薬（スピノロラクトンなど）の投与を行う試みがある．CardinaleらはATCによりLVEFが45％以下に低下した201例（平均53歳）に対し，72例にACE阻害薬のみを投与，129例にACE阻害薬およびβ遮断薬を投与し，LVEFの50％以上が改善したresponderが85例（42％），LVEFの改善が10〜50％であったpartial responderが26例（13％），LVEFの改善が10％未満であったnon responderが90例（40％）という報告[11]をしている．

今後これらの薬剤による心機能障害の抑止については，臨床評価を期待したい．

■ 文献

1) Feijen EAM, et al.：Derivation of Anthracycline and Anthraquinone Equivalence Ratios to Doxorubicin for Late-Onset Cardiotoxicity. JAMA Oncol 5：864-871, 2019
2) von Hoff DD, et al.：Risk factor for doxorubicin-induced congestive heart failure. Ann Intern Med 91：710-717, 1979
3) Steinherz LJ, et al.：Cardiac toxicity 4 to 20 years after completing anthracycline therapy. JAMA 266：1672-1677, 1991
4) Blanco JG, et al.：Anthracycline-related cardiomypathy after childhood cancer：role of polymorphisms in carbonyl reductase genes—a report from the Children's Oncology Group. J Clin Oncol 30：1415-1421, 2012
5) Tukenova M, et al.：Role of cancer treatment in long-term overall

and cardiovascular mortality after childhood cancer. J Clin Oncol 28：1308-1315, 2010
6) Bate JE, et al.：Therapy-Related Cardiac Risk in Childhood Cancer Survivors：An analysis of the Childhood Cancer Survivor Study. J Clin Oncol 37：1090-1101, 2019
7) The Children's Oncology Group(eds.)：Long-term follow-up guidelines for survivors of childhood, adolescent, and young adult cancers. Version 5.0-October 2018
8) Armenian SH, et al.：Recommendations for cardiomyopathy surveillance for survivors of childhood cancer：a report from the International Late Effects of Childhood Cancer Guideline Harmonization Group. Lancet Oncol 16：e133-e136, 2015
9) Mertens AC, et al.：Cause-specific late mortality among 5-year survivors of childhood cancer：the childhood Cancer Survivor Study. J Natl Cancer Inst 100：1368-1379, 2008
10) Menna P, et al.：Cardiotoxicity of antitumor drugs. Chem Res Toxicol 21：978-989, 2008
11) Cardinale D, et al.：Anthracycline-induced cardiomyopathy：clinical relevance and response to pharmacologic therapy. J Am Coll Cardiol 55：213-220, 2010
12) Ewer MS, et al.：Cardiac Complications. In：Holland JF, et al.(eds.), Cancer Medicine. 3rd ed, Lippincott Williams & Wilkins, 3197-3215, 1997
13) Mathe G, et al.：An oriented phase II trial of THP-adriamycin in breast carcinoma. Biomed Pharmacother 40：376-379, 1986

（前田美穂）

d. 呼吸器

小児がん治療には，化学療法・手術・放射線療法が用いられ，長期的にみるとこれらが複雑にかかわり合いさまざまな合併症が起こり得る．小児がん経験者の治療関連合併症による死亡数は，観察年数が経過するにつれて増加していくが，呼吸器合併症は，原疾患再発による死亡を除けば，二次がん，心合併症による死亡に次ぎ，治療関連死亡原因の第3位となっている[1]．

本項では，小児がん経験者に起こり得る呼吸器晩期合併症について，治療法別のリスク因子を中心に概説する．

放射線による呼吸器晩期合併症

成長・発達途中にある小児期に放射線照射を受けることにより，肺実質・胸郭，その両方に成長障害が発生し，呼吸器晩期合併症の問題が起こり得る．

肺実質の障害は，数週間から数か月にわたって3つの段階を経て起こるとされる．DNAの酸化的損傷による細胞損傷とアポトーシスに始まり，それに続く局所的な炎症反応，炎症細胞の動員と正常なバリア機能の喪失が起き，その後の修復過程で活性化されたマクロファージを中心とした炎症細胞が流入し，組織の再構築と線維化が進展する．炎症と修復の過程では，局所的な浮腫や血管の変化により低酸素状態となり，再び細胞の損傷と炎症が誘発される．このような治癒しない組織反応が続くと，慢性的な放射線障害となる．

肺への治療的照射から2年以上経過した小児109人のコホートでは，呼吸器合併症の累積発生率は70％で，そのほとんどが肺炎，胸壁の変形，間質性肺炎であった．多変量解析では，平均肺照射線量（mean lung irradiation dose：MLD）のみが増悪因子であった[2]．

腎芽腫（Wilms腫瘍）を米国Wilms腫瘍スタディ（National Wilms Tumor Study：NWTS）1および2（1969～1979年）で治療された787人の小児において，胸部へ放射性治療を受けた小児は，受けなかった小児と比べて脊柱側彎症の有病率が約7倍高いと報告されている[3]．

放射線治療は一酸化炭素拡散能（diffusing capacity of CO：DLCO）にも影響する．小児期にリンパ腫を治療した患者において，胸部への放射線照射と化学療法を併用した際，残気量や1秒量とともに有意にDLCOが減少する．

化学療法による呼吸器晩期合併症

ブレオマイシン，ブスルファン，シクロホスファミド，およびニトロソウレア（カルムスチン：BCNU，ニムスチン：ACNU）などの抗がん薬へのばく露によって肺機能障害が起こることが報告されている．ニトロソウレアのうち，静注製剤において累積投与量と肺障害の関係が多く報告されているBCNUは，わが国では脳内留置用薬のみが使用可能であり，ここでは触れない．

1 ブレオマイシン誘発性肺毒性

ブレオマイシンは肺毒性をもつ抗がん薬としてよく知られた薬剤である．器質化肺炎を伴う閉塞性細気管支炎（bronchiolitis obliterans organizing pneumonia：BOOP），好酸球増加を伴う肺浸潤，間質性肺炎から進行すると肺線維症に至る合併症が知られている．

肺線維症は，一般的に治療終了後数か月から発症する．ブレオマイシン誘発性肺毒性の病因は十分に解明されていないが，肺はブレオマイシン解毒酵素であるブレオマイシン加水分解酵素のレベルが低いため，ブレオマイシンが代謝を受けにくく肺血管内

皮へ蓄積することにより，マクロファージや線維芽細胞などの炎症細胞が集積し，最終的に肺実質の線維化(肺線維症)に至るとされる．

成人患者において，ブレオマイシンは総累積使用量 400 mg で 10 % に線維症を発症し，死亡率は 1～2 % とされているが，小児においてはより少量の使用で呼吸機能障害が出現する可能性がある．ブレオマイシン(使用中央値 120 mg/m^2)で胚細胞腫瘍の治療を受けた小児の 13 人中 8 人で，呼吸機能検査での異常が出現したことが報告されている[4]．

胸部照射や，ほかの化学療法薬(ビンクリスチン，ドキソルビシンなど)，高濃度酸素療法との併用で，ブレオマイシンの肺障害が悪化する可能性がある．Goldiner らは，精巣腫瘍の治療でブレオマイシン(400 mg ± 180 mg)の使用後 6～12 か月に肺切除を行い，酸素療法(酸素濃度平均 39 %)を行った 5 人の患者が呼吸不全のため全員死亡し，剖検にて肺障害部位の肺胞壁に深刻な損傷を認めたことを報告した[5]．ブレオマイシンは，フリーラジカルの生成によって部分的に肺組織を傷害するため，高濃度酸素投与が肺毒性を増悪させる可能性が示唆されている．しかし，手術を受けるブレオマイシンばく露患者の大規模なコホート研究で，喫煙習慣，術前の肺機能検査および術中の体液管理が，酸素投与よりも術後の肺障害の重要なリスク因子であるとの報告もある[6]．

2 アルキル化薬

1) ブスルファン

ブスルファンは，小児期の造血細胞移植の前処置として，全身放射線照射(TBI)の代わりに使用されることが多い．ブスルファンの肺毒性は通常，無症状のまま進行する．呼吸器症状は治療の開始から 4 年以上経過したあとに発生し，乾性咳嗽，呼吸困難または発熱を呈し，胸部 X 線検査では，肺胞との間質浸潤パターンを示す．ブスルファンの肺毒性が用量依存性であるか明らかではないが，他の肺毒性をもつ薬剤を併用していない患者の場合，ブスルファン 500 mg 以下の使用での呼吸器合併症の報告はない[4]．

2) シクロホスファミド

シクロホスファミドは，呼吸器晩期合併症として呼吸困難，発熱，咳嗽といった症状や，呼吸機能検査上のガス交換の異常，胸部 X 線異常を起こす．シクロホスファミドによる肺毒性のうち，早期発症性肺炎はばく露後の 6 か月までに現れるが，薬物の減量またはコルチコステロイド投与で改善する．遅発性肺炎はばく露後 6 か月以降に現れ，シクロホスファミド減量もしくはコルチコステロイドに反応せず肺線維症へと進行するが，シクロホスファミドの投与量や使用期間と肺障害の明らかな関係は示されていない．

3 化学療法中・治療後の呼吸器感染症

70 人の小児白血病生存者(診断後中央値 6 年)における呼吸機能検査で 50 % 以上の患者で何らかの異常を認めるとされる報告がある．呼吸機能異常があった患者の多くは，白血病の治療中またはその後に呼吸器感染症を発症していたことから，感染症は呼吸機能に悪影響を及ぼすことが示唆されている．治療中に肺感染症を合併した患者で，その後肺活量ならびに DLCO の低下するリスクが上がることは多変量解析でも確認されている[4]．

造血細胞移植後の呼吸器晩期合併症

造血細胞移植後のおもな死因として，呼吸器合併症は重要である．小児期に造血細胞移植を受けた患者において，呼吸器合併症をもった患者はそうではない患者よりも有意に死亡率が高い．造血細胞移植後の患者における呼吸器合併症は，成因別におもに次の 4 つに分類される．

　①移植前処置関連毒性
　②免疫再構築期間中に発生する呼吸器感染症
　③移植前処置で使用される化学療法や放射線照射により発生する非感染性呼吸器合併症
　④同種免疫反応に起因する合併症

造血細胞移植後の小児が移植片対宿主病(GVHD)を発症した場合，細菌や真菌感染，ウイルス感染(特にサイトメガロウイルスなどのヘルペスウイルスの再活性化)のリスクが上昇する．しかし，晩期に起こる呼吸器合併症に限っていうと，そのほとんどは非感染性であり，気管・気管支といった末梢気道や肺間質の障害が起こりうる．細気管支粘膜下・周囲の線維化による細気管支内腔の狭小化・閉塞を特徴とする bronchiolitis obliterans(BO)/BO 症候群(BO syndrome：BOS)は，その発症に慢性 GVHD との関連が示唆されている．移植後の非感染性の間質性肺炎は，乾性咳嗽，呼吸困難を伴い，胸部 X 線にてびまん性すりガラス様網状影を呈し，動脈血ガス分析では，A-aDO$_2$ の拡大を示す．GVHD とともに抗がん薬や放射線照射との関連が考えられている．

小児期に造血細胞移植を受けた患者の解析によると，移植前から移植後 3～6 か月で肺容量と DLCO の低下，拘束性肺障害が起こり，1～2 年間で部分的

な回復をみせ，その後安定化する．また，移植後10年後の呼吸機能検査では，患者の40％が拘束性肺障害または閉塞性肺障害のいずれかを有していたことが示されている[7]．

胸腔手術による肺障害

肺は，小児固形腫瘍（Wilms腫瘍，骨原発性腫瘍，軟部肉腫，胚細胞腫）の転移する頻度が高い臓器である．また，転移性腫瘍よりも頻度は低いが，胚芽腫や，Askin腫瘍といった呼吸器（胸腔）原発の腫瘍も存在する．これらのがんの治療において肺切除は重要な要素である．小児期に肺切除を受けても，残存肺が肥大または過膨張などの適応のメカニズムにより，長期的に肺組織の損失は代償されることが多いが，手術が複数回となるとより肺機能が低下する傾向がある[8]．

呼吸器合併症を予防するために

呼吸器合併症発症リスクをもつ患者には，早期発見のためにX線撮影と呼吸機能検査を行う．また，禁煙を心がけることや（受動喫煙にも注意），肺炎球菌ワクチンや，インフルエンザワクチンを積極的に接種し，呼吸器感染症予防に努めることも大切である．化学物質，溶剤，ペンキなどを扱う職業に就いている場合，就業中は換気扇を使用するなど可能な限り職場環境を整えるような指導も必要である．

ブレオマイシン使用者において，スキューバダイビングや全身麻酔などを行うなど，高濃度の酸素にさらされる可能性がある場合には，事前に呼吸機能検査を行い，必要時は呼吸器専門医に相談する．

おわりに

小児期に行った治療によって生じる晩期合併症の情報と，その予防法を理解することで，さらなる肺障害を起こし得る要因へのばく露を避けることが可能となる．今後，呼吸器合併症を起こしやすい遺伝的感受性や肺毒性をもたらす基礎となる分子機構が解明されれば，小児がんの生存者の特定のグループの間で呼吸器合併症の早期発見，早期治療介入が可能になるかもしれない．

■ 文献

1) Armstrong G T, et al.：Late mortality among 5-year survivors of childhood cancer：A summary from the Childhood Cancer Survivor Study. J Clin Oncol 27：2328-2338, 2009
2) Venkatramani, R, et al.：Correlation of clinical and dosimetric factors with adverse pulmonary outcomes in children after lung irradiation. Int J Radiat Oncol Biol Phys 86：942-948, 2013
3) Evans AE, et al.：Late effects of treatment for Wilms' tumor. a report from the National Wilms' Tumor Study Group. Cancer 67：331-336, 1991
4) Jenney ME：Malignant Disease and the Lung. Paediatr. Respir. Rev 1：279-286, 2000
5) Goldiner P L, et al.：Factors Influencing Postoperative Morbidity and Mortality in Patients Treated with Bleomycin. Br Med J 1：1664-1667, 1978
6) Aakre BM, et al.：Postoperative acute respiratory distress syndrome in patients with previous exposure to bleomycin. Mayo Clin Proc 89, 181-189, 2014
7) Frisk P, et al.：Pulmonary function after autologous bone marrow transplantation in children：A Long-Term Prospective Study. Bone Marrow Transplant 33：645-650, 2004
8) Denbo JW, et al.：Long-term pulmonary function after metastasectomy for childhood osteosarcoma：A report from the St Jude Lifetime Cohort Study. J Am Coll Surg 219：265-271, 2014

〔力石　健〕

e. 腎・泌尿器

腎・泌尿器系の晩期合併症は，腎機能障害〔糸球体濾過量（glomerular filtration rate：GFR）の低下，尿細管障害，蛋白尿，高血圧など〕および尿路系の合併症（出血性膀胱炎，膀胱尿管逆流，膀胱線維症，神経因性膀胱，尿管閉塞など）に大別され，化学療法，手術，放射線照射，造血細胞移植のほか，支持療法に用いる薬剤などによっても起こり得る．

腎合併症

1 疫学

コクランレビューによる検討では，慢性腎臓病（chronic kidney disease：CKD）は2.4～32％，GFRの低下は0～73.7％，蛋白尿は3.5～84％，尿細管障害は0～62.5％，低マグネシウム血症は13.2～28.6％，高血圧は0～50％としている[1]．

2 病態・臨床症状[2]

1）糸球体・尿細管障害

初期は血尿，蛋白尿，高血圧など自覚症状に乏しいが，進行すると浮腫，疲労感，悪心，皮膚瘙痒感などが出現する．尿細管障害では輸送機能の障害から糖，アミノ酸，重炭酸，尿酸，Na，K，リン酸など電解質の喪失がみられ，Fanconi症候群や代謝性アシドーシスを呈し，さらに骨軟化症，くる病に至ることもある．

2）腎血流低下の影響

手術操作（副腎腫瘍の摘出，広範なリンパ節郭清，

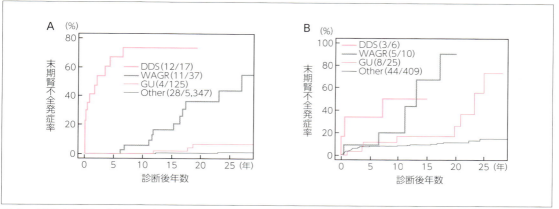

図1 ● 基礎疾患別の末期腎不全の累積発症率
A：片側性Wilms腫瘍，B：両側性Wilms腫瘍．
Wilms腫瘍における末期腎不全の発症率は多発奇形症候群の併存の有無および片側性か両側性かに依存する．
DDS：Denys-Drash症候群，WAGR：WAGR症候群，GU：その他泌尿生殖器異常，Others：その他．
(Breslow NE, et al.：End stage renal disease in patients with Wilms tumor：results from the National Wilms Tumor Study Group and the United States Renal Data System. J Urol 174：1972-1975, 2005 より引用)

腎血管テーピングなど）に伴う血管れん縮により腎血流低下をきたし腎機能障害や高レニン性高血圧を生じることがある．

3）年齢・成長の影響

薬剤による毒性や手術（腎摘出や部分切除）により残された腎組織の予備力が少ない場合や，放射線照射により以後の腎の発育が阻害される場合は，身体が成長するにつれて徐々に腎機能が追い付かなくなり腎機能障害が明らかになることがある．

4）その他

治療中に生じた急性腎障害が回復せず自覚症状に乏しいまま経年的に悪化してCKDに移行する場合もある[3]．感染や脱水，腎毒性を有する薬剤（造影剤を含む）の不用意な投与を契機に顕性化し急激に悪化することも少なくない．

3 リスク因子

1）抗がん治療に関連したリスク因子

イホスファミド，シスプラチン，カルボプラチンを用いる化学療法，腎を含む部位への放射線照射（全身放射線照射を含む），手術（腎摘出，腎部分切除）がリスク因子となる．なかでも積算投与量がイホスファミド：60 g/m² 以上[2]，シスプラチン：450 mg/m² 以上[3]，または 40 mg/m²/日以上[4]，腎を含む部位への放射線照射：10 Gy 以上[5]，腎摘出[3]は高リスクである．これらの治療の併用はさらにリスクを増すが，片側の腎摘出を受けても，腎毒性を有する化学療法や腎への放射線療法を受けていない場合は長期的な腎機能障害をきたすことは少ない．

造血細胞移植では長期生存者の11％に慢性の腎機能障害が発症し，急性期の腎毒性の存在がリスク因子であるとされる[6]．

2）支持療法に関連したリスク因子

腎毒性を有する薬剤（アミノグリコシド系薬剤，バンコマイシン，アムホテリシンB，造血細胞移植時の免疫抑制薬として用いられるカルシニューリン阻害薬）の併用はリスク因子となる．

3）基礎疾患に関連したリスク因子

基礎疾患として先天性腎尿路異常を有する場合，特殊な病態として Denys-Drash 症候群（Denys-Drash syndrome：DDS）や Wilms腫瘍-無虹彩症-泌尿生殖器奇形-精神遅滞（Wilms tumor, aniridia, genito-urinary anomalies, mental retardation：WAGR）症候群では，そうでない場合と比較して容易に末期腎不全に至る（図1）[7]．

4）その他のリスク因子

腫瘍の腎浸潤，治療開始時4歳未満[5]，高血圧・糖尿病の併存もリスク因子となる．

4 スクリーニングと対応

リスク因子を有する例には，血圧測定，血液検査（血清Na，K，Cl，Ca，P，Mg，BUN，Cr，尿酸，シスタチンC，静脈血液ガス），検尿（蛋白，糖，潜血，沈査），尿蛋白定量，尿中$β_2$ミクログロブリン，尿中 N-アセチル-β-D-グルコサミニダーゼ（尿中 N-acetyl-β-D-glucosaminidase：尿中NAG）の検査を行い，『エビデンスに基づくCKD診療ガイドライン2018』（日本腎臓学会編，2018）または『小児慢性腎臓病（小児CKD）診断時の腎機能評価の手引き』（日本小児CKD研究グループ編，2014）を用いてCKDの

評価を行う．小児ではGFR＜90 mL/分/1.73 m^{2}の時点からCKDに準じた管理が必要と考えられている．電解質喪失や代謝性アシドーシスが続く場合は電解質や重炭酸を補充する．

顕微鏡的血尿が認められ尿培養が陰性の患者や，高血圧，蛋白尿，進行性の腎機能障害を呈する場合は腎専門医に相談することが望ましい．CKDに至った場合でも，年齢や個々に合わせた適切な生活指導や薬物療法（降圧療法，尿酸低下療法，脂質低下療法など）により，残った腎機能の保持や心血管イベントのリスクを低減することが可能である．リスク因子を有する例は，無症状であっても経時的に腎機能の評価を行うとともに専門医との適切な連携を心がける必要がある．

尿路系合併症

1 疫学

十分なデータはなく，正確な頻度は明らかでない．膀胱の合併症の1つである出血性膀胱炎について，アルキル化薬を含む化学療法を受けたEwing肉腫の患者の15％にみられたという報告がある[8]．

2 病態・臨床症状

尿路系の合併症は，薬剤による膀胱粘膜障害や，後腹膜や骨盤内など腎血管や尿路に近接する領域への手術操作や放射線照射による組織障害，膀胱を支配する脊髄より下位の神経障害により起こり，出血性膀胱炎，膀胱線維症，神経因性膀胱などがみられる．出血性膀胱炎では血尿，尿意切迫，頻尿，排尿障害，排尿時痛がみられ，膀胱線維症では不可逆的な膀胱容量の減少が起こる．神経因性膀胱では尿失禁，夜間頻尿，遺尿がみられる[8]．

3 リスク因子

シクロホスファミドおよび骨盤への30 Gy以上の放射線照射は単独で尿路系合併症のリスクとなり，併用した場合には特にリスクが高くなる[8]．

脳脊髄腫瘍や骨盤腔内腫瘍は膀胱を支配する神経の圧迫により神経因性膀胱の原因となり得る．このほか，腰椎から仙尾部，骨盤腔への放射線照射，膀胱摘出や子宮摘出，仙尾部腫瘍摘出などの骨盤腔内手術や尿路変更術などの手術もリスクとなる．

4 スクリーニングと対応

リスク因子を有する症例には，定期受診時に検尿を行う．顕微鏡的血尿が認められる場合は尿の細菌培養ならびに腎・泌尿器系の超音波検査を行う．排尿障害や肉眼的血尿を認める，尿路感染症を反復する，膀胱照射やアルキル化薬の投与歴があり顕微鏡的血尿を認める例は泌尿器科医に相談する．

尿失禁などの排尿障害はQOLを著しく低下させるが，これらは適切な病態把握と排尿管理により生活への支障を縮小し得るため，早期に専門医と連携したい．経験者から医療者には訴えづらいため，リスク因子を有する例では医療者側から問いかける姿勢や話しやすい雰囲気・関係性づくりも大切である．

■ 文献

1) Kooijmans EC, et al.：Early and late adverse renal effects after potentially nephrotoxic treatment for childhood cancer. Cochrane Database Syst Rev 3：CD008944, 2019
2) Jones DP, et al.：Renal late effects in patients treated for cancer in childhood：a report from the Children's Oncology Group. Pediatr Blood Cancer 51：724-731, 2008
3) Dekkers IA, et al.：Long-term nephrotoxicity in adult survivors of childhood cancer. Clin J Am Soc Nephrol 8：922-929, 2013
4) Ehrhardt MJ, et al.：Renal and Hepatic Health After Childhood Cancer. Pediatr Clin North Am 67：1203-1217, 2020
5) Children's Oncology Group：Long-Term Follow-Up Guidelines for Survivors of Childhood, Adolescent, and Young Adult Cancers. Version 5.0, Children's Oncology Group, 2018
6) Frangoul H, et al.：Long-term follow-up and management guidelines in pediatric patients after allogeneic hematopoietic stem cell transplantation. Semin Hematol 49：94-103, 2012
7) Breslow NE, et al.：End stage renal disease in patients with Wilms tumor：results from the National Wilms Tumor Study Group and the United States Renal Data System. J Urol 174：1972-1975, 2005
8) Ritchey M, et al.：Late effects on the urinary bladder in patients treated for cancer in childhood：a report from the Children's Oncology Group. Pediatr Blood Cancer 52：439-446, 2009

（早川　晶）

f. 消化器

小児がん治療に関連する消化器（消化管および肝）合併症は，多くが急性または一過性である．晩期合併症は比較的少ないうえ，自覚症状に乏しいまたは非特異的なために気づかれにくいが，早期介入ができればQOLを改善し得る．認識をもってフォローアップを行いたい．肝合併症については「第Ⅰ部/第5章/6．小児がん・血液診療の輸血/c．輸血副作用」も参照されたい．

消化管合併症

1 疫学

北米CCSS（Childhood Cancer Survivor Study）の報告[1]では，診断後20年で何らかの上部消化管合併症を有する小児がん経験者は25.8％であり，そのうち

2. 各論

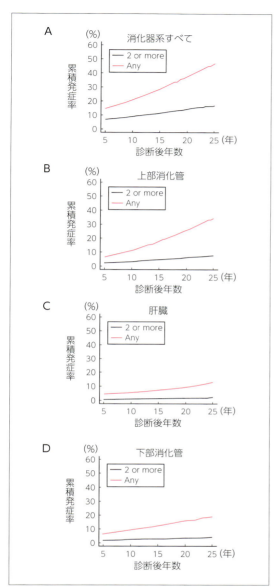

図1 ● 5年以上生存者の消化器合併症の累積発症率
A：消化器系すべて，B：上部消化管，C：肝臓，D：下部消化管．
赤はいずれか1つ，黒は複数の症状の発症率を示す．
(Goldsby R, et al.：Survivors of childhood cancer have increased risk of gastrointestinal complications later in life. Gastroenterology 140：1464-1471, 2011 より引用)

胆汁酸などの吸収不良により栄養障害をきたす．放射線照射後の放射線腸炎では，粘膜の新生血管拡張や潰瘍に起因する血便・肛門痛，粘膜上皮の萎縮や血管障害による狭窄，穿孔，瘻孔形成が起こり得る[3]．上部消化管症状は，嚥下困難，慢性の悪心・嘔吐，食欲不振，胸やけなどがみられ，下部消化管症状としては慢性の腹痛，下痢（漏出性便失禁を含む），便秘，腹部膨満などがある．栄養障害に至ると体重減少，倦怠感がみられる．

3 リスク因子

消化管を含む領域への30 Gy以上の放射線照射[3]，ドキソルビシンやアクチノマイシンDと放射線との併用，腹部・骨盤手術がリスク因子となる．これらの治療の併用はリスクを増す．造血細胞移植後では慢性移植片対宿主病（GVHD）の合併・遷延がリスク因子となる[4]．

CCSSの報告[1]では，食道を含む胸部や腹部への放射線照射，アントラサイクリン系薬やアルキル化薬の使用，治療時年齢3歳以上を消化管症状のリスク因子としている．

4 スクリーニングと対応

リスク因子を有する症例に前述の症状がみられれば速やかに対応する．血便や排便障害があるときは内視鏡検査，CT検査，MRI検査などを行い必要に応じて消化器専門医に相談する．

日常生活における暴飲暴食の回避，ビタミンやミネラルの摂取，脂肪や塩分の摂取制限，受動喫煙も含む禁煙は発症の予防に有用である．

肝合併症（輸血による鉄過剰症，ウイルス性肝炎を除く）

1 疫学

CCSSの報告[1]では，診断後20年で肝合併症を有する小児がん経験者は9.4％であり，同胞と比較した相対危険度は2.1であった（図1）．Reneeらの報告[5]では，フォローアップ期間の中央値が12年の小児がん経験者の8.7％にALT，γ-GTPの異常高値がみられたが，施設基準値の2倍以上に至ったのは各々0.9％であった．

2 病態・臨床症状

慢性かつ活動性の炎症による肝細胞障害および続発する線維化がおもな病態である．放射線の影響としては，一定線量以上の照射やそれ以下でもドキソルビシンなどの放射線増感作用をもつ薬剤との併用により内皮細胞障害から肝中心静脈閉塞症（veno-occlusive disease：VOD）/類洞閉塞症候群（sinusoidal

24.7％に複数の症状がみられた．同胞と比較した相対危険度は1.8であった．一方，下部消化管症状を有するものは15.5％であり，同胞と比較した相対危険度は1.9であった（図1）．

2 病態・臨床症状

腹部手術後の癒着による腸閉塞，骨盤手術後の排便障害などがみられることがある[2]．腸切除後は切除部位や範囲により短腸症候群を呈すると，脂質，

obstruction syndrome：SOS）を起こし得る．

非アルコール性脂肪肝炎（nonalcoholic steatohepatitis：NASH）は，アルコール性肝障害など他の肝疾患以外の原因で脂肪肝をきたした非アルコール性脂肪性肝疾患のなかで脂肪変性，炎症，肝細胞傷害を伴う病態であり，肥満，2型糖尿病，脂質異常を基礎として発症するためにメタボリックシンドロームの肝病変と理解されている．消化管手術後の短腸症候群に伴う栄養障害，鉄過剰，ステロイドの長期投与やメトトレキサートなどの薬剤も発症に関与し，将来の冠動脈疾患，慢性腎臓病，骨塩濃度低下のリスクになる．

造血細胞移植後は慢性GVHDやVOD/SOSが不可逆的な障害を起こし，深刻な肝障害が遷延することがある[4]．このほかに限局性結節性過形成，結節性再生性過形成がみられることもある．

多くは無症候性であるが，進行すると慢性的な疲労感，食欲低下を呈し，最終的に肝硬変に至ることもある．

3 リスク因子

アクチノマイシンD，ブスルファン，メトトレキサートを含む化学療法，放射線照射においては全身放射線照射（total body irradiation：TBI），肝全体への20 Gy以上の照射，1/3〜1/2の部分照射（40 Gy以上）がリスク因子となる．肝切除術や飲酒習慣もリスク因子であり，これらの因子が併存するとリスクはさらに増す．造血細胞移植後では，VODや慢性GVHDの合併や既往がリスク因子となる[4]．

CCSSの報告[1]では，治療時年齢3歳以上，アルキル化薬およびアントラサイクリン系薬の使用，肝切除など腹部手術，TBIが肝合併症のリスク因子とされた．Reneeらの報告[5]ではALT，γ-GTP値を評価した結果，肝への放射線照射，BMI高値，飲酒習慣がリスク因子であり，フォローアップ期間が長くなるにつれ異常を示す頻度が上昇した．

4 スクリーニングと対応

リスク因子を有する場合は，定期検診時に血液生化学検査（AST，ALT，T-bil，ALP，γ-GTPなど）を行い，異常を認めたときは血液凝固系検査や腹部超音波検査などを行う．肝障害の遷延時は消化器専門医に相談する．

日常生活においては，消化管合併症の項で述べた注意点のほか，過度の飲酒や肥満を避けることは肝合併症のリスク低減に有用である．

5 肝移植について[6]

難治の肝芽腫にはしばしば肝移植が行われる．移植後の晩期合併症としては，これまでに慢性拒絶反応，感染症，血管合併症（肝動脈血栓症，門脈血栓症など），胆管狭窄，移植後リンパ増殖性疾患などが報告されている．肝移植後に化学療法が行われることがあり，しばしばイリノテカンが用いられるが，イリノテカンによる晩期合併症は報告されていない．

■ 文献

1) Goldsby R, et al.：Survivors of childhood cancer have increased risk of gastrointestinal complications later in life. Gastroenterology 140：1464-1471, 2011
2) Children's Oncology Group：Long-Term Follow-Up Guidelines for Survivors of Childhood, Adolescent, and Young Adult Cancers, Version 5.0, October 2018
3) Madenci AL, et al.：Late-onset anorectal disease and psychosocial impact in survivors of childhood cancer：a report from the Childhood Cancer Survivor Study. Cancer 125：3873-3881, 2019
4) Castellino S, et al.：Hepato-biliary late effects in survivors of childhood and adolescent cancer：a report from the Children's Oncology Group. Pediatr Blood Cancer 54：663-669, 2010
5) Renee LM, et al.：Surveillance of hepatic late adverse effects in a large cohort of long-term survivors of childhood cancer：Prevalence and risk factors. European Journal of Cancer 49：185-193, 2013
6) Nada AY, et al.：Long term outcomes after pediatric liver transplantation. Pediatr Gastroenterol Hepatol Nutr 16：207-218, 2013

（早川　晶）

g. 感覚器（味覚・聴覚・視覚）

味覚

小児がん経験者における味覚の短期および長期的影響

味覚障害は小児がん治療の副作用として約60％に認められ，3番目に高い頻度の副作用との報告もある．しかし，その長期的な影響に関しては最近まで明らかにされなかった．味覚障害のメカニズムとしては，①味蕾細胞に対する薬物および放射線の直接的な傷害や味蕾細胞の刺激を伝達する神経の傷害による感覚的な要因，②口内炎や微量元素の不足による環境的な要因の2つがあげられる．また，味覚に関連が深い嗅覚の障害も影響していると考えられる．

1 晩期合併症としての味覚障害

近年に報告された小児がん経験者31人と健常者24人を対象とした症例対照研究の結果，小児がん患

者の90％に味覚および嗅覚障害が認められ，健常者との比較で高い味覚障害が認められた．この研究では，治療後の味覚障害において「甘味」「苦味」が有意に障害されており，より具体的に障害されている感覚も明らかにされた．また，味覚の影響の程度と食行動の異常に有意な相関を認め，味覚の変化が小児がん経験者の食行動に影響していたことが示唆された[1]．一方で治療終了後5年以上経過した小児がん経験者51人を対象としたコホート調査では，27.5％に味覚障害が，3.9％に嗅覚障害が認められ長期間影響が残ることが明らかにされた[2]．

2 味覚障害が認められる小児がん経験者への対応

味覚障害が認められた小児がん経験者においては，偏食を避け，味つけの濃い食事やスナック菓子などを摂り過ぎないように食事指導を行うことが望ましい．味つけの濃い食事は，高血圧，脂質異常症，高血糖など生活習慣に関連した疾病の原因になり得るため，予防のための生活指導が欠かせない．

聴覚

小児がん経験者の聴覚晩期合併症

小児期は言語習得のための重要な時期であり，その過渡期における聴覚障害は言語獲得に深刻な影響を及ぼす[3]．小児がん治療による聴力への影響は，①音の伝達に関する「伝音性聴力障害」と②音信号の感知に関する「感音性聴力障害」，③両者の混在した「混合性聴力障害」に分類される．聴覚障害は，特にプラチナ製剤による治療を必要とする脳腫瘍や固形腫瘍経験者において3～6割に認められ，重大な合併症である[4]．聴覚障害は心理社会的にも多大な影響を小児がん経験者に与えるため，合併症のリスクを負っている者に対して的確なモニタリングと介入が必要である．

1 聴覚晩期合併症の危険因子

①がん薬物療法：プラチナ製剤　シスプラチン≧360 mg/m²，カルボプラチン≧1,500 mg/m²．イホスファミドなどのアルキル化薬，アミノグリコシド系抗菌薬を併用した場合はリスクが上昇する．
②抗菌薬，利尿薬：アミノグリコシド系抗菌薬，ループ利尿薬等．
③放射線治療：頭部，脳幹，耳に直接30 Gy以上照射した場合．鼻咽頭に対する総照射線量が45 Gy以上の放射線療法．後頭蓋窩30 Gy以上の放射線療法．
④前述の①～③の治療を4歳以下で行うこと．
⑤手術：脳，耳，聴神経の手術．
⑥原疾患が鼻咽頭のがん，傍脊髄膜に発症する横紋筋肉腫，頭蓋底の腫瘍，前庭神経鞘腫，神経芽腫の側頭骨転移など．
⑦遺伝的素因．

プラチナ製剤による聴覚障害の性質としては高音域（8,000 Hz）から始まり，重症化すると低音域にも影響が及ぶ感音性聴力である．小児がん患者では伝音性，感音性両者の要素を併せもつこともある．

2 合併症早期発見のための検査と評価時期

1）聴覚障害のリスクが認められる患者における評価法

・幼児期以降：純音聴力検査，語音聴力検査，ティンパノメトリー検査．
・患者が幼少で，純音聴力検査に協力が得られない場合：音響反射検査（OAE），聴性脳幹反射（ABR），聴性定常反応（ASSR），遊戯聴力検査（PA），聴性行動反応検査（BOA），条件詮索反応聴力検査（COR）など．

2）評価時期

・治療開始前にベースライン評価を行うことが望ましい．治療終了時，以後は重症度に応じて適宜評価する．一般的には最低年1回の評価を行う．

3 聴覚障害の症状

1）注意すべき他覚症状

①幼少児
・大きな音にびっくりしない．
・生後6か月を過ぎても音がするほうへ向いたり，音の真似をしようとしたりしない．
・生後9か月の時点でまだ喃語がない．
・2歳までに有意語がでない．
・何かを表現するときに言葉の代わりにジェスチャーを使う．

②年長児
・周囲の子どもより言葉数が少ない．
・テレビの音を非常に大きくする．
・何度も聞き返す．
・理解しにくい言葉で喋ったり，非常に大きい（逆にか細い）声を出したりする．

2）注意すべき自覚症状

・耳鳴（「キーン」「ブーン」など）．
・騒音があるなかで人の声を聞き取れない．
・複数の人の会話についていけない．
・環境音などの影響により音への注意力が低下．

- 授業中に先生の声が聞き取れない．
- 「サ行」「タ行」などの子音の聞き取りや構音（発音）がおかしくなる．

4 聴覚合併症への対応

原則は「早期発見」である．特に聴覚障害を言語発達が未熟な段階で発見することにより，教育・訓練で言語獲得が伸びることが期待されるからである．

1）日常生活での注意点
- 大きな騒音がする場所では耳栓などを用いる．
- コンサートなどで大きな音を聞くときは，少し離れた場所を確保する．
- ヘッドホンのボリュームを小さくする．
- 職業上騒音の大きい場所にいる者はイヤーマフ（耳覆い）などを用いる．
- 増悪因子となる薬物を避ける．

2）二次的な心理的問題
- 本人・療育者双方がそれぞれの立場で抱える可能性があるため，言語聴覚士（ST），心理士など多職種支援を行う．

3）学業・就労
- 重要な伝達事項や注意事項などは印刷物の配布，白板の利用など視覚で確認できるようにする．（すべてうまくいくわけではないが）事前に担任やクラスメイトに相談することで，クラスメイトから配慮してもらえるケースもみられる．事前に本人と上司でよく相談のうえ，騒音の少ない職場環境に配置する．

4）聴覚障害が認められた際の支援・タブレット，アプリ（UD トーク®など）の利用．
- 補聴器の利用．
- FM や Bluetooth を用いた補聴援助システムの利用．
- 人工内耳（高度の感音性聴力障害の際）．
- ワイヤレススピーカー．
- 手話通訳，筆談，口話（読唇術）．
- 聴覚障害者に対する社会的・教育的支援など．
- UD トーク®について：コミュニケーションの「UD＝ユニバーサルデザイン」を支援するためのアプリであり，聴覚障害者においては音声認識機能による音の視覚化が特に有用である（https://udtalk.jp より）．

5）利用可能なサービス
①補聴器購入の補助金：軽度・中等度難聴補聴器助成事業．各自治体によって助成対象・内容が異なるが，18 歳未満の身体障害者手帳が認定されない程度の難聴に対して助成．

②身体障害者手帳
- 6 級：両耳聴力 70 dB 以上，または一側 90 dB 対側 50 dB 以上
- 4 級：両耳聴力 80 dB 以上または両耳で普通話声の最高語音明瞭度 50 ％ 以下
- 3 級：両耳聴力 90 dB 以上．
- 2 級：100 dB 以上

③障害年金
④手話通訳の派遣
⑤文字通訳（ノートテイク，パソコンテイク）の支援

視覚

眼の働きと晩期合併症

眼は，眼瞼，角結膜，水晶体，ぶどう膜，網膜，視神経，さらには視覚中枢などの多くの組織からなる器官であり，原疾患または治療に伴う合併症は，これらの組織にさまざまな影響をもたらす．症状は，これらの組織が傷害されることにより，軽微な違和感から視機能廃絶に至るものや，あるいは眼球摘出による整容面における問題までさまざまである[5]．小児の視力発達の最も重要な時期は誕生時より 7～13 歳の間に完了し，一度発達が完了すると視覚異常に気づいてもそれを矯正することは極めて困難である．眼痛や複視，さらには全盲となれば患者の QOL に大きく影響が及ぶため，合併症の早期発見に努め迅速な対応を要する．

1 眼と視覚における晩期合併症とその危険因子

①白内障：ステロイド長期投与，10 Gy 以上の頭部の局所照射（15 Gy 以上や 1 回線量 2 Gy 以上でリスク増大），2 Gy 以上の単回全身照射や 5 Gy 以上の分割の全身照射（10 Gy 以上でリスク増大），ブスルファン．

②緑内障：ステロイド投与，眼内腫瘍による新生血管緑内障．

③ドライアイ，角結膜炎：造血細胞移植後の慢性 GVHD，放射線照射（40 Gy 以上），眼，眼窩，頭部の 30 Gy 以上の照射（1 回線量 2 Gy 以上でリスク増大）．

④視神経症：1 回線量 2 Gy 以上，総量 50 Gy 以上の放射線治療
- 視神経炎：イマチニブ．
- 視神経萎縮：インターフェロン，シスプラチン，ビンクリスチン，メトトレキサート．

⑤放射線網膜症：1 回線量 2 Gy 以上，総線量 45 Gy 以上の放射線治療．糖尿病，高血圧，がん薬物療

法併用.
⑥斜視，眼球運動障害：脳腫瘍(特に脳幹部)，眼窩先端部腫瘍，水頭症，ビンクリスチン使用.
⑦毛細血管拡張症.
⑧眼窩の二次がん：網膜芽細胞腫に対する放射線治療後.

2 視覚障害における実際の症候
①矯正視力低下，霧視(視界がかすむ)，視野異常.
②ものが二重にみえる(複視).
③光がまぶしく感じる(羞明).
④暗い所でみえにくい(夜盲症).
⑤眼球突出.
⑥涙が多くでる(涙液過多).
⑦眼痛・頭痛・結膜充血(眼痛).
⑧視覚認知が脳に正確に伝わらない(弱視).
⑨その他.

3 症状の早期発見のために
前述の「1 眼と視覚における晩期合併症とその危険因子」の項目に1つ以上該当する小児がん経験者は，年1回以上眼科専門医による検診が推奨される．
〔検査内容〕
①視力検査
②視野検査
③眼圧検査
④精密細隙灯顕微鏡検査
⑤眼底検査

4 眼と視覚に関する晩期合併症への対処
眼は臓器の特殊性から，晩期合併症の対処は速やかに眼科に紹介する．
①眼瞼の皮膚炎：皮膚炎に対する保湿クリーム，軟膏処方.
②眼瞼下垂：涙管ドレナージや小手術.
③眼球乾燥症：人口涙液点眼.
④角・結膜炎：抗菌薬あるいはステロイド点眼，ビタミンA軟膏ほか.
⑤白内障：水晶体摘出術，眼内レンズ.
⑥虹彩炎：ステロイドおよび散瞳作用のある点眼薬，重症の際は虹彩の光凝固．重症の緑内障を合併した際は房水排出のための手術.
⑦網膜症：小児がん治療以外の原因(高血圧，糖尿病)のコントロール．ステロイド点眼および全身投与．レーザー光凝固.

5 日常生活での予防に関する注意点
①強い紫外線をできるだけ避ける工夫をする．UVカットされた眼鏡，遮光眼鏡の使用.
②有害化学物質，家庭用のものにも注意する.
③眼のけがに注意する．特に片眼のみに視力がある場合には，必要に応じてスポーツゴーグルの着用などの配慮が必要である．けがをしたときは速やかに専門医の診察を受ける.
④糖尿病や高血圧等の全身合併症によって化学療法薬，放射線治療に対してより眼疾患合併の頻度が高まるため，日常の健康管理に注意する.

■ 文献
1) Van den Brink M, et al.：Smell and taste function in childhood cancer patients：a feasibility stury. Support Care Cancer 29：1619-1628, 2021
2) Cohen J, et al.：Taste and smell function in pediatric blood and marrow transplant patients. Appetite 75：135-140, 2014
3) Knight KRG, et al.：Ototoxicity in children receiving platinum chemotherapy：underestimating a commonly occurring toxicity that may influence academic and social development. J Clin Oncol 23：8588-8596, 2005
4) Clemens E, et al.：Recommendations for ototoxicity surveillance for childhood, adolescent, and young adult cancer survivors：a report from the International Late Effects of Childhood Cancer Guideline Harmonization Group in collaboration with the PanCare Consortium. Lancet Oncol 20：e29-e41, 2019
5) Whelan KF, et al.：Ocular Late Effects in Childhood and Adolescent Cancer Survivors：A Report from the Childhood Cancer Survivor Study. Pediatr Blood Cancer 54：103-109, 2010

(大園秀一)

h. 口腔

小児がん経験者のフォローアップ研究から，口腔にもさまざまな晩期合併症が現れることが明らかとなっている．口腔領域の合併症としては，欠如歯，矮小歯，エナメル質形成不全，歯の変色，歯根の短小化，顎骨の発育不全などが報告されている[1)2)](図1，2)．最近の研究からは，放射線治療のみならず化学療法によっても口腔合併症が引き起こされることが示されており，これらはがん治療時の年齢，治療内容(放射線治療の有無やプロトコル内の使用薬剤の種類など)に相関があることも認められている[3)]．特に小児がん治療が5歳未満，アルキル化薬の使用，口腔領域が含まれる放射線治療などでは，口腔合併症のリスクは高くなる[1)3)4)]．

図3[5)6)]に示すように，小児期には顎骨内で歯が形成されているために，がん治療時の年齢で形成されている部分に形成障害が起こる．骨組織と異なり歯は一度形成されるとリモデリングが起こらないため，発生した形成障害が生涯残ることになる．また，

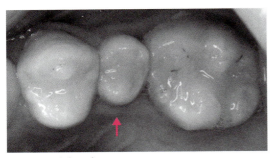

図1 ◆ 口腔内写真
上顎第二小臼歯の矮小歯(➡).

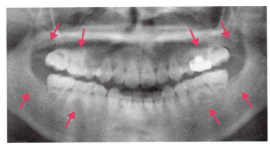

図2 ◆ 顎骨部パノラマX線（13歳時）
2歳3か月時，急性リンパ性白血病発症，TCCSG L95-14 neo HEX，頭蓋放射線照射あり，末梢血幹細胞移植．
永久歯の歯根の短小化および8本の永久歯欠如(➡)．
TCCSG：東京小児がん研究グループ．

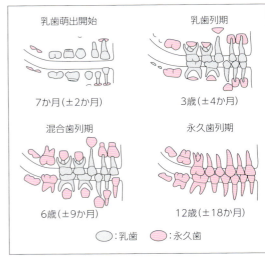

図3 ◆ 日本人小児の歯列・咬合の発育図表

歯や顎骨の発育不全はがん治療後の数年後に判明することが多く，さらに歯根の短小化や歯の欠如などのようにX線写真を撮影して明らかになるものもある．

したがって，将来の歯並びや口腔疾患のリスク，その予防や対応法などを知るためにも，がん治療後には歯科での定期的なフォローアップが重要である．

文献

1) Seremidi K, et al.：Late effects of chemo and raditaion treatment on dental structures of childhood cancer survivors. A systematic review and mata-analyses. Head and Neck 41：3422-3433, 2019
2) 河上智美：歯科における小児がん治療後の留意点とフォローアップ．日小児血がん会誌 50：378-382，2013
3) 三穂蓉子：小児白血病治療後に認められた歯の形成障害について　第2報：移植前処置（ブスルファン投与および全身放射線照射の影響）による比較．障害者歯 25：93-99, 2004
4) 前田美穂，他：5 口腔，歯．JCCG長期フォローアップ委員会（編）：小児がん治療後の長期フォローアップガイド 臓器別・症状別ガイド，クリニコ出版，49-53，2021
5) 日本小児歯科学会：日本人小児における乳歯・永久歯の萌出時期に関する調査研究II その1．乳歯について．小児歯誌 57：45-53, 2019
6) 日本小児歯科学会：日本人小児における乳歯・永久歯の萌出時期に関する調査研究II その2．永久歯について．小児歯誌 57：363-373，2019

（河上智美）

i. 筋・骨格・皮膚

概略

筋・骨格の障害は，おもに骨肉腫，Ewing肉腫，横紋筋肉腫などの軟部肉腫やWilms腫瘍，神経芽腫などの腹腔内腫瘍に対する集学的治療の晩期合併症としてみられる．病変のある筋・骨の摘出，筋・骨への放射線照射が，軟部組織の変形や発育不全の原因となる．皮膚への放射線照射は，皮膚の形態的および機能的変化や二次がんの原因となる．また，急性リンパ性白血病（ALL）に対するステロイドや高用量メトトレキサートは，骨壊死や骨密度低下の誘因となる．造血細胞移植では，骨壊死，慢性移植片対宿主病（GVHD）に伴う皮膚・関節病変の合併がある．

病因・病態

1 放射線照射

骨の成長板への照射は，総照射線量10～20 Gyで骨端軟骨板の部分的発育抑制を，20 Gy以上では発育停止をきたす[1]．骨成長板への10 Gy以上の照射を受けた軟部肉腫の経験者では，大腿骨頭すべり症，骨軟骨腫に注意する必要がある．長管骨への照射を受けた経験者では骨密度低下のリスクがあり，60 Gy以上の照射例では骨壊死に注意する．20 Gy以上の脊椎・背部への照射は，脊柱側彎症・後彎症，

低身長の原因となり，24 Gy 以上の下垂体への照射は，約 2/3 の患者に成長ホルモン分泌不全を起こす[2]．頭蓋顔面骨への照射は頭蓋顔面の変形を起こし，体幹への照射は胸郭や脊柱の変形の原因となる．照射線量が多いほど，照射野が広いほど，照射時年齢が小さいほど合併症の程度は強い．発育過程にある小児の筋肉への照射は，総照射線量 10～20 Gy で発育抑制が，20 Gy 以上で発育停止が起こり，筋の萎縮・線維化も起こる．皮膚への照射では，30 Gy 以上になると萎縮，拘縮，瘢痕，色素変化，乾燥，脱毛，毛細血管拡張，発汗低下，皮脂分泌低下などのリスクが高まる[3]．骨軟部組織への照射は二次性軟部肉腫発生のリスクとなる．皮膚への照射に伴い基底細胞癌のリスクの増加が報告されている[4]．

2 手術

手術の直接的な侵襲により，骨格の変形，筋・皮膚の外見的変化，筋・関節・骨格の機能的な障害を認める．特殊な病態として，人工関節の術後感染や患肢切離断術後の幻肢痛がある．

3 化学療法

ステロイド投与歴のある ALL・悪性リンパ腫経験者では，骨壊死への注意が必要である[5]．デキサメタゾンの使用と治療時年齢 10 歳以上（特に女性）が骨壊死のリスクとなる．大量メトトレキサートの治療歴のある経験者では，骨密度低下や脆弱性骨折を合併することがある．Langerhans 細胞性組織球症に対して使用されることがあるビスホスホネート製剤，骨巨細胞腫への適応があるヒト型 RANKL (receptor activator of nuclear factor-kappa B ligand) モノクローナル抗体製剤のデノスマブによる顎骨壊死の報告がある．L-アスパラギナーゼ，髄注メトトレキサートによる治療を受けた ALL 経験者での筋力と筋柔軟性の低下の報告がある[2]．また，ビンクリスチンやプラチナ製剤による末梢神経障害合併例では，支配筋の萎縮をきたす．チロシンキナーゼ阻害薬であるイマチニブによる成長障害に関するわが国からの報告がある[6]．

4 造血細胞移植

前処置に使用するブスルファン，全身放射線照射 (TBI)，GVHD の予防・治療に使用する免疫抑制薬（ステロイド，シクロスポリンなどのカルシニューリン阻害薬）に関連した晩期合併症として，低身長，骨壊死，永久脱毛，色素沈着などがある．慢性 GVHD では，皮膚の柔軟性の低下，掻痒症，色素異常，発汗異常，関節拘縮，筋膜炎に伴う筋痛などの症状を認める．慢性 GVHD は皮膚と口腔の二次がんのリスクを高めるという報告がある．また，移植後の性腺機能低下症が骨密度の低下を増強する．

臨床徴候

1 放射線照射

骨への照射を受けた軟部肉腫の経験者では，大腿骨頭すべり症，骨軟骨腫，骨密度低下，骨壊死に注意する．軟部肉腫・神経芽腫に対する治療として，脊椎を含む照射野への照射を受けた経験者や Wilms 腫瘍などで腹部片側照射を受けた経験者では，側彎症などの脊柱異常に注意する．四肢や腰部への放射線照射を受けた経験者では，四肢長差や骨端近傍関節の軸転位を生じることがある．筋・皮膚への照射は，組織の萎縮・線維化を起こし，筋肉量・筋力の低下，関節の可動域制限，皮膚の老化促進を起こす．二次がんとしての軟部肉腫や基底細胞癌の発生にも注意が必要である．

2 手術

軟部組織の欠損，瘢痕化による痛み，機能障害，骨格の変形などの外見異常を認める．骨肉腫に対する関節摘出と人工関節置換術を受けた経験者では，人工関節のゆるみ，切損，感染，骨折に対する注意が必要である．

3 化学療法

ステロイド投与に伴う骨壊死は，体重負荷がかかる股関節，膝関節，足関節に発症することが多く，関節痛と関節可動域制限をきたす．急性期に末梢神経障害を合併した患者では，障害された神経の支配筋の萎縮をきたす．ALL 経験者では，ステロイド，L-アスパラギナーゼによる筋肉量低下と筋力低下に注意する．成長期に長期のチロシンキナーゼ阻害薬の治療を受けた経験者では，低身長に注意する．

4 造血細胞移植

前処置に使用する薬剤・放射線照射および移植後の免疫抑制薬により，骨密度低下や骨壊死をきたす．放射線照射により骨軟骨腫の発症リスクが高まる．慢性 GVHD に関連する筋・骨格・皮膚の臨床徴候として，筋肉痛，関節炎とそれに続発する関節拘縮，皮膚の色素異常，掻痒，強皮症，脱毛，爪の変化，発汗低下などがある．

長期フォローアップの方針

年1回程度の長期フォローアップ外来受診を指導し，日常生活に関する問診に加え，身長・座高の測定，成長曲線の作成，脚長差の評価を最終身長に到達するまで行う．

1 筋・骨格への照射を受けた経験者

下肢長差の比較は，「上前腸骨棘から内顆までの距離」と「臍から内顆までの距離」を測定し，左右を比較する．さらに，関節の他動可動域，自動可動域を評価し，自動可動域が他動可動域より小さい場合は，関節の異常を疑い，疼痛，軋轢音に注意する．筋の発育不全については，萎縮，筋緊張，筋肉量，筋力について評価し，左右を比較する．

筋・骨格の合併症が疑われる場合は，専門領域の医師に相談し，早期の介入とリハビリテーションを行う．頭蓋顔面骨への放射線照射を受けた経験者では，成長に伴って顕在化する骨変形や非対称を評価し，専門診療科と連携し対応する．皮膚への放射線照射を受けた経験者では照射部に含まれる皮膚の観察を行う．皮膚病変の増悪予防として日光対策を指導し，皮膚合併症が疑われる場合は，専門領域の医師にコンサルテーションを行う．頭蓋照射の治療歴のある経験者では，身体計測と二次性徴発来の評価を含む内分泌学的フォローアップを行う．また，いずれの部位においても照射野からの二次がんの発生に注意する．

2 骨・筋の一部を摘出した経験者

骨格の変形，関節可動域，筋力などについて評価する．合併症が疑われる場合は，専門領域の医師に相談し，早期の介入とリハビリテーションを行う．

3 化学療法を受けた経験者

デキサメタゾンの投与歴，プレドニゾロン総投与量 9 g/m² 以上の投与歴のある経験者では，関節の可動域と痛みを評価する．骨密度低下のリスクのある経験者では，10歳を超えた時点，15～18歳，20歳，25歳，30歳で骨密度の測定を行う．骨密度測定はDEXA（dual-energy X-ray absorptiometry）法（腰椎）を用いて評価する．性腺機能障害の合併や放射線照射の併用により骨密度の低下が増悪する場合がある．同年代の平均値であるZスコアが－2 SD未満であれば，骨密度低値と評価する．8歳以上で原疾患への治療を開始した経験者では，2～3年に1回股関節部のMRI検査を実施する．MRIは，冠状断T1強調画像，矢状断T1強調画像，脂肪抑制T2強調画像（STIR像でも可）を撮像する．造影は診断に必須ではないが，行う場合は造影前後の脂肪抑制T1強調画像を評価する．股関節，膝関節，足関節に痛みを認める場合も骨X線検査，MRI検査を施行する．血液検査では，カルシウム，リン，アルカリフォスファターゼ，骨吸収および骨形成マーカーを測定する．筋合併症に対しては，徒手筋力検査，MRI検査による評価を行う．合併症が疑われる場合は，専門領域の医師に相談し，早期の介入とリハビリテーションを行う．

4 造血細胞移植を受けた経験者

皮膚の状態，爪の変化，関節可動域などの身体所見に注意する．活動性の慢性GVHDに伴う症状に対しては，免疫抑制薬による治療を行う．慢性的な機能障害に対してはリハビリテーションを行う．

■ 文献

1) Schriock EA, et al.：Abnormal growth patterns and adult short stature in 115 long-term survivors of childhood leukemia. J Clin Oncol 9：400-405, 1991
2) Gawade PL, et al.：A systematic review of selected musculoskeletal late effects in survivors of childhood cancer. Curr Pediatr Rev 10：249-262, 2014
3) Fragu P, et al.：Long-term effects in skin and thyroid after radiotherapy for skin angiomas：a French retrospective cohort study. Eur J Cancer 27：1215-1222, 1991
4) Teepen JC, et al.：Long-term risk of skin cancer among childhood cancer survivors：a DCOG-LATER Cohort Study. J Natl Cancer Inst 111：845-853, 2019
5) Sakamoto K, et al.：Low incidence of osteonecrosis in childhood acute lymphoblastic leukemia treated with ALL-97 and ALL-02 Study of Japan Association of Childhood Leukemia Study Group. J Clin Oncol 36：900-907, 2018
6) Shima H, et al.：Distinct impact of imatinib on growth at prepubertal and pubertal ages of children with chronic myeloid leukemia. J Pediatr 159：676-681, 2011

〈堀　浩樹〉

j. 妊孕性

病態

男性では，①造精機能障害，②精巣上体や精管の閉塞ないし欠損をきたす精路通過障害，③勃起障害や射精障害などの性機能障害の3つが不妊の原因となる．

女性では，卵巣内の原始卵胞の数によって規定される卵巣予備能の低下，性ホルモン産生能低下による卵巣機能不全が不妊につながる．卵巣内の原始卵胞の数は，出生時には100万～200万個，初経時には30万～40万個，50歳頃に1,000個以下となって閉経に至ると考えられている．薬剤は卵胞とその周囲の結合組織や血管に影響を与えることで原始卵胞数が減少し，放射線治療は原始卵胞に直接的に作用

し数を減少させる．

精巣，卵巣ともに性ホルモン産生細胞より生殖細胞のほうが薬剤や放射線に対する感受性が強い．薬剤や放射線治療による不妊には，男女とも①治療時の年齢，②薬剤の種類，③薬剤総投与量や放射線治療の線量が関係する．

病因

1 原疾患

視床下部下垂体腫瘍，性腺腫瘍は原疾患により不妊となる可能性がある．

2 化学療法

アルキル化薬〔シクロホスファミド（CPA），イホスファミド（IFM），ブスルファン（BU）など〕，プラチナ製剤〔シスプラチン（CDDP），カルボプラチン（CBDCA）〕は性腺毒性を有する．

男性では，CPA総投与量 $7.5\ g/m^2$ 以上，IFM総投与量 $60\ g/m^2$ 以上は不妊をきたし得る．女性ではアルキル化薬投与量に比例して早発閉経のリスクが高くなるが，CPA，IFMの不妊をきたす総投与量について明確なデータはない．化学療法後の造精機能は，治療終了後数年〜10年以上経過したのち回復する場合もあり，継続的評価が必要である．

3 放射線治療

30 Gy以上の視床下部や下垂体の照射は，ゴナドトロピン分泌不全による中枢性性腺機能低下や不妊をきたす．腹部，骨盤，精巣，腰仙椎の照射，全身照射（TBI）は性腺に直接傷害を及ぼし，原発性（高ゴナドトロピン性）性腺機能低下や不妊を引き起こす．

6 Gy以上の精巣の照射は恒久的な造精機能障害をきたす．12 Gy以上の照射ではテストステロン産生障害を起こす可能性がある．

卵巣の照射は，成人では 6 Gy 以上，思春期後で 10 Gy 以上，思春期前では 15 Gy 以上が不妊の高リスク因子である．思春期前の骨盤部の照射は子宮血管損傷をもたらし，子宮発育不良となる．

4 外科治療

性腺摘出，後腹膜リンパ節郭清，後腹膜腫瘍摘出，膀胱切除，前立腺切除，脊髄の手術，脊髄近傍の腫瘍摘出は，原発性性腺機能低下や不妊のリスク因子である．視床下部下垂体手術では，中枢性性腺機能低下の可能性がある．

後腹膜リンパ節郭清や脊髄などの骨盤部の手術が神経に損傷を及ぼし，射精不能となることがあり，前立腺や膀胱の摘出は，勃起不全や射精困難をきたすことがある．片側卵巣摘出では早発閉経の可能性がある．

5 造血細胞移植

アルキル化薬やTBIを用いた前処置や思春期以降の造血細胞移植は，性腺機能低下や不妊のリスク因子である．慢性移植片対宿主病（GVHD）により，女性では腟の瘢痕狭窄，男性では包茎をきたすことがある．

疫学

1 性腺機能低下と不妊，小児がん経験者の妊娠出産

薬剤や放射線治療による不妊には，①治療時年齢，②薬剤の種類，③薬剤総投与量や放射線治療の線量が関係するため，小児がん経験者における性腺機能低下や不妊の頻度は報告によって幅がある．一般に，小児がん経験者は男女とも同胞に比べて不妊の頻度が高い．

視床下部下垂体の40 Gy以上の照射例では，約23％にゴナドトロピン分泌低下がみられる[1]．

造血細胞移植後の性腺機能低下の頻度は，移植時年齢，性別，移植前の治療，前処置により異なる．一般に女性，思春期後の造血細胞移植，BU，TBI使用例では性腺機能低下や不妊のリスクが高い．骨髄非破壊的前処置であってもBU，TBIを用いた場合は卵巣機能不全となるという報告がある[2]．CPA単剤の前処置は，性腺機能回復が期待でき，TBIの分割照射は，単回照射よりもリスクを軽減する．慢性GVHD合併例では造精機能回復率は低い．

小児がん経験者では出生児の先天異常発生率は一般と差はないが，早期産が多く，特に子宮の 5 Gy 以上の照射では，早期産，低出生体重児や不当軽量児の出産[3]，10 Gy 以上では死産，新生児死亡の頻度が高い[4]．造血細胞移植例においても先天異常発生率は一般と同等であり，TBI例では早期産，低出生体重児の頻度が高い．

2 性器障害

造血細胞移植後の性器GVHDは，25〜49％の女性に発症するとされる．男性ではGVHDによる生殖器病変はあまりみられない．

臨床徴候（症状）

男性では，性欲減退，勃起不全，射精困難，倦怠感，女性では，無月経，月経不順，月経困難，更年期症状のほか，造血細胞移植後性器GVHDでは，腟乾燥，性交痛，性交後出血などがみられる．性的活動のない患者は性器障害を訴えないことも多いた

め，注意深く問診する．

診断・検査

男性の性腺機能評価法として血清プロラクチン（PRL），黄体形成ホルモン（LH），卵胞刺激ホルモン（FSH），テストステロン測定，造精機能評価法として精液検査，インヒビン B（保険適用外）測定がある．精巣容積は造精機能を反映するとの報告もある．無精子症のなかには，閉塞性無精子症や逆行性射精の場合があるため注意を要する．

女性では，血清 PRL，LH，FSH，エストラジオール測定のほか，性周期と排卵の有無の評価法として基礎体温がある．甲状腺機能異常は無月経の原因となり得るので，無月経の場合は甲状腺機能を確認する．抗 Müller 管ホルモン（保険適用外）は原始卵胞数を反映すると考えられているが，小児における有用性は確立していない．

性器 GVHD 診断のための生検は，腟狭窄のため実施が制限されることがある．

治療・予後

1 性腺機能低下症の治療

男女ともにホルモン補充療法を行う．エストロゲン/プロゲステロン補充は，虚血性脳血管障害，静脈血栓症，重篤な肝障害がある場合は禁忌となる．月経回復した女性には，早発閉経の可能性について説明しておく必要がある．早発閉経をきたした場合は，ホルモン補充療法を考慮する．テストステロン補充療法には造精機能抑制や前立腺がんのリスクがあるため，適応は症状の程度，年齢，挙児希望の有無などを考慮する．

性腺ホルモン分泌不全は，生殖機能だけでなく，女性では骨塩量低下，心血管疾患リスク上昇，男性では女性化乳房，骨塩量低下，筋肉量減少，無気力，疲労感などと関連する．また，性行為の減少や自尊心の喪失といった心理社会的問題も引き起こし，QOL を著しく損なうことにつながるため，適切なタイミングでの対応が望まれる．性的な問題は，外来診療の場では相談しづらいことも多いため，話しやすい環境を整えることも重要である．

2 生殖補助医療

性腺機能が回復しない場合，男女とも自然妊娠は難しい．

男性では治療開始前に精子凍結保存を行うことにより挙児可能である．精液検査で無精子症，乏精子症と診断された場合でも，卵細胞質内精子注入法（ICSI），精巣内精子採取術，顕微鏡下精巣内精子採取術（MD-TESE）などにより挙児の可能性がある．これらの手段でも挙児困難な場合には，非配偶者間人工授精がある．

女性では，治療開始前の卵子，受精卵，卵巣組織の凍結保存がなされていれば，挙児の可能性がある．海外では卵子提供や代理母出産の選択があるが，国内では法的な問題が解決されていない．

3 小児がん経験者の妊娠出産

腹部，骨盤，下位脊椎の照射や TBI により，流・早産，低出生体重児，分娩中に問題が生じるリスクが高まる．特に造血細胞移植後の妊娠は高リスクであり，少なくとも 2 年間は自然妊娠，不妊治療を避けたほうがよい．アントラサイクリン系薬使用例，上腹部，胸部の照射例では，妊娠や分娩で心臓への負担が増し問題が生じることがあるため，妊娠中，周産期を通じての母体管理が望ましい．

4 性器障害の治療

造血細胞移植後の腟 GVHD 治療には，免疫抑制薬外用，ホルモン補充療法，腟潤滑補助剤，局所エストロゲン，腟拡張器具などがあり，早期の介入が望ましい．重症例では外科治療が行われることもある．

対策

腹部，骨盤部の照射の場合，卵巣位置移動術や卵巣遮蔽が試みられることがある．2 生殖補助医療の項で述べた通り，可能ならば治療開始前に精子，卵子，受精卵，卵巣組織の凍結保存を試みる．女性では採卵時期の調整を要するだけでなく，精子採取に比べて侵襲を伴うことが障壁となる．図 1 に小児がん患者の妊孕性温存治療アルゴリズムを示す．

現時点では思春期前の男児の妊孕性温存の確立した方法はなく，精巣凍結はきわめて試験的な方法である．女児では卵巣組織の凍結保存しかないが，採取には全身麻酔手術を要する．

日本がん・生殖医療学会では，各地域のがん診療施設と生殖医療施設による医療連携である「地域がん・生殖医療ネットワーク」を提唱，地域格差，施設内格差の解消に努めてきた．2021 年度より，厚生労働省「小児・AYA 世代のがん患者等の妊孕性温存療法研究促進事業」による国（と自治体）の公的助成制度が開始された．

■ 文献

1) Chemaitilly W, et al.：Anterior hypopituitarism in adult survivors of childhood cancers treated with cranial radiotherapy：a report from

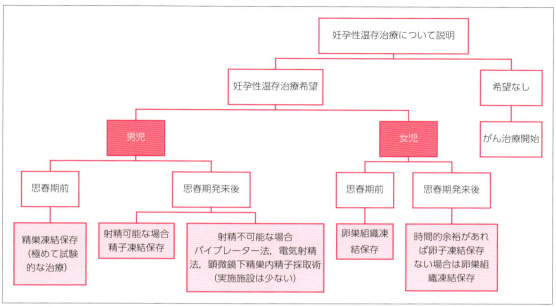

図1 ◆ 小児がん患者の妊孕性温存治療アルゴリズム

the St Jude Lifetime Cohort Study. J Clin Oncol 33 : 492-500, 2015
2) Assouline E, et al. : Impact of reduced-intensity conditioning allogeneic stem cell transplantation on women's fertility. Clin Lymphoma Myeloma Leuk 13 : 704-710, 2013
3) Signorello LB, et al. : Female survivors of childhood cancer : preterm birth and low birth weight among their children. J Natl Cancer Inst 98 : 1453-1461, 2006
4) Signorello LB, et al. : Stillbirth and neonatal death in relation to radiation exposure before conception : a retrospective cohort study. Lancet 376 : 624-630, 2010

(前田尚子)

k. 二次がん

定義・概念

治療後の晩期合併症がまれではないことはよく知られているが，これらのなかで長期的な生命予後に直接影響する最も深刻なものは二次がんの発生である．一般に小児がんでは，原発がんの診断後2か月以上経過した後に発生した病理組織学的に異なる腫瘍で，原発がんの転移や再発であることが否定できるものであり，二次的に発生した脳腫瘍の場合は良性腫瘍についても二次がんとみなすことが多い．

疫学

図1に示したように小児がん経験者の治療後20年間の二次がん累積発症割合は2〜5%で[1〜6]，これは一般集団で推定される値よりも3〜20倍高い．小児がんで成人のがんに比べ二次がんのリスクが高くなる理由としては，表1に示したような遺伝的要因が一部の患者に存在すること，発育盛りの時期に発病・治療をすること，治療終了後の生命予後が長いため潜伏期の長いものも検出されやすいことなどが考えられる．

CCSS（Childhood Cancer Survivor Study）の研究[1]では，非黒色腫皮膚癌を除く二次がんの累積発症割合は20年で3.2%，25年で4.7%であり，30年以降は統計学的には約10%の人に二次がんがみられる可能性が示された．全体の二次がん危険率の標準化罹患比（standardized incidence ratio : SIR）は全体では6.38であり，そのなかでも骨腫瘍（SIR=19.1），乳癌（SIR=16.2），甲状腺癌（SIR=11.3）はSIRが10以上と非常に高い．英国のBCCSS（British Childhood Cancer Survivor Study）[2]や北欧[3]のpopulation-basedコホート研究でも，それぞれSIRは6.2と3.6，25年累積発症割合は4.2%と3.5%とほぼ同様の結果がみられている．到達年齢別の検討では，同年齢の期待値と比べて実際に観察された小児がん経験者の二次がんとの差は大きく，50歳前後の約10%に二次がんが認められている[1〜3]．

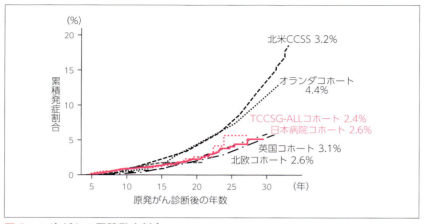

図1 ● 二次がんの累積発症割合
数字は20年累積発症割合.
CCSS：Childhood Cancer Survivor Study，TCCSG：Tokyo Children's Cancer Study Group.
(Armstrong GT, et al.：Aging and risk of severe, disabling, life-threatening, and fatal events in the childhood cancer survivor study. J Clin Oncol 32：1218-1227, 2014/Reulen RC, et al.：Long-term risks of subsequent primary neoplasms among survivors of childhood cancer. JAMA 305：2311-2319, 2011/Olsen JH, et al.：Lifelong cancer incidence in 47,697 patients treated for childhood cancer in the Nordic countries. J Natl Cancer Inst 101：806-813, 2009/Cardous-Ubbink MC, et al.：Risk of second malignancies in long-term survivors of childhood cancer. Eur J Cancer 43：351-362, 2007/Ishida Y, et al.：Secondary cancers among children with acute lymphoblastic leukaemia treated by the Tokyo Children's Cancer Study Group protocols：a retrospective cohort study. Br J Haematol 164：101-112, 2014/Ishida Y, et al.：Secondary cancers after a childhood cancer diagnosis：a nationwide hospital-based retrospective cohort study in Japan. Int J Clin Oncol 21：506-516, 2016より作成)

二次がんからみた特徴

治療に関連した二次がん発症の典型的なパターンを表2に示した．二次がん発症までの中央値は白血病や悪性脳腫瘍では10年以内と比較的短いが、骨軟部肉腫，甲状腺癌では10年以上であり、乳癌や消化器癌などの成人型固形がんや良性脳腫瘍は15～20年以上経過してから発生が増加しており、生涯リスクは依然として不明である．リスク因子としては、放射線治療が固形腫瘍と白血病の両者の発症と関連し、アルキル化薬，プラチナ製剤，トポイソメラーゼII阻害薬の使用は、造血器腫瘍の発症と関連している．二次性造血器腫瘍に関しては、アルキル化薬またはトポイソメラーゼII阻害薬関連型に分類でき、アルキル化薬関連のリスクは用量依存性で、5番および7番の染色体が関与した異常と関連している．それに対してトポイソメラーゼII阻害薬に関連するものは、11q23または21q22の染色体バンドを巻き込んだ均衡型転座と関連している．放射線ばく露を補正した多変量解析においては、女性であること、より年少での小児がん発症、Hodgkinリンパ腫または軟部組織肉腫の診断、およびアルキル化薬へのばく露が独立因子として抽出された．

原発がんからみた二次がんの特徴

原発がん別の二次がんの特徴を表3にまとめた[6]．特に遺伝性網膜芽細胞腫とHodgkinリンパ腫の二次がんの累積割合はきわめて高く、30年後には約40％以上にも及ぶ結果であった．原疾患が急性白血病の場合、二次がん発症リスクはほかの小児がんより低く、急性リンパ性白血病（ALL）と急性骨髄性白血病（AML）の差はみられなかった．脳腫瘍・軟部組織腫瘍も同様であるが、Ewing肉腫で骨肉腫に比べてやや高い傾向がみられ、これはEwing肉腫が放射線感受性がんであるために照射症例が多くなることが関係していると考えられる．このように、一般に二次がんのリスクはそれぞれの原発がんに対する治療内容に大きく依存する．

またGuérinら[7]は、年齢・性別、治療内容を多変量調整したうえで原発がんの影響を検討し、網膜芽細胞腫〔調整オッズ比7.5；95％信頼区間（CI）：1.2～46〕，悪性骨腫瘍（同13.3；95％ CI：1.5～117），軟部組織腫瘍（同4.8；95％ CI：1.3～18），胚細胞性腫瘍（同9.4；95％ CI：1.1～82）が二次がんのリスクが有意に高いと報告している．

表1 ◆ 二次がんの遺伝的要因

症候群	主要な腫瘍型	欠陥遺伝子	遺伝モード
結腸の腺腫性ポリポーシス	結腸癌，肝芽腫，腸のがん，胃癌，甲状腺癌	APC	優性遺伝
毛細血管拡張性運動失調症	白血病，リンパ腫	ATM	劣性遺伝
Beckwith-Wiedemann症候群	副腎癌，肝芽腫，横紋筋肉腫，Wilms腫瘍	CDKN1C/NSD1	優性遺伝
Bloom症候群	白血病，リンパ腫，皮膚癌	BLM	劣性遺伝
Diamond-Blackfan貧血	結腸癌，骨原性肉腫，AML/MDS	RPS19および他のRP遺伝子	優性遺伝，自然突然変異
Fanconi貧血	婦人科腫瘍，白血病，扁平上皮がん	FANCA, FANCB, FANCC, FANCD2, FANCE, FANCF, FANCG	劣性遺伝
若年性ポリポーシス症候群	消化管の腫瘍	SMAD4/DPC4	優性遺伝
Li-Fraumeni症候群	副腎皮質癌，脳腫瘍，乳癌，白血病，骨肉腫，軟部肉腫	TP53	優性遺伝
多発性内分泌腫瘍1型	膵島細胞腫瘍，副甲状腺腺腫，下垂体腺腫	MEN1	優性遺伝
多発性内分泌腫瘍2型	甲状腺髄様癌，褐色細胞腫	RET	優性遺伝
神経線維腫症1型	神経線維腫，視経路グリオーマ，末梢神経鞘腫瘍	NF1	優性遺伝
神経線維腫症2型	前庭神経鞘腫	NF2	優性遺伝
母斑基底細胞癌症候群	基底細胞癌，髄芽腫	PTCH	優性遺伝
Peutz-Jeghers症候群	腸のがん，卵巣癌，膵癌	STK11	優性遺伝
網膜芽細胞腫	骨肉腫，網膜芽細胞腫	RB1	優性遺伝
結節性硬化症	過誤腫，腎血管筋脂肪腫，腎細胞癌	TSC1/TSC2	優性遺伝
von Hippel-Lindau症候群	血管芽細胞腫，褐色細胞腫，腎細胞癌，網膜および中枢神経系の腫瘍	VHL	優性遺伝
WAGR症候群	性腺芽細胞腫，Wilms腫瘍	WT1	優性遺伝
Wilms腫瘍症候群	Wilms腫瘍	WT1	優性遺伝
色素性乾皮症	白血病，黒色腫	XPA, XPB, XPC, XPD, XPE, XPF, XPG, POLH	劣性遺伝

※：優性(顕性)，劣性(潜性)．
(PDQ® 日本語版 最新がん情報/小児がん治療の晩期合併症(晩期障害)[https://cancerinfo.tri-kobe.org/summary/detail_view?pdqID=C-DR0000343584&lang=ja] より引用)

わが国での報告

わが国における全小児がんを対象とした疫学研究としては，東京小児がん研究グループ(TCCSG)のALL研究と小児がん病院15施設の後ろ向きコホート研究がある[5)6)]．対象は1980〜2009年に全国15病院で診断され治療を受けた10,517例で，フォローアップ期間の中央値8.4年，128人の二次がん症例が認められた．二次がんの内訳は，AML 29例，骨髄異形成症候群(MDS)22例，ALL 2例，非Hodgkinリンパ腫(NHL)2例，脳腫瘍18例，骨または軟部肉腫16例，甲状腺癌12例，そのほかの成人型がん(腎癌，大腸癌，乳癌，口腔癌，肺癌など)19例であった．競合解析による累積二次がん発症割合は，診断後10年では1.1％，20年後では2.6％であった．甲状腺癌では女性の割合が高く，脳腫瘍では70％に頭蓋照射が行われ，甲状腺癌では90％，成人型癌や肉腫でも60％が照射例であった．甲状腺癌のSIRが最も大きく26，血液腫瘍も21と高値で，全体のSIRは12.2であった．原発がん別に累積二次がん発症割合を比較したところ，網膜芽細胞腫では25年で10％を超えて最も高頻度であり，血液腫瘍が最も低い傾向がみられた．COX回帰分析で二次がんのリスク因子を解析したところ，多変量解析で有意になったものは，7歳以上の年長児と原発がんとして網膜芽細胞腫，骨軟部組織腫瘍，調査時年齢が低いこと以外に，同種造血細胞移植が有意な因子とされた．二次がん発症までの期間に関しては，血液腫瘍は5

表2 ◆ 二次がんからみた特徴

二次がん		発症までの期間	リスク因子	臨床的特徴
MDS, AML		3～6年	アルキル化薬	潜伏期はやや長く3～20年, MDSの形で発症することが多い. 5番(-5/del(5q))や7番(-7/del(7q))などの染色体異常と関連, 典型的には高齢者に多い.
			トポイソメラーゼⅡ阻害薬	潜伏期は短く0.5～3年と短い, 突然白血化で発症しやすい. 11q23転座(KMTA-1遺伝子)または21q22の転座を伴うことが多い, 若年者にも多い.
骨腫瘍		9～10年	放射線, アルキル化薬, 摘脾	放射線療法と関連して, 線形の線量反応関係がみられる. 放射線療法について調整した後, アントラサイクリン系薬剤またはアルキル化薬による治療も骨がんと関連しており, 累積薬物ばく露量に従ってリスクが増加する.
軟部組織腫瘍		10～11年	放射線, 若年, アントラサイクリン系	
甲状腺癌		13～15年	放射線(頸部, 全身), 若年(<5/10歳), 女性	Hodgkinリンパ腫, ALL, 脳腫瘍に対する頭頸部放射線療法, 神経芽腫に対する^{131}I-MIBG療法, 造血幹細胞移植のためのTBIの後に報告が多い. 放射線ばく露との間には, 線形の線量-反応関係が29 Gyまで認められ, それ以上線量が高くなるとリスクが低下し, 殺細胞効果と考えられている.
脳腫瘍	グリオーマ	5～10年	放射線(頭蓋), 若年(<6歳)	放射線の照射線量との線形の関係が実証され, 40～60 Gyの大量の照射後に5～10年後に発生することが多い.
	髄膜腫	20～40年	放射線(頭蓋), 加齢, MTX髄注	放射線療法後のリスクは, 線量とともに増大するが, たとえ低線量でも発生し得るとされ, 髄腔内MTXの投与量の増加に伴って増大する.
	海綿状血管腫		放射線(頭蓋), 加齢	照射後に相当な頻度で報告されているが, 真の腫瘍形成とは対照的に, 血管新生過程により発生すると推定されている.
乳癌		15～20年	放射線, 女性, 家族歴, BRCA遺伝子	Hodgkinリンパ腫後に報告が多い. 放射線照射によって生じる乳癌は, 散発性乳癌の女性と比較すると, エストロゲン受容体陰性, プロゲステロン受容体陰性乳癌のリスクが2倍高く, 悪性度の高い臨床病理学的特徴がある. 最近の報告ではアントラサイクリンの関与も疑われる.
成人型癌		20～50年	放射線, 加齢, 生活習慣, アルキル化薬, 白金製剤	大腸癌は, 線量と照射容積によりリスクが増大し, アルキル化薬もリスク因子になる. 腎癌は腹部照射, 肺癌は胸部照射との関連が深い. 喫煙など生活習慣もリスクを増加させる.
皮膚癌		15～30年	放射線, アルキル化薬, 紫外線ばく露	非メラノーマ皮膚癌は小児がん生存者に最もよくみられる二次がんの1つで, 放射線療法と強い相関を示す. 悪性メラノーマも報告されているが, 発生率ははるかに低い. 日本人では比較的まれ.

MDS:骨髄異形成症候群, AML:急性骨髄性白血病, ALL:急性リンパ性白血病, MIBG:メタヨードベンジルグアニジン, TBI:全身照射, MTX:メトトレキサート.

年以内がほとんどで, 骨軟部組織腫瘍が10年以内, 脳腫瘍では中央値で約10年, 甲状腺癌や成人型がんでは15～20年であった. 二次がん発症後の予後をみると, 白血病およびリンパ腫の予後は最も不良で, 脳腫瘍・骨軟部腫瘍では一部長期生存症例がみられ, 甲状腺癌では全例長期生存していた.

このようにわが国でも二次がんの症例報告は増加しており, がん検診を含めてリスクに応じたスクリーニングシステムの整備が望まれる.

■ 文献

1) Armstrong GT, et al.: Aging and risk of severe, disabling, life-threatening, and fatal events in the childhood cancer survivor study. J Clin Oncol 32: 1218-1227, 2014
2) Reulen RC, et al.: Long-term risks of subsequent primary neoplasms among survivors of childhood cancer. JAMA 305: 2311-2319, 2011
3) Olsen JH, et al.: Lifelong cancer incidence in 47,697 patients treated for childhood cancer in the Nordic countries. J Natl Cancer Inst 101: 806-813, 2009
4) Cardous-Ubbink MC, et al.: Risk of second malignancies in long-term survivors of childhood cancer. Eur J Cancer 43: 351-362, 2007
5) Ishida Y, et al.: Secondary cancers among children with acute lym-

表3 ◆ 原発がん別にみた二次がんの特徴

原発がん	高頻度の二次がん	累積発症割合（年数）	標準化罹患比(SIR)	特　徴
網膜芽細胞腫	骨肉腫，軟部肉腫	遺伝性 36～69％ (20～50)	13～19	遺伝性網膜芽細胞腫で，放射線照射例に発生が多い．40～50年累積発症割合は放射線照射のない例で10～26％，放射線照射照射例30～60％と報告されている．死亡原因の半数以上を占める．遺伝性のものは*TP53*の異常と関連する．
Hodgkin リンパ腫	乳癌，甲状腺癌，AML/MDS，成人型癌，皮膚癌	20～40％ 18.4％(30)	5.6～8.7	高線量照射/大量アルキル化薬が最大のリスク．放射線療法が固形腫傷に関連し，アルキル化薬，アントラサイクリン系，トポイソメラーゼⅡ阻害薬は，二次性白血病やMDSの発症リスク増加と関連する．
ALL	AML/MDS，脳腫瘍，リンパ腫，甲状腺癌，成人型癌など	5.2％(30)	4.4	頭蓋照射は脳腫瘍（おもに神経膠腫と髄膜腫）と密接に関連．放射線療法が固形腫瘍と白血病の両者の発症リスク増加と関連し，アルキル化薬，アントラサイクリン系，トポイソメラーゼⅡ阻害薬は，二次性白血病やMDSの発症リスク増加と関連，代謝拮抗薬の使用と二次がんは薬理学的遺伝子多型と関連する．
NHL		5.8％～8.7％(30)	3.8～4.1	
AML	乳癌，脳腫瘍，甲状腺癌など	4.3％(30) 7.8％(30)	4.1～4.4	アルキル化薬，アントラサイクリン系，トポイソメラーゼⅡ阻害薬は，二次性白血病やMDSの発症リスク増加と関連する．
脳腫瘍	髄膜腫，神経膠腫，甲状腺癌，下垂体線腫，海綿状血管腫，皮膚癌など	10.7％(25)	4.1	髄膜腫と神経膠腫が多く，両者とも放射線照射と深い関係がある．髄膜腫は照射野にたとえ低線量でも発生し得ることが知られているのに対して，神経膠腫は40～60 Gyの大量の照射後に5～10年後に発生することが多い．二次がんとして発症するものは両者とも一般に悪性度が高く予後は不良である．
神経芽腫	甲状腺癌，腎癌，消化器癌(大腸)肉腫，AML，乳癌など	3.5％(20)～ 5.9％(30)	5.6～8.0	放射線照射は高リスク神経芽腫の小児における腎癌の素因になる．腎臓に向けられた5 Gy以上の放射線療法，白金製剤をベースにした化学療法で治療された症例のリスクが高い．
Wilms 腫瘍	消化器癌，AML/MDS 乳癌，甲状腺癌，肉腫など	0.4％(20) 2.4％(30) 6.7％(40)	3.4～5.0	消化器・乳癌・甲状腺癌など固形腫瘍の頻度は放射線の影響があり，近年照射しない症例や線量の限定により減少傾向であるが，化学療法の強化に伴い二次性白血病が増加する．
骨肉腫	乳癌，皮膚癌，消化器癌など	5.4％(25) 6.0％(30)	4.2～4.8	アルキル化薬，アントラサイクリン系，トポイソメラーゼⅡ阻害薬が発症リスク増加と関連する．
Ewing 肉腫	乳癌，骨肉腫，甲状腺癌，AMLなど	8.5％～9.0％(30)	5.9～8.5	放射線，アルキル化薬，アントラサイクリン系が発症リスク増加と関連し，照射部位の肉腫が発生しやすい．
軟部肉腫（横紋筋肉腫など）	肉腫，乳癌，甲状腺癌，皮膚癌，消化器癌など	8.8％(30)	3.2～5.8	放射線と化学療法を併用した群で発症が多い．

AML：急性骨髄性白血病，MDS：骨髄異形成症候群，ALL：急性リンパ性白血病，NHL：非 Hodgkin リンパ腫．

phoblastic leukaemia treated by the Tokyo Children's Cancer Study Group protocols：a retrospective cohort study. Br J Haematol 164：101-112, 2014
6) Ishida Y, et al.：Secondary cancers after a childhood cancer diagnosis：a nationwide hospital-based retrospective cohort study in Japan. Int J Clin Oncol 21：506-516, 2016
7) Guérin S, et al.：Treatment-adjusted predisposition to second malignant neoplasms after a solid cancer in childhood：a case-control study. J Clin Oncol 25：2833-2839, 2007

（石田也寸志）

第7章 緩和医療

1 緩和医療

a. 痛みのアセスメントとさまざまな対処方法

痛みの定義

国際疼痛学会は、痛みを「何らかの組織損傷が起こったとき、組織損傷が差し迫ったとき、ないしは組織損傷の際に表現されるような不快な感覚体験および情動体験」と定義している[1]．

小児がんの子どもが経験する痛みには、①がん自体による痛み、②がんの治療による痛み、③処置による痛み、④ほかの原因による痛みがある．がん自体の痛みだけでなく、がんの治療による痛みや処置による痛みが最もつらいという子どもも少なくない．

痛みの病態生理学的分類

1 侵害受容性疼痛

末梢組織に分布する侵害受容器に加わる侵害刺激で生じる痛みであり、これはさらに分布部位により内臓痛と体性痛に分けられる

- 内臓痛：肝臓、腎臓などの固形臓器の被膜の進展、消化管などの管腔内圧の上昇などによる疼痛．
- 体性痛：体表面（皮膚、口腔粘膜、鼻腔、尿道、肛門など）や深部組織（骨、関節、筋肉、結合組織など）の体性組織の異常によって生じる疼痛．

2 神経障害性疼痛

圧迫や損傷などによる感覚神経の直接的な損傷に伴って生じる疼痛．痛みとともに「ヒリヒリ焼けるような」「ビリッと電気が走る」「チクチク刺すような」といった感覚を伴ったり、痛覚過敏、アロディニア、しびれといった感覚異常を伴ったりすることも多い．

痛みのアセスメント

1 包括的評価

痛みは身体的な苦痛だけではなく、さまざまな苦痛（精神的、社会的、スピリチュアル）を併せもつため、適切な評価には多職種でかかわることが望ましい．

痛みの出現時には、まず病歴の聴取と丁寧な診察を行い、検査結果を組み合わせて原因を明らかにする．次に部位、強さ、性状、持続時間、増悪および軽快因子、さらには心理面や行動への影響も併せて評価する．痛みの評価におけるゴールド・スタンダードは子どもに尋ねることである．痛みについて尋ねる際には、子どもの発達レベルに合わせて質問の内容や表現を工夫する．

子どもが痛みを表現することが難しい場合は、行動の観察を行う．日ごろから子どもをみている親による観察がより重要になる．医療者と家族（可能であれば子ども自身も含む）で評価方法を共有しておくことが大切である．

2 痛みの強さの測定

痛みの強さの測定には、自己申告によるもの、行動観察によるもの、生理学的パラメータによるものがあり、子どもの発達段階と評価目的に応じて選択する．自己申告による痛みの評価尺度（pain rating scale）としては、フェイススケールやNRS（numeric rating scale）、VAS（visual analogue scale）がよく用いられている．

薬剤による痛みの治療

1 4つの原則

1) 2段階戦略を用いる

- Step 1（軽度の痛み）では、非オピオイド鎮痛薬〔アセトアミノフェン、非ステロイド性抗炎症薬（non-steroidal anti-inflammatory drugs：NSAIDs）〕を使用．
- Step 2（中〜重度の痛み）では、オピオイド（第一選択はモルヒネ）を使用．

2) なるべく痛みを感じないで済むように定期的な用法で投与する

がん疼痛では、定期投与に加えて頓用薬（レスキュードーズ）も併せて処方することが望ましい．レスキュードーズの投与量は、内服であれば3〜6時間量程度、注射であれば1〜3時間量程度を目安にする（効果や副作用をみながら調整する）．

3) 簡便で安全かつ苦痛の少ない投与経路を選択する

薬剤は簡便で安全、かつ苦痛の少ない経路から投

与する．一般的には経口投与が望ましく，それが困難な場合には，ほかの経路（経静脈，坐薬，皮下注射など）を考慮する．

4）個々の子どもに合わせた投与量，治療方法を選択する

安全性を考慮して少なめの量から開始し，疼痛が残存する場合は必要に応じて定期投与量を増量していきながら適量を決める（タイトレーション）．

2 軽度の痛みに用いる薬剤（非オピオイド鎮痛薬）

1）アセトアミノフェン

小児では，有効性，安全性の面からアセトアミノフェンが非オピオイド鎮痛薬の第一選択薬として用いられることが多い．アセトアミノフェンには，副作用が少なく剤型も豊富であるという利便性がある．投与量は1回あたり15 mg/kgで，4〜6時間の間隔を空ける．

2）非ステロイド性抗炎症薬

NSAIDsとして，国際的にはイブプロフェンが広く用いられているが，わが国の臨床現場ではロキソプロフェン，ジクロフェナクなど複数のNSAIDsが使用されている．副作用（胃粘膜障害，出血傾向，腎機能障害，浮腫など）に細心の注意を払うことが重要である．

3 中等度から高度の痛みに用いる薬剤（オピオイド鎮痛薬）

1）各オピオイド鎮痛薬の特徴

小児におけるオピオイドの第一選択はモルヒネとされている．モルヒネは古くから国際的に普及しており，小児における薬物動態，投与量，有効性，安全性などについてのエビデンスが豊富にあることによる．ほかのオピオイドに比べて，効果が高い，安全性が高いというエビデンスはない．モルヒネの用法・用量を**表1**に示す．

オキシコドンの副作用のプロファイルはモルヒネとおおむね変わらないが，代謝産物が薬理活性をもたないため腎機能障害のある患者でも使いやすい．

フェンタニルは腎機能障害のある患者にも使いやすく，便秘や眠気の副作用が少ないという利点がある．一方，眠気と呼吸抑制出現の間の閾値が狭いことや，耐性ができやすいかもしれない点には注意が必要である．オキシコドン，フェンタニルはシトクロムP450（CYP）による代謝の影響を受けるため併用薬に注意が必要である．

ヒドロモルフォンは，わが国では比較的最近になって認可されたオピオイドであるが，欧米では古

表1 ● モルヒネ用法・用量

- モルヒネの開始投与量の目安（生後3か月以上）
- 内服：0.4〜0.5 kg/日，レスキューは3〜6時間量程度
- 持続静注あるいは持続皮下注射：10 μg/kg/時

くからモルヒネの代替薬として子どもにおいても広く用いられてきた．腎機能障害があっても使いやすく，モルヒネと同じくグルクロン酸抱合によって代謝されるためCYPの影響を受けない利点がある．

タペンタドールは，モルヒネ，オキシコドンなどに比べて消化管の副作用が少ない利点がある．錠剤しかなく剤型が大きいため年齢によっては飲みづらい可能性がある．

ほかの強オピオイドではコントロールがむずかしい疼痛に対してはメサドンが用いられることがあるが，ほかのオピオイドとは異なる配慮が必要な薬剤であり，使用にあたっては専門家に相談することが望ましい．

2）オピオイド鎮痛薬の副作用

①便秘は，一般に頻度が高く，耐性も得られないため，下剤を定期服用することが多い．

②眠気は，オピオイド開始直後や増量後に生じやすいが，一般に数日以内で軽減する．

③悪心は，オピオイド開始後あるいは増量後に生じやすいが，成人に比べて小児では頻度が低い．予防的な制吐薬の投与は必ずしも必要ないが，悪心時には制吐薬が使えるように準備しておくことが望ましい．

④尿閉は，成人に比べて小児で多く，特に急に増量した際に出現しやすい．自然に軽快することも少なくないが，膀胱を圧迫したり，導尿を要することもある．難渋する場合はオピオイドの変更やコリン作動薬の投与を考慮する．

⑤掻痒は，成人に比べて小児で多く，特に顔のかゆみを訴えることが多い．抗ヒスタミン薬は十分な効果を得られないことも少なくない．難渋する場合はオピオイドの変更も考慮する．

⑥呼吸抑制は，意識レベル低下が先行し，呼吸数が著しく減少してくる．逆に，覚醒した状態や多呼吸の状態で呼吸抑制が生じることはない．疼痛の存在下での適切なタイトレーションにおいて出現することはまれである．ナロキソンによって軽減を得られるが，効果が切れると再び呼吸抑制が出現することに注意が必要である．ナロキソンを投与すると疼痛や退薬症状が急激に出現することが

表2 ● 各オピオイドの経口モルヒネとの換算比（oral morphine equivalent）の目安

オピオイド	経口 morphine＝1 に対する力価
モルヒネ（経口）	1
モルヒネ（注射）	2
フェンタニル（経皮/注射）	100
オキシコドン（経口）	1.5
オキシコドン（注射）	2
タペンタドール（経口）	7.5
ヒドロモルフォン（経口）	0.2

＊メサドンはモルヒネ換算比の個人差が大きく使用にあたって特別な配慮も必要なため、使用経験豊富な専門家と相談のうえで用いることが望ましい。

あるので、軽度の副作用に対するナロキソンの安易な投与は避けるべきである。あくまでも救命のための手段と理解しておく。

⑦精神症状（幻覚や不穏など）は、特に全身状態の悪化（終末期、敗血症、脱水、肝障害、腎障害、高カルシウム血症、中枢神経障害など）や併用薬（ステロイド、睡眠薬、H_2ブロッカー）の影響によって出現しやすくなる。夜間に出現しやすい。抗精神病薬の投与、オピオイドの減量・変更などの対策をとる。

オピオイド変更における薬剤間の換算について**表2**に示した。ただし、病状や個人差などによって異なるため、あくまでも目安であることに注意する。

4 鎮痛補助薬

がんの痛みは侵害受容性疼痛のみでなく、神経障害性疼痛や量差の混合性疼痛も少なくない。非オピオイド鎮痛薬やオピオイド鎮痛薬での鎮痛が十分ではない場合には、鎮痛補助薬を併用することも考慮する。ただし、鎮痛補助薬としては、三環系抗うつ薬、抗けいれん薬（ガバペンチノイドを含む）、抗不整脈薬、コルチコステロイドなどがあるものの、いずれも小児でのエビデンスは乏しい。使用にあたっては専門家に相談することが望ましい。

非薬物的アプローチによる対処

痛みの原因、強さ、患者の年齢にかかわらず、薬剤による痛みの治療と並行して、非薬物的アプローチによる対処を行うことが重要である。

1 看護ケア

さまざまな要因（不安感や周囲の環境、人々との触れ合いなど）が痛みの感じ方に影響を与える。親は子どもの痛みを和らげる対処方法を経験的に知っていることも多いが、医療者は複数の方法（温罨法・冷罨法、マッサージ、理学療法など）を指導できるようにしておく。

2 放射線治療

骨転移による痛みに対する放射線治療の効果が成人では証明されている。また、がん自体を縮小させることで痛みの緩和が期待できる場合、放射線治療医とともに適応を検討する。

3 神経ブロック

痛みの部位が限局している際に、神経ブロックが有用な場合がある。ただ、小児の治療経験が豊富な医師は限られるので、施設間の連携が必要になる。

特定の病態による痛み

1 医療処置による痛み

骨髄穿刺や腰椎穿刺などの強い痛みを伴う処置の際には、事前のプレパレーションや処置中のディストラクションが有効である。鎮痛薬はフェンタニルやケタミンがよく用いられ、鎮静薬は抗不安作用と鎮静作用をもつミダゾラムを用いることが多い。笑気などの吸入麻酔薬が用いられることもある。これらの薬剤を用いる場合は慎重な全身状態の管理が不可欠である。

2 粘膜障害による痛み

小児がんの治療においては、造血細胞移植の際の粘膜障害による痛みの緩和が重要である。粘膜炎のために経口投与が困難な場合はオピオイドの経静脈的な投与が行われる。自己調節鎮痛法（patient-controlled analgesia）を用いることも多い。

3 骨転移による痛み

骨転移による痛みの治療は、オピオイド鎮痛薬とNSAIDsの併用することが多く、ビスホスホネート製剤や放射線治療の併用も検討する。体動時に痛みが増強することが多いため、生活上の工夫やレスキューを使うタイミングが重要である。

■ 文献

1) Goldman A, et al.(eds.)：Oxford Textbook of Palliative Care for Children 2nd Edition. Oxford University Press, 2012

■ 参考文献

・Jassal SS, et al.(eds.)：Basic Symptom Control in Paediatric Palliative Care：The Rainbows Children's Hospice Guidelines 7th Edition, 2008
・日本緩和医療学会緩和医療ガイドライン作成委員会（編）：がん疼痛の薬物療法に関するガイドライン2020年版. 金原出版, 2020

（多田羅竜平）

b. 終末期の症状への対応

小児がんの終末期には，さまざまな症状が高率に出現する(表1)[1]．これらの症状を迅速かつ適切に緩和することは，患者にとって残された大切な時間を安楽に過ごすうえできわめて重要なことである．ここでは，疼痛などの一般的な症状は他項に委ね，とりわけ終末期に特徴的な「呼吸困難」「気道分泌物の増加」「せん妄」への対応を中心に述べ，加えて終末期に問題となりやすい「鎮静」と「自然な死の受容」のあり方について検討する．

ただし，ここで紹介する薬剤の多くは小児における安全性が確立していないこと，有効性に関するエビデンスが乏しく，多くは成人領域や欧米での経験に基づくものであることを理解しておかれたい．

表1 ● 小児がんの子どもにおける最期の1か月間に認める症状

症状	発症率(%)
疼痛	91.5
悪心	58.5
便秘	58.5
嘔吐	56.7
過度の睡眠	48.8
不安/抑うつ	45.1
呼吸困難	40.2
混乱	25.6
けいれん	25.6
浮腫	21.3

(Goldman A, et al.: Symptoms in children/young people with progressive malignant disease: United Kingdom Children's Cancer Study Group/Paediatric Oncology Nurses Forum Survey. Pediatrics 117: e1179-1186, 2006をもとに作成)

終末期の呼吸困難

呼吸困難とは呼吸の不快な感覚のことであり，主観的な症状である(客観的所見と一致しないこともある)．がんの終末期には，腫瘍による気道の狭窄，悪液質に伴う呼吸筋の衰弱，肺炎，上大静脈症候群，胸水貯留，がん性リンパ管症，気道分泌物貯留，咳嗽などの原因により呼吸困難を生じることが少なくない．呼吸困難は身体的な苦痛だけでなく，不安・恐怖といった心理的な苦痛を生じ，それがさらに呼吸困難を悪化させるという悪循環を生じやすい．そのため呼吸困難への対処としてはまず，患児を安心させ，楽な姿勢をとらせる．換気して新鮮な空気を取り込んだり，団扇で風を送ったりするのも効果的なことがある．

呼吸困難の治療としては，モルヒネが成人領域で広く用いられている．呼吸困難では鎮痛目的よりも少量で効果を得ることが多く，鎮痛での開始量の50％程度から始め，効果に合わせて調整するのが一般的である．呼吸困難の存在下では，モルヒネの副作用としての呼吸抑制を過度に恐れる必要はない．

不安が呼吸困難に影響している場合には，ベンゾジアゼピンをモルヒネと併用することを考慮する．成人領域で頻用されているベンゾジアゼピン内服薬の多くは小児の安全性が確立していないことや小児の使いやすい剤形が少ないこともあり，年少の小児に使用されることは少ないが，適切に用いれば効果が期待できる．ジアゼパムは内服，注射，座薬と剤形が豊富なので小児でも用いやすいが，作用時間が長いため連用による蓄積に注意が必要である．注射薬ではミダゾラムが抗不安効果に優れるが，催眠効果が強いため日中の使用には注意が必要である．いずれの薬剤も静脈内投与以外に口腔内への投与(バッカル投与)も侵襲が少なく有益な投与法である．

低酸素状態を伴う呼吸困難では，酸素投与が有効である．一方，酸素の持続的な投与は行動やコミュニケーションを妨げるため，効果が乏しい場合には使用を控えることも考慮する．

気道閉塞，上大静脈症候群など腫瘍周囲の浮腫が呼吸困難に影響している場合は，コルチコステロイドが呼吸困難に奏効することが期待できるものの高いエビデンスはない．副作用の問題があるので，可能な限り短期間(おおむね5日以内)の投与が望ましい．

気道分泌物の増加

死期が迫った患者に生じる気道分泌物の増加は「死前喘鳴(death rattle)」ともよばれ，意識混濁，下顎呼吸，四肢のチアノーゼ，橈骨動脈の触知不可とともに死が間近に迫っている徴候の1つとされる[2]．死前喘鳴は意識低下による嚥下反射の抑制によって生じるものであり，患者自身が苦痛を感じることは少ないとされるが，周囲の家族などにとって「子どもが苦しそう」と感じられ，大きなストレスとなり得る．死前喘鳴を認めた際には，家族に対して，「意識低下に伴う生理現象であり，必ずしも苦痛を伴うものではないこと」を丁寧に説明するとともに，お別れが近づいていることも伝え，心の準備を図るこ

とも大切である．

吸引は効果が乏しいことが多く不快を与えることになりかねないため，有効性を適切に評価して行う必要がある．体液が過剰な場合は，輸液量を少なくすることを考慮する．

薬物療法としては経験的に抗コリン薬を用いることが多いが，その効果に関するエビデンスは乏しい．

終末期のせん妄

せん妄とは，何らかの原因によって急性の意識障害が生じ，不穏，混乱，幻視，妄想などの多彩な精神症状を認め，変動するものである．睡眠覚醒リズムが障害され，夜間に症状増悪することが多い（いわゆる夜間せん妄）．せん妄に対する対処として，まずは改善し得る原因，増悪因子は可能な限り改善することが望まれる（表2）．ただ，終末期のせん妄は原因が複合的かつ不可逆的なことが多く，必ずしも回復が容易でないことも理解しておく必要がある．

せん妄への対処としては「睡眠覚醒リズムの改善」，「認知機能の改善」，「不穏の鎮静」がある．国際的に古くからせん妄対策によく用いられる薬物としては次のものがあげられる．

ハロペリドールはせん妄治療の第一選択薬として広く用いられる抗精神病薬（メジャー・トランキライザー）であり，認知機能の改善が期待できる．鎮静作用は高用量でなければ強くない．鎮静が必要な場合にはミダゾラムと併用されることが多い．

ミダゾラムは抗不安効果，催眠効果を有し効果が迅速なため，鎮静が必要な状況に用いられるが，逆説的不穏を生じる可能性があるため，抗精神病薬の併用が望ましい．

レボメプロマジンはハロペリドールと同じく抗精神病薬の一種であり，せん妄症状を改善する効果が期待できる．鎮静効果が強いため，夜間せん妄など鎮静効果を合わせて必要とする場合に用いることが多い．低用量でも強い制吐作用を有し鎮痛効果もあるため，終末期に複数の症状を認めるときには重宝する．

内服薬では近年，オランザピン，リスペリドン，クエチアピンの小児での使用の報告も散見される[3]．

終末期の鎮静

緩和ケアにおける鎮静とは「苦痛緩和を目的として患者の意識を低下させる薬物を投与すること，あるいは薬物による意識低下を意図的に容認すること」[4]とされている．終末期には，意識を保った状態

表2 ◆ せん妄のおもな原因

- 不快：疼痛，呼吸困難など
- 薬剤性：ステロイド，ベンゾジアゼピン，オピオイドなど
- 感染
- 頭蓋内病変：脳腫瘍，がん性髄膜炎，脳出血など
- 電解質異常：高カルシウム血症など
- 終末期の臓器不全

で苦痛を緩和することが困難なために鎮静を必要とすることがある．鎮静を行うことで苦痛を和らげることが期待できる一方，意識の低下により外界とのコミュニケーションが妨げられることや，まれに鎮静薬の投与後に急変が生じる可能性もあり得る．そのため，鎮静の深さや持続時間は，鎮静によるメリットとデメリットの最もよいバランスを考量しなければならない．とりわけ持続的な深い鎮静の実施においては，子どもの希望，医学的および倫理的妥当性，社会通念を慎重に検討し，医療チーム，子ども（意思表示ができる場合），家族の間での十分な合意を得たうえで実施することが求められる．

自然な死の受容 (allowing natural death)

治癒することが期待し得ない終末期においては，残された時間の過ごし方について関係者間で十分に議論，計画し，準備していく必要がある．なかでも重要になるのが「自然な死の受容（生命維持治療の回避）」をめぐる検討である．すなわち，生命の延長が子どもの利益である限り，子どもの延命に全力を注がなければならない一方で，回復が見込めず死期の迫っている患者に対しては，治療義務の限界を見定めて有益性の乏しい治療を避け，自然な死を受容することの検討が必要となる．

「自然な死の受容」を検討するうえで最も基本的なことは，生命維持治療によって得られるメリットとデメリットを比較考量することである．そのためには「その治療のメリットはどの程度期待できるのか？」「その治療はどのような苦痛を与え得るのか？」「生命維持以上に大切なことは何なのか？」そして「それは誰が決めるべきなのか？」といった価値判断が必要になる．その判断は必ずしも容易なことではなく，特に子どもの終末期はジレンマに直面しやすい．それは，本来，子どもの命を守ることは社会が大切にしている美徳であり，その思いを断念することは家族や医療者にとって簡単ではないことに加え，「その生命維持治療が子どもにとって有益

なのか，それとも耐えがたい苦痛を強いているのか」という問題を誰がどのように決めるべきなのか，といった判断において，子どもの自己決定権の扱いも含め，医療現場や社会におけるコンセンサスが定着していないことも理由となっている．したがって「自然な死の受容」の判断においては，医学的妥当性を慎重に検討したうえで，医療者と家族，そして可能なら子ども自身も含めて十分に価値判断を共有し，考え合い，話し合いながら合意形成していくことが望まれる．

また，「自然な死の受容」とは本来，生命維持治療の差し控えと中止の両方を包含するものであり，欧米では両者を倫理的に同質の行為として扱うことがコンセンサスになってきている[5)6)]．わが国では，厚生労働省が「終末期医療の決定プロセスに関するガイドライン」[7)]において，「終末期医療における医療行為の開始・不開始，医療内容の変更，医療行為の中止等は，多専門職種の医療従事者から構成される医療・ケアチームによって，医学的妥当性と適切性を基に慎重に判断すべきである」と医療行為の中止を含めた終末期の意思決定のあり方について指針を示している．このガイドラインを受けて，近年，さまざまな学術団体や医療施設などにおいて，生命維持治療の差し控え・中止に関する指針[8)〜10)]が示されつつあるものの，生命維持治療の中止は，差し控えと異なりコンセンサスが十分に定まっていない．今後これらの指針を小児医療の現場でどう咀嚼し，実践していくのかが課題となっている．

■ 文献

1) Goldman A, et al.：Symptoms in children/young people with progressive malignant disease：United Kingdom Children's Cancer Study Group/Paediatric Oncology Nurses Forum Survey. Pediatrics 117：e1179-1186, 2006
2) Morita T, et al.：A prospective study on the dying process in terminally ill cancer patients. Am J Hosp Palliat Care 15：217-222, 1998
3) Karnik NS, et al.：Subtypes of pediatric delirium：a treatment algorithm. Psychosomatics 48：253-257, 2007
4) 日本緩和医療学会緩和医療ガイドライン作成委員会（編）：苦痛緩和のための鎮静に関するガイドライン2010年版．金原出版，2010
5) Royal College of Paediatrics and Child Health（ed.）：Withholding or Withdrawing Life Saving Medical Treatment in Children：A framework for Practice. 2nd ed., Royal College of Paediatrics and Child Health, 2004
6) Sprung CL, et al.：End-of-life practices in European intensive care units：The Ethicus Study. JAMA 290：790-797, 2003
7) 厚生労働省：終末期医療の決定プロセスに関するガイドライン 平成19年5月．厚生労働省，2007
8) 日本学術会議・臨床医学委員会終末期医療分科会：対外報告 終末期医療のあり方について―亜急性型の終末期について―．日本学術会議，2008
9) 日本集中治療医学会，他：救急・集中治療における終末期医療に関するガイドライン～3学会からの提言～．日本集中治療医学会，日本救急医学会，日本循環器学会，2014
10) 日本老人医学会：高齢者ケアの意思決定プロセスに関するガイドライン―人工的水分・栄養補給の導入を中心として．日本老人医学会，2012

〈多田羅竜平〉

c. 終末期の小児がん患者・家族の心理的サポート

小児がん患者・家族を支えるためには，身体的苦痛だけでなく，精神的苦痛，社会的苦痛，心理的苦痛，スピリチュアルペインを含めた包括的ケアが求められる．特に病状が進行して終末期に近づくほど，心理的苦痛が増強する場合も多く，適切なサポートを提供することが重要となる．

欧米では，小児がん患者・家族の心理，およびそのサポートについて1970年代からさまざまな研究が行われてきた．しかし，この領域は文化や宗教の影響が大きいこと，さらには医療サービスの提供体制が異なることから，欧米の研究成果をそのままわが国に当てはめることはできない．そこで本項では，わが国で行われた研究を中心に紹介することとする．

小児がん患者への心理的サポート

1 小児がん患者の good death

緩和ケアのアウトカムの1つとして，「望ましい死（good death）」という概念がある．小児がん経験者10人，小児がんで子どもを亡くした両親10人，小児がん診療に従事する医療者20人を対象とした面接調査では，小児がん患者における good death の構成概念が抽出された（表1）[1)]．「苦痛が緩和されていること」「希望を維持すること」「尊厳が保たれること」「家族との関係がよいこと」「家族の負担にならないこと」「医療者との関係がよいこと」といった構成要素は，成人と同様に小児においても good death を構成することが明らかとなった．一方で，「自由に遊ぶ機会が十分にあること」「仲間（peer supporters）がいること」「日常の活動や人とのつながりを維持できること」など，小児に特有の構成要素も複数抽出された．なお，good death の認識は患者・家族によってさまざまに異なるため，サポートを提供する際には，これらの結果を参考にしながら，目の前の患者・家族が特に何を大切にしているのかを，個別に考えながらかかわることが望ましい．

表1 ◆ 小児がん患者の good death

- 自由に遊ぶ機会が十分にあること
- 仲間（peer supporters）がいること
- 日常の活動や人とのつながりを維持できること
- プライバシーが保たれること
- 自分の選択や意向が尊重されること
- 自分の子ども時代が認められ尊重されていると感じられること
- 苦痛が緩和されていること
- 希望を維持すること
- 死が近づいていることに気づかずにいられること
- 尊厳が保たれること
- 家族との関係がよいこと
- 家族の負担にならないこと
- 医療者との関係がよいこと

(Ito Y, et al. : Good death for children with cancer : a qualitative study. Jpn J Clin Oncol 45 : 349-355, 2015 より引用, 一部抜粋)

表2 ◆ 終末期に保護者が困難に感じたこと

	困難に感じたこと	割合(%)*
1	患者の病状の悪化を実感すること	96.7
2	患者の苦痛を目の当たりにすること	96.7
3	遠くない将来に患者が亡くなることを前提に，いくつもの選択をしなければならないこと	83.6
4	急変に対する不安や緊張があること	82.0
5	患者に対して何もしてあげられないと実感すること	78.7
6	不安を隠して，患者の前では明るく振る舞う必要があること	77.0
7	患者の死を考えてしまい，そのことで罪悪感を感じること	73.8
8	病気が遺伝や育て方，環境のせいではないかと思うこと	68.9
9	自分の選択に対する後悔や迷いがあること	63.9

＊：4段階のなかから「とてもそう思う」，「そう思う」と回答した割合が60％以上の項目のみ抜粋．
(Yoshida S, et al. : A comprehensive study of the distressing experiences and support needs of parents of children with intractable cancer. Jpn J Clin Oncol 44 : 1181-1188, 2014 より引用, 一部改変)

2 患者との死に関するコミュニケーション

小児がんの診療に従事する医師127人を対象とした質問紙調査の結果，6～9歳の患者に対しては42％，10～15歳の患者に対しては68％，16～18歳の患者に対しては93％の医師が終末期に関する話し合いをもつべきであると回答していた．その一方で，「治癒が見込めないこと」について，「いつも」あるいは「たいてい」話していると回答した医師は，それぞれの年代で順に6％，20％，35％であり，「死が近いこと」についてはそれぞれ，2％，11％，24％と，低い割合にとどまっていることが明らかとなった[2]．死についての対話は，必ずしも必要ということではないものの，コミュニケーションをもつことにより，患者の心理的苦痛を把握できる場合もあると考えられる．

3 患者がもつ死の予感や不安

前述の通り，死に関するコミュニケーションがもたれることは少ない現状にある一方で，終末期にある小児がん患者の死に関する予感や不安の表現を診療録から調査した研究[3]によると，対象とした24人（年齢：1～16歳）の患者の1/3が，自身の死に対する不安や恐怖を口にしていた．死については，タブー視される場合もあるが，患者が自身の死を予期している場合，その気持ちを表現し対話をすることで，不安や恐怖が軽減され得る．そのためには，明確な告知を行っていなくとも患者が自身の死を予期している可能性もある．そのことを念頭におきながら，患者との死に関する対話について，何をどのように話すかという共通の認識を，チーム内や保護者との間でもつためのコミュニケーションを図ること

や，早期からオープンな対話が可能となる関係性を構築しておくことが役立つと考えられる．

家族への心理的サポート

1 終末期の小児がんの保護者が感じる困難

小児がんで子どもを亡くした遺族135人を対象に，がんの治癒が望めなくなってからの時期に感じる困難を尋ねる質問紙調査を行った結果，患者が亡くなる前の最後の1か月間に，意思決定の困難や急変に対する不安と緊張，何もしてあげられない不全感，患者の死を考えてしまうことの罪悪感などを感じていることが明らかになった（表2）[4]．

2 保護者が医療者に期待するサポート

これらの困難に直面する保護者が医療者に期待するサポートとしては，毎日訪室して患者に声をかけること，最悪の場合も含めて保護者に情報をしっかり伝えること，繰り返し説明すること，きょうだいとかかわれる時間を確保することなどがあげられることが明らかになった（表3）[4]．こうしたサポートが，保護者に対する心理的サポートにつながるものと考えられる．また，きょうだいへのケアについても言及されており，患者にきょうだいがいる場合，医療者がきょうだいへの配慮を行うことが，患者・保護者・きょうだいそれぞれにとってのサポートと

表3 ◆ 保護者が医療者に望むサポート

	サポート内容	割合(%)*
1	毎日訪室し，患者に声をかけること	90.2
2	選択肢のデメリットについて十分に説明すること	80.3
3	最新の情報を提供すること	80.3
4	医療者が最後まであきらめない姿勢をみせること	78.7
5	最悪の場合について十分に説明すること	73.8
6	患者がきょうだいとかかわれる時間を確保すること	73.8
7	病状に関する家族の認識や理解を確認すること	72.1
8	病状や見通しについて繰り返し説明すること	70.5
9	治療について選択する際に医療者が助言すること	68.9
10	家族が患者にしてあげられることをアドバイスすること	63.9

*：5段階のなかから，「不可欠である」，「とても必要」と回答した割合が60％以上の項目のみ抜粋．
(Yoshida S, et al.：A comprehensive study of the distressing experiences and support needs of parents of children with intractable cancer. Jpn J Clin Oncol 44：1181-1188, 2014より引用，一部改変)

表4 ◆ 患者との終末期の話し合いの妨げとなり得る医療者自身の要因

- 患者とどのように話したらよいのかがわからない
- 話したあとに患者と向き合う自信がない
- 患者と話すことに対する心理的な抵抗感
- 小児の看取りの経験不足
- 話したあとの患者の反応が予測できない
- 死そのものに対する不安
- 予後の予測がむずかしい
- 話し合いについての患者の意向がわからない
- 小児の場合，本人の意向をどの程度尊重すべきかが不明確なこと
- 患者と話し合うこと自体の是非がわからない
- 適切な話し合いの時期がわからない
- 話し合うことに対する差し迫った理由がない

(Yoshida S, et al.：Barriers of healthcare providers against end-of-life discussions with pediatric cancer patients. Jpn J Clin Oncol 44：729-735, 2014より引用，一部改変)

して重要であることも示唆された．

医療者の心理

1 終末期におけるコミュニケーションに伴う医療者の負担

患者本人との終末期に関する話し合いが行われることが多くないという実情については前述の通りであるが，小児がん診療および成人がん診療に携わる医療者10人を対象としたインタビュー調査から，その要因が抽出された[5]．コミュニケーションの阻害要因としては，患者に関する要因，保護者に関する要因のほかに，医療者自身の要因や環境の要因があることが明らかになった．医療者自身の要因としては，表4に示す12項目が抽出されており，患者・家族の心理的サポートのためには，困難を感じている医療者の支援も必要であると考えられる．

心理的サポートのために

1 早期からの信頼関係の構築

患者・家族の心理的サポートのためには良好なコミュニケーションが不可欠である．その前提として，医療者と患者・家族の間に信頼関係が構築されていることが重要である．一般的に，病状が悪化して終末期に近づいた状況で，患者・家族と新たに信頼関係を構築することはむずかしい．したがって，医療者は早い段階から患者とオープンな対話ができる関係を築いておくことが有用であると考えられる．それにより患者が終末期に抱くさまざまな不安や恐怖などの感情を表出することができる場合がある．また主治医や看護師だけでなく，臨床心理士などの多職種が，積極的な抗がん治療を行っている段階から患者・家族と接点をもつということも役立つ可能性がある．

2 療養環境の整備

療養場所がどこであるかにかかわらず，心理的サポートが継続して受けられるように環境を整備する．病院であれば，病状に合わせて個室を準備しプライバシーを確保することも必要である．また家族が気持ちを表出できるように，病室とは別に過ごせる空間があること重要である．さらに，在宅への移行など，療養場所が変わる場合には，身体的ケアのみならず心理的サポートについても，継続して提供できる体制の確保ができるように配慮することが望ましい．

3 多職種チームの構築

終末期の小児がん患者・家族の心理的サポートの際には，多職種チームの役割がそれまでにも増して重要になる．チームの構成メンバーは施設によって異なるであろうが，小児がん診療を担う医師・看護師以外に，心理社会的支援の専門職（公認心理師・臨床心理士，ソーシャルワーカーなど），遊びや学びの専門家（チャイルド・ライフ・スペシャリスト，病棟保育士，教師など）の存在が有用である．また自

宅で療養する場合は，在宅診療を担当する医療者との連携も必要である．多職種チームを構築することは，患者・家族への多角的な支援につながるだけでなく，医療者間で互いをサポートし合うことによる，医療者の心理的苦痛の緩和も期待できる．

■ 文献

1) Ito Y, et al.：Good death for children with cancer：a qualitative study. Jpn J Clin Oncol 45：349-355, 2015
2) Yoshida S, et al.：Japanese physicians' attitudes toward end-of-life discussion with pediatric patients with cancer. Support Care Cancer, 26：3861-3871, 2018
3) 藤井裕治，他：終末期の小児がんの子どもたちに認められた死の予感と不安．日小児会誌 106：394-400, 2002
4) Yoshida S, et al.：A comprehensive study of the distressing experiences and support needs of parents of children with intractable cancer. Jpn J Clin Oncol 44：1181-1188, 2014
5) Yoshida S, et al.：Barriers of healthcare providers against end-of-life discussions with pediatric cancer patients. Jpn J Clin Oncol 44：729-735, 2014

（吉田沙蘭）

d. 在宅医療

小児がん診療拠点の集約化が進みつつあるなか，がん治療を担当する病院（治療病院）には，遠方に居住している小児がん患者の医療の質を担保することが求められる．さらに治癒が見込めなくなった時期には，患者と家族が希望する場所で過ごせるように，適切なケアを提供できる体制を構築することが必要である．

本項では，終末期の小児がん患者に対する在宅医療の現状と課題について，治療病院の立場から概説する．

わが国の在宅医療の現状

1 高齢者の在宅医療

介護を必要とする高齢者が住み慣れた地域で過ごせるように，わが国では1990年代から在宅医療体制の整備が進められてきた．2006年の診療報酬改定にて「在宅療養支援診療所」が規定され，さらに「がん対策基本法」の成立を受けて，がん患者に対する在宅医療の質の向上のためにさまざまな施策が打ち出されてきた．

2 医療的ケア児の在宅医療

着実に整備されてきたわが国の在宅医療体制ではあるが，医療的ケア児（人工呼吸器や経管栄養などの医療的ケアを必要とする子ども）の療養生活を支えるためには十分ではない．近年になって彼らに対する在宅医療の重要性が認識されるようになり，地域ごとに医療と教育，福祉が連携した支援体制が構築されつつある[1]．

3 小児がん患者の在宅医療

小児がん患者の在宅医療は，1990年代に一部の先駆的な病院で行われていたが[2]，個々の医療者の努力によるところが大きく，期待されたほどには普及しなかった．終末期の小児がん患者を在宅で診ていく場合，限られた時間で苦痛症状を緩和することや，家族の心理的ケアが不可欠になる．このような特殊性もあり，小児がん患者の診療を行う在宅医，訪問看護ステーションを探すのはいまだに困難な地域がある．

小児がん患者の在宅医療の実際

1 患者・家族のニーズと不安の把握

在宅医療の開始は，まず患者本人と家族に在宅医療の希望があることが前提となる．ただ，さまざまな不安のために一歩を踏み出せない家族も多い．具体的には，診療内容の変化や病状悪化時の対応，長く治療を受けてきた病院とのつながりが弱くなることに不安を感じる家族が多い．そのような場合は，家族の気持ちを汲み取りながら，起こり得る症状と対処方法をわかりやすく説明し，また在宅医療を選択することは決して治療病院から見放されるのではないことを伝える．

2 医療提供体制（治療病院の役割）の検討

在宅への希望を確認後は，治療病院から自宅までの距離，地域の医療資源，患者の病状と必要な医療内容によって，治療病院の役割を決めることが必要である．訪問看護の導入の有無を決め，そのうえで以下のどの医療提供体制をとるかを検討する．

・治療病院に定期的に通院し，病状悪化時の対応や看取りも治療病院で行う．
・地域の中核病院小児科に定期的に通院し，病状悪化時の対応や看取りは治療病院で行う．
・小児科診療所または在宅療養支援診療所が訪問診療を行い，看取りも引き続き在宅で行う．

3 在宅医療チームの編成（図1）[3]

医療提供体制の検討と並行して，在宅医療チームの編成に取りかかる．以下にそれぞれの医療資源に

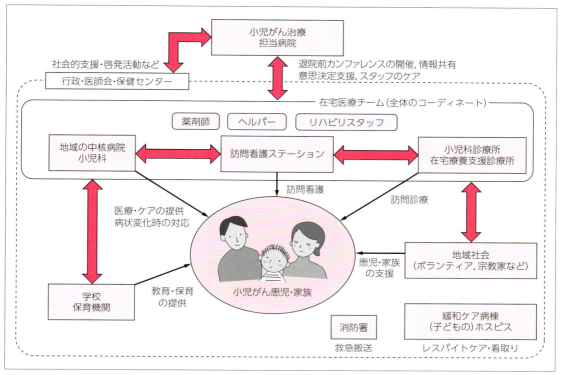

図1 ◆ 小児在宅医療チームのイメージ
(金井理恵,他:チームとしての小児在宅ターミナルケア.日小児血液会誌 19:123-130,2005をもとに作成)

表1 ◆ 小児がんの終末期在宅ケアを支援する際の困難な点

症状緩和に関する困難	症状の把握,(子どもの)治療・処置の拒否,在宅医不足,(看護師の)小児の知識・技術の不足,薬剤使用上の問題,家族の終末期の理解,連携体制
ケアや治療面の困難	(家族の)在宅での治療・ケアの限界の理解,(子どもの)治療・ケアへの理解・協力,高度な医療処置の実施や管理,小児看護の知識・技術・経験不足,状態変化時のスピーディーな対応,往診医不足
家族への対応の困難	精神的サポート,介護負担の増強・介護力不足,訪問時間不足,小児看護の経験・知識不足
訪問看護師の資質の問題	小児の看護・医療の経験不足,小児看護自体への不安,親に向き合う/関係を作る,子どもの心理への対応,過重なストレス,病状変化への対応
医療機関との連携上の困難	24時間対応/夜間対応してもらえない,支援病院がない,往診してもらえない,小児科医の不足,主治医と連絡がとりにくい,カンファレンスが開けない

(押川真喜子:小児がん患者の終末期在宅ケアの支援の在り方についての研究.平成22年度厚生労働科学研究費補助金(がん臨床研究事業)総括・分担研究報告書,厚生労働省,2012より引用,一部改変)

ついて知っておくべき点を記す.チームを編成していく際に,誰がコーディネート役を担うかを明確にしておく.

1)訪問看護ステーション

終末期の小児がん患者では医療依存度が高いことが多く,在宅医療を行ううえで訪問看護師の役割は大きい.小児がん患者の訪問看護を実施しているステーションはまだ少数ではあるものの,条件や体制が整えば実践したいと考えている事業所は増えている.全国の訪問看護ステーションを対象としたアンケート調査によれば,小児がん患者の終末期在宅ケアを実施するうえで困難に感じる点として,症状緩和に関する困難,ケアや治療面の困難,家族への対応の困難,訪問看護師の資質の問題,医療機関との連携上の困難があげられている(**表1**)[4].このような課題の解決を視野に,在宅医療マニュアルの作成

や実技を含めた講習会の開催など，いくつかの地域でさまざまな試みが始まっている[5]．

2）小児科診療所

地域の小児科診療所は，外来診療だけではなく健診業務などもこなしており時間的な制約が多いため，臨時の往診依頼に対応することもむずかしい．しかし，診療所の医師は子育てや教育，福祉の地域資源を活用しながら，普段からチーム医療を実践している．在宅医療を行っている小児科診療所は非常に少ないが，もともとその患者のかかりつけ医であれば，診療を引き受けてもらえることがある．

3）在宅療養支援診療所

在宅療養支援診療所とは，在宅医療を推進するために2006年に設けられた24時間体制で往診可能な診療所である．在宅医療を担っているために地域におけるさまざまな職種との連携がすでに形成されている．小児の訪問診療を行っている診療所は多くはないが，治療病院との密な連携を条件に診療を引き受けてもらえることがある．

4）地域の中核病院小児科

在宅医が見つからなくても，地域の中核病院小児科との連携によって自宅をおもな療養場所とすることが可能である．治療病院への通院の負担が大きいときの定期診察，さらには病状変化時の入院先としての役割を担うことが可能である．小児がんの診療経験が少ない病院でも，医師同士が直接話し合うことで連携可能なことが多い．その際にはそれぞれの病院の役割を明確にしておくことが重要である．

5）緩和ケア病棟（ホスピス）

2021年10月現在，全国に450以上の緩和ケア病棟がある．病棟環境が成人患者を念頭に整備されている，スタッフが小児がん患者と家族のケアに慣れていないなどの問題はあるが，レスパイトケア（家族の休息のための一時的な入院）または看取りの場として利用が可能な場合もある．患者の自宅近くに緩和ケア病棟があるときは，選択肢として呈示することも検討する．

4 退院前カンファレンス

在宅医療チームの構成が決定したら，退院前カンファレンスを開催する．話し合っておくことは，患者の背景，疾患と臨床経過，患者と家族の病状理解，治療・ケアの目標，今後起こり得る病状変化と対応方法，緊急時の連絡方法など，きわめて多岐にわたる[6]．カンファレンスにてお互いが顔のみえる関係を構築しておくことで，在宅医療チームのスタッフが治療病院へ連絡する際の心理的な障壁も軽減できる．

5 在宅療養中の治療病院の役割

訪問診療を導入した場合でも，中核病院に定期通院する場合でも，治療病院との密な連携は必須である．在宅医療チームと治療病院間の定期的な情報共有の方法，臨時の相談の際の連絡先を定めておくことが重要である．治療病院のスタッフがいつも気にかけていることが患者と家族に伝わると，安心して在宅療養が可能になる．

また，いったん決めた体制で在宅医療を開始しても，経過中に患者や家族の思いが変わることもある．その思いを最大限に尊重し，治療病院と在宅医療チームは柔軟に対応することが必要である[7]．目標はあくまでも可能な限り長く有意義な時間を過ごすことにある．

小児在宅医療の経験がほとんどない地域では，地域全体で社会的支援，啓発活動を進めていけるように行政や医師会に働きかけることも重要である．

6 死別後の家族とスタッフのケア

患者が亡くなったあと，治療病院や診療所が家族に対してケアを行うことはこれまで多くはなかった．しかし今後は，必要とする家族に適切なケアを提供できる体制が望まれる．治療病院の役割の1つとして，遺族会の開催なども検討していく必要がある．また，かかわった在宅医療チーム内で，振り返りの機会を設けることがスタッフのケアのうえでも重要である．

今後の課題

1 在宅における症状緩和方法の確立

自宅で終末期を過ごす小児がん患者と家族の不安の1つは，痛みや呼吸困難などの身体の苦痛症状が起きたときへの対応である．在宅という環境下で実施可能な，安全かつ有効な症状緩和方法を確立していく必要がある．

2 地域におけるネットワーク構築

小児がん患者の在宅医療を行う医療資源が十分ではない地域でも，専門領域を超えたネットワークを構築すれば一定の質の医療が提供できる．協力が得にくいという先入観に縛られることなく，地域でネットワーク構築を進めていくことが重要である．

■ 文献

1) 平成30年度厚生労働省委託事業 平成30年度小児在宅医療に関する人材養成講習会テキスト，国立研究開発法人国立成育医療研究センター，2018
2) Fujii Y, et al.：Analysis of the circumstances at the end of life in chil-

dren with cancer : a single institution's experience in Japan. Pediatr Int 45 : 54-59, 2003
3) 金井理恵, 他 : チームとしての小児在宅ターミナルケア. 日小児血液会誌 19 : 123-130, 2005
4) 押川真喜子 : 小児がん患者の終末期在宅ケアの支援の在り方についての研究. 平成22年度厚生労働科学研究費補助金 (がん臨床研究事業) 総括・分担研究報告書. 厚生労働省, 2012
5) 朴　明子 : アンケート調査に基づく群馬県内の小児在宅緩和ケアの可能性について. 日小児血がん会誌 51 : 3-8, 2014
6) 冨田　直 : 小児在宅医療における病院と地域との連携. 在宅新療0-100　4 : 326-332, 2019
7) 上田悟史, 他 : 終末期在宅緩和ケア後, 自宅で看取りを行った再発難治性胸膜肺芽腫の1例. 日小児血がん会誌 56 : 40-45, 2019

（天野功二）

e. 医療者が行う遺族のグリーフケア

子どもの死が家族に与える影響

近年の治療技術の向上により, 小児がんの治癒率は上昇している. その一方で, 約20〜30％の親は, 治癒の可能性を支えに子どもと過酷な闘病期間を過ごしたあと遺されることとなる. 子どもの死は, 遺された家族にとって深い外傷体験となることが知られている. 死別後, 多くの遺族は, 絶望感, 強い自責や後悔, 無念さ, 怒りなど, 非常に強い悲嘆反応に苦しむ. また, そのような悲嘆反応に加え, うつ症状や闘病中の過労も加わり, 強い倦怠感や疲労感を伴った顕著な心身の反応を呈する場合も多い. それが遺族の健康に長期に影響を及ぼし, 諸外国では子どもを亡くした親の死亡率や自殺のリスクの上昇も報告されている (表1)[1)2)]. また, 告知や闘病中のつらかった場面が侵入的に想起される, 子どもを思い出させる場所や物に近寄ることができなくなる（回避行動）といったトラウマ症状が出現する場合がある. それらが強く持続すると, 長期にわたり死別後の生活の適応が阻害されることがわかっている.

子どもを喪失することは, 家族ユニットとしての機能不全が強く出現するとされ, 家族1人1人だけでなく家族システム全体に大きな打撃を与える. 例えば, 行き場のない喪失への怒りや, 悲しみの対処の違いなどから, 夫婦間で大きな葛藤が生じる場合が少なくない. また, 1人の悲嘆反応が引き金となり, 同じ屋根の下にいるほかの家族にも強いストレスや苦痛が生じやすい.

死別の悲嘆からの回復が困難な状態は, 近年, 「複雑性悲嘆*」とよばれている. 子どもなどの若年層の死は複雑性悲嘆のリスクファクターの1つであり, 専門的な支援が必要となる場合がある. 例えば, 小児がんで子どもを亡くした親の調査[3)]によると, 死別からの時間経過とともに悲しみは少しずつ和らぐものの, 死別後平均4.5年が経過しても複雑性悲嘆の有病率は10.3％あり, 41％の遺族が愛する子どもと引き離された強い分離の苦痛を経験してい

表1 ● 子どもの死が遺族に与える影響

研究者	発表年	コントロール群（遺族ではない群）との比較
Kvikstad, et al.	1996	親のがん発症のリスクは変わらない
Levav, et al.	1998	死亡率は変わらない
Li, et al.	2002a	死別後6年は変わらないが, 7〜17年で死亡率↑
同上	2002b	母親で悪性腫瘍の罹患率↑
同上	2003	母親の死亡率↑（自然死・外因死）, 直後は父親の死亡率↑（外因死）
同上	2005	精神疾患による入院↑（最初の1年　母親＞父親）
Qin, et al.	2003	自殺の危険性↑（幼い子どもの死, 死別後1か月以内で顕著）

(Hendrickson KC : Morbidity, mortality, and parental grief : A review of the literature on the relationship between the death of a child and the subsequent health of parents. Palliat Support Care 7 : 109-119, 2009/Li J, et al : Hospitalization for mental illness among parents after the death of a child. N Engl J Med 352 : 1190-1196, 2005 より引用, 改変)

た. また, 22％に明らかな抑うつ症状がみられた.

がんで子どもを亡くした親の心理社会的影響に関するレビュー[4)]では, 不安, 抑うつ, 悲嘆の遷延化, QOL低下のリスクが高く, それらの問題には, ①精神疾患の併存, ②過去の喪失体験, ③経済的困難, ④子どもの治療期間と過酷さ, ⑤（医療的な）ケアを十分に受けたという認識, ⑥子どもの生前のQOL, ⑦子どもの死に対する準備と亡くなった場所, が関連していた. これらのことから, 子どもを亡くした遺族の長期にわたる心理的影響を考えると, 死別後の要因だけでなく, 終末期の要因を含めて支援を考慮することが重要と考えられる.

遺されたきょうだいにも配慮が必要である. 子どもの悲嘆は大人と異なり, 言葉や感情表出ではなく, 行動や身体反応として表されることが多い. 時には無邪気に, 死を理解していないようにみえるこ

ともあり，きょうだいの悲しみは見過ごされやすい．また，闘病中にきょうだいには病状や経過を詳しく伝えられていない場合もあり，親との間でも情報や気持ちが共有されていない場合もある．しかし，きょうだいの内面には，親に甘えることができない寂しさや，自分だけが疎外されているような孤独感，死の恐怖，きょうだいの病気や死に対する自責感など，口には出せない複雑な感情が潜んでいるといわれている．それらの感情は，長期的には子どもの自尊感情を低下させる危険性があるため，海外では闘病中から死別後まで，きょうだいも含めた家族支援が重視されている[5]．

近年の話題として，死別後の遺族のネガティブな側面だけでなく，「心的外傷後成長（posttraumatic growth：PTG）」や「レジリエンス（resilience）」といったプラスの側面に着目する報告が増えている．例えば，「外傷的な出来事をきっかけとする精神的なもがきの結果として経験される肯定的な心理的変容」と定義されているPTGの発端は，その概念の提唱者であるTedeschiらが，子どもを亡くした遺族の語りのなかから見出したものであった[6]．多くの遺族は，時間をかけながらも子どもが残してくれたもの，子どもの死が教えてくれたことを胸に，新たな生き方を見つけていく．この道程を忍耐強く伴走する支援が，グリーフケアなのである．

医療従事者による支援

家族とともに闘病期間を送った医療者は，多くの場合，死別後もよき理解者，そしてよき支援者にもなることができる．例えば，遺族が闘病中の判断などによる自責感で圧倒されている場合，死の原因を責める必要がないことや，家族として十分な愛情を注いできたことを伝えることができる．また，闘病中の思い出を共有することで，子どもが命をかけて頑張り抜いたことを感じるきっかけにもなる．一連の体験を言語化し，「語り直す」ことは，亡くした子どもと再びつながり，悲しい出来事の意味を遺族自身が見出す助けになる．

がんで子どもを亡くした遺族に対する調査研究[7)～9)]では，悲嘆に対処するうえで遺族が役に立ったものとして，【闘病中】は，病院スタッフからのサポーティブなかかわり，質の高い終末期医療，死への準備に対するサポート，面会制限や経済的負担を軽減する配慮，【死別後】は，病院からの連絡や郵送物，家族や友人などの社会的ネットワーク，残されたきょうだいの存在，ほかの遺族との出会い，病院

表2 ● 遺族の支援を行う際の留意点

①子どもを亡くした遺族の悲しみは非常に強く，そして予想以上に長く続くことを理解しておく
②亡くなったあとも電話や面談などの機会があると望ましい
③遺されたきょうだいのフォローも行い，両親に適切なガイダンスを行う
④悲嘆が長引く両親には，同じ体験をした子どもを亡くした遺族の自助グループが力になることがあるので，必要に応じて紹介する
⑤両親の悲嘆が激しく長く続く場合であっても，多くは正常な悲嘆である．しかし，両親が過去に精神的な問題を抱えていた場合，生前に子どもとの関係性に問題があった場合などは，必要に応じて専門家への紹介を考慮する．

(American Academy of Pediatrics：Supporting the family after the death of a child. Pediatrics 130：1164-1169, 2012より引用，改変)

やホスピスが主催するグループやイベント，専門家のカウンセラーとの出会い，などが報告されている．

2012年，米国小児科学会誌『Pediatrics』に子どもを亡くした家族の支援について，小児科医に対するガイドラインが示された[10]．そこでは，親のみならず，きょうだいも含め，死別後の支援において小児科医の果たす役割が重要であるとし，支援の際の留意点について，表2のようにまとめている．日本国内でも，子どもを亡くした遺族に対し，看護師などにより，葬儀の参列，遺族への知識や情報の提供，遺族会などの紹介などが実施されている．このような病院ベースの死別の支援は，子どもの死の前後から，特定の人だけでなく「家族全員」に継続的なケアを提供し，柔軟にケアを提供することが重要であるといわれている．医療者が遺族支援として推奨される項目をよく熟知したうえで支援することで，遺族の孤立感の減少やコーピングの改善，新しい現実への再適応が促される[11]．

悲嘆反応やうつ症状，トラウマ反応が強く継続する場合は，治療的介入が必要な場合があり，そのときは，悲嘆に詳しい専門家と連携することが望ましい．特に子どもを亡くした母親は，悲嘆反応が強く，援助希求も高い．遺族への介入は，抑うつや悲嘆反応などの症状だけを軽減すればよいという問題ではなく，適切な対処方法の促し，感情のコントロール方法の獲得，親としてのアイデンティティの再構築，子どもを亡くしたことの意味の再構成，家族関係や役割の調整といった，いわゆる悲嘆療法や家族療法が必要となる場合も少なくない．

医療者も，遺族支援を行うなかで，遺族の悲しみ

の深さに圧倒され，無力感や挫折感を感じることがあるかもしれない．大切な担当の子どもを亡くし，医療者自身の悲しみが強い場合もある．また，遺族の話に共感することで，「共感性疲労(compassion fatigue)」という二次的ストレス状態に陥ることもある．適切な支援を提供するためだけでなく，長く遺族支援を続けていくために，自らのストレスを和らげ，ある程度の対応技術やセルフケア方法を習得しておくことが非常に重要である．

＊複雑性悲嘆は「持続性複雑死別障害」「遷延性悲嘆症」などとよばれることもある．

■ 文献

1) Hendrickson KC：Morbidity, mortality, and parental grief：a review of the literature on the relationship between the death of a child and the subsequent health of parents. Palliat Support Care 7：109-119, 2009
2) Li J, et al.：Hospitalization for mental illness among parents after the death of a child. N Engl J Med 352：1190-1196, 2005
3) McCarthy MC, et al.：Prevalence and predictors of parental grief and depression after the death of a child from cancer. J Palliat Med 13：1321-1326, 2010
4) Rosenberg AR, et al.：Systematic review of psychosocial morbidities among parents of children with cancer. Pediatr Blood Cancer 58：503-512, 2012
5) Wiener L et al.：Family bereavement care after the death of a child. In：Kissane DW, et al.(eds.), Bereavement Care for Families. Routledge, 2014
6) Tedeschi RG et al.：Helping Bereaved Parents：A Clinician's Guide. Routledge, 2004
7) Johnston EE, et al.：Bereaved parents' views on end-of-life care for children with cancer：Quality marker implications. Cancer 126：3352-3359, 2020
8) Helton G, et al.：Parental Perceptions of Hospital-Based Bereavement Support Following a Child's Death From Cancer：Room for Improvement. J Pain Symptom Manage 61：1254-1260, 2021
9) Pohlkamp L, et al.：Parents' views on what facilitated or complicated their grief after losing a child to cancer. Palliat Support Care 26：1-6, 2020
10) American Academy of Pediatrics：Supporting the family after the death of a child. Pediatrics 130：1164-1169, 2012
11) Kochen EM, et al.：When a child dies：a systematic review of well-defined parent-focused bereavement interventions and their alignment with grief- and loss theories. BMC Palliat Care 19：28, 2020

（瀬藤乃理子）

第8章　トータルケア

1　トータルケア

a. チーム医療

QOL向上にむけて

　小児がんの治療成績は，中央診断システムの確立および各分野の専門医からなる集学的医療の発展により目覚ましく進歩してきている．一方で，治癒が望めない状況となり緩和ケアを必要とする患者や，さまざまな身体的・心理的・社会的ハンディキャップを抱える小児がん経験者が存在することも事実である．

　このような背景をもつ小児がん診療において重要なことは，多面的・多角的に小児がん患者とその家族のQOLの向上を目指す「トータルケア」の実践である．そのためには，各分野の専門医，看護師，薬剤師，栄養士，病棟保育士，チャイルド・ライフ・スペシャリスト（child life specialist：CLS），ホスピタル・プレイ・スペシャリスト（hospital play specialist：HPS），臨床心理士，教師，医療ソーシャルワーカー（medical social worker：MSW），地域保健師，医療通訳士，宗教家などの多職種が包括的にケアにかかわっていく診療連携体制の整備が必要である[1)2)]．

　小児がんにおけるトータルケアの概念を世界で最初に提唱したのは，米国ハーバード大学小児科学教授Sidney Farberである．Farberは，小児がん患者の治療には，内科的，外科的および放射線治療といった狭義の医療のみでなく，心理面，社会面，経済面などにおいて患者や家族が必要とするあらゆる支援をすべきであるとした．その後，このトータルケアを実践する取り組みが徐々に広がり，1973年には世界初の小児がん治療の成書において「チーム医療とトータルケア」として取り上げられ，その概念が確立された[2)3)]．わが国では1960年，Farberのもとで研修を受けた小児科医西村昻三が帰国後，本概念を普及したことで，今日，小児がん診療においてトータルケアを提供するチーム医療の重要性が広く認識されるに至った．

子どもと家族中心のケア

　小児がん診療でのトータルケアの1つに，子どもへの病名告知があげられる．30年ほど前までは子どもへの病名告知は一般的ではなかったが，多職種による議論を重ね，トータルケアの一環として広がり，対象年齢に幅はあるものの，今や実施していない施設はないと考える．病名告知は，病気に罹患した子どもに真実を伝えることで，子ども自身が病気と向き合い，積極的に治療に参加するようになるだけでなく，家族および医療チームとの信頼関係の構築にもつながる効果がある．近年，こうした子どもと家族を中心としたケア（patient and family centered care：PFCC）が，トータルケアの1つの理念として定着してきたことは，とても意義深い．PFCCは1990年代以降，北米を中心に医療のあり方が見直されたことを契機にその理念が広がりをみせた．現在，ヘルスケアを計画・提供・評価する1つのアプローチとして，患者・家族とヘルスケア提供者の間で相互に有益なパートナーシップを築くことと定義されている[4)]．その主要な概念は，尊重・尊厳，情報共有，参加，協働であり，医療のあらゆる場面で医療チームが一貫して患者や家族にとって有益な方法で情報を共有し，希望する形でケアや意思決定に参加できる状況を整えることである．以上から，PFCCの実践は，小児がん診療のトータルケアを担うチーム医療にとって重要なタスクといえる．

チーム医療

　チーム医療は，PFCCの概念を取り入れたトータルケアを目標に組織されることが理想であるが，小児がん診療の特徴にも対応できる体制が重要である．すなわち，対象年齢が幅広く，入院診療に限らず外来診療，終末期診療および治療後の長期フォローアップも含めた時間軸（ライフステージ）に沿って，タイミングよくチーム医療を提供できることが望ましい．しかし，退院後の地元地域関係機関（医療，教育，保健など）との連携や長期フォローアップ

1. トータルケア

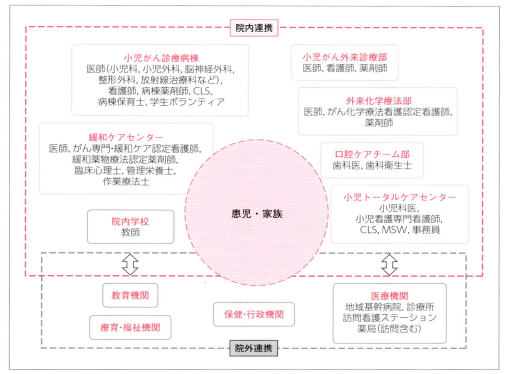

図1 ◆ チーム医療連携体制（例）

移行後におけるチーム医療の提供のあり方については課題が多い．また，小児がん経験者と家族にとって，入院治療の際に寄り添った医療チームへの信頼は厚く，その後のコーディネーター役としても期待をされる．こうした課題克服に向け，診断時からライフステージを見据えながら，PFCCを意識したチーム医療が実施できるように，多職種・多機関による柔軟な連携体制整備が必要となる．具体的には，チーム医療メンバーとしては，専門科の医師に加え，看護師，薬剤師，臨床検査技師，セラピスト（理学療法士，作業療法士，言語聴覚士），栄養士，病棟保育士，CLS・HPS，臨床心理士，教師，MSW，地域保健師，医療通訳士，宗教家などの多くの職種から構成され，患者・家族のニーズに応じて有機的に機能することが望まれる．

チーム医療の実践

チーム医療の実践において最も重要なことは，患者と家族が必要とするときに適切なケア・情報を提供することである．そのためには，プロフェッショナリズムをもった専門職が，チームの意思決定に主体的に関与し，協働・連携しながら役割の遂行を目指すinterdisciplinary team（学際的チーム）[5]の視座に立って機能することが重要である．また，その実践によって個人にかかる負担が軽減され，PFCCを含めたトータルケアを適切に提供することがより可能になると思われる．

筆者が考えるチーム医療連携体制を図1に示す．一般に，院内においては診断および外来診療にかかわる小児がん診療スタッフ（医師，看護師，小児薬物療法認定薬剤師，保育士，CLSなど）に加え，疼痛・緩和にかかわる緩和ケアスタッフ（医師，がん専門・緩和ケア認定看護師，緩和薬物療法認定薬剤師，臨床心理士，管理栄養士，セラピストなど），治療関連口腔過敏・摂食および感染予防にかかわる口腔ケアチームスタッフ（歯科医，歯科衛生士），MSW，院内学校教師およびボランティアなどが主たる連携部門としてあげられる．さらに，退院後，患者と家族が住み慣れた地域で安心して生活できるように，地元地域での診療（外来治療，長期フォローアップ診療，終末期診療など）や生活支援も視野に入れた院外連携につなげる専門部門（仮称：トータルケアセンター）の設置が理想である．小児がんの子どもと家族のトータルケアには，医療機関だけでなく，教育・福祉・行政との連携も重要であり，それらに精通したメンバー（小児科医，小児看護専門

看護師，CLS，MSWなど）を配置した専門部門が円滑な院内外連携を図ることで，子どものQOL向上につながるチーム医療が実践できると考える．

今後の課題

小児がん診療において，予後の改善が著しいものの生命を脅かす疾患群であること，化学療法あるいは放射線療法などの侵襲的治療を必要とすること，さまざまなハンディキャップをもった小児がん経験者が増加していることなど，患者と家族のQOLの向上につなげるべき課題は多い．そのためには，各専門職が子どもの命と家族の生活を支えるパートナーとして機能し，各々の役割を理解・尊重しつつ，単独では提供できないケアをinterdisciplinary teamとして実践することが大切である．

■ 文献

1) 細谷亮太：小児がん患者における終末期ケア・看取りの医療の実際．船戸正久（編），新生児・小児医療にかかわる人のための看取りの医療．診断と治療社，44-52，2010
2) 細谷亮太，他：チーム医療とトータル・ケア．細谷亮太，他（著），小児がん―チーム医療とトータル・ケア．中央公論新社，175-182，2008
3) 西村昂三：小児がんの包括医療(1)総論．赤塚順一，他（編），小児がん．医薬ジャーナル社，351-355，2000
4) The American Academy of Pediatrics［Committee on Hospital Care and Institute for Patient- and Family-Centered Care］：Patient- and family-centered care and the pediatrician's role. Pediatrics 129：394-404, 2012
5) 大坂　厳：緩和医療におけるチーム医療．癌と化療，40：444-447，2013

（岩本彰太郎）

b. 説明と同意

インフォームド・コンセント（説明と同意）の定義[1]

インフォームド・コンセント（informed consent）とは，「医師から十分な説明を得たうえでの患者の同意」を意味し，患者の自己決定権を保証している．臨床研究として当該治療を実施する場合は，2021年（令和3年）3月23日に文部科学省，厚生労働省および経済産業省より告示され，同年6月30日より施行された「人を対象とする生命科学・医学系研究に関する倫理指針」[1]を参考にする必要がある．

なお，患者が未成年である場合，その患者（患児）に対しても年齢に応じた賛意（アセント）を得ることが望ましい．

本項では，小児がんをもつ子どもとその家族に対する，診療における意思決定などに際しての説明と同意について述べる．また最後に臨床研究におけるインフォームド・コンセントについても触れる．

診断を告げる際の注意点[2,3]

患児が小児がんと診断された際の家族への説明と同意については細心の心遣いを要する．親は，自分たちの子どもが致死的な疾患と診断されたことに対して深い悲しみに沈んでいる．その気持ちは時間が経つにつれ，患児の病気を何とか受け入れようと試み，それぞれのおかれた立場で異なる反応をみせながら受け入れを試みる．若い親や長い期間の治療が見込まれる場合などは苦痛が強いとされる．また家族の注目がほとんど患児へと向かってしまうため，きょうだいもまた心配，孤独感，恐怖が高まり，コーピングなどの援助が必要である．

患児自身に対して適切な介入が必要であるが，小児がん診療の経過における各年代の予想される反応とその発達段階を考慮した介入例を表1に示した．

治療開始時の家族の反応[2,3]

治療を開始する際に，家族は新しい家族内バランスを構築する必要がある．家族が治療プランを理解して受け入れることによって希望がみえてくる．なぜなら，医療スタッフが治療法を紹介することは立ち向かうべき対象を明確にし，治癒のチャンスを得ることと捉えられるからである．このような希望や「救われる」という感情・感覚とともに，一方では治療が始まると不安が再び出現し，特に副反応が出現した場合はとても不安定になる．そのため，家族から疾患や治療手技に対する理解や同意を得てからも，修正・訂正やさらなる教育を重ねていくことが必要である．この時点で発生する，疾患や治療に関する誤解は親の誤った情報選択によるもので，その原因の多くは治療に対して過度に期待することで否定的な情報を忘れてしまうことに起因する．

医師の重要な役割は，患児の治療期間中における介入内容を明らかに示し，だれがどのように介入するのかを提示することである．治療開始からの数週間〜数か月間は，親（特に母親）の苦悩は大変強く，落ち込みやすく，急性ストレス障害や心的外傷後ストレス障害（post-traumatic stress disorder：PTSD）の頻度が高いため，注意が必要である．

1. トータルケア

表1 ● 各年代における小児がん診療に対する反応と有効な介入について

年代	起こり得る反応	介入方法
乳児	・診断に対する重圧（親） ・成長や発達の遅れ	・親の患児への愛着を促す ・患児や親へのケア・支援を提供する
幼児, 未就学児	・不安や抑うつ 　（人見知り, 親子分離, 日常生活の変化, 病気の察知, 罪悪感） ・身体的ストレス ・今までできていたことができなくなる（退行）	・年齢を考慮して繰り返し教育し, 理解を定着させる ・分離期間を明確にする ・年齢を考慮した説明を実施し, また親近感を抱かせる ・勇敢さや協力を褒めるうえで有用な物品を装備 ・リラックスや気晴らし法を教える ・退行行動を叱るのではなく, むしろコーピングスキルの確立を援助する
就学児	・不安や抑うつ 　（家人見知り, 親子分離, 日常生活の変化） ・身体的ストレス ・精神神経学的な訴え ・欠席	・疾患教育を繰り返す ・医療スタッフ会議への参加機会をもつ ・自己調整力の発達を促進する ・リラックスや気晴らし法を教える ・院内学級を利用して学習機会を促進しまた仲間との自学自習を援助する
思春期	・自立, 風貌, 受容, または性的な心配 ・自己制御の喪失と強制的依存の管理に対する困難さ ・欠席 ・自己の将来像の崩壊	・セルフケアを特に考慮した自立の促進を助成する ・適切な自己コントロールを容認する ・治療に関する家族会議へ参加する ・疑問の提示や質問機会を提供する ・コーピングを促進するためのカウンセリングを実施する ・学習機会の援助, 必要なら再入学を支援する

説明と同意の実際[2)3)]

1 説明と同意の準備

親および患児に対して説明をする際には, そのアプローチやセッティング, 繰り返しの必要性, 各々の強さと理解の限界などを把握することは大変重要である. 家族それぞれに理解に応じた丁寧な病名, 病態そして治療法の説明を行うことにより, 家族の受け入れ姿勢は改善する. また家族から質問や不安の表出, 患児自身が病気を理解する姿勢があることはコーピングまたは受容の前向きなサインとして重要である. 親には紙と筆記具を準備してもらい, メモ（ノート）をとることを勧める. そうすることで親の記憶は定着し, 質問しやすくなる. 違う言語を話す家族に対しては, 医療チームで工夫し, 通訳を準備するのがよい.

2 説明と同意の9つの段階

主治医は治療に対する説明と同意の責任者である. 以下の9つの段階が必要である.

①すべての治療内容とそれに付随する手技を明示する. 専門的な図表や用語は避けるべきで, 平易なものを用いる.

②目的と治療により期待される利益をリストアップする.

③治療による死亡率や副反応, 手技による死亡率も列挙する. 口頭での過度の情報（例えば, すべての可能性のある副反応の列挙）は不安と混乱の原因となるため避けなければいけない.

④代替となる, あるいは補助的な治療法に関する情報も提供し, 議論する.

⑤この時点で, 説明をいったん休止し, 親から質問を受け, 説明者に対する反応を整理する. 親の感情や考えを常に求める姿勢は, 医療者に対するプラスの感情を高め, 不安の解消にもつながる. 祖父母や, ほかの親類, 友人などが同席している場合には, この時点で発言を求める. 彼らは自分の診断, 不安, 疑問, またはアドバイスにより親にプレッシャーをかける可能性がある. このような家族内のプレッシャーを理解することは, 医師が親の質問や感情の動きをより理解する一助となる.

⑥自発的に治療を受ける意向があるのか明確にしておく.

⑦もし，治療拒否の意向を親が示した場合，「すべての医療行為」を拒否する意図なのか，注意深く評価する．必要なら医療者は親の意向を越えて治療を続行する必要があることを述べ，場合によっては児童相談所や裁判所の指示で実施することを告げる．

⑧前述のステップをカルテに要約する．その内容は，少なくとも日時，場所と，同意を得た内容を含む．

⑨署名が必要な同意書へ署名してもらう．

3 同意を得るうえでの留意点

同意書は家族にとってかなりのストレスとなることがある．説明と同意の書式が準備されているが，その内容の理解が不十分な場合，親は手技や治療法に伴う合併症を怖れて署名の先延ばしを願い出ることがある．このことは患者家族間の信頼関係にひびが入る原因となる．

家族は，治療続行を決める際にいろいろ質問する．副反応，例えば感染症，毒性，脱毛，筋力低下，麻痺などの出現で罪の意識に苛まれることもある．多くの親は，患児の風貌変化と闘っている．もし，患肢の切断が必要な場合で，それが最良で唯一の治療法であったとしても，医療者は切断による効果のみを主張しすぎないように気をつける必要がある．患児の肢が切断されることは，親自身も肢が奪われるように感じるものだと肝に銘じながら．

同意を得る際には短時間の同意書内容の説明だけにとどまらずに同時に信頼感を得ることが重要で，それにより本当の意味での説明と同意になる．

アセント（assent）について[2]~[4]

理想的には，親にとどまらずに患児に対しても年齢に応じた説明と治療に対する賛意（アセント）も得るべきで，そのためには患児の発達段階や理解力に応じて適切に，十分な量の情報を提供すべきである．ただし，就学前の幼児ではアセントを得るのは困難かもしれない．さらに知的発達に加えて患児や親の心理的な要因への配慮も必要である．

児童，思春期患者の不安を軽減し，自制力を増すために適切な医療環境を提供することは患児の治療に対する理解を促進するためにも重要である．

臨床研究の説明と同意書[1][5]

臨床研究の場合，被験者または代諾者などに対する説明事項は一般的に以下のとおりだが，臨床研究の内容に応じて変更する．

参加の任意性，不同意での不利益はなく，また後に撤回可能であること，選定理由，臨床研究の意義，目的，方法および期間，研究者らの氏名および職名，予測される結果，期待される利益および不利益，資料入手または閲覧の自由と範囲，個人情報の取扱い，提供先の機関名，利用目的，特許権などの権利などの帰属先，研究の成果が公表される可能性，資金源，利益相反，試料などの保存，問合せ先，補償などである．

いずれも十分な理解のうえで署名を求める必要がある．

倫理審査委員会について[1][4][5]

倫理審査委員会では，臨床研究が開始される前にそのプロトコールを審査する．委員会のメンバーは，試験に際して障害を受けるリスクが小さく，また，得る利益に対して相当に低いことを確認する．委員はまた，試験開始から終了まで注意深く見守り，少なくとも毎年，実施中の試験を審査しなければならない．患者の安全を最優先し，プロトコールの変更や中止を勧告することも求められる．委員会構成員は①医学・医療の専門家等，自然科学の有識者が含まれていること，②倫理学・法律学の専門家等，人文・社会科学の有識者が含まれていること，③研究対象者の観点も含めて一般の立場から意見を述べることのできる者が含まれていること，④倫理審査委員会の設置者の所属機関に所属しない者が複数含まれていること，⑤男女両性で構成されていること，⑥5名以上であること，の要件を満たす必要がある．

■ 文献

1) 文部科学省，厚生労働省，経済産業省：人を対象とする生命科学・医学系研究に関する倫理指針（令和3年3月23日）．文部科学省，厚生労働省，経済産業省，2021
2) Pizzo PA, et al.（eds.）：Principles and Practice of Pediatric Oncology. 7 th ed, Lippincott Williams & Wilkins, 2016
3) Kliegman RM, et al.（eds.）：Nelson Textbook of Pediatrics. 21st ed, Elsevier, 2019
4) Children's Assent.（National Cancer Institute のホームページ内），Health Professional Version, Updated：March 11, 2020
https://www.cancer.gov/about-cancer/treatment/clinical-trials/patient-safety/childrens-assent
5) 世界医師会（WMA）：ヘルシンキ宣言．（採択）1964，（最新改訂）2013
https://www.med.or.jp/doctor/international/wma/helsinki.html

（末延聡一）

c. 心理・社会的支援

定義・概念

　小児がん罹患は，成長発達途上の子どもの生活を一変させる．長期にわたる抗がん治療は，学校や社会とのつながりを途絶えさせ，社会性の獲得の機会を奪いかねない．また，治療終了後の人生においても再発や晩期合併症の不安を抱える．さらに，子どものがん罹患は家族にとっても危機的状況であり，親やきょうだいは心理的にも社会的にもさまざまな問題を抱え得る．そのため，小児がん罹患から治療終了後にも生じ得る心理・社会的問題に対して，患者だけでなく，親やきょうだいを含めた家族全体への心理・社会的支援が必要である．

　心理・社会的支援を担う専門職には，公認心理師，精神科医，ソーシャルワーカー，チャイルド・ライフ・スペシャリスト，病棟保育士，院内学級の教師など複数の職種がいる．また，小児科医，看護師，薬剤師，栄養士，リハビリテーションスタッフなどの医療職も，自身の専門的なかかわりのなかで患者家族の心理・社会的な側面に触れる機会は多い．多職種によるカンファレンスを定期的に設け，それぞれの専門性やおかれた立場から情報共有，支援方針や役割分担を相談し，多職種間で密に連携しながら支援を行うことが望ましい．

病因・病態

　心理・社会的問題に関連する要因については，①疾患に関連した要因，②患者の要因，③社会生態学的要因があげられる．疾患に関連した要因としては，身体症状のつらさ，治療の時期や長さ，予後などがある．また，脳腫瘍など脳（中枢神経系）に影響を与える疾患や治療も心理・社会的問題につながりやすい．患者の要因としては，発症年齢，気質，コーピングスタイル，認知様式などがある．社会生態学的要因としては，家族機能や親の精神状態，ソーシャルサポートなどがある．特に，親のストレスや心理的不適応は子どもの心理的不適応と関連していることが報告されている[1]．

疫学

1 抑うつ・不安

　小児がんの診断や治療経過のなかで，多くの患者は感情のコントロールが困難になる時期を経験するが，闘病経験のない同世代と比べて，抑うつや不安に差がないことが報告されている[2]．また，治療終了後においても，小児がん経験者における抑うつ症状やそのほかの精神障害の発症率は一般集団と差がない．しかし，若年成人となった小児がん経験者の25～30％が多種多様な心理的苦痛を感じており，約14％の小児がん経験者が自殺を考えたことがあるという報告もある[3]．

2 心的外傷後ストレス障害・心的外傷後成長

　治療に伴うさまざまな体験により，心的外傷後ストレス症状（post-traumatic stress symptom：PTSS）を呈する患者がいる．治療の強度だけでなく，治療中に過剰に恐怖を抱いたり，死を繰り返し意識するような体験をすることが，その後のPTSSの発生リスクを高めるため，治療中からの心理的支援が重要となる．治療終了後において，思春期の小児がん経験者の心的外傷後ストレス障害（post-traumatic stress disorder：PTSD）の有病率は5～10％と低く，闘病経験のない同世代と比べても大差がない．一方で，若年成人期以降の小児がん経験者では15～20％がPTSDの診断基準を満たし，年齢の上昇とともに顕在化する傾向が認められる[3]．

　また，危機的な出来事や困難な経験のなかで，もがき苦悩した結果として生じるポジティブな心理的変化は心的外傷後成長（post-traumatic growth：PTG）とよばれるが，小児がん経験者は一般集団よりも高いPTGが報告されている[4]．

3 家族の心理的苦痛

　小児がん患者の親は，診断直後や治療初期に抑うつや不安などの心理的苦痛が強くなるが，多くの場合，時間経過に伴い回復する．また，小児がん患者の親のPTSSの発症率は5～20％で，病気をしていない子どもの親よりも高い[3]．

　小児がん患者のきょうだいは，全般的には問題なく生活しているようにみえる一方で，軽度～中程度のPTSSが生じていること，不安，恐怖，孤独感，学校不適応などの問題を抱えている者がいることも忘れてはならない[3)4]．

支援・介入

1 心理・社会的支援

　最も一般的に行われているのは，傾聴・共感を中心とした支持的心理療法である．患者家族との対話によって心理的負担の軽減を図る．小児がん治療のどの時期においても施行可能であり，心理的支援の

表1 ◆ 小児期の発達段階の特徴，治療中にみられる反応や支援のポイント

発達段階	発達課題	治療中にみられる ストレス反応	病気の理解の特徴	支援のポイント
乳児期	・基本的信頼関係の形成	・分離不安，不機嫌，発育不良，夜泣き，ミルクを飲まない	・親が示す不安，怒り，悲しみを通じて理解する	・親への支援により間接的に子へ安心感を与える
幼児期	・自律性，自我の分化，基本的生活習慣の獲得	・頭痛・腹痛・嘔吐などの身体化症状，偏食，遺尿，チック，退行	・身体の表面にみえること（傷など）は理解可能 ・簡単な因果関係は理解可能 ・病気・治療を罰と捉える傾向	・具体的，順序立てた説明を行う（プレパレーションなど） ・本人の不安や心配を傾聴し間違った認識は修正する
学童期	・社会性の獲得	・身体化症状，情緒不安定，学習の遅れ，学校不適応，自尊心の低下	・客観性が増し，論理性も生まれる ・身体の部位や機能を理解できるようになる ・病因を考え始める（ばい菌など外的な要因と捉える傾向）	・発達段階に合わせたプレパレーション ・集団遊びを通して社会性獲得を促す ・友達など家族以外との交流機会を設ける
思春期	・自我同一性の確立	・情緒不安定，社会不適応，自尊心の低下，摂食障害，自傷行為	・客観性・論理性が増し，病気や治療計画について十分に理解できる ・容姿に対する意識が高まり，治療による整容的な問題に敏感になる	・親主体ではなく，本人の自律性を促すようにかかわる ・今後の治療を考慮した将来設計ができるよう支援する ・心理的葛藤の言語化を促すのも有用

（駒松仁子：子ども理解を深める．谷川弘治，他（編），病気の子どもの心理社会的支援入門．第2版，ナカニシヤ出版，19-47，2009を参考に作成）

表2 ◆ 小児がん患者家族への心理・社会的介入

心理・社会的問題	介入内容
医療処置における痛みや苦痛	・モデリング ・リラクセーション ・系統的脱感作法 ・オペラント技法
心理社会的リスクの高い小児がん患者家族	・診断後間もない小児がん患者家族を対象に，心理・社会的リスクの高い家族をスクリーニングし，重点的に支援を行うプログラム （pediatric psychosocial preventative health model：PPPHM）
診断直後の親の心理的苦痛	・問題解決療法
友人関係形成や社会性の問題	・ソーシャルスキルトレーニング
認知機能の問題	・認知リハビリテーション
復学の不安	・不安に対する対処スキルの学習 ・行動実験
小児がん経験者・家族のPTSS	・家族療法と認知行動療法を取り入れたプログラム （surviving cancer competently intervention program：SCCIP）

（大園秀一：小児がん．内富庸介，他（編），精神腫瘍学．医学書院，296-308，2011を参考に作成）

基礎として医療者が身につけるべき手法である[2]．また，小児がん患者は，年齢や発達段階の幅が広く，心理的な反応も非常に多様である．そのため，患者個人の発達段階に応じたかかわりを行うことが重要である（表1）．このほか，患者の抱える問題や治療状況に応じて，より専門的な介入が行われる（表2）．

2 意思決定支援

治療法の決定などさまざまな場面で患者の意思を尊重することが，自律性や主体性を重視することにつながる．しかし，小児がん患者は精神発達面の個人差が大きく，親の意向や親子の関係性も多様であるため，個別性の高いかかわりが求められる．患者の理解力や精神状態に加え，病気や治療の認識，意

思決定に関する考えを丁寧に聞き取る．また，親の意向やその背景にある不安や葛藤を整理する．そして，患者・親・医療者で適切に話し合えるようにサポートしたり，話し合ったあとの患者や親の心理的ケアを行ったりするとよい．

3 薬物療法

小児がん患者を対象とした向精神薬による薬物療法は，原則として心理的支援や精神療法などの非薬物療法との併用が推奨される．また，小児に用いる向精神薬は保険適用が認められていない場合が多いが，実臨床においては，不安，抑うつ，不眠，せん妄，興奮などの精神症状に対して向精神薬が用いられている．不安に対してはベンゾジアゼピン系薬や少量の非定型抗精神病薬が短期的に使用される．不眠に対しては，ベンゾジアゼピン系薬や抗ヒスタミン薬に加え，保険適用外ではあるが，オレキシン受容体拮抗薬の使用が考慮される．

4 長期フォローアップ

小児がん経験者はおおむね心理・社会的適応が良好とされているが，不安，抑うつ，PTSSなどの精神症状を有する場合，精神医学的治療および心理学的支援を行う．治療の影響で認知機能障害が生じ，学習や就労に困難をきたす場合は，必要な心理検査を実施し，教育機関や就労先とも連携しながら支援を行う．また，たとえ日常生活に大きな支障がない軽度の症状や問題であっても，それらを見過ごすことにより，医学的・心理・社会的に重大な結果を招く恐れがある．学校や会社での適応，家族や友人関係，病気に対する周囲の人々の理解，がんや晩期合併症の受容，自己肯定感や心理的成長などについても気を配り，必要に応じて介入するとよい．さらに，親は病気の子どもに対して過保護・過干渉になりやすく，患者が成人になっても子ども扱いをしている場合も少なくない．子どもの発達に応じて適度に距離をとりながら，子ども自身が自立できるよう，親のかかわり方を支援することも大切である．

■ 文献

1) 駒松仁子：子ども理解を深める．谷川弘治，他（編），病気の子どもの心理社会的支援入門．第2版，ナカニシヤ出版，19-47，2009
2) 大園秀一：小児がん．内富庸介，他（編），精神腫瘍学．医学書院，296-308，2011
3) Rourke MT, et al.：心理社会的側面．Schwartz CL，他（編），日本小児白血病リンパ腫研究グループ長期フォローアップ委員会（監訳），小児がん経験者の長期フォローアップ：集学的アプローチ．日本医学館，274-282，2008
4) Stuber ML：Psychiatric Impact of Childhood Cancer. In：Shulamith K, et al.(eds.), Pediatric Psycho-oncology：Psychosocial Aspects and Clinical Interventions. 2nd ed, Wiley-Blackwell, 43-51, 2012

（栁井優子，大島淑夫）

d. 学校・教育支援

学齢期の子どもにとって，学校生活は家庭生活と同様に重要な意味をもっている．小児がんなどの疾患により入院生活が必要になった場合にも，可能な限り学校生活を継続できるように支援することが必要である．また，治療前に在籍した学校（以下，前籍校）に円滑に復学ができるように支援することは，医療機関が行うべき重要な支援の1つといえる．入院中における十分な教育機会や円滑な復学は，患児・家族が望ましいQOLを達成するために重要である．本項では，小児がん患児の入院中の教育や退院後の復学における問題点を概説し，教育・復学支援において医療者に期待される役割を述べる．

入院中における小児がん患児への教育支援

1 教育機会

海外では，小児がん患児は治療初期に入院を要するものの，その後は外来治療が中心となる．一方，わが国では診断後，半年〜1年の入院治療を行うことが一般的であることから，海外とは異なり診断から復学までの期間が比較的長い．このため，学校教育法により入院中の患児に対する教育の保障が規定されている．

治療期間にかかわらず，小児がんを含めた入院治療を要する患児が，入院前から切れ目なく必要な教育を受けられる場が病院内に必要である．入院中の患児が教育を受ける場（以下，院内学級）として，おもに①病院に隣接・併設された特別支援学校，②病院内に設置された特別支援学校の分校・分教室，③特別支援学校からの訪問教育，④普通小中学校により病院内に設置された特別支援学級がある[1]．しかし，すべての医療施設で院内学級が設置されているわけではない．また，多くの院内学級は小中学生を対象としており，高校生を対象とする院内学級の設置は進みつつある状況である．

2 教育支援

入院中の小児がん患児は，疾患や治療により生活上の制限・制約が少なからず生じ，十分に教育を受

けられないことが余儀なくされる．このため，院内学級の教員は，患児の治療や状態に応じて指導内容を適宜変更している．この際，医療者から患児の疾患や治療に関する情報を得ることは，院内学級の教員が患児の指導内容を考えるうえで有益である．また医療者は，治療やケアを行う時間を調整するなど，患児の学校生活にできる限り配慮することが必要である．医療者は院内学級との連携を進め，医療と教育のバランスを図ることが求められる．

小児がん患児への復学支援

1 復学における問題点

発症前，患児は地域の小中学校などに在籍しており，発症後に入院治療が必要となった際，院内学級で教育を受けることとなる．このとき発症前に在籍していた地域の小中学校から学籍を移動することが基本的に求められる．また入院治療終了後にも，院内学級から前籍校に再度転籍（以下，復学）することが多い．この過程において，①入院中に前籍校とのつながりが維持できないこと，②復学時や復学後に患児・家族の不安や必要な配慮事項について前籍校から理解が得られにくいことの2つの問題が生じる[2]．

2 前籍校とのつながりの維持

入院直後，患児・家族は小児がんと診断されたことに衝撃を受け，今後の治療や予後に関して強い不安を感じる．さらに，日常生活から入院生活への急激な環境の変化により，強い身体的・心理的負担を受ける．このような入院直後において，患児・家族が復学を考えることは困難である．また，学籍が前籍校から院内学級に移動することで，前籍校の教員は患児が退院後に復学することを意識しにくい．このため，入院後できる限り早く，保護者を通して前籍校との連絡を図り，退院後に患児が復学することを患児・家族，医療者，院内学級，前籍校で共有することが必要である．入院後も前籍校との友人関係を継続するうえで，前籍校の担任教諭を介したクラスメイトとの交流，一時退院や外泊中の前籍校への登校の重要性が示唆されている[3]．患児が前籍校の友人と交流する機会として，外泊や一時退院をすすめることも医療者として必要である．このような前籍校とのつながりの維持は，復学への意欲を高めるだけでなく，過酷な治療を乗り越える原動力となる[2]．

半年～1年という長期間の入院を要する小児がん患児は，入院中に前籍校のクラス替えや進級を経験することが多い．クラス替えや進級では，患児・家族の状況を理解している担任教諭が変更となり，復学に関して患児・家族と連携する教諭が不明瞭になりやすい．クラス替えや進級後も担任教諭を同じにしてもらうなどの要望を，患児・家族から前籍校に伝えることが必要である．担任教諭が変更になった場合でも，担任教諭間での引き継ぎを行うことや，クラス替えによらず患児にかかわることのできる養護教諭などに患児の状況を理解してもらうことが望ましい．また，患児が入院中に進学した場合，入院前と異なる学校に復学するため，復学先の学校は，患児・家族の状況を理解しにくい．患児が入院中に進学した際には，クラス替えや進級の場合以上に，復学先の学校とのより密な連携が望まれる．

3 復学時における患児の不安への理解

復学時・復学後の患児・家族では，患児の易感染性や治療による外見上の変化，学習の遅れ，担任教諭や友人との関係，前籍校が前述の事項にどの程度配慮するかという点に不安が生じる．これらの不安や必要な配慮事項について前籍校から理解が得られにくいことは，円滑な復学が達成されない要因となる．復学の具体的な時期が決定された際には，医療者や院内学級・前籍校の教員で患児の医療・教育に関する情報を共有することが必要である．特に医学的情報は，保護者からではなく医療者から直接伝えてほしいという前籍校側のニーズが高い．さらに，その医学的情報の重要性を理解するうえでも，医療者から情報を提供することが有益である．

このため，復学前に患児・家族や医療者，院内学級・前籍校の教員が一堂に会した復学支援会議を行うことが望まれる．復学支援会議には，復学後に患児にかかわることの多い養護教諭や，前籍校として患児への支援方針を決定する管理職の参加が必要となる場合がある．近年では，疾患や障害を抱える児の教育ニーズに応じるため，各学校にスクールソーシャルワーカーや特別支援教育コーディネーターが配置されている．患児の復学に大きな役割を果たしているこれらの職種の参加も望ましい．また，医師が率先して復学支援会議を開催することで，患児にとって円滑な復学が重要であることを前籍校が認識しやすくなる．

疾患や治療により身体機能や知的機能が低下し，退院後，患児は特別支援学校に復学することもある．このような患児が普通学校に復学する場合，患児の状態に応じて学校の設備を改修する必要が生じるため，早期に復学支援会議を行わなければならない．

退院・学校復帰の支援についての協議項目

生活

チェック欄	項 目	記入欄	チェック欄	項 目	記入欄
☐	登下校 ・通学方法 ・時間 ・荷物の負担		☐	給食 ・食事制限 ・配膳	
☐	HR 教室の位置 ・特別教室との位置関係		☐	掃除・休憩時間の過ごし方	
☐	校内の移動 ・階段 ・距離 ・時間 ・補助の有無		☐	服薬，学校でのケア ・服薬場所 ・保管方法	
☐	トイレ ・介助の有無 ・洋式		☐		

学習

チェック欄	項 目	記入欄
☐	各教科 ・体力 ・安全 ・衛生	
☐	遠足 運動会 校外学習	
☐	宿泊学習 修学旅行	
☐	クラブ活動	
☐		

医療

チェック欄	項 目	記入欄
要確認 ☐	感染症流行時 ・風邪，水疱瘡，はしかなど，流行時の対応，連絡	
要確認 ☐	学校で急に体調が悪くなったとき ・対処方法 ・緊急連絡先	※養護教諭を含めて話し合って下さい
☐	通院の予定	
☐		

日々変化する子どもに合った対応が重要です。通院の後など，継続的に新しい情報を共有して下さい

本人・保護者のねがい

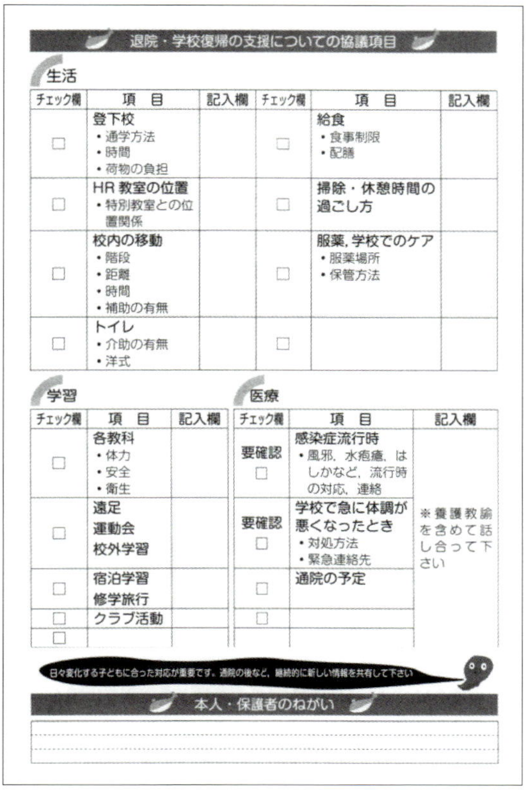

図 1 ◆ 退院時連絡ノート
（平賀健太郎：小児慢性疾患患者に対する復学支援．小児看護 33：1209-1214，2010 より引用）

4 復学支援に関するツール・研修

復学時・復学後に，前籍校の教員が患児の医療・教育面に関して十分に理解することは，患児の円滑な復学を促進する．しかし患児・家族や医療者は，前籍校の教員に具体的にどのような情報を提供すればよいか戸惑うことが多々ある．

平賀らは，小児慢性疾患患児が復学する際，患児・家族や医療者，院内学級・前籍校の教員が情報共有するための「退院時連絡ノート（図 1）」を活用している[4]．そのなかでは，登下校や校内の移動方法，給食内容の制限，服薬，感染症流行時の対応など，患児の復学に必要な医療・教育面に関する事項をあげている．このようなツールを活用することで，前籍校の教員は患児の学校生活に関して具体的な情報を得ることや，患児の復学を想像することが可能となり，復学に関する話し合いを活発にすることが期待できる．

さらに，小児がん患児の復学支援に関連した研修として，「小児医療の現場で多職種が連携・協働していく為に求められること」が，濱中らによって開発されている[5]．これは，医療者・教員・保育士・心理士などを対象とし，復学支援を含めたトータルケアの質の向上を目指した研修である．ウェブ上でガイドラインをダウンロードすることができ，医療機関における復学支援を促進するうえで参考にできる．

今後の課題

小児がん患児の教育・復学支援は，患児・家族の希望を中心に，医療者と院内学級・前籍校の教員が連携することが一貫して必要である．復学時・復学後における医療者と前籍校の連携は行われつつあるが，入院初期から医療者が患児の復学に携わることは少ない[6]．入院初期では，患児に治療を導入することが医療者にとって使命である．しかし，復学が患児の受療動機を高めることを鑑みると，医療者が患児の学校関連の情報を把握することは必要である．入院初期から医療者と前籍校の教員の情報共有を図るシステム構築が，今後の課題である．

文献

1）武田鉄郎：小児慢性疾患患者に対する教育支援の実際．小児看護 33：1198-1201，2010
2）平賀健太郎：小児がん患児の前籍校への復学に関する現状と課題―保護者への質問紙調査の結果より．小児保健研 66：456-464，2007
3）永吉美智枝，他：小児がん経験者の入院前から復学後における地元の友達との繋がり―友達との繋がりを維持する要因．育療 68：1-9，2021
4）平賀健太郎：小児慢性疾患患者に対する復学支援．小児看護 33：1209-1214，2010
5）濱中喜代，他（編著）：多職種合同ワークショップ「病気の子どものトータルケアセミナー」研修プログラム集，第 9 集 小児医療の現場で多職種が連携・協働していく為に求められること．2018 年 3 月
https://0d2846ba-fca6-48f5-be91-94c147f517f3.filesusr.com/ugd/c71970_77c41c3d05ef4efcaab245c732fa0c63.pdf
6）上別府圭子，他：日本の医療機関といわゆる院内学級における小児がん患者の復学に向けた取り組み：質問紙調査による現状分析．日小児血がん会誌 71：79-85，2012

（副島尭史，上別府圭子）

第 8 章 トータルケア

e. 療養環境

子どもの療養環境の特徴

子どもとは，日々成長発達する存在である．子どもには「育つ」権利があり，その子なりのペースで発達が妨げられないよう支援される必要がある．子どもの療養環境を考える際には，病院が「治療の場」であるだけでなく「生活支援の場」として機能するよう心がけることが重要である．

また，子どもは家族というシステムの一員であり，家族，とりわけ保護者の影響を大きく受けながら生活している．子どもの療養に家族参加は不可欠であり，療養生活を通じて家族の絆が強くなっていくように支援環境を整えることで，子どもは安心して治療に臨むことができる．

具体的な環境設定の際には，子どもは発達段階によりそのニーズが大きく異なることを理解し，発達段階と個人の特性，家族背景に合わせた療養環境を提供できるように工夫することが必要である．

「治療の場」vs.「生活支援の場」としての療養環境

原則として「医療的介入をする場所＝診察室・処置室・検査室・手術室など」と「生活支援の場＝病室・プレイルーム・院内学級・庭園など」とはしっかりと区別して使うべきである．特にプレイルームは「子どもの聖域」であり，受動的な経験の多い病院において「ここにいれば安心」と体感できる唯一ともいえる場所である．医療者は，ちょっとした診察であっても，また時には白衣を着た人がそこにいるだけでも子どもにとっては侵襲的な場合があることを理解し，プレイルーム入室の際は誰もが「一緒に遊び，寄り添う大人」として子どもとかかわる必要がある．具体的にはプレイルーム横に白衣掛けを設置し，医療行為禁止の貼り紙をする（図1）など，皆で子どもの聖域を守る工夫を行う．

さらに，病室も子どもにとって日常生活を営む場であることを念頭におき，医療的介入は可能な限り別の場所で行うようにしたほうが子どもにはわかりやすく，安心感と主体性の高い療養生活につながる．病室内は小児科だからといって派手なキャラクターによる装飾の必要はなく，できる限り家庭の日常的な雰囲気に近くし，子どもが自分の作品や写真を飾るスペースを作るなど，各家庭で工夫できるように配慮する．

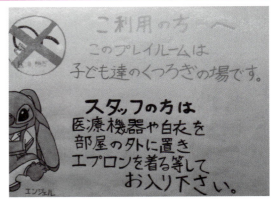

図1 ◆ プレイルーム入口の表示例（聖路加国際病院）

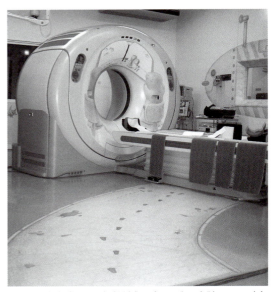

図2 ◆ 検査室の工夫（茨城県立こども病院　CT室）

1 日常性確保の原則

子どもが成長発達するうえで，毎日のサイクルを保つことは常に重要な課題だが，病院という非日常的な環境において日常性を確保することのもつ意味は大きい．子どもたちにとっての「日常」とは「遊び」である．子どもは遊びを通して学び，感じ，表出しており，それにより日々，身体的・社会的・知的・情緒的に成長発達している．それは療養生活であっても変わることなく，遊び活動を抑えると通常の成長や発達が大きく阻害されるので，「たとえ短期間であっても，入院する子どもには遊びに参加できる十分な機会が与えられなくてはならない[1]」．また，「規則正しい一貫性のある生活」や「家族・社会

表1 ● ストレス下にいる子どもの課題と介入のポイント

発達段階	認知的発達 （Piaget & Erikson の理論）	病院環境における課題 ストレス要因	療養環境のニーズ 介入のポイント
乳児期 〜1歳未満	・基本的信頼 vs. 基本的不信 ・感覚運動期	・保育者との分離 ・不慣れな環境，人，物，出来事 ・生活パターンや習慣の乱れ ・痛みを含む，不慣れな感覚刺激 ・適切な感覚刺激の欠如	・速やかで一貫したケアを行う ・保護者もケアに参加できるように配慮する ・保護者の不安を軽減する ・五感の刺激に配慮する ・普段の生活リズムをなるべく崩さないように配慮する ・環境，人，物，出来事を正常化して慣らしていくための遊びの提供
幼児期 1〜3歳	・自律性 vs. 恥・疑惑 ・感覚運動期 & 前操作期	乳児期（上記）のものに加え ・自律や自制，自己統制を経験する機会の欠如 ・痛みや体の損傷の不安 ・行動制限	乳児期（上記）のものに加え ・遊びを通じた感情表出 ・子ども自身が選べる機会を作る ・子どもの気持ちや考えを代弁する ・病気や体のことなどを子どもに合わせた方法で適切な情報を伝える
幼児期 4〜6歳	・自主性 vs. 罪悪感 ・前操作期	・強制された退行行動（一時的にオムツを履かされるなど） ・自己中心性からくる誤解や妄想による不安や恐怖	
学童期 7〜12歳	・勤勉性 vs. 劣等感 ・具体的操作期	幼児期（上記）のものに加え ・学校生活や日常と切り離される ・自制感の欠如または欠如することへの不安 ・論理的な思考による誤解や自尊心の低下 ・病気，痛み，死，処置，検査などへの恐れ	幼児期（上記）のものに加え ・他児とのかかわりをもてる機会作り ・成功体験がもてるような機会作り ・学習の機会を確保する ・学校や友達とのつながりを維持できるようにする ・本人もセルフケアに積極的に含める ・気持ちを傾聴し，受け止める ・選択肢を与えて子ども自身の意志を尊重する
思春期 13〜17歳	・自我同一性の確立 vs. 自我同一性の混乱	学童期（上記）のものに加え ・プライバシー，友人とのかかわりの欠如 ・自律性や独立心などへの制限 ・他人からどう思われるかの不安 ・ボディイメージの変化の不安 ・病気，処置，検査，痛み，死などへの恐怖 ・子ども扱いされることへの不満と同時に大人と同等に扱われることへの戸惑いなど	学童期（上記）のものに加え ・選べる機会，子ども自身がコントロールできる機会，自己表出や他者関係の構築ができる機会を提供 ・プライバシーの保護 ・同年代の子どもたちとの交流を促す ・治療の相談など，適切な場面では子どもにも決定権を与え，子どもの意志を尊重する ・病気や治療などに関する情報を本人が理解できるように情報提供し，一緒に考えていく

(Goldberger J, et al.: Psychological Preparation and Coping. In: Thompson RH(ed.), The Handbook of Child Life: A Guide for Pediatric Psychosocial Care. Charles C Thomas Publisher, 30, 2009／Mahan CC: Preparing Children for Health-Care Encounters. In: Rollins JH, et al. Meeting Children's Psychosocial Needs Across the Health-Care Continuum. Pro-Ed, 22, 2005 より引用，改変）

とのかかわり」も本来であれば子どもの日常生活に必要なものであり，入院中であっても「しなくてよい中断」や「不要な分離」は減らすことができるように医療チームで配慮する必要がある．

2 主体性尊重の原則

子どもにとって，入院生活は受動的体験の連続である．痛みを伴う処置はもちろんのこと，痛みを伴わない診察や検査，服薬も子どもにとっては「〜される」「〜しないといけない」ことで，日々のストレスとなっている．また，動作や食事，面会など制限も多く，本来ならば自分でできることも介助なしにはできないなど，子どもが主体となり行動することがむずかしい環境にあるといえる．

そのような状況にあっても，子どもが自尊心を保ち主体的に療養生活を送るためには，第一に遊びを通して子ども自身が選択する機会，主体となる機会

を多く与えること，そして治療の場においても子どもが判断する機会を可能な範囲で積み重ねることが大切である．

そのためには，子どもの発達年齢に応じた病院環境や治療についての情報が必要となる．例えば，採血時に腕をみてもいいし，みなくてもいいよと教えて子どもが選ぶ，終了後にシールを2種類差し出して子どもが1つを選ぶなど，一見ちょっとしたことでも日々積み重ねて行くことが，子どもの自尊心や主体性の保持につながる．環境設定においても，子どもが自分で流し台やトイレを使えるように調整しておく，検査室で処置台に上りやすいように小さな足跡をつけて辿っていけるようにする(図2)などは，子どもの主体性向上に配慮した例である．

家族中心ケアの視点から考える療養環境

家族関係は，子どもの心身の健康や成長・発達に大きな影響を与える環境である．子どもを中心に家族を1つのユニットとして捉え，療養を通じて家族が大切にしていることを守り，家族の絆が深まるように尊重するケアを「家族中心ケア(family-centered care)」という．米国小児科学会ホスピタルケア委員会では，家族中心ケアを実施するための環境設定の条件として，①子どもと保護者との分離が最小限であること，②家族がケアに参加しやすいこと，③子どもと家族が医療情報にアクセスしやすく情報源が豊富であること，④子どもと家族に選択肢の多い環境であること，⑤各子どもと家族の個性が尊重される環境であること，⑥医療者と家族が協力しやすい環境であることの6つをあげている[2]．そして，このような環境のもと家族中心ケアを実施することで，子どもたちの病状回復が早まり，家族の援助も促進されると同時に，医療者側の満足度も高まることがわかっている[2]．

病院に来る親子はすでにストレスが高く「傷つきやすい状態」であることを念頭におき，親子のストレスが最小限となるよう不必要な分離や刺激は行わないように配慮することが必要である．また同時に，必要な情報はしっかりと提供し，親子それぞれが療養生活のなかで役割を得てケアに参加できるようにすることも大切であり，この2つが満たされることで医療者と家族が協力しやすい環境を生み出すことができる．

発達段階別の療養環境のニーズ

子どもは発達段階によりそのニーズが大きく異なり，加えて個人の特性，家族背景に合わせた療養環境を提供できるように工夫することが必要である．具体的な発達段階別のストレス下にいる子どもの課題とそれに対する介入のポイントを(表1)[3][4]に示す．

おわりに

子どもの療養環境においては本項であげた原則を考慮しながら，1人1人の子どもの個性や家族背景から生まれるニーズを理解し，それに応えるような環境を提供できているかどうかを常に医療チームで検討することが大切である．そして，子どもの目線に立つことを忘れず，「病院という非日常の事実を隠す」のではなく，子どもの身に起きていることを真摯に伝える，子どもが主体的に過ごすために何が必要かをともに考え寄り添うことのできる医療者の存在こそが，子どもの療養環境で最も求められていることだと考える．

■ 文献

1) Thompson RH, 他(著), 小林 登(監), 野村みどり(監訳)：入院する子どもにとっての遊びの重要性．病院におけるチャイルドライフ—子どもの心を支える"遊び"プログラム．中央法規, 85, 2000
2) Committee on Hospital Care and Institute for Patient and Family-centered Care：Patient-and family-centered care and the pediatrician's role. Pediatrics 129：394-396, 2012
3) Goldberger J, et al.：Psychological Preparation and Coping. In：Thompson RH(ed.), The Handbook of Child Life：A Guide for Pediatric Psychosocial Care. Charles C Thomas Publisher, 30, 2009
4) Mahan CC：Preparing Children for Health-Care Encounters. In：Rollins JH, et al. Meeting Children's Psychosocial Needs Across the Health-Care Continuum. Pro-Ed, 22, 2005

■ 参考文献

・Komiske BK：Institute for Family Centered Care. In：Komiske BK, Designing the World's Best Children's Hospital. Images Publishing, 2005.
・谷川弘治, 他(編)：心理社会的支援サービスの諸原則と領域．病気の子どもの心理社会的支援入門．80-84, ナカニシヤ出版, 2004

（三浦絵莉子）

f. 家族支援

がんと診断された子どもは，突然の制限の多い生活，侵襲的な検査や処置の数々に直面させられる．このような状況下の患児本人への支援として欠かせないものは家族支援である．子どもにとっての安心感は，養育者である大人の精神的安定に尽きるからである．

そして治療のためには，患児中心の生活にならざるを得ない．きょうだいがいた場合，彼ら特有の複雑な気持ちを抱え，孤立しやすい存在となりやすい．このような状況下ではきょうだいも支援を必要としている存在であることを，折をみて家族とともに意識することが，きょうだい自身の健全な成長のために必要である．患児の治療が軌道にのり，家族の体制がある程度整ったころがよい．患児の治療が終了し，家族としての日常が戻った際に，患児ときょうだいが健康的な関係であることが子どもの成長には大切だからである．

家族を見立てる

家族を支援するためには，その家族の個性をよく理解することが必要である．家族はそれぞれ，構造（家族成員の数，経済的な基盤の強弱，ソーシャルサポートの有無），家族としての発達段階（家族のライフサイクルのどのような時期にあるのか），機能（凝集性や情緒的な関係性，相互のコミュニケーション，柔軟性）が個々で異なる．

子どもの小児がん罹患という強いストレスを受け，一時的には動揺しても，何とか力を合わせて適応的に対処していく家族もあれば，もともと脆弱さを抱えており，子どもの発病を受けてさらに危機的な状況に陥っていく家族もある．

これから闘病生活というフルマラソンを走る家族が，どのような強みや課題を抱えているか，できれば治療初期に，ある程度の情報収集がなされ，特に気がかりがある家族は，問題が顕在化する前にソーシャルワーカー，心理士，精神科医などのサポーターにつなげられることが望ましい．問題が露呈してから開始される支援は，その立て直しに時間と労力が費やされるために，最も大切な治療場面で不注意が生じやすくなる．寛解導入治療の早期に家族を見立てておくことは，その後の長くて過酷な治療過程のなかで，家族と医療者がよりスムーズに，かつ着実にコミュニケーションをとり，チームとして機能していくために，有用である．

子どもが療養中の家族が抱える心理・社会的リスクをスクリーニングするための質問紙『PAT vers.2の日本語版[1]』が作成された．https://www.psychosocialassessmenttool.org/contact に申し込むと日本語版が利用できる．どの職種でも質問紙に沿って家族の情報を収集することで，支援の必要性の高い家族か否かを判断できるので，診断早期のスクリーニングに役立つ．

心理的サポートを必要とする時期とポイント

家族がサポートを必要とする時期は，①診断直後・治療初期，②治療終了時とその後，③再発時，④治癒が望めなくなったとき，⑤子どもとの死別後，が考えられる．④⑤は第7章に譲る．

1 診断直後・治療初期

1）養育者の心情

小児がんは，ここ数十年の治療の進歩により，7〜8割が治る病気といえるようになってきた．そうはいっても，自分の子どもががんであると知ったときの家族の衝撃は計り知れない．さらに，成人期に発症しゆっくり進行する多くのがんと違い，小児期に好発するがんは診断と同時に治療開始を急ぐ必要がある．10万人あたり年間6例未満の発症と定義される希少がんに分類されるものがほとんどである小児がんの治療を受けられる病院は限られるために，自宅から離れた病院での治療を選択せざるを得ないこともある．わが子を喪うかもしれない不安，重い病気にしてしまったという罪悪感を抱えつつ，きょうだいの預け先を確保したり，夫婦間での役割を分担し，親の仕事を調整するなど，家族全体のライフ・スタイルを変えて，患児中心の生活を送らざるを得ない．

同時に，未成年の子どもを育てている親もまた若く，親自身も社会で活躍し輝いている時期である．そのような時期に，子どもの闘病のために，人生の方向転換を余儀なくされる苦悩に直面していることを理解する必要がある．

2）家族が事実を受け止め，療養生活に入るためのサポート

小児がん告知の衝撃が冷めやらぬなか，医師から家族に病気と治療の説明がなされる．

最初の話し合いは，小児がん治療医が家族に病名や病状，予後，これからの治療の見通しを話す場で

あり，医療者と家族がこれから一緒に頑張って治療していこうという，いわば治療契約を結ぶ礎となる場面である．最初は動揺が激しく，話されたことをきちんと理解することは難しい場合もある．そのため，養育者がそろって話ができることが望ましい．話し合い終了後には，同席した看護師やソーシャルワーカーが，家族と説明の内容を確認し合ったり，尋ねたいことがあれば医師につないだり，家族の思いを尋ねたりしながら，家族の理解や家族間のコミュニケーション，医療者との信頼関係の形成が進むように配慮することが重要である．

また，子どもの看病のために，親の仕事の調整，きょうだいの預け先の確保，子どもの所属先（幼稚園や保育園，学校）への連絡，経済面での心配の相談など，家族が療養生活に入るための環境調整も必須である．

家族が事実を正しく受けとめ[2]，できるだけ安定した気持ちで子どもの看病ができるようにサポートすることが求められる．

さらに，養育者間で支援ニーズが異なる場合があることを理解しておくとよい．解決にはいたらずとも自分の気持ちを共有できる機会のニーズが高いタイプと他方は解決思考であることが多く，状況ごとの情報を得る[3]ニーズが高いタイプということがある．

2 治療終了時とその後

入院治療終了時，家族は安堵すると同時に，今後は日々の健康管理やケアを自分たちで担うことに不安を感じやすい．病棟と外来看護師の密な連携が望まれる．

再発の心配がないという時期を迎えたら，治療サマリーを本人に渡しながら，医療者と家族，本人の間で，治療の振り返りと，最善の方法で最後までできることをやりきったのだということを称えることで，その結果である今，そして将来に自信をもってもらいたい．

治療終了後の養育者は，再発の不安や子どもとのかかわり方への困難感（元気でさえいればいいという思い，社会で生きていける強さを身につけてほしいという思い，きょうだいとの対応の違い）など，多岐にわたる心理的苦痛を抱えており，それらが養育者自身の心理的適応や養育態度に影響を及ぼし，さらには患児の学校適応にも影響することが指摘されている[5]．

治療終了後も，不安が高いなかでの子育ては，過干渉になりがちである．患児の年代に見合った患児自身による自己管理，自立を促すかかわりに変化していくための支援が，移行期医療の時期を迎える準備として重要となる．

3 再発時

懸命な治療を行ってきたにもかかわらず再発した場合，家族は初発時以上の衝撃を受ける．前回以上の厳しい治療が必要であるにもかかわらず，治癒する確率は非常に低くなることを受容しなければならないからである．

初発時以上に，家族の心情を慮りながらのより丁寧な説明とコミュニケーション，チーム全体での密なサポートが必要とされる．

きょうだいへの支援[6]

1 きょうだいの心

きょうだいは，本人や養育者とは異なるさまざまな感情に直面する．患児の病気や病状がわからない孤立感，自分や親にも同じことが起きるのではないかという不安・恐怖，健康な自分は頑張らなければならないという負担感，患児の病気はけんかをした自分の責任ではないかという罪悪感，親がいつも一緒にいられる患児への嫉妬などである．

ドナー候補になると，さらに複雑である．前述に加え，患児の治療に協力したい気持ちと，ドナー体験への恐怖のはざまで意思決定をしなければならない．親は当然ながら，患児の最善の治療選択を優先しがちであるから，きょうだいの心の代弁者となれる役割を担うスタッフが必ず必要である．その場合は患児の治療チームにかかわらないスタッフであることが望ましい．

2 きょうだいが必要としていること

きょうだいにとって大切な支援は，情報共有とコミュニケーションである．これは，きょうだいを孤立させないために重要なことである．きょうだいにとって必要な情報とは，病気の知識や入院生活の状況に加え，きょうだいの生活がどのように変化し，何が変わらないのかといった，自身にかかわる情報である．これは年少者であるほど大切である．できるだけ早い時点で伝えられるとよい．また可能な限り視覚情報として伝えられると理解の助けになる．

きょうだいに対するコミュニケーションに特別なことは必要ない．親の接し方としては例えば必ず朝は，目を合わせて「いってらっしゃい」と送り出す，週1回は一緒に入浴するなど，今まで過ごしてきた普通の時間がきょうだいにとってはうれしいのである．そして，しっかり食べ，よく遊び，元気でいて

くれることこそが親にとってはうれしいことだと伝える。「ありがとう」と伝えられるだけでもきょうだいは孤立せず，親がほかならぬ自分のことも心に留めていてくれると感じられ，それが何よりの支援となる。

■ 文献

1) Tsumura A, et al.：Reliability and validity of a Japanese version of the psychosocial assessment tool for families of children with cancer. Jpn J Clin Oncol 50：296-302, 2020
2) 入江　亘，他：慢性疾患を抱える子どもをもつ家族の夫婦サブシステムにおける心的外傷後成長と心的外傷後ストレス症状の関連．家族看護研究 26：141-150，2021
3) 入江　亘，他：小児がんで入院している子どもの父親が抱く入院生活の中での関心事．小児保健研究 79：66-73，2020
4) 尾形明子：小児がん患児の母親の心理的苦痛と養育態度．深田博己(監)，臨床心理学(心理学研究の新世紀4)，ミネルヴァ書房，375-384，2012
5) 細谷亮太(監)：小児がんの子どものきょうだいたち．小児がんの子どものきょうだいのガイドライン作成委員会，2017 http://www.ccaj-found.or.jp/materials_report/cancer_material/
6) 小澤美和：小児がん患児のきょうだいの課題　保健の科学 61：86-90，2019

（小澤美和）

g. 遺伝カウンセリング

がんの遺伝学的背景を考慮した診療の重要性

がんの遺伝性や遺伝学的背景を考慮した診療を行うことは，血縁者における遺伝的がん発症リスクを考慮した検診サーベイランスなどの予防策を講じるために役立つのみならず，すでにがんを発症した人にとっても，がんの治療をより適切な形で行ったり，将来生じる可能性のあるがんリスクを考慮したりするために非常に重要である．本項では，こうした診療を充実させるために行われる遺伝カウンセリングについて概説する．

なお，いわゆる遺伝性腫瘍ではない場合でも，患者の親が次子や患者のきょうだいにおけるがんリスクを心配していたり，患児が成長したあとに自身の子どもへの遺伝を気にしていたりすることがある．親や患者自身がなぜがんになったのかと考える過程で，遺伝かもしれないと思うのは自然な流れであり，また，がんは遺伝子や染色体の異常によって生じているという説明をされた人が，その遺伝子や染色体の異常が遺伝的に伝わるものでなかったとしても遺伝と結びつけて心配していることもあるので，医療者は，医学的に遺伝性が考えにくい場合でも，患者・家族が疾患の遺伝を気にしているか尋ねて，情報を提供することが有意義である．

遺伝カウンセリングとは

遺伝カウンセリングとは，遺伝性疾患や遺伝子・染色体に関連した疾患，先天異常などの心配や疑問に対して，遺伝医学的評価に基づいた医学的情報や患者支援につながる情報を提供し，心理社会的支援を行う臨床行為である．米国遺伝カウンセラー学会が，過去の定義を参照しつつ現在の米国での実践を振り返ってまとめた遺伝カウンセリングの定義を表1[1)2)]に示す．

表1 ◆ 米国遺伝カウンセラー学会が提唱している遺伝カウンセリングの定義

遺伝カウンセリングは，疾患に対する遺伝学的寄与のもたらす医学的，心理的，家族的影響に対して，人々がそれを理解し適応していくことを助けるプロセスである．このプロセスは，以下の3つの事項を統合的に組み入れたものである．（順不同）①疾患の発生および再発の可能性を算定評価するための家族歴，病歴の解釈，②以下のことに関する教育：遺伝(遺伝形式や遺伝形質)，検査，マネージメント，予防，資源，研究，③インフォームド・チョイス(情報を得たうえで選択肢を自律的に選ぶ決断)と，リスクや状況(疾患状況)に対する適応を促進するための(心理)カウンセリング

(National Society of Genetic Counselors' Definition Task Force, et al.：A new definition of Genetic Counseling：National Society of Genetic Counselors' Task Force report. J Genet Couns 15：77-83, 2006／田村智英子：新しい遺伝カウンセリングのあり方を考える．水谷修紀(監)，遺伝診療をとりまく社会．ブレーン出版，79-92，2007 より引用，改変)

大学病院や小児専門病院，がん専門病院などにおいて，「遺伝子診療部」「遺伝相談外来」などの名称で遺伝カウンセリング専門外来が設置され，臨床遺伝専門医資格を有する医師や認定遺伝カウンセラーなどが対応している．しかしながら，小児がんの患者や家族が，遺伝カウンセリング専門外来に紹介されてくる事例は一般的に少ない．親が患者のきょうだいや次子への遺伝を気にすることはあっても，子どものがん治療のことだけでも大変ななか，わざわざ遺伝カウンセリング専門外来を訪れることはまれである．遺伝性が絡む小児がんは，がんの種類から遺伝性が疑われる稀少な種類のがんを除き，一般的には患者の血縁者にがんが集積していることに気づかないとがんの遺伝性に思い至らない．

しかし，小児がんの遺伝性を考慮した診療を行う

ことは重要であり，そのためには，小児がんの主治医が日常診療のなかで，家族歴を聴取し遺伝性の有無を検討し，必要に応じて，臨床遺伝専門医など遺伝性腫瘍に詳しい者と連携しながら遺伝学的検査（生殖細胞系列の遺伝子検査や染色体検査など）の実施を考慮していくことが望ましく，こうしたことも広義の遺伝カウンセリングと捉えることができる．臨床遺伝専門医や遺伝性腫瘍の専門家のなかで小児がん診療に通じている者は少ないため，小児がんの遺伝カウンセリングにおいて患者の主治医が果たす役割は大きい．なお，日本医学会の『医療における遺伝学的検査・診断に関するガイドライン』[3]では，すでに発症している患者を対象に疾患の確定診断や鑑別診断を目的として行われる遺伝学的検査の事前の説明と同意・了解の確認は，原則として主治医が行うこと，遺伝学的検査の結果は一連の診療の流れのなかでわかりやすく説明する必要があることなどが述べられている．

本項では，各医療機関の状況に応じて臨床遺伝専門医や遺伝カウンセラーと連携しながら，小児がんの専門家が中心になって行う診療の流れを概説する．

小児がんの遺伝学的背景を考慮した診療の流れ

小児がんの遺伝学的背景を考慮した診療の流れのなかで実施されることは，通常，以下の **1**～**4** の事項が中心である．これらについて順に考察してみたい．

1 患者・家族からの情報聴取

患者本人および家族の既往歴，現病歴や生活習慣などの背景情報の聴取は，疾患の遺伝学的背景の評価を行ううえで非常に重要である．小児がんの遺伝学的背景を判断する際には，患者の両親のきょうだいやその子ども（患者のいとこ）だけでなく，少なくとも患者の祖父母の代まで，できれば患者の祖父母のきょうだいや患者の親のいとこなども含め，がん経験者の有無を聞き，がんの種類や診断年齢を詳しく聴取する．また，血縁者における有症者が何人いるかだけでなく，非罹患者の数が何人いるかによって遺伝的確率の推定に影響する場合もあるので，がんを経験していない人も含めた家系員全体の存在を考慮した家系図を作成することも大切である．さらには，患者・家族には，家系内で新たにがんと診断された人が出てきた場合には知らせてもらうように伝えておき，情報を追加していく．

患者・家族から情報を収集する際には，医学的情報のみならず，その患者・家族の心配や疑問，必要としている支援，就学・就労状況や家族関係，疾患治療に関係する可能性のある信仰の有無などの社会的背景についても適宜聴取することで，その後のケアに活かすことができる．

2 遺伝学的状況の評価

患者・家族のがん履歴などから，特定の遺伝性腫瘍が疑われるかどうか，遺伝学的に評価する．必要に応じて，遺伝子検査などの遺伝学的検査も遺伝性の評価手段として利用する場合があるが，その場合は，3の情報提供を行い話し合った後に検査を実施する．

小児がんの遺伝性を疑うポイントを**表2**[4)～6)]にまとめた．小児がん発症と関連する遺伝性腫瘍については，第I部／第2章／A/2．家族性腫瘍，遺伝性腫瘍（p.65～68）を参照されたい．こうした評価は，小児がんの専門家と臨床遺伝の専門家が連携して行うことが望ましい．

3 遺伝医学的情報の提供と話し合い

遺伝学的状況の評価に基づき，**表3**に示したような情報を，個々の患者・家族の状況に応じて提供する．情報提供は双方向の話し合いとして行い，聞き手の事前の知識を確認，修正しながら，正確で最新，十分な情報を伝え，さらに，聞き手の理解や受け取り方を確認して話し合う．専門用語は多用しないことが望ましいが，その後の診療のキーワードとなる専門用語は説明を添えて伝える．診療上考慮される遺伝学的検査がある場合には，検査によってわかること，検査の限界と費用，結果が出るまでの期間，検査結果を聞く際の心理的影響と心構え，検査結果の家系内での情報共有などについて話し合う．

心理的に余裕のない親は，一度にすべてのことを受け止めきれない場合も少なくないので，何度でも同じことをきちんと伝える．患者が小さいときは，何歳になったら子ども自身にも伝えるかをあらかじめ親と話し合っておき，年齢に応じて患者本人にも情報を伝えていくことが重要である．自分のがん履歴や遺伝性の有無などの情報は患者自身が将来を考える際にも重要な情報であるが，親はしばしば子どもに話すタイミングを失っていたり，言いづらくて隠していたりすることがあるので，小児がん患者をフォローしている主治医は，高校生頃までには，子ども自身にすべての情報を伝えるようにしたい．

4 心理社会的支援

患者・家族は，疾患をめぐってさまざまな感情を抱いている．背景に複雑な心理・社会的問題が存在

表2 ◆ 小児がんの遺伝性を疑うポイント

1. **特定のがん種により遺伝性が疑われる場合**
   - 網膜芽細胞腫：遺伝性と非遺伝性のものがある
   - 腎芽腫：遺伝性と非遺伝性のものがある
   - 脈絡叢腫瘍，副腎皮質腫瘍：家族歴がなくても単独でLi-Fraumeni症候群を疑う
   - グリオーマ，髄芽腫，肝芽腫：大腸がんや大腸ポリポーシスの家族歴があれば，Turcot症候群を疑う（Lynch症候群と家族性大腸ポリポーシスにまたがる疾患）
   - 甲状腺髄様癌：多発性内分泌腫瘍症Ⅱ型
2. **患児および血縁者に以下のことがみられる場合**
   - がん集積，特に特定のがん
   - 若年発症のがん
   - 同時性・異時性の多発がん
   - すでに遺伝性腫瘍家系とわかっている場合
3. **がん発症リスクが高くなる遺伝性疾患（一部遺伝性の場合も含む）が背景にある場合**
   - 免疫不全症を伴う疾患（毛細血管拡張性小脳失調症，Bloom症候群，Wiscott-Aldrich症候群，X連鎖無γ-グロブリン血症，IgA欠損症，重症複合免疫不全症，Nijmegen切断症候群，Fanconi貧血，Diamond-Blackfan貧血，Shwachman-Diamond症候群，その他の免疫不全症候群）
   - 色素性乾皮症
   - Rothmund-Thomson症候群
   - WAGR症候群
   - Denys-Drash症候群
   - Beckwith-Wiedemann症候群
   - Costello症候群
   - Simpson-Golabi-Behmel症候群
   - Perlman症候群
   - Sotos症候群
   - 結節性硬化症
   - Gorlin症候群
   - 神経線維腫症Ⅰ型
   - 神経線維腫症Ⅱ型
   - 高チロシン血症　など
4. **時にがんが発症することがある染色体異常が背景にある場合**
   - Down症候群（21トリソミー）
   - 18トリソミー
   - Turner症候群
   - Klinefelter症候群　など

（新川詔夫（監），福島義光（編）：遺伝カウンセリングマニュアル．第2版，南江堂，2003/Pagon RA, et al.(eds.)：GeneReviews. University of Washington, 2015 http://www.ncbi.nlm.nih.gov/books/NBK1116/Stiller CA：Epidemiology and genetics of childhood cancer. Oncogene 23：6429-6444, 2004 より引用，改変）

表3 ◆ 遺伝カウンセリングで提供する情報

- 疾患の背景にある遺伝学的情報
- 遺伝形式と疾患が遺伝する確率（次子再発率，患児の子孫に遺伝する確率など）
- がんなどの症状を発症する確率
- がん未発症血縁者のなかに，遺伝的がんリスクをもつ者がいる可能性
- 関連する疾患の診断や自然歴，予後，治療，予防（特に，患児本人および血縁者におけるがんリスク対策のための検診などの手段）
- 関連する遺伝子，染色体
- 遺伝子検査，染色体検査などの選択肢（確定診断，病型診断，保因者診断，発症前診断，出生前診断，着床前診断など，状況に応じて）
- 情報資源，社会資源（福祉制度，難病制度，患者・家族サポート団体など）
- ほかの専門職

する場合は，心療内科や心理専門職，医療ソーシャルワーカーなどの利用を促すことが望ましいが，疾患状況に伴って当然起こり得る精神的ショックや，不安，心配，怒り，悲しみ，動揺，混乱，罪悪感，絶望感，孤独感，無力感，家族や周囲の人々との軋轢などに対しては，日常の診療や遺伝カウンセリング外来などの機会に，医療者が患者・家族の話を聞くことが大きな支援になる．自分の気持ちを多く語るのは忙しい医療者に対して迷惑なのではと遠慮している人が少なくないなか，医療者がたとえ数分でも「病気や遺伝の話を聞いてどう感じましたか」などと尋ね，相手の気持ちに積極的に耳を傾けることは，非常に有意義である．その際に不安や悩みに対して，「大丈夫」「心配しないで」と安易にいうことは相手の感情の否定につながるので，まずは「それは心配でいらっしゃるでしょうね」と相手の言葉をそのまま否定せずに受け止め，相手の気持ちに同意できないとしても相手の感じ方を理解することに努めることが重要である．

疾患や遺伝の情報を聞いた患者・家族の気持ちを勝手に決めつけないことも大切である．医療者側が大変な病気と思う疾患でも聞き手はそう感じないこともあれば，逆の場合もある．親の疾患が子どもに遺伝する確率も，同じ数値でも高く感じる人，低く感じる人がいるので，相手に感じ方を語ってもらい，その感じ方を否定せずに認めることが肝要である．

病気がある限り心配や不安をなくすことはできないので，心理・社会的支援の目標は不安などの感情を減らすことではない．その人が不安や悩みをもっているありのままの自分と落ち着いて向き合い，自分の感情を否定せずに気持ちとうまく付き合っていくことができるようになることが目標である．そのために医療者も，悩みや不安を解決しようとするのではなく，人々の気持ちに真摯に耳を傾け落ち着いて付き合ってあげる姿勢が大切である．誰かがしっかり気持ちを聞いて理解しようとしてくれていること

とそのものが，最大の心理支援になる．

おわりに

以上，小児がん領域において疾患の遺伝性や遺伝学的背景を考慮する診療のあり方について述べた．これらの行為を遺伝カウンセリングとよんだとしてもよばなかったとしても，1～4の事項が患者・家族に対してなされることが重要であり，遺伝カウンセリングという呼称にこだわらず，これらの内容が何らかの形で実施されるように各施設の状況に応じて，小児がんの主治医が中心になりながら臨床遺伝の専門家とも連携しつつ，工夫して体制を整備することが求められる．

■ 文献

1) National Society of Genetic Counselors' Definition Task Force, et al.：A new definition of Genetic Counseling：National Society of Genetic Counselors' Task Force report. J Genet Couns 15：77-83, 2006
2) 田村智英子：新しい遺伝カウンセリングのあり方を考える．水谷修紀（監），遺伝診療をとりまく社会．ブレーン出版，79-92，2007
3) 日本医学会：医療における遺伝学的検査・診断に関するガイドライン．日本医学会，2011
http://jams.med.or.jp/guideline/genetics-diagnosis.html
4) 新川詔夫（監），福嶋義光（編），遺伝カウンセリングマニュアル．第2版，南江堂，2003
5) Pagon RA, et al.（eds.）：GeneReviews. University of Washington, 2015
http://www.ncbi.nlm.nih.gov/books/NBK1116/
6) Stiller CA：Epidemiology and genetics of childhood cancer. Oncogene 23：6429-6444, 2004

（田村智英子）

第9章 倫理・研究

1 子どもを対象とする医療および研究の倫理

はじめに

小児を医療および研究の対象とする場合に求められる倫理とは何であろうか．最も重要なのは，弱い立場にある子どもの権利および尊厳が護られること，患者にとって最善の利益(best interest)となるであろう医療等が受けられることではないか．

では，小児医療の現場における倫理的問題，倫理的ジレンマには，どのようなものがあるだろうか．例えば，「患者である子どもにがんの告知をしないでほしいと親が希望するとき，どう対応するべきなのか」「輸血が必要な小児患者の親が宗教的な理由で輸血を拒否する場合にどうすべきなのか」「親が必要な抗がん薬治療を拒否する場合はどう対応すべきなのか」，さらに，「子どもである患者自身が治療を拒否する場合はどうすべきなのか」．このような医療現場で直面するさまざまな倫理的問題は，個々の患者の最善の利益について考えるものであり，おもに医療倫理(medical ethics)として検討される．

一方，研究倫理(research ethics)とは，人の生命や健康にかかわる医学研究における被験者の安全ならびに人権を守るための配慮に加え，医学研究の社会的信頼を担保するために，研究者が守るべき倫理規範といえる．ただし，研究は，ある特定の患者集団の利益のために計画されるものであるため，研究倫理固有の問題が生じる．すなわち，目の前の患者(my patient)の利益と公共の健康(public health)の利益どちらを優先すべきなのか，例えば，ランダム化比較試験(RCT)の場合に，目の前の患者をその患者にとってよりよいと考える群に割付けるのではなく，患者の個別性を捨象し乱数表に従って割付けることは，倫理的ジレンマとなり得る．また小児を対象とする研究では，社会的弱者である子どもが安易に研究に利用されたり搾取されたりすることは倫理的問題となるので，そのようなことがないように，一層慎重に研究計画の科学的・倫理的合理性の検討を行わなければならない．

本稿では，子どもを対象とする医療ならびに研究の現場において求められる倫理について概説し，子どもの権利擁護の観点から具体的な倫理的手続きを示したい．

倫理原則

1970年代頃から医療において患者の自己決定権が重視されるようになり，それまでの伝統的な医療，パターナリズムに対する批判が高まるにつれてインフォームド・コンセントの重要性が再考されるようになった．また医療は，医師の裁量に基づく独占的な体制から，哲学者，倫理学者，宗教学者，法学者らと医師の合議へと転換され，学問的にもバイオエシックス(生命倫理学)とよばれる新しい学際的な学問が確立していった[1]．このなかで整理されたのが，次に示す倫理原則[2]である．

1 自律性尊重の原則：respect for autonomy

自律性を尊重することが重要であるという考え方で，これは意思決定能力のある個人が自己決定をする権利概念を支える倫理原則である．また，自律性が十分でない子どもの意見をできるだけ尊重し，成長発達に合わせてアセント(assent)を求めることの根拠ともなる．

2 無危害の原則：nonmaleficence

患者が被る可能性のある危害やリスクを回避する，もしくは最小化することを求める原則である．

3 善行の原則：beneficence

患者が受けるであろう恩恵や利益を最大にすることを求める原則である．なお，**2** および **3** は「first, do no harm」ともよばれ，ヒポクラテスの誓いから脈々と継承されている医の倫理の大原則でもある．

4 公正の原則：justice

倫理的な決定をする際にすべての人を公平・平等に扱うことを求める原則である．倫理的問題へ対処する際に，その議論のプロセスの公正性を担保することにより結論を公正とみなすといった手続き的正義や，資源等の公正な配分を考える配分的正義としてよく知られている．

なお，上記の4原則は米国を中心にまとめられたものであり，欧州では **1** 自律(autonomy)，**2** 尊厳(dignity)，**3** 不可侵性・統合性(integrity)，**4** 脆弱性(vulnerability)を4原則として掲げている．

小児患者に対する倫理的配慮

これらの倫理原則に基づいて小児医療における医療倫理・研究倫理を考えると，次のようにいえる．

まず，[2] 無危害の原則と [3] 善行の原則に基づき，常に子どもである患者にとって最善と考えられる医療を提供しなければならない．

次に，[1] 自律性尊重の原則に基づき，患者が子どもであってもできるだけ本人の意思を尊重し，また意思決定を支援しなければならない．子どもは成長の途上にある存在である（図1）ため，子どもの自律性，意思決定能力については，1人1人と向き合って評価し，病態や治療について丁寧に説明をするなど意思決定支援を行いながら，意思決定のプロセスにできるだけ参加させることが重要である．これは，患者の将来の成人移行（health care transition）を見据えた自律（自立）支援の基礎となり，ヘルスリテラシー獲得のための患者教育にもつながる．

さらに，子どもは「脆弱性（vulnerability）」をもつ存在であり，社会的弱者であることを踏まえ，[4] 公正の原則に基づき，あらゆる面で倫理的な配慮を受け，公正に扱われなければならない．

弱者保護の重要性

子どもである患者の治療方針を決めたり，研究の対象とすることを決めたりする際は，特別な配慮が求められる．それは，子どもが社会的弱者であることに由来する．

特に研究においては，法的同意能力を有している者の自発的な同意が大前提となるので，法的同意能力を有していない子どもは合理的な理由がない限り，研究対象に含まれてはならないこととなる．さらに，研究では研究の遂行が第一の目的であり，患者個人に対する直接的な利益が見込めない場合があることから，リスクと恩恵の均衡が見込まれるプロトコールでなければ認められない．臨床研究を計画する際に考慮すべき倫理要件をまとめたNIHによる臨床研究における倫理8原則[3]（表1）の④適正なリスク・ベネフィットのバランスを考慮したうえで，さらに③適正な被験者の選択において示されている「社会的弱者を不当に対象とすることは認められない」とする考え方を遵守しなければならないとされているのはそのためである．

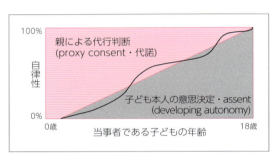

図1 ● 子どもの自律性尊重と保護のバランス

表1 ● NIH臨床研究における倫理8原則

①社会的価値：social value	研究により診断法や治療法，公衆衛生の進歩・発展に貢献できる結果を導くことができる研究計画であること
②科学的妥当性：scientific validity	一般的に正しいと認められた科学的原則や理論に基づいて計画された研究であること
③適正な被験者選択：fair subject selection	適切な適格基準・除外基準が設定されている研究計画であること．社会的弱者を不当に対象とすることは認められない
④適切なリスク・ベネフィットバランス：favorable risk-benefit ratio	被験者のリスクとベネフィットを明確化すること．かつ，被検者のリスクを最小化し，ベネフィットを最大化すること
⑤第三者による独立した審査：independent review	研究と利害関係をもたない独立した第三者による研究計画の評価を受けること
⑥インフォームドコンセント：informed consent	研究の目的，方法，リスク，ベネフィット，代替治療などについて十分に説明され，理解し，そして自発的に同意すること
⑦被験者の尊重：respect for participants	被験者（同意する前の候補者も含む）は，同意撤回の自由，プライバシーの保護，研究中に得られた知見や結果の情報提供，被験者に対する福利の保障（有害事象発生時の対応）などが確保されていること
⑧社会との連携：Collaborative partnership	研究を実施する地域社会の価値観などを尊重し，かつ被験者ならびに地域社会が研究の利益を享受すること（搾取を行わない）

＊：文献3）をもとに筆者作成．もともと2000年にThe 7 Ethical Requirementsとして公表された．2004年に開発途上国での臨床研究に関する配慮事項が追加されEthical principles and benchmarks for multinational clinical researchと改編された．本表は，わが国の課題検討のために順序等を変更して表にまとめた．

米国連邦規則の被験者保護に関するパート（45CFR46）[4]では，「被験者として研究の対象とされる子どものための追加的保護」として別途基準を設けている（表2）．また，国際医科学団体協議会（CIOMS）ならびに世界保健機関（WHO）による「人を対象とする生物医学研究の国際倫理指針」の指針14の5項目（表3）[5]では，その解説中の①「臨床研究において子どもを対象とすることの正当化」の項では，子どもにとっての安全性や有効性といった知見を得ることが不可欠であること，②「子どものアセント」の項では，代諾だけでは十分ではなく，その子の成長と知性が許す限りの情報を与え，自発的な協力を求めるべきであること，③「親（保護者）または法定代理人による許可」の項では，子ども本人のアセントは代諾によって補われるべきであること，④「親または法定代理人による研究の監視」の項では，子どもの最善の利益の観点から研究の中止等の判断もできるように研究を監視する機会をもつべきであること，⑤「心理的支援と医療的支援」の項では，子も親も十分な医学的・心理的支援を受けられる状況で臨床研究が行われるべきであることなどが詳しく説明されている．

つまり，未熟であるため十分な判断能力を有していないことから生じ得る不利益を回避するために，脆弱性に対する保護規定が定められているのである．特に，代諾者等による代諾（proxy consent）や保護者による許可（parental permission），患者である子どものアセント（informed assent）を求める規定については，医療においても同様であり，子どもに対して共通して求められる倫理的配慮である．

代諾の注意点

代諾は，患者（被験者）にとっての利益・恩恵を代弁するための行為であり，リスクを上回る利益・恩恵がある場合にのみ行使できる権限である．つまり，子どもである患者に対する直接的な利益が見込めないような判断は，代諾によって行えない．特に研究の場合は，治療的効果がリスク以上に期待される場合，もしくは標準的な治療と同等以上の効果が期待される場合等でなければ，代諾によって子どもを参加させることができない．

他方，この原則をあまりに厳格に解釈すると，小児集団での臨床研究ができなくなり，小児集団はエビデンスの乏しい医療しか受けられないこととなってしまう．このことは，子どもたちにとって大きな不利益となることから，リスクとベネフィットの均衡を適正に判断し，ベネフィットの最大化とリスクの最小化が図られていると判断される研究については，代諾により子どもを研究の対象とすることを許容している．ただし，このリスクとベネフィットのバランスについては，研究者や代諾者の判断のみに委ねるのではなく，第三者による独立した審査，すなわちIRBや認定臨床研究審査委員会（certified review board：CRB）による判断を求めることにより，社会として弱者保護を行う必要がある．

治療の場合も，代諾者が何でも決められるわけではないという点は同様である．医療者が患者に必要であると判断し提案している治療について，代諾者が同意をしない場合，その代諾者の判断は適当ではない可能性があるし，代諾者の適格性に問題がある可能性もある．親権者等の代諾者の代行判断権限を尊重することは重要ではあるが，代諾者が常に子どもの最善の利益に適う判断をするわけではないことを踏まえ，必要に応じて医療ネグレクトの該当性を疑い，院内の臨床倫理委員会（clinical/hospital ethics committee）に相談したり，臨床倫理コンサルテーション（ethics consultation）による支援を受けたりしながら，多職種による検討を行うことが重要である．

表2 ◆ 被験者として研究の対象とされる子どものための追加的保護

(a) 最小限の危険より大きな危険を伴わない研究
(b) 最小限の危険よりも大きな危険を伴うが，被験者個人に対して直接的利益となる見込みがある研究
(c) 最小限の危険よりも大きな危険を伴い，かつ被験者個人に対して直接的利益となる見込みがないが，被験者の障害または症状について一般化できる知識を生み出す蓋然性が高い研究
(d) ほかの点では承認できるものではないが，子どもの健康または福祉に影響する重大な問題の理解，回避，緩和のための機会をもたらす研究

(U. S. Department of Health and Human Services[4]をもとに筆者作成)

表3 ◆ 人を対象とする生物医学研究の国際倫理指針

・成人を対象とする研究と同様には行えない
・研究の目的は，子どもの健康上のニーズに関連した知見を得ることでなければならない
・子どもの親（保護者）または法定代理人が許可（代諾）を与えていなければならない
・その子どもの能力にあわせて，子どもの賛意（アセント）が得られていなければならない
・研究への参加や継続に対する子どもの拒否の意思が尊重されなければならない

(Council for International Organizations of Medical Sciences[5]をもとに筆者作成)

子どもの意見表明権とアセント

最初に子どものアセントの必要性が明文化された国際的な規程は，1983年のヘルシンキ宣言ベニス修正（第35回WMA総会）であろう．この修正で，未成年者であっても可能な限り本人からのアセントを得ることが追記され，研究の実施において子ども本人の意思に対する倫理的配慮が求められることとなった．医療については，2005年の患者の権利に関する世界医師会リスボン宣言サンディアゴ修正において，「法的無能力者（the legally incompetent patient）」という項目が追加され，そのなかで「患者が未成年者あるいは法的無能力者の場合，法律上の権限を有する代理人の同意が必要とされる．それでもなお，患者の能力が許す限り，患者は意思決定に関与しなければならない」とし，さらに「法的無能力の患者が合理的な判断をしうる場合，その意思決定は尊重されねばならず，かつ患者は法律上の権限を有する代理人に対する情報の開示を禁止する権利を有する」として患者の意思尊重とプライバシー権の保護を謳っている．

わが国において，医療における子どもの権利に対する倫理的配慮が認識されるようになったのは，臨床研究の倫理指針等の検討が始まった2000年頃からである．この際にこの議論の根拠とされたのが，1989年に採択された「子どもの権利条約」（国際連合総会第44会期）の第12条〔意見表明権〕であった（表4）．また，実際にわが国の小児を対象とした臨床研究において小児のアセントという考え方が導入されたのは，日米EU医薬品規制調和国際会議（International Conference on Harmonization of Technical Requirements for Registration of Pharmaceuticals for Human Use：ICH）の「小児集団における医薬品の臨床試験に関するガイダンス（Efficacy 11）」[6]（2000年）の対応においてである．このガイダンスでは「すべての被験者は，理解できる言葉で可能な限り十分な説明を受けるべきである．もし適切と考えられるのであれば，被験者から臨床試験に参加するためのアセント（法的規制を受けない小児被験者からの同意）を取得すべきである」と明示され，これが2001年4月以降に開始されるすべての国内治験に適用されたことは小児医療の現場に大きな影響を与えたといわれている．

このように，子どもである患者や被験者が法的な同意能力をもち合わせていなくとも，できる限り本人の意思を尊重しなければならないというルールが

表4 ◆ 子どもの権利条約（第12条抜粋）

第12条〔意見表明権〕
締約国は，自己の見解をまとめる力のある子どもに対して，その子どもに影響を与えるすべての事柄について自由に自己の見解を表明する権利を保障する．その際，子どもの見解が，その年齢および成熟に従い，正当に重視される．
この目的のため，子どもは，とくに，国内法の手続規則と一致する方法で，自己に影響を与えるいかなる司法的および行政的手続においても，直接にまたは代理人もしくは適当な団体を通じて聴聞される機会を与えられる．

確立したのは近年になってからのことである．そのため，保護者が従前の考えに基づき子どもへの病名告知や病態の説明を拒む場面は，多くの小児科医が経験している．このような場合は，子ども本人の意思を尊重することの重要性と近年の国際的なルール化について丁寧に説明し，子どものアセントを得るように努めなければならない．

なお，インフォームド・コンセントとは「医師の提案した治療や指示について，必要かつ十分な説明を受け，十分に理解したうえで，本人の自由意思に基づき選択・同意する行為ならびにそのプロセス」を指すが，これに対しインフォームド・アセントは「医師の提案した治療や指示に賛成し，従うこと」を指す．つまり，アセントは自分自身の裁量で医学的侵襲行為に許可を与えたということではなく，法的な同意と同義ではない．この点は，明確な区別が必要であり，医療においても臨床研究においても，子どもが対象となる場合は，小児のアセントと保護者による法的同意（代諾）がセットで得られなければならない．ちなみに，わが国の法令指針では，図2に示した通り，中学校等の義務教育課程を修了する前の16歳未満の未成年者については，代諾者による同意と本人によるアセントをセットで得ることを求めており，中学校等の課程を修了している，または16歳以上の未成年者については，代諾者による同意と本人による同意の双方を求めているので，注意が必要である．

また，臨床的には，学齢期以降（小学生以上）の子どもでは，丁寧な説明を行い，可能な限り口頭でアセントを得ること，中学生以上では文書でアセントを得ることが望ましいことも申し添える．

臨床研究における倫理的規制

現在，国内外で臨床研究に関するさまざまな法令指針が整備されている．わが国では，諸外国に遅れ

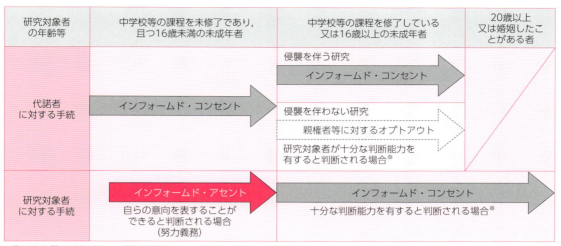

図2 ● 未成年者を研究対象者とする場合のインフォームド・コンセントおよびインフォームド・アセント
(人を対象とする生命科学・医学系研究に関する倫理指針ガイダンス. 文部科学省・厚生労働省・経済産業省, 令和3年4月16日制定より引用)

表5 ● 生命科学・医学系研究指針における基本方針とNIH臨床研究倫理8原則の対比

生命科学・医学系研究指針における基本方針	NIH臨床研究倫理8原則
①社会的および学術的意義を有する研究を実施すること	①社会的価値
②研究分野の特性に応じた科学的合理性を確保すること	②科学的妥当性
③研究により得られる利益および研究対象者への負担その他の不利益を比較考量すること	④適切なリスクとベネフィットのバランス
④独立した公正な立場にある倫理審査委員会の審査を受けること	⑤第三者による独立した審査
⑤研究対象者への事前の十分な説明を行うとともに，自由な意思に基づく同意を得ること	⑥インフォームド・コンセント
⑥社会的に弱い立場にある者への特別な配慮をすること	③適正な被験者の選択 ⑦被験者の尊重
⑦研究に利用する個人情報等を適切に管理すること	
⑧研究の質および透明性を確保すること	⑧社会との協調

(一家綱邦:「臨床研究の倫理」医の倫理の基礎知識 2018年版. https://www.med.or.jp/doctor/rinri/i_rinri/h10.html をもとに筆者が改変)

をとりつつも，2000年頃から臨床研究における倫理指針の策定についての具体的な議論が始まり，2001年に「ヒトゲノム・遺伝子解析研究に関する倫理指針」，2002年に「疫学研究に関する倫理指針」，2003年に「臨床研究に関する倫理指針」が策定された．その後さまざまな見直しを経て，疫学研究と臨床研究については2014年に「人を対象とする医学系研究に関する倫理指針」として統合され，さらに2021年には「人を対象とする医学系研究に関する倫理指針」に「ヒトゲノム・遺伝子解析研究に関する倫理指針」が統合され，「人を対象とする生命科学・医学系研究に関する倫理指針」[7]として施行されている．また，2013年以降に社会的問題となった研究不正等への対応として2017年に臨床研究法(平成29年法律第16号)も制定されている．

わが国のこれらの臨床研究に関する法令指針の基本理念は，近年の改正において統一され，米国NIHによる臨床研究における倫理8原則(表1)にほぼ集約された．わが国の臨床研究における基本理念とNIHによる臨床研究における倫理8原則の対比をみると，表5のような関係になる．なお，厚生労働省から示されている「臨床研究法の基本理念に基づく認定臨床研究審査委員会の審査の視点」[8]において，臨床研究の基本理念の各項目で倫理的に配慮すべき点が具体的に示されているので，是非参考にされたい．

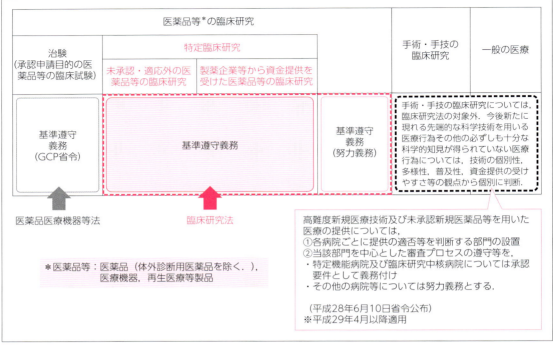

図3 ◆ 医療における規制の区分
（厚生労働省：第1回厚生科学審議会臨床研究部会：資料4臨床研究法について. 2017. https://www.mhlw.go.jp/stf/shingi2/0000172649.html より引用）

研究倫理における注意点

わが国の研究倫理に関する規制については，少し複雑である．臨床研究法第2条では，「この法律において『臨床研究』とは，医薬品等を人に対して用いることにより，当該医薬品等の有効性または安全性を明らかにする研究をいう」と定め，同条第2項では，「この法律において『特定臨床研究』とは，臨床研究のうち，次のいずれかに該当するものをいう」とし，製薬企業等から資金提供を受けて実施する臨床研究および未承認・適応外の医薬品等を用いる臨床研究を「特定臨床研究」として，臨床研究法において規制することとしている．

厚生労働省研究開発振興課作成の資料「医療における規制の区分」（図3）では，医療を「医薬品等の臨床研究」，「手術・手技の臨床研究」，「一般の医療」と大別し，「医薬品等の臨床研究」のうち「治験」は医薬品医療機器等法にて，「特定臨床研究」は臨床研究法にて規制し，「特定臨床研究以外の医薬品等を用いる臨床研究」は臨床研究法の基準遵守義務を努力義務とし，運用上は「人を対象とする生命科学・医学系研究に関する倫理指針」にて規制を行うことができるとしている．また臨床研究の種類によって，すなわち，再生医療等臨床研究，遺伝子治療等臨床研究等では，規制する法令指針が異なるので注意が必要である．

結びにかえて

子どもを対象とする医療および研究を行う際の倫理的配慮について，倫理原則に基づき概説してきた．最も重要なのは，常に患者である子ども本人と向き合い，子どもの意思を尊重することであり，子どもの権利が適切に護られている環境で適切な医療を提供することであろう．また，倫理的ジレンマや倫理的問題に直面した際に，倫理的問題をどのように整理し，誰に相談して検討し，どのように子どもや保護者と向き合い話し合えばよいか，その手続きを知っておくことも重要であろう．そして，公正な手続きを経ることにより，そのプロセスから導き出された結果が公正であるといえる（justify）ことが重要なのである．

本稿は紙面の関係で，医療倫理と研究倫理に共通する弱者保護の考え方やアセントや代諾に絞って概説したが，小児医療で考えなければならない倫理的問題はほかにもある．例えば，治療の中止（withdrawal）や差し控え（withholding）の問題，移植医療な

ど限られた医療資源の配分の問題，遺伝子治療薬等に代表される医療費の高額化の問題や，高度化する医療における次世代への影響など多岐にわたる．これらは，個々の患者の利益を追求する「ミクロ倫理（micro ethics）」と，社会における影響等を検討する「マクロ倫理（macro ethics）」のバランスといった観点も交えて検討していくことも必要である．このような倫理的課題については，医療者個人で検討したり，医師個人の価値観で患者への対応を判断したりするのではなく，専門家集団として学会等であらかじめ検討し，ルール作り等を進めておくことも重要であろう．

■ 文献

1) Rothman DJ：Strangers at the bedside：a history of how law and bioethics transformed medical decision making. Basic Books, 1991
2) Tom L, et al.：Childress：Principles of Biomedical Ethics, 8th edition. Oxford Univ Press, 2019
3) Emanuel EJ, et al.：An Ethical Framework for Biomedical Research. In Emanuel EJ, et al., eds. The Oxford textbook of Clinical Research Ethics. Oxford University Press, 123-135, 2008（なお，この元となった論文として，Emanuel EJ, et al.：What makes clinical research ethical? JAMA 283：2701-2711, 2000 および Emanuel EJ, et al.：What makes clinical research in developing countries ethical? The benchmarks of ethical research. J Infect Dis 189：930-937, 2004 がある）
4) U. S. Department of Health and Human Services：Code of Federal Regulations, Title 45 CFR46, Subpart D "additional protections for research with children". HHS regulations for the protection of human subjects in research at 45CFR46
https://www.hhs.gov/ohrp/regulations-and-policy/regulations/45-cfr-46/common-rule-subpart-d/index.html〔2021年11月アクセス〕
5) Council for international organizations of medical sciences(CIOMS). International ethical guidelines for Biomedical research involving human subjects. 2002
https://cioms.ch/publications/product/international-ethical-guidelines-for-biomedical-research-involving-human-subjects-2/〔2021年11月アクセス〕
6) International Conference on Harmonization of Technical Requirements for Registration of Pharmaceuticals for Human Use：ICH harmonised tripartite guideline. ich harmonised tripartite guideline clinical investigation of medicinal products in the pediatric population. Efficacy 11. 2000
7) 人を対象とする生命科学・医学系研究に関する倫理指針（文部科学省・厚生労働省・経済産業省告示第1号，令和3年3月23日）及び人を対象とする生命科学・医学系研究に関する倫理指針ガイダンス（文部科学省・厚生労働省・経済産業省，令和3年4月16日制定）
https://www.mhlw.go.jp/stf/seisakunitsuite/bunya/hokabunya/kenkyujigyou/i-kenkyu/index.html〔2021年11月アクセス〕
8) 厚生労働省：臨床研究法の基本理念に基づく認定臨床研究審査委員会の審査の視点．「臨床研究法について」認定臨床研究審査委員会（CRB：Certified Review Board）について．
https://www.mhlw.go.jp/stf/seisakunitsuite/bunya/0000163417.html〔2021年11月アクセス〕

（掛江直子）

第9章 倫理・研究

2 研究

a. 検体の保存，取り扱い方

なぜ検体を保存しなければならないのか？

1 のちのゲノム医療に備える

本書の初版が刊行された2015年当時，がんゲノム医療はまだ研究段階のものであり，がん遺伝子パネル検査は一部の施設で自費診療として行われている特別な検査であった．しかし，そのわずか3年後の2018年には先進医療としてのがんゲノム医療がスタートし，2019年には2つのがん遺伝子パネル検査が保険収載された．現時点では，初発時はがん遺伝子パネル検査の適応はなく，小児がんに特化した遺伝子パネル検査の保険収載もまだだが，のちのゲノム医療に備えた検体保存の重要性が高まってきた．

2 将来の研究に備える

血液・腫瘍性疾患の病因にはまだ不明なことが多い．治療成績の向上や副作用の軽減などを図るためには，病因にかかわるさまざまな要因を明らかにしなければならない．全国規模で行われている臨床研究（臨床試験）では，そのような問題を解決するための基礎的な研究に使用することを目的とした検体保存システムが構築されている．ここでいう研究とは，すでに計画されている研究だけでなく，将来新たに計画される研究をも含む．近年は，臨床研究グループと連携した公的な検体保存システム（バイオバンク）も整備されてきた．検体保存システムでは，どのような検体をどのように保存するかが細かく取り決められており，その取り決めに従った適切な方法での検体保存が求められる．一方，臨床試験に参加しない日常診療として血液・腫瘍性疾患の治療を行う場合でも，同様の目的のために検体をしっかり保存することは重要なことである．むしろ臨床試験に参加できない患者のなかにこそ非典型例が多く含まれ，明らかにしなければならないさまざまな重要な所見が含まれていると思われる．そのような患者の検体もしっかり保存する体制を整えておくことは，研究実施者やグループにとって重要なことである．患者の診療に携わる臨床医には，臨床試験への参加の有無にかかわらず，すべての患者の検体を適切に保存することの重要性をよく理解していただきたい．

保存する検体の種類と採取時の注意点

保存すべき検体としては腫瘍細胞，正常細胞，血清または血漿などがある．

1 腫瘍細胞

1）血液（骨髄液および末梢血）[1]

a．骨髄液

白血病の場合は，骨髄液または末梢血（十分な白血病細胞が含まれる場合）を採取する．その際には凝固を防ぐため，抗凝固薬を使用しなければならない．骨髄液は特に凝固しやすいため，通常内側を抗凝固薬で湿らせたシリンジを用いて吸引する．吸引に時間がかかる場合は途中で混和したり，複数のシリンジに分けて吸引するなどの対応が必要である．

b．末梢血

凝固しないように採取する点は骨髄液と同様である．通常は採血後に，抗凝固薬が入った採血管（スピッツ）に速やかに移しよく混和する．

2）固形腫瘍検体（リンパ節を含む）[1〜3]

化学療法が有効な小児の固形腫瘍では，腫瘍検体採取は化学療法開始前の生検として行われるのみのことも多い．その場合，白血病での骨髄液や末梢血と異なり，採取する機会は通常この1回しかない．生検検体は通常1つの塊として採取され，その後に組織診断，細胞表面マーカー検査，染色体分析，遺伝子解析など，さまざまな検査（解析）に用いられる（図1）[3]．それぞれの解析に用いるための検体処理はできるだけ速やかに行う必要があるため，生検後の処理については，事前に病理医と十分に打ち合わせをしておくことが大切である．

2 血清または血漿

血清や血漿中のさまざまな蛋白などを解析するために以前から凍結保存されてきたが，近年は解析可能な遊離DNAやマイクロRNAなどのソースとして

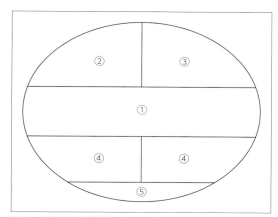

図 1 ◆ 腫瘍生検検体の切り出し方法の 1 例
①組織診断用（遺伝子パネル検査にはこの部分が用いられる），②表面マーカー用，③染色体分析用，④遺伝子解析用，⑤電子顕微鏡診断用．
（中澤温子：検体の取り扱いと病理．小児外科 47：110-113, 2015 より引用）

も注目されている．血清中の遊離 DNA やマイクロ RNA は短時間で分解されてしまうため，採取後は直ちに抽出処理をするか凍結保存する必要がある．

3 正常細胞

患者の正常細胞の DNA は，疾患発症や薬物代謝に関する遺伝的背景を調べるためなどに必要であるだけでなく，腫瘍細胞に認められた変異が病的なものなのか多型なのかを判断するためにも欠かせない．正常対照用の DNA を抽出するための検体として，非腫瘍性疾患や固形腫瘍では末梢血好中球・リンパ球，口腔粘膜ぬぐい液など，血液腫瘍の場合は口腔粘膜ぬぐい液または寛解期の骨髄液や末梢血の有核細胞を用いることができる．そのほかに，爪や毛髪を用いることも可能である．

4 知っておきたい抗凝固薬の特徴

血液検体の採取に使用される抗凝固薬にはヘパリン，エチレンジアミン四酢酸（ethylenediaminetetraacetic acid：EDTA），クエン酸ナトリウム，ACD（acid citrate dextrose）などがある．

1）染色体検査用

使用できる抗凝固薬はヘパリンのみである．ほかの抗凝固薬はカルシウムを除去することによって抗凝固作用を示し，染色体分析に必要な細胞分裂を阻害してしまうため避ける．

2）分子生物学的解析用

問題になることがあるのはヘパリンである．ヘパリンが核酸中に残留した場合，PCR の増幅反応を阻害することが知られている．核酸抽出の方法によっては検体中のヘパリンを十分に除去することができないことがあるため注意が必要である．

3）細胞表面マーカー用

使用する抗凝固薬に特に制限はない．

採取時期と保存方法

1 いつ採取するか

1）腫瘍細胞

検体保存のための腫瘍細胞の採取は可能な限り治療開始前に行われるべきである．

a. 白血病細胞

末梢血中に白血病細胞が存在すればいつでも簡単に検体の採取が可能であるが，治療開始後の末梢血では通常，白血病細胞の割合はどんどん減少していくため保存できる期間は長くはない．

b. 固形腫瘍（リンパ腫を含む）

検体採取は通常，生検または手術時に限られる．

2）正常細胞

非腫瘍性疾患や固形腫瘍では末梢血好中球・リンパ球，口腔粘膜ぬぐい液などをいつ採取してもかまわない．しかし，白血病の場合は腫瘍細胞の混入に気をつける必要がある．口腔粘膜ぬぐい液を採取する際も血液の混入を防ぐように気をつける必要がある．寛解に達した患者であれば，寛解期の骨髄液や末梢血の有核細胞を用いることができる．

2 採取後にすべきこと

1）血液（骨髄液および末梢血）

骨髄液と末梢血を採取後，すぐに核酸を抽出する場合も，細胞のまま保存する場合も，まず赤血球を除去する．血球成分の大半を占める赤血球には核が存在しないため分子生物学的解析には使用できない．フィコールを用いた比重遠心法，または溶血法によって赤血球を除去し，ジメチルスルホキシド（dimethyl sulfoxide：DMSO）やセルバンカーなどの凍結保存液を用いて冷凍保存用チューブ（セラムチューブなど）に入れ，液体窒素タンクまたは −80℃ 冷凍庫に保存する．核酸抽出用としてのみの保存であれば，細胞ペレットのまま −80℃ で凍結でもよい．

各施設での検体保存が可能かどうかは，赤血球除去が可能かどうかにかかっているといっても過言ではない．臨床試験登録患者では，採取後の検体の処理は検査会社など中央診断施設で行われるので採取施設での赤血球除去処理は必要ないが，臨床試験に参加しない患者の細胞保存に対応できるように体制を整えておくことが望まれる．

2）固形腫瘍

4 mm 角程度に切った保存用の腫瘍組織を凍結保存用チューブに入れて，液体窒素またはドライアイ

ス，イソペンタンなどで迅速に凍結し，液体窒素タンクまたは−80℃冷凍庫で保存する．

3）がん遺伝子パネル検査を見据えた固形腫瘍組織の保存

がん遺伝子パネル検査では，ホルマリン固定後にパラフィン包埋処理された検体（formalin-fixed paraffin-embedded：FFPE）が用いられる．FFPE検体は従来は組織診断のみに用いられたが，がん遺伝子パネル検査ではこの検体から抽出したDNAが用いられている．遺伝子パネル検査には，十分な腫瘍含有量が必要であり，その確認のためにも病理組織情報が必要だからである．一方，ホルマリン固定はDNAの断片化をきたすためゲノム解析のための検体保存には適さないとされていたが，適切な条件で処理されれば遺伝子パネル検査への使用が可能であることがわかってきた．そのために「ゲノム診療用病理組織検体取扱い規程」[4]が整備され，それに従った検体の取り扱いが求められている．

4）染色体カルノア固定液

染色体検査のG分染法による検査後も，追加でのSKY（spectral karyotyping）法やFISH（fluorescence in situ hybridization）法による検査が可能である．染色体検査は外注で行われることが多いが，検査後数か月程度（早い場合は2か月ほど）で検体が廃棄されてしまうことが多いので，検査終了後はすぐにカルノア固定液の返却を依頼する．−20℃または−80℃で長期保存が可能である．

検体保存における倫理

臨床試験に参加する場合には通常，検体保存までを含めたインフォームド・コンセントがルーチンに行われているため，特に意識をしなくても適切な倫理的手続きを行っていることになる．しかし，個別の施設で臨床試験に参加しない患者の検体を保存しようとする場合は，将来，全ゲノム解析を含めた遺伝子解析研究に使用するために保存するという内容のインフォームド・コンセントを取得しておく必要がある．すべての血液・腫瘍性疾患患者を対象として，将来の研究目的の検体保存ができるように施設内の倫理的手続きを進めておくことが望ましい．その際に正常検体も同時に保存できるようにしておくことが望ましいが，正常検体の保存にあたっては生殖細胞系列バリアント（germline variant），特に病的バリアントが見つかったときにどのように対応するかについて十分に検討しておく必要がある[5]．

■ 文献

1) 堀部敬三，他：小児造血器腫瘍の診断の手引き．日本医学館，2012
2) 清河信敬，他：細胞処理と検体保存ならびに検体供給システム．小児外科 47：107-109，2015
3) 中澤温子：検体の取り扱いと病理．小児外科 47：110-113，2015
4) 日本病理学会ゲノム診療用病理組織検体取扱い規程策定ワーキンググループ：ゲノム診療用病理組織検体取扱い規程．日本病理学会，2018
5) 国立大学法人京都大学大学院医学研究科，国立研究開発法人日本医療研究開発機構：「ゲノム医療における情報伝達プロセスに関する提言─その1：がん遺伝子パネル検査を中心に（改定第2版）」及び「ゲノム医療における情報伝達プロセスに関する提言─その2：次世代シークエンサーを用いた生殖細胞系列網羅的遺伝学的検査における具体的方針（改定版）」の公開 https://www.amed.go.jp/news/seika/kenkyu/20200121.html

（滝　智彦）

b. 生物統計・研究デザイン

生物統計

臨床研究においてデータを解析する際には，統計手法を用いる．得られたデータのまとめとしての「記述統計」を計算する場合と，検定や推定を行って「統計的推論」を行う場合がある．対象集団の背景因子の分布を「記述統計」の手法を用いて集計して平均値や中央値，分散などを記載する．また，介入の効果をエンドポイントの値から計算して「統計的推論」を行う．

「統計的推論」で多く用いられるのが「検定」である．t検定，カイ2乗検定やログランク検定などの名前は，どこかで聞いたことがあると思う．これら検定のロジックは，背理法の考え方に基づいている．詳細は成書に譲るが，検定を行う場合のステップは，以下の3ステップである．①帰無仮説（null hypothesis）を立てる．②得られたデータから検定統計量を計算する．③帰無仮説のもとでの検定統計量の分布を参照し，帰無仮説を棄却（否定）するかどうか判断する．帰無仮説が成り立っていると仮定したとき，検定統計量が得られた値以上に極端な方向にずれる可能性を示す確率がp値である．

例えば「2群間に差がない」という帰無仮説のもとでp値が0.02となるような検定統計量が得られたならば，「2群間に差がないとすると，今回得られたような結果になるのは100回に2回の可能性」とい

うことである．100回に2回というまれなことが起こったと考えるよりは，帰無仮説である「2群間に差がない」という帰無仮説を棄却（否定）し，「2群間に差がある」と判断するのである．これが，「統計学的に有意」であると判断するときのロジックである．

経験的に，有意であると判断する閾値を5％に設定することが多い．特に臨床研究においては，「統計学的に有意」であることと「臨床的に有意」であることは違うこともあり得るので，結果の吟味を臨床的な視点で十分に行わなければならない．

近年，「検定で有意であること」（p値が0.05を下回ること）ばかりを重要視することなく，信頼区間で議論するべきであるとのコメント[1]がNatureに掲載されるなど，p値ばかりで議論することに対する見直しが始まっている．さらに，エンドポイントに対する検定で有意でなかった場合は，介入の効果を「積極的に否定」するものではないこともNatureのコメントでは強調されている．

これらの点を考慮したうえで，検定を行う際には「比較可能性」を十分に検討する必要がある．例えば，観察研究において臨床病期で群分けし，生存時間解析を行ってログランク検定して有意であったとする．しかし，もともと予後の違いを考慮して臨床病期が設定されているので病期によって統計学的に有意であることの「臨床的意味」はどの程度あるのか考える必要がある．検定を行う際には，考慮する因子以外の結果に影響すると考えられる因子を可能な限りバランスをとるようにしておくことが重要である．観察研究においては，背景因子を研究者が完全にコントロールすることは不可能であるので，結果に影響すると思われる因子で部分集合を作った層別解析をすることで結果の解釈を容易にすることもできる．また，多変量解析を行って複数の因子を同時に調整することもある．前向き研究で介入を伴う研究であれば，後述するランダム化を用いる研究デザインが最も実験的なデザインであり，結果の解釈が容易になる．

研究デザイン

研究を計画する際には，まずどのようなデザインにするのかを決めることが重要である．漠然とした「クリニカルクエスチョン」を具体的な「リサーチクエスチョン」にしていく際に，どのような研究デザインにするかも含めて検討する．医学研究（倫理指針で定義される「生命科学・医学系研究」）は，介入を伴う研究（介入研究）と，介入を伴わない研究（観察研究）に大きく分けられる．また，すでに得られたデータを診療録などから調査する後ろ向き研究と研究開始後に新しくデータを取得する前向き研究に分けることもできる．これに研究手法であるランダム化比較試験やケースコントロール研究などを組み合わせて「介入を伴う前向きランダム化比較試験」や「（介入を伴わない）後ろ向き観察研究」などの研究デザインの枠組みが決まる．

なお，2021年6月30日施行の「人を対象とする生命科学・医学系研究に関する倫理指針」[2]では，「侵襲」や「介入」，「既存試料・情報」の定義がガイダンス[3]も含め詳細に記載されているので，研究計画書を作成して倫理委員会に申請する際には倫理指針をよく読み，自分の研究が倫理指針で定義されるどの研究に該当するのかを理解し，適切なインフォームド・コンセントの手順などを選択する必要がある．倫理指針は今後改訂されることがあるので，最新の指針について厚生労働省のホームページ[4]で確認することも重要である．

エンドポイントと研究デザイン

研究デザインを含めた研究計画を立てる際に設定する評価指標がエンドポイントである．一般的に研究1つに対して1つ設定し，主たる評価指標にするのがプライマリエンドポイントである．研究によっては有効性に関するエンドポイントをプライマリエンドポイントにし，そのほかの有効性に関する指標と安全性に関する指標をセカンダリエンドポイントと設定するなど，研究ごとに何を明らかにするか目的に最適なエンドポイントを設定する．その際，研究の対象はどう設定するのか（その具体的な記載としての適格基準と除外基準の設定），エンドポイントの評価方法と評価時期などを考慮しながら研究デザインを組み立てていく．それらの実施可能性を考慮して介入を伴う比較試験を考えていた研究を，1群の前向き観察研究に変更するなど，エンドポイントの設定と研究デザインの決定は密接に関連している．検証したい仮説に最適な対象，方法，エンドポイントを選択し，実施可能な研究計画を作っていくことが重要である．

ランダム化

臨床研究の介入として行うランダム化は，「ランダム割付け（random allocation）」であり，「ランダムサンプリング（random sampling）」ではない．ランダムサンプリングは，例えば，有権者を対象とした世

論調査のような場合に行われる手続きで,「母集団の各構成要素が標本として抽出される確率がすべて等しい抽出手続き」である.

ランダム割付けは,ランダムサンプリングとは全く違った手法である.例えば,ある時点である疾患に罹患し,診断されている患者集団が存在する.その患者集団のうち,臨床試験を行っている試験参加施設を受診した患者で適格条件に合致し,同意の得られた患者集団に対して,プロトコールに従い2群あるいはそれ以上に割付ける手法がランダム割付けである.この手法により保証されるのは,割付けた介入間の比較可能性である.ランダム割付けした介入以外の結果に影響すると考えられる因子は,割付け因子として調整する.割付け因子として調整しなかった因子や,現時点で影響が未知の因子も,確率論的にバランスがとれていることがランダム化比較試験で比較可能性が保たれている根拠である.

ランダム割付けは完璧で理想的な研究手法ではないが,比較可能性を保証する手法としては最良と考えられている.しかし,すべての臨床試験でランダム化比較試験をしなくてはならないわけではない.倫理上の問題あるいは実施上の困難から,過去の治療成績と比較するヒストリカルコントロールを用いた比較試験を行うこともある.あるいは介入を行わずに前向きの観察研究で明らかにする場合もあり得る.重要なことは,計画している研究の仮説を明確にして,明らかにしたいリサーチクエスチョンに最適な研究デザインを選択することである.

サンプルサイズ設計

臨床研究を計画する際に計算するサンプルサイズ設計について概略を説明する.一般的に介入を伴う前向き臨床試験の場合,プライマリエンドポイントで評価される指標に対してどのような検定を行うかを決めたうえで計算する.エンドポイントの種類と検定の方法によって,サンプルサイズ計算に必要な情報(見込まれる差やばらつきの指標など)が違う.サンプルサイズを大きくすれば信頼区間が小さくなり,小さな差が見込まれる場合でも統計学的に有意な結果を得る可能性が高くなる.実際のサンプルサイズ計算は,専用のソフトウエアや無料の統計ソフトのRのスクリプトなどで算出可能である.一般的に観察研究では介入研究と同様のサンプルサイズ設計は行わず,実施可能性を説明するために予想される症例数の概数を過去の実績に基づいて記載することも多い.

表1 ◆ データの型と分布や2変数の関係の記述

データの型	連続尺度 順序尺度	名義 尺度	生存時間
1変数の分布	ヒストグラム	頻度表	Kaplan-Meier 推定量
2変数の関係	散布図 相関係数 Pearson Spearman	分割表	

データの型とデータ解析

データを収集したら,まずデータの分布をみる必要がある.可能な限りグラフ化してデータのばらつきを確認するべきである.その時点で外れ値が明らかになり,その原因が入力ミスなのか,実際にその値が得られたのかを確認する必要がある.

データ解析の前に,データの型について説明しておく.成書によりさまざまな分類があるが,ここでは「連続尺度」,「順序尺度」および「名義尺度」に分けて説明する.

連続尺度は数値データで,その値そのものに意味がある.例えば身長や検査値などである.順序尺度は数値あるいは文字のデータで,大小関係にのみ意味がある.例えば異型度のgrade 1, 2, 3などである.1より2のほうが異型度は高いことはわかるが,1と2, 2と3の間の差が同じかどうかはわからない.名義尺度は文字あるいは数値いずれの場合もあるが,一種の「ラベル」として見分ける役割のみで,順序も大小関係もない.例えば病理組織学的診断名や性別などである.それぞれの集計や分布状態の記述に用いる手法を表1にまとめた.

次に行うのが群間比較である.データの型に応じた手法を表2にまとめた.群間比較を行う際に,多重比較について注意が必要である.例えば連続値を3群以上で比較を行う際に,t検定の繰り返しをすることはαエラー(差がないのに,差があると判断してしまう間違い)を5%以上にしてしまう.連続値の解析であればまず,複数群のどこかに差がある(帰無仮説がいずれも差がない)ことを分散分析で示し,そこで有意であったときのみpost-hoc解析として多重比較を行う.

生存時間解析

データ解析のなかで,ある基準の時点からイベントが起きるまでの時間を解析するのが生存時間解析である.その際「イベント」と「打ち切り」の概念

表2 ● 単純な群間比較の統計手法

データの型	連続尺度 順序尺度	名義尺度	生存時間
2群の比較	t検定 ノンパラメトリック検定(Wilcoxon検定など)	カイ2乗検定 Fisherの正確検定	ログランク検定 一般化Wilcoxon検定
3群以上の比較	分散分析 ノンパラメトリック検定(Kruscal-Wallis検定など), その他	カイ2乗検定 Fisherの正確検定	ログランク検定 一般化Wilcoxon検定

を理解しておく必要がある．

イベントとは，エンドポイントによって定義される事象である．例えば，全生存率をエンドポイントにすれば，すべての死亡がイベントである．

打ち切りは，観測最終時点でイベントが起こっていない状態である．再発をイベントとしている観察研究において，最終予後調査でイベントを起こしていない場合が含まれる．また，転居などで全く連絡が取れなくなり，ある時点まではイベントが起きていないことはわかっているが，それ以後の経過は不明な場合も最終確認日をもって打ち切りとなる．

生存曲線の推定を行う方法は，一般に Kaplan-Meier 法である．詳細は成書に譲るが，むずかしい計算をしているわけではない．生物統計の成書で確認しておいてほしい．

生存時間解析で群間比較の検定に用いる手法は，ログランク検定と一般化 Wilcoxon 検定がほとんどである．細かな計算式は成書に譲り，おおまかな考え方のみ解説する．ログランク検定も一般化 Wilcoxon 検定も基本的な考え方は同じで，イベントの起こった時点で，群間に差がないと仮定した（帰無仮説のもとでの）期待イベント数と，実際に各群に起こったイベントの数の差を計算し，その値に「重み」といわれるある値をかけ合わせたスコアを計算する．各時点のスコアから統計量が得られる．群間に差がないときの期待値は 0 であるので，データから得られた統計量が 0 からどれだけ外れているかで，帰無仮説のもとで，解析対象としたデータの得られる確率が計算できる．これがログランク検定あるいは一般化 Wilcoxon 検定の p 値である．

おわりに

生物統計と研究デザインについて概略を示した．重要なことは，研究計画時に最適な研究デザインを選択することと，適切なエンドポイントを設定することである．そのようにして計画された研究で得られた結果を，適切な統計手法を用いて解析し，結果の考察を臨床的な視点も加えて検討することも重要である．研究の解析時点ではなく計画の時点で統計解析に必要なデータを想定し，そのデータを得るために最適なエンドポイントを設定し研究デザインを選択することが大切であることを強調しておきたい．

■ 文献

1) Amrhein V, et al.：Scientists rise up against statistical significance. Nature 567：305-307, 2019
2) 人を対象とする生命科学・医学系研究に関する倫理指針（令和3年文部科学省・厚生労働省・経済産業省告示第1号）．
https://www.mhlw.go.jp/content/000757566.pdf
3) 人を対象とする生命科学・医学系研究に関する倫理指針 ガイダンス（文部科学省・厚生労働省・経済産業省），令和3年4月16日制定
https://www.mhlw.go.jp/content/000769923.pdf
4) 研究に関する指針について（厚生労働省ホームページ内）
https://www.mhlw.go.jp/stf/seisakunitsuite/bunya/hokabunya/kenkyujigyou/i-kenkyu/index.html

（樋之津史郎）

c. 臨床試験

臨床試験と観察研究

ヒトを対象とする医学研究を臨床研究（clinical research），そのうち特に意図的な介入を伴うものを臨床試験（clinical trial）とよぶ．「介入」とは，「研究目的で，人の健康に関するさまざまな事象に影響を与える要因の有無または程度を制御する行為」であり，治療行為だけが対象なのではなく，たとえ通常の診療を越えない医療行為であっても研究目的で実施するものや，被験者を複数の群に分けて比較する場合も含まれる．これに対して，介入を行わず日常臨床で得られる結果を収集して分析するものが，観察研究（observational study）である．すなわち，臨床試験と観察研究の違いは介入を加えるかどうかにあり，介入の内容に実験的要素があるかどうかによるのではない．2017年に施行された「臨床研究法」[1)]に

おいても観察研究とは「医療行為の有無および程度を制御することなく，患者のために最も適切な医療を提供した結果としての診療情報または試料を利用する研究」とされている．

臨床試験の介入の効果は本来，「介入した場合の変化」が「介入しない場合の変化」に比べてどれだけ優るかでしか検証できないが，そのためには介入や効果判定法が共通であること，および実施する施設が異なっても比較する群間の差の大きさが同じであると仮定できるように，各種の標準化が必要となる．このため，研究実施計画書（プロトコール）に介入の内容だけではなく，効果判定や有害事象の把握のための検査の方法やスケジュール，報告手順などについて詳細に規定するとともに，多施設の臨床試験の進捗を管理し，得られた結果の信頼性や倫理性を保証するためのシステムが必要となる．

臨床試験の種類と相

臨床試験のうち，特に医薬品などの承認申請を目的とするものを治験といい，治験は製薬企業によって実施されることが多い（企業治験）が，医師が主体となって行うこともあり，この場合には医師主導治験とよばれる．一方，治験以外で医師などの研究者が実施する臨床試験が研究者主導臨床試験であり，わが国の小児がん臨床試験の大部分が該当する．

治験は薬事法や医薬品の臨床試験の実施の基準に関する省令を遵守して実施する必要があるのに対し，研究者主導臨床試験は臨床研究法，あるいは「人を対象とする生命科学・医学系研究に関する倫理指針」（以下，新倫理指針）[2])に準拠することが求められる．臨床試験を計画あるいは参加する医師も，倫理審査，インフォームド・コンセント，個人情報の保護，有害事象報告などについて，これらの規制要件の記載内容をよく理解しておく必要がある．

研究者主導臨床試験は通常4つの相に分けられることが多い．
①第Ⅰ相試験は新しい薬物をヒト（あるいは小児）に初めて投与して安全性を確認するために行うものであり，最大耐用量（maximum tolerated dose：MTD），用量制限毒性（dose-limiting toxicity：DLT）を決定し，続く第Ⅱ相での用法・用量を推奨することを目的とする．吸収・分布・代謝・排泄などの薬物動態を併せて調査することもある（臨床薬理試験）．一般に少人数の患者を対象として，均一な臨床能力をもつ必要最小限の施設で行われる．

②第Ⅱ相はさらに2つに分けられる．前期第Ⅱ相試験は，効果が予想されるがん種の探索や有効な治療法の選択および安全性の検討，後期第Ⅱ相試験は，前期第Ⅱ相で有望であった治療法についてさらに多数例で有効性と安全性を確認し，その精度を示すことを目的とする．第Ⅱ相試験（特に前期）では，有効な治療法を比較的少数の例を用いて選び出すために，結果の信頼性をある程度犠牲にしたランダム化第Ⅱ相試験が行われることもある．
③第Ⅲ相試験は典型的には標準治療を対照として，第Ⅱ相で選択された試験治療の臨床的有用性を大規模なランダム化比較によって証明する検証的試験である．
④第Ⅳ相試験はすでに承認され有効性や安全性が確立している薬剤について，投与対象患者（適応や用法ではない）の拡大，臨床効果や安全性の再評価，治療の個別化などを目的として実施するもので，「製造販売後臨床試験」と同義で用いられることもある．

なお，臨床試験は薬剤の承認申請や有効な治療法のスクリーニングを目的とする早期治療開発と，標準治療の確立を目的とする後期治療開発に大別されることもある．この両者には，対象患者や参加施設数，エンドポイントなどにおいて表1に示すような違いがある．小児の研究者主導臨床試験は必ずしも上記の相の概念に沿って進行しないため，この分類のほうが実用的かもしれない．

説明的試験（explanatory trial）と実践的試験（pragmatic trial）

臨床試験はまた，説明的試験と実践的試験に分けることもできる（表2）[3]．

説明的試験は，試験治療の効果（生物学的な作用）の解明を目的としている．これには精度の管理が重要であるため，参加する医療機関や患者の選択条件は厳しく，併用治療も限定し，コンプライアンスも高く保つなど，理想的な環境のもとで試験治療の有効性を検証しようとする．

一方，実践的試験は臨床的有用性の解明を目的とする．一般化可能性に重点がおかれるため，可能な限り通常の治療実態を反映した実施条件のもとで実施される．患者の選択条件や併用治療の規定も比較的緩く，医療現場で通常用いる診断規準や評価方法が用いられ，治療を完遂できないことも1つの重要な結果であるとする評価方法である．ばらつきはサンプルサイズで制御することになるため，被験者や

表1 ◆ 早期治療開発と後期治療開発の比較（がんの場合）

	早期治療開発	後期治療開発
目的	承認申請・スクリーニング	標準治療の確立
試験の性格	説明的試験	実践的試験
症例数	少数	多数
対象患者	特殊（難治例）	一般的（初発例）
参加施設数	少数（専門施設主体）	多数（一般病院主体）
施設間差	小さい	大きい
試験治療薬	単剤，あるいは少数	多剤併用・集学的
治療レジメン	シンプル	複雑（多レジメン）
エンドポイント	奏効率など（代替エンドポイント）	EFSなど（真のエンドポイント）
観察期間	短い	長い（時間がかかる）
患者リスク	大きい	小さい
科学的厳密性	要請はきわめて強い	要請は比較的少ない

表2 ◆ 説明的試験と実践的試験

	説明的試験	実践的試験
目的	作用・機序の解明	治療選択の判断
対象患者	できる限り均一	臨床現場で一括して判断対象とされれば不均一でもよい
エンドポイント	有用性に直結しなくてもよい	有用性に直結
治療介入	理想的な状態で行う	医療の現場に結果を適用できるような状況で行う
補助療法	厳密にそろえる	治療実態を反映した最適な方法で行う
不適格例	全経過中で不適格と判断された例	治療法の選択の時点までに不適格と判断された例
不完全治療例	原則的に排除	原則的に解析に含める
一般化可能性	高くない	高い
臨床現場への応用	間接的（将来の治療に貢献）	直接的（研究直後から役立つ）
インフォームド・コンセント	きわめて厳密	相対的には厳密性が低い

（浜島信之：無作為割付臨床試験．癌と化学療法社，11-13，1993より引用，一部改変）

医療機関の数が多くなる．

一般に臨床試験の相が進むにつれて，説明的試験から実践的試験の色合いが強くなる．特に，小児がんの標準治療の確立を目指した研究者主導臨床試験の多くは事実上，「治療開始の時点での適切な治療方針を決定するために行う実践的試験」と考えられる．

小児がん領域における特性

小児がん臨床試験の実施に際しては，成人とは異なる特性やわが国での状況を考慮する必要がある．

①小児がんでは，（一部の例外を除いて）治療成績が比較的良好な疾患が多いため，わずかな治療効果の向上を検出するのに多くの症例集積が必要である．しかし疾患の頻度が低く，全国規模で実施してもランダム化比較試験は困難な場合が多い．

②基礎疾患をもつ患者が少ないので臨床試験の不適格例はまれである一方で，発症後の進展が速いために臨床試験に登録できない例（往々にして「最重症例」）が生じやすく，臨床試験の結果に影響（選択バイアス）する可能性がある．

③治療施設の集約化が進んでいないため，臨床試験の参加施設数は多いが施設ごとの登録症例数は少なく，施設間差やその管理が問題になる．

④小児がんの治療は，同一の治療レジメンの単純な繰り返しではないことが多いため，治療成績向上のための仮説は複数ある場合が多い．それらを一度に検証するデザインは困難である一方，個別に解決していたのでは時間がかかりすぎる．その結果，わが国での小児がん臨床試験の多くは，historical controlを対照とし，「実施可能性」と「科学的・倫理的妥当性」との妥協点を考慮して設計された"multi-regimen phase II"となっている．

⑤生存期間の延長自体には成人ほどの意義はなく，

治癒に直結するような臨床試験が求められる．
⑥小児がんを克服したあとの時間が長いため，真のエンドポイントの設定が難しい．長期のフォローアップを行ってQOLを評価することも重要となるが，客観化が困難である．
⑦小児特有の倫理的問題（インフォームド・アセントや代諾の問題など）がある．

　臨床試験は，被験者に治療上の利益がないか，利益が見込まれたとしても不確実性が高くリスクも大きいため，治療行為ということはできない．しかしながら，全国規模の臨床試験に大部分の新規発症例が参加するわが国の状況においては，試験治療であっても最低限度の治療成績が保証されている（臨床研究法にいう「患者のために最も適切な医療を提供する」）必要がある．それにもかかわらず，小児がん領域では添付文書と異なる用法や用量で適応外使用される医薬品が少なくないため，保険診療上は問題にならない多くの臨床試験が臨床研究法の対象となってしまうのが現状である．

臨床試験における品質管理と品質保証

　多施設共同臨床試験において得られた結果の信頼性を保証するためのシステムが品質管理と品質保証である[4]．臨床試験は基礎実験と異なり，反復実施で再現性を証明することは倫理的に問題があるため，個々のプロセスに関与したり，プロセスの妥当性から結果の信頼性を保証するのである．

　臨床試験における品質管理とは，プロトコール作成を含む臨床試験のすべてのプロセスに介入してエラーの発生を抑制することによって，全体としてのエラーを最小にする行為である．すなわち，①臨床試験の進行中に，②すべての登録症例の全データを対象として，③研究実施組織自身によって行われ，④エラーが発見された場合には修正し，必要に応じてエラーの予防策を講じる．これは間違ったデータを見つけて修正する作業（verification）によって個々のエラーを最小化することを目的としている．

　品質管理のための具体的活動がモニタリングである．狭義にはプロトコールに定められた各種の遵守事項が実施されていることを確認したり，提出された症例報告書（case report form：CRF）の記載内容の誤りや記載もれなどについて当該施設に問い合わせて修正したりする作業が該当する．ただし，CRFなどに記載された情報が医療現場で起きた事実と本当に一致しているかを確認するには，SDV（source document verification：カルテなどの原資料とCRFなどの報告書の内容の整合性を直接照合して確認すること）を行う必要がある．

　一方，品質保証とは，定められた手順通りに実施されたことを確認（validation）することにより，得られた結果が信頼できることを証明するものである．すなわち，プロトコール通りに正しく治療が行われ，正しくデータが収集管理され，正しく解析されたというプロセスが確認できれば，その臨床試験の結果は信頼できる，と解釈する．したがって，①通常は臨床試験（あるいはその種々の段階）の終了後に，②抜き取り調査（ただし，脱落・中止例，重篤な有害事象例，死亡例はすべて対象となる）によって，③研究組織外（少なくとも監査の対象となる試験の実施やモニタリングに携わっていない）の者によって実施されるが，④エラーが発見された場合でも，それを修正するのではなく，エラーの頻度や内容が臨床試験の結論に影響を及ぼしていないことを確認することが目的となる．品質保証のための具体的な行為が監査である．ただし，新倫理指針や臨床研究法では監査は必須とはされていない．

　冒頭で述べたプロトコール作成を含めて臨床試験の一連の過程には，どの臨床試験にも共通の要素が多いため，標準化を行うことによって正しい結果が常に生み出されるようなプロセスが確立されれば，効率的であるのみならず，多くの臨床試験における再現性も期待できることになる[5]．また，全国規模で実施される小児がん領域の研究者主導臨床試験は，参加施設数が多いほど症例集積や得られた結果の一般化の点で有利である半面，施設間差のコントロールが重要であり，このために多施設共同臨床試験の運営基盤となる研究組織が必要となる．わが国においては，日本小児がん研究グループ（Japan Children's Cancer Group：JCCG）がこれに該当し，その研究支援部門の1つとしてデータセンターがモニタリング作業を通して臨床試験データを一元的に管理している．

■ 文献

1) 臨床研究法（平成29年法律第16号）．
 https://www.mhlw.go.jp/file/06-Seisakujouhou-10800000-Iseikyoku/0000163413.pdf
2) 人を対象とする生命科学・医学系研究に関する倫理指針（令和3年文部科学省・厚生労働省・経済産業省告示第1号）．
 https://www.mhlw.go.jp/content/000757566.pdf
3) 浜島信之：無作為割付臨床試験．癌と化学療法社，11-13，1993
4) 大橋靖雄（監）：臨床試験データマネージメント：データ管理の役割と重要性．医学書院，26-29，2004

5) Hulley SB, 他（著）, 木原雅子, 他（訳）：医学的研究のデザイン：研究の質を高める疫学的アプローチ. 第4版, メディカル・サイエンス・インターナショナル, 297-299, 2014

（加藤実穂, 瀧本哲也）

d. 研究論文の読み方

医学論文の歴史

　シカゴ大学で科学研究の歴史の教授を勤めているJohnsの総説から抜粋する．科学論文の評価は16世紀に英国で始まった．Gutenbergの印刷機の発明により，かつてないほど大量の本が世の中に出てきた．本の数が科学の発見の数よりも増えてしまい，何が正しいのかが全くわからなくなってしまった．それに対して，1人1人の科学者が文献をすべて読むのは不可能なので，何人かで分担して読み，その結果をシェアしようというアイデアが生まれた．この運動が，現在の雑誌の査読，あるいは総説の意味づけ，あるいは抄読会（journal club）の意義につながっているのである[1]．

　ところで最近，筆者は医学雑誌の老舗であるNew England Journal of Medicine（N Engl J Med）とLancetのともに第1巻をみる機会を得た．前者は現在でも有名な米国の雑誌であるが，米国の建国後，大して年月を経ずにマサチューセッツにおいて1812年1月に創刊された第1巻の第1ページは"Remarks on angina pectoris."とあり，その当時話題になっていた狭心症についての総説が掲載されているのみで，雑誌発刊にあたっての特別なremarkはない．なお，この頃のこの雑誌はNew England Journal of Medicine and Surgeryとよばれていたようである．一方，Lancetの第1巻はヨーロッパを席巻したナポレオン戦争のためか，遅れて1823年10月に発刊された．記念すべき第1ページにはpreface（序文）が書かれており，"It has long been a subject of surprise and regret, that in this extensive and intelligent community there has not hitherto existed a work that would convey to Public, and to distant Practitioners as well as to Students in Medicine and Surgery, reports of the Metropolitan Hospital Lectures."とあり，高邁な抱負が述べられているのは感動的でもある．最後に「Lancetは単に医学者に寄与するだけではなく，complete Chronicle of current Literatureたるものを目指す．」と書かれている．Chronicleというのは訳しにくい単語であるが，おそらく「歴史」という意味だけでなく，archiveという発想も含まれるであろう．

抄読会（journal club）の意義

　抄読会の英語訳であるjournal clubは，1875年にWilliam Oslerが形式化したとされる．しかし，日本ではその前，1840年頃から緒方洪庵が適塾において「輪講」なるものを行っていたようで，その歴史は長い．これは高等教育機関における研究・学習の最適の方法の1つと考えられている．

　以下，筆者が以前所属していた聖路加国際病院における抄読会について述べる．毎週1回木曜日の朝，60分間行われる．血液腫瘍学を中心に最新論文を取り上げるが，指導医が論文を選定し，1週間前に若い担当者（研修医）に渡す．当日，参加者に論文のコピーと簡単なまとめが配布される．論文内容の紹介と解説が行われるが，ここで何よりも大切なことは批判的に読むということである．最近，論文執筆に際して問題になることの多い，利益相反（conflict of interest）や患者の権利，書かれた結果の信頼性なども議論される[2]．

　選ばれる文献としては，総説は避け，新しく，いまだ評価の定まっていない原著論文が優先される．普段は1人では読みにくい，いわゆるむずかしい論文を読み解くよい訓練になる．これは一点集中の精読主義といえる．一方，指導医は論文の内容だけではなく，論文の書かれた背景についても熟知している必要があり，それは指導医本人のための訓練ともなる．取り上げる雑誌の内訳であるが，BloodあるいはJornal of Clinical Oncology（J Clin Oncol）などの専門誌が50％，N Engl J MedやLancetなどの総合誌が30％，NatureやScienceなどの科学誌が20％である．

　抄読会終了後，数日以内に指導医が解説文書を作成する．この文書は毎回，東京小児がん研究グループ（Tokyo Children's Cancer Study Group：TCCSG）の会員メーリングリストに送付される．そのことにより，さらに大きなグループにおいて内容が吟味される．メーリングリスト上で熱心な討論が展開されることも多い．

　このような抄読会は一般的ではないかもしれない．抄読会のなかには，若い担当者が自ら読むべき論文を選ぶスタイルもある．よい論文を選ぶこと自

体がすでに学ぶ行為であるという論理であろうが，どうであろうか．また一方，一点集中ではなく，なるべく多くの論文を浅くとも速く読む訓練も必要とする考えもある．筆者は，10〜20人あまりのグループ内での討議には，一点集中がよりふさわしいと考える．また，1つの論文を精読する経験は，近い将来，自分が論文を執筆するに当たって，目にみえて役に立つようである．すなわち，若手の役割は，とにかくむずかしい文献を何とか読み切ることにあり，指導者の役割は，その論文がどのように書かれたかを丁寧に解きほぐすことにあると考えられる．

なお，先述のOslerのjournal clubであるが，現在でもJohns Hopkins大学では文字通り，Osler Journal Clubという名前で行われており，インターネットでも配信されている（http://www.hopkinsmedicine.org/gim/training/Osler_Journal_Club）．ところで，各研修病院における抄読会を比較する，あるいはさまざまな施設の抄読会に参加してみるのも面白いであろう．抄読会はまた，最近注目されている医学教育におけるmentorship/menteeshipの実例としての意義も有すると思われる．

インターネットを利用した抄読会

ところで，筆者は現在大学に属しているが，前述のような抄読会は簡単には行えない．そこで2020年から北海道で小児がんを診療する4施設（3大学と一般病院）を対象にネットを利用した抄読会を始めた．無理のないように1か月に2回，第1と第3の木曜日の17時半から1時間，毎回2つの論文を取り上げた．1つの論文を1人が担当する．前日までに参加者全員に論文が配られ，当日は担当者がパワーポイントにまとめて20分程度発表し，その後10分間質疑を行う．大学院生から教授まで，老若男女を問わず約20人が参加しており，6か月に1回ほど当番が回ってくる．現在までの1年間に25回行われた．取り上げられた雑誌はJ Clin Oncolが6編，Bloodが6編，Nature系が5編，N Engl J Medが5編，Lancet系が3編，その他が25編である．自施設のみならず他施設からの参加者もあるので一定の緊張感はあるが，ベテランと若手双方の参加により，よい議論が可能となる．皮肉なことだが，COVID-19の蔓延により対面会議が困難なことが，この成功に一役買っている．北海道のように広大な地域おけるネット抄読会の教育的意義は，きわめて大きいと考えられる．

論文の読み方

論文の読み方には2種類ある．

1つはとりあえず自分の興味のある領域において今までどのような研究が行われてきたかを知るための浅い読み方で，PubMedを用い，抄録を手がかりに論文を選び，それらをざっと読むというものである．この場合には速読が必要となる．速読ではまず方法を読み，ついで図表を参考に結果を読む．その論文のエッセンスを自分なりに整理してノートあるいはパソコンに記録するとよい．その場合，自分なりにいわゆる構造化抄録を作っておくとあとで役に立つ．筆者の元同僚の医師はそのことを紙媒体で35年以上行っているが，そのノートの厚さ（自分のまとめに加え，抄録と大事な図表は切り抜いて貼ってある）は彼の研究人生のすべてを反映するような素晴らしいものである．その先生が大出世したことはいうまでもない．

その一方で，前述の抄読会の項でも触れたように，時には論文を精読することも大切である．この場合には，著者の気持ちになって読むとわかりやすい．どのような手順で，どのような思考過程で研究を行い，論文を書いたかを考えながら読むと理解しやすい．あるいは，自分が同じような研究をするとしたらどのように論文を書くであろうかと考えながら論文を読むと，次第にわかってくる．たとえ難解であっても繰り返し読むと「読書百遍義自ら見る」という言葉にもあるように，次第に耳に馴染んでくる．科学の世界では数年に一度，新たな概念が持ち込まれる．筆者の来し方を振り返ると，80年代後半には「遺伝子治療」や「PCR」がキーワードとして入ってきた．以後90年代になり，「アポトーシス」「細胞周期」「ノックアウトマウス」「ES細胞」，2000年代には「分子標的薬」「ヒトゲノム計画」「エピジェネティクス」「iPS細胞」「GWAS」など，次々に新たな概念が持ち込まれた．そのようなときにはまさに論文を精読したわけであるが，これこそ，科学を仕事にしている者（＝学徒）の醍醐味ではないだろうか．実際に論文を読んでさらに詳しく知りたくなった場合には，学会などで著者に質問をする，著者に手紙あるいはe-mailで問い合わせる，著者を研究所に訪ねる，などの方法があるが，よい論文を書いている著者ほど，よく返事をくれるというのがまた面白い．このようなことが留学につながることもあるかもしれない．

おわりに

論文を批判的に読むことは，新たな知見，知識の習得にきわめて重要な意義を有する．一方，小児血液・腫瘍学を選考するわれわれは，一生に渡って勉学が必要である．その勉学の手段として，論文の精読は今後とも大きな役割を担っていくものと思われる．実際，卑近な例をあげれば，その経験は論文の査読を依頼されたときに大いに役立つであろう．

■ 文献

1) Johns A：The birth of scientific reading. Nature 409：287, 2001
2) 山崎茂明：科学者の発表倫理：不正のない論文発表を考える．丸善出版，2013

（真部　淳）

e. 論文発表・学会発表の仕方

医学論文の歴史

科学論文の評価としてのpeer reviewのシステムは16世紀の英国で確立された[1)2)]．その後，1812年にNew England Journal of Medicineが，1823年にLancetが創刊された．したがって医学雑誌の歴史はわずかに200年あまりと短い．それが20世紀の最後の10年間にインターネットの開発とともに，論文検索の方法が飛躍的に進歩し，現在の情報過多，情報整理困難の時代を迎えたのである．現代においては医学論文出版の意義も揺らいできている．また，よい論文の検索もきわめて困難になっている．そもそも論文の賞味期間がどんどん短縮しているように思われる．今後，どのようによい論文を選出して保管していくかが問われると思われるし，そのために叡智が結集されるべきであろう．

論文の書き方

1 cover letterの書き方

「editorははじめから論文著者の味方である」と考えるべきである．このletterで論文の概略，conceptをeditorに伝える．なぜこの雑誌に投稿するのか，どんな文脈（context）で重要と考えるのかを，短く，A4用紙1枚を超えない長さで書く．論文そのものやabstractをコピーして載せる必要はない．

2 titleとkeywords

titleはNew York Timesのような新聞ではないので，誰でもわかるようにする．すなわち，略語は使わず，キーワードを入れて，平易で誰にでも内容がわかるように書くべきである．randomized studyの場合はそのことを記載する．

keywordsは，PubMedで検索されることを目的に設定すべきで，そのためには狭い領域でしかわからない言葉ではなく，なるべく広く知られているものを選ぶ必要がある．

3 abstract

よいabstractを書くのはむずかしい．abstractしか読まない読者も多く，またabstractしか読まないeditorや査読者もいるので，abstractはきわめて重要である．abstractは論文ができあがってから最後に書くべきである．形式としては，「背景」「方法」「結果」「考察」「結語」などの章立てをするconstructedと章立てをしないunconstructedがあり，投稿する雑誌により異なるが，本質的には同じである．後者の場合も前者と同じような組み立てで書けばよい．なお，abstractでは文献の引用は必要不可欠でない限り避ける．資金調達（funding）は書かない．

4 introduction

introductionは短くてよい．教科書を書くわけではない．論文の内容がその雑誌の読者にわかりにくい領域である場合には，なぜその研究を行ったのかを書いて，general audienceの注意を引く必要がある．通常は2〜3段落でよい．

5 methods

ほかの人が再現（reproduce）するにあたり困らないように書けばよい．すなわち5W+1Hで書くとよい．臨床研究ではCONSORT（consolidated standards for reporting trials）ガイドラインに沿って，最初に登録された患者数からさまざまな理由で解析症例が減ったことを図で示すべきである．

6 results

論文の核心である．"One should not publish your lab book!"といわれるように，何でもかんでも書けばよいわけではない．よいtableがあれば，本文に同じことを書く必要はない．通常，tableの数には制限はあってもtableの大きさ（字数）には制限はないので，本文が長くなって削る必要があるときは大きなtableを作ればよい．その際には脚注を充実させる必要がある．図も同様で，よい図とよいlegendsがあれば本文は大幅にカットできる．

7 discussion

査読者を苛立たせるのは次の2点である．

① This is the biggest study for ever…：大きい研究がよいとも限らないし，重要なのは大きいかどうかではなく意味があるかどうかである．

② introduction からの copy and paste は不要．教科書的記載も不要である．

文献引用は多ければよいわけではないが，査読者のために重要なものは欠かさず記載する．反対意見の書かれている文献も引用すべきである．そのほうが公正であり，またその文献を書いた著者が査読する可能性もある．

8 acknowledgement

contributors や conflict of interest，funding について記載する．

9 査読への対応[3]

査読者の質問を1つずつ繰り返して示し，そのすぐ下に返答を記すと査読者にとって便利である．必要以上に自分を卑下すべきでない．以下に文例を示す．

"I am pleased to respond to the reviewer's comments on our recently submitted manuscript, "XXX" (no. XXXX)." という感じで始める．

終わりは "We hope that you and the reviewers will find the revisions and comments satisfactory. Thank you for the constructive comments and criticisms ; they have improved the manuscript considerably." という感じで書くが，これでもちょっと自分を卑下しすぎているかもしれない．

10 最後までめげない心構え

簡単に通る論文はない．よい論文はよい雑誌を狙うので通すのがむずかしい．よくない論文は内容がよくないので通すのがむずかしい．このことをよく理解して，最後までめげずに頑張るべきである．もしリジェクト（reject）されたら "Breathe deeply. Stay calm." リジェクトされたのは論文であって著者の人格ではない．多くは，雑誌のスペースが足りないという理由である．必要以上にがっかりせず，査読内容を参考に，次の雑誌を目指すべきであろう．

学会発表の仕方

学会で発表した内容は，すべからく論文化すべきである．学会発表しても論文にしない場合には，発表内容に誤りがあったのかと勘違いされることがある．学会発表の形式には口演とポスターがある．以下，それぞれについて注意点を記す．

1）口演の準備

口演には時間の制限があるため，聴衆が理解できる量を超えた内容を盛り込まないことが肝心である．聴衆は読み切る時間なく次のスライドに進まれると不満を感じるものである．色を多く使い過ぎないことも肝要である．一般にデータが少ない発表ほど色が多くなる傾向がある．レイアウトや色よりも内容が重要である．一般にスライドはわかりやすくする必要はあるが，複雑で簡単に理解してもらうことがむずかしいスライドもある．その場合には，その1枚のスライドの説明にかける時間を長くすればよい．しかし，時間の制限は厳守するべきである．スライドの枚数を制限するのも一法である．一方で，細胞の写真などの視覚的な効果が高く，説明に時間を要さないスライドもある．つまり，1枚1枚のスライドにかける時間は同じではなく，1枚15秒のこともあれば1枚2分のこともある．要は，メリハリのある発表を行うべきであろう．あらかじめ，同僚を集めて予演会を行い，話す速さを確認し，また質問を想定することも重要であろう．なお，10分以内の短い発表では思った通り時間内に収めるのは容易ではない．その場合には原稿を作ったほうがよい．特に外国語のときは注意を要する．英語は一度詰まると回復に時間を要することがある．実際の発表にあたっては，①ゆっくり話す，②大きな声で話す，③自分の発表に確信をもって話すこと，を心がける．

2）ポスターの準備

聴衆はその気になればそのポスターを何度もみることができる．すなわち，口演と異なり，ポスター発表では同時間帯への発表集中の問題がないことが特徴である．どうしてもみたい聴衆は必ず来るし，そのような聴衆は事前に抄録を読んで来ている．したがって，口演と異なり，ポスターでは内容はいくら豊富でもかまわない．データが多いほどポスターに向いているともいえる．方法や結果などを小さな字で詳しく示すことも可能である．類似の発表は近くに配置される．すなわち，同じ興味を有する研究者が集まる．言葉を変えれば，ポスター会場には科学アカデミー（サロン）が形成されると考えてよい．質問はいくらしてもよいし，未発表データの交換も可能である．投稿したときに査読されそうな研究者を連れてきて議論することも大きなメリットを生むであろう．ポスターの形式であるが，基本的には論文と同じでよい．背景，方法，結果，考察，結語，文献を記載する．B4またはA3にプリントアウトして1枚ずつ貼る．時間とお金に余裕があれば，全部

で1枚という方法もある．しかし，あくまでも大切なのは見栄えよりも内容である．

インターネットでのライブ発表とオンデマンド発表

COVID-19の蔓延により，インターネットを利用した学会発表が増えてきた．インターネットによるライブ発表は対面の口演と本質的には同じである．注意点としては当日のトラブルを避けるため，よいネット環境（無線より有線が優る）が必要となる．リハーサルを要求されることも多い．国際学会では時差の違いや夏時間かどうかなどに細心の注意が必要となる．オンデマンド発表では事前に発表内容を録画して登録する必要がある．言い誤りや時間の問題（過少および超過）が起こり得る．何度も再録画する誘惑にかられるが，学会発表で重要なのは滑舌ではなく内容であることを忘れず，必要以上の完成度を求めなくてよい．

■ 文献

1) 真部　淳：英語論文の書き方．日小児会誌 117：1709-1712, 2013
2) 真部　淳：英語論文の書き方．日小児会誌 119：1728-1732, 2015
3) 真部　淳：英語の論文：査読者のコメントへの対応のポイント―採択を勝ち取るために―．日小児会誌 125：397-400, 2021

（真部　淳）

第Ⅱ部　各論（疾患）

本書における薬剤の用法・用量などの情報は，変更・更新されている場合がありますので，十分にご注意ください．本書に記載した薬剤の選択，使用法および治療方法については必ずしも学会の推奨および方針を示すものではないこと，また問題が生じたとしても，筆者・編集者・出版社はその責を負いかねますので予めご了承ください．また診断・治療方法につきましても，各学会ホームページなどによって最新のガイドライン・治療指針などをご確認くださいますようお願い申し上げます．

なお，国内未承認※，疾患適応外▲，小児に対する安全性が確立されていない抗がん薬◆に関しては，本文中にマークで示しました．留意してご参照ください．

第1章 血液・造血器疾患

A 赤血球の異常

1 鉄欠乏性貧血

定義・概念

鉄欠乏性貧血は，小児科診療で最も多い貧血である．成長に伴う赤血球産生需要増大に対して，おもに食事から摂取される鉄が不足することで鉄欠乏となり，ヘモグロビン(Hb)合成障害のために貧血を呈する．小児においては急激に成長する乳児期および思春期に多く発症する．

胎児期後期に鉄は母体から胎児に移行するため，早産児は早期に鉄欠乏状態となる．正期産児でも，乳児は1歳までに体重が3倍以上に増加し，血液もそれに併せて増多させる必要がある．さらに，全身の臓器形成のためにも鉄需要が非常に高い時期であり，鉄含有が少ない母乳での栄養期間が長い児や，離乳が進まない児においては鉄摂取量が不足し鉄欠乏をきたしやすい．また，乳児期に牛乳を多量に摂取すると鉄欠乏を呈する(牛乳貧血)．これは，牛乳はもともと鉄分が少なく，含有するカルシウム・リンにより鉄吸収が抑制されるためであり，乳児に牛乳摂取はすすめられない．

思春期においては，女子は二次性徴の時期での鉄需要増加に加え，月経開始による出血のために鉄を喪失し，鉄欠乏を呈しやすい．過度のダイエットによる食事制限も問題となる．男子においても激しいスポーツに伴う，いわゆるスポーツ貧血が問題となる．

病因・病態

成人において，生体内の鉄の総量は約4gであり，そのうちの2/3はHbとして存在し，1gは肝臓などで貯蔵されている．食事で摂取する鉄は1日あたり約10mgであるが，そのうち腸管から吸収されるのはわずか1mgである．一方で生体には鉄を能動的に排泄する機構は存在せず，皮膚や粘膜のターンオーバーにより1日約1mgを喪失するに過ぎない．生体内において鉄のほとんどはリサイクルされ再利用されている．

生体における鉄欠乏への適応のメカニズムは，肝臓でのヘプシジン産生の抑制と，貧血によって生じる組織の低酸素化が中心となる(図1)[1]．腎臓では，低酸素誘導因子(hypoxia inducible factor：HIF)-2αの増加に伴い，エリスロポエチン(EPO)の産生が増加する．EPOにより骨髄での赤血球造血が亢進する．老化した赤血球は脾臓マクロファージによって破壊され，鉄は再利用される．赤血球産生の増加により，ヘプシジン産生が抑制されるが，これは赤芽球から分泌されるエリスロフェロン(erythroferrone)によって調整され，十分な鉄の吸収と赤血球産生効率を維持している．HIF-2αは腸上皮刷子縁膜にある2価金属トランスポーター1(divalent metal transporter 1：DMT1)の発現を増加させ，食事で摂取した鉄の腸管内腔から腸細胞への移行を促進する．

ヘプシジンは，その産生を維持する生理的シグナルの減少(鉄結合トランスフェリンや肝臓の鉄含有量など)，膜貫通型プロテアーゼ・セリン6(transmembrane protease, serine 6：TMPRSS6)の活性増加，骨形成タンパク質6(bone morphogenetic protein 6：BMP6)レベルの減少，EPO刺激による赤血球産生増加などに反応して低下する．ヘプシジンの濃度が低下するとフェロポーチン(ferroportin：FPN)が分解されなくなり，腸細胞膜やマクロファージから貯蔵鉄を循環系へ排出し，鉄サイクルを維持する．

このように鉄はリサイクルにより生体内で保持されているが，種々の原因により鉄欠乏を呈するため，鉄欠乏を認めた場合，その原因について検索する必要がある．

1 鉄摂取不足

多くの原因は鉄の摂取不足である．乳児期においては早産児，母乳栄養，離乳の遅れや食物アレルギーに伴う過度の食事制限が原因となる．幼児期以降は開発途上国では栄養障害が問題となるが，わが国においては思春期の過度のダイエットや菜食主義が原因となる．幼児期には虐待による食事摂取不足にも注意する．自閉症児では過度の偏食により摂取不足を呈することがある．

2 鉄吸収不良

牛乳の過剰摂取や炎症性腸疾患，セリアック病などの慢性下痢症を鑑別する．*Helicobacter pylori*感染により鉄吸収が抑制されることが知られてきており，思春期以降において鉄剤不応，あるいは再発する鉄欠乏性貧血をみた場合には鑑別が必要である．

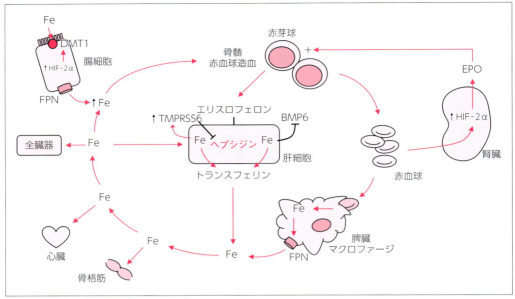

図1 ◆ 鉄サイクル―鉄欠乏への適応機構
DMT1：duodenal divalent metal transporter 1, EPO：エリスロポエチン, Fe：鉄, FPN：フェロポーチン, HIF：低酸素調節因子.
(Camaschella C. Iron-Deficiency Anemia. N Engl J Med. 372：1832-1843, 2015 より引用)

先天異常などによる腸管切除後も吸収不良となるため注意を要する．

3 鉄需要増加

急激に成長する乳児期・思春期は鉄需要が増大し，鉄欠乏を呈しやすい．妊婦も胎児への鉄供給のために鉄需要が増加する．

4 失血

思春期女子であれば月経による出血のため鉄を喪失する．そのほかに胃十二指腸潰瘍やMeckel憩室，炎症性腸疾患に伴う消化管出血も重要な鑑別となる．また，von Willebrand病や血友病などの出血性疾患では，繰り返す鼻出血により鉄欠乏となるが，特にアレルギー性鼻炎を合併している例では注意が必要である．思春期にみられるスポーツ貧血も失血も関与していると考えられている．Wilms腫瘍で腫瘍内出血に伴う貧血で発見される例もある．特発性肺ヘモジデローシスでは繰り返す肺出血により鉄欠乏を呈する．原因不明の鉄欠乏性貧血をみた場合には種々の基礎疾患の鑑別を行う必要がある．

臨床徴候

貧血に伴う倦怠感，易疲労感，顔色不良などがみられるが，鉄欠乏性貧血は一般的に緩徐に進行するため，重症貧血を呈するまで自覚症状に乏しいことが多い．鉄欠乏性貧血にみられる特徴的な症状としてスプーン爪や舌炎・嚥下障害（Plummer-Vinson症候群）があるが，多くの患者で症状を呈するものは異食症（pica）であり，特に氷そのものを食べる氷食症（pagophagia）が多い．

診断・検査

年齢別の貧血の基準を示す（表1）[2]．小球性低色素性貧血を認めた場合には，鉄欠乏性貧血を第一鑑別にあげ，鉄プロファイルとして鉄・不飽和鉄結合能（unsaturated iron binding capacity：UIBC）/総鉄結合能（total iron binding capacity：TIBC）・フェリチンを評価する．鉄が低下し，UIBC/TIBCが上昇していて，貯蔵鉄を反映するフェリチンが高度に低下していれば鉄欠乏性貧血と診断される（表2）[3]．フェリチンが上昇している場合は，鉄の利用障害である慢性炎症性疾患に伴う貧血を検討する（次項参照）．鉄プロファイルが正常な小球性低色素性貧血の場合は，サラセミアの可能性を検討する．鉄欠乏性貧血と診断した場合にも，安易に鉄剤投与を行うのではなく，前述した鉄欠乏となる原因検索を行うことが重要であり，食事内容や生活環境，便潜血，出血傾向の有無について評価を行う．

治療

1 食事療法

鉄欠乏の主因は経口摂取不足である．正期産児の鉄欠乏の乳児はほとんど母乳栄養である．母が周産

表1 ● 年齢別貧血のHb基準値（単位：g/dL）

年齢	健常	貧血		
		軽症	中等症	重症
6～59か月	11.0≧	10.0-10.9	7.0-9.9	<7
5～11歳	11.5≧	11.0-11.4	8.0-10.9	<8
12～14歳	12.0≧	11.0-11.9	8.0-10.9	<8
非妊娠女性（15歳以上）	12.0≧	11.0-11.9	8.0-10.9	<8
妊娠女性	11.0≧	10.0-10.9	7.0-9.9	<7
男性（15歳以上）	13≧	11.0-12.9	8.0-10.9	<8

(World Health Organization : Haemoglobin concentrations for the diagnosis of anaemia and assessment of severity. Vitamin and Mineral Nutrition Information System. Geneva, 2011 より引用)

表2 ● 年齢別鉄欠乏のフェリチン基準値（単位：ng/mL）

年齢	健常人	感染・炎症を伴う状態
0～23か月	<12	<30
24～59か月	<12	<30
5～9歳	<15	<70
10～19歳	<15	<70
20～59歳	<15	<70
60歳以上	<15	<70
妊娠女性	<15（第1期）	—

(World Health Organization : WHO guideline on use of ferritin concentrations to assess iron status in individuals and populations. Geneva, 2020 より引用)

期に貧血を呈していた場合は，母乳中の鉄分がより不足するため，母の鉄欠乏の改善や，人工乳は鉄が強化されているため人工乳による混合栄養を指導する．牛乳での哺乳をしないように指導することも必要である．早産児は出生前の貯蔵鉄不足が原因であるため，EPOの投与に併用して鉄剤内服が必要である[4]．幼児期以降は偏食や養育環境にも注意し食事環境を整える．

思春期は過度のダイエットや菜食主義が問題となるため，本人への食事指導が重要となる．動物性食品や植物性食品でも鉄含有量の多い食品を管理栄養士とともに指導する必要があるが，鉄製フライパンでの調理や鉄瓶での湯沸かしなどでも経口鉄摂取量は増大する．

2 薬物療法

多くの患者では，経口での鉄摂取量が不足していることが原因であるため，鉄欠乏性貧血の改善のためには鉄剤投与を必要とする．腸管からの吸収障害や鉄剤内服による悪心・嘔吐がなければ経口投与が推奨される．1日あたり3～6 mg/kgを2～3回に分けて内服するが，嘔気がある場合は眠前の内服とするなど調整する．乳幼児期はシロップ製剤，思春期以降は錠剤を投与するが，思春期以降も嘔気が強い場合はシロップ製剤を処方してもよい．ビタミンCを併用することで鉄吸収は改善する．鉄剤投与開始1週間で網状赤血球が上昇しHb値が上昇し，1～2か月で正常値となるが，早期に治療を終了すると貯蔵鉄不足のため鉄欠乏が再燃する可能性がある．鉄貯蔵目的にHb値改善後もフェリチン値をモニターし，3～4か月は鉄剤投与を継続する．

経口摂取困難時には静注での鉄剤投与を行うが，過剰投与および血管外漏出に十分に注意が必要である．大容量の静注用鉄剤が登場し，数回の静注での治療終了も可能となっている．

Hb値改善，フェリチン値上昇が得られたら鉄剤投与を終了するが，3～6か月間は鉄欠乏の再燃がないかフォローを行い，再燃がみられた場合には失血，H. pylori感染など，さらなる原因検索を行う．

ピットフォール・対策

小球性低色素性貧血の多くは鉄欠乏性貧血であるが，慢性炎症に伴う貧血やサラセミアなどを鑑別する必要があり，フェリチンを含む鉄プロファイルの評価が必要である．

鉄欠乏性貧血の原因の多くは，鉄需要増大に対する経口摂取不足であり，鉄剤投与および食事療法で改善するが，消化管出血や先天性出血性疾患，H. pylori感染，腫瘍などまれな原因が隠れていることがあり，見逃さないように注意する必要がある．

■ 文献

1) Camaschella C. : Iron-Deficiency Anemia. N Engl J Med 372 : 1832-1843, 2015
2) World Health Organization : Haemoglobin concentrations for the diagnosis of anaemia and assessment of severity. Vitamin and Mineral Nutrition Information System. Geneva, 2011
3) World Health Organization : WHO guideline on use of ferritin concentrations to assess iron status in individuals and populations. Geneva, 2020
4) 新生児に対する鉄剤投与のガイドライン2017．日新生児成育医会誌 31 : 159-185, 2019

（石村匡崇）

第1章 血液・造血器疾患

A 赤血球の異常

2 慢性疾患に伴う貧血

慢性疾患に伴う貧血として，慢性炎症に伴う貧血と，慢性腎不全に伴う腎性貧血があげられる．

慢性炎症に伴う貧血

定義・概念

感染症や膠原病，悪性腫瘍などの慢性的な炎症に伴う貧血を anemia of chronic disease（ACD）または anemia of inflammation（AI）とよぶ．慢性炎症に伴う鉄の利用障害により貧血をきたすが，この機構は元来は感染した微生物の鉄利用を制限するために進化した生体防御機構の1つである．近年，肝臓で合成されるヘプシジンが慢性炎症性貧血の主座であることが明らかとなってきた．

病因・病態

炎症が惹起されると，インターロイキン（IL）-6 や IL-1β などの炎症性サイトカインが分泌されるが，特に IL-6 により肝臓でヘプシジン合成が促進される．ヘプシジンは鉄を血漿中に排出する膜輸送体（トランスポーター）であるフェロポーチン（FPN）を抑制する．FPN は十二指腸，肝細胞，マクロファージに存在するため，ヘプシジン濃度上昇により十二指腸からの鉄吸収抑制，鉄リサイクルマクロファージからの鉄放出の低下，鉄を貯蔵する肝臓からの鉄放出抑制が起こる．そのため，血漿中の鉄が低下し，貯蔵鉄が増加する（図1）[1]．腎機能低下を伴う場合，ヘプシジンの代謝が低下し，よりヘプシジン濃度が上昇する．運動誘発性鉄欠乏性貧血（いわゆるスポーツ貧血）においても，ヘプシジン濃度が上昇し，貧血を呈すると考えられるようになっている[2]．

また，慢性炎症に伴うサイトカイン上昇により赤血球寿命は120日から90日程度に短縮し，さらに骨髄中では白血球系への分化誘導が促進されるため，赤血球分化は抑制される．

臨床徴候

炎症の強さ・期間により貧血は進行し，貧血による症状を呈する．貧血に関して特異的な症状はないが，膠原病や感染症などに伴う症状を随伴する．

診断・検査

貧血は，正球性〜小球性貧血を呈する．血清鉄は低下するが，鉄欠乏性貧血とは異なり，貯蔵鉄増加を反映して血清フェリチン値は上昇する．血清ヘプシジン値や IL-6 などの炎症性サイトカイン値の上昇を認める（表1）[1]．慢性炎症性貧血に消化管出血や頻回の採血に伴う医原性の鉄欠乏性貧血が合併するとバイオマーカーのみでは鑑別ができなくなるため注意が必要である．

慢性炎症に伴う貧血と考えられる場合は，その原因として感染症や膠原病，炎症性腸疾患，悪性腫瘍の検索が必要である．

治療

慢性炎症の原因となる疾患の治療を行う．炎症の改善とともに貧血は軽快する．鉄欠乏性貧血を伴う場合は鉄剤を併用するが，高度の炎症状態では鉄剤を投与しても鉄の利用障害が存在することから，通常は炎症が抑制されてからの鉄剤投与が望ましい．

ピットフォール・対策

鉄欠乏性貧血との鑑別が重要となる．慢性炎症に伴う貧血でも血清鉄は低下するが，フェリチン値は上昇するため，鑑別に重要である．

腎性貧血

定義・概念

腎性貧血とは，狭義には慢性腎疾患（CKD）を背景に，腎臓においてヘモグロビン（Hb）値低下に対応した十分なエリスロポエチン（erythropoietin：EPO）産生がされないために発症する貧血である．広義には EPO 産生障害以外にも，腎不全に伴う尿毒症性物質による赤血球寿命短縮，鉄利用障害，栄養障害，透析回路におけるによる残血・出血なども原因となると考えられている[3]．

病因・病態

EPO は，おもに腎臓の皮質から髄質外層の間質に

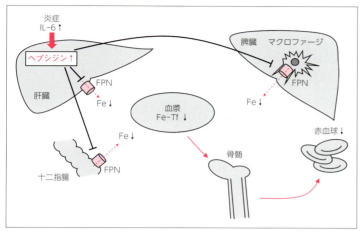

図1 ◆ 炎症に伴う貧血における鉄代謝
Fe：鉄，Tf：トランスフェリン，FPN：フェロポーチン，IL：インターロイキン．
(Granz T：Anemia of Inflammation. N Engl J Med. 381：1148-1157, 2019より引用)

表1 ◆ 鉄欠乏性貧血（IDA）と炎症性貧血（AI）のバイオマーカーの違い

バイオマーカー	IDA	AI
MCV	↓	→
MCH	↓	→
網状赤血球中 Hb 濃度	↓	→
低色素性赤血球の割合	↑	↓
トランスフェリン	↑	↓
トランスフェリンレセプター	↑	→
フェリチン	↓	↑
ヘプシジン	↓	↑

(Granz T, Anemia of Inflammation. N Engl J Med 381：1148-1157, 2019より引用)

存在する線維芽細胞様の細胞が産生する．通常は，間質局所の酸素分圧低下に応じてEPO産生が増加する．酸素分圧は動脈からの酸素供給と組織の酸素消費により規定され，酸素供給は腎血流量やHb濃度，酸素消費はおもに尿細管でのNa$^+$再吸収能を反映する．CKDにおいては，腎血流低下により組織への酸素供給は低下しているが，同時に尿細管障害により酸素消費も低下しており，相対的に尿細管周囲の酸素分圧が比較的保たれてしまうため，貧血があっても十分なEPO産生が誘導されないと考えられている．また，腎不全に伴いヘプシジン濃度が上昇し，鉄の利用障害を呈する．

臨床徴候

慢性的な腎障害に伴い貧血は緩徐に進行する．貧血に関して特異的な症状はないが，腎不全による尿毒症徴候との重複に注意が必要である．

診断・検査

貧血は正球性正色素性貧血となることが多い．網状赤血球は貧血があっても増加しない．腎機能評価を行い，慢性的な腎障害を認めた場合はEPO測定を行う．正常値の上限を超えていてもEPO濃度の高度上昇がなければ腎性貧血と考えられる．

治療

EPOの十分な産生を認めない場合は，EPO製剤の投与を行う．腎不全の状態，製剤選択，目標Hb値などにより投与量・投与間隔を決定する．EPO製剤には糖鎖およびポリエチレングリコール（PEG）を付加した半減期の長い製剤があるため投与間隔を調整する．

鉄欠乏・鉄過剰を伴う場合があるため，鉄プロファイルを定期的に評価し，鉄不足時には鉄剤も併用する．

近年，腎性貧血に対し，低酸素誘導因子（hypoxia-inducible factor：HIF）-プロリン水酸化酵素（prolyl hydroxylase domain enzyme：PH）阻害薬が成人で適応となった．HIFが関与する低酸素応答機構がEPO産生に関与するが，本薬剤はHIFの分解に関与するHIF-PHを阻害することでHIFを上昇させ，内因性のEPO産生を促進する．悪性腫瘍・網膜病変・血栓塞栓症の発症などに注意が必要であり，小児適応はまだない[4]．

ピットフォール・対策

腎機能が正常な場合は，貧血があればEPOは異常高値となる．EPO値が正常値の上限を超えていても，軽度上昇の場合は貧血に対して十分なEPO産生量ではなく，網状赤血球数などと併せて赤血球産生能を評価し，EPO不足を見逃さないように注意が必要である．EPO治療に反応が悪い場合は，腎不全に起因した併存症（CKDに伴う骨ミネラル代謝異常，鉄欠乏，カルニチン欠乏，亜鉛欠乏，失血など）にも対処が必要である．

■ 文献
1) Granz T：Anemia of Inflammation. N Engl J Med 381：1148-1157, 2019
2) Kong WN. et al.：Hepcidin and sports anemia. Cell Biosci 4：19, 2014
3) 日本透析医学会：慢性腎臓病患者における腎性貧血治療のガイドライン 2015年版．透析会誌 49：89-158, 2015
4) 日本腎臓学会：HIF-PH阻害薬適正使用に関するrecommendation．日腎会誌 62：711-716, 2020

（石村匡崇）

第1章 血液・造血器疾患

A 赤血球の異常

3 再生不良性貧血

定義・概念

再生不良性貧血（aplastic anemia：AA）は，骨髄低形成および汎血球減少を特徴とするまれな血液疾患である．国際的な基準では骨髄低形成に加えて，ヘモグロビン（Hb）＜10 g/dL，好中球＜1,500/μL，血小板＜5万/μLのうち2つ以上を満たす場合にAAと診断される．AAは病因によって先天性と後天性に大別されており，小児期においては，Fanconi貧血や先天性角化不全症（dyskeratosis congenita：DKC）などの遺伝性再生不良性貧血が10～20％ほど含まれている．骨髄の造血巣が比較的残存しており，軽度の異形成がみられるものについては，小児における骨髄異形成症候群（myelodysplastic syndrome：MDS）の1型である小児不応性血球減少症（refractory cytopenia of childhood：RCC）との鑑別が問題になるが，両者における臨床的な差異は明らかではない．

病因・病態

AAでは骨髄の造血幹細胞が何らかの原因で枯渇し，その結果として，末梢血では汎血球減少がみられる．造血幹細胞が枯渇する原因としては，①先天性の遺伝子異常による造血幹細胞そのものの増殖障害，②薬剤や放射線による二次的な造血幹細胞の増殖障害，③免疫機序による造血障害，などが考えられている[1]．

1 先天性骨髄不全症

先天性骨髄不全は，通常では遺伝する生殖細胞の機能喪失型突然変異によって生じる．さまざまな遺伝子変異は，Fanconi貧血（DNA鎖間架橋の修復障害）やDKC（テロメア制御異常）のように造血幹細胞のDNA修復能力を低下させたり，GATA2異常症のように幹細胞や前駆細胞の血液細胞分化異常を引き起こしたりする．

2 二次性AA

二次性AAの原因には薬剤，化学物質，放射線，ウイルス，妊娠などが含まれる．薬剤および放射線等による二次性AAはおもに医原性であり，骨髄への影響は用量または照射量に依存する．他臓器系にも影響を与えることがあるが，通常用量で生じたものはほとんどが一過性であり，自然回復することが期待できる．

3 特発性AA

特発性AAの病態は，特定の抗原に対する免疫反応によって促進されると考えられている．免疫学的機序を示唆する所見として，免疫抑制療法によって改善する臨床的な観察結果があげられる．また，AA患者の一部に6番染色体短腕のHLA遺伝子領域に片親性2倍体がみられる．これは欠如したHLAクラスIアレルによって提示されていた特異的な自己抗原の存在を示唆しており，細胞傷害性T細胞（cytotoxic T lymphocyte：CTL）からの攻撃を免れた造血細胞の存在を示唆する所見と考えられている．しかし，いまだにCTLとCTLが認識するエピトープは同定されていない．

特殊なものとして肝炎後に発症する肝炎関連再生不良性貧血がある．肝炎関連AAは，急性肝炎発症後1～3か月後に高度の汎血球減少をきたし，一部の症例では1年以上経過してから発症するとされる．アジアでは特発性AAのうち4～10％にみられる．

一方で以前から，AAにおけるクローン性造血の存在を示す報告もあり，発作性夜間血色素尿症（paroximal nocturnal hemogrobinuria：PNH）クローンや骨髄染色体異常の存在から散見される．特発性AAに対する次世代シークエンサーを用いた解析では，およそ20％程度にAXL1，DNMT3A，BCORなどのMDSに高頻度で同定される体細胞遺伝子変異が検出されていた．

疫学

わが国における小児のAAの年間発症数は100例以下とまれであり，小児人口100万人あたり年間4～5人ほどの発症が推定されている．欧米での発症が人口100万人あたり年間約2人であることから，わが国の発症頻度は欧米と比較して高いといえる．

臨床徴候

汎血球減少に基づくさまざまな症状の出現がみられる．3系統の血球減少の出現時期が異なる場合もあり，特に血小板減少のみが先行し，特発性血小板

表1 ◆ 再生不良性貧血の重症度分類

最重症	重症	中等症
重症かつ 好中球数＜200/μL	・好中球数＜500/μL ・血小板数＜20,000/μL ・網状赤血球数＜20,000/μL ・少なくとも上記のうち2項目以上を満たし，最重症でないもの	・好中球数＜1,000/μL ・血小板数＜50,000/μL ・網状赤血球数＜60,000/μL

減少性紫斑病（idiopathic thorombocytopenic purpura：ITP）と診断されたあとに，貧血や白血球の減少が出現し，AAと診断される場合もまれではない．血小板数が2万/μL以下に減少した場合には，頭蓋内出血を含めた重症出血がみられることもあるが，慢性に経過した症例では，血小板数が1万/μL以下になっても，明らかな出血症状がみられないことも多い．好中球減少は，重症感染症の発症頻度と相関し，特に好中球が200/μL以下の症例は最重症型に分類され，真菌症を含め重症感染症に罹患しやすい．

診断・検査

末梢血検査での汎血球減少に加えて，骨髄穿刺で造血能の低下が証明されればAAを疑う．骨髄細胞密度の検討には骨髄生検による病理学的検討が必須である．とりわけ，小児AAの診断において問題となるのは，RCCと先天性骨髄不全症の除外である．小児MDSの1型であるRCCの鑑別にあたっては，骨髄塗抹標本における3血球系統の異形成の有無のほか，骨髄染色体所見が重要である．しかしながら，AAでは分裂像が得られず，染色体分析が実施できないことも少なくない．FISH（fluorescence in situ hybridization）法は，分裂像が得られなくても染色体分析が可能であり，小児MDSでは−7や+8の染色体異常が多いことから特に有用である．Fanconi貧血をはじめとする先天性骨髄不全症では特徴的な身体所見を有さない場合がある．そこで，小児期のAAにおいては，Fanconi貧血を否定するために全例で染色体脆弱性試験を行う必要がある．染色体脆弱性試験のほかには，FANCD2産物に対する抗体を用いて，ウェスタンブロット法でモノユビキチン化を確認する方法もスクリーニング法としては優れている．DKCにおいては血球テロメア長の著しい短縮がみられることから，リンパ球のテロメア長を測定することでスクリーニングが可能である．

小児AAの発症頻度は低く，わが国においては主要な施設においても新規患者数は年間1～2例にとどまることから，名古屋大学，日本赤十字社愛知医療センター名古屋第一病院，静岡県立こども病院では共同で小児AAとMDSの中央診断事業を実施している．検査項目には形態学的診断のほか，フローサイトメトリーによるPNH血球の測定，血球テロメア長の測定，180種類の先天性骨髄不全症やMDS/急性骨髄性白血病（acute myeloblsatic leukemia：AML）の原因遺伝子に対する網羅的遺伝子解析が含まれている．

治療・予後

AAの治療は重症度によって選択される．国際的には重症度分類にCamittaらの分類が用いられており，好中球数，血小板数，網状赤血球数に基づいて再重症，重症，中等症に分けられる（表1）．

1 重症・最重症の治療

国内における小児重症再生不良性貧血に対する治療指針を図1に示す．HLA一致同胞が得られれば，同種骨髄移植が治療の第一選択となる．HLA一致同胞が得られない場合には，抗胸腺グロブリン（anti-thymocyte globulin：ATG）とシクロスポリンによる免疫抑制療法を選択する．免疫抑制療法の治療6か月後に反応が得られない場合には，HLA適合ドナーがいれば非血縁者間骨髄移植を選択する．適合ドナーがいない場合には，非血縁者間臍帯血移植または血縁者間HLA半合致骨髄移植が検討される．近年，HLA適合非血縁ドナーからの骨髄移植後の生存率は劇的に改善しており，HLA一致同胞からの骨髄移植と同等の成績が得られている．そこで，小児AAではHLA適合非血縁ドナーからの骨髄移植をファーストラインで行うことが議論されている．

1）造血細胞移植

小児においては，HLA一致同胞から同種骨髄移植後の長期生存率が90％に達していることから，同胞ドナーが得られた場合は移植が絶対適応となる．移植前治療としては米国・シアトルのFred Hutchinsonがんセンターから提唱されたシクロフォスファミド（cyclophosphamide：CY）200 mg/kg＋ATGが標準的である．しかし，その後のランダム化試験では，

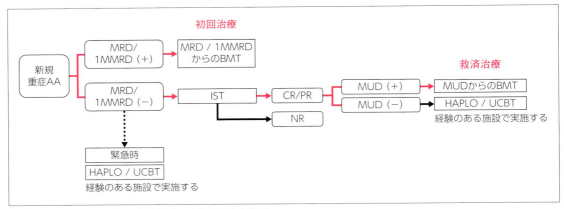

図1 ● 重症型小児再生不良性貧血に対する治療指針
AA：再生不良性貧血，MRD：HLA一致血縁ドナー，1MMRD：HLA1座不一致血縁ドナー，BMT：骨髄移植，IST：免疫抑制療法，CR：完全奏効，PR：部分奏効，NR：不応，MUD：HLA一致非血縁ドナー，HAPLO：HLAハプロ一致血縁ドナー，UCBT：非血縁臍帯血移植．

ATGを追加することの利点は実証されていない．中等症から重症への移行例など，何らかの理由で免疫抑制療法後にHLA一致同胞から骨髄移植を行う場合は，生着不全のリスクが高く，前治療の強化が必要である．

重症例において，免疫抑制療法に反応がみられなければ，HLA適合非血縁者間，あるいはHLA1座不適合血縁者間移植を考慮する．非血縁者間移植による移植前処置としては，フルダラビン（fludarabine：FLU）に加えて，治療関連毒性の軽減を目的に，CYを減量したレジメンが主流である．これまでは多くの施設で，FLU＋CY 100 mg/kg＋ATG＋低用量TBI（全身放射線照射：total body irradiation）による前処置が用いられており，GVHDの予防法としてはタクロリムス＋短期メトトレキサート（methotrexate：MTX）が併用されてきた．これらの移植方法の導入により，非血縁者間移植成績は向上したが，FLUの導入に伴うCYの減量がドナー型造血不全（生着後に完全ドナーキメリズムが得られているにもかかわらず，造血の回復がみられない状態）の増加に関与していると考えられている．

また，移植前の骨髄像がRCCに相当する場合にもドナー型造血不全の危険因子であることが明らかとなった．そこで，ドナー型造血不全のリスクを回避するために，骨髄抑制効果の強化を目的としてCYの代わりにメルファラン（melphalan：MEL）を用いたレジメンが検討されている．わが国でこれまでに実施された，FLU＋MELベース71例とFLU＋CYベース296例の比較では，FLU＋MELベースのほうが有意に5年間の治療奏効維持生存率（failure-free survival：FFS）が優れており（97％ vs. 83％，$p=0.002$），ドナー型造血不全の頻度が低いことが示された（0％ vs. 7％，$p=0.025$）[2]．これらの結果に基づき，日本小児再生不良性貧血治療研究会では，非血縁者間による移植前処置として，FLU＋MEL＋ATG＋TBIの移植前処置を推奨している．

後天性AAに対する非血縁者間臍帯血移植は，初期の検討では生着不全の頻度が高く幹細胞ソースとしては推奨されていなかった．しかしながら，フランスのグループによる後天性AAに対する非血縁者間臍帯血移植の前方視的研究では，FLU＋CY＋ATG＋TBIからなるレジメンを用いて，2年全生存率81％，生着率88％と良好な結果であった．国内においても，2006年以降に非血縁者間臍帯血移植を受けた17人の検討では5年全生存率は94％であり，特に前処置にATGを使用しなかった11人は全例が生存しており極めて良好な成績であった[3]．同様に，後天性AAに対するハプロ移植についても，おもに中国から有望な成績が報告されている．これらの研究の多くは幹細胞ソースとして骨髄と末梢血を併用しており，GVHD予防として高用量のATGを用いることで，全生存率は70〜90％であった．これらの結果から，HLA一致同胞やHLA一致非血縁ドナーをもたない小児や，緊急時における移植方法として実施可能な施設においては，非血縁者間臍帯血移植およびハプロ移植も選択肢になり得ると考えられる．

2）免疫抑制療法

従来は後天性AAに対する免疫抑制療法にはウマATGが使用されてきたが，わが国においては2009年からウマATGが入手できなくなり，ウサギATGがとって代わった．米国では，重症AA患者120人

を対象にウマATG(ATGM)とウサギATG(thymoglobulin)との前方視比較試験が行われた．投与開始後6か月の反応率は，ウマATGが68％であり，ウサギATGの37％と比較して統計学的に有意であった．3年の全生存率においても，ウマATG群は96％とウサギATG群の76％と比較して同様に優れていた[4]．ウサギATGの1日あたりの投与量は2.5〜3.75 mg/kgに分布しており，その至適投与量は定まっていない．そこで，日本，中国，韓国の3か国により実施された前向き研究において，ATGの投与量を高用量(3.5 mg/kg)および低用量(2.5 mg/kg)で比較したところ，投与開始後6か月の免疫抑制療法の反応率は両群間で有意差がみられなかった（3.5 mg/kg；48％，2.5 mg/kg；49％，$p=0.805$）[5]．その理由として，ウサギATGの薬物動態が患者個体間で大きく異なるためと考えられた．ウマATG＋シクロスポリンによる免疫抑制療法にエルトロンボパグを併用することで治療成績が大幅に向上することが報告されており，国内でも2017年8月よりAAに対して保険適用が認められた．しかしながら，エルトロンボパグによる染色体異常の誘発リスクが懸念されており，小児AAに対しての併用はリスクを考慮して慎重に判断する必要がある．

2 中等症の治療

中等症の患者に対する確立した治療法はない．無症状の場合には，無治療経過観察が推奨されてきたが，国内の小児AAを対象とした報告では無治療経過観察した輸血非依存性AAの多くは，その後に輸血依存性となり，その時点で免疫抑制療法を実施しても改善が得られないことが示されている．中等症においても輸血依存性がみられる場合は重症例に準じてATGおよびシクロスポリンによる免疫抑制療法を実施する．輸血依存性がない場合は，シクロスポリンの単剤またはシクロスポリンにエルトロンボパグの併用が検討されるが，小児では長期使用によりMDSへの進展が懸念される．ダナゾールは保険適用外であり，有用性についてはエビデンスが限られているため，今後臨床試験により明らかにする必要がある．

ピットフォール・対策

小児AAにおいては先天性骨髄不全症および低形成MDSとの鑑別が必要となる．診断のために末梢血検査，骨髄穿刺，骨髄生検および染色体分析のほかに，先天性骨髄不全症のスクリーニング検査やPNH血球測定を併せて実施する必要がある．

■ 文献

1) Young NS.：Aplastic Anemia. N Engl J Med 379：1643-1656, 2018
2) Yoshida N, et al.：Conditioning regimen for allogeneic bone marrow transplantation in children with acquired bone marrow failure：fludarabine/melphalan vs. fludarabine/cyclophosphamide. Bone Marrow Transplant 55：1272-1281, 2020
3) Kudo K, et al.：Unrelated cord blood transplantation in aplastic anemia：is anti-thymocyte globulin indispensable for conditioning? Bone Marrow Transplant 52：1659-1661, 2017
4) Scheinberg P, et al.：Horse versus rabbit antithymocyte globulin in acquired aplastic anemia. N Engl J Med 365：430-438, 2011
5) Narita A, et al.：Prospective randomized trial comparing two doses of rabbit anti-thymocyte globulin in patients with severe aplastic anaemia. Br J Haematol 187：227-237, 2019

（成田　敦）

第1章 血液・造血器疾患

A 赤血球の異常

4 遺伝性骨髄不全症候群

定義・概念

遺伝性骨髄不全症候群（inherited bone marrow failure syndrome：IBMFS）は，造血細胞の増殖・分化が障害され，汎血球減少症や単一系統血球減少症を含む何らかの血球減少をきたし，その多くが同様の症状を呈する家族歴と，特徴的な外表および内臓の先天異常を伴う症候群である．骨髄異形成症候群（MDS）や白血病，固形がんを合併する頻度も高い．遺伝子解析の進歩により多くの責任遺伝子が同定され，造血不全への関与が明らかになってきた．

病因・病態

表1に比較的頻度の高い遺伝性骨髄不全症候群の疾患と，それぞれの責任遺伝子，遺伝形式，推定される遺伝子の機能，悪性腫瘍との関連を示す[1]．ここでは主要な汎血球減少症を伴う Fanconi 貧血（FA），Shwachman-Diamond 症候群（SDS），先天性角化不全症（dyskeratosis congenita：DKC）と赤芽球系の減少を伴う Diamond-Blackfan 貧血（DBA）について解説する．

FA は DNA 修復欠損を基盤とした疾患で，少なくとも5つの責任遺伝子は家族性乳がんの原因遺伝子（*BRCA1*，*BRCA2* など）と同一である．DKC では，テロメア長の維持機能の障害が，また SDS と DBA では，リボソーム関連遺伝子の異常が病因と考えられている．

疫学

1 発生頻度

欧米では，FA，DBA，SDS の順に頻度が高いとされる．FA，DBA の発症はそれぞれ 100 万人あたり 5 人前後，5～7人とされ，日本小児血液・がん学会の全国データでは 1988～2011 年に登録された再生不良性貧血 1,841 例中，FA は 111 例（約 6％），DBA は 175 例（約 9.5％）であった．SDS はわが国では 50 例あまりの報告があり，DKC の発症は海外では 100 万人あたり 1 人とされているが，わが国での頻度は不明である．

2 自然歴・予後

表2に海外を中心とした FA，SDS，DKC，DBA の造血不全を中心とした自然歴・予後につき示した[2,3]．いずれも造血器腫瘍を含む悪性疾患を合併し，生存期間も短い．

診断・検査

各疾患の臨床診断および検査所見を記載した[3,4]．遺伝子診断が確定診断には重要であるが，責任遺伝子が検出できない症例では遺伝子解析で診断を確定することはできない．DBA においては，わが国では約 40％，DKC では約 50％の患者の責任遺伝子の同定がなされていない．

1 Fanconi 貧血

1）臨床症状と診断基準

染色体の不安定性を背景に，①汎血球減少，②皮膚の色素沈着，③身体の先天異常，④低身長，⑤性腺機能不全，を伴うが，その表現型は多様である．色黒の肌，カフェオレ斑のような皮膚の色素沈着，低身長，上肢の拇指低形成，多指症などが最もよくみられ，片腎，消化管の先天異常や先天性心疾患などの内臓合併症や内分泌異常も多い．これらに加えて FANCD2 産物に対するモノユビキチン化の異常や責任遺伝子が証明されればより確定的である．

2）検査所見

スクリーニング検査として，末梢血リンパ球を用いた染色体断裂試験を行う．低濃度マイトマイシン C などの DNA 架橋剤とともにリンパ球を培養すると，多数の染色体断裂や染色体が放射状に連結した染色分体交換などが観察される．小児や青年期に発症した再生不良性貧血や MDS 患者に対しては，全例に染色体断裂試験を実施して FA を除外することが望ましい．若年成人において，頭頸部や食道，婦人科領域での扁平上皮癌や肝癌の発生がみられた場合や，MDS や白血病の治療経過中に過度の薬剤や放射線に対する毒性がみられた場合にも，FA を疑い染色体断裂試験を行う必要がある．FANCD2 産物に対する抗体を用いて，ウェスタンブロット法でモノユビキチン化を確認する方法もスクリーニング法として優れている．

表1 ◆ 遺伝性骨髄不全症候群

	疾患	責任遺伝子	遺伝形式	推定される遺伝子の機能	悪性腫瘍の合併
汎血球減少症	Fanconi 貧血	*FANCA〜W*	AR（*FANCB* は XR, *FANCR* は特殊型）	DNA 傷害の修復	MDS/AML, SCC *FANCD1*, *N* は幼小児期に小児がん
	Shwachman-Diamond 症候群	*SBDS* など	AR	リボソーム生成，紡錘糸の安定化	MDS/AML
	先天性角化不全症	*DKC1 TERC, TERT* など	XR ADまたはAR	テロメア長の維持（DKC1はリボソーム生成にも関与）	MDS/AML, SCC
	Pearson 症候群	ミトコンドリア DNA	母系，散発性	ミトコンドリアDNAの機能調整	特になし
血小板減少→汎血球減少症	先天性無巨核球性血小板減少症	*MPL*	AR	トロンボポエチン(TPO)受容体	まれ（AML）
単一系統血球減少 赤芽球系	Diamond-Blackfan 貧血	*RPS19*, *RPL5* など	ADまたは散発性	リボソーム機能の維持	MDS/AML, 骨肉腫，大腸癌
	遺伝性鉄芽球性貧血	*ALAS2* など	XR ほか	ヘムの合成など	特になし
	先天性赤血球異形成貧血（タイプⅠ〜Ⅲ）	*CDAN1*, *SEC23B* など	ARまたはAD	クロマチンの凝集，脱核など	まれ
骨髄球系	重症先天性好中球減少症	*HAX1* など	ADまたはAR	骨髄細胞分化	MDS/AML
血小板・巨核球系	橈骨欠損を伴う血小板減少症	*RBM8A*	AR	巨核球増殖	特になし
	骨髄悪性腫瘍傾向を伴った家族性血小板減少症	*RUNX1*	AD	造血細胞の分化にかかわる転写因子	MDS/AML

AR：常染色体潜性（劣性），AD：常染色体顕性（優性），XR：X連鎖潜性（劣性），AML：急性骨髄性白血病，SCC：扁平上皮癌，MDS：骨髄異形成症候群．
（小島勢二：先天性骨髄不全症候群．難治性貧血の診療ガイド編集委員会（編），難治性貧血の診療ガイド．南江堂，195-236，2011 より引用，改変）

表2 ◆ 自然歴と予後

疾患	FA	SDS	DKC	DBA
診断時年齢の中央値	6.5 歳	2 週（吸収不良で発症）	14 歳	3 か月
骨髄不全症の発症頻度	7 歳前後で発症（わが国では 5 歳前後）40 歳までに 90 %	ほぼ全例に好中球減少を認める 貧血・血小板減少も多くにみられ，貧血は 80 % で認められる 20 % が再生不良性貧血を発症（中央値 3 歳）	20 歳までに 90 %	新生児期から 1 歳までに 90 % 以上が貧血
悪性腫瘍の合併				
MDS/AMLへの移行	40 歳までに 33 %	30 %	20〜40 歳代に両者あわせて健常人の 11 倍	4 % にAML，リンパ腫，骨肉腫，大腸癌ほか両者で健常人の 5.4 倍
固形がん	40 歳までに 28 %	なし		
生存期間の中央値（2000 年以降）	29 歳	36 歳	49 歳	45 歳
おもな死因	骨髄不全，MDS/AML，固形がん，移植合併症	感染，AML，心筋障害	骨髄不全，MDS/AML，固形がん，移植合併症，肺線維症	貧血合併症，感染症，白血病，固形がん

AML：急性骨髄性白血病，MDS：骨髄異形成症候群．

表3 ◆ 骨髄不全症を主体とした治療法

疾患	FA	SDS	DKC	DBA
保存的治療	症状に合わせて適宜輸血．Hb 6 g/dL，血小板数5,000/μLを維持することが望ましい	症状に合わせて適宜輸血	症状に合わせて適宜輸血	ステロイド抵抗性の症例では4～8週ごとの輸血．Hb 8 g/dLを維持
薬物療法	蛋白同化ホルモン，ダナゾールについては一定の評価は得られていない．好中球減少が顕著で，感染症合併例ではG-CSFの投与も考慮	顕著な好中球減少や反復感染症合併例ではG-CSFの投与を考慮	ダナゾールなど蛋白同化ホルモン投与で血液学的改善とテロメア長の伸長を認め，中等症以上では第1選択薬となり得る	ステロイドで80％は反応し，20％はステロイドから離脱可能．副作用のため6か月未満の症例には推奨されない ほか，CYAもあげられるが一定の評価は得られていない
造血細胞移植	骨髄不全に対して唯一治癒が期待できる．輸血依存の中等症および重症やMDSおよびAMLへ移行例が適応．FLUを含む移植前処置で良好な成績が得られている	重症の骨髄不全，MDSおよびAMLへ移行例が適応であるが，心・肺毒性が高率にみられる	骨髄不全に対して唯一治癒が期待でき，重症例では考慮されるが肺，肝の線維症が問題である．FLUを含む移植前処置で成績が向上した	ステロイド不応性あるいは離脱不能の輸血依存例では考慮され，治癒が期待できる
その他	固形がん，移植後二次がんの化学療法は困難であり，手術療法が主体となるため早期発見が重要	膵外分泌不全に対して膵酵素補充と脂溶性ビタミンの投与	固形がん，移植後二次がん，肺・肝線維症の経過観察が重要	輸血によるヘモジデローシスを避けるため除鉄療法の併用が望ましいが，新生児には確立されていない

AML：急性骨髄性白血病，MDS：骨髄異形成症候群，FLU：フルダラビン，CYA：シクロスポリン，G-CSF：顆粒球コロニー刺激因子．

2 Shwachman-Diamond症候群
1）臨床症状と診断基準

典型例では乳児期に発育障害，脂肪性下痢，感染を契機として好中球減少症を認めるが，臨床像，重症度は多彩である．診断基準として膵外分泌不全と血液学的異常の両者を認める症例をSDSと臨床診断するが，骨格異常，低身長，肝障害がしばしばみられる．SDSでは特異的なスクリーニング検査がなく，90％に*SBDS*遺伝子の両アレル変異を認める．

2）検査所見

血液検査では造血不全や血球形態の異形成のほか平均赤血球容積（MCV）や胎児ヘモグロビン（hemoglobin F：HbF）の高値もよくみられる．

膵外分泌不全の検査として，血清トリプシノーゲンや膵型アミラーゼの低値，便中脂肪定量の増加で評価する．超音波検査，CT，MRIで脂肪膵が認められることがある．

3 先天性角化不全症
1）臨床症状と診断基準

テロメア長の維持機能障害を背景に，皮膚の網状色素沈着，爪の萎縮，口腔内白斑を3徴とする身体的特徴に汎血球減少を伴う．そのほかの身体所見として，頭髪や歯牙の異常，肺病変，低身長，肝障害などがあげられる．最重症型とされるHoyeraal-Hreidarsson症候群やRevesz症候群では中枢神経系の異常を伴い，幼小児期より重症の再生不良性貧血を合併する．典型的症状を伴わない再生不良性貧血や家族性肺線維症もテロメア関連遺伝子の変異がみられる症例では，広義ではDKCの類縁疾患として扱われる．

2）検査所見

末梢血を用いたFlow-FISH（fluorescence *in situ* hybridization）法またはサザンブロッティング法を用いた血球テロメア長測定で著明な短縮がみられる．

4 Diamond-Blackfan貧血
1）臨床症状と診断基準

①1歳未満発症の赤芽球癆，②身体の先天異常，③MDSや白血病への移行や固形がんの合併，を特徴とする．その表現型は多様で，よくみられる身体の先天異常として，低身長，拇指の異常，眼の異常，口唇口蓋裂，頭部・顔面の異常，先天性心疾患，泌尿生殖器の異常があげられる．古典的DBAの遺伝子変異が確認されれば診断はより確定される．

2）検査所見

好中球や血小板の減少を認めない大球性貧血（あるいは正球性貧血），網状赤血球の減少，赤芽球前駆

細胞の消失を伴う正形成骨髄所見を認める．赤血球アデノシンデアミナーゼ活性（eADA）または還元型グルタチオン（eGSH）の高値を認め，HbF も高値である．赤芽球癆を呈する鑑別疾患として TEC（transient erythroblastopenia of childhood）が重要であるが，TEC は 1 歳以上の小児に多く，先行するウイルス感染に続発し，ほとんどの症例は 1～2 か月で自然治癒をする．

治療

表 3 に，それぞれの疾患の骨髄不全症を主体とした治療法を示した．造血細胞移植は骨髄不全症や造血器腫瘍に対して治癒が期待できるが，疾患ごとの合併症を考慮しながら，長期的な経過観察が必要である．

日本小児血液・がん学会による中央診断システム

日本小児血液・がん学会では，小児期にみられるすべての骨髄不全症の中央診断システムを 2009 年 2 月から導入し，成果をあげてきた．遺伝性骨髄不全症候群が疑われる際には，遺伝子診断などを含めたアドバイスも行われている．後天性骨髄不全症と診断されていた症例から遺伝性骨髄不全症候群を鑑別することは，治療法も異なるためきわめて重要であり，わが国の小児骨髄不全症の診断・治療の大きな要となっている．

■ 文献

1) 小島勢二：先天性骨髄不全症候群．難治性貧血の診療ガイド編集委員会（編），難治性貧血の診療ガイド．南江堂，195-236，2011
2) Shimamura A, et al.：Pathology and management of inherited bone marrow failure syndrome. Blood（reviews）24：101-122, 2010
3) 日本小児血液・がん学会（編）：先天性骨髄不全症ガイドライン 2017．診断と治療社，2017
4) 三谷絹子（編）：厚生労働科学研究費補助金（難治性疾患政策研究事業）特発性造血障害に関する調査研究班．特発性造血障害疾患の診療の参照ガイド（令和元年度改訂版）．2020
http://zoketsushogaihan.umin.jp/resources.html

（矢部みはる）

第1章 血液・造血器疾患

A 赤血球の異常

5 先天性溶血性貧血

定義・概念

　先天性溶血性貧血は，赤血球膜，赤血球酵素およびヘモグロビン（Hb）などの異常によって赤血球寿命が短縮して発症する単一遺伝子疾患である．親から体質を受け継いで発症する場合と生殖細胞系列の突然変異によって発症する場合があるため，ここでは「先天性」とよぶが，遺伝カウンセリングで次の世代への影響を説明する場合には「遺伝性」とよんだほうが患者・家族などにわかりやすいかもしれない．
　胎児腹水，胎児水腫，早発黄疸，遷延性黄疸などの背景に先天性溶血性貧血があることが産科・新生児科・小児科医によって気づかれる[1]．その後，小児科領域から内科領域まで幅広い年齢で先天性溶血性貧血が診断される．
　家族歴では家系内近親婚の有無，原因不明の貧血，胆石，ヘモクロマトーシスの有無を両親から聴取する．また先天性溶血性貧血の病因の多くが熱帯熱マラリアへの抵抗性を寄与するため，東南アジアからアフリカ，中南米などの出身者では保因者頻度が高い．両親，祖父母などにこれらの出身者がいるか否かも病歴聴取時に重要である[2]．
　新生児期の生後7～9週までに起こる生理的貧血に加えて，母乳性黄疸，Gilbert症候群などの体質性黄疸が加わる場合，先天性溶血性貧血との鑑別が困難なケースがある．さらに有口赤血球，奇形赤血球などの赤血球形態が正常新生児にも認められるため，赤血球形態異常がすべて先天性溶血性貧血に結びつくわけではないことも注意すべきである．

病因・病態

　先天性溶血性貧血のおもな病型を表1に示す．わが国では，軽度の小球性貧血によって気がつかれる軽症サラセミア（サラセミア保因者）を除くと，最も頻度の高い病型は赤血球膜骨格を構成する蛋白の異常によって生じる遺伝性球状赤血球症（hereditary spherocytosis：HS）である．最近，病因遺伝子が明らかになった赤血球膜陽イオンチャネルの異常活性化による脱水型遺伝性有口赤血球症（dehydrated hereditary stomatocytosis：DHSt）が続き，遺伝性楕円赤血球症（hereditary elliptocytosis：HE），赤血球酵素異常症（erythroenzymopathy），不安定ヘモグロビン症（unstable hemoglobinopathy）が続く．また最近，まれな赤血球膜異常症としてフリッパーゼ異常症が同定された．そのほかに赤血球以外の病変を伴う病因として，先天性血栓性血小板減少性紫斑病（Upshaw-Shulman症候群），非典型溶血性尿毒症症候群，IV型コラーゲン異常症，Wilson病やMenkes病などがあげられる．
　おもな赤血球膜異常症の病因遺伝子を表2に示

表1 ◆ 先天性溶血性貧血のおもな病型

病型	疾患名	英語疾患名
①赤血球膜の異常	遺伝性球状赤血球症 遺伝性有口赤血球症 遺伝性楕円赤血球症 遺伝性熱変形赤血球症	hereditary spherocytosis：HS hereditary stomatocytosis：HSt hereditary elliptocytosis：HE hereditary pyropoikilocytosis：HPP　など
②赤血球酵素異常症	グルコース-6-リン酸脱水素酵素異常症 ピルビン酸キナーゼ異常症 ピリミジン5'-ヌクレオチダーゼ異常症 グルコースリン酸イソメラーゼ異常症	glucose-6-phosphate dehydrogenase(G6PD)deficiency pyruvate kinase(PK)deficiency pyrimidine 5'-nucleotidase(P5N)deficiency glucosephosphate isomerase(GPI)deficiency　など
③ヘモグロビンの異常	不安定ヘモグロビン症 鎌状赤血球症 サラセミア	unstable hemoglobinopathy sickle cell disease thalassemia
④その他	先天性血栓性血小板減少性紫斑病 非典型溶血性尿毒症症候群 IV型コラーゲン異常による先天性溶血性貧血	upshaw-Schulman syndrome atipical hemolytic uremic syndrome collagen 4a1 deficiency　など

A 赤血球の異常　5. 先天性溶血性貧血

表2　おもな赤血球膜異常症の原因遺伝子

病型	遺伝子名
遺伝性球状赤血球症（HS）	ANK1, SPTA1, SPTB, SLC4A1, EPB42
遺伝性楕円赤血球症（HE）	SPTA1, SPTB, EPB41, GYPC
遺伝性有口赤血球症（HSt）	PIEZO1, KCNN4, SLC4A1, RHAG
遺伝性熱変形赤血球症（HPP）	SPTA1
フリッパーゼ異常症	ATP11C

表3　血管外溶血と血管内溶血

血管外溶血 Extra-vascular hemolysis

脾臓，肝臓，骨髄，リンパ節におけるマクロファージによる赤血球貪食

- 【生理的】加齢赤血球の崩壊
- 【病　的】自己免疫性溶血性貧血，遺伝性球状赤血球症，サラセミア，ピルビン酸キナーゼ異常症　など
- 【特　徴】慢性溶血で脾腫を伴う
  血清 LDH 軽度高値
  無効造血を伴うことがある

血管内溶血 Intra-vascular hemolysis

末梢血管内における赤血球膜の傷害による崩壊

- 【病　的】発作性夜間ヘモグロビン尿症，発作性寒冷ヘモグロビン症，血栓性血小板減少性紫斑病，寒冷凝集素症，溶血性尿毒症症候群，グルコース-6-リン酸脱水素酵素（G6PD）異常症　など
- 【特　徴】急性溶血発作を伴う
  ヘモグロビン尿や尿中ヘモジデリンを認める
  血清 LDH は著明に上昇
  重症例では腎機能障害を伴う

注：色太字は先天性，黒太字は一部が先天性．

す．従来から赤血球膜異常症は末梢血塗抹標本で観察される異常な赤血球形態によって，球状・楕円・有口・熱変形赤血球症と分類されてきた．後述する通り，現在は次世代型シークエンサーを活用した溶血性貧血関連パネル遺伝子解析が可能になり，例えば HS 症例について，5 つの病因遺伝子，アンキリン（ANK1），α または β-スペクトリン（SPTA1, SPTB），バンド3（SLC4A1）および4.2蛋白（EPB42）のいずれに変異があるのか，変異が片方の対立遺伝子にあるのか両アレルに存在するのか，さらにホモ接合体なのか複合ヘテロ接合体なのかを明らかにできる．家族解析により両親のどちらからどの変異を受け継いだのか，新生（de novo）変異なのかなどを明確にすることが可能である．遺伝子検査結果が得られることは診断精度が向上するばかりでなく，予後の予測や日常生活上の注意事項，次世代への遺伝などの情報を正確に提供できることにつながる[3]．

病型の鑑別では，溶血の場が網内系（血管外）なのか，末梢血管内（血管内）なのかを知ることが重要である．表3におもな溶血性貧血の病型を血管外，血管内に分類して示した．HS に代表される赤血球膜異常症では，赤血球膜骨格蛋白の構造変異により膜が不安定になる．DHSt では細胞内から K^+ が喪失し，赤血球内の脱水が生じた結果，膜安定性が損なわれる．ピルビン酸キナーゼ（PK）異常症のような解糖系酵素異常症では赤血球内 ATP 濃度の低下により Na^+，K^+-ATPase 機能が低下し，K^+ 喪失と赤血球内脱水が生じる．このような変化により変形能を失った赤血球は脾臓内マクロファージに貪食される．フリッパーゼ活性低下は加齢赤血球において細胞外に露出するリン脂質ホスファチジルセリン量が増加することが示されているが，各病型でマクロファージによって異常赤血球がどのように認識されているのか詳細はいまだ明らかになっていない．

グルコース-6-リン酸脱水素酵素（G6PD）異常症の血管内溶血の誘発因子としては，先行感染および薬剤，食物（ソラマメ）に注意する．G6PD 反応で生じる還元型ニコチンアミドアデニンジヌクレオチド（NADPH）はグルタチオン還元酵素の補酵素であり，酸化型グルタチオンの還元反応に必要である．G6PD 活性が低下すると赤血球内還元型グルタチオン（GSH）の濃度が低下し，その結果として赤血球内蛋白，脂質の過酸化が起き赤血球寿命の短縮をきたす．

疫学

2000年（平成12年）の厚生労働省研究班（特定疾患治療研究事業未対象疾患の疫学像を把握するための調査研究班，2000年）の調査結果では，わが国における溶血性貧血の約 1/6 が先天性であり，そのうち約 70％ が HS であった．最近 5 年間の自験例に限ると HS および HE，DHSt を併せて約 50％，赤血球酵素異常症が 9％，不安定ヘモグロビン症が 4％ となった．いまだ検査しても病因未確定の症例が 30％ 認められた（図1）．

臨床徴候

貧血，黄疸で気づかれ，理学所見または画像診断により脾腫や胆のう結石症が指摘される．貧血の程度は症例ごとに異なる．代償性に赤血球造血が亢進するため，Hb 値低下が目立たない軽症例から定期的に赤血球輸血が必要となる重症例までさまざまである．黄疸は間欠的で感染・過労・ストレスなどに

より増強する．新生児，乳児期に診断される例が増加しているため，診断時に脾腫を呈する例は少ない．パルボウイルスB19感染により急性赤芽球癆（acute red cell aplasia），無形成発作（aplastic crisis）を起こし，背景にある先天性溶血性貧血が明らかになることもある．病型により頻度は異なるが，感染・薬剤・特定の食物による溶血発作（hemolytic crisis）が契機となり，診断される例も少なくない．

無効造血を伴う先天性溶血性貧血やDHStではヘモクロマトーシスが併発することがある．DHStでは胎児水腫，胎児腹水を指摘される例が多く，赤血球輸血を受けていないにもかかわらず鉄過剰に陥り，原因不明の肝・腎機能障害，耐糖能異常，性腺機能不全（不妊）などで発症する場合がある．2型糖尿病と診断された患者が空腹時血糖値に比して異常に低いHbA1c値で背景に赤血球寿命の短縮があることを指摘される例がある．

診断・検査（表4, 図2）

1 血算，生化学

ヘム崩壊の亢進を示す検査所見として，血清間接ビリルビン上昇，尿中ウロビリノーゲン排泄亢進，血清LDHの上昇（1型アイソザイム），血清ハプトグロビンの低下，HbA1cの低下を認める．

血管内溶血の徴候としては，ヘモグロビン尿症および尿中ヘモジデリンを認める．

2 赤血球形態

HSの典型例では，末梢血中に小型球状赤血球（micro spherocyte）が出現することが特徴である．一方で遺伝子変異の種類によっては赤血球膜の不安定性が強く，破砕赤血球や奇形赤血球などが目立ち，球状赤血球がほとんど認められない場合がある．

同様の赤血球形態異常は，遺伝性熱変形赤血球症（hereditary pyropoikilocytosis：HPP）でも認められる．HPPは両親のどちらかからα-スペクトリン遺伝子変異，もう一方からα-スペクトリン発現量の減少をきたす多型（alpha LELY：low expression, Lyon）が遺伝した場合に認められる[4]．このHPPでは楕円赤血球のほかに奇形赤血球や破砕赤血球を認めるため，重症HSとの鑑別が困難となる．

赤血球形態観察で有口赤血球，標的赤血球を認める場合には，遺伝性有口赤血球症（hereditary stomatocytosis：HSt）を疑う．

赤血球形態に異常を認めない慢性溶血性貧血例，あるいは急性溶血発作で発見される先天性溶血性貧血症例で，免疫学的機序による溶血性貧血が否定された場合，赤血球酵素異常症や不安定ヘモグロビン症を考える．慢性溶血性貧血で棘状赤血球（echino-

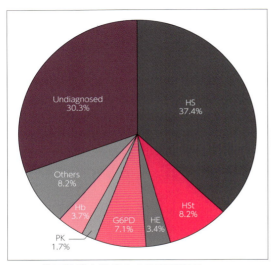

図1 ◆ 先天性溶血性貧血の病型別頻度
2015〜2019年に東京女子医科大学で検査した319症例の病型内訳を示す．
Others：DAT陰性AIHA，母児間血液型不適合，巨赤芽球性貧血，CDA．
(The Bulletin of Tokyo Women's Medical University Institute for Integrated Medical Sciences, 2020)

表4 ◆ 溶血性貧血診断に重要な臨床検査項目

種類	検査項目
①血算	網赤血球数，赤血球形態，Mentzerインデックス
②血清生化学	乳酸脱水素酵素，間接ビリルビン，ハプトグロビン，トランスフェリン飽和率，フェリチン
③尿所見	ヘモグロビン，ウロビリノーゲン，ビリルビン，ヘモジデリン
④自己抗体および補体制御蛋白	直接抗グロブリン試験，Donath-Landsteiner抗体，寒冷凝集素，赤血球表面マーカーCD55/CD59の測定
⑤骨髄像	赤芽球過形成，多核赤芽球，核間架橋
⑥特殊検査（ヘモグロビン分析を除き，すべて保険未収載）	ヘモグロビン分析（HbF，HbA2），血清von Willebrand因子特異的切断酵素（ADAMTS13）活性低下・インヒビターの証明，赤血球浸透圧脆弱性試験（Osmotic fragility test），赤血球表面IgG分子数，赤血球eosin 5'-maleimide結合能，赤血球酵素活性測定

cyte）を認める場合はPK異常症などの解糖系酵素異常症，好塩基性斑点はピリミジン5'-ヌクレオチダーゼ（pyrimidine 5'-nucleotidase：P5N）異常症を考える．G6PD異常症や不安定ヘモグロビン症では，Heinz小体が観察される．

3 病型診断

1）赤血球浸透圧脆弱性試験

赤血球は等張の食塩水に浮遊した場合は溶血しないが，ある一定以上の低張液に浮遊させた際には溶血する．食塩水の希釈系列を作成して赤血球を加え一定時間のあと，遠心後上清の吸光度を測定して溶血が開始するNaCl濃度を決定する．このParpart法では検出できないHS症例があるため，現在ではより感度の高いフローサイトメーターを用いた定量的OF測定（FCM-OF）が採用されている．

2）Eosin 5'-maleimide（EMA）結合能

Eosin 5'-maleimide（EMA）は，赤血球膜貫通蛋白バンド3の細胞外ループにあるLys430残基と結合する蛍光色素である．HSでは赤血球膜表面積の減少に伴い，赤血球一個あたりのEMA結合数が低下するため，赤血球EMA結合能をHSの診断として用いることが可能になった．追試の結果，本検査の感度および疾患特異性が高いことが判明し，赤血球浸透圧脆弱性試験に代わる標準的検査方法として評価されている[5]．病因遺伝子の種類にかかわらず赤血球一個あたりのEMA結合数は減少し，赤血球膜表面積の減少を証明できる．

3）イソプロパノール不安定性試験

グロビン鎖におけるアミノ酸配列異常の結果，赤血球内でHbが変性して沈殿することにより溶血が起こる病態を不安定ヘモグロビン症という．溶血液にイソプロパノールを含む緩衝液を加え，転倒混和下後，37℃で孵置して継時的に沈殿の有無を観察する．

4）還元型グルタチオン（GSH）定量

還元型グルタチオン（GSH）は，赤血球における最も重要な抗酸化物質（antioxdant）である．赤血球ではメトヘモグロビンから酸素分子が離脱する際に活性酸素が産生され，血管内皮細胞や周辺組織から放出される活性酸素種（reactive oxygen species：ROS）の一部は赤血球に捕捉される．これらの酸化ストレスによって生じる過酸化水素はGSHにより解毒され，Hb，赤血球膜蛋白，酵素蛋白を酸化から保護するのにきわめて重要な働きをしている．いったん酸化されたGSHの再利用にはグルタチオン還元酵素（GR）反応が重要で，このGR反応の補酵素NADPHは，G6PD反応で生成される．したがってG6PD異常症の補助診断として赤血球GSH濃度低下を証明することが重要である．またこのGSHがDiamond-Blackfan貧血で増加することが最近見出されている．

5）赤血球酵素活性測定

赤血球の寿命維持に重要な代謝系の障害によって起こるのが赤血球酵素異常症である．現在までに解糖系，ペントースリン酸経路，ヌクレオチド代謝系，グルタチオン生合成・還元系など酵素の異常による先天性溶血性貧血が知られている．わが国ではG6PDおよびPK，P5N，グルコースリン酸イソメラーゼ（GPI）酵素異常症が比較的多い．解糖系酵素異常のなかには，赤血球だけではなく，骨格筋や中枢神経系に発現するアイソザイム遺伝子変異例があり，神経筋症状を伴うことがある．

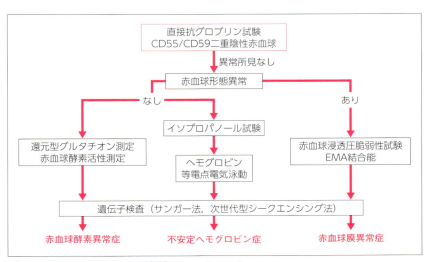

図2 ● 先天性溶血性貧血の診断フローチャート

4 遺伝子検査

赤血球膜骨格蛋白，陽イオンチャネル，酵素，Hbなどの遺伝子を同時に検討するため，溶血性貧血関連パネルを用いた網羅的遺伝子検査(target-captured sequencing：TCS)が研究的検査として実用化されている．TCS導入により，先天性溶血性貧血との鑑別が必要な先天性赤血球形成異常性貧血(congenital dyserythropoietic anemia：CDA)の診断も可能になっている[6]．

治療・予後

1 HS

代償的赤血球造血亢進を支えるため，葉酸の補充を行う．Hb濃度が 8 g/dL 未満の例では脾臓全摘術(total splenectomy：TS)を考慮する．貧血の程度が強くなくても高ビリルビン血症，胆石を伴う場合には胆のう摘出術を考慮する．HSの溶血所見はTSでほぼ完全に改善するが，術後の重症感染症罹患リスクは術前ワクチン投与や予防的抗菌薬投与によってもゼロにはならない．このことから欧米では最近，6歳未満で頻回の赤血球輸血が必要になる重症例には脾臓亜全摘術(subtotal splenectomy：STS)が用いられている．

2 DHSt

ヘモクロマトーシスに対して鉄制限食，鉄キレート薬投与を適切に実施する．脾摘術は無効(*KCNN4*変異例)ないし禁忌(*PIEZO1*変異例)であるため，HS疑い例であっても，必ず病型を確定してから脾摘術の適応を考える．DHStの脾臓摘出後に全身性静脈塞栓症，門脈血栓症などの合併症が出現する可能性がある．診断時にすでに高フェリチン血症を呈しており，赤血球輸血の既往がなくても20歳代以降に原因不明のヘモクロマトーシスを発症するのが特徴であるため，経口鉄キレート薬投与が必要になるケースが多い[7]．

3 G6PD異常症

ラスブリカーゼ(ラスリテック®)は，がん化学療法用尿酸分解酵素製剤であり，腫瘍崩壊症候群に伴う高尿酸血症の治療薬である．本剤はG6PD欠乏症患者に急性溶血発作を惹起するため，投与前には赤血球G6PD活性測定が必要である．

進行期がん患者に対してビタミンC大量療法が施行されることがあるが，本治療法はG6PD患者に急性溶血発作を誘発するので注意が必要である．投与前に市販のキットを用いた簡易検査でG6PD欠乏症の疑いと判定された場合には，定量的な赤血球G6PD活性測定が必要である．

4 PK異常症

変異酵素に作用して活性を強制的に高める新規治療薬(Mitoptat™)の第三相臨床試験が進行中である[8]．遺伝子変異の種類によって有効性が異なり，本薬剤が変異PK分子に結合してアロステリック活性化ができなければ無効である．本症では無効造血によるヘモクロマトーシス発症のリスクがあるため，血清フェリチン値をモニターし，適宜鉄キレート薬を使用する．HSとは異なり脾摘術の効果は確実ではないが，慢性溶血性貧血の程度が強く頻回の赤血球輸血を伴う例には脾摘術を考慮する．最重症例に対しては国内外で造血細胞移植の実績があるため，ヘモクロマトーシス発症前に移植を検討する[9]．

ピットフォール・対策

先天性溶血性貧血の病型分類が困難な時代には，診断未確定のまま脾摘術を受けて，術後静脈血栓症を併発したケースがまれにあった．DHStの男性例はHb値が保たれている慢性溶血性貧血であっても，組織への鉄沈着が進み20歳以降にヘモクロマトーシスが発症する．溶血性貧血の病型診断は患者の生命予後およびQOLの改善にきわめて重要である．

■ 文献

1) 大賀正一，他：新生児の遺伝性溶血性貧血—遺伝子診断の臨床的意義．臨血 61：484-490，2020
2) 菅野 仁，他：日本におけるグルコース-6-リン酸脱水素酵素異常症．臨血 56：771-777，2015
3) 菅野 仁，他：網羅的遺伝子解析による先天性溶血性貧血診断の意義と課題．臨床血液 62，in press，2021
4) Suzuki T, et al.：A novel α-spectrin pathogenic variant in trans to α-spectrin LELY causing neonatal jaundice with hemolytic anemia from hereditary pyropoikilocytosis coexisting with Gilbert Syndrome. J Pediatr Hematol Oncol 43：e250-e254, 2021
5) Bianchi P, et al.：Diagnostic power of laboratory tests for hereditary spherocytosis：a comparison study in 150 patients grouped according to molecular and clinical characteristics. Haematologica 97：516-523, 2012
6) Hamada M, et al.：Whole-exome analysis to detect congenital hemolytic anemia mimicking congenital dyserythropoietic anemia. Int J Hematol 108：306-311, 2018
7) Andolfo I, et al.：Gain-of-function mutations in PIEZO1 directly impair hepatic iron metabolism via the inhibition of the BMP/SMADs pathway. Am J Hematol 95：188-197, 2020
8) Grace RF, et al.：Safety and efficacy of mitapivat in pyruvate kinase deficiency. N Engl J Med 381：933-944, 2019
9) van Straaten S, et al.：Worldwide study of hematopoietic allogeneic stem cell transplantation in pyruvate kinase deficiency. Haematologica 103：e82-e86, 2018

〈菅野　仁〉

第1章 血液・造血器疾患

A 赤血球の異常

6 血色素異常症（異常ヘモグロビン症，サラセミア）

定義・概念

ヘモグロビン（Hb）の異常である血色素異常症は，質的異常（アミノ酸置換など）の異常ヘモグロビン症と量的異常（グロビンの産生低下）のサラセミアに大別できる．血色素異常症のほとんどが先天性の疾患である．異常ヘモグロビン症のなかで Hb 分子の不安定性からしばしば溶血性貧血をきたすものを不安定ヘモグロビン症という．サラセミアにおいても重症型・中間型では溶血性貧血がみられるが，軽症型ではみられない．

病因・病態[1]（表1）

1 グロビン鎖の構成

Hbは，141個のアミノ酸からなる α グロビン鎖2分子と146個のアミノ酸からなる非 α グロビン鎖（β，γ，δ 鎖など）2分子からなる四量体である．成人の Hb 構成は，HbA（$\alpha_2\beta_2$）が96％，HbA$_2$（$\alpha_2\delta_2$）が2.5〜3.5％，HbF（$\alpha_2\gamma_2$）が1％以下である．胎生期の主要な Hb である HbF は，出生後に急激に低下し，生後1年でほぼ成人レベル（1％以下）に達する．

2 異常ヘモグロビン症[2]

現在，全世界で報告されている異常ヘモグロビンの種類は1,404ある（Globin Gene Server, https://globin.bx.psu.edu/hbvar/menu.html）．各グロビン鎖をコードしている CDS（coding sequence）にミスセンス変異が起きれば異常 Hb になるため，相当数の異常ヘモグロビン症があってもおかしくない．わが国でみられる異常ヘモグロビン症のうち，症候性は31％で，残り69％は無症候性（正常）である．アミノ酸置換があっても機能的にはほとんど異常を呈さない無症候性が大半を占めている．症候性の臨床型は，①グロビン鎖の不安定性亢進による不安定ヘモグロビン症（症候性の59％），②酸素親和性の亢進による多血症（33％），③酸素親和性低下あるいは HbM によるチアノーゼ（12％），④超不安定 Hb によるサラセミア様徴候（8％）がみられる．これらは HPLC（high performance liquid chromatography）による HbA1c 測定における異常低値（まれに高値）の原因となっている．

3 サラセミア[3]

サラセミアは，Hbを構成するグロビン鎖の産生低下により生じ，産生の低下したグロビンの名をとって命名される．つまり，α グロビン鎖の産生低下を α サラセミア，β グロビン鎖の産生低下を β サラセミアと称す．

1）α サラセミア

α サラセミアの原因は，β サラセミアとは異なり遺伝子の広範囲欠失によるものがほとんどである．健常人では，α グロビン遺伝子は染色体上に2個が隣接して存在するため，全部（二倍体）で4個存在する．その欠失数が増えるほど α サラセミアの重症度は高くなる．α サラセミアにおいても，相対的に過剰となった正常の β グロビン鎖は HbH と称される β グロビンのホモ四量体（β_4）を形成し，赤血球膜を傷害するため，一種の不安定ヘモグロビン症様症状を呈する．

2）β サラセミア

β サラセミアのほとんどは，β グロビン遺伝子の点突然変異や1塩基から数塩基の挿入または欠失が原因である．早期終止（終止コドン），スプライシング異常，フレームシフトをきたし，その結果，β グロビン鎖の産生不良をきたす．β グロビンが全く産生されない場合を β^0 サラセミア，産生されるが減少しているものを β^+ サラセミアと称している．β グロビン鎖はおもに出生後から産生されるため，重症型 β サラセミアの胎児も「健常」に生まれるが，徐々に重篤な貧血を呈してくる．四量体としての HbA の生成不良のためである．その際，正常に産生される α グロビン鎖は，相対的に余剰となり，変性し Heinz 小体を形成する．それは赤血球膜に結合し，赤血球膜に傷害を起こし溶血性貧血を招く．

疫学

1 異常ヘモグロビン症

日本人の異常 Hb の頻度は1/2,700と比較的少ない[4]．世界で最も多いのは HbS（β^S）である．そのホモ接合体（β^S/β^S）や β^0 サラセミアとの複合ヘテロ接合体（β^S/β^0）は，「鎌状赤血球貧血」と称される．HbS のヘテロ接合体（β^S/β）は無症状であり，熱帯熱マ

表1 ● 異常ヘモグロビンおよびサラセミアの分類、遺伝子型、臨床的特徴、およびそのスクリーニング試験

分類		異常ヘモグロビン症	不安定ヘモグロビン症	α-サラセミア					β-サラセミア				δβ-サラセミア $(\delta\beta)^0/\delta\beta$	εγδβ-サラセミア $(\varepsilon\gamma\delta\beta)^0/\varepsilon\gamma\delta\beta$
遺伝子型[*1]				$-\alpha/\alpha\alpha$	$-\alpha/-\alpha$	$--/\alpha\alpha$	$--/-\alpha$	$--/--$	β^+/β	β^0/β	β^+/β^+	β^+/β^0	β^0/β^0		
日本における頻度[*2]		1/2,700	全異常Hbの18%	1/500〜800	33	387	84	3	1/1000		26 (5)[*7]	22 (16)[*8]	3	21	52
溶血性貧血		−〜+	(−)〜+		無症候性	軽症	軽症	中間	死産	軽症	軽症	中間	重症	重症	軽症	−〜+[*3]
表現型	HbF			正常	正常	正常	正常		増加	増加	増加	増加	増加	増加	軽症
	HbA₂			正常	減少	減少	減少		増加	増加	増加	増加	増加	減少	正常
	イソプロパノールテスト(不安定)	−〜+	+	−	−	−	+		−	−	−	−	−	−	−
スクリーニング試験[*4]	異常バンド(等電点電気泳動)	(−)[*5]〜+	(−)[*6]〜+	正常	−	−	HbH	HbH		(HbE)[*7]	−	(HbE)[*7]	(HbE)[*7]	(HbE)[*8]	−	−
	GLT₅₀[*8]	正常〜延長	正常〜延長	正常	延長	延長	延長		延長	延長	延長	延長	延長	延長	−
	封入体	−〜+	Heinz小体	−	HbH RBC 数十万個に1個	HbH RBC 数万個に1個	HbH RBC 数個に1個		−	−	−	Heinz小体	Heinz小体	−	−

*1：日本で多くみられるものを色文字で示した。
*2：分数は人口における頻度。数値は見つかっている実数を示す。
*3：20%の症例で、周産期に重篤な貧血あり。
*4：診断上、重要な所見は色文字で示した。
*5：異常ヘモグロビンが正常のHbAに重なる。
*6：異常ヘモグロビンが正常のHbAに重なるか、高度不安定性のために変性してなくなっている。
*7：( )内の数字はHbE/β⁺の数を示す。IEFではHbE はHbA₂の位置にHbEが現れる。
*8：( )内の数字はHbE/β⁰の数を示す。輸血をしてない状況ではHbAは認められない。
*9：GLT₅₀（グリセロール半溶解時間）はサラセミアに特異的ではないが、高率に異常となる。

ラリアに抵抗性があることから，その蔓延地域ではβ^S遺伝子が「選択」される．つまり，正常の小児はマラリアで死亡するが，β^S/βの小児は生き残るために，HbS遺伝子が徐々に増える．わが国ではHbSは元来存在しなかったが，最近の国際化により，遭遇するようになってきた．症候性の異常ヘモグロビン症で最もわが国に多いのは，不安定ヘモグロビン症であり，種々の程度の溶血，あるいは溶血性貧血がみられる．

2 サラセミア

HbS同様，サラセミア血球もマラリアに抵抗性があるため，選択圧によりマラリア多発地域（地中海沿岸から，中東，インド，東南アジア，中国南部）に重なってサラセミア多発地帯が存在する．日本人のαサラセミアは3,500人に1人，βサラセミアは1,000人に1人の頻度で存在するためまれな疾患ではない（表1）．

臨床徴候

1 異常ヘモグロビン症

先天性の溶血性貧血，多血症，チアノーゼ，あるいはサラセミア様の症状（小球性赤血球症）がみられたら，異常ヘモグロビン症の可能性も疑う．症候性の異常ヘモグロビン症は，鎌状赤血球貧血を除けば，一般に常染色体顕性（優性）である．

1）不安定ヘモグロビン症

Hb分子に不安定性が生じても，すべてが溶血性貧血をきたすわけではなく，無症候性から著しい溶血性貧血をきたすものまでさまざまである．溶血性貧血を示すものには，Heinz小体がみられることが多い．

2）多血症

異常Hbの酸素親和性が高いと，末梢において酸素が放出されないために，（おそらく）エリスロポエチンの産生が増加し多血症をきたす．この種の異常Hbは，実質的には酸素運搬の役割を果たしていない．多血症では血液粘度の上昇により，脳梗塞などのリスクが高まる．

3）チアノーゼ

メトヘモグロビン型（古い血液が黒色調を呈する原因）を呈するHbM症の場合と，酸素親和性が減少したバリアントの場合がある．両者ともほとんど無症状である．後者は酸素運搬能が高いため，むしろ運動能力に優れる場合が多いといわれる．

4）サラセミア様の症状

超不安定性のバリアントでは，グロビン鎖ができるやいなや崩壊するので，あたかも産生されていないような状態，つまりサラセミア症状を呈する．一般的には，軽症型サラセミア様症状を呈する．

2 サラセミア

臨床的には，定期的な輸血が必須である重症型，小球性赤血球症が常時みられHb値は正常下限前後を示す軽症型（輸血は不必要），そしてその中間でときどき輸血を必要とする中間型に分類されている（表1）．サラセミアは「溶血性貧血」をきたす疾患として分類されているが，溶血性貧血を示すのは重症型と一部の中間型である．軽症型では原則として溶血は認められない．ただし，軽症型でも妊娠中，感染症罹患時には一過性に貧血が重篤化する場合がある．わが国でのサラセミアの大部分は軽症型（ヘテロ接合体）であるが，サラセミアの多発地域である東南アジアからの移入者の増加とともに，重症型もみられ始めている．

診断・検査

先天性の溶血性貧血，多血症，チアノーゼおよびHPLCによるHbA1cの測定値と臨床または血糖値との乖離（多くは低めのHbA1cの値）に遭遇した場合，異常ヘモグロビン症を疑い，精査が必要となる．サラセミアでは軽症型，重症型を問わず，必ず小球性赤血球症を呈し〔つまり形態的には顕性（優性）〕，血球形態は鉄欠乏性貧血に類似する．生化学データ〔血清鉄，不飽和鉄結合能（UIBC），血清フェリチン値〕により鉄欠乏性貧血が否定された場合，まずサラセミアを疑う必要がある．また，鉄剤抵抗性の「鉄欠乏性貧血」でもしばしばサラセミアが本態であることがある．αサラセミアでは，HbH封入体の出現，βサラセミアではHbA$_2$の上昇，そして両者に共通してGLT$_{50}$の延長がみられるのが，スクリーニング時のポイントである（表1）．現在，有料ではあるが福山臨床検査センターで溶血性貧血の検査を行っている（https://www.fmlabo.com/service/erythrocyte/）．

治療・予後

遺伝性疾患であるので，根治療法は骨髄移植しかない．重篤ではない中間型，軽症型では，経過観察か，貧血がひどければ輸血で対応できることが多い．

1 異常ヘモグロビン症

不安定ヘモグロビン症で症状が激しい場合には，歴史的に脾臓摘出術（脾摘）が試みられたが，先天性球状赤血球症ほどの効果が得られないことや術後の血栓症の合併のために，現在では，脾摘はあまりに

行われなくなった．多くは輸血で対処をしている．あまりに症状が激しければ，骨髄移植などを考える必要がある．

2 サラセミア

日本人に多い軽症型は原則として無症状であるので治療は不要であるが，前述の通り妊娠中，感染症罹患時には一過性に貧血が増悪することがある．重症型では，定期的輸血とそれに伴う鉄過剰症対策としての鉄キレート療法が必須である．鉄キレート療法は従来から鉄キレート薬の皮下持続灌流が常識であったが，最近，経口鉄キレート薬が使えるようになってきたのは福音である．骨髄移植も選択されるが，マッチングに加え，必ず成功するとは限らない．最近，重症型に対する遺伝子治療が成功した報告が出されており，注目されている[5]．わが国では，東南アジアからの移入者にHbE/β^0サラセミアがときどきみられ，この多くは重症型を呈する（表1）．HbEは不安定Hbであるが，同時にβ^+サラセミアでもある．サラセミア，特にβ^0サラセミアでは，ホモ接合体を作らないように保因者への「教育」が重要である．実際，β^0サラセミアの多発地域である地中海諸国では，若者のサラセミア保因者を洗い出し，重症型βサラセミアの激減が達成された．

ピットフォール・対策

① 溶血性貧血，多血症またはチアノーゼが先天的に，あるいは家族性にみられる場合は，常に鑑別診断として異常ヘモグロビン症の可能性も考える．ただし，その頻度は決して高くはない．

② HPLCによるHbA1cの測定値が，血糖値，グリコアルブミン糖化アルブミン（Glycoalbumin Glycated Albumin：GA）やほかのHbA1c測定法（酵素法や免疫法）の測定値と乖離がみられる場合には，異常Hbの存在を考える．なお，網球増多症の場合は，どの疾患であってもHbA1c値は低値の傾向をとる．

③ サラセミアは決してまれな疾患ではないだけに，鉄欠乏性貧血との鑑別が常に問題となる．最も簡単な目安としては，赤血球数 $5.00 \times 10^6/\mu L$ 以上，Mentzer index〔MCV/赤血球数〕13以下の場合は，軽症型サラセミアの可能性が高い．鉄剤抵抗性の鉄欠乏性貧血がサラセミア発見の端緒となることも少なくない．ただし，鉄剤に対する患者のアドヒアランスが悪い場合があるため，鉄欠乏性貧血の治療モニターとして血清フェリチン値のチェックが欠かせない．

■ 文献

1) Higgs DR, et al.：The biology of the thalassemia. In：Weatherall DJ, et al.(eds.), The Thalassemia Syndromes. 4th ed, Blackwell Science, 65-286, 2001
2) Steinber MH, et al.：Unstable hemogoobins, hemoglobins with altered oxygen affinity, hemoglobin M and other variants of clinical and biological interest. In Steinber MH, et al.(eds.), Disorders of Hemoglobin. 2nd ed., Cambridge University Press, 589-606, 2009
3) 山城安啓，他：ヘモグロビン異常症．門脇 孝，他（編），カラー版 内科学．西村書店，1370-1371，2012
4) Shibata S, et al.：Abnormal hemoglobins in Japan. Hemoglobin 4：395-408, 1980
5) Cavazzana-Calvo M, et al.：Transfusion independence and HMGA2 activation after gene therapy of human β-thalassemia. Nature 467：318-322, 2010

（山城安啓）

第1章 血液・造血器疾患

A 赤血球の異常

7 新生児の貧血・多血

新生児の貧血（胎児赤血球症を含む）

定義・概念

貧血は，ヘモグロビン（Hb）値またはヘマトクリット（Ht）値が年齢基準値を2SD超えて下回る状態と定義される．臨床上，早期新生児期（第7生日まで）は静脈血でHb値13g/dL以下，生後2か月まではHb値10g/dL以下を貧血とする．低出生体重児では生後1～3か月まではHb値8g/dL以下を病的貧血とみなす．

病因・病態

新生児期に最高値を呈した赤血球数，Hb値，Ht値は生後8～9週に最低となり，以後は漸次増加して成人値に近づく．胎生末期に産生された赤血球の寿命は60～70日と短い．加えて出生時の血液喪失，エリスロポエチン（EPO）産生低下，急速な発育などにより新生児期から乳児期にかけて生理的に赤血球数が減少する（表1）．低出生体重児は貧血が重症化しやすく未熟児貧血とよばれるが，要因の違いから生後4～8週に出現する貧血を早期貧血，生後16週以降に出現する貧血を晩期（後期）貧血とよぶ．病的な貧血の原因は出血，赤血球破壊の増加，骨髄での産生低下に大別される（表2）．

1 未熟児貧血

早期貧血の主たる原因は，骨髄での造血能の低下と考えられる．新生児は自律呼吸の開始に伴って胎内の低酸素環境から出生後の高酸素濃度環境に変化することで，出生後にはEPO産生が抑制される．EPO産生は胎生期に肝臓から腎臓へと移行する．正期産児においても，出生時点ではEPO産生のおよそ75％は肝臓由来とされている．肝臓は腎臓と比して低酸素に対する感受性が約1/10と低いことから，在胎期間が短い早産児であればあるほど低酸素状態下でのEPO産生が低く，貧血に陥りやすい．

晩期貧血の要因の多くは鉄欠乏による．出生時の鉄貯蔵量は出生体重に比例する．早産児では母体からの鉄移行も少なく，出生時の鉄貯蔵量が少ない．出生後の活発な赤血球産生と急速な発育に伴う鉄需要の増加が，貧血の進行を加速する．このため，早産児は正期産児に比べて早期に鉄欠乏に陥りやすい．

2 失血による貧血

母児間の出血は少量では問題とならない．しかし，正期産児における循環血液量のおよそ10％に相当する30mL以上の出血があれば，母児間輸血症候群の原因となり得る．胎内では，絨毛内毛細血管内圧30mmHgの胎児血と絨毛管腔内圧10mmHgの母体血は血管内皮を介して接しており，何らかの原因で血管内皮が破綻すると，圧較差により胎児血が母体血に流入する．経胎盤出血は生理的条件下でも起こり得るが，母体の外傷，羊水・臍帯穿刺などの侵襲的処置，前置胎盤，胎盤早期剥離，胎盤内絨毛癌など母体疾患に合併することもある．

また，分娩外傷に伴う頭血腫や帽状腱膜下出血，双胎間輸血症候群，採血による医原性出血も貧血の原因となり得る．

3 溶血による貧血

新生児期の溶血性貧血には母児間の赤血球血液型不適合（胎児赤芽球症），赤血球膜異常，赤血球酵素異常，そのほか後天性疾患がある．

1）母児間の赤血球血液型不適合（胎児赤芽球症）

母児間に血液型の不一致があり，母体が胎児赤血球のみがもつ血液型抗原に感作された結果として生ずるIgG型同種抗体が，赤血球血液型不適合による貧血の原因となる．IgG抗体は経胎盤的に胎児血中に移行し，胎児赤血球に結合して傷害し，胎児期あるいは新生児期に溶血性貧血をもたらす．産生されるIgG抗体のサブクラスにより，胎盤通過性や溶血作用に差がある．主として溶血を生ずるIgGサブクラスはIgG1とIgG3で，IgG2とIgG4はCoombs試験では陽性となるものの，臨床上溶血は起こさない．母児間のABO不適合が最も多く，次いでRh不適合が多い．Rh型抗原にはC，c，D，E，eの5種類が存在するが，RhD抗原が最も免疫原性が強いことからRh（D）陰性母体がRh（D）陽性胎児を妊娠することによる「D不適合妊娠」が最も重症化しやすく，しばしば胎児水腫を生ずるとともに赤芽球増多（これが胎児赤芽球症とよばれる理由である）を呈することから，臨床上重要である．

表1 ◆ 在胎週数および日齢，週数における Hb 正常値

在胎週数(週)	Hb 値(g/dL)	生後(日)	Hb 値(g/dL)	生後(週)	Hb 値(g/dL)
21～22	12.3±0.9	1	19.0±2.2	1～2	17.3±2.3
23～25	12.4±0.8	2	19.0±1.9	2～3	15.6±2.6
26～27	19.0±2.5	3	18.7±3.4	3～4	14.2±2.1
28～29	19.3±1.8	4	18.6±2.1	4～5	12.7±1.6
30～31	19.1±2.2	5	17.6±1.1	5～6	11.9±1.5
32～33	18.5±2.0	6	17.4±2.2	6～7	12.0±1.5
34～35	19.6±2.1	7	17.9±2.5	7～8	11.1±1.1
36～37	19.2±1.7			8～9	10.7±0.9
38～39	19.3±2.2			9～10	11.2±0.9
				10～11	11.4±0.9
				11～12	11.3±0.9

(Y Matoth, et al.：Postnatal changes in some red cell parameters. Acta Paediatr Scand 60：317-323, 1971 より引用)

表2 ◆ 新生児期の病的貧血の原因と分類

分類	病因	疾患
失血	臍帯異常 胎盤異常 産科的合併症	母児間輸血症候群(feto-maternal transfusion syndrome)，胎児胎盤間輸血症候群，多胎間輸血症候群，TAPS(twin anemia-polycythemia sequence)，母体外傷，羊水穿刺，前置胎盤，胎盤腫瘍，胎盤早期剝離，帝王切開時損傷
	新生児期の閉鎖腔への出血	頭蓋内出血，帽状腱膜下血腫，頭血腫，肺出血，副腎出血など
	医原性	頻回採血
赤血球破壊の増多	免疫性溶血性貧血	母児間血液型不適合(Rh 型不適合，ABO 型不適合)，母体の自己免疫疾患，薬剤性(ペニシリン，バルプロ酸)，ガラクトース血症，甲状腺機能低下症
	赤血球酵素異常	G6PD 異常症，pyrubate kinase 欠損症，hexokinase 欠損症，aldrase A 欠損症
	赤血球膜異常	球状赤血球，楕円型赤血球，有口状赤血球症など
	異常ヘモグロビン症	サラセミアなど
	播種性血管内凝固症候群	
赤血球産生の障害	骨髄産生能低下	Fanconi 貧血, Diamond-Blackfan 貧血, Peason 症候群, CDA, 一過性骨髄異常増殖症(transient abnormal myelopoiesis：TAM)，先天性白血病
	感染症による産生低下	パルボウイルス B19，HIV，TORCH 症候群，敗血症
	栄養欠乏	鉄，葉酸，ビタミン B_{12}，蛋白

(Bizzarro M, et al.：Differential diagnosis and management of anemia in the newborn. Pediatr Clin North Am 51：1087-1107, 2004 と Orkin SH, ed al.,(eds)：Nathan and Oski's Hematology and Oncology of Infancy and Childhood 7th ed. Saunders, 22-66, 2009 を参考に作成)

　ABO 式血液型不適合は，実際に臨床上問題となるのは，O 型の母親が A あるいは B 型の胎児を妊娠したときにほぼ限られる．第 1 子の発症危険度は第 2 子以後と同じである．一般に ABO 不適合は Rh 不適合に比して軽症となるが，溶血性貧血でも，抗 A 抗体，抗 B 抗体が各々 512 倍以上の場合は重症黄疸の危険が高く，早期介入が推奨される[1]．

2）赤血球膜異常・赤血球酵素異常

　赤血球膜蛋白の異常として遺伝性球状赤血球症，赤血球酵素異常症としてピルビン酸キナーゼ異常症やグルコース-6-リン酸脱水素酵素(glucose-6-phosphate dehydrogenase：G6PD)異常症，血色素異常症としてサラセミアが知られている．

3）骨髄での産生低下による貧血[2]

　造血不全に伴うおもな遺伝性貧血には，Diamomd-Blackfan 貧血(DBA)，Fanconi 貧血(FA)，遺伝性鉄芽球性貧血(congenital sideroblastic anemia：CSA)，先天性赤血球異形成貧血(congenital dyserythropoietic anemia：CDA）の4疾患がある．DBAは赤芽球系の選択的産生抑制により網状赤血球が著減し，大球性貧血を呈する．常染色体性顕性（優性）あるいは潜性（劣性）遺伝の形式をとる．FAは，染色体不安定性を特徴とする常染色体潜性（劣性）の先天性再生不良性貧血である．CSAは，骨髄において核の周囲に環状に鉄が沈着した赤芽球（環状鉄芽球）を認める遺伝性貧血である．CDAは，先天的な赤芽球形成異常および慢性の不応性貧血，無効造血，続発性ヘモクロマトーシスを伴うまれな疾患である．これらの疾患の多くは，骨髄不全のほか，先天性奇形，発がん素因を共有している．遺伝性貧血の一部は近年責任遺伝子が同定され，遺伝子解析が確定診断に有用であるが，詳細は別項に譲る．

疫学

新生児期の種々の急性失血に伴う貧血の頻度は30 mL以上の出血が0.2～1％，150 mL以上の大出血が0.02％とする報告がある．周産期学会の調査では，わが国で出生時輸血などの集中治療を要する児の年間発生数は，およそ200例と報告されている．

胎児赤芽球症については，ABO式血液型不適合が起こる頻度は理論的には著しく高い（26％）のに対して，わが国のRh（D）陰性者の頻度は0.5％で，欧米人に比して著しく低い．

遺伝性貧血の頻度は，最も高いDBAでも年間約10～15例（出生人口100万人あたり約5～7人），次に多いFAでも5～10例（出生人口100万人あたり約5人前後）ときわめてまれである．2009年度に行われた厚生労働省難治性疾患克服研究事業の研究班による疫学調査では，この10年間の症例としてDBA 132例，CSA 5例，CDA 17例が把握されている．

臨床徴候

皮膚蒼白，頻脈，多呼吸がおもな症状であるが，しばしば周期性呼吸や無呼吸，活動力低下，哺乳力低下，傾眠，体重増加不良をきたす．貧血の原因は多彩であり，基礎疾患や進行度によって症状程度も異なる．重大な出血による貧血では頻脈，血圧低下を認める．また出生後早期からの貧血では，正常児でも観察される手掌や足底のチアノーゼがみられないことが診断のきっかけとなる場合がある．

Rh型血液型不適合では胎内で溶血が開始されるが，胎児ビリルビンは胎盤を経て母体に転送され，母体肝臓で処理される．このため在胎中は高ビリルビン血症による障害は出現せず，貧血，低蛋白血症，腹水，全身浮腫などが主となる．しかし，出生後は生後24時間以内の早発黄疸の原因となり，早期介入が必要となる．

DBAでは小頭症，口蓋裂，翼状頸，巨舌，手指の異常（拇指球の平坦化，拇指骨異常），腎泌尿器系奇形，先天性心疾患を約30％に認める．

診断・検査

新生児期の貧血の原因は多彩であり，適切な診断のためには問診，症状，身体所見の評価が欠かせない．家族歴，妊娠分娩歴，臍帯・胎盤の情報が決め手となる場合もある．身体所見では，頻脈や呼吸症状からまず急性失血の可能性を除外する．新生児は循環血液量が少なく，急性失血では症状に比してヘモグロビン（Hb）やヘマトクリット（Ht）低下が追いつかないことがあり注意が必要で，臨床症状による迅速で経時的な評価が重要である．新生児期には赤血球平均容積（MCV）値が正球性または大球性を示すことが多く，小球性貧血をみた場合，サラセミアや慢性の失血性貧血を念頭におく．末梢血塗抹標本から赤血球形態や大きさを評価し，Heintz小体，破砕赤血球などの情報を得る．ただし，新生児期の塗抹標本ではおよそ40％で球状赤血球が観察されるため，球状赤血球症を血液像で診断することは困難である．Rh血液型不適合の場合は，児の血液中に抗D抗体で感作された赤血球の存在を証明する直接Coombs試験，赤血球と結合しない遊離した抗D抗体の存在を証明する間接Coombs試験がともに陽性になる．遺伝性貧血については外表奇形の有無と遺伝子解析が重要である．

治療・予後

新生児期早期の貧血の重症例では同種輸血を要する．未熟児貧血に対しては輸血回数の削減やドナー数を減少させるため，種々の戦略や治療法が模索されている．一方，病的貧血には原疾患の早期診断，早期治療が重要である．

1 輸血療法

貧血の原因および進行度を考慮して輸血適応と時期を決める．輸血療法の適応については国内のガイドラインは未整備だが，英国輸血療法標準化委員会による輸血基準が実践的でしばしば参考にされる（表3）[3]．

2 遺伝子組換えヒトエリスロポエチン製剤

未熟児貧血に対する予防，治療として遺伝子組換えヒトエリスロポエチン製剤（recombinant human

erythropoietin：rHuEPO）の適応，承認が得られている．rHuEPO 200 IU/kg，週2日投与が標準的である．最近のメタアナリシスでも低出生体重児におけるrHuEPO早期投与が輸血回数を減少させることが示されており，標準治療と位置づけられる[4]．

3 鉄剤投与

わが国では鉄欠乏性貧血の発症リスクの高い早産児を対象にした「早産児に対する鉄剤投与のガイドライン」が2003年に作成され，出生体重1,500 g未満では全例に鉄剤を投与することが推奨されている[5]．鉄欠乏の危険が高い低出生児に鉄剤を投与することで，乳幼児期の行動異常が改善するとするランダム化比較試験の結果も報告されている[6,7]．

4 交換輸血

Rh（D）型不適合に伴う同種免疫性溶血性貧血と高ビリルビン血症に続発する核黄疸予防として，光線療法，輸液に加えて交換輸血が有効である．交換輸血によりビリルビンの除去，感作赤血球および抗体の除去，非感作赤血球の補充，そのほかの溶血毒性副産物の除去が可能となる．交換量は循環血液量の2倍（double volume exchange）で，通常約160〜180 mL/kgである．

5 Rh（D）型不適合に伴う同種免疫性溶血性貧血（胎児赤芽球症）に対する抗Dグロブリン療法

妊娠中および分娩時72時間以内の母体への抗Dグロブリン療法が，D抗原感作予防に有効である．予後は，貧血の原因となる基礎疾患の種類と重症度に左右される．

ピットフォール・対策

新生児期には成熟に伴い赤血球数が変化する．また，採血部位によってHb値が大きく異なることが知られており，出生直後の毛細管血は静脈血に比してHb値がおよそ3.5 g/dLも高いとする報告もある．このため，週数や成熟度に伴う正常値の変化や採血方法による修飾を念頭に，検査値を評価することが必要である．

多血症

定義・概念

多血は年齢基準値を2標準偏差を超えて上回る状態と定義される．子宮内で低酸素環境にばく露される新生児にとって，赤血球の増多は生理的な現象である．過剰な赤血球の増多は過粘稠症候群の原因となり得るため，血液粘度の指標としてHt値が用いられる．Ht値65％以上になると臨床上急激に血液粘度が増すことが知られており，伝統的にHt値は65％以上（Hb値で22 g/dL以上）を多血症の定義として用いることが多い．

表3 ◆ 新生児における輸血基準

徴候	輸血基準
生後24時間以内	Hb＜12 g/dL
生後1週間の失血量	循環血液量の10％
集中治療を要する新生児	Hb＜12 g/dL
急性失血	循環血液量の10％
慢性的な酸素依存性	Hb＜11 g/dL
状態が安定した晩期貧血	Hb＜7 g/dL

(Gibson BE, et al. : Transfusion guidelines for neonates and older children. Br J Haematol 124 : 433-453, 2004)

病因・病態

赤血球質量の増大が血漿体積の相対的減少と血小板の相対的増加とを引き起こした結果，過粘稠症候群の危険が増大した病態を指す．新生児多血症の原因には，胎児仮死などの胎内における低酸素環境，経胎盤的な輸血，チアノーゼ性先天性心疾患，先天性副腎過形成やBeckwith-Wiedemann症候群や母体糖尿病などの危険因子に続発してみられることが多い（表4）．

疫学

全出生の1〜5％に多血症が観察される．

臨床徴候

Ht値から多血症と診断されても，無症状であることも多い．典型例では，いわゆるトマト・ベビーといわれる赤ら顔を呈している．過粘稠症候群として臨床症状を呈する場合，哺乳障害，呼吸障害，チアノーゼなどの非特異的症状を呈するものの，そのほとんどは一過性で軽微である．多血症の原因疾患として知られる糖尿病合併母体や子宮内胎児発育遅延などに共通して観察される症状として低血糖，低カルシウム血症，血小板減少が観察されるほか，過剰な赤血球崩壊は高ビリルビン血症の誘因となる．まれに脳梗塞や腎動脈塞栓症などの重篤な合併症により不穏，傾眠，けいれん，筋緊張低下などの中枢神経症状や腎機能障害を呈することがある．

表4 ◆ 新生児期における多血症の病因

病因	原因
胎内での低酸素環境	胎児仮死，新生児仮死 子宮内胎児発育遅延 母体糖尿病，母体妊娠高血圧症 母体喫煙，母体心肺腎疾患 プロプラノール使用 高地居住
経胎盤的な輸血	臍帯結紮の遅延 母児間輸血症候群，多胎間輸血症候群，TAPS (twin anemia-polycythemia sequence)
基礎疾患・危険因子	先天性副腎皮質過形成，甲状腺機能低下症，甲状腺機能亢進症，チアノーゼ性心疾患，Beckwith-Wiedemann症候群，21トリソミー，18トリソミー，13トリソミー

診断・検査

臨床症状とHt値から診断は容易である．診断に用いる血液は血液粘稠度を正確に反映する意味で臍帯血が最善だが，臍帯血Htと相関が高い末梢静脈血で代用が可能である．

治療・予後

古典的には置換液として，新鮮凍結血漿や5％アルブミン製剤を用いた部分交換輸血が行われてきた．メタアナリシスで生理食塩水やRinger液での代用が可能であることが明らかとなり，近年は生理食塩水を置換液として用いることが多い．

部分交換輸血における瀉血量は，次のように算出する．目標Ht値は50～55％に設定する．

部分交換輸血量 (mL)＝患者の循環血液量 (mL) ×（現Ht値－目標Ht値）÷現Ht値

部分交換輸血により臨床症状の改善効果がみられることはよく経験されるが，長期的な神経学的予後に対する治療効果は明らかではない．その意味で新生児仮死や低血糖などの基礎疾患，あるいは付随する病態に対する管理が重要である．総じて無症候性あるいは軽症例に対しては輸液のみで経過を観察し，重症例に対しては生理食塩水を用いた部分交換輸血を考慮することが望ましい．

ピットフォール・対策

毛細血管採血はHt値を過大評価することが多いため，遠心Ht法による静脈Ht値を用いるべきである．また，部分交換輸血における置換方法として，古典的には臍静脈1本を瀉血と置換液用血管として用いるDiamond法や末梢静脈を用いる自動法が用いられてきたが，臍静脈を用いた部分交換輸血後に壊死性腸炎が増加する報告がある．可能であれば，部分交換輸血における置換用血管としては，臍静脈の使用は避けることが望ましい．

■ 文献

1) Bakkeheim E, et al.：Maternal IgG anti-A and anti-B titres predict outcome in ABO-incompatibility in the neonate. Acta Paediatr 98：1896-1901, 2009
2) 廣川 誠：骨髄不全ガイドライン．臨床血液 54：1585-1595, 2013
3) Gibson BE, et al.：Transfusion guidelines for neonates and older children. Br J Haematol 124：433-453, 2004
4) Ohlsson A, et al.：Early erythropoietin for preventing red blood cell transfusion in preterm and/or low birth weight infants. Cochrane Database Syst Rev 4：CD004863, 2014
5) 楠田 聡, 他：早産児に対する鉄剤投与のガイドライン．周産期医学 36：767-778, 2006
6) Berglund SK, et al.：Effects of iron supplementation of LBW infants on cognition and behavior at 3 years. Pediatrics 131：47-55, 2013
7) Berglund SK, et al.：Effects of iron supplementation of low-birth-weight infants on cognition and behavior at 7 years：a randomized controlled trial. Pediatr Res 83：111-118, 2018

■ 参考文献

・厚生労働省難治性疾患克服研究事業　平成24年度難治性疾患研究班：「遺伝性貧血の病態解明と診断法の確立に関する研究」研究班報告書．厚生労働省, 2012

（小阪嘉之）

第1章 血液・造血器疾患

A 赤血球の異常

8 自己免疫性溶血性貧血

定義・概念

自己免疫性溶血性貧血（autoimmune hemolytic anemia：AIHA）は，赤血球膜上の抗原と反応する自己抗体が産生され，赤血球寿命の短縮を示す後天性の貧血である．自己抗体が赤血球に結合する至適温度により，温式（体温付近）と冷式（4～15℃）のAIHAに分類され，冷式はさらに抗体の特性から寒冷凝集素症（cold aggrulinin disease：CAD）と発作性寒冷ヘモグロビン尿症（paroximal cold hemoglobulinemia：PCH）に分類される．温式，冷式両方の反応が起こるものを混合型とよぶ．薬剤性の溶血性貧血は，直接Coombs試験が陽性になることがあるが，AIHAには含めない．また，新生児期にみられる血液型不適合による溶血性貧血およびAIHAの母親から胎児へ移行したIgG抗体による溶血性貧血は同種抗体によるものでありAIHAではない．同様に輸血後や造血細胞移植後の同種反応による溶血もAIHAには含めない．

病因・病態

AIHAは，三病型とも特発性と先行疾患（基礎疾患）をもつ続発性に分類される（表1）．小児AIHAの半数以上は続発性であり，治療抵抗例では何らかの免疫異常症の検索が必要である．溶血に直接関係するのが抗体か補体か，産生される抗体のクラスにより溶血の場や赤血球凝集能に違いが生じ，これらは症状および治療法の選択に大きく関係している（表2）．AIHAに免疫性血小板減少性紫斑病（immune thrombocytopenic purpura：ITP）が合併したEvans症候群では，その40％にリンパ増殖性疾患や免疫不全を基礎疾患にもち，慢性・再発の経過をとる．

疫学

2019，2020年の日本小児血液・がん学会への年間新規登録数は（2年間の平均），温式AIHA 8.5人，CAD 3人，PCH 0.5人であった．温式AIHAは思春期以降の女児患者が多い．CADのうち特発性は成人に発症し，続発性は小児と若年成人に多い．PCHも多くは続発性で，5歳以下の小児に集中している．

表1 ● 自己免疫性溶血性貧血の基礎疾患（成人も含む）

膠原病，自己免疫疾患	SLE，関節リウマチ，自己免疫性甲状腺疾患，強皮症，サルコイドーシス，潰瘍性大腸炎，Sjögren症候群，自己免疫性肝炎
リンパ増殖性疾患	CLL，ALPS，血管免疫芽球性T細胞リンパ腫，Castleman病，形質細胞性リンパ節炎
免疫異常症	AIDS，CVID，CTLA4異常症，IPEX症候群，LRBA欠損症
感染症	マイコプラズマ感染症，梅毒[*1]，EBウイルス感染症，水痘，ムンプス，麻疹，アデノウイルス，インフルエンザ，予防接種後
腫瘍	胸腺腫，造血器腫瘍（MDS，急性白血病，悪性リンパ腫），卵巣腫瘍，卵巣膿腫，奇形腫，大腸がん[*2]
その他	妊娠，骨髄移植，腎移植後

[*1] 発作性寒冷ヘモグロビン尿症に特徴的だが，現在は極めてまれ．
[*2] バンド3が発現している．
AIDS：後天性免疫不全症候群，ALPS：自己免疫性リンパ増殖症候群，CLL：慢性リンパ性白血病，CVID：分類不能型免疫不全症，MDS：骨髄異形成症候群，SLE：全身性エリテマトーデス，CTLA：cytotoxic T lymphocyte antigen，IPEX：immune dysregulation, polyendocrinopathy, enteropathy, X-linked，LRBA：lipopolysaccharide responsive beige-like anchor protein.

診断

症状（貧血，黄疸）および検査所見（Hb低下，網赤血球増加，血清間接ビリルビン値上昇，尿中・便中ウロビリン体増加，血清ハプトグロビン値低下，骨髄赤芽球増加）から溶血性貧血と診断する．新生児領域では，ヘムのビリルビンへの代謝過程で発生する一酸化炭素を反映するcarboxyhemoglobin（COHb）を測定する方法も溶血の迅速診断に利用されている．次に図1に基づいて病型診断を進める．

溶血の機序・臨床症状の特徴

1 温式AIHA

急激発症例では発熱，全身衰弱，心不全，呼吸困難，意識障害を伴う．症状の強さには貧血の進行速度，心肺機能，基礎疾患などが関連する．代償されて貧血が目立たないこともある．脾腫は40％にみ

表2 ◆ AIHA の分類

	抗体のクラス	標的抗原	広範囲Coombs test	特異的Coombs test	補体の活性化	凝集能・直接凝集試験	血管内溶血	血管外溶血	注意を要する特徴
温式抗体	IgG	Rh，バンド3，グリコフォリンAなど．血液型特異性は低い	+	IgG +/− C3b, C3d*	補体下流経路の活性化には至らない	−	−	脾臓．Fcレセプターを介したマクロファージおよび好中球による貪食．C3bが結合すると貪食は促進される．	5～10％が通常の広範囲Coobms陰性となる．原因として結合IgG結合数が少ないことがほとんどである．まれだが，低親和性IgG抗体やIgA, IgM抗体の場合もある**
冷式抗体	IgM（寒冷凝集素）	Ii 血液型糖鎖に特異的に結合（I が大多数）	+	C3b, C3d (+/− IgG)	補体下流経路の活性化は限定的	+	限定的	肝臓．C3bレセプターを介したKupffer細胞による貪食	寒冷凝集素価よりも温度作動域が重要である．脾摘の効果はない
	IgG（DL抗体）	P 血液型糖鎖に特異的に結合	+	C3b, C3d (+/− IgG)	補体下流経路の活性化が強い	−	+	−	脾摘の効果はない

*補体活性に重要なのは C3b で，C3d は C3b の分解産物である．
**IgA はマクロファージに認識されるが，補体結合能はない．一方，IgM は補体結合能はあるが，抗原特異性は低く，またマクロファージから認識されない．

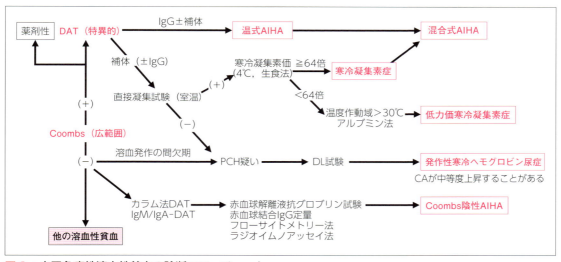

図1 ◆ 自己免疫性溶血性貧血の診断フローチャート
AIHA：自己免疫性溶血性貧血，CA：寒冷凝集素価，DL：Donath-Landsteiner，PCH：発作性寒冷ヘモグロビン尿症
(三谷絹子（編）：厚生労働科学研究費補助金 難治性疾患等政策研究事業 特発性造血障害に関する調査研究班．自己免疫性溶血性貧血 診療の参照ガイド（令和1年改訂）．2020 より引用）

られる．LDHの上昇は血管外溶血のため比較的軽度である．

2 CAD

成人に発症する特発性慢性 CAD では，慢性溶血が持続するほか，寒冷ばく露による溶血発作も認める．急性増悪期には静脈血栓症をきたすことがある．感染症後の場合は発症から2～3週間経過後に貧血症状を示す．本病型の特徴は 40～90％ に末梢循環障害をきたすことである．IgM 抗体が温度の下がりやすい四肢末端で赤血球膜に結合し，赤血球の自己凝集をきたした結果，四肢末端・鼻尖・耳介のチアノーゼや，感覚異常，Raynaud 現象など循環障害による症状を認め，温めると症状は緩和される．冷水の嚥下時にも疼痛や不快感をきたす．補体成分 C1q が IgM 抗体とともに赤血球に結合するため，補体が活性化すると肝臓の Kupfer 細胞に貪食される．

Hb尿の頻度は低い（3％）ことからわかるように，血管外溶血が主たる溶血の機序であるが，一部は補体経路の下流が活性化され血管内溶血もきたす．

血液検査では，凝集のため赤血球数とHt値が低下する一方，Hb値は維持されMCV・MCH・MCHC値は高値を示す．検体を37℃に加温し，再測定すると正しい結果になる．なお，本症での寒冷凝集素価の上昇は，通常512倍以上と高いが，低力価でも溶血症状を示すことがあり低力価CADといわれる．

3 PCH

寒冷ばく露が溶血発作の誘因となり，発作性反復性の血管内溶血とHb尿（暗赤色〜黒色）をきたす．気温の低下，冷水の飲用や洗顔・手洗いなどによっても誘発される．血管内溶血は血管外溶血と比較して溶血速度が速く，寒冷ばく露から数分〜数時間後に背部痛，四肢痛，腹痛，頭痛，嘔吐，下痢，倦怠感，悪寒，発熱をみる．乳酸デヒドロゲナーゼ（LDH）の上昇は強く，ショック，急性腎不全を合併することもある．

治療のアルゴリズム（図1）

1 温式AIHA

続発性であっても基礎疾患の治療が不要であれば，特発性と同様の治療アルゴリズムに沿って治療を進める．ステロイドが第一選択であり80％の患者で有効である．病初期2〜4週はプレドニゾロン（1〜2 mg/kg/日）を投与し，効果（Hb＞10 g/dL）が得られたら漸減し，数か月再発をみなければ中止できる．成人では少なくとも6か月の投与が推奨されている．

ステロイドの効果がない場合や再発した場合には，二次治療として海外ではリツキシマブ（375 mg/m²/回，週1回で4回投与，100 mg/m²/回の低用量の報告もある）が推奨（有効率70〜80％）されているが，わが国では保険適応がない．脾臓摘出術（脾摘）は奏効率40〜70％とされるが，脾摘後重症感染症だけでなく，血栓症や肺高血圧など心血管系合併症のリスクも指摘されている．このため抗菌薬の予防投薬に加え，肺炎球菌，インフルエンザ菌に対するワクチン接種が必要である．なお5歳以下の症例，全身性エリテマトーデスや分類不能型免疫不全症に続発した症例，リンパ増殖性疾患を基礎にもつAIHAに脾摘は推奨されない．また慢性溶血には葉酸が投与される．

2 冷式AIHA

CAD，PCHどちらの病型でも小児では一過性の経過をとるため，原疾患の治療と支持療法で十分であることが多い．寒冷へのばく露を避けることが予防にも治療にもなる．長袖・長ズボン・靴下・防寒具の着用，冷水による手洗いや洗顔の禁止，冷たい食べ物の禁止，室温管理，加温した輸液が有効である．発熱時のクーリングは溶血の遷延につながる．温式AIHAと異なりステロイドは無効であり脾摘の適応もない．CADの一部（IgG型の冷式抗体や低力価IgM型冷式抗体の場合）および混合型AIHAでは，ステロイドが有効とする報告もある．成人型の低悪性度リンパ増殖性疾患が確認された場合はリツキシマブをベースにした化学療法が第一選択である．近年，補体の古典経路（C1s）を阻害するモノクローナル抗体sutimlimabやC3阻害剤prgcetacopanが開発され，臨床試験が行われている．また，血栓症のリスクが高い症例では低分子ヘパリンの投与が行われる．

重症PCHでは，交換輸血や血漿交換も検討する．ハプトグロビンを腎機能保護を目的として用いることもある．さらに，PCHは補体経路下流の活性化という点でPNHと類似の病態を示すことから，エクリズマブの奏功例も報告されている．このほかステロイド，リツキシマブ，シクロフォスファミドの使用例も報告されている．

3 赤血球輸血について

輸血はどの病型においても，①溶血を増悪させる可能性がある，②輸血の型判定が困難である，③型判定ができても適合血が得られる可能性が低い，④同種抗体の産生を誘導する可能性がある，ことからなるべく避けるのが原則である．一方，急激な溶血の進行期では（小児ではHb 5.0 g/dLが目安，心疾患をもつ場合はより高値），交差試験で反応性の弱いものを適合血として緩徐（1 mL/kg/時）に輸血する．冷式AIHAの場合は37℃に加温して適合試験を行い，血液製剤も加温することで自己抗体と補体の結合を防ぐことができる．

予後

温式AIHAのうち小児の急性発症型は，3か月までに改善するが，基礎疾患を有する年長児の場合は長期間の治療が必要となることがある．冷式AIHAも，多くは数週から1か月程度で溶血は寛解するが，生活面の制限解除はCoombs試験，寒冷凝集素価，Donath-Landsteiner試験の陰性化（発症後3〜4か月程度）を確認して行う．

自己免疫性溶血性貧血の診断フローチャート（図1）

溶血性貧血の診断基準を満たした場合，広範囲Coombs試験を行う．陽性の場合は，さらに特異的Coombs試験によりIgG成分と補体成分を確認する．補体が陽性の場合，直接凝集試験でスクリーニングし，陽性なら寒冷凝集素価の測定を，陰性ならDonath-Landsteiner（DL）試験を行い，CADとPCHを鑑別する．

病型の鑑別には検査法の理解が重要である．

Coombs試験の試薬には，スクリーニングに用いる広範囲のものと特異的なものがあり（IgG単独，C3b，C3d，IgG＋C3），AIHAの病型分類に必須である．広範囲Coombs試験はAIHAの大多数で陽性となるが，Coombs陰性のAIHAも10％程度存在する．その原因は，①赤血球に結合する抗体の数が少ない（RIA法による解析では，Coombs陰性AIHAを誘導し得る赤血球結合IgG分子数は，赤血球1個あたり80以上と推定されている．これに対し，Coombsが陽性となるには250以上が必要と推測されている），②低親和性のIgG抗体である（サブクラスにより補体活性化能が異なる．IgG3，IgG1＞＞IgG2，IgG4），③抗体のクラスがIgAやIgMである，などが考えられる．

最近ではフローサイトメトリーを用いた解析もCoombs陰性AIHAの診断に利用されている．直接凝集試験は病的意義のある寒冷凝集素（cold agglutinin：CA）の有無を簡便に確認する方法であり，患者血清と正常O型血球を混和し室温（20～24℃）で静置後に凝集を判定する．これを37℃に加温し凝集の消失を確認する．陽性の場合はCA価を測定する．正常O型赤血球に患者血清を加え4℃前後の低温で凝集を誘導し，凝集が認められた最大希釈倍率をCA価とする．37℃，30℃，20℃でのCA価により温度作動域を推定する．体温に近い30℃程度まで凝集を示す場合には臨床的意義がある．なお，患者血清は分離終了まで血液を37℃に保存しておく．

直接凝集試験は抗体がIgM型であることの反映である．赤血球膜は＋に帯電している（ζ電位）ことから，生理的な条件では自己凝集はきたさない．IgG抗体は，この帯電の幅をまたぐことができないため，赤血球凝集能はないが，IgMは帯電の幅を超す大きさで5量体をとるため強い赤血球凝集能を示す（＝完全抗体）．アルブミン法は，アミノ酸の双極性によりζ電位が下がるため血球間の距離が狭まり，凝集しやすくなる．一方でDL抗体はIgG型であり低温で自己赤血球に結合する．体温付近で抗体は解離するが，補体は結合したままなので活性化され血管内溶血をきたす（二相性抗体）．このDL試験はCADでも弱陽性になることがある．

■文献

1) 三谷絹子（編）：厚生労働科学研究費補助金 難治性疾患等政策研究事業 特発性造血障害に関する調査研究班．自己免疫性溶血性貧血 診療の参照ガイド（令和1年改訂）．2020
2) Hill QA, et al.：The diagnosis and management of primary autoimmune haemolytic anaemia. Br J Haematol 176：395-411, 2017
3) Ladogana S, et al.：Diagnosis and management of newly diagnosed childhood autoimmunehaemolytic anaemia. Recommendations from the Red Cell Study Group of the Paediatric Haemato-Oncology Italian Association. Blood Transfus 15：259-267, 2017

〈谷ヶ崎　博〉

第1章　血液・造血器疾患

A　赤血球の異常

9　その他の溶血性貧血

定義・概念

遺伝性および自己免疫性以外の要因による後天性の溶血性貧血には多様な病因がある（表1）．ここでは病態の解明や治療の進歩が著しい主要な類型について概説する．

病因・病態

1 発作性夜間ヘモグロビン尿症

PIG-A 遺伝子の獲得性変異により血球の GPI（glycosyl phosphatidylinositol）-アンカー型膜蛋白の合成が障害され，CD59，CD55 などの補体制御因子を欠失した造血幹細胞がオリゴクローナルに増殖する．この結果，慢性・持続的な血管内溶血と溶血発作をきたす．*PIG-A* 変異のほか，*PIG-T* 変異や先天的な CD59 の変異による発症例も報告されている．発作性夜間ヘモグロビン尿症（paroximal nocturnal hemogrobinuria：PNH）では他血球でも CD55，CD59 の発現を欠失しているため，細胞寿命が短い末梢血好中球でも同様の解析が可能で，かつ感度も高い．

PNH 患者では，正常血球の造血が免疫学的な機序で抑制された結果，PNH クローンが相対的な増殖優位性をもっていると考えられる．PNH の病型には，①骨髄不全がなく溶血症状を認める古典型 PNH，②骨髄不全を合併する骨髄不全型 PNH，③臨床症状を認めない PNH がある．PNH 赤血球が 1％以上で，LDH が正常上限の 1.5 倍以上の場合を臨床的 PNH としている．

わが国における PNH の診断年齢中央値は 45 歳であり，自然寛解例や PNH から急性骨髄性白血病（AML）への移行例も少数であるが報告されている．小児でも 10 歳代に入ると再生不良性貧血の長期観察例に症候性の PNH を発症する例（二次性 PNH）が認められる．

2 赤血球破砕症候群

赤血球破砕症候群は，血管内の構造異常や物理的外力により赤血球の破砕をきたす疾患と血栓性微小血管障害（thrombotic microangiopathy：TMA）に大別される．TMA は，もともと全身諸臓器の微小血管の血栓と血管内皮障害を呈する病態を総称した病理学的診断名である．臨床的には 1％以上の破砕赤血球，血小板減少，血栓による多臓器の障害を特徴とする．TMA の病態を示す疾患として血栓性血小板減少性紫斑病（thrombotic thrombocytopenic purpura：TTP），溶血性尿毒症症候群（hemolytic uremic syndrome：HUS），補体関連 HUS，二次性 TMA 疾患が含まれる．病型により病態と治療法が異なること，また症状が急激に重篤化することがあるため，早急な鑑別が必要となる．わが国では TMA の 90％はベロ毒素産生大腸菌（Shiga-toxin producing *Escherichia coli*：STEC）による HUS であり，生後 6 か月以降で重度の血便を主体とする TMA では STEC-HUS を念頭に治療を進める．

1）STEC-HUS

STEC 感染に伴う HUS で，潜伏期間は 3〜14 日，強い腹痛を伴う水様下痢で発症し，急性腎不全に進行する．

2）補体関連 HUS（非典型的 HUS）

補体 C3b を不活性化する H 因子，I 因子，トロンボモジュリンとそれらの補助因子〔CD55，CD35（complement receptor 1），CD46（membrane cofactor protein）〕の機能喪失型変異，C3 の機能亢進型の変異により，補体第二経路の持続的・慢性的活性化をきたす．このため，感染，外傷，手術，妊娠や出産などの生体ストレスを契機に補体の急激な活性化をきたす．抗 H 因子抗体による例も報告されている．これらの遺伝子変異の頻度には民族差があり，わが国では C3 異常，抗 H 因子抗体の頻度が高い．小児 100 万出生あたり 3.3 人の頻度であるが，既知の遺伝子に変異が同定できない例も 40％あるとみられる．補体関連 HUS でも急性腸炎症状を示すことがあり，症状だけでは STEC-HUS と鑑別はできない．

3）TTP

中枢神経症状優位の TMA である．von Willebrand 因子（vWF）切断酵素（ADMTS13）に対する中和抗体が産生されると，その活性が低下（10％以下）する．この結果，vWF の切断ができなくなり，血小板の活性化と凝集が惹起され多臓器不全にいたる．一方，先天性 TTP（Upshaw-Schulman 症候群）は遺伝的な ADAMTS13 の変異のためにその活性が低下する常

表 1 ◆ その他の溶血性疾患の概要

病型	細分類・原因	病態	治療
TMA 以外			
心臓・大血管の構造異常	弁置換術後,心内修復術後,左房粘液腫,石灰化による大動脈縮窄,コイル塞栓術後	乱流による物理的な破砕,血栓形成による狭窄	外科的処置
行軍(走者)ヘモグロビン尿症	強度の高い運動	物理的な破砕	シューズの交換
PNH	PIG-A 遺伝子の後天的変異	終末補体(C5〜9)の制御異常	本文参照
栄養欠乏	葉酸,ビタミン B_{12},ビタミン E 不足		補充療法
重金属	銅(Wilson 病),ヒ素,鉛		PE,交換輸血,キレート療法
感染症	マラリア,バベジア,トリパノソーマ,リーシュマニア,バルトネラ,クロストリジウム,チフス,コレラ,インフルエンザ菌,結核,デング熱,HIV,CMV など		感染症の治療
毒素	ヘビ,クモ,ハチ		抗血清
その他	熱傷,輸液や輸血の過剰加温(47度以上),低張液の輸注	血管内皮障害	支持療法
TMA			
TMA	STEC-HUS	血管内皮障害	支持療法
	補体関連 HUS	補体制御因子の変異により補体第二経路(C3から下流)の慢性的活性化	PE,エクリズマブ,ラブリツマブ.抗H因子抗体によるものにはリツキシマブ
	後天性 TTP	ADAMTS13インヒビターによる高分子 VWF 多量体の分解不全	PE,ステロイド,リツキシマブ
	先天性TTP(Upshaw Schulman症候群)	ADAMTS13遺伝子の変異による活性低下による高分子 VWF の分解不全	FFP
二次性 TMA	悪性腫瘍,妊娠,HELLP症候群,血管炎・自己免疫疾患,薬剤[*1],移植後,悪性高血圧,感染症[*2],コバラミン代謝異常など	血管内皮障害	支持療法,基礎疾患の治療
G6PD 欠損症でのみ溶血をきたす病因			
食品	そら豆	還元型グルタチオン濃度の低下により,赤血球膜が活性酸素で障害される	誘引となる薬物や食品を中止
化学物質(薬剤以外)	フェノール,クレゾール,ナフタレン,ニトロベンゼン,アニリン,フェニルヒドラジン,塩素酸塩,硝酸塩,ヒドロキシラミン,ペンタクロロフェノール(有機塩素化合物),ヘマチン		
薬剤 尿酸分解酵素	ラスブリカーゼ		
抗菌剤	スルフォンアミド(ST合剤の成分)		
抗マラリア剤	プリマキン		
抗ウイルス剤	リバビリン		
鎮痛薬	フェナゾピリジン,フェナセチン,アセチルサリチル酸		

[*1]:薬剤性:抗血小板薬(チクロピジン,クロピドグレル),抗マラリア薬(キニーネ),抗ウイルス薬(バラシクロビル),インターフェロン,免疫抑制剤(シクロスポリン,タクロリムス,シロリムス),経口避妊薬,抗腫瘍剤(シスプラチン,ゲムシタビン,マイトマイシンC,VEGF阻害薬,チロシンキナーゼ阻害薬)
[*2]:肺炎球菌 HUS では,血漿療法は病勢を増悪させる可能性があり,推奨されない.
FFP:新鮮凍結血漿,G6PD:グルコース6リン酸脱水素酵素欠損症,HUS:溶血性尿毒症症候群,PE:血漿交換,PNH:発作性夜間ヘモグロビン尿症,TMA:血栓性微小血管障害,TTP:血栓性血小板減少性紫斑病,VWF:von Willebrand 因子.

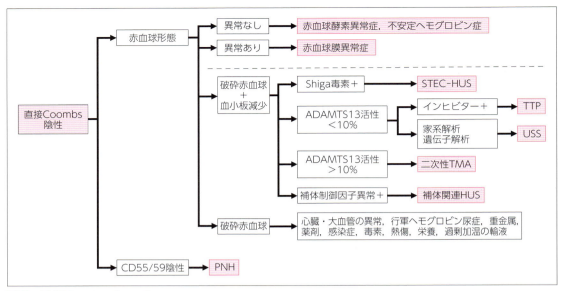

図1 ◆ 診断のフローチャート
HUS：溶血性尿毒症症候群，PNH：発作性夜間ヘモグロビン尿症，STEC-HUS：ベロ毒素産生大腸菌によるHUS，TMA：血栓性微小血管障害，TTP：血栓性血小板減少性紫斑病，USS：Upshaw-Schulman症候群．

染色体潜性（劣性）疾患である．出生時に Coombs 試験陰性の重症黄疸があり，交換輸血を必要とする．その後も感染症や妊娠をきっかけに血小板減少と溶血性貧血を繰り返し，腎機能障害や中枢神経障害を併発する．

4）二次性TTP

悪性腫瘍，膠原病・自己免疫疾患（SLE，抗リン脂質抗体症候群），移植後，妊娠，HELLP症候群，悪性高血圧，薬剤投与後などに発症する．このなかには補体関連遺伝子に異常のある症例も潜在していると推測され，そのような症例をどのように見つけ，治療していくかが重要な問題である．

臨床徴候

PNH では慢性的な溶血，ヘモグロビン尿をきたす．さらに血管内溶血により血漿中に放出された遊離ヘモグロビン（Hb）が一酸化窒素（NO）を吸着し，NOの作用を阻害する．NOには，平滑筋弛緩作用，血小板活性化や凝集に対する抑制作用，血管内皮に対する抗炎症作用があるため，NOの低下は，動静脈血栓症，消化管収縮（嚥下痛，嚥下困難，腹痛），血管収縮（肺高血圧症，呼吸困難，勃起不全）といった特徴的な症状も引き起こす．血栓症は，PNHの主要な死因の1つで，わが国では17％に臨床症状を伴う血栓症（Budd-Chiariなどの深部静脈血栓症や肺塞栓症）を認める．

TMAでは，病型により血栓の起こりやすい臓器は異なる．STEC-HISとaHUSでは特に腎障害が強い．このほかに中枢神経，心臓，肺，腸が共通して障害され，高血圧を含む多彩な症状をきたす．文献1)～3)に掲載されている重症度分類が参考になる．

診断・検査（図1）

PNHを疑う場合はフローサイトメトリーで CD55，59の発現を解析することで確定診断できる．溶血性貧血，血小板減少，原因不明の臓器障害をきたす場合は，便培養，ベロ毒素，O157抗原，O157LPS-IgM抗体によりSTEC-HUSを鑑別する．さらにADAMTS13活性およびインヒビター検査によりTTPを除外したうえで，速やかに補体関連遺伝子の遺伝子解析に進む（かずさDNA研究所で受託．保険承認）．なお，C3は補体関連HUSの半数程度で低下するが，正常値であっても補体関連HUSを否定することはできない．

治療・予後

PNH，TMAのいずれの類型でも溶血発作の誘引除去と支持療法は共通しており，二次性TMAに対しては基礎疾患の治療が優先される．そのうえで病態に応じた特異的な治療が選択される．TMAについては別項で説明されるため，ここではPNHについてのみ解説する．

1 エクリズマブ，ラブリズマブ（半減期延長型製剤）

補体C5に結合し，開裂を阻害し終末補体複合体C5b～9の生成を抑制するモノクローナル抗体であり，通常1～2週間で効果が得られる．PNHでは溶血だけでなく，血栓症のリスクを低下させ平滑筋攣縮による症状も改善させる結果，2007年以降PNHの予後は大きく改善した．しかしC5遺伝子多型による治療抵抗例（日本人の3～4％），エクリズマブのFcが認識され血管外溶血をきたす症例，PNH型赤血球にC3bが蓄積した結果，血管外溶血が持続する症例も報告されている（breakthrough hemolysis）．なお，エクリズマブ投与前には髄膜炎菌のワクチン投与が必須である．

2 ステロイド

誘引の除去を目的に併用されることが多い．

3 その他

骨髄不全型PNHではシクロスポリン，抗胸腺グロブリン，造血幹細胞移植も行われる．

4 支持療法

病態に合わせ，ワーファリン，ヘパリン，鉄剤，葉酸，ハプトグロビンなどが用いられる．

5 今後期待される製剤（保険未承認）

pegcetacoplan：補体経路の上流にあるC3の開裂を阻害するモノクローナル抗体であり，breakthrough hemolysisにも効果が期待できる．第3相試験では有望な結果が得られている．

■ 文献

1) 三谷絹子（編）：厚生労働科学研究費補助金（難治性疾患等政策研究事業）．特発性造血障害に関する調査研究班．発作性夜間ヘモグロビン尿症診療の参照ガイド（令和1年改訂版）．2020
2) 厚生労働科学研究費補助金（難治性疾患政策研究事業）．血液凝固異常症等に関する研究班TTPグループ（編）：血栓性血小板減少性紫斑病（TTP）診療ガイド2020．2020
3) 非典型溶血性尿毒症症候群診断基準改訂委員会（編）：非典型溶血性尿毒症症候群（aHUS）診療ガイド2015．日腎会誌58：62-75，2016

〈谷ヶ崎　博〉

第1章　血液・造血器疾患

A　赤血球の異常

10　巨赤芽球性貧血

概念・疫学

　巨赤芽球性貧血とは、種々の原因により骨髄に巨赤芽球が出現する貧血の総称である。小児の巨赤芽球性貧血はほとんどの場合、ビタミン B_{12} または葉酸欠乏によって生じる。まれに、これらの先天的な代謝異常によって起こることがある。葉酸やビタミン B_{12} は核蛋白の合成に必要な補助因子であり、その欠乏は DNA 合成障害を引き起こすが、RNA や蛋白合成障害は相対的に少ないため、核と細胞質の成熟の解離が形態学的に観察される。巨赤芽球の多くは成熟することができず、骨髄内でアポトーシスを起こし無効造血をきたす。DNA 合成障害は全身で起こり、貧血以外にも多彩な症状を呈する。

　小児には比較的まれな疾患で、わが国の成人での調査研究では、ビタミン B_{12} 欠乏が圧倒的に多く、葉酸欠乏は全体の 2% 程度である。

病因・病態[1)]

　表 1[2)] に巨赤芽球性貧血の原因について示す。

1 ビタミン B_{12} 欠乏

　ヒトはビタミン B_{12} を合成できない。ビタミン B_{12} は肉類・魚類・乳製品などの動物性食品に多く含まれる。食物中のビタミン B_{12} は酸性の胃内で遊離しハプトコリン（haptocorrin：R 蛋白）と結合し、十二指腸を通過する際に膵臓のプロテアーゼによりハプトコリンが分解されたのち内因子（intrinsic factor：IF）と結合して、回腸末端から IF-ビタミン B_{12} 複合体に特異的な受容体を介して吸収される。吸収されたビタミン B_{12} はトランスコバラミン（trancecobalamin：TC）-II と結合して、細胞上にある TC-II 受容体を介して取り込まれる。1 日の吸収量は 1～5 μg で肝臓での貯蔵量は 3～5 mg、1 日の消費量は 2.5 μg であり、年長児と成人では 3～5 年は全く摂取しなくても欠乏しないだけのビタミン B_{12} が蓄えられている。

　欠乏の原因として、次のことがあげられる。

1）摂取不足
①厳格な完全菜食主義者。
②ビタミン B_{12} 欠乏性貧血のある母親の母乳栄養児（この場合は発症の危険性が高く、生後 1 年以内に発症することが多い）。成長障害、発達障害、摂食不良、振戦、貧血などがみられる。ビタミン B_{12} 補充によって改善し得るが、発見が遅れると改善しないケースもある。

2）吸収障害
① IF 欠乏（悪性貧血、胃切除など）。
②食物からのビタミン B_{12} 遊離障害（萎縮性胃炎、無酸症など。成人では *Helicobacter pylori* が関与しているとの報告もあり）。
③小腸病変：新生児壊死性腸炎では吸収が不十分なことがある。吸収部位である回盲末端部の切除例。憩室や重複小腸のなかで腸管バクテリアの過増殖があると、ビタミンの消費、IF 複合体が分裂されるなどして吸収不全が起こることがある（吸収不良症候群、blind loop syndrome など）。また、寄生虫である広節裂頭条虫（*Diphyllobothrium latum*）が小腸に寄生した場合にビタミン B_{12} を奪取する。

3）先天性ビタミン B_{12} 輸送蛋白の異常・代謝異常
① Imerslund-Grasbeck 症候群：回腸末端における IF-ビタミン B_{12} 受容体の欠損による吸収障害。蛋白尿を伴うことがある。常染色体潜性（劣性）遺伝で受容体を制御する *CUBN* 遺伝子の異常による。
②先天性内因子分泌不全症・先天性異常内因子症：胃からの IF の無分泌または機能的に異常な IF に起因するまれな常染色体潜性（劣性）遺伝形式の疾患。生後約 1 年頃から症状が出現する。
③ TC-II 欠損症：TC-II はビタミン B_{12} の重要な生理学的運搬物質である。生後 1 週間以内に明らかになり、成長障害・下痢・嘔吐・舌炎・神経性の異常・巨赤芽球性貧血が認められる。
④メチルマロン酸尿症：細胞内で補酵素型ビタミン B_{12} への転換障害による利用障害。

2 葉酸欠乏

　葉酸は緑色野菜、果実、肝臓などに多く含まれる。15 分以上の加熱処理で分解されやすい。葉酸は空腸上部で吸収され、体内貯蔵は 5～10 mg で 1 日の必要量は 50～100 μg である。通常の食事では必要量の数倍の葉酸が含まれており、摂取不足により欠乏症に

表 1 ◆ 巨赤芽球性貧血の原因

1. ビタミン B_{12} の欠乏
   1) 摂取不足：菜食主義，貧困などによる摂食不足
   2) 吸収不良
      ① 胃
         a) 食物からのビタミン B_{12} の遊離障害
            ・萎縮性胃炎，無酸症，胃部分切除，プロトンポンプ阻害薬や H_2 ブロッカーなどによる胃酸分泌の抑制
         b) 内因子の欠乏
            ・悪性貧血，胃切除（全摘・部分切除）
      ② 小腸
         a) 膵プロテアーゼの不足（R-ビタミン B_{12} 分解不全，ビタミン B_{12} の内因子への転送不全）量不足（膵不全）
            ・膵プロテアーゼの不活性化（Zollinger-Ellison 症候群）
         b) 腸管腔内でのビタミン B_{12} の強奪
            ・細菌：腸内停留，蠕動不全，低 γ-グロブリン血症
            ・広節裂頭条虫
         c) 回腸粘膜/内因子ービタミン B_{12} 受容体の異常
            ・内因子ービタミン B_{12} 受容体の減少あるいは欠落：回腸バイパス，切除，瘻孔
            ・粘膜構造，機能異常：セリアック病，Crohn 病，結核，リンパ種，アミロイドーシス
            ・内因子ービタミン B_{12} 受容体欠損：Imerslund-Grabeck 症候群，TC-II 欠損
            ・薬剤：Slow K，メトホルミン，コレスチラミン，コルヒチン，フラジオマイシン
   3) 輸送障害（TC-II-ビタミン B_{12} 複合体の TC-II への引き渡し不全）
      ① 先天性 TC-II 欠損，TC-II-ビタミン B_{12} 複合体の TC-II への結合不全
      ② 代謝障害（細胞によるビタミン B_{12} の利用障害）
         ・先天性酵素異常症，後天性疾患（N_2O 吸入による不可逆的酸化によるビタミン B_{12} の機能的不活化，N_2O 吸入）
2. 葉酸の欠乏
   1) 栄養面
      ① 摂取不足
         a) 貧困，飢餓
         b) 施設収容者（精神医療，保育），慢性消耗性疾患
         c) ヤギ乳の長期授乳，特殊なダイエット食，葉酸を含む食物を摂取しない
         d) 過度の偏食，葉酸を破壊する文化的，民族的な調理方法
      ② 摂取の減少と需要の増大
         a) 生理的：妊娠と授乳，未熟児，妊娠悪阻，新生児
         b) 病理的：代償性赤血球造血，異常造血あるいは悪性疾患の骨髄浸潤を伴う溶血のある内因性血液疾患，乾癬などの皮膚疾患
   2) 吸収不良
      ① 正常な小腸粘膜に伴うもの
         ・薬剤（賛否両論あり），先天性葉酸吸収不良
      ② 粘膜異常に伴うもの
         ・セリアック病，限局性腸炎
   3) 細胞による葉酸の取り込みの欠落
      ・家族性再生不良性貧血，急性大脳性葉酸欠乏
   4) 細胞による葉酸の利用障害
      ・葉酸拮抗薬（メトトレキサートなど），先天性葉酸代謝酵素欠損
   5) 薬剤
      ・葉酸代謝に影響を及ぼすもの（アルコール，サラゾスルファピリジン，トリアムテレン，ST 合剤，diphenyl-hydantoin，barbiturate）
   6) 急性葉酸欠乏
      ・集中治療室管理，原因不明
3. ビタミン B_{12} あるいは葉酸欠乏によらないもの
   1) 先天性 DNA 合成障害
      ・オロト酸尿症，Lesch-Nyhan 症候群，CDA（congenital dyserythropoietic anemia）
   2) 後天性 DNA 合成障害
      ・欠乏：チアミン反応性巨赤芽球性貧血
      ・悪性疾患：赤白血病，骨髄異形成症候群，DNA 合成を阻害する抗がん薬，HIV やほかのウイルスに対する抗核酸剤
      ・アルコールを含む毒物

（片山直之：巨赤芽球性貧血．金倉 譲（編），血液診療エキスパート 貧血．中外医学社，91-99，2010 より引用）

なるのはまれであるが，葉酸抜きの食事を続けると数か月で葉酸欠乏になる．

1）摂取不足，需要増大
ヒトの母乳・乳児用調整乳には十分な葉酸が含まれている．妊娠，悪性腫瘍，慢性的な貧血，広範な皮膚病変などでは需要が増大する．

2）吸収障害
セリアック病，限局性腸炎，慢性下痢症など粘膜障害に伴うもの．

3）先天性葉酸代謝異常
先天性葉酸吸収不全症：乳児期早期から巨赤芽球性貧血や汎血球減少症に免疫不全徴候，下痢，精神発達遅滞，けいれんなどを伴う．そのほか，先天性葉酸代謝酵素欠損症，メチレンテトラヒドロ葉酸還元酵素（methylenetetrahydrofolate reductase：MTHFR）異常症，ホルムイミノトランスフェラーゼ（formiminotransferase）欠損症など

③ 薬剤性（ビタミンB_{12}吸収代謝障害，葉酸吸収代謝障害，DNA合成障害）
その他の貧血：本章/A/12．その他の貧血「薬剤性貧血」（p.405〜407）参照．

臨床徴候

1 貧血
貧血は徐々に進行するため，中等度以上の貧血にならないと症状を自覚しないことも多い．動悸，息切れ，易疲労感を呈する．古典的なビタミンB_{12}や葉酸欠乏は大球性貧血をきたすとされているが，貧血が軽度で，鉄欠乏やサラセミアで大球性が隠されていることもあり，注意が必要である．

2 消化器系
舌乳頭の萎縮，発赤を伴うHunter舌炎となる．胃では萎縮性胃炎がみられる．下痢などの消化器症状，それらに伴う体重増加不良など．

3 神経症状
ビタミンB_{12}欠乏症では，知覚，振動覚，位置覚の低下，深部腱反射亢進，意識障害，てんかん発作，認知症様症状などのさまざまな症状を呈する．これらの症状は血液学的な異常を認めない場合でも発生することがある．葉酸欠乏症のみでは神経症状は認めないが，遺伝性の葉酸吸収障害では神経障害を合併することが知られている．

4 その他
若年者の白髪など．

診断・検査所見[3)4)]

① 大球性貧血，白血球減少，好中球過分葉（5〜6分節以上），血小板減少．

② 骨髄像：赤芽球過形成，巨赤芽球，顆粒球系や巨核球系細胞の成熟障害．

③ 生化学検査：無効造血（赤芽球レベルでの溶血）による間接ビリルビン値の上昇，LDH値上昇，ハプトグロビン低下がみられる．

④ 血清ビタミンB_{12}値低値，葉酸値低値：血清ビタミンB_{12}値が＜100 pg/mLでは欠乏はほぼ確実である．200 pg/mLをカットオフ値とすると感度65〜95％，特異度50〜60％との報告がある．ビタミンB_{12}値のみで判断せず，そのほかの検査と臨床所見から総合的に判断する．葉酸値＞4 ng/mLでは葉酸欠乏は否定できる．＜2 ng/mLでは葉酸欠乏（最近食事が摂れていること，極端な空腹でないことを確認）．溶血させると血中葉酸値は上昇する．

⑤ 代謝産物の測定（メチルマロン酸とホモシスチン）：ビタミンB_{12}値，葉酸値が境界領域である場合や，説明できない神経学的症状や大球性貧血の出現がある場合は，代謝産物の測定は必須である．メチルマロン酸とホモシスチンの測定は，ビタミン値の測定より感度の高い検査である．血清メチルマロン酸とホモシスチンはビタミンB_{12}欠乏症で増加する．一方，ホモシスチンのみの増加のときは葉酸欠乏が考えられる．メチルマロン酸はビタミンB_{12}欠乏に先行して増加し，多くは1,000 nmol/L（血中メチルマロン酸正常値 70〜270 nmol/L）以上を呈する．ホモシスチンの増加は葉酸が正常下限界レベルで起こる．メチルマロン酸とホモシスチンの測定は，ビタミンB_{12}と葉酸欠乏の鑑別に有用である．

⑥ 抗胃壁抗体・抗IF抗体陽性：抗IF抗体の悪性貧血における感度は50〜70％，特異度100％である．抗胃壁抗体は抗IF抗体より感度は高いが，特異度は低い．

治療・予後

1 ビタミンB_{12}欠乏
ビタミンB_{12}欠乏に対しては，原因によって治療方針は異なるが，原則はシアノコバラミン筋肉内注射（1 mg/回）を週2〜3回筋注し，1か月は継続する．神経症状を認める場合は，少なくとも2週間は連日投与する．通常，迅速な血液学的反応がみられ，2〜

4日で網赤血球は増加しLDH・間接ビリルビン値も低下する．その後，血液所見は1か月ほどで正常化する．維持療法が必要な病態では，500 μgを1～2か月ごとに筋注する．造血の回復期とともに鉄欠乏状態が顕在化することがあり，必要なときは鉄剤を投与する．神経学的異常は数週間前後で改善傾向が認められ，6～12か月で最も改善が認められる[3)4)]．

経口投与では高容量のビタミンB_{12}を投与する．1～2 mg/日を連日長期投与する．成人では有効な報告もあるが[5)]，吸収には個人差が大きく，経口薬のコンプライアンス等の小児での確実性については不明である．

ビタミンB_{12}は過剰な分は尿中に排泄されるので，急速飽和の不利益は少ない．神経症状を認めるときは不可逆的変化をもたらす可能性があり，急速飽和の治療を考える．腸管バクテリアや寄生虫の過増殖による吸収障害では，適切な抗菌薬治療の併用が有用である．

2 葉酸欠乏

葉酸欠乏に対しては，吸収部位である空腸に異常がなければ，通常1～5 mg/日を1～4か月経口投与することで，血液学的所見が正常化する．

3 予後

適切な治療を行えば貧血は回復する．しかしながら神経症状は貧血と比べ回復が遅く，非可逆的となることがあるため，早期発見・治療が重要となる．

ピットフォール・対策

- 鉄欠乏性貧血やサラセミアが併存していると，大球性貧血がマスクされることがある．
- 貧血よりも神経症状が先行する場合や汎血球減少を認めることがあるので，注意が必要である．過分葉好中球の存在を確認することが大切である．
- 小児にはまれな疾患であるが，その病態はおもにDNAの合成障害であり，ほかの細胞系にも影響を及ぼすので，その診断は重要である．

■ 文献

1) Lerner NB：Diseases of the Blood. In：Kliegman RM(eds.), Nelson Textbook of Pediatrics. 19th ed, Saunders Elsevier, 1648-1655, 2011
2) 片山直之：巨赤芽球性貧血．金倉 譲（編），血液診療エキスパート 貧血．中外医学社，91-99，2010
3) Stabler SP：Clinical practice. Vitamin B_{12} deficiency. N Engl J Med 368：149-160, 2013
4) 張替秀郎：巨赤芽球性貧血．日本血液学会（編），血液専門医テキスト．南江堂，159-162，2011
5) Bolaman Z, et al.：Oral versus intramuscular cobalamin treatment in megaloblastic anemia：a single center, prospective, randomized, open-label study. Clin Ther 25：3124-3134, 2003

（植田高弘）

第1章 血液・造血器疾患

A 赤血球の異常

11 出血性貧血

出血に伴う貧血

定義・概念

　出血に伴う貧血としては，おもに外傷による貧血や，疾患そのものに伴う頭蓋内・肺・消化管・鼻からの出血などがある．急性型は体内を循環する血液量の減少による循環不全の症状が前面に出るが，慢性型は血色素量の減少による酸素供給の不足の症状が主体となる．小児では循環血漿量が少ないため少量の出血でもショックに陥ることもあるので，可能な限り迅速な出血部位の同定と対策が必要である．本項では，新生児期を除く小児期の出血性貧血について概説する．

病因・病態・診断

　年齢によって疾患が異なることを認識する必要がある[1]．
①新生児期：帽状腱膜下出血，頭蓋内出血，消化管出血，胎児母体間輸血，一卵性双生児の双胎間輸血，胎盤・臍帯異常，悪性腫瘍などによる出血，ビタミンK欠乏症，ミルクアレルギーなど．
②乳幼児期：ビタミンK欠乏症，胃横隔膜ヘルニア，Meckel憩室，消化管ポリープ，腸管壁内血管奇形，食道静脈瘤，特発性ヘモジデローシス，悪性腫瘍など．
③学童/思春期：胃・十二指腸潰瘍，胃横隔膜ヘルニア，Meckel憩室，Mallory-Weiss症候群，潰瘍性大腸炎，特発性ヘモジデローシス，悪性腫瘍など．

1 Meckel憩室

　Meckel憩室は，消化管発生過程で生じる卵黄腸管遺残症の一形態である．憩室に接した回腸壁に形成される潰瘍から出血をきたす．潰瘍の発症機転は憩室内に迷入した胃粘膜組織からの胃酸分泌である．下血は前駆症状なく突然大量に認めることがある．発症年齢は小児期が40％を占め，特に8歳以下が多い．出血部位の検索には，原因となる異所性胃粘膜を検出する目的で $^{99m}TcO_4^-$ シンチグラフィが有用であるが，感度は50〜91％と報告されている[2]．所見が認められなくても否定できないこともあるので，注意が必要である．

2 腸管壁内血管異常

　小腸あるいは結腸壁内の動脈瘤，動静脈奇形，血管腫，毛細血管拡張症など，血管異形成病変である．突然の大量下血で発症し，出血が持続すると輸血が必要となる．筆者らは急性リンパ性白血病（ALL）の治療中に突然の腹痛・大量下血で，ヘモグロビン（Hb）4.9 g/dLまで低下し，出血性ショック状態になった症例を経験している．緊急内視鏡検査を実施するも上部・下部消化管（結腸から回盲部まで）ともに明らかな出血源は同定できなかった．小腸出血を考慮し，緊急血管造影により上腸間膜動脈（superior mesenteric artery：SMA）が出血源と同定し，経カテーテル動脈塞栓術（transcatheter arterial embolization：TAE）にて安全に止血でき，その後の化学療法を継続できた（図1）[3]．

3 潰瘍性大腸炎

　少量粘血便から血性下痢便あるいは大量下血までさまざまな便状を呈する．

4 逆流性食道炎

　胃食道逆流症に伴う食道病変である．逆流した胃酸作用で食道粘膜にびらん，潰瘍が発生し，吐血と下血で発症する．小児では泣く，いらいらする，不眠，疝痛，哺乳不良などが食道炎を疑う症状である．乳幼児期に慢性鉄欠乏性貧血で発見されることもある．診断は内視鏡と食道粘膜生検で行う．

5 食道静脈瘤

　胆道閉鎖症術後肝硬変（肝性），先天性または臍炎後の門脈閉塞（肝前性），あるいは肝後性門脈閉塞（Budd-Chiari症候群）などに起因する食道粘膜下の静脈瘤では，破綻により大量出血を起こす．

6 胃・十二指腸潰瘍

　学童期に好発する成人型消化性潰瘍が多い．さまざまな原因があるが，*Helicobacter pylori*感染症は重要であり，十二指腸潰瘍の83％，胃潰瘍の44.2％で感染が認められたとの報告もある[3]．*H. pylori*陰性潰瘍では，非ステロイド性抗炎症薬（NSAIDs）潰瘍に注意が必要である．急性胃粘膜病変（acute gastric mucosal lesion：AGML）は，急性胃炎と急性胃潰瘍病変を伴うものであり，心窩部痛，吐血や下血など突然の臨床症状で発症する．

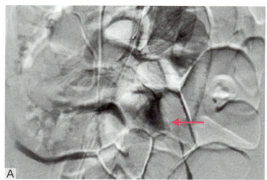
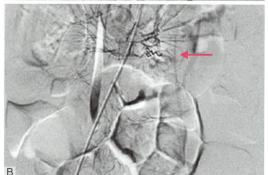

図1 ● 上腸間膜動脈に対する経動脈カテーテル塞栓術（←）

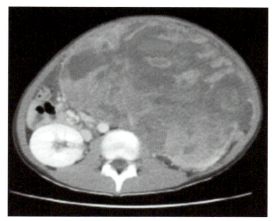

図2 ● 診断時に比べ腫瘍の増大と腫瘍内出血が認められた

7 特発性肺ヘモジデローシス

肺毛細血管から出血を繰り返し，その結果としてHbの代謝産物であるヘモジデリンが肺組織に沈着した状態を総称した症候群である．本症はまれで，小児100万人当たり1.2人で，10歳未満に発症することが多い．症状は肺出血による呼吸器症状と鉄欠乏性貧血であるが，出血量が少量のときは呼吸器症状が明らかでないこともある．体重増加不良や原因不明の貧血を主訴とする場合や，治療反応不良な鉄欠乏性貧血をみた場合は，本症も疑う必要がある．ミルクアレルギーに起因した発症も報告されている（Heiner症候群）．肺出血を繰り返すたびに組織傷害が進行し，肺線維症に至る．

8 悪性腫瘍関連（腫瘍内出血・移植後出血性膀胱炎）

巨大かつ血管豊富な腫瘍に対する腫瘍内出血もoncologic emergencyに該当する．巨大な腎明細胞肉腫（clear cell sarcoma of the kidney：CCSK）の腫瘍内出血の自験例を示す（図2）．

また，造血細胞移植後の難治性出血性膀胱炎も貧血をもたらし，時に輸血を要することがある．出血性膀胱炎は，対症的な保存的治療にて大部分は2～3週間で治癒するとされるが，尿路閉塞症状が著しい場合には尿管ステント留置，尿管拡張術などが必要となる．重症例には経尿道的電気凝固術（transure-thral coagulation：TUC）や両側水腎症に対して，一時的な腎瘻造設術，膀胱全摘除術などが実施されることがある．出血性膀胱炎の原因としてBKウイルス，サイトメガロウイルス（CMV），アデノウイルス（ADV）が知られているが，わが国ではADV B11の頻度が高いことが報告されている．ADVの抗ウイルス薬としては，cidofovir（CDV）があげられるが，わが国では未承認薬である．また最近，CDVの脂質結合体で，より高活性の抗ウイルス効果をもち，CDVに認める腎毒性を回避できるbrincidofovirが開発された．今後の日本での製造承認が期待される[5]．

治療・予後

原疾患の治療が必須で，予後は原疾患によってさまざまである．ここでは輸血療法について示す[6]．

1 輸血療法[4]

赤血球濃厚液を使用する目的は，貧血を改善して末梢循環系へ十分な酸素を供給することにある．

1）適応

小児では基本的には「血液製剤の使用指針」に従う．表1にその抜粋を示す．成人ではHb 7 g/dL未満が輸血を行う1つの目安とされている．

輸血以外の方法で治療できる疾患（鉄欠乏性貧血など）には，原則として輸血は行わない．実際の赤血球輸血の適応はHb値のみでなく，全身状態，症状の有無，患者の活動状況，貧血の進行度などを考慮に入れることが大切である．慢性貧血に対する輸血でHb値を10 g/dL以上にする必要はない．

a．慢性出血性貧血

消化管や泌尿生殖器からの少量の長期的な出血による貧血は，原則として輸血は行わない．日常生活に支障をきたす循環器系の臨床症状（労作時の動

表1 ◆ 血液製剤（赤血球液）の使用指針（要約の抜粋）

1．目的　組織や臓器へ十分な酸素を供給すること・循環血液量を維持すること
2．使用指針
1）慢性貧血に対する適応（主として内科的適応）
a）血液疾患に伴う貧血 　　　①鉄欠乏・ビタミンB_{12}欠乏・葉酸欠乏・自己免疫性溶血性貧血など輸血以外の方法で治療可能である疾患には，原則として輸血を行わない 　　　②造血不全/造血器疾患・固形がんなどの化学療法・造血細胞移植などによる慢性貧血の場合にはHb値7g/dLが輸血を行う1つの目安とされているが，一律に決めるのは困難である 　　　・Hb値を10g/dL以上にする必要はない 　　　・輸血以外の方法で治療可能である疾患は原則として輸血を行わない 　　　・輸血による鉄過剰に伴う臓器障害のマネジメントは重要であり，鉄キレート剤が有用である
2）急性出血に対する適応（主として外科的適応） 　　　・Hb値が10g/dLを超える場合は輸血は必要ない．6g/dL以下では輸血はほぼ必須とされている
3）周術期の輸血 　　　①術前投与：術前投与は，持続する出血がコントロールできない場合，またその恐れがある場合のみ行う．慣習的に行われてきた術前投与のいわゆる10/30ルール〔Hb値10g/dL，ヘマトクリット（Ht）値30%以上〕はエビデンスがない 　　　②術中投与：輸血のトリガー血をHb値7〜8g/dLとすることを推奨する．心疾患ではHb8〜10g/dLとする 　　　③術後投与：バイタルサインが安定している場合は，細胞外液補充液の投与以外に赤血球濃厚液，等張アルブミン製剤や新鮮凍結血漿などの投与が必要となる場合は少ない
3．不適切な使用
終末期患者への投与：患者の意思を尊重しない投与は控える．

（厚生労働省医薬・生活衛生局：血液製剤の使用指針　平成31年3月，2019より引用）

悸・息切れ，浮腫など）がある場合には輸血を行い，臨床所見の改善の程度を観察する．全身状態が良好な場合は，Hb6g/dL以下が1つの目安となる．

高度の貧血の場合には，循環血漿量が増加していること，心臓に負担がかかっていることから，一度に大量の輸血を行うと，心不全，肺水腫をきたすことがある．腎障害を合併している場合には，特に注意が必要である．一般的に小児の慢性貧血に対する濃厚赤血球1日輸血量は，Hb5g/dL以上であれば10mL/kgが上限とされ，これを2〜4時間かけて輸血する．Hb5g/dL以下の場合は，そのときのHbをXg/dLとするとき，初期輸血量はXmL/kg/日とするほうが安全である．利尿薬を併用し，心不全に注意しながら行う．

b．急性出血性貧血

急性出血では，Hb値低下（貧血）と循環血液量の低下が発生する．循環動態からみると，循環血液量の15%の出血（class I）では，軽い末梢血管収縮あるいは頻脈を除くと循環動態にはほとんど変化は生じない．また，15〜30%の出血（class II）では，頻脈や脈圧の狭小化がみられ，患者は落ち着きがなくなり不安感を呈するようになる．さらに，30〜40%の出血（class III）では，その症状はさらに顕著となり，血圧も低下し，精神状態も錯乱する場合もある．循環血液量の40%を超える出血（class IV）では，嗜眠傾向となり，生命的にも危険な状態とされている[6]．

小児では体重1kg当たり80mL/kg，成人では70mL/kgである．循環血液量20%までの出血は輸液で対応できるが，それを超える場合には赤血球濃厚液の投与が必要になる．

2）血液型が確定できない場合のO型赤血球の使用

出血性ショックなどのため，患者のABO血液型を判定する時間的余裕がない場合や血液型判定が困難な場合は，例外的に交差適合試験未実施のO型赤血球濃厚液を使用する（全血は不可）．なお，緊急時であっても，原則として放射線照射血液製剤を使用する．

■ 文献

1) 福永慶隆：貧血．五十嵐　隆，他（編）．今日の小児診断指針．第4版．医学書院，107-112，2004
2) Kiratli PO, et al.：Detection of ectopic gastric mucosa using ^{99m}Tc pertechnetate：review of the literature. Ann Nucl Med 23：97-105, 2009
3) Hayakawa J, et al.：Successful coil embolization for life-threatening hemorrhage in childhood leukemia induction therapy. Pediatr Int 248-251, 2013
4) Kato S, et al.：The prevalence of Helicobacter pylori in Japanese children with gastritis or peptic ulcer disease. J Gastroenterol 39：734-738, 2004
5) Hiwarkar P, et al：Brincidofovir is highly efficacious in controlling adenoviremia in pediatric recipients of hematopoietic cell transplant. Blood 129：2033-2037, 2017
6) 厚生労働省医薬・生活衛生局：血液製剤の使用指針　平成31年3月，2019

（植田高弘）

第1章 血液・造血器疾患

A 赤血球の異常

12 その他の貧血

本項では，他項で触れられていない微量元素（亜鉛/銅）欠乏による貧血と薬剤性貧血のうち骨髄障害性貧血について概説する．

微量元素欠乏性貧血

定義

微量元素とは，生体内で生命活動に必要不可欠な元素のうち，体内含有量が一般に鉄と等量かそれよりも少量しか存在しないもの，あるいは1日必要量が100 mg以下の元素を指す．鉄，亜鉛，銅，マンガン，コバルト，セレン，モリブデン，クロム，ヨウ素の9種類を必須微量元素とすることが多い．このなかで，貧血と関連する銅と亜鉛について述べる．

1 亜鉛欠乏症

亜鉛は，生体内では鉄に次いで多い金属で，毛髪や爪，骨，肝，腎，筋肉，皮膚などに含まれている．核酸・蛋白合成，細胞分裂，エネルギー代謝，骨代謝などに関与しており，おもに小腸から吸収される．供給源は肉，魚などである．日本人の摂取推奨量は乳幼児2～3 mg/日，小学生4～7 mg/日，中学生以上8～10 mg/日である[1]．

2 銅欠乏症

銅は50％が骨・筋肉に含まれており，そのほかには肝，脳にも含まれている．血清銅は，90％以上がセルロプラスミンと結合して存在している．先天性銅欠乏症には銅輸送ATPase（*ATP7A*）遺伝子異常によるMenkes病があり，胎児期由来の銅が欠乏する生後2か月以降に重篤な中枢神経症状，結合織症状を呈する．日本人の摂取推奨量は，乳幼児0.3 mg/日，小学生0.4～0.6 mg/日，中学生以上0.7～1.0 mg/日である[1]．

病因

1 亜鉛欠乏症

亜鉛欠乏症は，遺伝子異常による先天的なものと，栄養障害などによる後天的なものとがあり，表1に示す分類が提唱されている[2]．先天性吸収障害として，常染色体潜性（劣性）遺伝疾患の腸性肢端皮膚炎（*SLC39A4*遺伝子異常）は有名である．また，母乳中へ亜鉛を分泌する機能をつかさどる遺伝子*SLC30A2*の異常がある場合には母親は亜鉛欠乏を認めないが，低亜鉛母乳が原因となる亜鉛欠乏症が報告されている[3]．

2 銅欠乏症

栄養学的な銅欠乏の原因は，銅含有量の少ない経腸栄養剤の長期使用や微量元素製剤の添加されていない高カロリー輸液〔完全静脈栄養（total parenteral nutrition：TPN）〕，あるいは経皮内視鏡的胃瘻増設術（percutaneous endoscopic gastrostomy：PEG）の長期使用が一般的である．2000年以降の流動食には銅が強化されている．そのほか，早産低出生体重児，摂取不足，吸収不良をきたす消化管疾患などで欠乏のリスクとなる．亜鉛と銅は吸収において拮抗するので，経腸栄養使用中の亜鉛剤の投与により，銅の吸収率が低下し，銅欠乏が起こる可能性がある．

臨床症状

1 亜鉛欠乏症

亜鉛欠乏の症状は，腸性肢端皮膚炎の3大徴候といわれる開口部（口周囲，肛門周囲，眼周囲）皮膚炎，脱毛，下痢のほか，体重増加不良，低身長，免疫機能低下などさまざまある．また，GATA-1の転写因子活性に亜鉛は必須であり，亜鉛欠乏により赤芽球の分化・増殖が障害され貧血を生じる．亜鉛欠乏性貧血の特徴は，赤血球数が減少し，正球性または小球性貧血で，血清総鉄結合能（TIBC）は低下していることである．鉄欠乏を合併していると小球性になる[4]．

2 銅欠乏症

後天性銅欠乏の多くは，貧血または好中球減少で発見される．症状としては，頭髪異常や血管異常（蛇行など），骨粗鬆症，筋力低下，精神発達遅滞，神経障害，消化器症状などがみられる．骨髄では巨赤芽球変化を伴い，赤芽球や顆粒球系では細胞質に空胞を生じる．貧血のさらなる進行で環状赤芽球が認められ，骨髄異形成症候群（MDS）との鑑別を要することもある．

表1 ◆ 小児期の亜鉛欠乏症の病因別分類

型	病因	詳細
1型	摂取不足	亜鉛補充が不十分な経静脈・経腸栄養 低亜鉛母乳：母体亜鉛欠乏，母体*SLC30A2*遺伝子異常 不適当な食事や神経性食思不振などによる栄養障害
2型	過度の喪失	消化管からの喪失（難治性下痢症，腸瘻など） 腎からの喪失（肝硬変，腎疾患，糖尿病，利尿薬など） その他，出血，寄生虫，熱傷，過剰発汗，血液透析などによる喪失
3型	吸収障害	腸性肢端皮膚炎 銅・鉄の過剰摂取 種々の吸収不良性疾患（Crohn病・潰瘍性大腸炎，膵機能障害など）による吸収障害 ペニシラミン，バルプロ酸，EDTAなどの内服
4型	需要増大	妊婦，授乳婦，早産児
5型	その他	Down症候群，先天性胸腺欠損

(Corbo MD, et al.: Zinc deficiency and its management in the pediatric population: a literature review and proposed etiologic classification. J Am Acad Dermantol 69: 616-624, 2013 より引用．一部改変)

表2 ◆ 亜鉛欠乏の診断基準

1. 下記の症状／検査所見のうち1項目以上を満たす
    1) 臨床症状・所見　皮膚炎，口内炎，脱毛症，褥瘡（難治性），食欲低下，発育障害（小児で体重増加不良，低身），性腺機能不全，易感染性，味覚障害，貧血，不妊症
    2) 検査所見　血清アルカリホスファターゼ（ALP）低値

    注：肝疾患，骨粗しょう症，慢性腎不全，糖尿病，うっ血性心不全などでは亜鉛欠乏であっても低値を示さないことがある．
2. 上記症状の原因となる他の疾患が否定される
3. 血清亜鉛血　3-1：60 μg/dL未満：亜鉛欠乏症
   3-2：60〜80 μg/dL未満：潜在性亜鉛欠乏症
   血清亜鉛は早朝空腹時に測定することが望ましい
4. 亜鉛を補充することにより症状が改善する

Definite（確定診断）：上記項目の1, 2, 3-1, 4をすべて満たす場合を亜鉛欠乏と診断する．上記項目の1, 2, 3-2, 4をすべて満たす場合を潜在性亜鉛欠乏症と診断する．Probable：亜鉛補充前に1, 2, 3を満たすもの．亜鉛補充の適応となる．
(日本栄養臨床学会（編）：亜鉛欠乏症の診断指針2018. 日本栄養臨床学会, 2018. http://www.jscn.gr.jp/pdf/aen20180402.pdfより引用)

診断

1 亜鉛欠乏症

2018年に日本臨床栄養学会から『亜鉛欠乏症の診断指針2018』が示された（表2）．亜鉛欠乏症は臨床症状と血清亜鉛値によって診断され，亜鉛を投与して症状が改善されることを確認することが推奨されている[5]．

2 銅欠乏症

血清銅およびセルロプラスミン値の低下により診断する．

治療

1 亜鉛欠乏症

TPNの欠乏症には，亜鉛を含む製剤の使用や微量元素製剤の投与を行う．内服薬では，2017年から酢酸亜鉛水和物のノベルジン®が低亜鉛血症に処方可能となった．小児1〜3 mg/kg/日または体重20 kg未満では25 mg/日，体重20 kg以上では50 mg/日を分2で食後に経口投与する．有害事象として，消化器症状（悪心・腹痛），血清酵素（アミラーゼ・リパーゼ）上昇，長期の亜鉛投与は銅欠乏を生じることがあり，定期的に血中銅・セルロプラスミンを測定する．血清膵酵素上昇は特に問題がなく経過観察でよい[5]．

2 銅欠乏症

銅のみの医薬品はない．銅の補充として，400〜600 μg/日（$CuSO_4/5H_2O$として2〜3 mg/日）投与にて1か月で血液学的改善が得られる．亜鉛製剤を使用していたら中止することも重要である．現在はエンシュアリキッド®（アボットジャパン），エネーボ®（アボットジャパン），ラコール®（大塚製薬）などの経腸栄養剤は，1,000 kcalあたり1 mg以上の銅が含有されている．

薬剤性貧血

定義

薬剤性貧血とは，特定の薬剤の使用後に発生する貧血の総称である．薬剤の投与開始から，発症までの期間はさまざまであり，数か月前までさかのぼって服用履歴を確認する必要がある．おもな機序は溶血性と造血障害性に大別される．溶血性貧血は別項を参照されたい．本項では造血障害による薬剤性貧血について述べる．

1 巨赤芽球性貧血（ビタミンB_{12}吸収代謝障害，葉酸吸収代謝障害，DNA合成障害）

葉酸の吸収代謝障害の代表的薬剤として，ST合剤のトリメトプリム（代謝障害），抗けいれん薬ではフェニトイン，プリミドン，フェノバルビタール，エトスクシミド（吸収障害）がある．メトトレキサート（葉酸代謝拮抗作用），サラゾスルファピリジン（吸収障害）は，葉酸喪失と吸収障害を助長する可能性が指摘されている．

ビタミンB_{12}欠乏では，胃酸分泌を抑えるプロトンポンプ阻害薬やH_2受容体拮抗薬の長期投与（吸収障害）が胃酸の分泌や内因子分泌を抑制するため，ビタミンB_{12}の吸収が阻害される可能性が指摘されているが，臨床上問題になることはほとんどない．抗結核薬のパラアミノサリチル酸，フラジオマイシン，ビグアナイド系抗糖尿病薬など（吸収障害）の報告もある．DNA合成阻害作用の代表的薬剤には抗ウイルス薬のアシクロビル，ガンシクロビルなどや抗がん薬のメルカプトプリン，フルオロウラシルなどがあり，巨赤芽球性変化を含む骨髄障害を起こし得る[6]．

2 赤芽球癆

赤芽球系の造血が選択的に抑制される．薬剤投与後に急激に進行する急性型が多い．パルボウイルスB19感染による無形成発作（aplastic crisis）との鑑別が必要である．クロラムフェニコール，フェニトイン，イソニアジド，アザチオプリン，バルプロ酸ナトリウムをはじめ，多数報告されている．赤芽球癆のうち薬剤性は約1％で，ほとんどの場合は薬剤の中止により1〜3週間で改善がみられる．

3 再生不良性貧血

薬剤性の再生不良性貧血を引き起こす可能性のある薬剤を表3に示す[7]．このうち再生不良性貧血との因果関係が明らかに示されているのは，クロラムフェニコールと抗マラリア薬のクロロキンである．薬剤の投与開始から発症までの期間は一定ではなく，長期間の投与中に発生することもあり，発症から数週間以内に開始された薬剤が原因とは限らない．薬剤を中止しても回復が認められない場合がある．

4 鉄芽球性貧血

骨髄像にて環状の鉄沈着を認める．ヘムの合成障害が原因で，合成に必要なビタミンB_6やポルフィリンの代謝を阻害する薬剤が原因となる．抗結核薬であるイソニアジドやピラジナミドなどはビタミンB_6の代謝を阻害する．薬剤の中止によって改善する．

表3 ● 再生不良性貧血の原因となり得るおもな薬剤

1. 抗菌薬
   - クロラムフェニコール
   - スルホンアミド
   - ペニシラミン
   - テトラサイクリン
   - ST合剤
   - リネゾリド
2. 抗リウマチ薬
   - 金製剤
   - ペニシラミン
3. 抗炎症薬
   - フェニルブタゾン
   - インドメタシン
   - ジクロフェナク
   - ナプロキセン
   - ピロキシカム
   - スルファサラジン
4. 抗てんかん薬
   - フェニトイン
   - カルバマゼピン
5. 抗甲状腺薬
   - チオウラシル
   - カルビマゾール
6. 経口糖尿病薬
   - クロルプロパミド
   - トルブタミド
7. 抗マラリア薬
   - クロロキン
8. その他
   - サイアザイド
   - アロプリノール

（半下石明：薬剤性貧血．金倉 譲（編），新戦略による貧血治療．中山書店，273-280，2014より引用，一部改変）

ピットフォール・対策

- 亜鉛欠乏症は，臨床症状と血清亜鉛値によって診断され，亜鉛を投与して症状が改善されることを確認することが推奨されている．
- 亜鉛欠乏症は，鉄欠乏を合併していると小球性貧血になる．
- 微量元素（特に銅）や骨髄障害性の薬剤性貧血は，骨髄異形成症候群（MDS）との鑑別が必要となる．
- 銅欠乏性貧血では，亜鉛製剤の内服の有無を確認する．
- 薬剤性貧血の多くは可逆性であるため，関与が疑われたら直ちに中止する．

■ 文献

1) 厚生労働省：日本人の食事摂取基準（2020年版）．https://www.mhlw.go.jp/content/10904750/000586553.pdf．（2021年4月現在）
2) Corbo. MD, et al.：Zinc deficiency and its management in the pediatric population：a literature review and proposed etiologic classification. J Am Acad Dermantol 69：616-624, 2013
3) Itsumura N, et al.：Compound heterozygous mutations in SLC30A2/ZnT2 results in low milk zinc concentrations：a novel mechanism for zinc deficiency in a breast-fed infant. PLoS One 8：e64045, 2013.
4) 湧上 聖：微量元素欠乏（亜鉛・銅）の病態と治療．日本臨床 75（増刊号1 貧血学）：222-225, 2017
5) 日本栄養臨床学会（編）：亜鉛欠乏症の診断指針2018．日本栄養臨床学会，2018. http://www.jscn.gr.jp/pdf/aen20180402.pdf
6) 張替秀郎：血液診療エキスパート．金倉 譲（編）：薬剤性貧血．中外医学社，p.273-280, 2010
7) 半下石明：新戦略による貧血治療．金倉 譲（編）：薬剤性貧血．中山書店，p.273-280, 2014

（植田高弘）

第1章 血液・造血器疾患

A 赤血球の異常

13 その他の赤血球疾患(赤血球増加症)

その他の血液疾患の代表的なものとして、赤血球増加症がある。本項では、赤血球増加症について述べる。

定義・概念

赤血球増加症は、末梢血で赤血球量が絶対的あるいは相対的に増加し、赤血球数、ヘモグロビン(Hb)値、ヘマトクリット(Ht)値が、性別、年齢別の正常値を超えている状態を指す。絶対的赤血球増加症は赤血球の総量自体が増加している状態であり、相対的赤血球増加症は、赤血球自体は増えていないが嘔吐・下痢、熱傷、利尿薬使用による脱水などにより血漿が減少するために赤血球量の割合が増加している状態である。

病因・病態

絶対的赤血球増加症は、骨髄中の造血前駆細胞の腫瘍性増殖によって起こる一次性赤血球増加症と、赤血球造血を刺激する因子〔エリスロポエチン(EPO)〕の産生増加による二次性赤血球増加症に分類される。一次性、二次性とも、先天性にも後天性にも起こり得る[1]。

1 一次性絶対的赤血球増加症

1) 後天性(真性多血症)

造血幹細胞の腫瘍性増殖によって起こる骨髄増殖性疾患で、赤血球増加が主となる真性多血症がある。成人の真性多血症のほとんどで *JAK2* 遺伝子変異、特に *JAK2* p.V617F 変異が認められることが報告され、WHO 診断基準の大項目の 1 つとして取り入れられている。*JAK2* p.V617F 変異により、EPO 非依存性にシグナル伝達が活性化され、造血が恒常的に亢進した状態となる。小児の赤血球増加症でも *JAK2* 遺伝子変異を認めることはあるが、成人に比べ頻度は低い[2]。

2) 先天性

先天性としては EPO 受容体(erythropoietin receptor：*EPOR*)遺伝子変異による家族性赤血球増加症 I 型が知られている。

2 二次性絶対的赤血球増加症

1) 後天性

a. 低酸素に対する生理的な反応

先天性心疾患などの心疾患、肺、腎臓の疾患により低酸素となり、生理的な反応として EPO 産生が増加し赤血球が増加する。

b. EPO 産生腫瘍

腎芽腫(Wilms 腫瘍)、腎細胞癌といった腎腫瘍、血管芽腫、褐色細胞腫、肝細胞癌など肝腫瘍の腫瘍細胞が EPO を産生し赤血球増加症を起こす。

2) 先天性

a. 高酸素親和性 Hb

酸素親和性が高い異常 Hb をもつと、組織において赤血球からの酸素放出が少なくなり低酸素となる。そのため二次的に赤血球が増加する。

また、2,3-BPG(2,3-bisphosphoglycerate)欠損症では、2,3-BPG が著明に減少し、Hb の酸素親和性が上昇し、同様に二次的に多血となる。

b. 酸素依存性 EPO 産生機構の異常

酸素濃度を感知して EPO 産生を調整する機構にかかわる分子の遺伝子変異により、赤血球増加症が起こる。家族性赤血球増加症 II〜IV 型が知られており、それぞれ II 型は *VHL*、III 型は *EGLN1*、IV 型は *HIF2α* 遺伝子変異によって起こる。

疫学

絶対的赤血球増加症の原因は、心疾患などによる低酸素に対する生理的な反応を除いては、いずれも非常にまれな病態である。真性多血症の好発年齢は中高年であり、20 歳未満の症例は 1% 未満である。

臨床徴候

赤血球増加症は、しばしば無症状であり、血液検査で偶然発見される場合も多い。血液量の増加と過粘稠によって、疲労感、息切れ、頭痛、めまい、皮膚の紅潮といった症状が認められる。肝腫大、脾腫、高血圧が認められることがあり、脳梗塞などの血栓症が起こる可能性もある。

診断・検査

　赤血球増加がみられたら，まず血漿量減少による相対的赤血球増加症を鑑別し，先述のいずれの病態かを精査していく．酸素飽和度を測定し，低下がみられれば心疾患，肺疾患に起因する二次性赤血球増加を考える．脾腫，血小板，白血球の増加が認められれば真性多血症を疑い，*JAK2*遺伝子変異解析を行う．血清EPO値は，真性多血症，家族性赤血球増加症I型では低値〜正常下限であり，二次性絶対的赤血球増加症では上昇する．酸素飽和度の低下がみられず血清EPO値が上昇していたら，EPO産生腫瘍，高酸素親和性ヘモグロビン症，2,3-BPG欠損症，家族性赤血球増加症II〜IV型の可能性を考え，それぞれ画像評価，Hb分析，*BPGM*，*PKLR*遺伝子解析，*VHL*，*EGLN1*，*HIF2α*遺伝子変異解析を行う．真性多血症が強く疑われるが*JAK2*遺伝子変異が認められない場合，骨髄検査を行い，EPO非存在下での赤芽球コロニー形成能(内因性赤芽球コロニー形成能)を調べる．内因性赤芽球コロニー形成能が陽性となれば，真性多血症の診断を強く支持する．他血球系統の形態異常，クローン性造血を示唆する染色体異常がないかも検討する．血清EPO値が低値〜正常下限で，真性多血症の診断に至らない場合には，家族性赤血球増加症I型を考え，*EPOR*遺伝子解析を行う．

治療・予後

　小児の赤血球増加症はまれであり，治療に関して十分なエビデンスはない．血液量を正常化するため瀉血が行われる．血栓症のリスクを下げるため，低用量アスピリンなど抗血小板薬が使用される．

　真性多血症に対しては，腫瘍量を減少させるためハイドロキシウレア，インターフェロンαが使用される場合がある[3)4)]．JAK1/2阻害薬であるルキソリチニブが有効との報告があるが，小児での使用例の報告は限られている[4)5)]．

　二次性赤血球増加症に対しては，原因となっている疾患の治療，管理を行う．

　予後は赤血球増加症の原因により異なる．

ピットフォール・対策

　赤血球増加症の原因は，真性多血症だけでなくさまざまである．鑑別診断を行い，病態を十分に把握することが肝要である．

■ 文献

1) Cario H, et al.：Erythrocytosis in children and adolescents-classification, characterization, and consensus recommendations for the diagnostic approach. Pediatr Blood Cancer 60：1734-1738, 2013
2) Ismael O, et al.：Mutations profile of polycythemia vera and essential thrombocythemia among Japanese children. Pediatr Blood Cancer 59：530-535, 2012
3) Zhan, H, et al.：The diagnosis and management of polycythemia vera, essential thrombocythemia, and primary myelofibrosis in the JAK2 V617F era. Clin Adv Hematol Oncol 7：334-342, 2009
4) Kucine N：Myeloproliferative neoplasms in children, adolescents, and young adults. Curr Hematol Malig Rep 15：141-148, 2020
5) Verstovsek S, et al.：A phase 2 study of ruxolitinib, an oral JAK1 and JAK2 Inhibitor, in patients with advanced polycythemia vera who are refractory or intolerant to hydroxyurea. Cancer 120：513-520, 2014

〈渡邉健一郎〉

第1章　血液・造血器疾患
B　白血球の異常

1 好中球減少症

定義・概念

好中球減少症は，末梢血好中球の絶対数（absolute neutrophil count：ANC）が1,500/μL未満と定義されているが，臨床上で易感染性を呈することで問題となるのはANCが500/μL以下の場合である．

小児期好中球減少症の病因はきわめて多様であり，①外因性因子による好中球破壊に起因するもの，②骨髄系細胞/幹細胞の後天性異常に起因するもの，③内因性因子による骨髄系細胞/幹細胞の障害によるものの大きく3つに分類される（表1）[1]．

好中球減少を認めた場合の診断フローチャートを簡単に図1に示す．本稿では小児期の代表的好中球減少症として，免疫性好中球減少症と重症先天性好中球減少症を中心に概説する．

免疫性好中球減少症

病因・病態

本症は，おもに好中球抗原に対する自己あるいは同種抗体産生によるものであり，末梢での好中球破壊亢進により好中球減少症を呈する．自己免疫性好中球減少症の大多数は乳児期か幼児期早期に発症し，乳幼児期の慢性好中球減少症の原因としてはもっとも頻度が高い．

抗体は好中球特異抗原に対するものであり，もっとも関与の多い抗原はFcγ receptor（FcγR）IIIbでHNA-1抗原とよばれている．FcγRIIIbは好中球に発現し，グリコシルホスファチジルイノシトール（glycosylphosphatidylinositol：GPI）により細胞膜に結合している．塩基配列の遺伝子多型（polymorphism）によりHNA-1a抗原，HNA-1b抗原，HNA-1c抗原の3つのisoformが存在する．また，FcγRIIIbをコードする*FCGR3B*遺伝子欠失により好中球上にFcγRIIIbをもたないHNA-nullも存在する．HNA-1抗原の遺伝子頻度には人種差が認められ，欧米ではHNA-1bが優位であるが，日本ではHNA-1aが優位である．本症の原因となる抗体はHNA-1aに対するものが最多である．

同種抗体による好中球減少症のほとんどは，新生児期の母子間好中球抗原の不適合である．両親が異なった好中球特異抗原型の場合に，母親に父親抗原に対する同種抗体が産生され，その抗体が児に受動的に移行した際に，一過性（3～4か月）に児の好中球減少が認められる．

疫学

乳幼児自己免疫性好中球減少症の頻度は，10歳以下の小児の10万人に1人とされる．本症の発症年齢は，生後3か月～3歳頃までに分布するが，平均発症年齢は8か月であり，14か月までに90％が発症する．

臨床徴候

好中球減少に伴う易感染性を認め，上気道炎や中耳炎などの細菌感染症を反復することが特徴である．本症は好中球数の著明な減少にもかかわらず，重症先天性好中球減少症などと比較して重症感染症を合併する頻度は低い．約80％の症例で上気道炎や中耳炎，膿痂疹などの感染症を発症するが，軽症のことが多く，肺炎や入院治療を必要とする重症感染症を合併する例は少数である．

診断・検査

抗好中球抗体の測定が診断に必要である．測定方法としては，一般的に好中球凝集試験（granulocyte agglutination test：GAT）や好中球免疫蛍光試験（granulocyte immunofluorescence test：GIFT）が用いられている．乳幼児自己免疫性好中球減少症の原因となる抗体として，わが国ではHNA-1aに対する抗体が30～70％と最多である．

治療・予後

乳幼児自己免疫性好中球減少症は，自然軽快が見込まれるため，治療としては感染症合併時の抗菌薬投与で十分なことが多い．しかし，頻回に中耳炎などの細菌感染症を合併する場合には，スルファメトキサゾール・トリメトプリム（sulfamethoxazole-trimethoprim：ST）合剤の予防投与が有効である．

またG-CSF投与で，ほぼ全例に好中球増加が認められるため，重症感染症合併時や外科手術前の症例にはG-CSF投与が有効である．本症が乳幼児に発症

表 1 ◆ 好中球減少症の分類

① 外因性因子による続発性の骨髄内骨髄系細胞
- 感染症
- 薬剤性
- 免疫性好中球減少症（自己免疫性，同種免疫性）
- 網内細胞の血球捕捉
- 悪性細胞の骨髄浸潤，骨髄線維化
- 化学療法や放射線療法による骨髄抑制

② 骨髄系細胞/幹細胞の後天性異常
- 再生不良性貧血
- ビタミン B_{12}，銅，葉酸欠乏
- 白血病
- 骨髄異形成症候群
- 未熟児
- 慢性特発性好中球減少症
- 発作性夜間ヘモグロビン尿症

③ 内因性因子による骨髄系細胞/幹細胞の増殖・分化の障害
- 骨髄産生障害
  - 重症先天性好中球減少症
- リボソーム機能障害
  - Shwachman-Diamond 症候群
  - 先天性角化異常症
- 細胞内顆粒輸送障害
  - Chédiak-東症候群
  - Griscelli 症候群
  - Cohen 症候群
  - Hermansky-Pudlak 症候群 2 型
  - P14 欠損症
  - VPS45 欠損症
- 代謝障害
  - 糖原病 1b 型
  - メチルマロン酸/プロピオン酸血症
  - Barth 症候群
  - Pearson 症候群
- 免疫機能障害における好中球減少症
  - 分類不能型免疫不全症
  - IgA 欠損症
  - 重症複合免疫不全症
  - 高 IgM 症候群
  - WHIM 症候群
  - 軟骨毛髪低形成症
  - Shimke 免疫性骨形成不全
  - X 連鎖無ガンマグロブリン血症

(Michniacki TF, et al. : Leukopenia. In : Kliegman RM, et al.(eds). Nelson Textbook of Pediatrics. 20th ed, Elsevier, 1141-1147, 2019 より引用，改変)

した場合，年齢とともに自然軽快することが知られており，3歳までに約80％，6歳までにほぼ全例で好中球数の増加が認められる．好中球数が回復するまでの期間は，発症時の好中球特異自己抗体の強度に依存することが明らかにされている．一般的に抗体強度が徐々に低下するにつれて，好中球数が自然に増加する傾向にある．

ピットフォール・対策

現在施行されている抗好中球抗体の検査は，感度，特異度において十分ではなく，検査としての限界がある．そのため，血清中の抗好中球抗体が陽性であっても，それだけで免疫性好中球減少症の確定診断には至らない点に留意し，乳幼児期に好中球減少を認める他疾患の鑑別のため，臨床所見と経過，場合によっては骨髄像も併せて診断することが重要である．

重症先天性好中球減少症

病因・病態

重症先天性好中球減少症（severe congenital neutropenia：SCN）は，末梢血好中球絶対数が 500/μL 未満（多くは 200/μL 未満）の重症慢性好中球減少，骨髄像で前骨髄球，骨髄球での成熟障害，生後早期から反復する細菌感染症を臨床的特徴とする遺伝性疾患である．すべての先天性好中球減少症を含めると，責任遺伝子は現在までに 10 種類以上が同定されている（表2）[2]．なかでも，好中球エラスターゼ（NE）をコードする *ELANE* 変異に起因する ELANE 異常症が最も頻度が高く，SCN の約 70％に認められる．ELANE 異常症の病態は明確ではないが，NE 蛋白の折りたたみ異常に起因する小胞体ストレスや骨髄系細胞の分化に関与する転写因子の発現低下，好中球成熟障害，細胞死との関連が指摘されている．HAX1 異常症は SCN の約 20％を占める．HAX1 はミトコンドリアに選択的に存在し，アポトーシスを制御する蛋白の 1 つであり，*HAX1* 欠損による好中球寿命低下などが病態として推測されている．2018 年に SCN の新たな責任遺伝子として，シグナル認識粒子（SRP）の一部をコードする *SRP54* が報告された．SRP54 異常症では，新生蛋白の輸送障害により生じる細胞内ストレスの病態への関与が指摘されている．

疫学

確定的な数字はないが，わが国ではこれまでの集積から 100 万人に 1〜2 人の発生頻度と推測される．

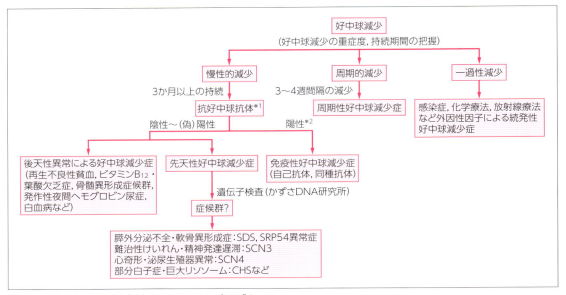

図1 ◆ 好中球減少症の診断のためのアルゴリズム
＊1：抗好中球抗体測定方法として，一般的に好中球凝集試験（GAT）や好中球免疫蛍光試験（GIFT）が用いられている．
＊2：抗好中球抗体が陽性であっても，検査の感度，特異性の不十分さからSCNの可能性は排除できない．
SDS：Shwachman-Diamond症候群，SCN：重症先天性好中球減少症，CHS：Chédiak-Higashi症候群．

SRP54異常症の頻度は不明であるが，フランスの先天性好中球減少症のデータベース登録ではELANE異常症に次いで頻度が高いと報告されており，わが国でも既に複数の症例が確認されている．

臨床徴候

感染症の反復，重症化と骨髄異形成症候群/急性骨髄性白血病（MDS/AML）への移行はSCN全体に共通した臨床所見と経過である．乳児期早期より皮膚感染症（皮下膿瘍，皮膚蜂巣炎），細菌性肺炎，中耳炎，臍帯炎，口腔内感染症などの感染の反復と同時に重症化，慢性化が認められる．

表2に示すように，一部のSCNは特徴的な合併所見を呈する．HAX1欠損症では，てんかんをはじめとした中枢神経系（精神運動発達遅滞，高次脳機能障害など）の合併症の頻度が高く，変異の部位によっては必発の症状であることが報告されている．SRP54遺伝子異常は，SCNだけでなくShwachman-Diamond症候群でも同定されており，膵外分泌不全や神経症状，骨格異常の合併に注意が必要である．

診断・検査

末梢血血液検査では，ANCが500/μL未満（多くは200/μL未満）の好中球減少が持続し，単球増加，好酸球増加が認められることが多い．好中球数の周期的変動を示す周期性好中球減少症では，3週間隔で好中球減少（ANCが150/μL以下）と単球増加を相反して認め，SCNとの鑑別に有用な所見となる．骨髄像では，骨髄顆粒球系細胞は正形成から低形成であり，前骨髄球あるいは骨髄球での成熟障害が特徴である．明らかな形態異常はみられない．赤芽球系，巨核球系には異常を認めない．

治療・予後

感染症対策が重要であり，ST合剤（0.1 g/kg/日，分2）の連日投与，必要であれば抗真菌薬投与を行う．また歯科医による口腔ケアが必要である．抗菌薬予防投与でも感染症のコントロールが不良の場合や，慢性歯肉炎が悪化する場合はG-CSFの定期投与を行う．G-CSF投与により約90％の患者では好中球増加が認められるので，感染症のコントロールが可能である．G-CSFは2〜5 μg/kg/日の低用量から開始し，末梢血所見や臨床症状を考慮しながら増量していく．症例によって，好中球出現に要するG-CSF量，投与間隔は異なるが，前述の量を週4〜5回程度皮下投与することが多い．感染症併発時には連日投与をすることが望ましい．ただし，長期間のG-CSF投与により，骨髄異形成症候群（MDS），急性骨髄性白血病（AML）への進展が認められるので注意が必要である．長期にG-CSF投与を受けているSCN患者（374人）を解析した欧米の報告では，15年間G-CSF製剤を使用した患者におけるMDS/AML

表2 先天性好中球減少症の分類

先天性好中球減少症	責任遺伝子	遺伝形式	合併所見
1. 重症先天性好中球減少症（SCN）			
SCN1（ELANE異常症）	ELANE	AD	MDS/白血病，SCNもしくは周期性好中球減少症
SCN2（GFI1欠損症）	GFI1	AD	B/Tリンパ球減少
SCN3（HAX1欠損症，kostmann症候群）	HAX1	AR	認知・神経学的障害，MDS/白血病
SCN4（G6PC3欠損症）	G6PC3	AR	先天性心疾患，泌尿生殖器奇形，内耳性難聴，体幹・四肢の静脈拡張
SCN5（VPS45欠損症）	VPS45	AR	髄外造血，骨髄線維化，腎肥大
2. 糖原病1b型	G6PT1	AR	空腹時低血糖，乳酸アシドーシス，高脂血症，肝腫大
3. X連鎖性好中球減少症	WAS	XL GOF	好中球減少，骨髄球分化障害，単球減少，リンパ球異常
4. P14/LAMTOR2欠損症	LAMTOR2	AR	好中球減少，低ガンマグロブリン血症，CD8T細胞障害活性低下，部分白子症，成長障害
5. Barth症候群	TAZ	XL	心筋症，筋疾患，成長障害，好中球減少
6. Cohen症候群	VPS13B	AR	顔面奇形，精神発達遅滞，肥満，難聴，好中球減少
7. 好中球減少を伴う多形皮膚萎縮症	USB1	AR	網膜症，発達遅滞，顔面奇形，多形皮膚萎縮
8. JAGN1欠損症	JAGN1	AR	骨髄球分化障害，骨減少症
9. 3-Methylglutaconic aciduria	CLPB	AR	神経認知発達異常，小頭症，低血糖，筋緊張低，運動失調，痙攣，白内障，子宮内発育遅延
10. G-CSF受容体欠損症	CSF3R	AR	ストレス応答性好中球産生障害
11. SMARCD2欠損症	SMARCD2	AR	好中球減少症，発達障害，骨，造血幹細胞，骨髄異形成
12. Specific granule欠損症	CEBPE	AR	好中球減少，分葉核好中球
13. Shwachman-Diamond症候群	SBDS	AR	汎血球減少，膵外分泌不全，軟骨異形成
	DNAJC21	AR	汎血球減少，膵外分泌不全，軟骨異形成
	EFL1	AR	
14. HYOU1欠損症	HYOU1	AR	低血糖，炎症性合併症
15. SRP54異常症	SRP54	AD	好中球減少，膵外分泌不全

MDS：myelodysplastic syndrome，ER：endoplasmic reticulum.
（Tangye SG, et al.：Human inborn errors of immunity：2019 update on the classification from the International Union of Immunological Societies Expert Committee. J Clin Immunol 40：24-64, 2020 より引用）

の累積発症率は22％であった．投与量を8μg/kg未満と以上に区別すると，前者でのMDS/AMLの発症頻度は15％であり，後者の場合にはMDS/AMLの発症頻度は34％であったことが報告されている．

現在，根治療法として造血細胞移植が選択される症例が増えているが，どの時点で造血細胞移植を行うか，確定したものはない．適切なドナーがいる場合には骨髄非破壊的前処置での移植が推奨されるが，生着不全には注意が必要である．MDS/AMLに移行した場合は，造血細胞移植が唯一の治療法であるが，その予後は不良である．

ピットフォール・対策

SCNでは，口腔所見の悪化をST合剤の投与で予防することは，多くの症例で不可能である．G-CSFは好中球増加のみならず，口腔所見を劇的に改善させるが，G-CSFの投与を継続する場合には，根治療法である造血細胞移植を念頭においた経過観察が重要である．

■ 文献

1) Michniacki TF, et al.：Leukopenia. In：Kliegman RM, et al.(eds.), Nelson Textbook of Pediatrics. 20th ed, Elsevier, 1141-1147, 2019
2) Tangye SG, et al.：Human inborn errors of immunity：2019 update on the classification from the International Union of Immunological Societies Expert Committee. J Clin Immunol 40：24-64, 2020

（溝口洋子，岡田　賢）

第1章 血液・造血器疾患

B 白血球の異常

2 好中球/好酸球/好塩基球増加症

白血球増加症（leukocytosis）は，通常の末梢血白血球数の＋2 SD 以上と定義される[1]．白血球増加を認めた場合は採血した末梢血サンプルの目視を行い，増加している分画を同定することが重要である．ただし，小児の白血球数は出生後が最も高く成長とともに低下するため，年齢によって平均値が異なること，さらに血球分画比率も変動する点に注意が必要である．ここでは，好中球増加症（類白血病反応を含む），好酸球増加症，好塩基球増加症について概説する（図1）．

定義

1 好中球増加症

成人では末梢血好中球数 7,700/μL 以上と定義されるが，小児の好中球数は年齢により大きく変動するため，年齢に応じた判断を要する（表1）．造血幹細胞は stem cell factor（SCF），IL-3，GM-CSF，G-CSF などのサイトカイン刺激により好中球へ分化増殖する．類白血病反応とは，白血病以外の原因により白血球数が 50,000/μL 以上に上昇する病態である．例外的にリンパ球や好酸球分画の上昇に起因することがあるが，大多数は細菌感染症を原因とした反応性の好中球数の増加による．しばしば骨髄芽球，前骨髄球，骨髄球などの幼弱顆粒球の出現を伴い，白血病類似の所見を呈する．

2 好酸球増加症

末梢血好酸球数 500/μL 以上と定義される．500～1,500/μL を軽度，1,500～5,000/μL を中等度，＞5,000/μL を高度好酸球増加とする．造血幹細胞は IL-5，IL-3，GM-CSF などの刺激で好酸球へ分化増殖する．

3 好塩基球増加症

末梢血好塩基球数 200/μL 以上と定義される．造血幹細胞は IL-3 や thymic stromal lymphopoietin（TSLP）などのサイトカイン，interferon regulatory factor 8（IRF8），GATA2，STAT5，C/EBPa などの転

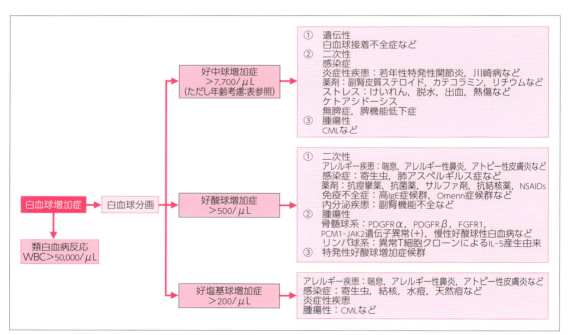

図1 ◆ 好中球/好酸球/好塩基球増加症の鑑別

WBC：white blood cell，NSAIDs：Non-steroidal anti-inflammatory drugs，CML：chronic myeloid leukemia，PDGFRα：platelet-derived growth factor receptor alpha，PDGFRβ：PDGFR beta，FGFR1：fibroblast growth factor receptor 1，PCM1：pericentriolar material 1，JAK2：janus kinase 2，IL-5：interleukin-5．

表 1 ◆ 白血球と好中球数（比率）の年齢別基準値

年齢	白血球数		好中球		
	平均値	範囲	平均値	範囲	%
出生時	18.1	9.0～30.0	11	6.0～26.0	61
生後12時間	22.8	13.0～38.0	15.5	6.0～28.0	68
1日	18.9	9.4～34.0	11.5	5.0～21.0	61
1週	12.2	5.0～21.0	5.5	1.5～10.0	45
2週	11.4	5.0～20.0	4.5	1.0～9.5	40
1か月	10.8	5.0～19.5	3.8	1.0～9.0	35
6か月	11.9	6.0～17.5	3.8	1.0～8.5	32
1歳	11.4	6.0～17.5	3.5	1.5～8.5	31
2歳	10.6	6.0～17.0	3.5	1.5～8.5	33
4歳	9.1	5.5～15.5	3.8	1.5～8.5	42
6歳	8.5	5.0～14.5	4.3	1.5～8.0	51
8歳	8.3	4.5～13.5	4.4	1.5～8.0	53
10歳	8.1	4.5～13.5	4.4	1.8～8.0	54
16歳	7.8	4.5～13.0	4.4	1.8～8.0	57
21歳	7.4	4.5～11.0	4.4	1.8～7.7	59

平均値, 範囲の単位：×$10^3/\mu L$, 範囲：95パーセンタイル値.
(Lanzkowsky P, et. al.(eds.)：Lanzkowsky's Manual of Pediatric Hematology and Oncology. 6th ed, 709-728, 2016 より引用)

写因子の刺激により好塩基球へ分化する[2]．好塩基球は，おもに組織に存在する肥満細胞と同様にIgEを中心とした種々の刺激で脱顆粒し，ヒスタミンなどの化学伝達物質を放出しⅠ型アレルギー反応を惹起する．

病因・病態

1 好中球増加症

骨髄での産生亢進，末梢血への移動促進などにより増加する．急性細菌感染症の頻度が高く，特に肺炎球菌，ブドウ球菌，Clostridium 感染では著増する傾向にある．また炎症性疾患（若年性特発性関節炎や川崎病など），薬剤の副作用（副腎皮質ステロイド，カテコラミン，リチウムなど），ストレス（けいれん，脱水，出血，熱傷など），ケトアシドーシス，無脾症などで認められる．**類白血病反応**を認める場合は，腫瘍性疾患の除外が必要であり，特に慢性骨髄性白血病（CML）が鑑別となる．まれな遺伝性疾患としては，白血球接着不全症〔leukocyte adhesion deficiency：LAD〕が知られている（本章/C/1/e．食細胞機能異常：慢性肉芽腫症（p.432～435 参照）〕．

2 好酸球増加症

原因は多岐にわたり，アレルギー，寄生虫感染症，薬剤，免疫不全，副腎機能不全，腫瘍性疾患などがあげられる．わが国ではアレルギー疾患が最多であるが，開発途上国では寄生虫感染症の頻度が高い[3]．原発性免疫不全症候群である高IgE症候群やOmenn症候群などに随伴する場合もある．これらの反応性増加が除外され，中等度以上の好酸球増加（1,500/μL以上）が持続し，心臓，呼吸器，消化管，中枢神経，皮膚などの臓器浸潤を伴うものは好酸球増加症候群（hypereosinophilic syndrome：HES）と定義される[4]．2008年のWHO分類第4版では，*PDGFRα*, *PDGFRβ*, *FGFR1* 遺伝子再構成を伴うHESは独立した疾患群としてまとめられ，さらに2016年改訂第4版では暫定病型として *PCM1-JAK2* が付加されるなど[5]．HESの定義は変化しつつある．

3 好塩基球増加症

原因は喘息，アレルギー性鼻炎，アトピー性皮膚炎などのⅠ型アレルギーに代表されるが，感染症（寄生虫，結核，水痘，天然痘など）や炎症性疾患でも認められる．IgEが炎症惹起因子としてヒスタミン放出を促し，その受容体に作用し血管拡張，透過性亢進，気管支収縮などを引き起こす．またCMLの特徴的所見としても知られ，特に1,000/μLを超える高度増加の場合は鑑別が重要である．

診断・検査

1 好中球増加症

原因は反応性による二次的増加が主であり，病

歴，副腎皮質ステロイドなどの薬歴の聴取は重要である．急性細菌感染症が最も頻度が高く，核の左方移動や細胞質内の空胞，中毒性顆粒，Döhle小体を認める場合がある．発熱を伴う場合は各種培養検査を行う．感染巣の検出には，超音波，胸腹部CT・MRIなどの画像検査が有用である．類白血病反応を認める場合，骨髄腫瘍性疾患，特にCMLの除外が重要である．好中球アルカリフォスファターゼスコア，染色体・遺伝子検査によるフィラデルフィア染色体やBCR-ABL融合遺伝子の検索が有用である．赤血球・血小板・白血球分画の異常や肝脾腫の存在も骨髄増殖性腫瘍の可能性を示唆し，骨髄検査を検討する．

2 好酸球増加症

鑑別疾患は多岐にわたり，病歴聴取は重要である．アレルギー疾患の有無，薬剤服用歴，食物の関連などを聴取する．食歴，海外渡航歴，臨床所見などから寄生虫感染が疑われる場合，感染臓器の特定に各種画像検査も有用である．確定診断には便中の虫卵検査が有用であるが感度は低く，免疫学的検査と組み合わせることが重要である．そのほかに一般検査に加えて血清IgE，必要に応じてアスペルギルス特異的抗体，副腎機能を測定する．反応性の好酸球増加が否定的な場合，腫瘍性疾患の精査として末梢血もしくは骨髄検体を用いた*FIP1L1-PDGFRα*さらに，*PDGFRβ*（5q31-q33），*FGFR1*（8p11-12）などの再構成をFISH法で確認する．

原因や症状の有無にかかわらず，中等度以上の好酸球増加症（>1,500/μL）が持続する場合は，臓器合併症についても評価が必要である．心不全徴候，神経症状，呼吸器症状，消化器症状についてチェックする．特に心合併症は予後を規定するため，スクリーニングとして胸部X線と心電図，必要に応じて超音波やトロポニン測定も行う．

3 好塩基球増加症

多くはアレルギー性疾患，寄生虫などの感染による反応性増加であり，病歴や臨床所見から鑑別する．反応性増加が否定された場合，腫瘍性疾患の検索が必要である．白血球増加，好中球の左方移動，血小板増加を伴う場合はCMLが疑われ，末梢血および骨髄よりフィラデルフィア染色体やBCR-ABL融合遺伝子を検出する（FISH法，RT-PCR法）ことで診断可能である．

治療・予後

1 好中球増加症

感染症などの基礎疾患の治療が重要である．予後も基礎疾患によって異なる．ステロイド等の薬剤性好中球増加症では，特に治療せずとも自然の経過で観察する．LADなどのまれな遺伝性疾患は病型によって予後が異なる．

2 好酸球増加症

反応性増加の場合は基礎疾患の治療が重要である．寄生虫感染やアレルギーが原因の場合には特異的治療を行う．HESは全身疾患であり，高度の好酸球増加に伴い心不全，呼吸器症状や血栓塞栓を認めるものは，原因検索と平行して緊急の治療介入が必要である．ステロイドが第一選択であるが，ヒドロキシカルバミドによる骨髄抑制療法が併用されることがある．前述した*FIP1L1-PDGFRα*などの遺伝子異常を有する場合，チロシンキナーゼ阻害薬やJAK阻害薬の効果が期待できる．

3 好塩基球増加症

好酸球増加症と同様に基礎疾患に応じた治療を行う．好塩基球活性化による各症状に対し，H_1・H_2受容体拮抗薬，ステロイド，抗喘息薬を使用する．造血器悪性腫瘍においては必要に応じて抗がん薬，チロシンキナーゼ阻害薬を使用する．

■ 文献

1) Lanzkowsky P, et. al.(eds.)：Lanzkowsky's Mannual of Pediatric Hematology and Oncology. 6th ed, 709-728, 2016
2) Sasaki H, et al.：Regulation of basophil and mast cell development by transcription factors. Allergol Int 65：127-134, 2016
3) O'Connell EM, et al.：Eosinophilia in Infectious Diseases. Immunol Allergy Clin North Am 35：493-522, 2015
4) Williams KW, et al.：Hypereosinophilia in Children and Adults：A Retrospective Comparison. J Allergy Clin Immunol Pract 4：941-947, 2016
5) Arber DA, et al.：The 2016 revision to the World Health Organization classification of myeloid neoplasms and acute leukemia. Blood 127：2391-2405, 2016

〈木下真理子，盛武　浩〉

第1章 血液・造血器疾患

B 白血球の異常

3 単球，マクロファージ，樹状細胞

単核貪食細胞の発生と分類[1)2)]（表1）

単球，マクロファージ，樹状細胞（dendritic cell：DC）などの単核貪食細胞（組織球）は，自然免疫のみならず獲得免疫の誘導や組織の恒常性維持に重要な役割を果たしている．1892年にマクロファージが発見され，1968年に単核貪食細胞システムという概念が提唱された．1973年にはDCが発見され，DCも単核貪食細胞に分類されるようになった．以降，単核貪食細胞はすべて骨髄の単球系細胞に由来すると考えられてきたが，最近の系統発生研究により，単核貪食細胞は卵黄囊，胎児肝，骨髄造血幹細胞から連続的に発生すること，多くの組織常在（性）マクロファージが卵黄囊または胎児肝の単球系細胞に由来することが明らかとなった．現在は系統発生に基づいた新しい分類が用いられている．機能的にも，胎生期由来マクロファージは自己複製能を有し，定常状態における組織の恒常性維持を担うのに対し，骨髄単球系細胞を起源とするマクロファージは炎症状態において誘導され（炎症性マクロファージ），炎症の起始から終焉に至るまで多様な役割を果たす．

単球[2)3)]

単球は，骨髄の造血幹細胞に由来し，可塑性に富んだ細胞集団から構成される．末梢循環から組織に移行し，炎症性マクロファージ，一部の組織常在マクロファージ，単球由来DC（mo-DCs）などに分化し，炎症状態における免疫応答あるいは組織の恒常性維持に働く．表面抗原によって，古典的単球（CD14^{++}CD16$^-$），非古典的単球（CD14$^+$CD16^{++}），中間単球（CD14$^+$CD16$^+$）の3群に分類される．CD11b，CD11c，CCR2，CXCR1も高発現する．

マクロファージ[2)]

マクロファージは組織常在マクロファージと炎症性マクロファージに大別される．組織常在マクロファージは，それぞれの組織に順化して常在し，解剖学的所在，蛋白発現，転写因子の特徴によって分類される．単球と共通のCD14，CD16，CD68，CCR5などの表面マーカー，C1QC，VEGFなどのマクロファージプログラムマーカーに加えて，常在する組織に特異的マーカーを発現している．組織常在マクロファージの多くは胎生期に発生し，生後も自己複製しながら常在する組織で維持される．一方，炎症状態あるいは腸管，皮膚真皮などの組織では骨髄単球由来のマクロファージによって置き換えられる．

破骨細胞は，M-CSFやRANKLなどのサイトカインシグナルを介して骨髄系前駆細胞から誘導され，骨髄に常在する．間葉系幹細胞に由来する骨芽細胞とともに骨のリモデリングを担い，造血幹細胞のニッチ形成も促進する．CTSK，CALCR，SIGLEC15，ACP5，DCSTAMP，OCSTAMP，TNFRS-F11Aなどを発現する．

Kupffer細胞は，卵黄囊マクロファージに由来し，肝類洞に常在する．胎児肝マクロファージや単球由来マクロファージには置換されない．赤芽球の増殖，脱核，老廃赤血球の除去を介して鉄代謝に寄与する．また，さまざまな受容体を介して門脈血中の物質を処理する．CD163，VCAM1，CLEC5Aなどを発現する．

脾常在マクロファージは，胎児肝と骨髄の両方に由来し，その局在によって2種類に大別される．赤脾髄マクロファージは，CD163とCD68を発現し，老廃赤血球の処理と鉄代謝に働く．白脾髄・胚中心に常在するマクロファージは，CD209，MARCOなどのスカベンジャー受容体を発現し，血流中の抗原や微生物を処理する．

肺には2種類の肺胞マクロファージと間質マクロファージが常在する．肺胞マクロファージは，顆粒球・マクロファージコロニー刺激因子（GM-CSF）シグナルを介して胎児肝マクロファージに由来し，肺胞腔表面に常在する．抗原などの吸入物質や細菌などの微生物に対する防御を担当している．CD64，CD163，CD206，FABP4，INHBA，SPP1，MERTKを発現する．炎症状態になると単球由来マクロファージも肺胞腔内に遊走し，炎症の過程に働く．肺間質には骨髄単球由来の間質マクロファージが存在し，組織リモデリング，恒常性の維持，抗原提示などにかかわっている．

腸管マクロファージは，骨髄単球に由来し，腸管

表1 ● 単球，マクロファージ，樹状細胞の分類と細胞表面マーカー

単核貪食細胞の種類	おもな細胞表面マーカー
単球	
古典的単球	$CD14^{++}CD16^-$, CD11b, CD11c, CCR2, CXCR1
非古典的単球	$CD14^+CD16^{++}$, CD11b, CD11c, CCR2, CXCR1
中間単球	$CD14^+CD16^+$, CD11b, CD11c, CCR2, CXCR1
マクロファージ系	
組織常在マクロファージ	CD14, CD16, CD68, CCR5, C1QC, VEGF
破骨細胞	CTSK, CALCR, SIGLEC15, ACP5, DCSTAMP, OCSTAMP, TNFRSF11A
Kupffer 細胞	CD163, VCAM1, CLEC5A
赤脾髄マクロファージ	CD163, CD68
白脾髄・胚中心に常在するマクロファージ	CD209, MARCO
肺胞マクロファージ	CD64, CD163, CD206, FABP4, INHBA, SPP1, MERTK
腸管マクロファージ	CD206, CD209
樹状細胞	
形質細胞様樹状細胞	TLR7, TLR9, CD123, CD45RA, CD4, CD303, CD304, ILT3, ILT7, FcεR1, BTLA, DR6, CD300A
古典的樹状細胞 1	CD141, CD13, CD33, CLEC9A, CADM1, BTLA, XCR1
古典的樹状細胞 2	CD1c, CD2, FceR1, SIRPA, CD11b, CD11c, CD13, CD33, TLR2, 4, 5, 6, 8, CLEC4A, CLEC10A, CLEC12A, NOD2, NLRP1, NLRP3, NAIP, IRG-I 様受容体
Langerhans 細胞	CD207, CD1a
単球由来樹状細胞	CD1a, CD1c, CD11b, CD11c, CD206, CD209, FcεR1

上皮の恒常性や DC とともに腸内細菌の抗原提示にかかわっている．HLA-DR，CD206，CD209 を発現する．

Langerhans 細胞は，免疫学的な機能と表現型から長年樹状細胞に分類されてきたが，近年の系統発生研究からは胎生期の卵黄嚢・胎児肝に起源を有するマクロファージの一亜型とも考えられるようになってきている．

樹状細胞（DC）[3)4)5]

DC は，骨髄の骨髄系前駆細胞とリンパ系前駆細胞の両方から分化し，血液，リンパ器官，組織に広く分布して，プロフェッショナル抗原提示細胞としてナイーブ T 細胞をクロスプライミングする．末梢性免疫寛容の成立にも重要な働きを果たす．胎児肝からも発生し，自己抗原や母体抗原の免疫寛容の成立に関与する．

機能と局在からはリンパ組織常在 DC と移動性 DC に分類できるが，分化決定にかかわる IRF8，IRF4，PU.1，ID2，E2-2，ZEB2，KLF4，IKZF1，BATF3 などの転写因子の発現パターンに基づいての分類が一般的で，形質細胞様 DC（pDC），古典的 DC1（cDC1），cDC2 の 3 群に大別される．cDC の 2 つのサブセットは以前 CD141 と CD1c の発現パターンによって分類されていた骨髄系 DC（mDC）と同一である．ほかにも炎症状態で単球から分化誘導される単球由来 DC（moDC）や表皮の Langerhans 細胞（LC）などのサブセットが存在する．cDC2 が DC 全体の約 2/3 を占め，続いて pDC が約 1/3，cDC1 は数 % 程度である．cDC2 と moDC は表面抗原の発現パターンは類似するが，網羅的な表面抗原解析と転写因子解析によって区別される．さらに血液中を循環する DC 前駆細胞（pre-DC）の存在も明らかとなった．

1 形質細胞様樹状細胞（pDC）

pDC はリンパ系前駆細胞から分化する．Toll 様受容体（TLR）7 と TLR9 を高発現し，各々ウイルスの一本鎖 RNA と二本鎖 DNA を感知し，多量の I 型インターフェロン（IFN）を産生する．アレルギーや腫瘍に対する免疫寛容への働きも報告されている．pDC は前駆細胞から分化した後も CD123 と CD45RA を発現するのが特徴である．CD4，CD303，CD304，

ILT3, ILT7, FcεR1, BTLA, DR6, CD300A なども高発現する. cDC のマーカーである CD11c と骨髄系抗原 (CD11b, CD13, CD33 など) は発現しない. pDC と cDC の発生バランスは 2 つの転写因子 ID2 と E2-2 によって調整されるが, pDC は E2-2 が ID2 を抑制することによって誘導される.

2 古典的樹状細胞 1 (cDC1)

cDC1 は骨髄系前駆細胞から分化し, $CD8^+$ T 細胞を活性化させる. IL-12 を多量に産生し Th1 細胞や NK 細胞の活性化も促進する. cDC1 は CD141 の発現を特徴とする. cDC2 と共通で CD13, CD33 などの骨髄系抗原を発現するが, CD11b, CD11c, CD14, SIRPα を発現しない点で cDC2 や単球と区別される. ほかにも CLEC9A, CADM1, BTLA, XCR1 などを発現する. 分化決定にかかわる転写因子では IRF4 の発現を伴わない IRF8 の発現を特徴とする.

3 古典的樹状細胞 2 (cDC2)

cDC2 は最も主要な DC で, 多量の IL-12 と IL-23, ほかにも IL-1, TNFα, IL-8, IL-10 を産生し, Th1, Th2, Th17, $CD8^+$ T 細胞を活性化させる. cDC2 は CD1c の発現を特徴とし, CD2, FcεR1, SIRPA や骨髄系抗原 (CD11b, CD11c, CD13, CD33) も発現する. TLR2, 4, 5, 6, 8, レクチン (CLEC4A, CLEC10A, CLEC12A), NOD 様受容体 (NOD2, NLRP1, NLRP3, NAIP), RIG-1 様受容体を発現する. 転写因子では IRF8 の発現を伴わない IRF4 の発現を特徴とする.

4 Langerhans 細胞 (LC)

LC はランゲリン (CD207) と CD1a の発現を特徴とする特殊な DC で, EpCAM を介して表皮基底層に接着している. 皮膚に炎症が起きると, IL-1β や TNFα によって刺激され, 基底層を通り抜けて輸入リンパ管に遊走し, IL-15 を多量に産生しながら $CD8^+$ T 細胞を活性化する. おもに細胞内寄生菌に対する免疫を担っている. また, 表皮の恒常性維持にも働いている. cDC2 と共通する点も多いが, ランゲリンと CD1a の発現がより強く, cDC マーカーである CD11c と骨髄系抗原の発現が弱いことで区別される. LC は抗原の捕捉, 成熟, リンパ節への遊走といった DC としての機能を有する一方で, 前述したように系統発生学的には, 組織マクロファージ同様に胎生期マクロファージに由来する. マウス実験では, 卵黄嚢・胎児肝造血から発生した LC が骨髄造血に依存せず, 組織で自己複製することが示されている. GATA2 や IRF8 の遺伝子変異患者では cDC と単球が消失しても LC は正常に存在することや, 表皮移植患者の移植上肢においてドナー由来の LC が長期にわたって維持されていたことからヒトにおいても胎生期に由来する LC が自己複製し続けていると考えられている.

5 単球由来樹状細胞 (moDC)

moDC は炎症時に誘導される DC で, 湿疹, 乾癬, 皮膚過敏症, アレルギー性鼻炎, 炎症性腸疾患, 滑膜炎, 腹膜炎などにおいて誘導される.

関連する疾患

GATA2, IRF8, IKZF1 遺伝子の変異によって単球や DC が減少・消失する. ほかにも Wiskott-Aldrich 症候群, CD40/CD40L 欠損症などで DC の機能不全が報告されている[5].

pDC の腫瘍化により芽球性形質細胞様樹状細胞腫瘍が生じる. 一部の急性骨髄性白血病, 若年性骨髄単球性白血病, 慢性骨髄単球性白血病は単球の特徴を有する.

そのほかのマクロファージ, DC の異常増殖・腫瘍化疾患は組織球症に分類され, 血球貪食性リンパ組織球症と Langerhans 細胞組織球症が代表的疾患である.

■ 文献

1) Guilliams M, et al.:Dendritic cells, monocytes and macrophages:a unified nomenclature based on ontogeny. Nat Rev Immunol 14:571-578, 2014
2) Miah M, et al.:Prenatal Development and Function of Human Mononuclear Phagocytes. Front Cell Dev Biol 9:649937, 2021
3) Guilliams M, et al.:Developmental and Functional Heterogeneity of Monocytes. Immunity 49:595-613, 2018
4) Collin M, et al.:Human dendritic cell subsets:an update. Immunology 154:3-20, 2018
5) Bigley V, et al.:Collin M. Human dendritic cell immunodeficiencies. Semin Cell Dev Biol 86:50-61, 2019

〔中沢洋三〕

第1章 血液・造血器疾患

C 免疫異常

1 原発性免疫不全症

a. T細胞性免疫不全

定義・概念

特異的液性免疫，すなわち抗体の産生にはT細胞の存在が不可欠であるため，T細胞の数的，機能的異常をきたす場合，細胞性免疫不全と液性免疫不全（抗体産生不全）を生じる．そのため，T細胞の数的・機能的不全症を複合免疫不全症（combined immunodeficiency：CID）とよぶ．なかでも，重篤な複合免疫不全をきたし，無治療の場合，乳児期に致死的である一群を重症複合免疫不全症（severe CID：SCID）とよぶ．なお，遅発例（成人の場合もある）を遅発型CID（late onset CID：LOCID）とよぶ．

病因・病態

SCIDは，その障害部位によっていくつかの病型に分けることができる（図1）．

1 B細胞陽性SCID

通常最も患者数の多いのは，X連鎖性遺伝を示す*IL2RG*遺伝子異常症である．*IL2RG*遺伝子はインターロイキン（IL）-2, 4, 7, 9, 15, 21に共通するγ鎖（γc鎖）をコードしており，IL-7シグナル異常によりT細胞の発生が，IL-15シグナル異常によりNK細胞の発生がみられず，IL-4, IL-21シグナル異常により，免疫グロブリンのクラススイッチが起きず，抗体産生ができない．B細胞陽性（T$^-$B$^+$NK$^-$）のSCIDとなる．γcの下流分子である*JAK3*遺伝子異常の場合は，常染色体潜性（劣性）の遺伝形式をとるが，表現型は*IL2RG*遺伝子異常症と同じである．また，*IL7R*遺伝子（IL7Rα鎖）の異常の場合は，T細胞のみを欠損し，T$^-$B$^+$NK$^+$の表現型をとる．

2 B細胞陰性SCID

次に患者数の多いのは，V(D)J再構成の異常のためにB細胞欠損型（T$^-$B$^-$NK$^+$）の表現型をとる遺伝子異常の一群で，*RAG1/2*, *Artemis*, *Cernunnos*, *DNAPKcs*, *LIG4*の異常症がそのなかに含まれる．遺伝子変異によっては，酵素活性などの分子機能が若干残存し，T細胞が残存し，乳児期以降にCIDとして診断される例（leaky SCID）や，オリゴクローナルなT細胞，B細胞の活性化によるOmenn症候群（発熱，紅皮症，リンパ節腫脹，肝脾腫，好酸球増多）を呈する場合もある．

3 細網異形成症

細網異形成症は，好中球系細胞とリンパ球系細胞の両方の異常をきたし，最重症のSCIDの病型をとる．*AK2*遺伝子の異常により，ミトコンドリア膜間活性酸素増加によるアポトーシスの亢進が起こるが，その機序は明らかではない．感音性難聴を伴うのが特徴である．

4 その他のCID

T細胞受容体，プレT細胞受容体の構成成分や，シグナル伝達分子に異常をきたすと，T細胞のみに異常をきたすCIDとなる．CD3γ/ε/δ/ζ, CD8, CD45分子の異常に伴うのがその例である．

Ca^{2+}チャネル（ORAI1, STIM1）や，Mg^{2+}チャネル異常（MAGT1）によるT細胞活性化障害によるSCID/CIDの報告もみられる．

また，胸腺上皮細胞の発生障害もT細胞の発生障害につながるため，SCID/CIDの表現型をとる．DiGeorge症候群や，Nudeマウスと同じ*FoxN1*遺伝子異常がその例である．主要組織適合抗原（major histocompatibility antigen complex：MHC）の異常は，クラスIの異常はCD8陽性T細胞の，クラスIIの異常はCD4陽性T細胞の減少につながり，SCID/CIDの表現型を呈する．

診断

すべての病型で，T細胞の新生能障害を示す．TREC（T細胞受容体遺伝子再構成断片）が低値を示すため，KREC（Igκ鎖遺伝子再構成断片）とともに新生児マススクリーニングに利用されている．個々の病型については，フローサイトメトリーによる解析（CD3/19/16/56/4/8/45RA）と，遺伝子検査により診断する．臨床的にはIgG, IgA, IgM, IgE測定，血算と白血球分画，PHA芽球化反応などの検査を行う．

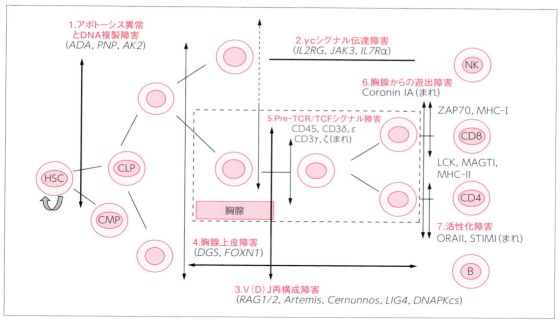

図1 障害部位によるSCIDの病型

症状

　SCID/CID患者に感染する病原体としては，Th1機能の低下によるマクロファージ活性化障害と細胞傷害性T細胞機能低下に伴うウイルス感染細胞傷害活性低下に伴う日和見感染が代表的である．空気中を浮遊する*Pneumocystis jirovecii*，*Aspergillus*などによる肺炎，BCG，非定型抗酸菌の播種性感染，粘膜に常在する*Candida*による鵞口瘡，母乳等からのサイトメガロウイルスによる肺炎や肝炎，網膜炎，ロタウイルス，アデノウイルスによる腸炎などが，その例としてあげられる．また，抗体産生不全を伴うため，抗体産生不全症でみられる感染症(オプソニン化障害による反復性中耳炎，肛門周囲膿瘍などの細菌感染症，細菌，ウイルスによる髄膜炎など)もみられる．生ワクチン(ロタウイルス，BCG，水痘，麻疹，風疹)による発症も起こり得るので禁忌である．

治療

　典型的なSCIDでは1年以内に致死的感染症により死亡する可能性が高いため，根治治療である造血細胞移植(骨髄移植，末梢血幹細胞移植，臍帯血移植のいずれか)の絶対適応である．ドナーとしては，HLA一致同胞，あるいは非血縁者(臍帯血バンク，骨髄バンク)が用いられる．海外では，親からのハプロ一致骨髄(あるいは末梢血)からCD34陽性造血幹細胞を選択，あるいはT細胞を除去し，移植する方法も用いられている．また，*IL2RG*，*ADA*(アデノシンデアミナーゼ)，*RAG1*，*Artemis*遺伝子異常の場合には，HLA一致ドナーが見つからない症例で，重症感染症に罹患し，同種移植を受けるのが危険と考えられる場合，自家造血幹細胞に対して，レトロウイルスあるいはレンチウイルスベクターを用いて正常遺伝子を導入する遺伝子治療が，海外(フランス，英国，米国，イタリア)では臨床研究として行われている．なお*ADA*に対するレトロウイルスベクターによる遺伝子治療は欧州では薬事承認されている．

　診断後，前述の根治療法を行うまでの間，感染症の予防，治療のための抗菌薬，抗ウイルス薬の投与，真菌予防のためのHEPAフィルターによるクリーンルームでの管理，免疫グロブリンの補充療法を行う．

■ 文献

・Ochs HD, et al.：Primary immunodeficiency disease：A molecular and genetic approach. 3rd ed., Oxford University Press, 2014

(今井耕輔)

b. 免疫不全を伴う特徴的症候群

免疫不全を伴う特徴的症候群としては，表1にあげた13疾患群がおもに知られているが，本項では疾患頻度が高い代表的4疾患について詳細を記載する．

Wiskott-Aldrich 症候群

定義・概念

Wiskott-Aldrich 症候群（WAS）は，血小板減少，易感染性，湿疹を3主徴とし，通常男児に発症するX連鎖原発性免疫不全症であり，その原因遺伝子はWASPをコードする*WASP*遺伝子である[1]．同様の遺伝形式で血小板減少のみを呈するX連鎖血小板減少症（X-linked thrombocytopenia：XLT）がある．WASPの恒常的活性化変異によるX連鎖好中球減少症（X-linked neutropenia：XLN）もWASP異常症である．

最近，常染色体性潜性（劣性）遺伝形式としてWASP蛋白の安定化に重要なWASP結合蛋白（WASP-interacting protein：WIP）異常症[2]，同じく常染色体潜性（劣性）遺伝形式としてアクチン重合化に重要なARP（actin-related protein）2/3複合体を構成するARPC1B異常症[3]も報告された．

病因・病態

X連鎖WASでは，X染色体上（Xp11.22）に存在する*WASP*遺伝子変異が基本病因である．*WAS*遺伝子は12エクソンからなり，502個のアミノ酸をコードしている．図1にその一次構造と結合蛋白群，活性化に伴うWASP-WIP複合体の構造変化を図示する．遺伝子変異は*WAS*のどこにも生じ得るが，N末の1～4エクソンに集中している．リンパ球におけるWASP蛋白の発現の有無が重症度と相関する．

常染色体潜性（劣性）遺伝の*WAS*では，WIP異常症は*WIPF1*遺伝子変異が，ARPC1B異常症は*ARPC1B*遺伝子変異が基本病因である．

臨床徴候

1 血小板減少

ほぼ全例でみられ，血便，皮下出血が多いが，頭蓋内出血は免疫性血小板減少性紫斑病（immune thrombocytopenic purpura：ITP）より高頻度である．

2 易感染性と免疫不全

易感染性の程度は症例により異なる．WASは乳幼児期から中耳炎，肺炎，副鼻腔炎，皮膚感染症，髄

表1 ● 免疫不全を伴う特徴的症候群と疾患概念

1. Wiskott-Aldrich症候群（Wiskott-Aldrich syndrome）
2. 毛細血管拡張性運動失調症（ataxia telangiectasia）
3. DiGeorge症候群（DiGeorge syndrome）
4. 高IgE症候群（hyper-IgE syndrome）
5. Nijmegen染色体不安定症候群（Nijmegen breakage syndrome）
   ゲノムの不安定性とともに小頭症，免疫不全，高頻度の悪性腫瘍合併を呈する疾患群．*NBS-1*遺伝子異常による
6. Bloom症候群（Bloom syndrome）
   小柄な体型，日光過敏性紅斑，免疫不全，高頻度の悪性腫瘍合併を呈する疾患群．DNAの複製・修復に関与する*BLM*遺伝子異常による
7. ICF症候群（ICF syndrome）
   セントロメア不安定性，低γ-グロブリン血症と免疫不全，顔貌異常を伴う．DNA methyltransferase 3B（*DNMT3B*）遺伝子異常による
8. PMS2異常症（PMS2 deficiency）
   MSH2，MSH6，MLH1とともに*PMS2*遺伝子異常による mismatch repair cancer syndromeを構成する症候群．カフェオレ班があり，易感染性，低γ-グロブリン血症，高頻度の悪性腫瘍合併を呈する
9. Liddle症候群（Liddle syndrome）
   免疫不全，特徴的顔貌，運動学習障害，低身長，放射線感受性を伴い，高頻度の悪性腫瘍合併を呈する．αフェトプロテインが高値．RING型E3ユビキチンリガーゼ*RNF168*遺伝子異常による
10. Schimke症候群（Schimke syndrome）
    不均衡型低身長，顔貌異常，腎障害，T細胞減少，造血不全を呈する．染色体リモデリングに重要な*SMARCAL1*遺伝子異常による
11. Netherton症候群（Netherton syndrome）
    先天性魚鱗癬，アトピー性皮膚炎と特徴的な毛髪異常を呈する免疫不全症である．セリンプロテアーゼインヒビター*LEKT1*遺伝子異常による
12. 肝中心静脈閉鎖症を伴う免疫不全症（hepatic venoocclusive disease with immunodeficiency）
    肝中心静脈閉鎖を伴い，低γ-グロブリン血症，易感染性を認める．*SP110*遺伝子異常による
13. 先天性角化不全症（dyskeratosis congenita）
    テロメア長の維持機能障害を背景とし，先天的な造血不全があり，爪の萎縮，口腔内白斑，皮膚色素沈着を伴う．*DKC1*や*TERC*，*TERT*遺伝子異常などによる

本項で詳解する4疾患を赤字で示す．

膜炎などを反復する．起因菌としては肺炎球菌やブドウ球菌が多く，真菌感染では*Candida*，*Aspergillus*が，ウイルス感染ではヘルペス属ウイルス感染症

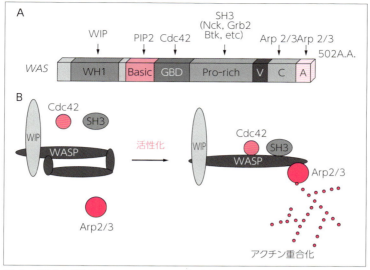

図1 ◆ WAS遺伝子，WASP-WIP複合体の構造
A：WAS遺伝子の1次構造と結合蛋白群，B：活性化に伴うWASP-WIP複合体の構造変化．

〔単純ヘルペスウイルス（HSV），水痘・帯状疱疹ウイルス（VZV），サイトメガロウイルス（CMV），EBウイルス（EBV）〕が多い．

3 湿疹
湿疹はアトピー性湿疹様で，難治である．

4 自己免疫疾患
WASの20～40％にみられ，自己免疫性溶血性貧血，ITP，血管炎，腎炎（IgA腎症など），関節炎，炎症性腸疾患の合併がある．ARPC1B異常症では血管炎を高頻度で合併する．

5 悪性腫瘍
ほとんどが悪性リンパ腫であり，EBV関連を含むB細胞性腫瘍が多く，WASP蛋白陰性例に合併しやすい．まれに脳腫瘍の報告もある．

診断・検査

1 血小板関連検査
血小板減少が全例でみられる．血小板平均容積（mean platelet volume：MPV）の低下，あるいは末梢血塗抹標本の顕微鏡での目視による小型から正常大の血小板である．

2 免疫関連検査
WAS症例のT細胞では，活性化後のアクチン重合化とIL-2産生は低下しており，T細胞機能が低下している．最近，WASPの異常によりTh1細胞への分化をつかさどる転写因子の発現低下が示された．NK細胞活性は約半数で低下する．B細胞では免疫グロブリンはIgM低下，IgE上昇が特徴とされる．抗多糖類抗体，同種血球凝集素価などの特異抗体産生は低下する．補体価は正常とされる．好中球および単球の走化能は低下する例が多い．

3 WAS遺伝子異常の同定とスクリーニング法
確定診断には，WAS遺伝子異常を同定することが必須である．「国内では免疫不全症データベース（Primary Immunodeficiency Database in Japan：PIDJ）」と「かずさDNA研究所」による保険診療にて解析可能である．フローサイトメトリーによる細胞内WASP蛋白検出が，スクリーニング法として有用である．

治療・予後

1 根治療法
根治治療としては，同種造血細胞移植が行われる．WASP蛋白発現を認めず，感染を繰り返す症例では，早期に移植を考慮すべきである．5歳以下の症例は約80％の移植後長期生存率であるが，5歳以上ではさまざまな合併症により成功率が低下する点に留意する．

近年，WAS症例に対する造血幹細胞を標的とした遺伝子治療の報告がなされた．白血病発症のリスクが今後の重要な課題となるが，将来的に治療法の選択肢になり得ることが期待される．

2 支持療法
血小板減少に対する脾臓摘出術については，多くの症例で血小板増加が得られるが，感染症のリスクが増加することから推奨はされていない．γ-グロブ

リン大量療法やステロイドは通常は効果に乏しく，ITP合併例ではリツキシマブが検討される症例もある．血小板輸血は最小限にとどめたいが，出血時はやむを得ない．湿疹は一般的なアトピー性皮膚炎に準じた治療を行い，食物アレルギーが明らかであれば除去食を考慮する．タクロリムス（FK506）軟膏が有効な症例もある．

感染対策としては臨床経過に応じて，ST合剤，抗真菌薬，抗ウイルス薬投与を考慮する．γ-グロブリン製剤投与は，IgG＜600 mg/dLの症例や重症感染時には考慮する．ヘルペス属ウイルス感染症のリスクが高いため，EBVとCMVのモニタリングも重要である．

3 予後

WASP蛋白発現の有無が予後に大きく影響する．わが国における免疫不全合併例の平均長期生存年齢は11歳とされ，感染症，出血，悪性腫瘍がおもな死因である．XLTの生命予後はWASよりも良好であるが，経過とともに出血，IgA腎症，自己免疫疾患や悪性腫瘍の合併率が増加する．

ピットフォール・対策

免疫不全を伴わないXLTが，慢性ITPと診断されている場合がある．家族歴がある場合や治療抵抗性慢性ITPを診療する場合には，本症を鑑別することが重要である．

毛細血管拡張性運動失調症

定義・概念

毛細血管拡張性運動失調症（ataxia telangiectasia：AT）は進行性の小脳失調，眼球の毛細血管拡張，免疫不全を伴う常染色体潜性（劣性）の遺伝性疾患である．T細胞性悪性腫瘍の合併頻度が高い[4]．

病因・病態

ATM遺伝子異常が主病因であり，常染色体潜性（劣性）遺伝形式をとる．ATMは11q22.3上に位置し，全長150Kbで66エクソンからなる大きな遺伝子で，セリンスレオニンキナーゼ活性を有する．ATMは，非相同性組み換えによる遺伝子修復に重要な役割を果たしている．

臨床徴候

①歩行開始とともに明らかになる歩行失調（体幹失調）：必発で徐々に確実に進行する．
②小脳性構語障害，流涎．
③眼球運動の失行，眼振．
④舞踏病アテトーゼ．
⑤低緊張性顔貌．
⑥眼球結膜・皮膚の毛細血管拡張：6歳までに50％，8歳時で90％が明らかになる．
⑦免疫不全症状（反復性気道感染症）：ただし30％では免疫不全症状を認めない．
⑧悪性腫瘍：特にT細胞性腫瘍の発生頻度が高い．小脳失調からの誤嚥性肺炎，免疫不全による重篤な感染症，化学療法薬（抗がん薬）や放射線治療に際しての重篤な副作用などが問題となる．

診断・検査

前述の症状に加え，以下の検査所見を認める．
①αフェトプロテイン（AFP）の上昇．
②末梢血PHA刺激染色体検査でT細胞受容体（7番）や免疫グロブリン遺伝子領域（14番）を含む転座をもつリンパ球の出現．
③IgG（IgG2），IgA，IgEの低下．
④T細胞数の低下，CD4陽性T細胞中CD4陽性CD45RA陽性細胞の比率の低下．
⑤電離放射線高感受性．培養細胞における放射線による染色体断裂の亢進，生存能の低下．
⑥確定診断はATM遺伝子変異の同定，ATM蛋白発現低下を確認する．

治療・予後

根治的治療が確立されていないため，易感染性への対応，神経症状への対応，リハビリテーション，悪性腫瘍の合併に注意して管理する必要がある．悪性腫瘍の治療は，易感染性や抗がん薬および放射線感受性が強いため，臓器障害の綿密な評価および専門医との連携が不可欠である．

ピットフォール・対策

幼少時には眼球結膜血管拡張が明らかでない場合があるため，診断がむずかしい場合がある．小脳失調症状があり血清IgAの低下とAFPの上昇がある場合は本症を鑑別する必要がある．

DiGeorge症候群

定義・概念

DiGeorge症候群（DGS）は，第3・4鰓嚢の発生異常により，胸腺低・無形成による細胞性免疫不全と

易感染性，副甲状腺の低・無形成による低カルシウム血症，先天性心・大血管奇形，口蓋の奇形と特異顔貌を伴う複雑な症候群である．22q11.2 の約 3 Mb（あるいは 1.5 Mb）の微細ヘテロ染色体欠失が確認され，胎生期発生異常が原因とされる．22q11.2 のヘテロ欠失は免疫不全のない velo-cardio-facial 症候群（VCFS：口蓋裂，心大血管奇形，特徴的顔貌，学習障害を伴う）や conotruncal anomaly face 症候群（CTAFS：円錐動脈幹部心奇形で，おもに Fallot 四徴症，鼻咽腔閉鎖不全，特異顔貌を伴う）にも認められ，DGS とともに 22q11.2 欠失症候群と称される[5]．

病因・病態

DGS は，その 90 % 以上の症例で 22q11.2 の約 3 Mb（あるいは 1.5 Mb）の微細ヘテロ染色体欠失が認められ，そのなかの TBX1 遺伝子のヘテロ欠失が病因として重要である．常染色体顕性（優性）遺伝形式か de novo 変異をとる．最近，22q11.2 欠失症候群典型例のなかで TBX1 欠失のない家系で TBX1 遺伝子変異が報告された．TBX1 遺伝子は，ホメオボックス遺伝子ファミリーで，発生の調節にかかわる転写因子である．ほかに環境因子の影響も指摘されている．

臨床徴候

DGS は多彩な臨床症状を呈する．そのなかでも，副甲状腺の低・無形成による新生児低カルシウム血症，先天性心血管奇形，特異的顔貌が重要である．口蓋裂を伴うことがあり，腎奇形も高率に認める．また，軽度の知的発達障害合併例もある．免疫不全は，胸腺低・無形成による細胞性免疫不全が主体で，その重症度はさまざまである．臨床的に，細胞性免疫不全を認め易感染性の強い重症の完全型（complete type），軽症の不完全型（partial type）に区別される．感染症としては口腔内カンジダ症，肺炎，腸炎，髄膜炎，敗血症などが報告されている．

診断・検査

1 臨床症状
①副甲状腺低形成による低カルシウム血症による症状．
②胸腺低形成による易感染性．
③心流出路奇形：Fallot 四徴症，円錐動脈管心奇形，大動脈弓離断，右大動脈弓，右鎖骨下動脈起始異常などの心奇形など．
④特異的顔貌：口蓋裂，短い人中，小さな口，小顎症，低位耳介，小耳介，瞼裂短縮を伴う眼角隔離症など．
⑤精神発達遅滞，言語発達遅滞．

2 検査所見
①低カルシウム血症，副甲状腺機能低下．
②T 細胞数減少および機能低下．
③B 細胞数は正常，免疫グロブリン値は正常か減少．
④画像検査や心カテーテルによる心奇形の同定．
⑤胸部 X 線や CT などによる胸腺低形成所見．

確定診断としては，染色体 22q11.2 の微細欠失を FISH（fluorescence in situ hybridization）法や aCGH（array comparative genomic hybridization）法にて同定する．欠失領域はさまざまであるが，特に TBX1 遺伝子のハプロ不全が重要である．

治療・予後

先天性心・大血管系異常に対しては，病態と重症度により姑息的，根治的手術あるいは内科的治療を検討する．副甲状腺機能低下症による低カルシウム血症に対しては，カルシウム製剤や活性化ビタミン D 製剤投与を検討し，症例によっては長期投与を要する．胸腺の低・無形成に起因する T 細胞機能不全に対する治療法としては，partial type では保存的な感染対策で管理可能であるが，complete type ではより強化した感染予防と治療に加えて，胎児同種胸腺移植，同種造血細胞移植が選択肢となる．胎児同種胸腺移植は一部の症例で有効性が報告されているが，現実的にドナー細胞を得ることが困難であり実施施設は限定されている．同種造血細胞移植はその適応，ドナーソース，前処置法についてはまだ一定した見解は得られていない．

予後は，先天性心・大血管系異常の重症度，細胞性免疫不全と低カルシウム血症の程度，これらの治療の成否に依存する．

ピットフォール・対策

乳児期に低カルシウム血症や胸腺低形成，心血管奇形および特異的顔貌を伴う症例に対しては，本疾患を疑う必要がある．

高 IgE 症候群

定義・概念

高 IgE 症候群（hyper-IgE syndrome：HIES）は，黄色ブドウ球菌を中心とする細胞外寄生細菌による皮膚膿瘍と肺炎，新生児期から発症するアトピー性皮膚炎，血清 IgE の高値を 3 主徴とする原発性免疫不

表2 ◆ 高IgE症候群の病型・原因遺伝子と遺伝形式・臨床徴候

病型	原因遺伝子（遺伝形式）	特徴的な臨床徴候
I型	STAT3（常染色体優性，多くが散発性）	・細胞外寄生菌に対する易感染性肺炎，肺嚢胞，湿疹，皮膚の冷膿瘍 ・アレルギー症状 ・アトピー性皮膚炎，IgE高値 ・骨，軟部組織，歯の異常 ・特異的顔貌，側彎，骨折，乳歯脱落遅延，関節過伸展
II型	TYK2（常染色体劣性）	・細胞内寄生菌に対する易感染性 ・重症ウイルス感染症 ・中枢神経合併症
III型	DOCK8（常染色体劣性）	・重症ウイルス感染症 ・中枢神経合併症

＊優性（顕性），劣性（潜性）．

全症である[6]．

病因・病態

表2に病型と責任遺伝子をまとめた．I型HIESは常染色体顕性（優性）遺伝形式でSTAT3遺伝子のヘテロ変異であり，ドミナントネガティブ効果により変異アレルがもう一方の正常のアレルの機能を阻害する．そのため，Th17細胞機能の低下が病態として重要である．

II型HIESは，常染色体潜性（劣性）遺伝形式でTYK2遺伝子異常による．III型HIESは，常染色体潜性（劣性）遺伝形式でDOCK8遺伝子異常による．

臨床徴候

表2に各病型の臨床徴候もまとめた．I型HIESでは，呼吸器と皮膚の細胞外寄生菌感染症の頻度が高い点が特徴である．皮膚は冷膿瘍となり，肺炎が治癒したあとに肺の炎症修復機構が正常に働かず肺嚢胞ができることがある．炎症反応が十分に起こらないため，感染症罹患時にCRP値上昇や重症感に反映されにくく，診療する場合には注意を要する．アレルギー症状では，皮疹の性状は丘疹性膿疱性で慢性に拡大し，皮膚の黄色ブドウ球菌感染症などを合併する．特異的な顔貌は15歳頃までにI型HIESの患者のほとんどでみられるようになる．そのほかに，側彎症，病的骨折，関節過伸展，乳歯脱落遅延などの骨・関節・歯牙の異常がみられる．

II型HIESでは，Th1細胞の分化が障害されてインターフェロン（IFN）-γの産生が低下し，そのため細胞内寄生菌とウイルス感染，特にHSVと伝染性軟属腫に対する易感染性を伴う．同時に，Th2細胞の分化が過剰となるためアトピー性皮膚炎と高IgE血症となる．III型HIESでは，複合免疫不全の病態によりウイルス感染や中枢神経合併症を呈する．

診断・検査

表2における臨床症状とIgE高値から，HIESを疑う．確定診断は，STAT3，TYK2あるいはDOCK8遺伝子変異を同定することによる．

治療・予後

感染症に対する早期の対応とスキンケアが重要である．予防的抗菌薬（ST合剤など）と抗真菌薬の投与が推奨され，肺および皮膚の慢性的感染症を予防する．感染症発症時は十分な抗菌薬投与とともに，冷膿瘍には排膿処置が必要である．同種造血幹細胞移植は感染症のコントロール困難な少数例にとどまり，免疫不全以外の全身所見の改善は期待できない．

ピットフォール・対策

重症アトピー性皮膚炎と診断されている症例のなかに本症が含まれている可能性があり，易感染性の合併がないか注意が必要である．炎症反応が十分に起こらないため，感染症罹患時にCRP値や重症感に反映されないことがあり，診療する場合には注意を要する．

■ 文献

1) Thrasher AJ：WASP in immune-system organization and function. Nat Rev immunol 2：635-646, 2002
2) Schwinger W, et al.：The phenotype and treatment of WIP deficiency：literature synopsis and review of a patient with pre-transplant serial donor lymphocyte infusions to eliminate CMV. Front Immunol 9：2554, 2018
3) Kahr WHA, et al.：Loss of the Arp2/3 complex component ARPC1B causes platelet abnormalities and predisposes to inflammatory disease. Nature Commun 8：14816, 2017
4) Perlman S, et al.：Ataxia-telangiectasia：diagnosis and treatment. Semin Pediatr Neurol 10：173-182, 2003
5) Lisa JK, et al.：Velocardiofacial syndrome, DiGeorge syndrome：the chromosome 22q11.2 deletion syndromes. Lancet 370：1443-1452, 2007
6) Minegishi Y, et al.：Dominant-negative mutations in the DNA-binding domain of STAT3 cause hyper-IgE syndrome. Nature 448：1058-1062, 2007

（笹原洋二）

c. B細胞不全

定義・概念

B細胞不全すなわち抗体産生不全症は，低γ-グロブリン血症を呈し，さまざまな細菌に易感染性を示す原発性免疫不全症である．血清免疫グロブリンは形質細胞から産生されるため，B細胞ならびに形質細胞の数的あるいは機能的異常によって発症する．

病因・病態

B細胞は，骨髄において造血幹細胞から抗原非依存性にプロB細胞，プレB細胞，未熟B細胞へと分化する（図1）[1]．末梢血においては，移行期B細胞を経て成熟B細胞へと分化する．ナイーブB細胞から胚中心で抗原依存性にクラススイッチをきたして，メモリーB細胞，さらには形質細胞へと分化する．このB細胞分化の過程のどこかに異常があるものをB細胞不全と称する．B細胞不全はさらに次の4つに分類される[2]．

1 B細胞欠如あるいは著明な低下を伴い，すべての血清免疫グロブリンのアイソタイプの著明な低下を示すもの

このカテゴリーのプロトタイプは*BTK*変異によるX連鎖無γ-グロブリン血症（XLA）である．常染色体潜性（劣性）無γ-グロブリン血症の原因としてプレB細胞受容体経路にかかわる*IGHM*，*IGLL1*，*CD79A*，*CD79B*，*BLNK*の変異ならびにホスファチジルイノシトール3（phosphatidylinositol-3：PI3）キナーゼ経路にかかわる*PIK3CD*，*PIK3R1*の変異が報告されている．*TCF3*のヘテロ接合性変異E555Kはドミナントネガティブ効果により無γ-グロブリン血症を発症する．亜鉛の輸送にかかわるZIP7をコードする*SLC39A7*のハイポモルフィック変異によっても無γ-グロブリン血症を発症する．

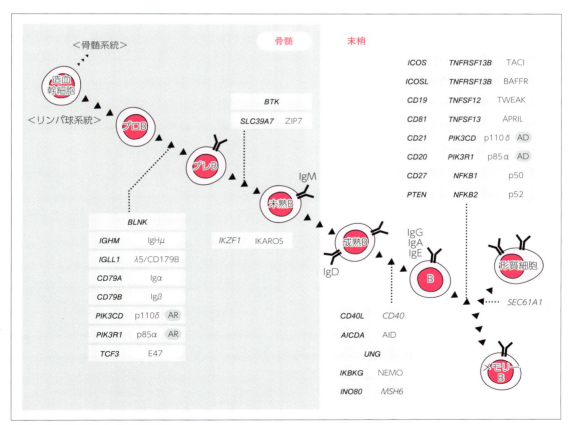

図1 ● B細胞分化とB細胞不全
AR：autosomal recessive〔常染色体潜性（劣性）〕，AD：autosomal dominant〔常染色体顕性（優性）〕
(Smith T, Cunningham-Rundles C：Primary B-cell immunodeficiencies. Hum Immunol 80：351-362, 2019 より引用，一部改変)

2 B細胞数正常か低下を伴い，少なくとも2種類の血清免疫グロブリンのアイソタイプの著明な低下を示すもの

このカテゴリーに属するのはいわゆる分類不能型免疫不全症（CVID）である．2003年に原因遺伝子の1つとして *ICOS* が同定されてから，CVIDの原因遺伝子として BAFF/APRIL リガンドと BAFF-R/TACI/BCMA 受容体経路にかかわる *TACI*, *BAFFR*, *TWEAK*, *APRIL* 欠損症が報告されている．*CD19*, *CD21*, *CD81* 変異による CD19 複合体欠損症もある．*CD20*, *CD27* 変異による CVID も存在する．*PIK3CD* ならびに *PIK3R1* のヘテロ接合性変異によって活性化 PI3Kδ 症候群（APDS）とよばれるリンパ増殖症と高 IgM 血症を特徴とする CVID を発症し，*PTEN* 変異によっても APDS 様の病態を示す．*IKZF1* の体細胞変異は，前駆 B 細胞性急性リンパ性白血病（BCP-ALL）に高頻度に検出されるが，生殖細胞変異によって進行性の低 γ-グロブリン血症をきたし，一部 BCP-ALL を発症する．*SEC61A1* のヘテロ接合性変異は形質細胞への分化障害による B 細胞不全をきたす．

3 IgM 正常または高値と B 細胞数正常を示し，血清 IgG と IgA の著明な低下を示すもの

このカテゴリーに属するものはいわゆる高 IgM 症候群（HIGM）であり，クラススイッチの異常を伴う．HIGM のプロトタイプは X 連鎖 HIGM である CD40L 欠損症である．CD40L の受容体である *CD40* 変異による常染色体潜性（劣性）HIGM もある．CD40L/CD40 シグナルにかかわる *AID*, *UNG*, *NEMO* の異常によっても HIGM を発症する．INO80 欠損症や MSH6 欠損症も HIGM をきたす．

4 B細胞数は正常で，アイソタイプあるいは軽鎖の欠損症

このカテゴリーに属する疾患は κ 鎖欠損症を除いては原因が明らかでないものがほとんどであり，臨床的には無症状のものも多く含まれている．

疫学

わが国において，原発性免疫不全症の発症頻度は10万人あたり2.3人である[3]．男女比は2.3：1と男性に多い．原発性免疫不全症のうち，B 細胞不全は全体の40％を占める．

臨床徴候

B 細胞不全では，低 γ-グロブリン血症のため，細菌感染症に罹患しやすくなり，上下気道呼吸器感染症（中耳炎，副鼻腔炎，肺炎）を反復しやすい．皮膚やその他の臓器における膿瘍，尿路感染症，関節炎もみられる．肺炎球菌やインフルエンザ菌が起因菌として多い．無 γ-グロブリン血症の患者ではエンテロウイルス感染症に罹患しやすい．感染症以外にも CVID では肉芽腫性炎症，自己免疫疾患，リンパ増殖症，悪性腫瘍の合併がみられる．

診断・検査

反復性細菌感染症に罹患している患者をみたら，血清免疫グロブリン（IgG, IgA, IgM）をまず測定する（図2）[4]．すべてのクラスが著減していた場合，末梢血 B 細胞数を測定し，B 細胞が2％未満であれば，XLA または常染色体潜性（劣性）無 γ-グロブリン血症の可能性が高く，BTK 蛋白ならびに *BTK* 変異を調べる．B 細胞が2％以上であれば，CVID と考えられる．IgG および IgA が低下しているが，IgM が正常から増加している場合には高 IgM 症候群の可能性がある．IgA のみが低下している場合には選択的 IgA 欠損症と考えられる．IgG, IgA, IgM が正常である場合には，特異抗体ならびに IgG サブクラスの測定を行い，特異抗体産生不全症あるいは IgG サブクラス欠損症を鑑別する．

診断や治療に迷う場合には，『日本免疫不全症・自己炎症学会の症例相談』（https://www.jsiad.org/consultation/）を通じて専門家に相談するとよい．

治療・予後

感染症に応じて必要な抗菌薬投与を行うのはいうまでもないが，B 細胞不全に対する治療の基本は免疫グロブリン補充療法である．静注用製剤200〜600 mg/kg を3〜4週間間隔で点滴静注する方法に加えて，皮下注用製剤50〜200 mg/kg を毎週皮下注する方法もある．後者は在宅補充療法が適応となっており，患者の QOL の向上が期待される．免疫グロブリン補充療法では投与直前の IgG トラフ値を700〜900 mg/dL 以上に保つことが望ましいが，感染コントロールに必要なレベルは個々で異なる[5]．

B 細胞不全でも免疫グロブリン補充療法のみでは感染コントロールが困難であり，HLA 一致ドナーが見つかれば造血細胞移植が考慮されることもある．

ピットフォール・対策

B 細胞不全では，免疫グロブリン補充療法にて健常人とほぼ同等な日常生活を送ることが可能であるが，管理が不十分だと気管支拡張症などの慢性呼吸

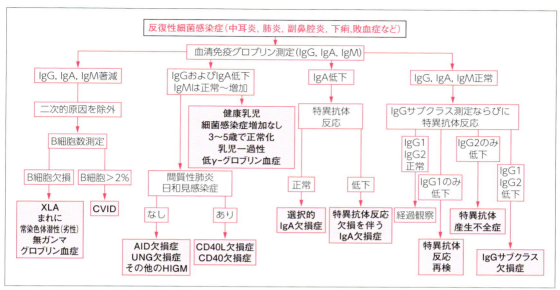

図2 ◆ B細胞不全における診断の流れ
(Bousfiha AA, et al. : A phenotypic approach for IUIS PID classification and diagnosis : guidelines for clinicians at the bedside. J Clin Immunol 33 : 1078-1087, 2013より引用, 一部改変)

器感染症を合併することがあるので注意が必要である．将来はKRECs (Kappa-chain recombination excision circles) をガスリー血にて定量することによって, B細胞不全の患者を新生児スクリーニングで早期診断できるようになることが期待される[6]．

■ 文献

1) Smith T, Cunningham-Rundles C : Primary B-cell immunodeficiencies. Hum Immunol 80 : 351-362, 2019.
2) Tangye SG, et al. : Human inborn errors of immunity : 2019 update on the classification from the International Union of Immunological Societies Expert Committee. J Clin Immunol 40 : 24-64, 2020.
3) Ishimura M, et al. : Nationwide survey of patients with primary immunodeficiency diseases in Japan. J Clin Immunol 31 : 968-976, 2011.
4) Bousfiha AA, et al. : A phenotypic approach for IUIS PID classification and diagnosis : guidelines for clinicians at the bedside. J Clin Immunol 33 : 1078-1087, 2013.
5) Bonagura VR, et al. : Biologic IgG level in primary immunodeficiency disease : the IgG level that protects against recurrent infection. J Allergy Clin Immunol 122 : 210-212, 2008.
6) Nakagawa N, et al. : Quantification of κ-deleting recombination excision circles in Guthrie cards for the identification of early B-cell maturation defects. J Allergy Clin Immunol 128 : 223-225. e2, 2011.

（金兼弘和）

d. 免疫調節障害：血球貪食性リンパ組織球症など

定義・概念

血球貪食性リンパ組織球症 (hemophagocytic lymphohistiocytosis : HLH) は, 持続する発熱, 血球減少, 肝脾腫, 播種性血管内凝固 (DIC), 高フェリチン血症, および骨髄などに血球貪食組織球増多をみる危急症である．免疫の過剰活性化と高サイトカイン血症を背景とする高炎症症候群で原発性と二次性に分けられる[1]．前者は家族性 (FHL) などの原発性免疫不全症 (PID/IEI) であり, 後者は感染症, リンパ腫などに続発する．若年性特発性関節炎に伴うマクロファージ活性化症候群 (MAS) は続発性HLHである．EBウイルス関連HLH (EBV-HLH) と慢性活動性EBV感染症 (CAEBV) は, WHOリンパ腫分類第4版 (2017) の小児全身性EBV陽性T細胞リンパ腫を含むEBV陽性T/NK細胞増殖症である．この新WHO分類では悪性組織球症が復活した．

病因・病態

リンパ球とマクロファージの持続活性化から制御不能なサイトカインが過剰産生される．活性化した組織球は血球を貪食し, リンパ球は臓器に浸潤する．FHLは, CD8陽性T細胞の活性化が持続し中枢神経病変も呈する．FHLはFHL1 (9番染色体連鎖),

FHL2（*PRF1* 異常），FHL3（*UNC13D* 異常），FHL4（*STX11* 異常），FHL5（*STXBP2* 異常）に分類され，FHL1 の責任遺伝子は同定されてない．細胞傷害性リンパ球（cytotoxic T lymphocyte：CTL）は，感染細胞や腫瘍細胞を排除し，免疫細胞の過剰反応も制御する．細胞傷害性顆粒の産生と分泌異常が本態であり，この経路にかかわるその他の分子異常による IEI（Griscelli 症候群など）も HLH を発症する．X 連鎖性リンパ増殖症（X-linked lymphoproliferative syndrome：XLP）も *SH2D1A* 異常と *BIRC* 異常から HLH を起こす単一遺伝子病である．リジン尿性蛋白不耐症などの代謝異常症も HLH を発症する．EBV-HLH では，EBV 感染 CD8 陽性 T 細胞がクローン増殖し組織球の活性化と高サイトカイン血症が持続する．

疫学

日本の年間発症は人口 80 万に 1 人である[2]．小児は年間約 60 人で，FHL は 5〜10 万出生に 1 人である．誘因・基礎疾患は感染症が約 2/3 を占め，その半数以上が EBV 関連で，リンパ腫，自己免疫，原発性（おもに FHL2 と FHL3）と続く．15 歳未満が約半数で EBV-HLH がその半数を占める．AYA 世代からリンパ腫関連が多い．小児 EBV-HLH は初感染が多く，おもな感染標的は CD8 陽性 T 細胞である．成人の EBV-HLH は既感染が多く CAEBV なども含まれる．EBV 以外の感染症には単純ヘルペスウイルス，エンテロウイルス，サイトメガロウイルス，真菌などがある．新生児では単純ヘルペスウイルスが多く，予後不良である．

臨床徴候

診断ガイドラインを表 1 に示す[3]．FHL は常染色体潜性（劣性）遺伝病で，乳児発症が多い．8 つの臨床項目のうち 5 つで確定する．発熱は必発だが，新生児の発熱頻度は低い．脾腫は特徴的である．血球減少は 2 系統以上を有意とする．NK 活性低下は原発性に顕著である．血清フェリチンおよび sIL-2R 値は病勢と病因を反映する．Chédiak-Higashi 症候群は白血球や毛髪の異常顆粒，Griscelli 症候群は白子症に注意する．

診断・検査

本症を疑ったら診断と治療を同時に進める（図 1）．発熱と DIC の進み方が病勢を反映する．続発性を除外しながら，スクリーニング可能な施設と連携して病勢進行が速い原発性と EBV 関連疾患および

表 1 ◆ 血球貪食性リンパ組織球症（HLH）の診断指針

以下の A または B のいずれかを満たせば HLH と診断する

A. 遺伝性 HLH に一致した遺伝子異常，または家族歴を有する．

B. 下記 8 項目のうち 5 項目を満たす
  1. 発熱の持続 7 日以上，ピークが 38.5℃以上
  2. 脾腫：季肋下 3 cm 以上
  3. 血球減少：末梢血で 2 系統以上の減少，骨髄の低形成・異形成によらない．
     好中球＜1,000/μL，ヘモグロビン＜9.0 g/dL，血小板＜10 万/μL
  4. 高トリグリセライド血症および／または低フィブリノゲン血症
     トリグリセライド≧265 mg/dL 空腹時，フィブリノゲン≦150 mg/dL
  5. 骨髄，脾，リンパ節に血球貪食像をみる．悪性を示す所見がない
  6. NK 活性の低下
  7. 高フェリチン血症：≧500 ng/mL
  8. 高可溶性 IL-2 受容体血症：≧2,400 U/mL

付記 診断に有用な所見：①髄液の細胞増多（単核球）および／または髄液蛋白増加，②肝で慢性持続性肝炎に類似した組織像
　　診断を示唆するほかの所見：髄膜刺激症状，リンパ節腫大，黄疸，浮腫，皮疹，肝酵素上昇，低蛋白・低 Na 血症，VLDL 値上昇，HDL 値低下

注意 発症時に上記の基準をすべて満たすわけではなく，経過とともにいくつかを満たすことが少なくない．基準を満たさない場合は注意深く観察し，基準を満たした（同時期に症状・所見がそろった）時点で診断する

(Henter JI, et al.：Pediatr Blood Cancer 48：124-131, 2007 および日本小児血液がん学会組織球症委員会―小児 HLH 診療ガイドライン 2020 より改変)

リンパ腫・リンパ増殖症を診断し，速やかながん化学療法と造血細胞移植の可能な施設へ紹介する．

　血清フェリチン高値の特異性は高い．高脂血症（トリグリセリド，コレステロール）がみられる．IFN-γ などの血中サイトカインが著増し，尿中 $β_2$-ミクログロブリンとネオプテリンも上昇する．血清リゾチーム，アンジオテンシン転換酵素，神経特異エノラーゼの上昇は組織球活性化を表す．空胞化した成熟組織球と血球貪食組織球が骨髄のほか，網内系組織，末梢血や脳脊髄液に出現する．骨髄は赤芽球系細胞が著減する．血球貪食像は，初期には目立たないことがある．貪食組織球は骨髄塗抹標本 1 枚あたり 2 個以上，成熟組織球は骨髄有核細胞の 3％，または 2,500 細胞/μL 以上が有意とされるが定量的評価はむずかしい．異型および顆粒リンパ球増多をみる．

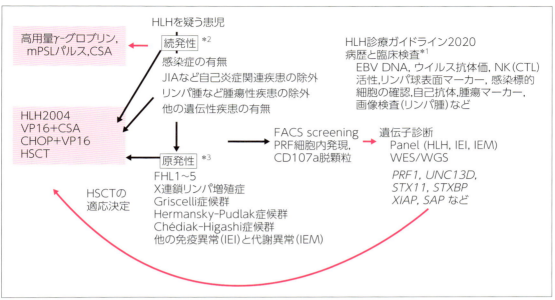

図1 ● 血球貪食リンパ組織球症（HLH）を疑ったときの診療の流れ
*1：EBV-HLHを疑ったら早期にEBV DNA定量と抗体価にてスクリーニングを行い，感染標的細胞を確認する．
*2：続発性には，自己免疫疾患（JRA，川崎病など），造血器疾患・悪性疾患（LPD/リンパ腫，菊池病など），感染症（EBV，HSVなどウイルス，抗酸菌などの細菌，真菌など），治療関連（造血細胞移植後，薬剤性：脂肪製剤，抗がん薬，抗けいれん薬など）がある．
*3：FHL以外の細胞傷害性顆粒異常症（Griscelli症候群Ⅱ型，Chédiak-Higashi症候群など）は血球，毛髪などに異常顆粒をみる．ほかの原発性免疫不全症（PID/IEI）（ADA欠損症，IL-2Rα鎖欠損症，共通γ鎖欠損，Wiskott-Aldrich症候群，部分DiGeorge症候群，ITK欠損症など）と先天代謝異常症（IEM）に注意する．
JRA：若年性関節リウマチ，FHL：家族性血球貪食性リンパ組織球症，ADA：アデノシンデアミナーゼ，HSCT：造血細胞移植．

細胞培養，ウイルス抗体価，遺伝子検査などから感染症を診断する．EBV抗体価から初感染か再活性化を判断し，EBV DNAを定量する．EBV-HLHでは感染細胞の同定が望ましい．フローサイトメトリーによりEBV-HLHとIEI，さらにperforin細胞内発現とCD107a脱顆粒検査を行いFHLなどの細胞傷害性顆粒異常症を鑑別する[4]．必要に応じて各遺伝子解析を進める．

治療・予後

急性期の凝固異常，出血と臓器不全に注意して適切な免疫化学療法を行う．原発性HLHはHLH2004で病勢を調節し，早急に同種造血細胞移植を行う[5]．EBV-HLHには早期に高用量γ-グロブリンとステロイド，あるいはシクロスポリンによる免疫抑制・調節療法を開始し，HLH2004などに速やかに移行する．再燃例や重症例では悪性リンパ腫に準じた多剤化学療法が必要となる．EBV-HLHとEBV関連リンパ腫/リンパ増殖性症の鑑別は難しく，造血細胞移植の必要な例がある．HLH2004は病勢制御に有用であるが，移植適応を決めるための遺伝子解析は躊躇しない．

HLHの病勢制御のための抗IFNγ製剤やJAK阻害薬の適応と評価は十分に確立していない．

ピットフォール・対策

国内ではFACS診断施設の協力により，FHLの診断年齢が低下している．新生児の早期診断例には，エトポシド（VP16）の開始時期と用量，造血細胞移植の時期と方法などに注意が必要である．FHLの遺伝子治療と新生児スクリーニングは研究段階にある．EBV-HLHの約10％はHLH2004治療中または中止後に再発するが，重症例やこのような再発難治例の治療戦略は確立していない．

■ 文献

1) Canna SW, et al.：Pediatric hemophagocytic lymphohistiocytosis. Blood 135：1332-1343, 2020
2) Ishii E, et al.：Nationwide survey of hemophagocytic lymphohistiocytosis in Japan. Int J Hematol 86：58-65, 2007
3) Smits BM, et al.：A minimal parameter set facilitating early decision-making in the diagnosis of hemophagocytic lymphohistiocytosis. J Clin Immunol 41：1219-1228, 2021
4) Ishimura M, Ohga S. submitted.
5) Bergsten E, et al.：Stem cell transplantation for children with hemophagocytic lymphohistiocytosis：results from the HLH-2004 study. Blood Adv 4：3754-3766, 2020

（大賀正一）

e. 食細胞機能異常：慢性肉芽腫症

慢性肉芽腫症

定義・概念

慢性肉芽腫症（chronic granulomatous disease：CGD）は，食細胞（おもに好中球，単球，マクロファージ）の活性酸素産生障害による先天性免疫不全症である．多くが乳幼児期より重症細菌・真菌感染を繰り返し諸臓器に肉芽を形成するが，若年成人期から症状が出現する遅発例も存在する．

抗菌薬や抗真菌薬の開発という時代の変遷とともに予後は改善されてきた．易感染性が主体であるが，肉芽腫形成に加えてクローン病様腸炎など過剰炎症をきたすことも知られており治療に難渋する．根治療法は造血細胞移植（hematopoietic cell transplantation：HCT）であるが，近年の技術進歩に伴い成績は向上している．

病因・病態

1 易感染性

CGDは，食細胞のNADPHオキシダーゼ（Nox）とよばれる活性酸素産生酵素複合体の欠失や機能異常により，活性酸素が産生できず殺菌障害をきたす（図1）．

Noxは，2つの膜蛋白（gp91^{phox}，p22^{phox}）と4つの細胞質内蛋白（p67^{phox}，p47^{phox}，Rac1/2，p40^{phox}）から構成される．現在までにCGDの原因としてRac以外のすべての蛋白（gp91^{phox}，p22^{phox}，p67^{phox}，p47^{phox}，p40^{phox}）の異常が報告されている．

1) **gp91^{phox}欠損型（責任遺伝子：*CYBB*）**

X連鎖性の遺伝形式でわが国における原因の78％を占める[1]．一般的に女性は保因者であるが，女性例（後述のp22^{phox}欠損型とは異なる）も存在しX染色体の不活性化が関与する．

2) **p22^{phox}欠損型（責任遺伝子：*CYBA*）**

常染色体潜性（劣性）遺伝でありわが国では6％を占める[1]．ほとんどの症例でgp91^{phox}欠損も伴う．gp91^{phox}欠損女性例ではp22^{phox}欠損型を鑑別する必要がある．

3) **p47^{phox}欠損型（責任遺伝子：*NCF1*）**

常染色体潜性（劣性）遺伝であり欧米では1/4を占め頻度が高いが，わが国では6％とまれである[1]．

4) **p67^{phox}欠損型（責任遺伝子：*NCF2*）**

常染色体潜性（劣性）遺伝でありわが国では10％

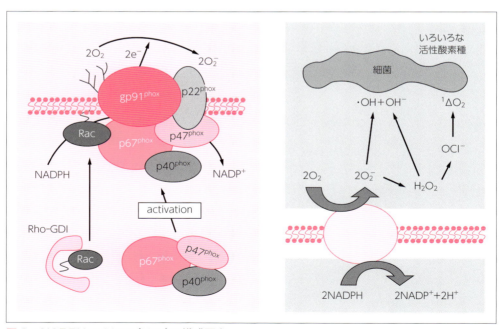

図1 ◆ NADPH oxidase（Nox）の構成蛋白
非活性時には細胞膜でgp91^{phox}，p22^{phox}のヘテロダイマー，細胞質でp67^{phox}，p47^{phox}，p40^{phox}複合体を形成し，RacはRho-GDI分子と結合し存在する．活性時にp67^{phox}，p47^{phox}，p40^{phox}複合体は細胞膜へ移行し細胞膜蛋白と結合し，さらにRacはRho-GDIから分離しp67^{phox}と結合する（左図）．これらが複合体を形成してNADPH oxidaseを構成する（右図）．

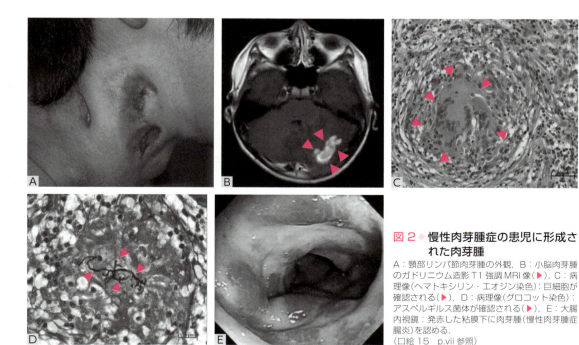

図2 ◆ 慢性肉芽腫症の患児に形成された肉芽腫
A：頸部リンパ節肉芽腫の外観，B：小脳肉芽腫のガドリニウム造影T1強調MRI像（▶），C：病理像（ヘマトキシリン・エオジン染色）：巨細胞が確認される（▶），D：病理像（グロコット染色）：アスペルギルス菌体が確認される（▶），E：大腸内視鏡：発赤した粘膜下に肉芽腫（慢性肉芽腫症腸炎）を認める．
（口絵15 p.vii参照）

と2番目に頻度が高い（欧米では2〜3％と低頻度）[1]．

5）p40phox欠損型（責任遺伝子：NCF4）

近年報告され，常染色体潜性（劣性）遺伝形式で発症する[2]．フォルボールエステル（phorbol-12-myristate-13-acetate：PMA）刺激による活性酸素産生能は保持されるも，血清オプソニン化大腸菌刺激による活性酸素産生能障害が特徴とされるが，比較的軽症である．

2 肉芽腫・CGD腸炎

過剰炎症をきたす機序についてはいまだ不明な部分が多いが，活性酸素によるカスパーゼ1失活が不十分となり，IL-1βなどの炎症性サイトカインの過剰産生が原因の1つと考えられている．

疫学

1970年頃から診断技術の向上や原発性免疫不全症患者のデータベースの構築により，徐々に患者登録数が増加し，そのデータベースの集計から現在では20万人に1人の頻度とされる．

臨床徴候

乳児期より化膿性皮膚炎，リンパ節炎，肺炎，中耳炎，肝膿瘍，肛門周囲膿瘍などを繰り返す難治性細菌・真菌感染症を認める．起因菌としては，H_2O_2非産生カタラーゼ陽性細菌（ブドウ球菌，セラチア，クレブシエラ，緑膿菌など）と真菌（カンジダ，アスペルギルスなど）が多く，肺と肝臓を中心にあらゆる臓器に肉芽腫を形成し器質的障害をきたしうる．難治性腸炎は約半数に併発する（図2）．

診断・検査

食細胞殺菌能検査としてNADPHオキシダーゼ活性を測定する．細胞内のH_2O_2に反応する蛍光色素DHR（dihydro-rhodamine）-123を用いたフローサイトメトリー（FCM）解析が推奨される．DCFH（2',7'-dichlorofluorescein diacetate）を用いた方法は特異度が低く注意が必要である．NADPHオキシダーゼ活性低下を認めた場合には，gp91phox/p22phoxに対するモノクローナル抗体7D5を用いたFCM解析を行う．7D5抗体陰性例では，母親のFCM解析を行い，2相性を示せばgp91phox欠損型と診断する．2相性を示さない場合には，p22phox欠損型を疑い遺伝子解析を行う．7D5抗体陽性例では，FCM解析によるp67phox，p47phox，p40phoxの発現結果に基づき遺伝子解析を進めていく．

治療・予後

1 日常生活指導による感染予防

アスペルギルスなどの真菌への大量ばく露を避ける生活知識が重要である．宮崎大学小児科ホームページ（http://www.med.miyazaki-u.ac.jp/home/pediatrics/immunity/）を参照されたい．

2 予防接種

積極的接種が勧奨されるが，BCGは深在性リンパ節炎（BCGitis）の危険性があり基本的に禁忌である．BCGitisの治療法についてはPIDJ（Primary Immunodeficiency Database in Japan）ホームページ（http://pidj.rcai.riken.jp/CGD-BCG.pdf）を参照されたい．

3 予防内服

細菌感染に対してST合剤，真菌感染に対してイトラコナゾールの予防投薬が有効である．アスペルギルス感染症の既往がある場合にはボリコナゾールの予防投薬を行う．

4 IFN-γ

インターフェロン（INF）-γの投与にてCGD患者の1/3に重篤な感染症抑制効果がある．またCYBB遺伝子エクソン3のスプライシング異常是正効果により，好中球の活性酸素産生能が改善される．

5 抗菌薬・抗真菌薬

感染時にはH_2O_2非産生カタラーゼ陽性細菌と真菌を起因菌と想定して抗菌薬，抗真菌薬を選択する．効果判定は血液検査，画像評価にて行う．安易に早期中止すると膿瘍や肉芽腫から菌体が播種し，血行性に新たな感染巣を形成する危険性があるため，中止判断には十分な注意が必要である．

6 肉芽腫・CGD腸炎に対する治療

過剰炎症に対する治療法は確立していない．肉芽腫により臓器障害をきたす場合，可能な限り外科的切除を考慮する．ステロイドが投与されることもある．CGD腸炎に対する治療はCrohn病に準じた治療（メサラジン，ステロイド）が行われることが多いが，サリドマイドもNFκB抑制による改善が報告されており，わが国で臨床研究が行われている．

7 遺伝子治療

レトロウイルスベクターを用いた遺伝子治療が実施されたが，末梢血の活性酸素産生能保有好中球の維持期間は短く，現在はレンチウイルスベクターを用いた臨床研究が行われている．16％〜46％の活性酸素産生能を有する好中球が1年以上持続しており，実用化に期待したい[3]．

8 HCT

すべてのCGD患者が対象となるが，合併症，年齢，HLA一致度などにより，その適応は総合的に判断される．わが国における1992年から2013年までのHCT施行91例の報告では，21例が合併症で亡くなっており，3年全生存率73.2％，無イベント生存率67.6％であった．危険因子として移植時年齢30歳以上，gp91^{phox}以外の遺伝子欠損型，臍帯血移植があげられた[4]．ブスルファンの用量調節を用いた骨髄非破壊的前処置による無イベント生存率89％との報告[5]，近年は移植後シクロフォスファミドを用いた半合致移植の可能性も報告されており[6]，今後のさらなる改良が期待される．

白血球接着不全症

定義・概念

白血球接着不全症（leukocyte adhesion deficiency：LAD）は，先天的な好中球の接着分子異常により血管外へ遊走できず，重症細菌・真菌感染症を繰り返す疾患である．欠損している接着分子により次の3つに分類されるが，わが国ではLAD1のみが報告されている．

1 LAD1

インテグリンβ2（CD18）欠損による接着障害（責任遺伝子：ITGB2）．接着に重要なCD11はα鎖β鎖からなるが，β鎖（CD18）の異常である．FCMでCD18，CD11の発現を確認し，遺伝子検査にて診断する．

2 LAD2

セレクチンリガンドのフコシル化炭水化物欠損による接着障害（責任遺伝子：SLC35C1）により引き起こされる．

3 LAD3

インテグリンβ2（CD18）活性化障害による接着障害（責任遺伝子：KINDLIN3）により引き起こされる．

臨床徴候・治療

1 LAD1

生後まもなく膿瘍形成を伴わない重症の皮膚感染症を認める．歯肉炎，歯周囲炎を生じることもある．臍帯脱落遅延が特徴的である．起因菌としては黄色ブドウ球菌，エンテロバクター，緑膿菌，Candidaが多い．根治療法はHCTである．

2 LAD2

LAD1，LAD3と比較して軽症である．運動発達遅滞，低身長，小頭症，脳皮質の萎縮など免疫以外での症状を伴うことが特徴である．感染症合併時の対症療法が中心となり，HCTは不要である．

3 LAD3

LAD1同様に膿瘍形成を伴わない反復性の細菌や真菌感染症を認める．責任遺伝子であるKINDLIN3は，血小板膜糖蛋白GPIIIa（インテグリンβ3）の活性化時構造変化に重要とされ，血小板無力症類似の出

血症状をきたす．KINDLIN3 蛋白は破骨細胞の骨吸収にも関与するため，大理石病様の症状を呈することがある．HCT が根治療法である．

■ 文献
1) 布井博幸，他：慢性肉芽腫症．日本免疫不全研究会（編），原発性免疫不全症候群 診療の手引き．初版，診断と治療社，98-103，2017
2) Anjani G, et al.：Recent advances in chronic granulomatous disease. Genes Dis 7：84-92，2019
3) Kohn DB, et al.：Lentiviral gene therapy for X-linked chronic granulomatous disease. Nat Med 26：200-206，2020
4) Yanagimachi M, et al.：Hematopoietic cell transplantation for chronic granulomatous disease in japan. Front Immunol 11：1617，2017
5) Güngör T, et al.：Reduced-intensity conditioning and HLA-matched haemopoietic stem-cell transplantation in patients with chronic granulomatous disease：a prospective muticentre study. Lancet 383：436-448，2014
6) Fernandes JF, et al.：Outcomes after haploidentical stem cell transplantation with post transplantation cyclophosphamide in paitents with primary immunodeficiency diseases. Biol Blood Marrow Transplant 26：1923-1929，2020

（西村豊樹，盛武 浩）

f. 自然免疫不全症・自己炎症性疾患

定義・概念

生体内へ侵入する病原体を非自己として認識し排除する免疫系は，自然免疫と獲得免疫から成り立っている．獲得免疫は，B 細胞およびそれが産生する抗体と T 細胞によって担われている．他方，自然免疫は下等生物から高等生物まで共通にみられる基本的な免疫機構であり，マクロファージ，樹状細胞，好中球などの細胞が，病原体に共通の分子構造である pathogen-associated molecular pattern（PAMP）を Toll 様受容体（Toll-like receptor：TLR）や RIG-I（retinoic acid-inducible gene 1）様受容体，NOD 様受容体（nucleotide binding oligomerization domain-like receptor：NLR）等で認識することにより惹起される機構である．

自然免疫は獲得免疫と共同で機能する場合もあり，皮膚角化層や粘膜等にみられる非特異的生体防御機構との境界が不明確であることから，自然免疫不全症の厳密な定義は難しい．ここでは，2019 年の国際分類で defects in intrinsic and innate immunity として分類されている疾患群を自然免疫不全症として記載する[1]．

自己炎症性疾患は，自然免疫の先天的な制御異常であり，発熱や皮疹，全身性の炎症，肉芽腫形成など，疾患によって特徴的な臨床像を呈する．

病因・病態

自然免疫不全症および自己炎症性疾患の代表的疾患を表1に示す．単一遺伝子病で責任遺伝子が同定されているものが多いが，記載している遺伝子異常以外にも原因があると考えられている疾患もある．

IRAK4 欠損症と MyD88 欠損症は，TIR（Toll/IL-1 受容体）シグナル伝達異常症の代表的疾患である（図1）．メンデル遺伝型マイコバクテリア易感染症（MSMD）は，IL-12/IFN-γ 経路の先天的な異常による．単球・マクロファージは，抗酸菌やサルモネラ菌などの細胞内寄生菌が感染すると IL-12 を産生し，Th1 細胞を誘導する．Th1 細胞は IFN-γ を産生し単球・マクロファージを活性化する．活性化されたマクロファージは，活性酸素などの抗菌物質を産生するようになり，細胞内寄生菌を殺菌する．MSMD では，この経路に関連する分子の異常がみられ，細胞内寄生菌のみに易感染性を呈する．慢性皮膚粘膜カンジダ症では，Th17 細胞の分化や機能が障害されているため，カンジダに易感染性を呈する．また，単純ヘルペス脳炎の多くは，TLR3 やそのシグナル伝達に関連する分子の欠損および機能障害が原因である．

他方，自己炎症性疾患は炎症を制御しているシステムの異常であり，IL-1β の過剰産生や NFκB 経路の異常な活性化などによって，周期的な発熱や皮疹，関節の障害，血管炎などの全身性の炎症や，皮膚の肉芽腫性病変など，各疾患に特徴的な臨床像を呈する．PFAPA（periodic fever, aphthous stomatitis, pharyngitis, and adenitis）症候群や慢性再発性多発性骨髄炎（CRMO）の原因や病態はいまだ不明である．

疫学

いずれもまれな疾患であるが，PFAPA 症候群は比較的頻度が高い．家族性地中海熱やクリオピリン関連周期熱症候群（家族性寒冷自己炎症症候群および Muckle-Wells 症候群，CINCA 症候群）では，成人期になってようやく診断される例もある．2020 年の原発性免疫不全症患者の全国調査では，自然免疫不全症は約 30 人，自己炎症性疾患は約 300 人であり，家族性地中海熱は 200 人を超えていた．

表 1 ● 代表的な自然免疫不全症および自己炎症性疾患の病態と臨床像

A. 自然免疫不全症

疾患名	遺伝子異常	病態	臨床像	易感染性
TIRシグナル伝達異常症	IRAK4, MYD88, IRAK1, TIRAP	TLR, IL-1Rからのシグナル伝達障害	乳幼児期の侵襲性細菌感染症	肺炎球菌、ブドウ球菌、溶連菌、緑膿菌
MSMD	IL12RB1, IL12B, IL12RB2, IL23R, IFNGR1, IFNGR2, STAT1, CYBB, IRF8, SPPL2A, TYK2, ISG15, RORC, JAK1	多くはIL-12/IFN-γ経路に関連する分子の異常	播種性BCG感染症、細胞内寄生菌感染症	BCG、非結核性抗酸菌、サルモネラ、結核菌
慢性皮膚粘膜カンジダ症	IL17RA, IL17RC, IL17F, STAT1, TRAF3IP2	Th17細胞の分化障害・機能障害	皮膚や粘膜、爪の難治性カンジダ症	カンジダ
疣贅状表皮発育異常症	TMC6, TMC8, CIB1, CXCR4	HPVの感染制御異常	多発性疣贅状皮疹	HPV
単純ヘルペス脳炎	TLR3, UNC93B1, TRAF3, TICAM1, TBK1, IRF3, DRB1	多くはTLR3からのシグナル伝達障害	単純ヘルペス脳炎（家族性、再発性）	単純ヘルペスウイルス（脳炎）

B. 自己炎症性疾患

疾患名	遺伝子異常	病態	臨床像	典型的な発熱の経過
家族性地中海熱	MEFV	PYRINのNLRP3制御異常	胸痛や腹痛を伴う周期性発熱	数日以内の発熱が約1か月間隔でみられる
家族性寒冷自己炎症症候群	NLRP3, NLRP12, NLRC4	Inflammasome機能亢進によるIL-1β過剰産生	全身の寒冷刺激後の発熱、皮疹	全身の寒冷刺激後に皮疹などを伴った発熱
Muckle-Wells症候群	NLRP3	Inflammasome機能亢進によるIL-1β過剰産生	皮疹、感音性難聴、アミロイドーシス、関節炎	周期性発熱を呈することがある
CINCA症候群	NLRP3, NLRC4	Inflammasome機能亢進によるIL-1β過剰産生	無菌性髄膜炎、ぶどう膜炎、関節症	微熱や高熱を認めることがある
TRAPS	TNFRSF1	異常TNFSF1分子の小胞体内蓄積	周期性発熱、腹痛、筋肉痛、皮疹	数週間持続する発熱が数か月間隔でみられる
高IgD症候群	MVK	ゲラニルゲラニルピロリン酸の枯渇	皮疹・腹部症状・関節症状を伴う周期性発熱	5日間程度の発熱が約1か月間隔でみられる
Blau症候群	CARD15	NFκB活性化亢進	関節炎、ぶどう膜炎、皮膚炎	間歇的・持続的な発熱があることもある
A20ハプロ不全症	TNFAIP3	TNF受容体等からのNFκB活性化亢進	ベーチェット病、反復性構内アフタ	周期性発熱
ADA2欠損症	CECR1	アデノシン過剰によるアデノシン受容体機能亢進	網状皮斑、高血圧、脳梗塞、腎梗塞、関節痛	微熱、周期性発熱
PFAPA	不明	不明	口内炎、リンパ節炎、咽頭炎を伴う発熱発作	3〜5日間の発熱発作を3〜5週間隔で繰り返す
CRMO	不明	不明	寛解増悪を繰り返す無菌性化膿性骨髄炎	発熱がみられることもある

MSMD：メンデル遺伝型マイコバクテリア易感染症、TIR：Toll/IL-1受容体、TLR：Toll様受容体、CINCA：chronic infantile neurologic cutaneous and articular, TRAPS：TNF receptor-associated periodic syndrome, CRMO：chronic recurrent multifocal osteomyelitis, HPV：human papillomavirus.
(Tangye SG, et al.：Human inborn errors of Immunity：2019 update on the classification from the international union of immunological societies expert committee. J Clin Immunol 40：26-69, 2020 より引用，改変)

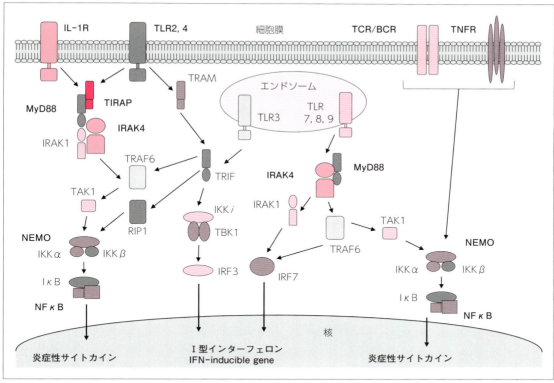

図1 ◆ IL-1受容体やToll様受容体などからのシグナル伝達機構
IL-1受容体やToll様受容体(Toll様受容体3を除く)からのシグナルは，IRAK4やMyD88などのシグナル伝達分子を介してNF-κBを活性化させる．IRAK4欠損症やMyD88欠損症では，IL-1やToll様受容体からのシグナル伝達がおこらず自然免疫不全症を呈する．
(Uematsu S, et al. : Toll-like receptors and innate immunity. J Mol Med 84 : 712-725, 2006より引用，改変)

臨床徴候

1 自然免疫不全症(表1A)

1) TIRシグナル伝達異常症

乳幼児期の化膿性髄膜炎，敗血症，関節炎などのいわゆる侵襲性細菌感染症が特徴的である．IRAK4欠損症やMyD88欠損症の起因菌は肺炎球菌，ブドウ球菌，溶血性連鎖球菌，緑膿菌がほとんどを占め，急速に進行する例が多くおよそ半数が死亡している．IRAK4欠損症やMyD88欠損症では，乳幼児期を過ぎると次第に易感染性が軽くなり重症感染症を起こさなくなる[2]．

2) メンデル遺伝型マイコバクテリア易感染症 (MSMD)

IL-12受容体の欠損/機能障害であるIL12RB1欠損症と，IFN-γ受容体の欠損/機能障害であるIFNGR1欠損症が原因のほとんどを占める．BCG接種が最初の発病の要因であることが多く，播種性BCG感染症を起こし，骨や関節の病変をきたすことが多い．また非結核性抗酸菌感染症やサルモネラ菌，結核菌にも易感染性を呈し重症化する．IL-12RB1欠損症ではサルモネラ感染症が特に起こりやすい．

3) 慢性皮膚粘膜カンジダ症

小児期に始まる皮膚や粘膜，爪の難治性カンジダ症である．深部の真菌感染症は基本的には起こさない．抗真菌薬は有効であるが，中止すると再発・再燃する．

4) 疣贅状表皮発育異常症

ヒトパピローマウイルス(HPV)による疣贅であり，乳幼児期から皮疹がみられることが多い．日光にばく露される部位に始まる．基本的に皮疹は完全に消退することはない．将来的に皮膚癌を発症しやすい．

5) 単純ヘルペス脳炎

単純ヘルペス脳炎を起こす免疫不全症である．繰り返すことも少なくない．家族性が認められることが多い．

2 自己炎症性疾患

臨床像を表1Bに提示した[3]．発熱がみられる疾患が多いが，発熱のない疾患もある．疾患ごとに，

発熱の周期や持続時間，随伴症状が異なり，特徴的な臨床像を呈する．NLRP3遺伝子の異常で起こるクリオピリン関連周期熱症候群には3つの病型がある．そのうちCINCA症候群が最重症型であり，家族性寒冷自己炎症症候群は軽症型であるが，3つの病型のいずれにもあてはまらない場合もある．

診断・検査

自然免疫不全症では，感染症の種類や病原体の種類，臨床像を検討したうえで，遺伝子検査によって確定診断する．IRAK4欠損症やMyD88欠損症では，新生児期に臍帯脱落遅延を呈することが多い．また，フローサイトメトリーによるリポ多糖（LPS）刺激後の末梢血白血球のサイトカイン産生能の解析が，スクリーニング検査として有用である．自然免疫不全症の診断では免疫学的，分子遺伝学的検査が必要となることが多いが，慢性皮膚粘膜カンジダ症，疣贅状表皮発育異常症では特徴的な症状や経過から臨床診断が可能である．特に慢性皮膚粘膜カンジダ症では半数近くの患者で既知の遺伝子に異常が認められないため，注意が必要である．

多くの自己炎症性疾患では，白血球増多，CRP上昇，赤沈の亢進が認められるが，非発作時には認められない場合もある．発熱や皮疹などの臨床症状があり，血液検査上炎症反応が認められ，感染症や悪性腫瘍，自己免疫疾患・膠原病などの他の疾患が否定された場合に自己炎症性疾患が疑われる．臨床像から疑われる疾患を絞り，遺伝子検査で確定診断することが原則である．しかし，家族性地中海熱やPFAPA症候群，CRMOは臨床経過や血液検査，画像診断を総合した臨床診断が基本であり，遺伝子検査は診断の参考あるいは除外診断の目的で行う．

治療・予後

自然免疫不全症では，感染症の予防，感染症の治療，合併症対策が重要である．IRAK4欠損症やMyD88欠損症では，侵襲性細菌感染症の死亡率が高いため，侵襲性細菌感染症を早期に診断し治療を開始することが重要である．また，易感染性が乳幼児期に強く，その後は次第に軽減することから，抗菌薬の予防内服や肺炎球菌ワクチン接種，γ-グロブリン補充等による乳幼児期の感染症予防が特に重要である．

自己炎症性疾患では，疾患の病態に応じた治療法を選択することが基本である[4)5)]．家族性地中海熱ではコルヒチンがきわめて有効であり，この有効性が診断にも有用である．コルヒチンの効果が不十分である場合や副作用のために使用できない場合には，カナキヌマブが適応であり有効性は高い．カナキヌマブは，クリオピリン関連周期熱症候群，TNF受容体関連周期性症候群（TRAPS），高IgD症候群にも有効である．Blau症候群やA20ハプロ不全症，ADA2欠損症にはTNF阻害薬が有効である．

ピットフォール・対策

自然免疫不全症や自己炎症性疾患では，臨床検査のみでは確定診断に至らないことが多い．臨床像を正確に評価し，遺伝子検査結果を含めて総合的に確定診断することが重要である．

■ 文献

1) Tangye SG, et al.：Human inborn errors of Immunity：2019 update on the classification from the international union of immunological societies expert committee. J Clin Immunol 40：26-69, 2020
2) Picard C, et al.：Infectious diseases in patients with IRAK-4, MyD88, NEMO, or IkappaBalpha deficiency. Clin Microbiol Rev 24：490-497, 2011
3) Betrains A, et al.：Systemic autoinflammatory disease in adults. Autoimmun Rev 20：102774, 2021
4) 日本小児リウマチ学会（編）：自己炎症性疾患診療ガイドライン2017．診断と治療社，2017
5) Soriano A, et al.：Current Therapeutic Options for the Main Monogenic Autoinflammatory Diseases and PFAPA Syndrome：Evidence-Based Approach and Proposal of a Practical Guide. Front Immunol 11：865, 2020

〔高田英俊〕

g. 先天性補体欠損症

定義・概念

補体（complement）は，自然免疫を担う蛋白であり，細菌に対する強力な生体防御機構の1つである．補体の活性化には3つの経路があるが，活性化機構に対して厳密な制御機構が構築されている．先天性補体欠損症（congenital complement deficiency）は，活性化の障害による疾患（易感染性や自己免疫疾患を呈する疾患）と制御異常による疾患（非典型溶血性尿毒症症候群や遺伝性血管浮腫）に分けられるが，補体の制御異常では補体が消費され枯渇する病態があることにも注意が必要である．本書において，非典

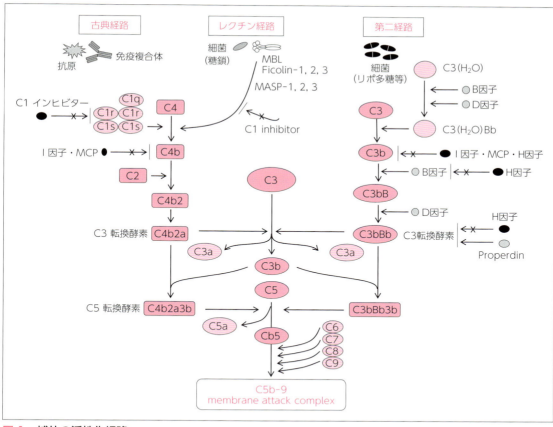

図1 ● 補体の活性化経路
補体の活性化経路には3つの経路があり，最終的にmembrane attack complex（膜侵襲複合体）を形成し，細菌を破壊する．
MCP：membrane cofactor protein．
（有賀 正：先天性補体欠損症：概論．免疫症候群（第2版）Ⅲ．日本臨牀社，834-838，2016より引用）

型溶血性尿毒症症候群は後天性血栓性疾患の項で述べられるので，ここでは補体の活性化の障害による疾患と遺伝性血管浮腫を中心に述べる．

病因・病態

補体の活性化経路には，①古典経路，②第二経路，③レクチン経路があり，いずれかの経路が活性化されると，最終的に細菌の細胞膜を貫通する膜侵襲複合体（MAC）が形成され，細菌を破壊する（図1）．補体は特に髄膜炎菌や肺炎球菌，インフルエンザ菌に対する生体防御に重要な役割を果たしているが，前期補体成分（C1〜C4）欠損症と後期補体成分（C5〜C9）欠損症では臨床像が異なる．補体は免疫複合体の除去にも重要な役割を果たしており，特にC1〜C4までの前期補体成分の欠損症では自己免疫疾患を高率に合併する[1]．遺伝性血管浮腫のほとんどはC1インヒビターの異常である．

疫学

C1q欠損症は70例以上，C1rまたはC1s欠損症は約20例，C4欠損症やC3欠損症はそれぞれ約30例が報告されており，C2欠損症は欧米では20,000人に1人の頻度である．これらの前期補体成分の欠損症は日本人にはほとんどみられない．

日本人ではC5，C6，C7，C8欠損症の発症率は，それぞれ0.0014％，0.0027％，0.0041％，0.0027％である[3]．C9欠損症は日本人では1,000人に1人と報告され[4]，欧米と比較すると圧倒的に頻度が高い．B因子，D因子の欠損症は海外でそれぞれ1例，数家系のみ報告されており，Properdin欠損症は100例以上の報告がある．遺伝性血管浮腫は人種を問わず約50,000人に1人の頻度である．

臨床徴候

前期補体成分の欠損によって補体の活性化が障害

表1 ● おもな補体欠損症

疾患名	臨床像	遺伝形式	責任遺伝子
C1欠損症	SLE, リウマチ性疾患, 易感染*	AR	C1QA, C1QB, C1QC, C1R, C1S
C2欠損症	SLE, リウマチ性疾患, 易感染*	AR	C2
C4欠損症	SLE, リウマチ性疾患, 易感染*	AR	C4A, C4B
C3欠損症	SLE, リウマチ性疾患, 易感染*	AR	C3
C5欠損症	ナイセリア感染症, SLE	AR	C5
C6欠損症	ナイセリア感染症, SLE	AR	C6
C7欠損症	ナイセリア感染症, SLE	AR	C7
C8欠損症	ナイセリア感染症, SLE	AR	C8A, C8B
C9欠損症	ナイセリア感染症	AR	C9
MASP2欠損症	化膿菌感染, 炎症性肺疾患	AR	MASP2
Ficolin 3欠損症	反復性細菌性肺炎	AR	FCN3
B因子欠損症	易感染*	AR	CFB
D因子欠損症	易感染*	AR	CFD
Properdin欠損症	ナイセリア感染症	XR	PFC
H因子欠損症	aHUS, 易感染*	AR	CFH
I因子欠損症	aHUS, 易感染*	AR	CFI
C1 INH欠損症	遺伝性血管浮腫	AD	C1INH

C1 INH：C1インヒビター, SLE：全身性エリテマトーデス, aHUS：非定型溶血性尿毒症症候群.
AR：常染色体潜性(劣性)遺伝, XR：X連鎖潜性(劣性)遺伝, AD：常染色体顕性(優性)遺伝.
*肺炎球菌, 髄膜炎菌, インフルエンザ菌に易感染性を呈する.

されると, 肺炎球菌, 髄膜炎菌, インフルエンザ菌などの莢膜多糖体を有する細菌に対して易感染性を呈し, 特に敗血症や髄膜炎などの侵襲性細菌感染症を起こしやすい. C1欠損症やC4欠損症では70～80％に, C2欠損症およびC3欠損症では30～40％に小児期から全身性エリテマトーデス(SLE)様症状がみられる. C5, C6, C7, C8欠損症でも10～20％に自己免疫疾患を認めると報告されている[1]. C4欠損症およびC3欠損症では, それぞれ15％, 25％に糸球体腎炎などの腎疾患が起こる.

C5～C9欠損症, すなわち補体後期成分の欠損症では, ほぼナイセリア属にのみ易感染性を呈する. 補体後期成分の欠損症による髄膜炎菌髄膜炎では, 免疫能が正常である場合と比較して重症なエンドトキシンショックが生じにくく死亡率が低い. C9欠損症では髄膜炎菌髄膜炎が再燃したり, 繰り返すことは少ないが, C5～C8欠損症では再燃・再発例が報告されている. なお, H因子欠損症やI因子欠損症は補体制御機構の異常であり, C3bBbの不活化が行われないため, 補体の異常活性化をきたし非典型溶血性尿毒症症候群をきたすが, C3の異常活性化の結果としてC3が消費され喪失するため, C3欠損症と同様に肺炎球菌や髄膜炎菌, インフルエンザ菌に易感染性を呈する(表1, 図1).

遺伝性血管浮腫は, 突然浮腫が生じ, 数分から数時間で症状が完成する. まぶた, 口唇などの顔面, 四肢に起こり境界が不明瞭である. 浮腫は圧迫しても圧痕を残さない. 浮腫が消化管に起こると腹部膨満感, 激しい腹痛, 嘔吐, 下痢を呈する. 腹部CTや超音波検査で腸管の浮腫を確認することができる. 咽頭粘膜に浮腫が生じると窒息の危険がある. 診断が遅れると窒息への対応も遅れることになり, 死亡することも少なくない. 浮腫の起こる誘因は, 歯科治療, ストレス, 感染などであり, 特に歯科治療の際には発作の予防が必要である. SLEなどの自己免疫疾患を合併することがある.

診断・検査

補体活性化障害を呈する補体欠損症の多くは常染色体潜性(劣性)遺伝形式をとるが, properdin欠損症はX連鎖潜性(劣性)遺伝形式をとる. 遺伝性血管浮腫はほとんどが常染色体顕性(優性)遺伝形式をとる. CH50と同時にC3, C4を測定する. C1, C2, C4, C5, C6, C7およびC8欠損症ではCH50値は検出感度以下である. C3欠損症ではCH50は正常の10％, C9欠損症では30～50％程度まで低下するが, 完全に検出感度以下にはならない. 補体検査結果は感染症などの影響によって変動するので適切な時期

に再検査を行うことも重要である．また，補体の採血後の低温における活性化（cold activation）によってCH50値が低下することがある点にも注意する．臨床像をもとにCH50値（およびC3，C4）の測定結果に異常がみられた場合，各補体成分の測定を行うとともに遺伝子検査を行う．

遺伝性血管浮腫では，まずC4値が低下しているかどうかを確認する．発作時にはほぼ100％低下し，非発作時でも98％で低下する．C1インヒビター活性の低下を確認し，並行してC1インヒビター蛋白を定量し病型を判断する．1型はC1インヒビター活性と蛋白量がいずれも低下しているタイプであり85％程度を占める．2型はC1インヒビター活性が低下しているが蛋白量は低下していない．まれに3型とよばれるタイプがあり，C1インヒビター以外の遺伝子異常によるもので，凝固XII因子，アンギオポエチン1，プラスミノーゲン，キニノーゲン1の遺伝子異常によるものが報告されている．3型が疑われるときは，これらの遺伝子検査を行うことが推奨される．

治療・予後

補体欠損症で感染症や自己免疫疾患を呈する場合，それぞれに対する治療を行うが，特に侵襲性細菌感染症には迅速な対応が必要である．SLEや糸球体腎炎に対してはステロイドや免疫抑制薬が必要になるので，感染症の発症には十分な注意が必要である．肺炎球菌ワクチン，Hibワクチン，髄膜炎菌ワクチンの接種は必須である．

遺伝性血管浮腫では，発作を誘発するストレスを避け，特に抜歯の際には事前に発作の予防を行う．発作の治療には乾燥濃縮人C1インアクチベーター製剤，選択的ブラジキニンB2受容体ブロッカーであるイカチバント酢酸塩が有効である．また発作予防には，乾燥濃縮人C1インアクチベーター製剤やベロトラルスタット塩酸塩が有効である．遺伝性血管浮腫では気道粘膜の浮腫による窒息を予防することが生命予後に大きく影響する．

ピットフォール・対策

日本人に多いC9欠損症は，CH50の著しい低下は認められないので注意が必要である．急性腹症の原因が遺伝性血管浮腫であることがあり，診断がむずかしいことが多い．アンジオテンシン変換酵素（ACE）はブラジキニンの分解作用を有しているため，遺伝性血管浮腫の患者には禁忌である．

■ 文献

1) Tedesco F：Inherited complement deficiencies and bacterial infections. Vaccine 26 Suppl 8：I3-18, 2008
2) Lintner KE, et al.：Early components of the compliment classical activation pathway in human systemic autoimmune diseases. Front Immunol 7：36, 2016
3) Inai S, et al：Inherited deficiencies of the late-acting complement components other than C9 found among healthy blood-donors. International Archives of Allergy and Applied Immunology 90：274-279, 1989
4) Fukumori Y, et al：A high incidence of C9 deficiency among healthy blood donors in Osaka, Japan. International Immunology 1：85-89, 1989

（高田英俊）

第1章 血液・造血器疾患

C 免疫異常

2 続発性免疫不全症

後天性免疫不全症候群—HIV感染症

定義・概念

ヒト免疫不全ウイルス(human immunodeficiency virus:HIV)は,おもにCD4陽性Tリンパ球とマクロファージ系の細胞に感染するヒト病原性レトロウイルス属に含まれる二本鎖RNAウイルスである.HIVに感染すると進行性に免疫系が破壊され,適切な治療がなされなければ,最終的には後天性免疫不全症候群(acquired immunodeficiency syndrome:AIDS)となる.AIDSは,HIV感染による免疫機能の低下に伴い,指標疾患を発症した場合と定義されている[1].ここでは主として小児HIV感染症について述べ,母子感染予防対策についても簡単に触れる.

病因・病態・症状

HIVは,性行為による感染,血液を介した感染,母子感染の3つの経路より感染する.HIVは,CD4陽性Tリンパ球に特異的に感染することを大きな特徴としているが,HIVが感染する際には,CD4受容体とケモカイン受容体(CCR5とCCR4)が必要である.HIVがこれらの受容体を介して細胞内に入ると,RNAは逆転写酵素によってcDNAに変換され,宿主のDNA内にインテグラーゼによって取り込まれる.感染した細胞はウイルスを構成する蛋白を産生するが,その過程で重要なのがプロテアーゼである.これらの蛋白が新しいウイルス粒子を形成することによって次の細胞に感染し,宿主内で増殖を続ける.それぞれの過程がウイルスの増殖に重要であり,それぞれの過程に対する阻害薬が開発されている[2)3)].感染したHIVはリンパ球組織のなかで急速に増殖し,感染後1～2週の間に100万コピー/mLを超えるウイルス血症を呈する.HIV初感染後,通常1～4週間後に感染者の40～90%は伝染性単核球症やインフルエンザ類似の急性感染症状を呈する(急性感染期).HIVに対する特異的な免疫反応が立ち上がってくるとウイルスは減少するが,完全には排除されない.やがて活発に増殖するウイルスとそれを抑え込もうとする免疫系が拮抗し,慢性感染状態へと移行する(無症候期).慢性感染状態における血中のHIV-RNA量は個々人で比較的安定した値に保たれ,これをウイルス学的「セットポイント」とよぶ.CD4陽性Tリンパ球は個人差があるものの,ほとんどの感染者で減少し,その数が成人では200/μLを下回ると細胞性免疫不全の状態を呈し,種々の日和見感染症等を併発し,AIDSの状態となる(AIDS期:図1)[1].

乳幼児のHIV感染は,次の通り成人と異なる点がいくつかある[4].①成人と比べて臨床的潜伏期が短く,(特に乳児発症例では)進行も著しく速い例がある.②日和見感染は,成人では潜伏感染している微生物の再活性化が主体をなすのに対して,小児では初感染によるものが多い.③いわゆる日和見感染症以外にも,健康な小児でも発症する感染症の重症化や反復という形でAIDSが発症することがある.④発育への影響や神経系の異常をきたし得る(長期的な神経発達のフォローアップが必要).

疫学

小児HIV感染症は,一般的には大部分が母子感染例である.予防対策が何も行われなかった場合,母子感染は約30%の確率で起こる.妊娠中(胎内感染)は15～30%,分娩時は25～35%,母乳栄養時は35～45%が感染することがわかっている[5].

世界の現状としては,国連合同エイズ計画(Joint United Nations Programme on HIV/AIDS:UNAIDS)の「Fact sheet 2020」[6]で世界の状況が発表されている.子どものHIV新規感染は2019年で約15万人であり,2010年と比べると58%減であった.これはHIV母子感染予防策が浸透してきていることによる.

一方,2020年度の厚生労働科学研究費補助金エイズ対策研究事業の報告によると,2020年8月末までのわが国でのHIV感染女性からの出生児の累計は635例となり,そのなかで母子感染がみられたのは55例であった.わが国でHIV母子感染予防対策を完全に遂行できた場合の感染例は認められておらず,わが国の母子感染予防策が有効であることを示している.その一方で近年は,妊娠初期のスクリーニングでは母体にHIV感染は認められず感染予防策が

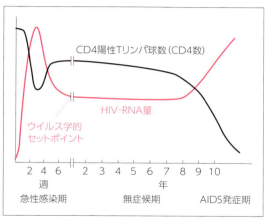

図1● HIV感染症の臨床経過
(2020年度厚生労働省科学研究費補助金エイズ対策研究事業 HIV感染症及びその合併症の課題を克服する研究班：抗HIV治療ガイドライン2021年3月．2021より引用)

施行されていない例で，出産後に家族のHIV判明や，児の症状から児の感染が判明する例などが少数であるが毎年報告されており，新たな対策が求められている[7]．

診断，検査

成人におけるHIV感染症の診断では，はじめに抗体検査によるスクリーニング検査を行い，陽性の場合に確認検査としてウエスタンブロット法とPCR検査を行う．HIV感染母体から出生した児では，母体から児にHIV抗体が移行し，スクリーニング検査とウエスタンブロット法が偽陽性となるため，はじめからPCR検査を行う．PCR検査には血漿中のHIV-RNAを測定するRNA-PCR法と，細胞中に組み込まれたDNAを検査するHIV-DNA PCR法がある[8]．

1 HIVの診断[1)8)]

HIV陽性母体から出生した児では，①生後48時間以内(胎内感染の判定)，②14〜21日(産道感染の93％が陽性)，③1〜2か月(産道感染の96％が陽性)，④4〜6か月，⑤12〜18か月に検査を実施する．臨床現場では1, 3, 6か月健診などに合わせてHIVウイルス学的検査を実施することは，前述と時期がずれることがあるが許容されると考える．HIV陽性となった場合は，異なる検体で速やかに2回目の検査を実施し，HIVウイルス学的検査が2回陽性となった時点でHIV感染が成立したと判定する．HIV陰性の判定は，生後14日以降および1か月以降の少なくとも2回以上のHIVウイルス学的検査での陰性をもって暫定的に陰性と判定し，さらに生後1か月以降および4か月以降の少なくとも2回以上の陰性をもってHIV陰性確定とする．生後6か月以降の2回のHIV抗体検査陰性でも感染なしと判断してもよいが，移行抗体があるために陽性であった場合でも解釈には注意が必要である．また，母体のHIV感染が確認されていないのに日和見病原体が検出されたり，原因不明の発育不全を呈したりする児を診察した際には，HIV感染症を鑑別診断にあげることが重要であり，これにより母体の感染が見つかった症例もみられる．

2 AIDSの診断[9)]

HIV感染の確認後，米国CDCによる小児(13歳未満)HIV感染症の臨床分類(表1)を参考にステージングを行う．臨床分類でC群(重症)の疾患(AIDS指標疾患)を認める場合にはAIDSと診断する．

3 HIV感染症のモニタリング

CD4陽性Tリンパ球数(CD4数)は，HIV感染患者の免疫機能異常をよく反映する．血中HIV-RNA量は，個人差はあるもののCD4数の減少速度とある程度の相関があることがわかっており，HIV感染症の進行の速さだけでなく，治療効果判定のための最も重要な指標となる[1)4)]．いずれも少なくとも3〜4か月おきに測定する．

1) CD4陽性Tリンパ球数(CD4数)

CD4数は，HIV感染患者の免疫機能異常をよく反映する．乳幼児ではCD4数の正常値は年齢によって異なるので，年齢によるばらつきの少ないCD4％(全リンパ球に対する比)を免疫学的ステージングとして用いることがすすめられてきた．近年，短期的な病勢予測には6歳以上と同様にCD4数が有用であるとする研究結果が示され，1歳以上の小児では，その治療開始にあたってCD4数とパーセントが乖離する場合，免疫学的ステージングとして，より低値のものが重視される(表2)．

2) ウイルス量(RT-PCRによるHIV-RNA量)

米国のガイドラインでは，HIV感染細胞を測定でき，抗レトロウイルス薬による多剤併用療法(anti-retroviral therapy：ART)の影響を受けないためHIV-DNA PCR検査が推奨されているが，わが国では検査のできる施設が限られているため，HIV-RNA PCR検査を行っている．小児は成人と比較して，一般にHIV-RNA量が高い．母子感染の場合，出生時は低いが(＜1万コピー/mL)，その後は生後2か月目まで急速に増加して(多くが10万コピー/mL以上となる)，1歳以後の数年間でゆっくりと低下しセットポイントに落ち着くことが知られている．HIV-RNA量が高い患児のほうが病期の進行が速い傾向

にあるが，生後12か月未満では病期進行リスクを示唆するHIV-RNA量の閾値を決めることはむずかしい．生後12か月以降では10万コピー/mL以上が高リスクと考えられている[1)10)]．

4 薬剤耐性検査

HIVは，不適切な治療薬選択やアドヒアランス不良な場合などに，容易に遺伝子変異を起こして薬剤耐性を獲得する．必要に応じてgenotype assayおよびphenotype assayを行い治療薬選択の参考とする．耐性ウイルスはわが国でも5%程度に認められるようになっている．

治療

1 HIV母子感染予防対策[8)]

わが国におけるHIV母子感染予防は，研究班の刊行する『HIV感染妊娠に関する診療ガイドライン（第2版）[8)]』に準じて，①妊娠初期のHIVスクリーニング検査，②母へのART，③選択的帝王切開，④分娩時のジドブジン（azidothymidine：AZT）静注，⑤児のART（AZT単剤または多剤の内服），⑥止乳の6つの

表1 ◆ 1994年米国CDCによる小児HIV感染症の臨床的分類

N：	無症状
A：	軽度の症候性感染症（以下の少なくとも2つ以上の症状あり） ①リンパ節腫脹（3か所以上で0.5 cm以上，左右対称は1か所とする） ②肝腫大，脾腫大，皮膚炎，耳下腺炎 ③反復性/持続性の上気道感染，副鼻腔炎，または中耳炎
B：	中等度の症候性感染症 ①30日以上続く貧血（8 g/dL未満），30日以上続く白血球減少（1,000/mm^{3}未満），30日以上続く血小板減少（10万/mm^{3}未満） ②細菌性髄膜炎，肺炎，または敗血症（1回），口腔カンジダ症（鵞口瘡，生後6か月を超える小児に2か月以上持続） ③心筋症，サイトメガロウイルス感染症（生後1か月未満で発症），再発性または慢性の下痢 ④肝炎，ヘルペス口内炎（再発性で1年以内に2回以上） ⑤単純ヘルペスウイルス気管支炎，肺炎，または食道炎（生後1か月未満で発症） ⑥帯状疱疹（少なくとも2回以上もしくは皮膚節2か所以上），平滑筋肉腫 ⑦リンパ球性間質性肺炎または肺のリンパ節過形成，腎症，ノカルジア症 ⑧持続の発熱（1か月以上），トキソプラズマ症（生後1か月未満で発症），播種性水痘（合併を伴う水痘）
C：	重度の症候性感染症（AIDS発症を示す病態） ①多発性または再発性重度細菌性感染症 ②カンジダ症（食道または肺） ③全身性コクシジオイデス症（肺または頸部・肺門リンパ節以外の部位） ④クリプトコッカス症（肺外） ⑤クリプトスポリジウム症またはイソスポラ症（1か月以上続く下痢） ⑥サイトメガロウイルス感染症（生後1か月以降に発症）（肝臓，脾臓，リンパ節以外の部位） ⑦脳症（2か月以上持続） ⑧単純ヘルペスウイルス（1か月以上持続する皮膚粘膜潰瘍，気管支炎，肺炎，生後1か月以降に発症する食道炎の原因となる） ⑨ヒストプラズマ症（播種性，肺または頸部・肺門リンパ節以外の部位） ⑩Kaposi肉腫 ⑪原発性脳リンパ腫 ⑫非Hodgkinリンパ腫（B細胞型あるいは免疫フェノタイプ不明の，組織学的に切れ込みのない小細胞型リンパ腫（Burkitt），免疫芽細胞リンパ腫および大細胞型リンパ腫） ⑬全身性または肺外性結核群 ⑭結核以外の，あるいは菌種不明の全身性抗酸菌症 ⑮全身性 *Mycobacterium avium*（トリ型結核菌）あるいは *M. kansasii* 感染症 ⑯ニューモシスチス・カリニ肺炎 ⑰進行性多発性白質脳症 ⑱再発性サルモネラ敗血症（非チフス型） ⑲トキソプラズマ脳症（生後1か月以降に発症） ⑳消耗性症候群（通常の体重が10%以上減少したとき，少なくとも年齢標準体重の2つのパーセンタイルの線を越えて減少したとき，あるいは体重減少が5%未満でも30日以上慢性下痢または発熱が持続するとき）

（CDC：1994 revised classification system for human immunodeficiency virus infection in children less than 13 years of age. MMWR 43(RR-12)：1-10, 1994より引用）

方法が施行されている．母子感染予防には，早期に母体HIVを発見し，ARTによって母体のHIV抑制を行うことが最も重要であり，母体のウイルスコントロールが良好な例では分娩時のAZT静注は省略されている．これらの感染予防を確実に施行することで，感染率は1％未満とほぼ予防が可能である[8]．

2 感染した児の治療[1)10)11]

1996年頃から成人のHIVに対して強力なARTが可能となった．小児においても抗HIV薬を3剤併用して，ウイルス量を抑え込む治療が基本であり，免疫系の破壊を食い止めて，日和見感染や臓器障害のリスクを減少させる．抗ウイルス薬には短期的あるいは長期的な副作用があり，加えて小児に対する投与量や安全性に関する十分なデータが少ない．現段階では治療を開始すれば生涯に渡り内服が必要となる．治療開始にあたっては，genotypeによる薬剤耐性試験を行い，小児が服用可能な剤形かどうか，アドヒアランスが維持できるかどうかを保護者も含めてよく検討しておくことが大切である．

1）治療の開始時期，薬剤[1)10]

a．開始時期

多くの臨床研究で，早期治療が免疫学的成長，神経学的発達に有用であることが示されたため，年齢や診断時のCD4数にかかわらず，HIV感染症と診断された小児は直ちに治療を開始する．ただし，正期産で生後2週未満の新生児や生後4週未満の早産児については，薬物動態的に適切な薬物用量の検討が困難なため，研究的治療となる．また，結核等の日和見感染症がある場合は，ARTの開始時期は専門家に相談し検討する．

b．薬剤

抗HIV薬は，その作用機序から①核酸系逆転写酵素阻害薬，②非核酸系逆転写酵素阻害薬，③プロテアーゼ阻害薬，④インテグラーゼ阻害薬，⑤侵入阻害薬（CCR5拮抗薬）の5種類の薬剤があり，小児においても成人と同様にkey drug（②③④から1剤）とbackbone（①から2剤）を組み合わせた3剤のARTを行う．治療開始前には必ず耐性検査を行い，その結果を参考にする．初回治療の選択薬剤について2021年の米国ガイドラインを示す（表3）．小児では長らく新薬の導入が遅れていたが，近年，小児用薬剤も増え成人のレジメンに近い組み合わせが推奨される

表2 ◆ 小児（13歳未満）HIV感染症の免疫学的ステージング

免疫学的ステージング	CD4陽性Tリンパ球数（/μL）（パーセント）		
	1歳未満	1〜5歳	6〜12歳
正常	≧1,500（≧25）	≧1,000（≧25）	≧500（≧25）
中等度低下	750〜1,499（15〜24）	500〜999（15〜24）	200〜499（15〜24）
高度低下	<750（<15）	<500（<15）	<200（<15）

(CDC: 1994 revised classification system for human immunodeficiency virus infection in children less than 13 years of age. MMWR 43(RR-12): 1-10, 1994より引用)

表3 ◆ 小児の初回治療として選択すべき抗HIV薬

キードラッグ		
推奨	生後2週未満：NVPまたは体重2kg以上ならばRAL 生後4週以上：DTG 6歳以上体重25kg以上：DTGもしくは配合錠（BIC/TAF/FTC）としてのBIC	
代替	3歳まで：NVP，RALも使用可 3か月以降：ATV/rも使用可 3歳以上：DRV/rも使用可	
バックボーン		
推奨	AZT＋（3TCまたはFTC）（生後4週まで） ABC＋（3TCまたはFTC）（生後4週以降） TAF＋FTC（6歳以降）	
代替	AZT＋ABC（3か月以降） TDF＋（3TCまたはFTC）（2歳以降）	

核酸系逆転写酵素阻害薬：AZT（ジドブジン），3TC（ラミブジン），FTC（エムトリシタビン），ABC（アバカビル），TDF（テノホビル），TAF（テノホビル アラフェナミドフマル酸塩）．
非核酸系逆転写酵素阻害薬：NVP（ネビラピン）．
プロテアーゼ阻害薬：DRV/r（ダルナビル/リトナビル）．
インテグラーゼ阻害薬：RAL（ラルテグラビル），DTG（ドルテグラビル），BIC（ビクテグラビル）．
(Department of Health and Human Services(HHS)Panel on Antiretroviral Therapy and Medical Management of HIV-Infected Children. Guidelines for the Use of Antiretroviral Agents in Pediatric HIV Infection. AIDS info, 2021より引用)

ようになってきており，小児でも single tablet regimen（STR）も使用できるようになってきている．わが国で治療を開始するときには，小児で使用できる保険認可薬が少ないため，厚生労働省・エイズ治療薬研究班からの供給薬剤の使用を検討する．

2）日和見感染症の予防[11]

小児は，CD4 の基準値が成人と異なるため，日和見感染予防の開始基準も成人とは異なることに注意する．使用薬剤については他の成書を参照のこと．

3）HIV 感染児の予防接種[11]

CDC のガイドラインでは，HIV 感染児に対する積極的な接種がすすめられている．不活化ワクチンは原則すべて推奨され，特に肺炎球菌や Hib ワクチンは重症化予防の観点から強く推奨される．生ワクチンについては，BCG が全例禁忌，水痘や麻疹・風疹・ムンプスは CD4 数＞15％ 以上の児に推奨される．

まとめ

HIV 感染症は，児の成長や発達にも影響を及ぼすことがあることや，長期に渡る ART 薬内服による副作用など未知な部分が多いため，感染状態の把握のみならず，成長・発達の評価などにも慎重な経過観察が必要である．また，思春期ではアドヒアランスの維持と，性教育などを含め長期フォローアップを支援する体制作りが重要である．

治療関連免疫不全症

造血細胞移植後の免疫不全に関しては，第Ⅰ部/第3章/6/c. 移植に関連する感染症とその予防（p.211〜214）を参照のこと．

■ 文献

1) 2020 年度厚生労働省科学研究費補助金エイズ対策研究事業 HIV 感染症及びその合併症の課題を克服する研究班：抗 HIV 治療ガイドライン 2021 年 3 月．2021
2) Manohar R, et al.：Persistence of HIV-1 transcription in peripheral-blood mononuclear cells in patients receiving potent antiretroviral therapy. N Engl J Med 340：1614-1622, 1999
3) 日本小児感染症学会：日常診療に役立つ小児感染症マニュアル 2017．東京医学社，406-412，2017
4) 森内昌子，他：HIV 感染症．小児科診療 74：1379-1384，2011
5) De Cock KM, et al.：Prevention of mother-to-child HIV transmission in resource-poor countries：translating research into policy and practice. JAMA 283：1175-1182, 2000
6) UNAIDS FACT SHEET-WORLD AIDS DAY 2020
https://www.unaids.org/sites/default/files/media_asset/UNAIDS_FactSheet_en.pdf
7) 令和 2 年度厚生労働科学研究費補助金エイズ対策政策研究事業「HIV 感染者の妊娠・出産・予後に関する疫学的・コホート的調査研究と情報の普及啓発法の開発ならびに診療体制の整備と均てん化に関する研究．令和 2 年度総括・分担研究報告書．2021 年 3 月
8) 2020 年度厚生労働科学研究費補助金エイズ対策政策研究事業「HIV 感染者の妊娠・出産・予後に関する疫学的・コホート的調査研究と情報の普及啓発法の開発ならびに診療体制の整備と均てん化に関する研究」班：HIV 感染妊娠に関する診療ガイドライン（第 2 版）2021 年 3 月．2021
9) CDC：1994 revised classification system for human immunodeficiency virus infection in children less than 13 years of age. MMWR 43（RR-12）：1-10, 1994
10) Guidelines for the use of antiretroviral agents in pediatric HIV infection. Dec 30, 2021.
https://clinicalinfo.hiv.gov/en/guidelines/pediatric-arv
11) Guidelines for the Prevention and Treatment of Opportunistic Infections in HIV-Exposed and HIV-Infected Children. Oct. 25, 2019
https://clinicalinfo.hiv.gov/en/guidelines/pediatric-opportunistic-infection

〈田中瑞恵〉

第1章 血液・造血器疾患

D 血小板と止血・血栓の異常

1 血小板の異常

a. 血小板減少症

定義・概念

小児の最も頻度が高い血小板減少症（isolated thrombocytopenia）は，免疫学的機序による免疫性血小板減少症（immune thrombocytopenia：ITP）である．多くの患者は，免疫異常の原因が特定されない一次性ITPとされ，自己免疫疾患や感染・薬剤などの基礎疾患が特定される二次性ITPと区別される．小児の一次性ITPは，免疫学的および非免疫学的なさまざまな原因疾患を除外することで診断され，特に先天性血小板減少症（congenital thrombocytopenia）との鑑別が重要である．診断において特異的な検査法はないが，治療においては新規薬剤を含む治療ガイドラインが策定され，同時に管理上は重篤出血の防止と生活の質（health-related Quality of life：HRQoL）の改善が重視される．ここでは「一次性ITP」を「ITP」と表記して論を進める．

疫学

ITPは，小児の代表的な出血性疾患であり，わが国の小児ITP発症患者は年間1,000人程度と推定されるが，日本小児血液・がん学会疾患登録事業に登録される「血小板減少症」新規登録患者数は年間400〜450人程である[1)2)]．わが国の小児ITPの疫学研究[3)]ならびに全年齢にわたる大規模研究[4)]から年齢と男女比および発症頻度は関連している．すなわち，小児ITPは乳児期から思春期までのいずれの時期でも発症するが，4歳以下に男児優位（男女比1.2）のピークがあり，約80％が7歳前に発症する（図1）．一方，15〜60歳では，患者数は年齢とともに増加し女性優位である．ITP患者数（10万人あたり）は15歳未満で1.91人/年，15歳以上で2.2人/年と報告されている．

病因・病態[5)6)]

小児ITPは，感染やワクチン接種に引き続いて発症することが多いが，明らかな契機なしの発症もある．血小板抗原（GPIIb/IIIaなどの糖蛋白）に対する抗体産生など自己応答性の免疫異常が背景にある病態である．また，乳幼児に発症頻度が高くおおむね予後良好であることは，若年小児における未熟な免疫制御能など小児の生理的因子が深く関連してい

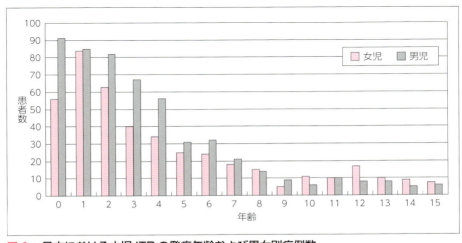

図1 ◆ 日本における小児ITPの発症年齢および男女別症例数
(小児血液・がん学会疾患登録委員会：小児がん学会全数把握事業・小児血液学会血液疾患疫学調査研究 2009年から2011年診断例の2012年度集計. 日小児血がん会誌 50：462-478, 2013より引用)

る．さらに，骨髄巨核球数の増加を伴う骨髄巨核球の形態所見は，血小板成熟障害や血小板産生障害の存在を示唆している．

二次性 ITP は，免疫異常を引き起こす基礎疾患に特徴的な臨床症状を呈し，しばしば慢性の経過をとる．基礎疾患としては膠原病（SLE など），抗リン脂質抗体症候群，ヘパリン起因性血小板減少症，自己免疫性リンパ増殖性症候群，ピロリ菌（Helicobacter pylori）感染，あるいは骨髄移植後合併症などがある．また，母児間の経胎盤抗体移行による新生児同種免疫性血小板減少症や ITP 合併母体の出生児では一過性の血小板減少症が生じる．

小児では，非免疫学的病態を有する原因疾患による血小板減少症もしばしば経験される．原因疾患には血栓性血小板減少性紫斑病や溶血性尿毒症症候群などの血栓止血異常症，先天性血小板症，あるいは血管腫に伴う Kasabach-Merritt 症候群などがある．

臨床徴候・診断[3)4)5)]

小児 ITP では，紫斑や鼻出血の出血症状（30～90％）が多く，次いで歯肉出血や下血，血尿（5～20％），頭蓋内出血などの重篤出血はまれ（<0.5％）である．小児に比較して成人 ITP は紫斑や鼻出血の頻度が低く，同時に月経過多，頭蓋内出血などの頻度が高くなる（表1）．最近わが国では，日本小児血液・がん学会の『2022年小児免疫性血小板減少症診療ガイドライン』[1)]が公表された．また，国際 Working group で提唱された国際標準の分類と用語定義が普及している[7)]（表2）．病型分類では診断から3か月以内を「新規診断」，3～12か月以内を「持続期」，12か月以上を「慢性期」とする．また，治療効果や重症度の判定基準を標準化することで臨床研究や新薬治験の推進につながっている．この標準化された用語と定義はアメリカ血液学会の2019年ガイドラインでも踏襲されている[8)]．

二次性 ITP や非免疫学的病態による血小板減少症は，個々の基礎疾患の臨床症状と診断基準により診断され，臨床上しばしば慢性の経過をとる．

重症度・治療・予後[8)9)]

小児 ITP は，重症出血の頻度は低く診断後1年以内に患者の約8割が軽快する（PLT>10万/μL）ことから，出血症状を重視した重症度分類に基づいて治療介入を判断する．世界共通の小児 ITP の重症度分類はないが，Buchanan の重症度分類[10)]が多く使用されている．軽症例は経過観察が可能であり，中等症

表1 ◆ ITP 患者の症状の比較

出血症状	小児患者数（％）	成人患者数（％）	p value（小児 vs. 成人）
紫斑	860（92.6）	4,300（62.8）	p＜0.001
歯肉出血	175（18.8）	1,365（19.9）	ns
鼻出血	276（29.7）	687（10.0）	p＜0.001
血尿	54（5.8）	453（6.6）	ns
下血	43（4.6）	259（3.8）	ns
月経過多	11（1.2）	264（3.9）	p＜0.001
頭蓋内出血	1（0.1）	45（0.7）	p＜0.05
その他の出血	54（5.8）	214（3.1）	p＜0.001
	929	6,845	

(Kurata Y, et al.: Epidemiology of primary immune thrombocytopenia in children and adults in Japan: a population-based study and literature review. Int J Hematol 93: 329-335, 2011 より引用)

例は治療介入が必要である．致死的リスクがある重症例は緊急の治療介入を必要とする．血小板数のみで頭蓋内出血は予測できない．慢性化移行のリスク因子としては，初発時の年齢（10歳以上），血小板数（2万/μL 以上）ならびに先行感染やワクチン接種などの先行イベントの欠如とされる．また，若年小児 ITP は感染やワクチン接種先行の有無によらず予後良好である[11)]．

治療を必要とする場合の第一選択薬は，副腎皮質ステロイドの経口投与（2 mg/kg，1～2週間程度）またはガンマグロブリン（IVIG）（1～2 g/kg）の静注である．慢性 ITP の軽症例では，血小板数1万/μL 未満でも無治療経過観察を考慮する．第一選択薬が無効な難治性あるいは慢性 ITP に対しては，第二選択薬としてトロンボポイエチン（TPO）受容体作動薬やリツキシマブなどの新規薬剤による治療が考慮される．リツキシマブの長期的効果は脾臓摘出術（脾摘）に劣るが，相対的に副作用が少ない薬剤である．TPO 受容体作動薬は，投与の有用性および安全性はともに高い薬剤であり，ステロイド薬などの減量・中止を実現することで患者 QOL の改善が期待できる．

ITP に対する脾摘の有効性は70～80％とされ，第二選択薬が無効で出血リスクが高い場合，自然寛解を期待できる時期を過ぎた薬剤治療の長期投与で合併症が懸念される場合などに考慮される．その他の薬剤治療としてアザチオプリンやシクロホスファミド，シクロスポリンなどの免疫抑制薬やダナゾールが試みられ有効な場合もある．

表2 ◆ ITPの分類および用語定義の比較

	日本小児血液学会[1]	国際標準化基準[7]
ITPの名称	ITP(idiopathic thrombocytopenic purpura) 特発性血小板減少性紫斑病	ITP(immune thrombocytopenia) 免疫性血小板減少症
血小板数 血液所見	<10万/μL 赤血球および白血球は正常	<10万/μL 赤血球および白血球は正常
特異検査	なし	なし
疾患定義	血小板減少をきたし得る原因や疾患が特定されない血小板減少症	一次性ITP：明らかな原因が特定されない血小板減少症 二次性ITP：基礎疾患や薬剤など免疫学的病態が関与する血小板減少症（一次性ITP以外）
鑑別診断	関連する原因や疾患が特定される血小板減少症	免疫学的病態が関与しない原因が特定される血小板減少症（先天性血小板減少症など）
分類	病型（発病・診断後6か月間の臨床経過で分類） 急性ITP：6か月以内に血小板減少が治癒した患者 慢性ITP：6か月を超えて血小板減少が持続した患者	病相（発病・診断からの経過期間で分類） 新規診断ITP：診断～3か月以内の血小板減少の患者 持続性ITP：診断後3か月超～12か月までの血小板減少の患者 慢性ITP：診断後12か月を超える血小板減少の患者
治療効果の判定基準	CR：血小板>10万μL ほかは明確な基準なし	CR：血小板>10万μL，出血(−) R：血小板>3万μL，>前値×2倍，出血(−) NR：血小板<3万μL，<前値×2倍，出血(+)
難治性ITP	明確な基準なし	以下のすべての条件を満たす状態： ・R達成不能，または脾臓摘出後のRの喪失 ・重大な出血リスクを軽減するために治療が必要 ・血小板減少の併発原因が除外できる一次性ITP

CR；complete response，R；response，NR；no response.
(白幡 聡，他：小児特発性血小板減少性紫斑病―診断・治療・管理ガイドライン―．日小血会誌 18：210-218，2004/Rodeghiero F, et al.：Standardization of terminology, definitions and outcome criteria in immune thrombocytopenic purpura of adults and children：report from an international working group. Blood 113：2386-2393, 2009 より引用，改変)

治療効果に加えて，治療選択は小児ITP患者および家族のHRQoLに大きく影響する[12]．HRQoL評価も考慮し，保護者の同意およびできるだけ本人の了承を得て治療方針を決める．

鑑別診断・ピットフォール・対策

小児ITPを診断する際には，血小板の先天異常症との鑑別を常に考慮する．血小板減少症や造血器腫瘍の家族歴，若年齢の発症，血小板サイズや形態異常がある場合は先天異常症の可能性がある[13]．

血小板の先天異常症は血小板減少症と機能異常症からなり，ITPの鑑別では前者が重要である(表3)．小型血小板の先天性疾患Wiskott-Aldrich症候群の軽症型であるX-linked thrombocytopenia(XLT)は，症状が血小板減少のみであり，ITPの鑑別が特に重要である[5]．最近，常染色体顕性(優性)遺伝を示す身体異常のない正常サイズの先天性血小板減少症の病因として，生殖細胞における造血転写因子遺伝子ヘテロ変異が報告されている．これらの家系では造血器悪性腫瘍の発がんリスクが高く，過剰なITP治療を避け適切なフォローアップのために正確な診断が重要である．

小児の血小板減少症，特にITPは病態解明による疾患概念の改訂と用語の標準化，および新規治療薬剤の導入により診療状況は大きく変化した．同時に先天性血小板異常症の病因，病態，臨床像の解明が進み，ITP鑑別疾患としての重要性が認識されている．小児の血小板減少症においては正確な診断と適切な治療方針が今後の重要な課題である．

■ 文献

1) 日本小児血液・がん学会(編)：2022年小児免疫性血小板減少症診療ガイドライン．日小児血がん会誌(印刷中)，2022
2) 小児血液・がん学会疾患登録委員会：小児がん学会全数把握事業・小児血液学会血液疾患疫学調査研究2009年から2011年診断例の2012年度集計．日小児血がん会誌 50：462-478，2013
3) Shirahata A, et al.：A nationwide survey of newly diagnosed childhood idiopathic thrombocytopenic purpura in Japan. J Pediatr Hematol Oncol 31：27-32, 2009
4) Kurata Y, et al.：Epidemiology of primary immune thrombocytopenia in children and adults in Japan：a population-based study and

表3 ◆ 血小板サイズによる先天性血小板減少症・機能異常症

	疾患	遺伝形式	遺伝子	特徴
小型血小板性 (small platelets)	Wiskott-Aldrich症候群	X, AR	WASP, WIP	免疫不全, 湿疹, 血小板減少
	X連鎖性血小板減少症	X	WASP	血小板減少(時に軽度の湿疹, 易感染あり)
正常大血小板性 (normal-sized platelets)	先天性無巨核球性血小板減少症 (congenital amegakaryocytic thrombocytopenia)	AR	MPL	巨核球著減, 骨髄不全へ移行
	橈骨尺骨癒合を伴う血小板減少症 (congenital thrombocytopenia with radio-ulnar synostosis)	AD	HOXA11	橈骨尺骨癒合, 骨髄不全へ移行
	橈骨欠損を伴う血小板減少症 (thrombocytopenia with absent radii)	AR	RBM8A	橈骨欠損, 年齢とともに血小板数正常化
	骨髄悪性腫瘍傾向を伴った家族性血小板減少症 (familial platelet disorder with propensity to myeloid malignancy)	AD	RUNX1 (AML1)	中等度の血小板減少, 軽微な出血症状 AML, MDS, T-ALLの発がんリスク↑
	常染色体優性遺伝性血小板減少症 (autosomal dominant thrombocytopenia, thrombocytopenia 2 : THC2)	AD	ANKRD26 (ACBD5, MASTL)	中等度の血小板減少, 軽微な出血症状 GPIa発現低下とα顆粒減少 AML, MDD, CMMLの発現リスク↑
	造血器悪性腫瘍傾向を伴う家族性血小板減少症 (familial thrombocytopenia/hematologic malignancy)	AD	ETV6 (TEL)	中等度の血小板減少, 軽度な出血症状 ALL, 皮膚がん, 大腸がんの発がんリスク↑

X:X連鎖, AD:常染色体性顕性(優性), AR:常染色体性潜性(劣性).
(日本小児血液・がん学会:先天性血小板減少症・異常症診断アルゴリズム. 日本小児血液・がん学会ホームページ http://www.jspho.jp/disease_committee/itp.html)

literature review. Int J Hematol 93 : 329-335, 2011
5) 今泉益栄:特発性(免疫性)血小板減少性紫斑病の診断と治療—ITPの新たな展開. 日小児会誌 121 : 1937-1944, 2017
6) Kashiwagi H, et al. : Pathophysiology and management of primary immune thrombocytopenia. Int J Hematol 98 : 24-33, 2013
7) Rodeghiero F, et al. : Standardization of terminology, definitions and outcome criteria in immune thrombocytopenic purpura of adults and children : report from an international working group. Blood 113 : 2386-2393, 2009
8) Neunert C, et al. : American society of hematology 2019 guidelines for immune thrombocytopenia. Blood Adv 3 : 3829-3386, 2019
9) 髙橋幸博, 他:小児難治性ITP治療ガイド 2019. 日小児血がん会誌 56 : 61-68, 2019
10) Schoettler ML, et al. : Increasing observation rates in low-risk pediatric immune thrombocytopenia using a standardized clinical assessment and management plan (SCAMP®). Pediatr Blood Cancer 64 : 10, 2017
11) Kitazawa J, et al. : Favorable prognosis of vaccine-associated immune thrombocytopenia in children is correlated with young age at vaccination : Retrospective survey of a nationwide disease registry. Int J Hematol 115 : 114-122, 2022
12) Klaassen RJ, et al. : Quality of life in childhood immune thrombocytopenia : international validation of the Kid's ITP tools. Pediatr Blood Cancer 60 : 95-100, 2013
13) 笹原洋二:ITPと鑑別が必要な小型・正常大の血小板を有する遺伝性血小板減少症. 日小児血がん会誌 53 : 311-316, 2015

〔今泉益栄〕

b. 血小板増加症

定義・概念

血小板が正常な血小板数を超えて増加した状態をいう. 正常な血小板数は15万~40万/μLである. したがって, 血小板増加症は, 血小板数が45万/μL以上[1]と定義されている. また, 血小板増加の程度から, 45万~70万/μLは軽症(mild), 70万~90万/μLは中等症(moderate), 90万/μL以上は重症(severe), 100万/μL以上は超重症(extreme)と大別されている[2,3]. 病型には, 慢性的に持続する血小板増加を示す原発性血小板増加症(primary thrombocytosis)あるいは本態性血小板増加症(essential thrombocytosis），本態性血小板血症（essential thrombocythemia）と，感染症や免疫疾患，貧血などの基礎疾患に反応して一過性に血小板数が増加する続発性血小板増加症（secondary thrombocytosis）あるいは反応性血小板増加症（reactive thrombocytosis）がある．さらに，原発性血小板増加症は，骨髄増殖性腫瘍（myeloproliferative neoplasms）の1つとみなされる古典的原発性血小板増加症（classical primary thrombocytosis）と家族性（あるいは遺伝性）原発性血小板増加症〔familial（or hereditary）primary thrombocytosis〕に分類される[2]．

病因・病態

巨核球の増生（megakaryopoiesis）には，巨核球前駆細胞に幹細胞因子（stem cell factor：SCF）やインターロイキン（interleukin：IL）-3など，造血成長因子やサイトカインが関与する．特に肝臓で産生されるトロンボポエチン（thrombopoietin：TPO）は，幹細胞の分化や巨核球成熟のすべての段階で重要な役割を果たす．また，TPOはIL-11やエリスロポエチン（erythropoietin：EPO）などのいくつかの成長因子とともにも相乗的に作用する．TPOの受容体は，cMpl遺伝子（cellular-myeloproliferative leukemia virus oncogene）により産生されるMpl蛋白である．このMpl蛋白の異常は，先天性無巨核球性血小板減少症（amegakaryocytic thrombocytopenia）を発症する．TPOの過剰産生は家族性原発性血小板増加症をきたす[2]．

古典的原発性血小板血症は，この巨核球幹細胞から血小板産生過程で正常な血小板数を超えて増殖するもので，骨髄異形成を伴う骨髄線維症，真性多血症，まれに慢性骨髄性白血病（CML）や急性骨髄性白血病（AML）などの骨髄増殖性疾患の1つとして考えられている．家族性原発性血小板増加症は，血小板産生に関与する多様な遺伝子異常による血小板増加症で，多くはTPO遺伝子の異常による．遺伝形式も顕性（優性），まれに潜性（劣性）遺伝を示すものからX連鎖性遺伝を示すものが報告されている．

原発性血小板増加症では，血小板数が100万/μLを超えることがある．続発性血小板増加症は，感染症や鉄欠乏性貧血，組織障害，溶血性疾患，自己免疫疾患，悪性腫瘍，川崎病，脾臓摘出術後，出血・外傷後，手術後などに合併して，多くのサイトカイン〔血小板産生や分化に関与するTPOやIL-6のほか，IL-3，IL-13，顆粒球マクロファージコロニー刺激因子（GM-CSF），EPOなど〕の増加に伴い反応性に血小板増加がみられ，基礎疾患の改善に伴い正常化する．血小板の寿命や形態，機能は正常で，血小板数が100万/μLを超えることはまれである．

疫学

原発性血小板増加症は，小児ではきわめてまれな疾患である．わが国での発症頻度は不明である．DameおよびSutorによれば，米国での小児の原発性血小板増加症の発症頻度は，年間1,000万人に1人ときわめてまれで[3]，1966～2000年の34年間でも約75人と報告されている[4]．

一方，続発性血小板増加症は比較的多くみられる．その実態は明らかでないが，特に生後3か月までは，それ以降に比較し多く，早産児のほうが正期産児より多い．

臨床徴候

小児の古典的原発性血小板増加症は，年齢11歳以上に多い[4][5]．多くは無症状で，健診時やほかの疾患の検査時に偶然に発見される．症状として頭痛（headache）や胸痛（chest pain），倦怠感（weekness），めまい・ふらつき（dizziness, lightheadedness），失神（fainting），一過性の視力の変化（transient vision change），肢端紅痛症（erythromelalgia）がある．慢性的に血小板数の増加がみられ，時に血栓形成や後天性von Willebrand病による出血症状（鼻出血や紫斑）を示す．脾腫などを合併することもあり，類縁の骨髄造血性疾患との鑑別が重要である．家族性原発性血小板増加症も多くは無症状である．続発性血小板症は，すべての年齢にみられる．血小板増加は一過性で，多くの場合は無症状で経過する．

診断・検査

原発性血小板増加症の診断基準を表1に示す[4][6][7]．原発性血小板増加症では，骨髄検査で巨核球数の著しい増加がみられる．原発性血小板増加症では血小板寿命が短縮し，大型血小板など形態異常や血小板機能〔アデノシン二リン酸（adenosine diphosphate：ADP），コラーゲン，アドレナリン凝集〕異常がみられる．CMLとの鑑別は，フィラデルフィア染色体陰性，BCL-ABL融合遺伝子陰性である．また，骨髄検査で骨髄の線維化がなく巨核球が著増する．続発性血小板増加症は血小板数を除き，形態や機能に異常はない（表2）[4][5]．

治療・予後

臨床症状や慢性持続性血小板増加から原発性血小

表1 ● 原発性(本態性)血小板増加症の診断基準

WHO 2016	BCSH 2010
診断はA1～A4あるいはA1～A3+A5が必要	診断はA1～A3,あるいはA1+A3～A5が必要
大基準	
A1 ・血小板数45万/μL以上	A1 ・持続的な血小板数45万/μL以上
A2 ・骨髄所見 　・おもに過分葉核をもつ大型成熟巨核球の増多 　・左方移動した顆粒球形成あるいは赤血球形成の有意な増加がない,およびごくまれに軽微なレチクリン(細網線維)の増加(グレード1)	A2 ・後天性の病的な遺伝子変異の存在 　(例:*JAK2*遺伝子変異,*MPL*遺伝子変異)
A3 ・*BCR-ABL1*⁺ CML,PV,PMF,骨髄異形成症候群,またはその他の骨髄性腫瘍に対するWHO基準を満たしていない	A3 ・他の骨髄性悪性疾患がない 　(特にPV*¹,PMF*²,CML*³,あるいはMDS*⁴)
A4 ・*JAK2*遺伝子変異,*CALR*遺伝子変異,または*MPL*遺伝子変異の存在	A4 ・血小板増加症の反応性原因がないおよび正常な鉄貯蔵
小基準	
A5 ・単クローン指標の存在または反応性 　・血小板増加症の証拠の欠如	A5 ・骨髄穿刺や骨髄生検で,過分葉核で細胞質の多い大型の巨核球が有意な形態スペクトラムをもつ巨核球数の増加レチクリン(細網線維)は一般には増加しない(グレード0～2/4,あるいは0/3)
	*1:十分な鉄を有する正常ヘマトクリット値の患者を除外 *2:骨髄での2/3または3/4以上のレチクリン線維および触知可能な脾腫,血液塗抹標本異常(前駆細胞および涙滴細胞)または原因不明の貧血を除外 *3:骨髄または末梢血でのBCR-ABL1融合の存在を除外 *4:血液塗抹標本および骨髄吸引液検査で異形成を除外

WHO:World Health Organization, BCSH:British Committee for Standards in Haematology, BCR-ABL1:Breakpoint Cluster Resion-Abelson-1:BCR-ABLキメラ遺伝子, CML:慢性骨髄性白血病, PV:真正多血症, PMF:原発性骨髄線維症, JAK2:Janus Activation Kinase2, CALR:calreticulin, MPL:Myeloproliferative leukemia virus oncogene.
(左:Aber DA, et al.:The 2016 revision to the World Health Organization classification of myeloid neoplasms and acute leukemia. BLOOD 127:2391-2405, 2016/右:Harrison CN, et al.:Guideline for investigation and management of adults and children presenting with a thrombocytosis. Br J Haematol 149:352-375, 2010 より引用)

板増加症が疑われる場合は,臨床検査で診断後,抗血小板薬(低用量アスピリン)で開始し,血小板増加が進行する場合は化学療法としてヒドロキシカルバミド(ハイドレア®カプセル)やα-インターフェロンがある.2014年にアナグレリド塩酸塩水和物(アグリリン®カプセル)が,ヒドロキシカルバミドに不応性または不耐性で血栓出血性事象のリスク因子のあるものに適用承認された.しかし,国内における使用経験がないため小児などへの投与は推奨されていない◆.臨床像から続発性血小板増加症が疑われる場合は,通常無治療で経過観察を行う.しかし,血小板数100万/μL以上が持続する場合は,抗血小板薬(低用量アスピリン)を考慮する[8].

ピットフォールと対策

小児の血小板増加の多くは続発性血小板増加症で一過性の増加であり,慢性持続性の血小板増加では小児の造血器悪性腫瘍を考慮する.なお,原発性血小板増加症の約半数に,真性多血症にみられる遺伝子異常〔*JAK2*(*Janus kinase 2*)遺伝子 V617F 変異〕が報告されている.

文献

1) Harrison CN, et al.:Guideline for investigation and management of adults and children presenting with a thrombocytosis. Br J Haematol 149:352-375, 2010
2) Kucine N, et al.:Primary thrombocytosis in children. Haematologica 99:620-628, 2014
3) Ameena M, et al.:Essential Thrombocythemia in Children:A Retrospective Study. J Haematol 10:106-113, 2021
4) Dame C, et al.:Primary and secondary thrombocytosis in childhood. Br J Haematol 129:165-177, 2005
5) Dror Y, et al.:Essential thrombocythaemia in children. Br J Haematol 107:691-698, 1999
6) Beer PA, et al.:How I treat essential thrombocythemia. Blood 117:1472-1482, 2011
7) Arber DA, et al. The 2016 revision to the World Health Organization classification of myeloid neoplasmas and acute leukemia. Blood Cancer Journal 127:2391-2405, 2016
8) Stockklausner C, et al.:Thrombocytosis in children and adolescents-classification, diagnostic approach, and clinical management. Ann Hematol 100:1647-1665, 2021

表2 ◆ 小児の原発性（本態性）血小板増加症と続発性（反応性）血小板増加症

評価項目	原発性（本態性）血小板増加症	続発性（反応性）血小板増加症
年齢依存性の発生	多くは11歳[*1]	多くは2歳以下[*1]
年間の頻度	100万人の小児に1人	100万人の小児に600人以上
血小板血症の持続期間	月，年あるいは持続的	日，週，あるいは月，一過性
脾腫	しばしば	まれ
発熱	なし	しばしば
出血傾向と血栓症	単クローンの原発性血小板増加症においてはしばしば，家族性血小板増加症ではまれ	きわめてまれ
検査所見	出血時間の延長，20％においてPTおよびAPTTの延長，抗リン脂質抗体の陽性頻度が高い	感染に起因した続発性血小板増加症の場合，フィブリノゲン，VWF，前駆炎症性サイトカイン，CRPの増加
血小板数	多くは100万/μL以上	多くは80万/μL以下
血小板形態	大型あるいは小型，異形成[*2]	大型で正常形態
血小板機能	異常	正常
骨髄	異常形態の巨核球の増加[*3]	巨核球の増加，正常形態
発症機序	造血前駆細胞，巨核球前駆細胞のクローナル欠損，cMPL発現低下TPOの機能亢進，家族性ではTPOあるいはcMPL遺伝子座の変異	TPO産生増加，あるいは巨核球幹細胞成長因子，特にIL-6の放出

VWF：von Willebrand因子，PT：プロトロンビン時間，APTT：活性化部分トロンボプラスチン時間，TPO：トロンボポエチン．
[*1]：この数字は文献4）より引用．
[*2]：巨大形態，集塊像，巨核球の断片，低顆粒，超微細構造では仮足とα-顆粒の減少．
[*3]：高異数倍体を伴う巨大巨核球，無血清/無TPO培地で造血幹細胞や巨核球幹細胞の自然形成（CFU-Meg 測定系）．
(Dame C, et al.：Primary and secondary thrombocytosis in childhood, Br J Haematol 129：165-177, 2005/Dror Y, et al.：Essential thrombocytosis in children. Br J Haematol 107：691-698, 1999 より引用)

（高橋幸博，西久保敏也）

c. 血小板機能異常症

概念

血管損傷部位では速やかな血小板の粘着，活性化，凝集反応が起こる．粘着には血管損傷部位に結合する von Willebrand 因子（VWF）と血小板膜糖蛋白（glycoprotein：GP）Ib/IX/V が働き，凝集にはフィブリノゲンと GPIIb/IIIa が働く．また，血小板活性化には信号伝達や顆粒放出機構が働き，血小板自身の活性化の進行と血小板膜が血液凝固の場となることで血液凝固を活性化し，血栓形成を完成させる．血小板の量的（血小板減少症）および質的異常（機能異常症）はどちらも一次止血異常をきたし，出血傾向を呈する．

本項では，主として先天性血小板機能異常症について概説する．各疾患の詳細については他の総説を参照されたい[1)2)]．また，先天性血小板減少症に関しては「本章/D/1. 血小板の異常/a. 血小板減少症」を参照されたい．

病因・病態・疫学

血小板の粘着・凝集，信号伝達，放出機構に働く血小板受容体，リガンド，信号伝達分子，酵素などの異常による血小板止血機構異常が病態である（表1）．先天性血小板機能異常症はまれな疾患であり，わが国では最も頻度の高い血小板無力症で約200例，Bernard-Soulier 症候群では約50例の報告がある[3)]．ほかの非症候群性の先天性血小板機能異常症はさらにきわめてまれである．

1 血小板無力症

血小板無力症は，先天的に GPIIb/IIIa を欠如する．血小板数と形態は正常であるが，血餅収縮，ADP，コラーゲンなどの生理的血小板凝集惹起剤による凝集を欠如する．GPIIb/IIIa の発現量が5％以下のI型，10～20％存在するII型，質的異常の変異型に分類される．フローサイトメトリーでの GPIIb/IIIa 発現解析により，確定診断と病型分類が可能である（図1）．

表1 ◆ おもな先天性血小板機能異常症

疾患		OMIM	遺伝形式	原因遺伝子	血小板機能異常	臨床的特徴
血小板粘着異常						
Bernard-Soulier 症候群		231200	AR	GP1BA, GP1BB, GP9	巨大血小板，リストセチン凝集欠如，GP Ib/IX 欠損	
血小板型 von Willebrand 病		177820	AD	GP1BA	リストセチン凝集亢進，von Willebrand 因子高分子マルチマー欠如	
GP VI 異常症		614201	AR	GP6	コラーゲン凝集欠如	
血小板凝集異常						
血小板無力症		273800	AR	ITGA2B, ITGB3	血餅退縮欠如，リストセチン以外の血小板凝集欠如，GP IIb/IIIa 欠如	
アゴニスト受容体異常						
ADP 受容体異常症		609821	AR	P2RY12	ADP 凝集欠如	
トロンボキサン A2 受容体異常症		614009	AD	TBXA2R	アラキドン酸，トロンボキサン A2 アナログ凝集欠如	
放出異常						
顆粒異常	α 顆粒欠損症（α-SPD）					
	gray platelet 症候群	139090	AR	NBEAL2	低染色性血小板	骨髄線維症
	濃染顆粒欠損症（d-SPD）					
	Hermansky-Pudlak 症候群	203300	AR	HPS1		白皮症，網内系細胞でのセロイド様封入体
		608233	AR	HPS2		
		614072	AR	HPS3		
		614073	AR	HPS4		
		614074	AR	HPS5		
		614075	AR	HPS6		
		614076	AR	HPS7		
		614077	AR	HPS8		
		614171	AR	HPS9		
	Chédiak-Higashi 症候群	214500	AR	LYST		白皮症，易感染性，巨大リソソーム顆粒
放出機構異常	ホスホリパーゼ A2 異常症		AR	PLA2G4A	ADP，コラーゲン凝集欠如	
	シクロオキシゲナーゼ欠損症	605735	AR	PTGS1	アラキドン酸凝集欠如	
	トロンボキサン A2 合成酵素異常症	614158	AR	TBXAS1	アラキドン酸凝集欠如	骨密度増加
プロコアグラント活性異常症						
Scott 症候群		262890	AD	ANO6	血小板膜上へのホスファチジルセリン発現低下	

ADP：アデノシンニリン酸，SPD：ストレージプール病，AD：常染色体顕性（優性），AR：常染色体潜性（劣性）．

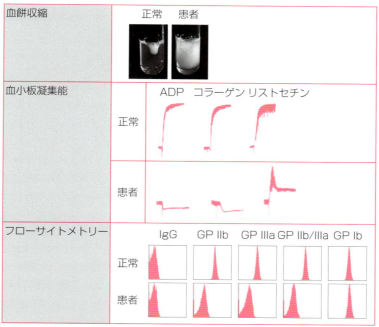

図1 血小板無力症の検査診断

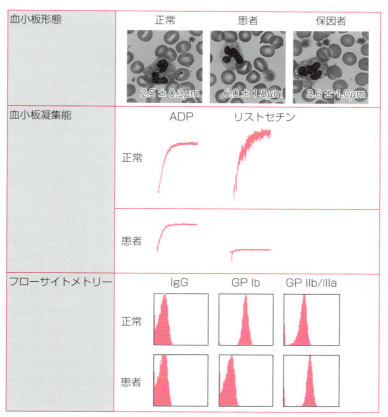

図2 Bernard-Soulier 症候群の検査診断
(口絵16 p.viii 参照)

2 Bernard-Soulier 症候群

　Bernard-Soulier症候群は，先天的にGPIb/IXを欠如し，巨大血小板，血小板減少症，出血時間延長，リストセチン凝集欠如を特徴とする．生理的血小板凝集惹起剤による凝集は認める．巨大血小板と血小板減少をともに認めるため，末梢血塗抹標本の観察は必須である．ヘテロ接合性保因者では，軽度〜中等度の巨大血小板と血小板減少症を認めることがある．フローサイトメトリーでのGPIb/IX/V発現解析により，確定診断が可能である（図2）．

臨床徴候

　幼少時から点状出血，紫斑，鼻出血，歯肉出血，過多月経などの皮膚粘膜出血を呈する．血友病などの血液凝固異常症で認められる，筋肉・関節内出血は認めない．

治療

　診断が確定した時点で疾患の説明を十分に行い，日常生活の指導や出血に対する教育を行う．この点においても確定診断は重要である．血小板機能抑制作用のある非ステロイド性抗炎症薬（NSAIDs）などの服用に注意を促す．日常の出血予防としては抗線溶薬が投与される．出血症状が著しい場合や手術などの外科的処置には血小板輸血を行うが，頻回の輸血により同種抗体が産生されるため注意が必要である．同種抗体産生による血小板輸血不応となった症例では，遺伝子組換え活性型凝固第VII因子の有効性が報告されている．

■ 文献

1) 國島伸治：先天性血小板減少症．臨床血液59：764-773，2018
2) 金子　誠：解明されつつある血小板機能異常症の分子病態—先天性血小板機能異常症の解析から—．血栓止血誌23：457-464，2012
3) 國島伸治：先天性血小板機能異常症—ベルナール・スーリエ症候群と血小板無力症—．検査と技術42：102-107，2014

（國島伸治）

第1章 血液・造血器疾患

D 血小板と止血・血栓の異常

2 凝固異常

a. 血友病（第VIII因子欠乏，第IX因子欠乏）

定義・概念

血友病は，幼少期より出血症状を反復する先天性出血性疾患で，第VIII因子の量的・質的異常が血友病A，第IX因子の異常が血友病Bである．

疫学

先天性血液凝固障害症のなかでは最も発生頻度が高い．一般に血友病の発生頻度は男性5,000〜10,000人に1人であるが，厚生労働省委託事業「血液凝固異常症全国調査」（令和3年度報告書）[1]での生存血友病患者数は6,909人（血友病A：5,657人，血友病B：1,252人）である．女性血友病患者は，血友病A：71人，血友病B：32人である．遺伝形式はX連鎖潜性（劣性）で，通常，患者は男性に発症し，ヘテロ接合体の女性は保因者である．

病態

第VIII因子および第IX因子は，内因系第X因子活性化反応系（tenase複合体）における必須の凝固因子として機能している．第VIII因子は循環血漿中ではvon Willebrand因子（VWF）と複合体を形成している．出血時に産生されたトロンビンにより限定分解を受けて活性型第VIII因子（activated factor VIII：FVIIIa）に変換される．FVIII活性化に伴いVWFから遊離したFVIIIaは活性化血小板上のリン脂質膜上で構築されるtenase複合体に取り込まれtenase酵素反応のVmaxを約2万倍に増幅する．したがって，第VIII因子や第IX因子の低下はトロンビン生成を低下させる結果，重大な出血傾向をもたらすことになる．

第VIII因子遺伝子は，X染色体長腕末端部のXq28に存在している．第VIII因子遺伝子は186 kbにも及ぶ巨大な遺伝子で，26個のエクソンと介在するイントロンから成り立っている．血友病Aの遺伝子異常は，点変異（ナンセンス，ミスセンス），逆位，欠失，スプライシング異常などが代表的である．なかでも最も特徴的な遺伝子異常はイントロン22の逆位で，重症型の約40％に検出される．最近，イントロン1由来逆位も見つかっている．逆位，大きな欠失，ナンセンス点変異は第VIII因子の完全欠損タイプでヌル変異とよばれ，後述するインヒビターの発生リスクとなる．第IX因子遺伝子はXq27.1に存在し，全長は34 kbで8個のエクソンと介在する7個のイントロンから成り立つ．第IX因子遺伝子は，大きく6つのドメインに分けられる．血友病Bの遺伝子異常は，血友病Aと異なり90％以上が点変異である．

臨床徴候

血友病の出血症状はoozing（滲出）と表現される内出血が主体である．皮下，関節内，筋肉内，口腔内出血や血尿などの頻度が高い．

1 皮下出血

血友病の出血症状のなかでは最も多い．点状出血はみられず，指頭大〜貨幣大（時にはそれ以上）の斑状の紫斑を呈する．しばしば，皮下硬結が触知される．活動が増加する乳児後半期から次第に目立つようになる．

2 関節内出血

通常，歩行開始時期以降から出現する．出血部位は足，膝および肘関節の順に多い．急性期の関節内出血では関節の違和感や倦怠感などの前兆のあとに，激痛や熱感を伴う関節腫脹が出現する．出血時の関節可動域は大きく低下する．乳幼児では疼痛が明確でないときもあるが，当該関節の可動域制限がみられる．関節内出血を反復するとヘモジデリンが沈着することによって滑膜の変性や炎症が進行し，次第に慢性滑膜炎の病像を呈するようになる．血友病性関節症が進行すると，関節軟骨も変性をきたして萎縮するために関節裂隙が狭小する．さらに進行すると骨棘や骨囊胞を形成し，非可逆的な骨の変形および破壊が進む．

3 筋肉内出血

関節内出血と並んで，運動機能障害を呈する重要な出血症状である．一般に腓腹筋，ヒラメ筋，大腿筋，臀筋，腸腰筋などの下肢の筋や，前腕の屈筋な

どに発生しやすい．外傷や過激な運動，筋肉注射後に出現することが多いが，原因が明らかでない場合も多い．出血部位では疼痛と腫脹がみられ，運動制限をきたす．腸腰筋出血では，股関節の屈曲位をとり，腸腰筋肢位（psoas position）とよばれる体位がみられる．出血部位が右の場合には虫垂炎と診断される場合もあり，注意を要する．また，出血により筋区画内の圧力が上昇するために循環不全をきたして筋肉組織や神経組織が傷害されるコンパートメント症候群をきたすことがある．

4 血尿

血尿は，年長児や成人の重症型患者でよくみられる出血症状である．出血は糸球体あるいは尿細管由来であるが，尿中赤血球の形態は均一である．一般に腰部の違和感や疼痛などの前兆を伴うことが多い．しばしば再発する．

5 口腔内出血

一般にわずかな切傷や咬傷によって歯肉，上口唇小帯，舌小帯，口唇，および舌に発生することが多い．しばしば血腫を形成する．歯周囲炎や乳歯や永久歯の萌芽時期も出血の原因になりやすい．口腔内出血は止血困難なことが多く，適切な補充療法を行わないと出血が遷延し，血腫も縮小と増大を反復する．口腔内粘膜は線溶活性が高いため再出血をしやすい．

6 その他の重篤な出血

1）頭蓋内出血

中枢神経系の出血で最も頻度が高いのが頭蓋内出血で，血友病の出血による死因として最も多い．外傷性が多いが，軽微な外傷や原因不明の自然出血もある．反復例もまれでない．また，吸引分娩や鉗子分娩が原因で新生児期に発症することもある．

2）腹腔内出血

進展は緩徐であるが，しばしば重症な貧血を呈する．腹部に皮下出血をみたときは，常に腹腔内出血に留意する必要がある．近年，MRIや腹部超音波技術の向上により腸管壁内出血の報告が増えている．強い腹痛が主訴であるが，出血の程度によりイレウスを呈する．

3）頸部出血

発生頻度は頭蓋内出血よりはるかに少ないが，窒息をきたすことがあり，致死率の高い危険な出血である．一般に頸部の違和感に始まる有痛性の頸部腫脹で気づかれる場合が多い．

診断・検査

血友病では，内因系を反映する活性化部分トロンボプラスチン時間（activated partial thromboplastin time：APTT）が延長するが，外因系を反映するプロトロンビン時間（prothrombin time：PT）は正常である．確定診断は，第VIII因子あるいは第IX因子活性の欠乏〜低下所見による．両凝固因子活性の測定は凝固1段法が一般的であるが，合成発色基質法でも測定可能である．VWFは正常〜上昇する．血友病の出血症状は第VIII因子あるいは第IX因子の凝固因子活性と相関する．活性が＜1％を重症，1〜5％を中等症，＞5％を軽症と分類する．

血友病は凝固因子活性のみならず，凝固因子抗原によっても分類される．第VIII，IX因子抗原が検出されない病型をCRM$^-$（cross reacting material negative），凝固因子抗原が低下する例をCRM^R（cross reacting material reduced），凝固因子抗原が正常量（＞50％）みられる病型をCRM$^+$（cross reacting material positive）と分類する．CRM$^+$病型は，機能異常を有する分子異常症である．

血友病Aおよび血友病Bは，X連鎖遺伝形式であるため，異常遺伝子を有するヘテロ接合体は保因者となる．血友病患者の娘，2人以上の患児を出産した母親，1人の血友病患児を出産し母方家系に血友病患者が存在する場合には，家系図だけで保因者と診断できることから確定保因者とよばれる．1人の血友病患児を出産したが家系に患者が存在しない場合は，遺伝学上保因者の可能性はあるが確定できないことから，推定保因者とよばれる．女性のX染色体の一方は細胞単位にランダムに不活性化されている（Lyonの仮説）．したがって，正常の凝固因子を100％とした場合，理論的には血友病保因者の凝固活性は50％である．しかしながら，例えば，第VIII因子の場合，正常範囲は60〜180％であるために，保因者の凝固因子活性は30〜90％と幅がある．両方のX染色体に異常を有する場合には真の女性血友病であるが，X染色体の極端な不活性化により凝固因子活性がさらに低下するために出血傾向を呈する場合がある．このような保因者も女性血友病とよばれる．

治療・予後

治療の原則は，第VIII因子製剤あるいは第IX因子製剤による補充療法である．凝固因子製剤には血漿由来製剤と遺伝子組換え製剤がある（表1）．近

表1 ◆ 血友病治療製剤（2021年2月現在） ※著者作成

製剤名	一般名	種類	規格	製造/販売
血友病A治療製剤				
第VIII因子製剤				
クロスエイトMC	乾燥濃縮人血液凝固第VIII因子	国内献血血漿由来FVIII濃縮製剤	250, 500, 1,000単位	日本血液製剤機構
コンファクトF	乾燥濃縮人血液凝固第VIII因子	国内献血血漿由来FVIII/VWF複合体製剤	250, 500, 1,000単位	KMバイオロジクス
アドベイト	ルリオクトコグアルファ	遺伝子組換え型FVIII製剤	250, 500, 1,000, 1,500, 2,000, 3,000単位	武田薬品工業
ノボエイト	ツロクトコグアルファ	遺伝子組換え型FVIII製剤	250, 500, 1,000, 1,500, 2,000, 3,000単位	ノボ・ノルディスクファーマ
コバールトリィ	オクトコグベータ	遺伝子組換え型FVIII製剤	250, 500, 1,000, 2,000, 3,000単位	バイエル薬品
エイフスチラ	ロノクトコグアルファ	遺伝子組換え型単鎖FVIII製剤	250, 500, 1,000, 1,500, 2,000, 2,500, 3,000単位	CSLベーリング
半減期延長型第VIII因子製剤				
イロクテイト	エフラロクトコグアルファ	遺伝子組換え型FVIII Fc領域融合タンパク質製剤	250, 500, 750, 1,000, 1,500, 2,000, 3,000, 4,000単位	サノフィ
アディノベイト	ルリオクトコグアルファペゴル	PEG化遺伝子組換え型FVIII製剤	250, 500, 1,000, 1,500, 2,000, 3,000単位	武田薬品工業
ジビイ	ダモクトコグアルファペゴル	PEG化遺伝子組換え型FVIII製剤	500, 1,000, 2,000, 3,000単位	バイエル薬品
イスパロクト	ツロクトコグアルファペゴル	PEG化遺伝子組換え型FVIII製剤	500, 1,000, 1,500, 2,000, 3,000単位	ノボ・ノルディスクファーマ
非凝固因子製剤				
ヘムライブラ	エミシズマブ	抗FIXa/Xヒト化二重特異性モノクローナル抗体製剤	30, 60, 90, 105, 150 mg	中外製薬/ロシュ
血友病B治療製剤				
第IX因子製剤				
クリスマシンM	乾燥濃縮人血液凝固第IX因子	国内献血血漿由来FIX濃縮製剤	400, 1,000単位	日本血液製剤機構
ノバクトM	乾燥濃縮人血液凝固第IX因子	国内献血血漿由来FIX濃縮製剤	500, 1,000, 2,000単位	KMバイオロジクス
PPSB-HT「ニチヤク」	乾燥人血液凝固第IX因子複合体	国内献血血漿由来FIX複合体製剤	200, 500単位	日本血液製剤機構/武田薬品工業
ベネフィクス	ノナコグアルファ	遺伝子組換え型FIX製剤	500, 1,000, 2,000, 3,000単位	ファイザー
リクスビス	ノナコグガンマ	遺伝子組換え型FIX製剤	1,000, 2,000, 3,000単位	武田薬品工業
半減期延長型第IX因子製剤				
オルプロリクス	エフトレノナコグアルファ	遺伝子組換え型FIX Fc領域融合タンパク質製剤	250, 500, 1,000, 2,000, 3,000, 4,000単位	サノフィ
イデルビオン	アルブトレペノナコグアルファ	アルブミン融合遺伝子組換えFIX製剤	250, 500, 1,000, 2,000, 3,500単位	CSLベーリング
レフィキシア	ノナコグベータペゴル	PEG化遺伝子組換えFIX製剤	500, 1,000, 2,000単位	ノボ・ノルディスクファーマ
インヒビター保有血友病治療製剤				
ノボセブンHI (rFVIIa)	エプタコグアルファ（活性型）	遺伝子組換え活性型FVII製剤	1, 2, 5, 8 mg	ノボ・ノルディスクファーマ
ファイバ (aPCC)	乾燥人血液凝固因子抗体迂回活性複合体	国内献血血漿由来活性化プロトロンビン複合体製剤	500, 1,000単位	武田薬品工業
バイクロット (FVIIa/FX)	乾燥濃縮人血液凝固第X因子加活性化第VII因子	国内献血血漿由来FVIIa/FX複合製剤	第VIIa因子 1.5 mg 第X因子 15 mg	KMバイオロジクス

表2 ● 血友病の止血管理指針

出血部位	目標ピーク因子レベル	追加輸注の仕方
①関節内出血		
軽度	20〜40％	原則初回のみ
重度	40〜80％	12〜24時間ごとに症状が消失まで
②筋肉内出血	関節内出血に準ずる	
③腸腰筋出血	80％以上	以後トラフ因子レベルを30％以上に保つように出血症状消失まで
④口腔内出血		
舌や舌小体、口唇小体、口蓋裂傷	20〜40％	原則1回のみ。止血困難であれば、ピーク因子レベルを20％以上にするように12〜24時間おきに出血症状が消失するまで
	40〜60％	ピーク因子レベルを40％以上にするように12〜24時間おきに3〜7日間
⑤消化管出血	80％以上	トラフ因子レベルを40％以上に保つように12〜24時間おきに、止血しても3〜7日間継続
⑥閉塞のおそれのある気道出血	消化管出血に準じて行う	
⑦皮下出血	原則不要	
大きな血腫や頸部、顔面	20〜40％	症状に応じて12〜24時間おきに1〜3日間
⑧鼻出血	原則不要	
止血困難時	20〜40％	症状に応じて12〜24時間おきに1〜3日間
⑨肉眼的血尿	原則不要	
止血困難時	40〜60％	症状に応じて12〜24時間おきに1から3日間
⑩頭蓋内出血	100％以上	トラフ因子レベルを50％以上に保つように少なくとも7日間続ける
⑪乳幼児の頭部打撲	50〜100％	速やかに1回輸注し、必要に応じてCTスキャンを行う
⑫骨折	100％以上	トラフ因子レベルを50％以上に保つように少なくとも7日間続ける
⑬外傷		
ごく軽微な切創	口腔内出血、皮下出血、鼻出血の補充療法に準じる	
それ以外	骨折の補充療法に準じる	
⑭コンパートメント症候群	関節内出血(重度)に準じて行う	

(日本血栓止血学会　インヒビターのない血友病患者に対する止血治療ガイドライン作成委員会(藤井輝久、他):日本血栓止血学会　インヒビターのない血友病患者に対する止血治療ガイドライン:2013年改訂版.日血栓止血会誌 24:619-639, 2013より引用、一部抜粋)

年、凝固因子をPEG化し、Fc蛋白融合などの分子修飾により従来型製剤より半減期の長い半減期延長型製剤が開発された。補充療法は、出血ごとに投与するオンデマンド補充療法と、出血を予防する予防的補充療法に大別される。

1 オンデマンド補充療法

凝固因子製剤の投与は出血症状の重症度、外科的処置や手術の有無により必要な止血レベルを維持するように計画する。目標とするピークレベルと、最も低下するトラフ値(最低値)の両方の評価が必要である。第VIII因子製剤投与後のピークは体重(kg)あたりの製剤投与量(IU/kg)×2.0で、第IX因子製剤投与後のピークは体重(kg)あたりの投与量(IU/kg)×(1.0〜1.3)で計算する。製剤投与後10〜15分でピークレベルに達する。トラフ値は半減期により左右される。血液中の半減期は、第VIII因子では7.4〜16.5時間、第IX因子では17〜24時間である。したがって、同じ体重あたりの投与量でも半減期が違うとトラフ値も異なるために、患者ごとに投与量を調節する必要がある。最近、血友病の止血療法に関するガイドラインの改訂版が日本血栓止血学会学術標準化委員会血友病部会より発表された(表2)[2]。

頭蓋内出血などの重篤な出血や大きな外科手術の際は止血レベルを一定に維持する必要があり、持続輸注療法がより効率的である。まず目標因子レベルに上昇させるのに必要な製剤量をボーラスで1回輸注後、各製剤のクリアランス値(mL/kg/時)を指標にシリンジポンプなどを用いて持続投与する。輸注速度(IU/kg/時)は、クリアランス(mL/kg/時)×目標因子レベル(IU/mL)で計算する。クリアランス値

は，第VIII因子製剤で2.4〜3.4 mL/kg/時，第IX因子製剤で3.8〜4.3 mL/kg/時である．大手術時には術中術後は凝固因子の消費が高まることもあり，凝固因子活性のモニタリングが必要である．

② 定期補充療法

定期補充療法ではトラフ値を＞1％にするために，通常，血友病AではⅠ標準型FVIII製剤を30〜50 IU/kg/回，週3回あるいは隔日投与する．血友病Bでは標準型FIX製剤を30〜50 IU/kg，週2回投与する．半減期延長型FVIII製剤では1〜2回/週あるいは3〜5日ごと，半減期延長型FIX製剤では1回/週〜1回/2週の投与で有効トラフ値を維持することが可能である．最近，早期定期補充療法が血友病性関節症の発症と進行を防ぐことが明らかにされ，関節内出血の初回出現後あるいは2歳以後に定期補充療法を開始する一次的補充療法が国際的にすすめられている[3]．小児早期からの頻回の経静脈投与は困難な場合も多く，週1回から開始して段階的に投与回数を上げる方法も実際的であるが，2歳までに頭蓋内出血の4割が発生することも留意すべきである．血友病の定期的補充療法では半減期とトラフ値による薬物動態評価が重要である．定期補充療法の有用性の根拠は，凝固因子活性が＞1％で出血症状が激減すること，頭蓋内出血などの重篤な出血が激減することである．したがって，定期補充療法においてトラフ値を＞1％にすることが国際的なゴールドスタンダードであるが，より活動性の高い患者については＞1％のトラフ値でも不十分な場合がある．また，月・水・金の週3回の定期投与が一般的であるが，週末には凝固因子レベルが下がることに留意する必要がある．

③ その他の止血療法

血友病Aの中等症および軽症患者の軽度な出血症状に対しては，合成抗利尿ホルモン製剤である酢酸デスモプレシン（1-deamino-8-, D-arginine vasopressin：DDAVP）も使用される．DDAVPの投与により生体内に貯蔵されている第VIII因子/VWFが放出され，血漿中のレベルが上昇する．投与量は0.2〜0.4 μg/kgを生理食塩水約20 mLに希釈して患者に静脈注射する．トラネキサム酸も血友病の止血補助剤として使用されるが，血尿には禁忌である．

④ 補充療法の副作用とその対策

製剤中の第VIII因子あるいは第IX因子を非自己と認識して，抗第VIII因子あるいは抗第IX因子同種抗体（インヒビター）が出現することがある．インヒビターの発生までのばく露日数の中央値は11日

で，ほとんどの症例で50ばく露日数以内に出現している．インヒビターが発生すると，以後の補充療法の止血効果は激減〜消失するために血友病の治療管理は困難になる．

1）インヒビターの診断

補充療法の止血効果が低下したときは，インヒビター発生を疑う．確定診断はBethesda法によるインヒビターの検出による．インヒビター力価が高値の場合［＞5 Bethesda U（BU）/mL］をハイレスポンダー（high responder：HR），持続的に低い場合（＜5 BU/mL）をローレスポンダー（low responder：LR）とよぶ．HRの場合，補充療法製剤を再度投与すると投与後5〜7日にインヒビターが急上昇する（既往反応）．

2）インヒビター保有患者の止血療法

インヒビターが検出された場合，インヒビター力価，反応性（HRまたはLR），出血症状の重症度により止血療法を決定する．インヒビターが＜5 BU/mLでLRの場合は，一般的に補充療法の続行が第一選択になる．一方，インヒビターが＜5 BU/mLでもHRや≧5 BU/mLではバイパス止血療法が第一選択になる[4]．バイパス止血療法製剤は，活性型プロトロンビン複合体製剤（activated prothrombin complex concentrate：APCC）と遺伝子組換え活性型第VII因子製剤（recombinant FVIIa：rFVIIa）の2剤が使用される（表1）．APCCは血漿由来製剤であり，プロトロンビン，第VII，第IX，第X，活性型第VII，活性型第X因子などを含有する．一般に，APCCの1回の投与量は50〜100 IU/kgで8〜12時間ごとに投与する．1日の最大投与量は200 IU/kgである．一方，rFVIIaの標準的な投与量は90 μg/kgで，2〜3時間ごとに止血が得られるまで投与する．最近，活性型第VII因子と第X因子の複合製剤も上市された．初回投与量は60〜120 μg/kgで，追加投与は1回のみ，初回投与から8時間以上36時間以内に行う．投与量は初回投与量と合わせて180 μg/kgを超えない．

3）バイパス止血製剤の定期的投与

インヒビター保有患者は一般に標的関節も多く，止血困難な症例も多い．このような難治性の症例に対して，APCC製剤の定期的投与が出血回数を減少させることが報告された[5]．最近，わが国でも保険適用となった．定期的に投与する場合には，週3回から隔日で投与する．

4）バイパス止血療法の副作用

発症頻度は低いが，バイパス止血療法で留意すべき副作用は血栓症である．心筋梗塞，脳卒中，肺血

栓塞栓症，深部血栓性静脈炎および播種性血管内凝固（DIC）症候群などが報告されている．血栓症をきたしたほとんどの症例で，過剰投与，肥満，脂質異常症などのリスク要因がみられる．

5）免疫寛容導入療法

免疫寛容導入療法（immune tolerance induction：ITI）は，補充療法製剤を反復して投与することによりインヒビターの消失を図る治療で，インヒビター陽性例の重要な治療法である．特にインヒビター値が<10 BU/mLに低下して治療を開始した場合，有効率は70％以上といわれている．統計学的に有意なITI成功要因は，過去のピークインヒビター力価とITI開始時のインヒビター力価が低いことである．ITIは製剤の投与量から，200 IU/kgを連日投与する高用量投与法と，50 IU/kgを週3〜3.5回投与する低用量投与法に分けられる．最近実施された国際研究によると，高用量投与法のほうが免疫寛容に至る期間が短いが，有効率は低用量投与法と同等である[6]．

5 バイスペシフィック抗体製剤による新規血友病A治療

近年，非凝固因子製剤としてバイスペシフィック抗体製剤（エミシズマブ）が血友病A治療製剤としてわが国で開発された．本製剤は，FIX（IXa）およびFXを認識した完全ヒト型遺伝子組み換え2重特異性モノクローナル抗体で，インヒビターの有無にかかわらずFVIIIa補因子作用を発揮する[7]．半減期が約30日で従来型製剤よりはるかに長く，皮下投与が可能な長所を有する．1，2および4週ごとの投与で，12〜15％のFVIII等価活性をコンスタントに維持できるために，診断後早期からも出血予防治療が可能であり，血友病A治療のパラダイムシフトが起こっている．ただし，特に破綻出血時にAPCCを投与したインヒビター陽性例で，血栓症や血栓性微小血管障害症（thrombotic microangiopathy：TMA）を発症した報告があり，rFVIIaを第一選択とする．さらに，まれではあるが，抗エミシズマブ抗体（ADA）の報告もある．非インヒビター症例の破綻出血の際にはFVIII製剤を使用するが，投与レジメンは従来と同様に行う．専門施設との診療連携が必須である．

> **ピットフォール・対策：エミシズマブ投与時のモニタリング**
>
> エミシズマブは，活性化されたFVIIIの作用を有するためにAPTTは極端に低下し，通常正常下限を下回る．さらに凝固1段法によるFVIII活性も数百％以上の値になり過大評価される危険性がある．ヒト由来試薬を用いた合成発色基質法やROTEM/TEGがエミシズマブのモニタリングとして有用であるが，わが国では一般的ではない．その代わりにエミシズマブ標準品を用いた血中濃度の測定は実施可能であり，エミシズマブの現実的なモニタリング法として有用である．中和抗薬物抗体（anti-drug antibody：ADA）の検出にはAPTTが有用である．この際，APTTが正常範囲であっても，延長傾向を示した場合には中和ADAの発生を疑う．

■ 文献

1) 厚生労働省委託事業　血液凝固異常症全国調査令和3年度報告書（天野景裕委員長）
2) 日本止血学会　インヒビターのない血友病患者に対する止血治療ガイドライン作成委員会（藤井輝久，他）：日本血栓止血学会　インヒビターのない血友病患者に対する止血治療ガイドライン：2013年改訂版．日血栓止血会誌 24：619-639，2013 http://www.jsth.org/committee/pdf/03_inhibitor_H1_B.pdf
3) Manco Johnson MJ, et al.：Prophylaxis versus Episodic treatment to prevent joint disease in boys with severe hemophilia. N Engl J Med 357：535-544, 2007
4) 日本血栓止血学会　インヒビター保有先天性血友病患者に対する止血治療ガイドライン作成委員会（酒井道生，他）：インヒビター保有先天性血友病患者に対する止血治療ガイドライン：2013年改訂版．日血栓止血会誌 24：640-658，2013 http://www.jsth.org/committee/pdf/03_inhibitor_H1_A.pdf
5) Leissinger CA, et al.：Anti-Inhibitor coagulant complex prophylaxis in Hemophilia with inhibitor. N Engl J Med 365：1684-1692, 2011
6) Hay CRM, et al.：The principal results of the International Immune Tolerance Study：a randomized dose comparison. Blood 119：1335-1344, 2012
7) Shima M et al. FVIII-mimetic function of humanized bispecific antibody in hemophilia A. N Engl J Med 374：2044-2053, 2016.

（嶋　緑倫）

b. von Willebrand病

定義・病因・病態

von Willebrand因子（VWF）は血管内皮細胞および骨髄巨核球で産生される高分子糖蛋白で，傷害部位での血管内皮下組織への血小板粘着および血小板血栓形成を促し，一次止血に重要な役割を果たす．VWFは種々の分子量（500〜20,000 kDa）の多量体構造を呈し，高分子多量体ほど止血活性が高い．したがってVWFの量的減少や高分子多量体欠損があると，一次止血障害をきたす．このようにVWF量的

表1 ◆ VWD病型分類

病型	病因	マルチマー	検査所見	遺伝
type 1	VWF量的減少	正常	VWF：RCo，VWF：Ag＜30％ VWF：RCo/VWF：Ag＞0.7	AD
type 2	VWF質的異常			
type 2A	重合不全	高分子欠損	VWF：RCo低下，RIPA低下 VWF：RCo/VWF：Ag＜0.3	AD 一部AR
type 2B	血小板GPIb結合亢進	高分子欠損 (消耗性低下)	VWF：RCo低下，RIPA亢進，血小板減少 VWF：RCo/VWF：Ag低下(0.3〜0.7)	AD
type 2M	血小板GPIb結合低下	正常	VWF：RCo低下，RIPA低下 VWF：RCo/VWF：Ag低下(0.3〜0.7)	AD
type 2N	FVIII結合低下	正常	VWF正常〜軽度低下 FVIII活性低下(5〜20％)	AD
type 3	VWF完全欠損	全欠損	VWF検出不能	AR

AD：常染色体顕性(優性)，AR：常染色体潜性(劣性)．

減少または質的異常をきたす常染色体遺伝性疾患を von Willebrand病(VWD)という．VWFは血中で第VIII因子(FVIII)と複合体を形成し循環しているため，VWDではFVIIIも二次的に低下する．

VWFが量的に低下するtype 1，VWF構造異常から機能低下をきたすtype 2，VWFの完全欠損であるtype 3に分類される．また，類縁疾患に血小板型pseudo-VWDがある．type 2は病態の違いにより2A，2B，2M，2Nの4亜型が存在する．わが国では，type 1，type 2，type 3は75％，20％，5％の割合である．VWDの多くは常染色体顕性(優性)遺伝であるが，一部に潜性(劣性)遺伝を認める(表1)．

診断・検査

1 臨床症状

鼻出血，口腔内出血，皮下出血，卵巣出血，月経過多，抜歯後止血困難，外傷後止血困難などの粘膜・皮膚出血を特徴とする．病型により症状の程度は異なり，type 1やtype 2は概して出血症状が軽いが，type 3は前述の出血以外に関節内出血，筋肉内出血などの血友病様の出血も認め，出血の程度も重い．

2 検査所見(表1)

出血時間の延長は本症の特徴であるが，軽症例では正常のこともある．VWFの抗原量(VWF：Ag)とリストセチンコファクター活性(VWF：RCo)の定量は必須である．さらに，病型分類にはFVIII活性，VWF多量体解析，リストセチン惹起血小板凝集検査(ristocetin-induced platelet agglutination：RIPA)が必要である．type 2Nの凝血学的所見は血友病Aと類似しており，しばしば鑑別が困難である．患者VWFのFVIII結合能低下の存在が重要である．なお，血液型O型の人では，生理的にVWF：Agおよび VWF：RCoが低値を示すので，軽症VWDの診断は注意が必要である．

止血治療

出血時止血管理は，貯蔵部位の血管内皮細胞からのVWF放出をもたらすデスモプレシン(1-deamino-8-D-arginine vasopressin：DDAVP)投与や，高分子VWF多量体含有FVIII/VWF濃縮製剤による補充療法を，個々の症例背景(心疾患や妊婦など)，病型，重症度，出血症状によりどちらの製剤を選択するかを決定する(表2)[1]．

1 DDAVP

0.2〜0.4 μg/kgを生理食塩水20 mLで希釈し，10〜20分間かけ緩徐に静注する．本剤の有効な病型で出血症状が軽度な場合が第一選択となる．24時間以内に反復投与すると効果は減弱する．頻脈，頭痛，顔面発赤などの副作用があり，心疾患患者や妊婦には慎重投与が必要である．

2 FVIII/VWF濃縮製剤

投与量は出血症状の程度，重症度によりFVIII換算で20〜50 IU/kgを止血まで1日1回静注することが基本である．補充療法の目安を表3に示す[2]．

最近の話題

2020月6月に遺伝子組換えVWF製剤(rVWF製剤)であるボニコグアルファが上市された．18歳以上の患者の出血時ならびに周術期止血管理に使用することが可能で，必要に応じてFVIII製剤を併用投与する．

表2 ◆ 各病型における止血製剤

病型	FVIII/VWF濃縮製剤	DDAVP
type 1	有効	通常有効
type 2A	有効	症例により有効または無効
type 2B	有効	禁忌(要注意) 血小板減少惹起
type 2M	有効	症例により無効またはやや有効
type 2N	有効	症例により有効または無効 半減期短縮
type 3	有効 インヒビター発生あり	無効
Platelet-type	有効(少量投与) 血小板減少惹起	禁忌(要注意) 血小板減少惹起

(高橋芳右:von Willebrand病の治療はどのようにすればよいか? 押味和夫(編), EBM血液疾患の治療, 中外医学社, 592-601, 2002より引用, 一部改変)

表3 ◆ FVIII/VWF製剤補充療法

出血部位あるいは手術	投与量(単位/kg/回)	投与期間
大手術	50(5日目以降は減量)	術前1回, 術後1日1回を7~14日間または創部治癒まで
小手術	30	術前1回, 術後1日1回または隔日を3~5日間
抜歯	20	処置前1回
外傷後出血	20~30	1日1回を1~2日間または止血まで
口腔内出血	20	1回または1日1回を止血まで
鼻出血	20	1回または1日1回を止血まで

(高橋芳右:von Willebrand病. 白幡 聡(編), みんなに役立つ血友病の基礎と臨床, 医薬ジャーナル社, 158-163, 2009より引用, 一部改変)

■ 文献

1) 高橋芳右:von Willebrand病の治療はどのようにすればよいか? 押味和夫(編), EBM血液疾患の治療. 中外医学社, 592-601, 2002
2) 高橋芳右:von Willebrand病. 白幡 聡(編), みんなに役立つ血友病の基礎と臨床, 医薬ジャーナル社, 158-163, 2009

(野上恵嗣)

c. その他の先天性凝固異常症

定義・概念

　先天性凝固異常症とは，先天的な凝固因子の活性低下により止血異常をきたす疾患の総称であり，血友病(第VIII因子・第IX因子)以外に，第I因子(フィブリノゲン)，第II因子(プロトロンビン)，第V因子，第VII因子，第X因子，第XI因子，第XII因子，第XIII因子について，それぞれの欠乏症と異常症が存在する[1]．おもに出血傾向を呈するが，無症状や血栓傾向をきたす場合もある．第XII因子欠乏症では出血傾向がみられないため，それを除く疾患の概略を表1に示す．患者数は「血液凝固異常症全国調査　令和2年度報告書」に拠る[2]．

病因・病態

　多くは各々の凝固因子の責任遺伝子上に異常を認めるが，遺伝子異常が確認できず，責任遺伝子外に原因が推定されるケースもある．病型としては，抗原量と活性の両者が低下するタイプ(type 1：凝固因子欠乏症)と，抗原量は正常もしくは軽度低下で活性のみが欠乏・低下するタイプ(type 2：凝固因子異常症)に大別される．前者は，凝固因子蛋白の生成や分泌の異常，後者は生成された凝固因子の機能異常が主病因と考えられる．特殊なタイプとして，先天性第V/VIII因子合併欠乏症や先天性ビタミンK欠乏性出血症がある．

疫学

　多くが，50~200万人に1人程度の発症頻度とされる．ただし，まれな疾患であることや症状が顕著でないために確定診断に至っていないケースも少なくないと考えられる．

臨床徴候

　皮下出血や鼻出血，口腔内出血，過多月経，術後の過剰出血を主症状とすることが多い．関節内出血や筋肉内出血といった深部出血を呈することもある．時には，頭蓋内出血といった重篤な出血もみられる．出生時の遷延する臍帯出血をみた場合は，無フィブリノゲン血症か第XIII因子欠乏症を疑う．両

表1 ◆ その他の先天性凝固異常症のまとめ

病名	患者数（人）	遺伝形式	遺伝子座位	推奨される治療薬	欠乏凝固因子の半減期
フィブリノーゲン欠乏症/異常症	97	AR・AD	4q31.3	血漿由来フィブリノーゲン製剤	3～6日
プロトロンビン欠乏症/異常症	7	AR	11p11-q12	PCC	2～5日
第V因子欠乏症/異常症	50	AR	1q23-24	FFP	15～36時間
第VII因子欠乏症/異常症	122	AR	13q34	遺伝子組換え活性型第VII因子製剤/PCC	2～7時間
第X因子欠乏症/異常症	24	AR	13q34	PCC	1.5～2日
第XI因子欠乏症/異常症	50	AR	4q35	FFP	3～4日
第XIII因子欠乏症/異常症	78	AR	Aサブユニット：6p24-25 Bサブユニット：1q32-32.1	血漿由来第XIII因子製剤	6～10日

AR：常染色体潜性（劣性），AD：常染色体顕性（優性），PCC：プロトロンビン複合体製剤，FFP：新鮮凍結血漿．

疾患は反復流産の原因にもなる．第XIII因子欠乏症では，いったん止血したあと24～36時間で再出血する「遅発性出血（delayed bleeding）」も特徴的とされる．フィブリノゲン異常症の半数は無症状で，20％は血栓傾向を呈する．

診断・検査

血小板数が正常で，プロトロンビン時間（PT）と活性化部分トロンボプラスチン時間（APTT）の両者もしくはどちらかが延長していることが診断の契機となる．PTとAPTTの異常の有無の組み合わせから，異常が予測される凝固因子活性を測定する．なお，日常診療で測定できるのは通常，抗原量ではなく活性値である．フィブリノゲンもトロンビン時間法を用いた機能的測定値（mg/dL表記）が一般的である．

治療・予後

新鮮凍結血漿（fresh frozen plasma：FFP）はいずれの疾患にも有効であるが，1 mL/kgの投与で各凝固因子活性は1～2％程度の上昇しか期待できないため，容量負荷が大きくなる．また，欠乏している凝固因子以外も含まれるため，第V因子欠乏症/異常症と第XI因子欠乏症/異常症でのみ第一選択とされる．疾患ごとの推奨される治療選択は表1を参照．

予後は，頭蓋内出血のような重篤な出血がなければ悪くない．

ピットフォール・対策

・PT，APTTとも正常な場合に，第XIII因子欠乏症の可能性を想起する．
・小児ではまれであるが，凝固因子インヒビターの可能性を否定するため，患者血漿と正常血漿とのクロスミキシング試験を実施する．

文献

1) Franchini M, et al.：Rare congenital bleeding disorders. Ann Transl Med 6：331, 2018
2) 血液凝固異常症全国調査委員会：厚生労働省委託事業 血液凝固異常症全国調査 令和2年度報告書．エイズ予防財団，2021

（酒井道生）

d. 後天性ビタミンK依存性凝固因子欠乏症

定義・概念[1]

肝臓で産生されるプロトロンビン，第VII因子，第IX因子，第X因子が血液凝固カスケードのなかでその役割を果たすためには，γ-カルボキシグルタミン酸（γ-carboxyglutamic acid：Gla）の存在が重要である．これら4種類の凝固因子（ビタミンK依存性凝固因子と総称される）は，γ-グルタミルカルボキシラーゼによって，その前駆体蛋白がもつ特定のグルタミン酸残基のγ位に，カルボキシル基が付与

されることによりできあがるが，この反応でγ-グルタミルカルボキシラーゼの補助因子としてビタミンKが必要である．したがって，肝障害によるγ-グルタミルカルボキシラーゼ活性の著しい低下や，ビタミンKの欠乏があるとGlaができなくなりビタミンK依存性凝固因子の活性が低下して出血傾向をきたす．

病因・臨床病態

1 新生児ビタミンK欠乏性出血症[2,3]

新生児は，①ビタミンKは胎盤移行性が悪く，出生時の備蓄が少ない，②腸内細菌叢が形成されていない，③母乳中のビタミンK含量は人工乳より少ない，④新生児の哺乳量には個人差がある，⑤ビタミンKの吸収能が低い，⑥肝機能が未熟，などの背景から，出生後すぐにビタミンKを与えられないとビタミンKが枯渇し，ビタミンK依存性凝固因子欠乏状態になる．出血が起こるのは第2～4生日に多い（古典型），一方で母体にビタミンK欠乏を助長する要因があると，出生前あるいは出生後24時間以内に発症することもあり，胎児型あるいは早発型とよばれている．出血は吐下血が多く，かつては新生児メレナ（melena neonatorum）とよばれていた．

2 乳児ビタミンK欠乏性出血症[2,3]

主として生後3週～2か月までの母乳栄養児が罹患するビタミンK欠乏性出血症で，肝・胆道疾患，遷延性下痢，長時間の飢餓，抗菌薬の投与など，ビタミンK欠乏を助長するリスクをもつ二次性と，母乳哺育以外には明らかな誘因が認められない特発性に大別される．後者の病因として，①ビタミンKの再利用能が低い，②腸内細菌叢のビタミンK産生量が少ない，③一部の母親の乳汁中のビタミンK含量はきわめて少ない，④哺乳量が少ない，⑤subclinicalの肝胆道系異常などによりビタミンKの吸収が悪い，などの要因が組み合わさって起こると考えられる．特発性乳児ビタミンK欠乏性出血症の臨床病態の特徴は，①男児が女児より約2倍多い，②生後3週～2か月までの間に90％が集中している，③90％は母乳栄養児である，④90％近くの例が頭蓋内出血を起こす，⑤予後不良で全治が確認されたのは半数以下，などである．

3 薬剤性ビタミンK欠乏性出血症[1]

ワルファリンは，ビタミンK還元系酵素を阻害して，ビタミンK酸化還元サイクルを止め，再利用を抑制することにより，その抗凝固作用を発揮する薬剤である．その過量投与は当然のことながらビタミンK依存性凝固因子の欠乏による出血を引き起こす．皮下出血が多いが，時には頭蓋内出血などの重篤な出血の原因となることもある．

抗菌薬投与中にもビタミンK欠乏性出血症が起こることがあるが，抗菌薬の種類，投与量，投与期間などの影響を受けるので，発症頻度の推定はむずかしい．助長する要因として，ビタミンK摂取量の著減，男性，腎不全，悪性腫瘍，肝疾患，手術などがあるが，特にビタミンK摂取量の著減は必須条件である．出血は消化管出血が最も多く，そのほか血尿，鼻出血，皮膚穿刺部位の出血などがみられる．

4 吸収障害が主因のビタミンK欠乏性出血症[1]

ビタミンKは，胆汁酸と膵液の存在下に小腸上部から吸収されるので，胆道閉鎖，総胆管嚢腫，嚢胞性線維症などに合併したビタミンK欠乏性出血症の報告がある．出血部位は消化管が多いが，幼若乳児では頭蓋内の頻度が高い．

5 肝疾患[1]

ビタミンK依存性凝固因子はいずれも肝で産生されるため，肝障害が進行すると，①蛋白合成能の低下によるビタミンK依存性凝固因子前駆体蛋白の産生不全，②γ-グルタミルカルボキシラーゼ活性の低下によるGla産生障害，③胆汁分泌不全によるビタミンKの吸収能の低下，④肝組織におけるビタミンK貯蔵スペースの減少，⑤ビタミンK再利用能の低下，⑥血管内凝固亢進による消費亢進，などが複合してビタミンK依存性凝固因子の低下をきたす．出血部位は消化管が多いが，皮膚穿刺部位や皮下などにも出血する．重篤な肝障害では血小板減少や播種性血管内凝固症候群（DIC）を併発して，多彩な出血傾向がみられることがある．

診断・検査

前述したように新生児，幼児，学童のビタミンK欠乏性出血症では消化管出血が多く，吐血と下血が高頻度にみられる．皮膚穿刺部位の過剰出血で気がつかれることも多い．一方，乳児ビタミンK欠乏性出血症では，90％近くの例が頭蓋内出血で発症するため，初発症状として，不機嫌，嘔吐，けいれん，発熱，哺乳力低下，脳性啼泣などを認める．

ビタミンK欠乏性出血症のスクリーニング検査では，プロトロンビン時間（PT），活性化部分トロンボプラスチン時間（APTT），ヘパプラスチンテスト（hepaplastin test：HPT），トロンボテスト（TTO）が著しく延長している．個々の凝固因子活性を測定すると，プロトロンビン，第VII因子，第IX因子，第X

因子活性の著しい低下がみられる．また，ビタミンK欠乏時に産生される，プロトロンビン（第II因子）前駆体蛋白である PIVKA-II (protein induced in vitamin K absence-II) の血中濃度が著増している．PT, APTT, HPT, TTO はいずれもビタミンK製剤の非経口投与2～4時間後には著しく改善されるので，治療的診断に用いることができる．一方，肝疾患に伴うビタミンK依存性凝固因子欠乏症のように前駆体蛋白そのものを産生できない病態では，PIVKA-II は正常か軽度の増加にとどまり，ビタミンK製剤投与後の検査値異常の改善もみられない．

治療

新生児ならびに乳児でビタミンK欠乏性出血症の疑いがあれば，凝固検査用の血液を採取後，検査結果を待つことなく，ビタミンK製剤（レシチン含有製剤）0.5～1 mg を緩徐に静注する．もし血管確保が困難な場合には，筋注が可能な製剤を皮下注する（筋注はできるだけ避ける）．ただし，最重症例ならびに，肝機能が未熟でビタミンK製剤の効果が不十分な恐れがある超低出生体重児では，新鮮凍結血漿10～15 mL/kg あるいは第IX因子複合濃縮製剤50～100単位/kg（第IX因子量として）静注の併用を考慮する．そのほかのビタミンK欠乏性出血症では，体重に応じてビタミンK製剤を2～10 mg 静注する．

予防[4]

新生児と乳児のビタミンK欠乏性出血症では，ビタミンK製剤の予防投与により発症頻度を著減させることができる．この目的でわが国では，合併症をもたない正期産新生児に対して，①出生後に数回の哺乳によりその確立したことを確かめてから，②生後1週または産科退院時のいずれかの早い時期，③1か月健診時，の合計3回，ビタミンK_2シロップ各1 mL（2 mg）を投与する方法が長く行われてきた．しかし，この方法ではなお発症例があることから，最近では母乳栄養児には生後3か月まで週1回，1 mL 投与する方式が広まりつつあり，最近の調査では，ビタミンK欠乏により頭蓋内出血を起こした13例中，合計3回投与が11例，その他1例，不明1例で，週1回投与例からの発症はなかった[5]．この報告を受けて，2021年に日本小児科学会を含む16団体が週1回の予防投与を提言した．

早産児や合併症をもつ新生児でも経口摂取が可能な場合は前述の方法に準じるが，投与量は体重に応じて減量する．呼吸障害などにより内服がむずかしい新生児には，ビタミンK製剤（レシチン含有製剤）0.5～1 mg を緩徐に静注する．

■ 文献

1) 白幡 聡：ビタミンK依存凝固因子異常．浅野茂隆，他（監），三輪血液病学．文光堂，1730-1735，2006
2) Araki S, et al.：Vitamin K deficiency bleeding in infancy. Nutrients 12：780, 2020. doi：10.3390/nu12030780
3) Shearer MJ：Vitamin K deficiency bleeding (VKDB) in early infancy. Blood Rev 23：49-59, 2009
4) 白幡 聡，他：新生児・乳児ビタミンK欠乏性出血症に対するビタミンK製剤投与の改訂ガイドライン（修正版）．日児誌 115：705-712，2011
5) 早川昌弘，森岡一朗，東海林宏道，他：新生児・乳児ビタミンK欠乏性出血症に対するビタミンK製剤投与の現状調査 日本小児科学会雑誌 125：99-101，2021

（白幡 聡）

e. 播種性血管内凝固

定義・概念

播種性血管内凝固（DIC）とは，基礎疾患の存在下に全身性かつ持続性の著しい凝固活性化をきたし，細小血管内に多発性の微小血栓を発症する重篤な病態である．微小血栓によって組織が虚血し，その結果として生じる臓器障害と，血小板・凝固因子の消費と線溶系の活性化による出血症状の相反する症状がみられる．

病因・病態

何らかの原因で組織因子（tissue factor：TF）の循環流血中への流入や出現，血管内皮細胞傷害などにより，生理的な凝固制御機構を凌駕する過凝固状態が誘導あるいは産生されると，全身の細小血管内に多発性に微小血栓が形成される．微小血栓による虚血性臓器障害，またその過程で凝固因子（フィブリノゲン，第V，VIII因子）や血小板が消費され，さらに線溶系の亢進により高度の出血傾向を呈するようになる．これらの一連の病的状態が DIC である．

DICにおける凝固活性化は共通の病態であるが，線溶系の活性化は基礎疾患により異なるため，重症感染症に代表される臓器障害が高度な線溶抑制型 DIC，急性前骨髄性白血病（acute promyelocytic leukemia：APL）に代表される出血症状が高度な線溶亢進型 DIC，その中間に属し，固形がんに代表される線

表1 ◆ DICの病型分類

病型	凝固(TAT)	線溶(PIC)	症状	D-ダイマー	PAI	代表的疾患
線溶抑制型	+++	+	臓器症状	+	+++	敗血症
線溶均衡型	++	++	初期は臓器症状，進行すると出血症状	++	++	固形腫瘍
線溶亢進型	+	+++	出血症状	+++	+	大動脈瘤 APL

TAT：トロンビン-アンチトロンビン複合体，PIC：プラスミン-α2プラスミンインヒビター複合体，PAI：プラスミノーゲンアクチベータインヒビター．
(日本血栓止血学会学術標準化委員会DIC部会：科学的根拠に基づいた感染症に伴うDIC治療のエキスパートコンセンサス．日血栓止血会誌 20：77-113，2009より引用，一部改変)

溶均衡型DICに病型分類[1]される(表1)．また，微小循環系の血管内皮細胞傷害と活性化された炎症細胞がその病態に重要な影響を与える．

疫学

全国の大学病院の内科，外科，小児科，産婦人科，集中治療部，救急部を対象とした調査[2]で，わが国におけるDIC患者数は年間約73,000人と推定された．病因は，全体的には感染症，悪性腫瘍，循環障害が主である．小児科における発生数は急性リンパ性白血病(ALL)，敗血症，呼吸器感染症，急性骨髄性白血病(AML)，膠原病の順であるが，発症頻度はAML，ALL，敗血症，新生児仮死，呼吸器感染症の順であった．新生児期においては新生児皮膚硬化症，壊死性腸炎，胎児赤芽球症，重症型先天性プロテインC欠乏症および先天性プロテインS欠乏症による電撃性紫斑病など，成人と全く異なる基礎疾患がある．

臨床徴候

DICの臨床症候は，DICの基礎疾患，病期，重症度により大きく異なるが，その主たる一般症候は，出血症状と臓器不全症状およびショックである．

1 出血症状

白血病(特にAPL)や血管病変を基礎疾患とするDICは，凝固・線溶系活性化のバランスが線溶系優位となり，重篤な出血症状を呈することが多い．血小板，凝固因子の消費に加え線溶亢進がその病態である．広範な皮下出血，注射部位あるいは創部からの出血，鼻出血，歯肉出血，血尿，性器出血などがみられる．頭蓋内出血，大量の消化管出血，肺出血は時に致死的となる．

2 臓器不全症状

敗血症などの重症感染症を基礎疾患とするDICは，線溶発現が比較的生じにくいため，形成された血栓が溶解されにくく，臓器障害を生じやすい．微小血栓による閉塞・血栓症状の結果として種々の程度の腎障害，肝障害，中枢神経障害，呼吸循環障害，皮膚障害などを生じる．

3 ショック

敗血症による重度の臓器不全症状あるいは外傷や産科的な大量出血の場合は，ショックをきたす．

診断・検査

DICの診断基準は，以前に最も使用されていた旧厚生省DIC診断基準(旧基準)をベースに2017年に作成された『日本血栓止血学会DIC診断基準2017年版』[3](表2)を用いる．旧基準からのおもな変更点は，①産科，新生児には適用しないことを銘記，②基礎疾患あるいは基礎病態ごとにDIC病態に差異が存在し，診断に有用な検査項目が異なる．そこでアルゴリズムを用いて基礎疾患や基礎病態を分別して病態別の診断基準を作成し(表3)，造血障害型では血小板数，感染症型ではフィブリノゲンのスコアを削除，③基礎疾患の点数をスコアから削除，④血小板数の経時的低下をスコアに採用，⑤DICの本態ともいえる凝固活性化を反映する分子マーカーであるトロンビン-アンチトロンビン複合体(thrombin-antithrombin complex：TAT)，可溶性フィブリン(soluble fibrin：SF)，プロトロンビンフラグメント1+2(prothrombin fragment 1+2：F1+2)をスコアに採用，⑥アンチトロンビン(antithrombin：AT)をスコアに採用，⑦肝不全症例は誤診されないような工夫，などである．

この診断基準暫定案が新生児に適応されない理由は，新生児の凝固・線溶活性は成人と大きく異なることが最大の理由である．新生児の診断基準に関しては，新生児DIC診断・治療指針作成ワーキンググループの全国調査結果による検査成績と照合して作成された『新生児DIC診断・治療指針2016年版』[4]を用いる．

D 血小板と止血・血栓の異常　2. 凝固異常

表2 ● DIC の診断基準

分類	基本型		造血障害型		感染症型	
血小板数 (×10⁴/μL)	12<	0点			12<	0点
	8<≦12	1点			8<≦12	1点
	5<≦8	2点			5<≦8	2点
	≦5	3点			≦5	3点
	24時間以内に30% 以上の減少*1	+1点			24時間以内に30% 以上の減少*1	+1点
FDP (μg/mL)	<10	0点	<10	0点	<10	0点
	10≦<20	1点	10≦<20	1点	10≦<20	1点
	20≦<40	2点	20≦<40	2点	20≦<40	2点
	40≦	3点	40≦	3点	40≦	3点
フィブリノゲン (mg/dL)	150<	0点	150<	0点		
	100<≦150	1点	100<≦150	1点		
	≦100	2点	≦100	2点		
プロトロンビン 時間比	<1.25	0点	<1.25	0点	<1.25	0点
	1.25≦<1.67	1点	1.25≦<1.67	1点	1.25≦<1.67	1点
	1.67≦	2点	1.67≦	2点	1.67≦	2点
アンチトロンビン (%)	70<	0点	70<	0点	70<	0点
	≦70	1点	≦70	1点	≦70	1点
TAT, SFないしは F1+2	基準範囲上限の2倍 未満	0点	基準範囲上限の2倍 未満	0点	基準範囲上限の2倍 未満	0点
	基準範囲上限の2倍 以上	1点	基準範囲上限の2倍 以上	1点	基準範囲上限の2倍 以上	1点
肝不全*2	あり	-3点	あり	-3点	あり	-3点
DIC 診断	6点以上		4点以上		6点以上	

FDP：フィブリン分解産物，ISI：国際感受性指標，INR：国際標準化 TAT：トロンビン-アンチトロンビン複合体，SF：可溶性フィブリン，F1+2：プロトロンビンフラグメント1+2．

*1：血小板数>5万/μL であっても，経時的低下条件を満たせば加点する(血小板数≦5万では加点しない)．血小板数の最高スコアは3点までとする．FDP を測定していない施設(D ダイマーのみ測定の施設)では，D ダイマー基準値上限2倍以上の上昇があれば1点を加える．ただし，FDP も必ず測定して結果到着後に再評価する．プロトロンビン時間比：ISI が 1.0 に近ければ，INR でもよい(ただし，DIC の診断にPT-INR の使用が推奨されるというエビデンスはない)．TAT，SF，F1+2：採血困難例やルート採血などでは偽高値で上昇することがあるため，FDP や D-ダイマーの上昇度に比較して，TAT や SF が著増している場合は再検する．即日の結果が間に合わない場合でも確認する．手術直後は DIC の有無とは関係なく，TAT，SF，FDP，D-ダイマーの上昇，AT の低下など DIC 類似のマーカー変動がみられるため，慎重に判断する．

*2：肝不全：ウイルス性，自己免疫性，薬物性，循環障害などが原因となり「正常肝ないし肝機能が正常と考えられる肝に肝障害が生じ，初発症状出現から8週以内に，高度の肝機能障害に基づいて PT 活性が 40% 以下ないしは INR 値 1.5 以上を示すもの」(急性肝不全)および慢性肝不全「肝硬変の Child-Pugh 分類 B または C(7点以上)」が相当する．
DIC が強く疑われるが本診断基準を満たさない症例であっても，医師の判断による抗凝固療法を妨げるものではないが，繰り返しての評価を必要とする．

(DIC 診断基準作成委員会：日本血栓止血学会 DIC 診断基準 2017 年版．日血栓止血会誌 28：369-391，2017 より引用)

表3 ● DIC 診断基準適用のアルゴリズム

DIC 疑い*1 (産科・新生児領域には適応しない)	→	造血障害*2	(+)→		「造血障害型」の診断基準を使用
			(−)→	感染症 (+)→	「感染症型」の診断基準を使用
				(−)→	「基本型」の診断基準を使用

*1：DIC の基礎疾患を有する場合，説明のつかない血小板数減少・フィブリノーゲン低下・FDP 上昇などの検査値異常がある場合，静脈血栓塞栓症などの血栓性疾患がある場合など．

*2：骨髄抑制・骨髄不全・末梢循環における血小板破壊や凝集など，DIC 以外にも血小板数低下の原因が存在すると判断される場合に(+)と判断．寛解状態の造血器腫瘍は(−)と判断．
基礎病態を特定できない(または複数ある)あるいは「造血障害」「感染症」のいずれにも相当しない場合は基本型を使用する．例えば，固形癌に感染症を合併し基礎病態が特定できない場合には「基本型」を用いる．肝不全では3点減じる．

(DIC 診断基準作成委員会：日本血栓止血学会 DIC 診断基準 2017 年版．日血栓止血会誌 28：369-391，2017 をもとに作成)

治療・予後

基礎疾患に対する治療は，凝固・線溶活性化の原因を断つ本質的な治療法で，最も重要である．DICにおける凝固活性化は共通の病態であり，抗凝固療法は必須の治療法である．ヘパリン・ヘパリン類，AT・トロンボモジュリン（thrombomodulin：TM）などの生理的プロテアーゼ阻害薬，合成プロテアーゼ阻害薬（serine protease inhibitor：SPI）などが使用される．SPIは抗凝固作用以外に抗線溶作用，抗補体作用を有する．抗線溶薬は一般的にDICに対して禁忌であるが，線溶活性が強く出血症状が著しい特殊な病態では抗凝固療法と併用する．濃厚血小板および新鮮凍結血漿（FFP）は，それぞれ血小板，凝固因子が欠乏し，著明な出血を呈する症例に適応される．

予後は，その基礎疾患の種類と重症度に依拠するため一概に論じることはできない．ただし，基礎疾患，出血の部位と程度，臓器障害の種類と程度，早期診断および病態に即した適切な早期治療の有無は予後に関係する．

ピットフォール・対策

凝固検査において，サンプルの不良は間違った情報を導くため，適正なサンプルを得るよう努める．抗凝固薬と採取された血液量の割合は正しいか，採取困難で凝固しかけたものではないか，長時間室温に放置されたものではないか，ヘパリンの混入はないかなどである．TAT，SF，F1+2など新たに取り入れられた分子マーカーは採血手技の影響を受けやすいため注意を要する．ただし，これらの分子マーカーが陰性の場合にはDICを除外できる点は重要である．

■ 文献

1) 日本血栓止血学会学術標準化委員会DIC部会：科学的根拠に基づいた感染症に伴うDIC治療のエキスパートコンセンサス．日血栓止血会誌 20：77-113，2009
2) 中川雅夫：本邦における播種性血管内凝固（DIC）の発症頻度・原因疾患に関する調査報告．厚生省特定疾患血液凝固異常症調査研究班　平成10年度研究報告書．厚生省特定疾患血液系疾患調査研究班血液凝固異常症分科会，57-72，1999
3) DIC診断基準作成委員会：日本血栓止血学会DIC診断基準2017年版．日血栓止血会誌 28：369-391，2017
4) 新生児DIC診断・治療指針作成ワーキンググループ（編）：新生児DIC診断・治療指針2016年版．日産婦新生児血会誌25：3-34，2016

（瀧　正志）

f. その他の後天性凝固異常症，血液凝固阻害物質

循環抗凝血素（circulating anticoagulants：CA）は，後天性の血液凝固阻害物質であり，ループスアンチコアグラント（lupus anticoagulant：LA）と凝固因子に対する自己抗体とに大別される．CAを疑った場合には，まず抗凝固薬投与や採血ラインへのヘパリン混入がないことを確認する．肥満細胞腫でもヘパリンが分泌されて同様の病態となるため，皮疹がないことを確認する．

ループスアンチコアグラント

LAは，個々の凝固因子活性を阻害することなく，リン脂質依存性血液凝固反応を阻害する免疫グロブリンである．抗カルジオリピンβ2GPI抗体（anti cardiolipin-β2 glycoprotein 1：aCL-β2GPI），ホスファチジルセリン依存性抗プロトロンビン抗体（phosphatidylserine dependent antiprothrombin antibodies：aPS/PT），抗カルジオリピンIgG（anti cardiolipin-IgG：aCL-IgG）抗体とともに抗リン脂質抗体の1つであり，血栓症状に強く関与する．自己免疫疾患，リンパ性血液腫瘍，悪性腫瘍，感染症などでも検出されるが，基礎疾患のない場合もある．LAは，活性化部分トロンボプラスチン時間（APTT）と希釈ラッセル蛇毒時間（dilute Russell's viper venom time：dRVVT）の両系においてスクリーニング検査を行い，陽性となった測定系で補正試験，確認試験を行い判定する．小児では感染症に合併して一過性にaCL-IgG，LAが検出されることがあるが，無症状のことが多い．ただし，低プロトロンビンを合併した低プロトロンビン-ループスアンチコアグラント症候群では，出血傾向を認めるので注意を要する．

後天性血友病

定義・概念

後天性血友病A（acquired hemophilia A）[1]は，後天的に凝固第VIII因子に対する自己抗体が出現して第VIII因子活性（factor VIII activity：FVIII：C）が著しく低下するため，突発的に出血症状を呈する難治性の自己免疫疾患である．第IX因子に対する自己抗体による後天性血友病Bも海外では報告されている

が，頻度はきわめて低い．

病因・病態

自己抗体の発生機序は不明な点が多い．基礎疾患あるいは加齢による免疫機構の破綻が発症に関連すると考えられている[2]．基礎疾患は全身性エリテマトーデス（SLE）や関節リウマチ，皮膚筋炎などの自己免疫疾患，腫瘍性疾患，妊娠・分娩，薬剤のほか，天疱瘡などの皮膚疾患などである．インヒビターが検出された場合は，自己免疫疾患や悪性腫瘍の存在を疑う．

疫学

近年報告数が増加しており，最近の英国の調査では年間100万人に対して1.48人の発症と報告された[2]．男女比はわが国の調査では1：0.9で[3]，発症年齢は12〜85歳（中央値70歳）と幅広いが，50歳以上が約90％を占める．また，20〜30歳代の分娩後発症のピークが認められ，高齢者とともに2峰性の年齢分布をとる．

臨床徴候

突然，広範囲に及ぶ皮下・筋肉内出血で発症することが多く，輸血を必要とする例もまれではない．関節内出血は比較的少ない．わが国の調査[3]で，腹腔内出血や頭蓋内出血などの重篤な出血も11％報告されている．

診断・検査

出血傾向の家族歴および既往歴がなく，突然の出血症状を認め，凝固検査でAPTTが延長し，FVIII：Cの低下と第VIII因子に対するインヒビターが検出されることにより診断される．さらに，von Willebrand因子（VWF）の低下がないことを確認し，LAの存在を否定する．すぐにFVIII：Cや第VIII因子インヒビターの結果が得られない場合には，APTTクロスミキシング試験を行う．この試験は被検血漿に正常血漿を各種比率で混合し，混和直後と37℃2時間孵置後にAPTTを測定する方法である．先天性血友病などの凝固因子欠乏症では正常血漿の添加によりAPTT延長は補正されるが，第VIII因子に対するインヒビターやLAではAPTT延長は補正されない．第VIII因子に対するインヒビターは遅延型で，混和直後では阻害効果は弱いが，37℃2時間孵置後に阻害効果が明瞭になる．LAは混和直後から阻害効果がみられる即時型である．

治療

出血症状を改善するための止血治療と，インヒビターを消失させるための免疫抑制療法を行う．

1 止血治療

生命予後に直結する臓器出血や貧血を伴う軟部出血には，速やかに止血治療を開始する．止血治療は遺伝子組換え活性型第VII因子製剤（rFVIIa），活性型プロトロンビン複合体製剤（APCC），乾燥濃縮人血液凝固第X因子加活性化第VII因子（FX/FVIIa）が用いられる．通常rFVIIaは90〜120 µg/kgを2〜3時間ごとに投与し，APCCでは50〜100 IU/kgを8〜12時間ごとに投与する．FX/FVIIaは，2014年にわが国でのみ使用可能となったが，実臨床における使用成績に関する報告は少ないのが現状である．活性化人血液凝固第VII因子として60〜120 µg/kgを投与し，追加投与は8時間以上の間隔を空けて行い，初回投与の用量と合わせて180 µg/kgを超えないようにする．

2 免疫抑制療法

診断後直ちに免疫抑制療法を開始する．プレドニゾロン（prednisolone：PSL）の単独投与が基本であり，初期投与量は原則1 mg/kg/日である．より強力な免疫抑制が必要であり，かつ患者が忍容できると判断される場合にはPSLとシクロホスファミド（cyclophosphamide：CPA）の併用を考慮する．CPAは50〜100 mg/日の経口投与を基本とする．ただし，妊娠中あるいは妊娠の可能性のある女性にはCPAの使用を避ける．免疫抑制療法の効果判定は，インヒビター力価の低下を最も重視する．治療開始後，順調にインヒビター力価が低下する場合には適宜投与量を漸減するが，4〜6週経過してもインヒビター力価が低下しない場合には，シクロスポリン，アザチオプリン，リツキシマブなどのほかの免疫抑制薬を考慮する．

予後

死亡率は25％との報告もあり[3]，本症の生命予後は決して良好とはいえない．特に発症早期の死亡が多く，死因の多くは重篤な出血と重症感染症である．免疫抑制療法中は免疫機能を十分に評価しながら，感染症の予防ならびに早期発見に努める．治療終了後の再燃率は欧米の報告では約20％，わが国での調査では7.5％と報告されており[3]，寛解後も長期にわたる慎重なフォローアップが必要である．

その他の後天性凝固異常症[4]

単一の凝固因子を標的とする自己抗体が後天性に出現するが，頻度は第VIII因子に対するインヒビターが圧倒的に多く，次いでVWF，第V因子，そのほかはきわめてまれであるが，プロトロンビン，第XI因子，第XIII因子などの報告もある．

後天性 von Willebrand 病[5]は，VWFに対する自己抗体により発症するタイプとVWFのクリアランスの増加など非免疫的な機序で発症するタイプがあり，ともに皮膚粘膜の出血症状が主体である．前者は高齢者に多く，男女差はなく，リンパ増殖性疾患，骨髄増殖性疾患，悪性腫瘍および自己免疫疾患でみられる．後者は先天性心疾患，弁膜症を基礎疾患とする．出血時間，APTTの診断的価値は低い．第VIII因子活性は約60％の症例で低下する．VWF抗原は低下例が多いが，正常な症例もある．リストセチンコファクター活性やコラーゲン結合能などのVWF機能測定がより有用である．インヒビターの検出は，正常血漿と患者血漿を混合して残存VWF活性の低下を測定する方法が行われるが，感度は低い．ELISA法による検出が研究室では行われる．治療はDDAVPあるいは第VIII因子/VWF複合体製剤を用いる．抗体を駆逐する治療として，ステロイドや免疫抑制薬，γ-グロブリン製剤などが使用される．

第V因子(FV)インヒビターは外科手術後，β-ラクタム系抗菌薬，輸血，悪性腫瘍，結核，自己免疫疾患に関連して発生するが，外科処置時に止血目的で使用したフィブリン糊やウシトロンビン製剤に混入したウシFVに対して産生された抗体がヒトFVと交差反応した症例報告も多い．FVインヒビター症例では，PTとAPTTの延長を認め，無症状から大出血まで出血の程度はさまざまであり，まれに血栓傾向を示すこともある．治療は出血に対する止血療法と，原因となっている自己免疫反応の抑制を並行し行う．止血療法は，血小板のα顆粒に第V因子が含まれているため血小板輸血が有効である．インヒビターが自然消失しない場合には，PSL 1 mg/kgを中心とした免疫抑制療法が必要となる．

第XIII因子(FXIII)インヒビターはSLEや関節リウマチなどの自己免疫疾患やペニシリンなどの抗菌薬，本態性M蛋白血症(monoclonal gammopathy of undetermined significance：MGUS)に関連して発生するまれな疾患であり，FXIIIのAサブユニットに対する自己抗体の出現がおもな原因である．先天性のFXIII欠乏症と同様に，PTやAPTTは正常であるため，診断はFXIIIの低下を見出すことから始まる．滲出性の出血や軟部組織の出血が特徴であり，出血症状に対してはFXIII製剤の輸注が，インヒビターを消失させるためにはPSLが有効である．

■文献

1) 後天性血友病A診療ガイドライン作成委員会：後天性血友病A診療ガイドライン．日血栓止血会誌22：295-322，2011
2) Collins PW, et al.：Acquired hemophilia A in the United Kingdom：a 2-year national surveillance study by the United Kingdom Haemophilia Centre Doctors' Organisation. Blood 109：1870-1877, 2007
3) 田中一郎，他：わが国における後天性凝固因子インヒビターの実態に関する3年間の継続調査—予後因子に関する検討—．日血栓止血会誌19：140-153，2008
4) Collins PW, et al.：Diagnosis and management of acquired coagulation inhibitors：a guideline from UKHCDO. Br J Haematol 162：758-773, 2013
5) 嶋 緑倫：後天性血友病・後天性 von Willebrand 病の診断と治療．日本血栓止血学会編集委員会(編)，わかりやすい血栓と止血の臨床．南江堂，91-95，2011

(長江千愛)

第1章 血液・造血器疾患
D 血小板と止血・血栓の異常
3 血栓症と血栓性素因

a. 遺伝性血栓症（栓友病）

定義と概念

血栓症とは，止血機構が過剰に作動することにより病的血栓が形成され，組織・臓器の血液循環が障害される多元病である．血栓塞栓を起こしやすい体質に誘因が加わって発症する．血栓症を起こす単一遺伝子病が「栓友病（thrombophilia）」であるが，未発症者は「血栓性素因」とよぶのが適切である[1]．

病因・病態

血管壁，血流の変化と凝血能が相互に作用して，血栓が形成される．動脈血栓には血管壁の変化が，静脈血栓には凝血能がおもに関与する．血栓性素因のあるおもな遺伝病を表1に示す．

抗凝固因子であるプロテインC（PC），プロテインS（PS）およびアンチトロンビン（AT）異常は，血栓発症リスクが最も高い．PCは肝臓で合成されるビタミンK依存性抗凝固因子で，トロンボモジュリン（thrombomodulin：TM）とトロンビンの作用により活性化PCとなる．活性化PCはPSを補酵素に，凝固第Va および VIIIa 因子を選択的に賦活化し，またプラスミノーゲンアクチベーターインヒビター1（PAI-1）を不活化して抗凝固作用をもたらす．活性化PCには抗炎症や細胞保護作用がある．PSもビタミンK依存性抗凝固因子で，肝と血管内皮で産生され，血小板顆粒にも存在する．活性化PCの補酵素として，また単独でも第VaとXa因子を不活化し，抗凝固因子として働く．約60％は補体C4結合蛋白と結合し，約40％が遊離型で補酵素活性をもつ．ATはトロンビン，第IXa・第Xa・第XIa・第XIIa因子などのセリンプロテアーゼに対する阻害因子で，肝にて合成される．PC欠損症は抗原量・活性ともに低下するtypeIと，抗原量は正常で活性のみ低下するtypeIIに分類される．PS欠損症は全抗原量，遊離型抗原量，活性ともに低下するtypeIと，活性のみ低下するtypeII，遊離抗原量のみ低下するtypeIIIに分類される．AT欠損症は抗原量・活性ともに低下するtypeI，AT活性のみ低下するtypeII（RS：

表1 ◆ 血栓性素因のあるおもな遺伝病*

凝固因子とその制御因子の異常
プロテインC欠損症，プロテインS欠損症，アンチトロンビン欠損症，FVLeiden（G1691A, Nara），プロトロンビン変異（G20210A, Yukuhashi），ADAMTS13異常症，FXII欠損症，フィブリノゲン

異常症など
高FVIII血症，高FIX血症，高FXI血症，高TAFI血症，低TFPI血症

代謝疾患など
高ホモシステイン血症（cystathionineβ合成酵素欠乏症，MTHFR欠乏症，MTHFR C677Tなどの葉酸代謝異常），Marfan症候群，Fabry病，IL-1受容体欠損症など

＊：全身性に血栓症を起こしやすい素因であり，脳血栓，冠動脈血栓など狭義（局所）の血栓症は含めない．
TAFI：thrombin-activatable fibrinolysis inhibitor, TFPI：tissue factor pathway inhibitor.

活性部位の異常，HBS：ヘパリン結合部位の異常，PE：両方の異常）に分類される．欧米人に多いFV Leidenやプロトロンビン変異G20210Aは日本人には見つからないが，活性化PC抵抗性を示すFV Nara[1]やAT抵抗性を示すFII Yukuhashi[2]がある．PC，PSおよびAT欠損症は，常染色体顕性（優性）遺伝病で，各蛋白をコードする遺伝子は*PROC*（染色体2q13～q14に局在），*PROS1*（3q11.2）および*SERPINC1*（1q23～25）である．両アレル変異は新生児電撃性紫斑病を起こす．活性低下を示すヘテロ変異保有者は，思春期頃から深部静脈血栓症や肺血栓塞栓症などの静脈血栓塞栓症を発症する．プラスミノーゲン異常症，FXII欠損症およびトロンボモジュリン（trombomodulin：TM）異常症の血栓性素因は確立していない．

*ADAMTS*遺伝子異常によりADAMTS活性が著減し，TTP（Upshaw-Shulman症候群）を発症する．高ホモシステイン血症は，活性酸素による内皮傷害から動脈血栓を起こす．メチレンテトラヒドロ葉酸還元酵素遺伝子多型（methylenetetrahydrofolate reductase C677T：MTHFR C677T）も脳梗塞を起こす．小児の

発作性夜間血色素尿症はきわめてまれで，血栓症も通常みられない．

疫学

全国調査から，20歳未満での遺伝性血栓症の発症は年間10例以上と推定される．その70％は3大因子欠損症（PC異常45％，PS異常15％，AT異常10％）で，成人静脈血栓塞栓症の内訳（PS異常40％，PC異常20％，AT異常10％）と異なる[2]．日本人における先天性PS欠損症の頻度は1.12％で，欧米0.03〜0.13％より高く，PS-Tokushima多型などが多いためと考えられる．新生児・乳児の遺伝性血栓症患者はPC欠損症が多い．先天性PC欠損症の発症は人口約10万人に1人とされるが，PROCヘテロ変異を有する日本人は620人に1人と推定される．ATヘテロ変異保有者の頻度は0.1〜0.3％と3大因子欠損症のうち最も低い．

臨床徴候

小児の血栓症は新生児期に最も多く，次いで思春期である．新生児から乳児期に多い重症PC欠損症は，生後1か月以内に頭蓋内出血および梗塞か，電撃性紫斑病を発症する．その2/3は両者を合併し，頭蓋内病変が先行する．胎児期の脳室拡大から先天性水頭症と診断される例，偶然に眼病変で見つかる例などがある．脳静脈洞血栓症，硝子体出血，腎不全もPC欠損症を疑う症候である．子宮内発育遅延はまれで，多くは正期産児である．思春期発症例はPS欠損症が多く，成人型の深部静脈血栓症や肺血栓塞栓症などの発症様式をとる．小児血栓症全体に占める遺伝性PC，PS，AT欠損症は，5〜10％と想定される．小児悪性腫瘍治療中の血栓に及ぼす遺伝素因の関与は高くない．中心静脈カテーテルは新生児血栓症の誘因であるが，Hodgkin病の年長児でも注意したい．

診断・検査

PC，PS，AT濃度は年齢とともに上昇する．AT濃度は学童期まで，PCは成人までに上昇する．PSはfree PSが活性を示す．新生児期はCb4-binding protein（C4BP）値が低くfree PS濃度が相対的に高い．抗凝固因子のうち最も成人域への到達が遅れるのがPCで，個人差も大きい．PC濃度にはASE（age-related stability element）や内皮PC受容体（endothelial protein C receptor：EPCR）多型が関与する．測定法（amidolytic法・clotting法など）やビタミンK欠乏の影響

表2 ◆ 各因子活性の年齢別下限値（成人の下限値に対する割合）

年齢	PC	PS	AT
0日〜89日	60％	60％	65％
90日〜3歳未満	85％	85％	65％
3〜7歳未満	85％	85％	85％
7〜18歳未満	100％	100％	100％

(Ichiyama M, et al.：Age-specific onset and distribution of the natural anticoagulant deficiency in pediatric thromboembolism. Pediatr Res 79：81-86, 2016 より引用，改変)

に注意する．各因子を同時測定し，活性乖離から欠損症を推測する．成人ではPS/AT活性比が遺伝性PS欠損症の，小児ではPC/PS活性比が遺伝性PC欠損症のスクリーニングに用いられる．3か月未満児に血漿PC活性値のみでの診断はむずかしい．遺伝子診断を考慮する年齢別活性下限値を表2に示す[3]．

治療と予後

急性期治療は，血栓溶解，抗凝固と補充療法であるが，それ以降の治療管理が必要である．初回の場合は，年齢に応じた抗凝固療法により再発を予防する．抗凝固因子欠損症に対する濃厚血小板と新鮮凍結血漿による補充療法の必要性は，特に新生児・乳児で高い．生理的止血効果を期待するには凝固因子活性20〜30％は必要である．国内ではAT製剤と活性化PC製剤（アナクト®）が使用可能であるが，PSの濃縮因子製剤はない．

小児血栓症のうち，遺伝性あるいは原因不明の再発例にはワルファリンカリウム（ワーファリン®）の長期投与が必要となる．PC欠乏がある場合，奇異性血栓症に注意して少量から開始しプロトロンビン時間国際標準比（PT-INR）をモニターする．ワルファリンは骨と成長への影響にも注意する．ワルファリン過剰のカウンターに用いられる乾燥人血液凝固第IX因子複合体（PPSB-HT®）のPC濃度は高いが，PC欠損症に対する保険適用はない．海外では，Ceprotinが補充療法に使用されている．静脈血栓塞栓症の治療および再発抑制に直接経口抗凝固薬のリバーロキサバン（イグザレルト®）は小児にも保険適用となったが，遺伝性血栓性素因のある小児への使用法は確立していない．

ピットフォール・対策

新生児から乳児期早期にはPC欠損症を，それ以降はPS欠損症とAT欠損症を念頭におき，活性値から遺伝子診断を進める．ワルファリン投与後はPC

およびPS活性値から診断できないので注意する．小児血栓症では補充療法を十分に行う．

■ 文献
1) 大賀正一, 他：早発型血栓症の遺伝性素因―診断と治療管理の課題. 臨床血液 61：1373-1381, 2020
2) Ishiguro A, et al.：Pediatric thromboembolism：a national survey in Japan. Int J Hematol 105：52-58, 2017
3) Ichiyama M, et al.：Age-specific onset and distribution of the natural anticoagulant deficiency in pediatric thromboembolism. Pediatr Res 79：81-86, 2016

（大賀正一）

b. 後天性血栓性疾患

血栓性微小血管症

定義・概念

血栓性微小血管症（thrombotic microangiopathy：TMA）は，①細血管障害性溶血性貧血（microangiopathic hemolytic anemia：HMA），②消費性血小板減少，③微小血管内血小板血栓による臓器機能障害の3主徴を呈する疾患群である[1]．代表的な疾患としては，血栓性血小板減少性紫斑病（thrombotic thrombocytopenic purpura：TTP）と溶血性尿毒性症候群（hemolytic uremic syndrome：HUS）がある．以前は病態が不明確で臨床徴候から診断・治療が行われてきたが，病因・病態の解明が進み，現在では原因不明のHMAと血小板減少がある場合にTMAを疑い，図1に示すように診断・鑑別する．分類は表1のような病因ごとの分類が推奨されている[1]．

血栓性血小板減少性紫斑病

後天性TTP

病因・病態

血管内皮細胞から放出直後のvon Willebrand因子（VWF）は，超高分子量VWF重合体（unusually large VWF multimers：UL-VWFM）であり，血小板結合能が高く血栓を形成しやすい．おもに肝で産生されるADAMTS13（a disintegrin-like and metalloproteinase with thrombospondin type 1 motifs 13）は，血中に分泌されたUL-VWFMを直ちに切断する酵素である．TTPは，ADAMTS13活性が著減することでUL-VWFMが血中に残存し，ずり応力（血流がある状態

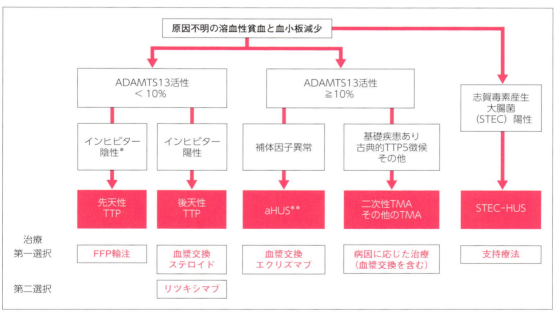

図1 ◆ TMAの診断と治療
*インヒビター陰性であっても，ADAMTS13結合抗体陽性の後天性TTPが存在する．**atypical HUS：一部凝固関連遺伝子異常も含まれる．
（厚生労働科学研究費補助金（難治性疾患政策研究事業）血液凝固異常症等に関する研究班：血栓性血小板減少性紫斑病（TTP）診療ガイド2020より引用，改変）

表1 ◆ 病因による TMA の分類と臨床診断

病因による分類	病因	原因	臨床診断	臨床診断に重要な所見
ADAMTS13 欠損 TMA	ADAMTS13 活性著減	ADAMTS13 遺伝子異常	先天性 TTP（Upshaw-Schulman 症候群）	ADAMTS13 遺伝子異常
		ADAMTS13 に対する自己抗体	後天性 TTP	ADAMTS13 活性著減，ADAMTS13 自己抗体あり
感染症合併 TMA	感染症	志賀毒素産生大腸菌（STEC）（O157 大腸菌など）	STEC-HUS	血液や便検査で STEC 感染を証明
		肺炎球菌（ニューラミダーゼ分泌）	肺炎球菌 HUS	肺炎球菌感染の証明
補体関連 TMA	補体系の障害	遺伝的な補体因子異常（H因子，I因子，MCP，C3，B因子）	Atypical HUS	補体因子遺伝子異常 C3 低値，C4 正常（これらは全例で認めるわけではない）
		抗 H 因子抗体		抗 H 因子抗体の証明
凝固関連 TMA	凝固系の異常	diacyglycerol kinase ε（DGKE）THBD*1 遺伝子異常	Atypical HUS*2	遺伝子異常の証明
二次性 TMA	病因不明	自己免疫疾患	膠原病関連 TMA など	SLE，強皮症などの膠原病が多い
		造血細胞移植	造血幹細胞移植後 TMA	血小板輸血不応，溶血の存在（ハプトグロビン低値など）
		臓器移植（腎臓移植，肝臓移植など）	臓器移植後 TMA	原因不明の血小板減少と溶血の存在（ハプトグロビン低値など）
		悪性腫瘍	悪性腫瘍関連 TMA	悪性リンパ腫，胃がん，膵がんなどに多い
		妊娠	妊娠関連 TMA，HELLP 症候群	HELLP 症候群は妊娠 30 週以降に発症し，高血圧を合併することが多い
		薬剤（マイトマイシンなど）	薬剤性 TMA	薬剤使用歴
その他の TMA	病因不明	その他	TTP 類縁疾患など	TTP の古典的 5 徴候の存在など

TMA：thrombotic microangiopathy，TTP：thrombotic thrombocytopenic purpura，HUS：hemolytic uremic syndrome，SLE：systemic lupus erythematosus，THBD：thrombomodulin，HELLP 症候群：hemolysis, elevated liver enzymes, and low platelets 症候群．
（厚生労働科学研究費補助金（難治性疾患政策研究事業）血液凝固異常症等に関する研究班：血栓性血小板減少性紫斑病（TTP）診療ガイド 2020 より引用，*1：THBD の遺伝子変異は補体系にも関与する3）／*2：日本腎臓学会・日本小児科学会合同「非典型溶血性尿毒症症候群診断基準作成委員会」：非典型溶血性尿毒症症候群（aHUS）診療ガイドを参考に改変）

で血液の粘性により生じる血管壁に平行な応力）の高い微小血管内で構造変化を受けて血小板血栓を形成する．これが臓器の流入血管に起こると臓器障害を呈する．後天性 TTP は，ADAMTS13 に対する自己抗体により ADAMTS13 活性が低下し発症する．

疫学

ADAMTS13 活性で診断した場合の頻度は不明で，臨床所見で診断していたころは，TTP の発症頻度は年間 100 万人あたり 4〜11 人と報告されていた．ADAMTS13 活性 5％未満で診断したわが国の 186 例の解析では，発症年齢は月齢 8〜87 歳（中央値 54 歳）で，20 歳未満は 17 例であった．

臨床徴候

古典的 5 徴候は，①血小板減少，②HMA，③腎機能障害，④動揺性精神神経症状，⑤発熱であるが，すべて揃うのは進行期である．腎障害は血清クレアチニン 2.0 mg/dL 未満が多い[1]．精神神経症状は多彩であり，改善と増悪，部位移動など動揺性がある．

診断・検査

血小板減少と HMA を認めた段階で TMA を早期診断し，鑑別，治療に結びつけることが重要である．血小板減少は 10 万/μL 未満が基準であるが，TTP では 1〜3 万/μL が多い[1]．HMA は，破砕赤血球の出

現，間接ビリルビンやLDHの上昇，網赤血球の増多，ハプトグロビンの著減など溶血が明らかなこと，直接Coombs試験が陰性であることで判断する．破砕赤血球はみられないことがあり，重要視しすぎてはならない．TMAを疑った場合，ADAMTS13活性，ADAMTS13インヒビターを測定し，特に小児の場合は志賀毒素を産生する病原性大腸菌(Shiga-toxin producing *Escherichia coli*：STEC)感染を検索し鑑別を行う[2]．また，腎障害が重篤な場合はHUSの可能性を考慮する[1]．ADAMTS13活性10％未満でADAMTS13に対する自己抗体が確認できれば，後天性TTPの診断が確定する．自己抗体は*in vitro*で活性を阻害するインヒビターのみでなく，研究室レベルでしか検査できない結合抗体もあることに注意する．全身性エリテマトーデス(systemic lupus erythematosus：SLE)などの基礎疾患や，チクロピジンなど薬剤性のものを後天性二次性TTP，それ以外を後天性原発性TTPと分類する．

治療・予後

後天性TTPに対する治療の第1選択は，新鮮凍結血漿を置換液とした血漿交換(plasma exchange：PE)療法である．有効である理由として，①ADAMTS13の補充，②ADAMTS13インヒビターの除去，③UL-VWFMの除去が考えられる．1日1回連日試行し，開始後1ヵ月を限度として，血小板数が15万/μL以上になってから2日後まで継続する[1]．また，抗体産生抑制を目的にステロイド療法▲も併用されることが多い．再発例や難治例にはリツキシマブの投与を検討する．後天性二次性TTPでは基礎疾患の治療，原因薬剤の中止も行う．赤血球輸血は，心疾患ありでHb 8.0 g/dL，なしでHb 7.0 g/dLをトリガーとする．血小板輸血は血栓症増悪の危険があるため，重篤な出血時以外は禁忌である．無治療の場合は致死率90％以上であったが，PE導入後は約80％の生存率が得られている．

志賀毒素産生腸管出血性大腸菌関連(STEC-)HUS

概念・疫学

TMAのうちSTEC感染によるものである．6か月以上の乳幼児に多く，わが国で年間80～100人のSTEC-HUSが報告されている．STECの血清型はO157が多いが，他の血清型の割合が増えている[2]．

病因・病態

STECが産生する志賀毒素は，消化管上皮より体循環に入り，血小板，多核白血球，単球，赤血球と結合した状態で，血管内皮細胞上に受容体を発現する腎，脳，心，膵に至る．その後，血管内皮細胞に取り込まれ，小胞体で蛋白合成を阻害し，血管内皮細胞傷害を惹起してTMAを発症する．

臨床徴候・診断

TMAでSTEC感染が確認できれば診断できる．3徴候は，①HMA，②血小板減少，③腎機能障害である．前駆症状として出血性下痢があることが多い．小児のTMAの多くはSTEC-HUSであり，STEC感染の確認は必須である[2]．STECの便中排泄は下痢発症後数日で，早期の便検体提出が重要である．便で同定できない場合は，抗リポポリサッカライド抗体(抗LPS抗体)のペア血清診断が有用である．O157以外では通常の検査で同定できない場合があり，衛生研究所などへの検体提出を考慮する．

治療・予後

治療の基本は体液管理などの支持療法である．HUS発症後は水分出納，電解質，血圧の管理を厳密に行う．腎機能障害が進行する場合，腎代替療法の適応となる．血小板輸血はTTPと同様で重篤な出血時などに限る．

非典型HUS

概念・疫学

従来，非典型HUS(atypical HUS：aHUS)は，STEC-HUSとTTPを除外したTMAすべてを指していたが，補体関連因子異常によるTMAのみを指すようになった[3]．約90％は遺伝子異常で先天性であるが本項に記載する．わが国では1998年～2016年に118例が診断され，発症年齢は月齢3～84歳(中央値6歳)で，18歳未満は65％だった[3]．

病因・病態

補体第二経路の異常活性化により，血管内皮細胞や血小板の活性化，好中球や単球の遊走が起こり，炎症と血栓症が進行する．補体抑制因子の機能喪失変異には*CFH*，*CFI*，*CD46*，*THBD*の変異，活性化因子の機能獲得変異として*CFB*，*C3*の変異がある．そのほかに補体制御因子H因子に対する自己抗体，

凝固関連因子の *DGKE* 変異などがある[4]．

臨床徴候・診断・検査・治療・予後

HUSの3主徴を認めることが多い．そのほかに中枢神経症状，心不全，呼吸器障害などがあり，虚血性腸炎による下痢を呈することもある．

検査ではC3低値，C4正常が補体第二経路活性化を示唆するが，C3正常の例も約半数にみられる．確定診断には原因遺伝子検査，抗H因子抗体の確認が必要であるが，約40％ではこれらの検査で病因を特定できない．わが国ではC3変異，抗H因子抗体が多い．確定診断が難しいため，疑い例にはaHUSの全国調査研究班でヒツジ赤血球溶血検査(*CFH*変異，抗H因子抗体例で有用)，抗H因子抗体検査，遺伝子検査を行っている[4]．治療は診断後早期にC5に対するモノクローナル抗体であるエクリズマブが推奨されている．抗H因子抗体例ではPEに免疫抑制療法を併用する．わが国の予後は海外より良好で，総死亡率は5.4％，腎死亡率は15％[3]であり，エクリズマブ導入でさらなる改善が期待される．

抗リン脂質抗体症候群

概念・疫学・病因・病態

抗リン脂質抗体症候群(antiphospholipid syndrome：APS)は，抗リン脂質抗体(antiphospholipid antibodies：aPL)を介して，動・静脈血栓症や習慣性流死産などを発症する自己免疫疾患である．aPLは，リン脂質(カルジオリピン，ホスファチジルセリンなど)やリン脂質結合蛋白($\beta 2$-グリコプロテインI，プロトロンビンなど)に対する自己抗体，リン脂質依存性凝固反応を阻害する免疫グロブリン(lupus anticoagulant：LA)などの総称である．基礎疾患を伴うものを続発性APS，伴わないものを原発性APSという．18歳未満で発症したものが小児APSで，38〜50％が原発性APSであり，成人(原発性50％以上)と比較して続発性が多い．正確な罹患率は不明で，成人の男女比が1：5であるのに対して小児では1：1.2と男女差が少ない．他の自己免疫疾患同様，他因子疾患と考えられており，HLA-DR，DQの関連が報告されている[5]．aPLは，血管内皮細胞や血小板，凝固因子，補体の活性化やプロテインC抑制などに関与し，血栓形成を促進すると考えられているが，正確な機序に関しては不明な点が多い．

臨床徴候・診断・検査

小児APSの血栓症としては，下肢深部静脈血栓症が最多であり，動脈血栓症(脳虚血が多い)，細血管の血栓症と続く．小児期に血栓症を発症した場合は先天性血栓素因と本症を鑑別する．また，頻度は1％未満であるが，全身の血栓症による多臓器障害を急激にきたし，予後が不良な劇症型APS(catastrophic APS：CAPS)が初発症状のこともある．小児APSの非血栓症状では，Evans症候群，血小板減少，溶血性貧血，網状皮斑，偏頭痛が多いと報告されている[5]．血栓傾向ではなく出血傾向をきたすLA陽性低プロトロンビン血症(抗プロトロンビン抗体による)も小児に多い．

診断は現時点では成人の診断基準であるSydney改変Sapporo Criteria(臨床基準：血栓症や妊娠合併症，検査基準：12週以上の間隔をあけて2回以上aPL陽性を両方満たすこと)を参考に診断する．

aPLは，①LA，②中等度以上の力価のIgGまたはIgM型の抗カルジオリピン抗体，③中等度以上のIgGまたはIgM型の抗$\beta 2$-グリコプロテインI抗体のいずれか1項目以上とされている．aPLは，小児では感染症罹患後に一過性に陽性になることも多く，再検が特に重要である．なお，2020年に同時に②と③を測定できる検査法が保険適用になった．小児は妊娠，血栓のリスク因子(喫煙や高血圧など)が少なく，臨床基準を満たさない疑い例が多く，小児に特化した診断基準の策定が望まれる．小児の続発性APSの基礎疾患はSLEが大多数で，SLEを念頭においた問診・診察・検査を行う．

治療・予後

血栓症の急性期はヘパリン療法が行われている．再発予防のため，動脈血栓症に対して抗血小板療法が，静脈血栓症に対してワルファリン投与が行われている．小児APSの治療・予後に関するエビデンスは少なく，今後の解明が必要である．

■ 文献

1) 厚生労働科学研究費補助金(難治性疾患政策研究事業)血液凝固異常症等に関する研究班：血栓性血小板減少性紫斑病(TTP)診療ガイド2020 https://www.naramed-u.ac.jp/~trans/news/pdf/ttp.pdf〔2021年3月11日アクセス〕
2) 芦田　明：志賀毒素産生腸管出血性大腸菌関連溶血性尿毒症症候群(STEC-HUS)．血栓止血誌 31：37-44，2020
3) 加藤規利，他：aHUSの病態と臨床．日血栓止血会誌 31：45-54，2020
4) 日本腎臓学会・日本小児科学会合同「非典型溶血性尿毒症症候

群診断基準作成委員会」：非典型溶血性尿毒症症候群（aHUS）診療ガイド，2013
https://jsn.or.jp/guideline/pdf/ahus_2016-2.pdf〔2021年3月11日アクセス〕
5) Wincup C, et al.：The Differences Between Childhood and Adult Onset Antiphospholipid Syndrome. Front Pediatr 6：362, 2018

（白山理恵，岡　敏明）

c. 薬剤/感染症関連の後天性血栓症

薬剤や感染症に関連した血栓症として血栓性血小板減少性紫斑病（TTP）や非典型溶血性尿毒症症候群（HUS）もよく知られているが，これらに関しては前項で解説している．本項では薬剤関連の血栓症としてL-アスパラギナーゼ（L-Asp）に起因する血栓症およびヘパリン起因性血小板減少症について，感染症関連の血栓症として敗血症に合併するDICについて解説する．

L-アスパラギナーゼに起因する血栓症

定義・概念

L-Aspの投与により発症する血栓症である．

病因・病態

L-Aspの投与によりアスパラギンが欠乏し肝臓での蛋白合成が阻害されるため，各種血液凝固因子やアンチトロンビン（AT），プロテインC，プラスミノーゲンなどの凝固制御因子が減少する．各因子の減少や回復時期の差異によりバランスが破綻し静脈血栓を発症する．危険因子としてステロイドの併用，血栓症の遺伝学的素因，中心静脈カテーテルの存在などが報告されている[1]．血栓症の遺伝学的素因として日本人ではプロテインS/C異常が多い．

疫学

血栓症の発症率は全体で5％前後，中枢神経系で3％前後との報告がある．

臨床徴候

血栓症の発症部位は，約半数が中枢神経系（脳静脈・静脈洞血栓症），残りは深部静脈や中心静脈カテーテル関連であり，脳静脈血栓症では頭痛の他に，片麻痺，失語，意識障害やけいれんなどの症状を認める．深部静脈血栓症では患肢の腫脹，疼痛，しびれ，発赤，熱感などを認める．そのほかに無症状で何らかの画像検査に伴い偶然発見されることも少なくない．

診断・検査

症状のある部位に応じて造影CTやMRI，超音波検査などの画像検査を行い，血栓の存在を同定する．脳静脈洞血栓症ではCTによりempty delta signとよばれる造影欠損像がみられ，MRIでは血栓が認められる他に2次的に発症する梗塞像の同定を行うことができる．深部静脈血栓症では超音波検査や造影CTが有用である．

治療・予後

出血の合併がない場合は，低分子ヘパリン，ヘパリンなどによる抗凝固療法を行う．アンチトロンビン（AT）低下を伴っていれば補充を行う．脳静脈血栓症の場合，血栓部位による症状と重篤度により追加治療が必要な場合がある．脳静脈血栓症の合併がなければ予後は良好である．わが国では保険適用外だが，寛解導入期の低分子ヘパリンの予防投与が血栓症の発症リスクを低下させることが示されている[2]．

ピットフォール・対策

血栓症の多くは寛解導入期，特にL-Asp投与終了後から骨髄回復期にかけてフィブリノゲンなどの凝固因子がATなどの凝固阻止因子より早く回復し過凝固傾向になる時期に発症する．血栓症後のL-Asp再投与は禁忌ではない．

ヘパリン起因性血小板減少症

定義・概念

ヘパリン起因性血小板減少症（heparin-induced thrombnocytopenia：HIT）は，ヘパリン療法のまれな合併症であり，1型と2型に分類される．1型HITは，ヘパリンの物理化学的性状による血小板凝集増強で発症し血栓症を伴わず，血小板数は自然回復する．臨床上は免疫学的機序で発症する2型が重要である．

病因・病態

術後や血栓症などにより血小板から血小板第4因子(platelet factor 4：PF4)が放出されると，ヘパリンとの複合体が形成され，複合体に対する抗体(HIT抗体)が産生される．HIT抗体と抗原は免疫複合体を形成しFc受容体を介して血小板や血管内皮細胞を活性化し，血栓形成と血小板減少をきたす．

疫学

発症頻度は0.01～1％程度とされ，小児ではきわめてまれである．

臨床徴候

3病型あり通常発症型が全体の70％程度である．急速発症型が30％程度であり，遅延発症型はまれである．通常発症型は，ヘパリン投与開始後5日から14日後に血小板減少を認め，静脈・動脈血栓や皮膚壊死などの症状を合併するが，無症状のこともある．ヘパリンの皮下注射部位の疼痛・掻痒感などの局所症状や，悪寒戦慄などの全身症状を認めることもある．急速発症型は100日以内のヘパリンの投与歴がありすでに抗体が形成されている患者で再ばく露から24時間以内に発症し，遅発発症型はヘパリン中止5日から数週間後に発症する．

診断・検査

米国血液学会が2018年に診療ガイドラインを発表しており[3]，わが国でも日本血栓止血学会よりガイドラインが公表される予定である．ヘパリン投与開始後に定期的に血小板数を測定することが重要であり，4Tsスコアリング(①血小板減少，②血小板減少の時期，③新規血栓症の存在，④他の疾患の可能性，をそれぞれ0～2点でスコアリング)により4点以上であった場合にはHITを疑う．確定診断はELISA法でHIT抗体を測定することにより行う．

治療・予後

HITを疑えば，HIT抗体の結果を待たずに直ちにヘパリンの投与を中止しHIT抗体と交差反応しないアルガトロバン(HITに対する保険適用あり)，ダナパロイドなどの代替薬へ変更する．適切に対応しないとHIT発症後1か月で半数の患者が血栓を合併し，約5％の患者が死亡するとされ，迅速な診療が重要である．

ピットフォール・対策

ヘパリンにより逆に血栓を誘発する疾患で，血栓症の鑑別として重要である．

敗血症に合併したDIC

定義・概念

敗血症は，しばしば線溶抑制型DICを発症し，血栓形成と虚血性臓器障害を合併する．

病因・病態

重症感染症において病原体および病原体に障害された細胞由来の構成物(damage-associated molecular patterns：DAMPs)により好中球が感染部位に誘導・活性化を受ける．さらに血小板と複合体を形成し，好中球ヒストン/DNAなどにより構成されるneutrophil extracellular traps(NETs)を放出する．NETsは，その凝固促進作用によりフィブリン血栓を形成する．本来血栓は，感染の播種を阻止する役割があるが，血栓形成が過剰に行われるとDICへ進行する．またDAMPsにより単球およびマクロファージで大量の組織因子(tissue factor：TF)が産生され，著しい凝固活性化を生じる．さらにプラスミノーゲンアクチベーターインヒビター(PAI)が過剰に産生され線溶抑制型DICの病態となる．

疫学

旧厚生省の全国調査によるとDICは入院患者の約1％に発症する．敗血症におけるDICの合併頻度は20～40％とされる．

臨床徴候

過剰産生されたPAIにより難溶性血栓が多発し，出血症状よりも虚血性臓器障害が目立つ病型をとる．

診断・検査

感染症に合併したDICの診断には，厚生労働省の「DIC診断基準」より救急領域で汎用される「急性期DIC診断基準」のほうが有用性が高いとされてきた．2017年に日本血栓止血学会が新たなDICの診断基準を公表した．この診断基準には感染症型，造血障害型，基本型があり感染症型のスコアではフィブリノゲンはスコアリングに入れず，血小板数，フィブリン分解産物(FDP)，プロトロンビン時間比，AT，アンチトロンビン複合体(TAT)・可溶性フィブリン

(SF)またはプロトロンビンフラグメント(F)1+2，肝不全の有無でスコアリングを行う．

治療

基礎疾患に対して抗菌薬の投与を行うとともに抗凝固療法を併用する．抗凝固療法としてはダナパロイド，低分子ヘパリン，未分画ヘパリンなどヘパリン類などを使用する．敗血症ではATレベルの低下がしばしば認められるため，AT製剤の補充を積極的に行う．以前は抗トロンビン作用とプロテインC活性化作用をもつ遺伝子組換えトロンボモジュリン製剤も有用とされたがSCARLET試験[4]の結果，その有効性が否定された．

予後

敗血症に伴うDICの死亡率は30-40％程度とされ，予後不良である．

ピットフォール・対策

臓器障害が進行すると予後不良となるため，敗血症の治療では常にDICの合併を念頭におくことが重要である．

■ 文献

1) Caruso V, et al.：Thrombotic complications in childhood acute lymphoblastic leukemia：a meta-analysis of 17 prospective studies comprising 1752 pediatric patients. Blood 108：2216-2222, 2006.
2) Greiner J, et al.：THROMBOTECT-a randomized study comparing low molecular weight heparin, antithrombin and unfractionated heparin for thromboprophylaxis during induction therapy of acute lymphoblastic leukemia in children and adolescents. Hematologica 756：756-765, 2019.
3) Cuker A, et al.：American Society of Hematology 2018 guidelines for management of venous thromboembolism：heparin-induced thrombocytopenia. Blood Adv 2：3360-3392, 2018.
4) Vincent JL, et al.：Effect of a recombinant human soluble thrombomodulin on mortality in patients with sepsis-associated coagulopathy：The SCARLET randomized clinical trial. JAMA 321：1993-2002, 2019.

〈杉山正仲，小川千登世〉

第2章 小児がん

A 造血器腫瘍

1 急性リンパ性白血病

定義，概念

急性リンパ性白血病（ALL）とは，骨髄を中心とする全身の臓器においてリンパ芽球が腫瘍性に増殖する疾患である．悪性リンパ腫においても骨髄浸潤がしばしば認められ，ALLとの鑑別診断が問題となるが，芽球比率が25％以上の場合をALL，25％未満の場合を悪性リンパ腫の骨髄浸潤と定義する．

疫学

日本小児血液学会（現 日本小児血液・がん学会）による2006～2010年の疾患登録をまとめたHoribeらの報告[1]によれば，国内における20歳未満の小児ALLの年間発症数は約500例である．この登録は国内発症例の90％以上が把握されていると推測される．男女比は1.34：1と男児にやや多く，発症年齢は1～4歳に大きなピークがある．免疫学的分類では，B前駆細胞性が85.6％，T細胞性が10.9％，成熟B細胞性が2.4％，不明が1％であった．T細胞性は10歳以上の年長児では約20％を占めていた．

病因

1 ALL細胞の発生起源

一卵性双生児に別々に発症したALLの染色体転座の切断点がDNAレベルで完全に一致したという報告や，Guthrie試験に使用した新生児期の血液の解析により生後数か月から数年を経て発症したKMT2A-AFF1およびETV6-RUNX1型ALLにおいて新生児期にすでに融合遺伝子が検出されるという報告などから，小児ALLの少なくとも一部は胎児期に起源をもつことが明らかになっている．

2 宿主側因子および環境要因

Down症候群などの染色体異常や，毛細血管拡張性運動失調症などの免疫不全症において白血病の発症頻度が高いことは古くから知られてきた．近年，次世代シークエンサーの導入によりB細胞の分化にかかわるPAX5やETV6のgermline変異による家族性ALLの報告や，低2倍体ALLの一部にがん抑制遺伝子であるp53遺伝子の生殖細胞系列（germline）変異がみられるという報告，T細胞性ALLと急性骨髄性白血病（AML）のいずれにも進展し得るRUNX1の変異など，ALLの発症にかかわる遺伝子のgermline変異が同定されてきている．

さらに，正常variantである遺伝子多型（polymorphism）が，白血病発症の危険因子となることも明らかになってきた．これまで報告されてきた遺伝子多型のうち，ARID5BやIKZF1の多型は共通して同定されており，そのほかCEBPE, CDKN2A, PIP4K2A, GATA3等の多型も報告されている．特にARID5Bは小児に多い高2倍体のALLの発症との関連が強いとされている．またIKZF1の変異は後述するように予後との強い相関が報告されており，小児ALLにおいて同一の遺伝子が一方ではgermlineの多型が疾患感受性を規定し，他方では体細胞変異が予後を規定するなど，非常に興味深い事実が明らかになっている．

ALL発症にかかわる環境要因としては，放射線被ばくやベンゼンなどの化学物質へのばく露が知られている．乳児ALLにおいては，フラボノイドや殺虫剤，ハーブといったトポイソメラーゼII阻害作用をもつ物質への母体内でのばく露が危険因子となることが報告されている．年長児，特に好発年齢である2～6歳のALLでは，感染症の関与についての仮説が提唱されている．すなわち，乳幼児期に感冒などの感染症へのばく露が減少することが，出生時のTh2優位からTh1優位への免疫系の移行を遅らせ，インターフェロン-γやNK細胞を介する異常クローンの排除に支障をきたすと想定されている．

以上のように小児ALLは，遺伝子変異や多型など宿主側の遺伝的素因を背景として，母体内または出生後の異常クローンの発生に始まり，発がん性物質や感染症へのばく露といった環境要因が組み合わさって多段階的に発症すると考えられる．

臨床徴候

1 白血病細胞の増殖による徴候

頻度の高い徴候としては，発熱（いわゆる腫瘍熱）や骨痛（特に下肢痛）があげられる．そのほか，白血病細胞の浸潤による徴候として肝脾腫，リンパ節腫脹，皮疹，精巣腫大などがある．縦隔腫大による呼吸困難，上大静脈（superior vena cava：SVC）症候群

は年長児のT細胞性ALLに多く，緊急性が高い．頭痛，嘔吐，脳神経麻痺などの中枢神経症状は初発時には少ないが，再発の症状として重要である．

2 正常造血の低下による徴候

貧血による顔色不良，全身倦怠感，血小板低下による出血傾向，正常白血球の低下による感染症などがあげられる．

診断・検査

1 形態学的診断

診断の確定は，白血病細胞の増殖する主座である骨髄の穿刺または生検による．骨髄でリンパ芽球が全有核細胞の25％以上を占める場合にALLと診断確定する．Giemsa染色に加えてペルオキシダーゼ染色，エステラーゼ染色などを行う．ALLでは芽球のペルオキシダーゼ陽性率は3％未満である．FAB分類でL1〜L3に分類される（表1）．

2 免疫学的診断

ALLであることの確認および免疫学的分類のために，フローサイトメトリーによる白血病細胞表面マーカー検索が必須である．日本小児がん研究グループ（JCCG）による細胞表面マーカーに基づく免疫学的分類を表2に示す．

3 細胞遺伝学的診断

ALLにみられるおもな染色体・遺伝子異常を表3[2]に示す．最近の知見も含めた小児ALLの細胞遺伝学的異常の頻度を図1[3]に示す．これらの検出のために染色体分析（通常はG-banding）を行うが，BCR-ABL1 など治療方針の異なる群の速やかな同定やETV6-RUNX1 など通常の染色体分析のみでは検出率の低い異常を検出する目的で，FISH法やRT-PCR法などを併用する．複数の転座を一度に検索できるmultiplex-PCR法も保険診療で可能となっており，有用である．予後不良な低2倍体を見逃さないためにはフローサイトメトリーによるDNA index の検索も有用である．特に一見，高2倍体（hyperdiploid）にみえるが，実は低2倍体（hypodiploid）の細胞が分裂期で倍加している像を呈している，いわゆるmasked hypodiploid の同定にはDNA index が有用である．

現時点では日常診療における層別化等には利用されていないが，研究レベルでは後述する新たな病型の同定のためにマイクロアレイやゲノムアレイ，MLPA（multiplex ligation-dependent probe amplification）法，さらには次世代シークエンサーなど，さまざまな手法による解析が進んできている．今後のbiology研究の進歩のために，付随研究への登録や積極的な細胞保存に取り組んでもらいたい．

表1 ALLのFAB分類

ALL：芽球のペルオキシダーゼ陽性率は3％未満

L1 小細胞型	均一な大きさで核細胞質比（N/C比）大．核小体は不明瞭．小児に多い．
L2 大細胞型	大小不同．N/C比はL1より小さい．核小体は明瞭．成人に多い．
L3 Burkitt型	芽球はL1より大きい．細胞質は広く，好塩基性．空胞が目立つ．核小体明瞭．成熟B細胞性腫瘍である．

治療・予後

1 小児ALLの治療成績

小児ALLの治療成績は，過去40年間に飛躍的に向上し，約70〜85％の無イベント生存率（EFS），約80〜90％の全生存率（OS）が達成されている[4)5)]．表4に最近の世界の治療研究グループの治療成績，図2[4)]に米国Children's Oncology Group（COG）における治療成績の変遷を示す．これらの治療成績の進歩は，ランダム化比較試験（randomized controlled trial：RCT）を含む多数の臨床試験の積み重ねと，予後因子に基づく層別化の改善によって達成されてきた．

2 予後因子

すでに良好な治療成績をあげている小児ALLにおいて，短期，長期の毒性を軽減しつつ，治療成績を向上させるためには，予後因子に基づく精密な層別化治療が重要である．

1）従来の予後因子

a．年齢，性，白血球数，immunophenotype

年齢と白血球数は，そのほかの予後因子の解明に伴って徐々にその重要性が薄れつつあるが，B前駆細胞性ALLにおいては，いまだに一定の意義を有している．年齢，白血球数についてはいくつかの基準が存在するが，NCI/Rome基準（1歳以上10歳未満かつ白血球数50,000/μL未満を standard risk，10歳以上かつ/もしくは白血球数50,000/μL以上を high risk）が標準的である．一方，T細胞性ALLにおいては年齢，白血球数の意義は少なくなり，治療反応性の重要性が高い．T細胞性ALLは，B前駆細胞性と比較して予後不良とされてきたが，最近の治療成績の向上に伴って差は縮小しつつある．

男児の予後は精巣再発の関与もあり，女児に比べて不良とされてきたが，最近では性差は消失傾向にあり，ほとんどの臨床試験グループは性を予後因子としていない．COGは，これまで男児の維持療法期

表2 ● 日本小児白血病リンパ腫研究グループによる小児ALLの免疫学的分類

T-ALL	
CD3または細胞質内(cy)CD3陽性，かつCD2，CD5，CD7，CD8のうち1つ以上が陽性	
B細胞系ALL	
B-precursor	CD19，cyCD79a，CD20，CD22のうち2つ以上が陽性，細胞質内μ鎖，Igκ，Igλがすべて陰性
Pre-B	CD19，cyCD79a，CD20，CD22のうち2つ以上が陽性，細胞質内μ鎖が陽性，Igκとlgλが陰性
成熟B細胞性 (mature B)	CD19，cyCD79a，CD20，CD22のうち2つ以上が陽性，Igκまたはlgλが陽性
AMLL(acute mixed lineage leukemia)	
骨髄抗原陽性 B細胞系ALL	1. CD19，cyCD79a，CD20，CD22のうち2つ以上が陽性，かつ， 2. CD3陰性およびcyCD3陰性，かつ， 3. cyMPO陰性で，CD13，CD15，CD33またはCD65が陽性
骨髄抗原陽性 T-ALL	1. T-ALLの基準を満たし，かつ， 2. cyCD79a陰性，かつ， 3. cyMPO陰性で，CD13，CD15，CD33またはCD65が陽性
リンパ系抗原 陽性AML	1. cyMPO陽性，もしくはCD13，CD15，CD33，CD65の2つ以上が陽性，かつ， 2. CD3陰性およびcyCD3陰性かつcyCD79a陰性，かつ 3. CD2，CD5，CD7，CD19，CD22，もしくはCD56が陽性
true mixed lineage leukemia	1. cyMPO陽性，かつ，B細胞系の診断基準を満たす，もしくは， 2. cyMPO陽性，かつ，T-ALLの診断基準を満たす，もしくは， 3. B細胞系とT-ALLの両方の診断基準を満たす
AUL(acute undifferentiated leukemia)	
B細胞系ALL，T-ALL，AML，いずれの分類にも当てはまらないもの	

表3 ● 細胞遺伝学的病型の頻度と治療成績

	病型	頻度(%)	5年EFS(%)
成熟B細胞性	MYC gene 再構成	2～3	75～85
B前駆細胞性	高2倍体(>50)	20～30	85～95
	ETV6-RUNX1	15～25	80～95
	TCF3-PBX1	2～6	80～85
	BCR-ABL1	2～4	20～40 (イマチニブ併用で3年EFS 80-90)
	KMT2A-AFF1	1～2	30～40
	上記以外のMLL再構成	5	30～50
	低2倍体(<45)	1～2	35～40
	TCF3-HLF	<1	<20
	CRLF2過剰発現	6～7	不良
T細胞性	KMT2A-ENL	2～3	不明
	HOX11	7～8	良
	HOX11L2	20～24	不良
	TAL1	15～30	30～40
	LYL1	1	30～40

(Pui CH, et al.: Pediatric acute lymphoblastic leukemia: where are we going and how do we get there? Blood 120: 1165-1174, 2012 より作成，一部改変)

間を女児よりも1年間長く行っていたが(中間維持相開始から3年)，最近の試験から男女の治療期間を同一としている．

b. 細胞遺伝学

染色体・遺伝子異常については，予後不良の病型としてフィラデルフィア染色体陽性ALL(Ph陽性ALL，BCR-ABL1)，KMT2A遺伝子再構成陽性，染色

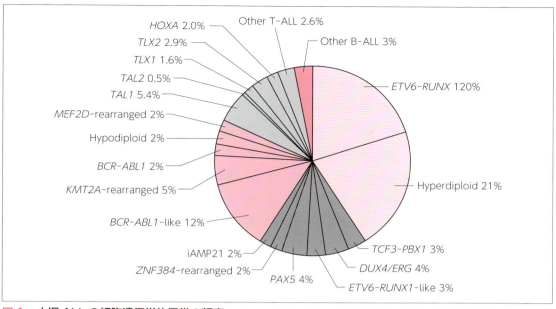

図1 ◆ 小児ALLの細胞遺伝学的異常の頻度
(Pui CH, et al.: Somatic and germline genomics in paediatric acute lymphoblastic leukaemia. Nat Rev Clin Oncol 16 : 227-240, 2019 より引用)

表4 ◆ 最近の小児ALLの治療成績

試験	期間	対象	患者数	年齢（歳）	5年EFS（%±SE）	5年生存率（%±SE）
AIEOP/BFM ALL2000	2000〜2006	B&T	3,720	1〜17	Pred 80.8±0.9 Dex 83.9±0.9	Pred 90.5±0.7 Dex 90.3±0.7
COG AALL0232	2004〜2011	B, HR	2,979	1〜30	75.3±1.1	85.0±0.9
COG AALL0331	2005〜2010	B, SR	5,377	1〜9	88.96±0.46 (6y)	95.54±0.31 (6y)
COG AALL0434	2007〜2014	T	1,562	1〜30	83.8±2.6	89.5±2.1
DFCI ALL Consortium Protocol 05-001	2005〜2010	B&T	551	1〜18	85±3	91±3
DCOG ALL10	2004〜2012	B&T	778	1〜18	87.0±1.2	91.9±1.0
MRC UK ALL2003	2003〜2011	B&T	3,126	1〜24	87.3±1.2	91.6±1.0
NOPHO ALL2008	2008〜2014	B&T	1,509	1〜45	85±1	91±1
SJCRH Total XVI	2007〜2017	B&T	598	0〜18	88.2±3.3	94.1±2.4
TCCSG L04-16	2005〜2013	B&T	1,033	1〜17	78.1±1.3	89.6±1.0
JACLS-02	2002〜2008	B	1,252	1〜18	85.4±1.1 (4y)	91.2±0.9 (4y)

EFS：無イベント生存率，B：B細胞系ALL，T：T-ALL，Pred：プレドニゾロン，Dex：デキサメタゾン，HR：高危険群，SR：標準危険群．

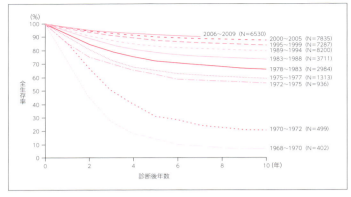

図2 ◆ 米国COGにおける治療成績の進歩
(Hunger SP, et al.: Acute Lymphoblastic Leukemia in Children. N Engl J Med 373: 1541-1552, 2015より引用)

体数44本以下の低2倍体，(17；19)転座（*TCF3-HLF*）などが，予後良好の病型として(12；21)転座（*TEL-AML1*，最近は*ETV6-RUNX1*と表記される）や，染色体数51本以上の高2倍体などがあげられてきた[3)5)]．

c．治療反応性

初期治療に対する反応性は白血病細胞の特性に基づく薬剤感受性と，宿主の側の素因に基づく薬物動態の双方を反映する．反応性の指標としては，1回のメトトレキサート（MTX）髄注と1週間のプレドニゾロン（PSL）内服後の8日目の末梢血の芽球数をみるPSL反応性や，7，14日目の骨髄の芽球割合等があり，それぞれ芽球数1,000/μL未満，芽球割合25%未満を予後良好群としている．現在では3)で述べる微小残存病変（minimal residual disease：MRD）が治療反応性の最も重要な指標として確立されている．

2) biology研究の進歩による新たな病型

最近では，次世代シークエンサーによる全ゲノムの網羅的解析など，さまざまな分子生物学的解析手法の進歩により，小児ALLは，事実上ほぼすべての症例が何らかの特異的細胞遺伝学的異常を有することが明らかになってきた．図1に最近の知見も含めた小児ALLの細胞遺伝学的異常の頻度を示す[3)]．これらの最近明らかになったbiologyのうち，予後との関連で重要なsubtypeについていくつか紹介する．

T細胞性ALLでは，予後不良のsubtypeとしてETP-ALL（early T-cell precursor ALL）が注目されている．ETP-ALLは，特徴的な細胞表面マーカー（CD1a陰性，CD5弱陽性，CD8陰性，骨髄性抗原または幹細胞性抗原陽性）を有し，マイクロアレイでも特徴的な遺伝子発現パターンを有する．全ゲノムシークエンスでは，AMLと共通する遺伝子変異が見出され，さらに正常造血幹細胞と共通した転写profileが認められた．このようなETP-ALLは，小児T細胞性ALLの約10～15%を占め，治療に対する初期反応性不良，微小残存病変（MRD）高値と強く相関し，化学療法による予後は不良とされている．ただし，最近報告されたAIEOP-BFM2000研究では，高危険群以外のETP-ALLの予後は不良ではなかった．また，最近報告されたCOG AALL0434研究では，ETP-ALLとnon-ETP-ALL，さらにはETPとは診断できないがETPに近い表現型を示すnear ETPの各群で治療成績の差はなかった．ETP-ALLの予後については，いまだ不確定な部分が多いが，少なくともMRDによる治療介入を行えば，層別化因子に取り入れる必要はなさそうである．

そのほかのT細胞性ALLの生物学的subtypeはいくつか知られているが，予後との明らかな相関は示されていなかった．最近，国内から*SPI1*遺伝子を含む転座を有する例はきわめて予後不良との報告が行われ，その後の国内の臨床試験や海外での臨床試験における頻度や予後が注目される．

B前駆細胞性ALLにおける新たなsubtypeとして，*IKZF1*（Ikaros family zing finger 1）変異，Ph-like ALL，iAMP21（intra-chromosomal amplification of chromosome 21），*ZNF384*融合遺伝子，*DUX4*融合遺伝子，*MEF2D*融合遺伝子について紹介する．

*IKZF1*は，リンパ球の分化に必要な転写因子であり，この遺伝子の変異や部分欠失はドミナントネガティブの効果で分化を抑制し，腫瘍化に関与していると考えられている．*IKZF1*変異は小児B前駆細胞性ALLの約12%，Ph（*BCR-ABL*）陽性ALLの80%以上，後述するPh-like ALLの約1/3にみられ，予後不良と報告されている．

Ph-likeまたは*BCR-ABL* like ALLのsubtypeは当初，マイクロアレイによる発現解析において，*BCR-ABL1*転座が陰性であるのに遺伝子発現のパターンが*BCR-ABL1*陽性例に類似し，しかも*BCR-ABL1*同

様に予後不良である一群が存在することから見出された．小児B前駆細胞性ALLの約10％を占めるこのsubtypeは，その後に米国の研究グループからBCR-ABL1陽性例と同様に高率にIKZF1変異を伴うこと，約半数でCRLF2過剰発現を伴うことなどが報告された．さらに全ゲノム/トランスクリプトームシークエンスの結果，CRLF2過剰発現を伴わない群の多くは，ABL1/2やPDGFRB，JAK2経路の異常などチロシンキナーゼの関与する異常やサイトカイン受容体の活性化変異がみられることも明らかになった．

iAMP21は，intra-chromosomal amplification of chromosome 21の略である．英国の研究グループはETV6-RUNX1転座の検出を目的としたFISH法によるスクリーニングの過程で，21番染色体の一部が増幅しているiAMP21の症例を同定し，その予後が不良であることを報告した．その後の治療研究UKALL2003において，iAMP21の症例を高危険群に層別化し，強化した治療を行うことで予後が改善したことを報告した．現在では一定強度以上の治療を行えば必ずしも予後不良ではないと考えられる．

ZNF384融合遺伝子は国内で最初に報告された．まず東京小児がん研究グループ（Tokyo Children's Cancer Study Group：TCCSG）のコホートで臨床像の解析が行われ，CD10陰性かつ幹細胞マーカーまたは骨髄球性マーカー陽性など特徴的な表面形質を有することが明らかとなった．その後，国際的な小児ALLの共同研究グループであるPonte di Legnoグループで多数例の解析が行われた．ZNF384融合遺伝子を有する例は，全体としては中間的な治療成績が得られているが，転座相手によって臨床像や予後が異なることが示されている．すなわち転座相手がEP300である場合は，AYA世代を含む比較的年長児に多く予後良好であるのに対し，転座相手がTCF3である場合は，年少児に多く治療反応性不良例が多いため予後はやや不良である．

DUX4融合遺伝子は，AYA世代を含む年長児で認められ，高レベルのDUX4発現やERG遺伝子の調節異常を伴う．これまでの報告では予後は比較的良好である．

MEF2D融合遺伝子も国内で最初に報告され，この遺伝子もAYA世代に多くCD10陰性，CD38陽性の表面形質を有し，G-Bandでは検出できないことが多い．最も頻度の高い転座相手はBCL9であり，予後不良と報告されている．

B前駆細胞性ALLにみられるこれらの新たに同定された遺伝子異常は，いまだ臨床試験における層別化因子として広く採用されてはいないが，今後さらなる生物学的メカニズムの解明と相まって，分子標的薬のターゲットとなる可能性もあり，biology研究の今後の進歩が注目される．

3）微小残存病変（MRD）

治療反応性の指標として，治療開始後一定の時期（寛解導入療法後，早期強化療法後など）のMRDのレベルが最も強力な予後因子であることが確立されてきている[2)~5)]．

MRDの評価方法としては，PCR法によるIgH/TCR再構成の検出（PCR-MRD），フローサイトメトリーによる白血病特異的表面マーカーパターンの検出（Flow-MRD），白血病特異的染色体転座により生じるキメラ遺伝子のPCR法による検出（キメラMRD）などがある．キメラMRDは特定の転座のある症例でしか測定できない．PCR-MRDとFlow-MRDを比較すると，保存検体で検査可能な点，評価が客観的である点などから，現時点ではPCR-MRDのほうが多施設共同研究の層別化に採用しやすいが，将来的にはFlow-MRDに置き換わっていく可能性もある．特に，治療開始後早期の評価はFlow-MRDが有利かもしれない．またPCR-MRDのプライマー設計ができない症例ではFlow-MRDが有用である．

MRDを層別化に組み込んだ大規模な臨床試験の結果もすでに公表されている．MRD陽性群に対する治療強化がALL全体の予後を改善するかどうかは確立されておらず，ドイツ，イタリアを中心として行われたAIEOP-BFM2000研究においてもMRD陽性群の予後は不良であった．MRDを層別化に組み込んだとしても，MRD陽性群に対する適切な治療を開発しなければ治療成績の向上は得られないことを念頭におく必要がある．一方，英国の研究グループはUKALL2003研究において，臨床的な予後不良因子をもたない標準危険群・中間危険群に対して，MRD陰性群については治療軽減，MRD陽性群については治療強化の意義をRCTで検証した．この結果，前者については治療軽減に，後者については治療成績の向上に成功した．MRDはすでに研究段階ではなく，実用化段階に達しているといえる．わが国においてもようやくPCR-MRDが保険適用となり，臨床試験はもとより実地臨床においても必ず測定すべきである．なおPCR-MRDの評価を確実に行うためには，プライマー設計のために腫瘍含有量の多い十分量の検体を提出することが重要である．

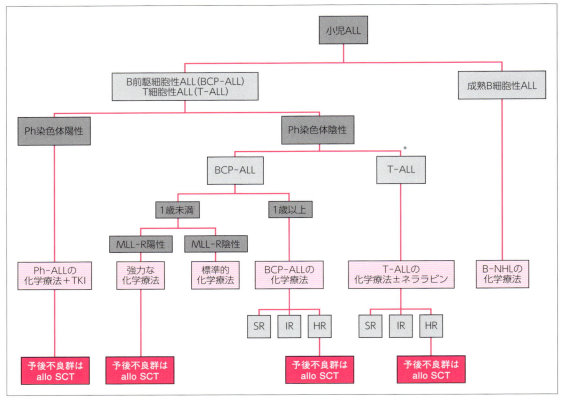

図3 ◆ 小児ALLの治療選択アルゴリズム
Ph染色体：フィラデルフィア染色体，BCP-ALL：B前駆細胞性ALL，T-ALL：T細胞性ALL，MLL-R：*MLL*遺伝子再構成，TKI：チロシンキナーゼ阻害薬，B-NHL：成熟B細胞性非Hodgkinリンパ腫，SR：標準危険群，IR：中間危険群，HR：高危険群，allo SCT：同種造血細胞移植．
＊：BCP-ALLと分けないグループもあり．

3 治療

1）治療選択アルゴリズム

小児ALLの病型分類による治療選択のアルゴリズムを図3に示す．まず成熟B細胞性ALLでは，Burkitリンパ腫型の治療が行われる〔本章/A/7．非Hodgkinリンパ腫など（p.512～515）参照〕．次にPh陽性ALLでは，イマチニブなどのチロシンキナーゼ阻害薬（tyrosinekinase inhibitor：TKI）併用化学療法を行う（後述）．Ph陰性ALLでは，B前駆細胞性ALLとT細胞性ALLを同一の治療法で治療する研究グループと，区別して治療する研究グループがある．B前駆細胞性ALLのうち1歳未満の乳児は予後不良で，*KMT2A*の再構成を高率に伴う（約80％）など，生物学的に異なる独自の疾患であるとの観点から別個の治療群とされることが多い．*KMT2A*の再構成陰性例では，標準的化学療法，陽性例では強力な化学療法を行う．1歳以上のALLでは予後因子に基づいて3～4の危険群に層別化して治療を行う．いずれの病型でも，予後不良群に対しては同種造血細胞移植を行う．

2）治療骨格の基本

小児ALLに対する治療プロトコールは，各研究グループによって多くのバリエーションがあるが，その基本的な骨格は，寛解導入療法，再寛解導入療法を含む強化療法，中枢神経（central nervous system：CNS）再発予防療法，維持療法からなる[2)4)5)]．

a．寛解導入療法

寛解導入療法は，ステロイド＋ビンクリスチン＋L-アスパラギナーゼ（L-Asp）＋アントラサイクリンの4剤の組み合わせが世界的標準であり，95～98％の寛解導入率が期待できる．標準危険群については，米国COGや英国の研究グループはアントラサイクリンを含まない3剤での寛解導入療法を行っており，寛解導入後に十分な強度の治療を行えば3剤で十分である可能性がある．

ステロイドについては，従来の標準であったプレドニゾロン（PSL）に対してデキサメタゾン（DEX）の優位性を示した複数の無作為割付試験が報告されて

いる．DEX は，中枢神経移行が良好で抗白血病効果に優れる一方，精神症状や大腿骨頭壊死，感染症といった合併症の頻度が高く，また至適な投与量，投与スケジュールについても確立していない．AIEOP-BFM2000 研究において，EFS では DEX が優れていたものの，OS ではステロイド反応性良好（prednisone good responder：PGR）な T 細胞性 ALL のみ DEX が優れていたという結果を受けて，次期研究では T 細胞性 ALL の PGR のみに DEX を採用した．COG は，高危険群 B 前駆細胞性 ALL を対象とした COG-AALL 試験の結果から，EFS の優れていた 10 歳未満のみ DEX を標準治療として採用している．DEX と PSL との優劣についてはさらなる研究が必要とされている．

b．強化療法

強化療法は，寛解導入療法で用いた薬剤と交差耐性のない薬剤の組み合わせによる治療（BFM 型早期強化療法 Ib など）と，寛解導入療法と同様の薬剤を再び用いる再寛解導入療法からなる．再寛解導入療法はドイツ BFM グループが導入し，すべての危険群において予後を改善させた必須の治療要素となっている．

ALL の治療薬剤のうち大腸菌由来 L-Asp は，骨髄抑制の副作用が軽く，治療成績向上を図るために強化しやすいキードラッグの 1 つである．T 細胞性 ALL については，米国の DFCI（Dana Faber Cancer Institute）が良好な治療成績を報告しているが，その特徴は L-Asp の多用にある．L-Asp を一定量以上投与できた群では，有害事象のために投与量が不十分であった群と比較して有意に予後良好であったとされている．さらに最近，DFCI から重要な報告が発表された．彼らは L-Asp の投与量を固定する fixed 群と L-Asp 活性をモニタリングして投与量を決定する individualized 群の RCT を行い，individualized 群の予後が有意に良好であったと報告した．これは individualized 群においては，silent inactivation を生じた症例に対して Erwinia 菌由来アスパラギナーゼ（Erwinase）に切り替えることで，アスパラギナーゼの効果減弱を防ぐことができたためであるとされている．なお欧米では現在半減期が長く投与回数の少ない PEG 化アスパラギナーゼが標準的に用いられているが，国内では使用できない．現在国内治験が進行しており，数年後には国内でも PEG 化製剤が使用可能となる見込みである．また，大腸菌由来 L-Asp に対するアレルギーが生じて投与できなくなった場合には，Erwinase に切り替えることにより再発の増加を防ぐことができるが，国内では治験が終了して承認されたものの，供給の問題からいまだに発売されておらず，2021 年 11 月現在使用できない．

メトトレキサート（MTX）大量療法（$2〜5$ g/m^2）は，多くの研究グループで採用されており，中枢神経，精巣への移行が良好であることから有用な治療要素と考えられる．米国 COG は高危険群 B 前駆細胞性 ALL を対象に，MTX 大量療法（5 g/m^2）と漸増式通常量 MTX 療法（capizzi MTX 療法）の比較試験を行い，大量療法群の予後が有意に良好であったと報告した．一方，T 細胞性 ALL においては逆に Capizzi MTX のほうが優れていたという結果が報告されているが，この結果については Capizzi 群のみに L-Asp が併用されていたこと，予防的頭蓋放射線照射のタイミングが両群で異なっていたことの影響も考えられ，必ずしも T 細胞性 ALL において MTX 大量療法が劣っていると結論づけられたわけではない．今後少なくとも B 前駆細胞性 ALL 高危険群においては大量 MTX 療法が標準治療となると考えられるが，標準危険群における有用性や，MTX の投与量については検討の余地がある．

c．CNS 再発予防療法

CNS には血液脳関門が存在し薬剤が到達しにくいため，CNS 再発予防を行なわなければ，50％ 以上に CNS 再発が生じる．CNS 再発予防において，最も確実な手段は全脳への放射線照射（cranial radiation therapy：CRT）である．しかしながら CRT は，成長障害，内分泌障害，二次がんなどの重篤な晩期障害を高頻度にもたらすことが明らかになっており，各研究グループは，髄注や MTX 大量療法の導入によって CRT の対象症例を減少させてきている．最近では，CRT の対象症例は全症例の $10〜20$％，照射量も当初の 24 Gy から 18 Gy，さらに 12 Gy まで減量することが可能になってきている．さらに髄注や全身治療の強化により CRT の全廃に成功した臨床試験も報告されてきている．また，別の臨床試験のメタアナリシスの結果では，予防的 CRT の有無では生存率に差がなく，唯一診断時 CNS 浸潤陽性例のみ治療的 CRT あり群が優っていた．JCCG は，登録終了した ALL-T11 試験と ALL-B12 試験では，予防的頭蓋放射線照射を撤廃しており，その結果が待たれる．さらに JCCG は 2021 年に開始された，1〜64 歳を対象とした成人白血病治療共同研究機構（Japan Adult Leukemia Study Group：JALSG）との共同試験 ALL-T19 と ALL-B19 試験を開始し，治療的 CRT の撤廃にチャレンジしている．

d. 維持療法

最もシンプルな維持療法は，経口のMTXと6-メルカプトプリン（6-MT）の組み合わせによる1〜2年の治療である．MTXを静注にしたり，この組み合わせにステロイド＋ビンクリスチンのパルス（パルス療法）を加えたりといった多くの試みが行われてきたが，現在までのところ明らかな利益は証明されていない．米国や英国では現在でも維持療法中にパルス療法を行っており，その意義はいまだ不確定であるといえる．

治療期間については，18か月（BFMグループによるRCT）や1年（TCCSG L92-13研究）に短縮する試みが行われたが，いずれも再発が増加し，現時点のコンセンサスでは2〜3年の総治療期間が必要である．ただし，TCCSG L92-13研究の残余検体のbiologyの解析と長期フォローの結果から，女児や *ETV6-RUNX1*, *TCF3-PBX1* においては1年間の治療でも十分である可能性も示唆され，今後さらなる検討の必要がある．なおCOGでは従来男児のみ維持療法期間を1年長くしていたが，全体としての治療成績の向上と男女で治療期間に差を設けていない他の研究グループの治療成績に鑑みて，現行の試験では男女の治療期間を同一にしている．JCCGによるALL-B19試験では，維持療法の最適化を図るランダム化比較試験が行われており，結果が注目される．

3）新薬の導入

これまでの小児ALLの治療成績は，主として30年以上前に開発された古典的薬剤の組み合わせの最適化によって達成されてきた．しかし，一部の予後不良な高危険群や再発例の治療成績の向上，既存の抗腫瘍薬による毒性の軽減のためには分子標的薬などの新薬の導入が必要になってきている．

Ph陽性ALLを対象として，米国COGが行ったイマチニブ併用化学療法の臨床試験では，イマチニブを連続的に併用したコホート5の患者群の3年EFSは，80％と移植群と同等であったことを報告した．この結果は，追跡期間を延長したその後の報告でも同様であった．また，欧州を中心とする国際共同臨床試験EsPhALLでのイマチニブ併用化学療法の治療成績も，good risk群とpoor risk群の4年無病生存率（DFS）がそれぞれ75.2％，53.5％と従来と比較して大きく向上した．EsPhALL試験では，good risk群ではイマチニブ併用の有無でRCTが実施されており，RCTで新薬の有用性が証明された意義はきわめて大きい．小児ALLにおいても，新薬の導入が予後を改善させる可能性があることを示した画期的な試験であった．

T細胞性ALLに対しては，米国COGが中間・高危険群を対象にネララビンの有無による無作為割付比較試験を実施し，ネララビンあり群のEFSが有意に優れていたと報告した．JCCGのALL-T11試験でも高危険群，超高危険群を対象にネララビン投与が行われ，結果が注目される．

前述の「biology研究の進歩による新たな病型」で言及したPh-like ALLのうち，*ABL1/2*や*PDGFRB*といったABL classのチロシンキナーゼ遺伝子の転座を有する例では，イマチニブやダサチニブなどのTKIの有用性が報告されている．また*JAK2*遺伝子経路の異常を有する例ではJAK2阻害薬であるルキソリチニブの有効性が期待される．予後不良の病型のbiologyの解明が治療開発につながり得る可能性を示した貴重な例となっている．COGは，すでにこれらの遺伝子異常を有する症例に対してTKI併用化学療法の臨床試験を実施している．ただし，TKI併用化学療法はPh陽性ALLの試験で経験したように比較的毒性が強い．臨床試験外の実地診療でTKIを安易に併用することには慎重であるべきである．

再発例に対しては，抗CD3/CD19抗体であるブリナツモマブや，抗CD22抗体に抗がん薬であるcalicheamicinを結合させたイノツズマブオゾガマイシン，CD19を標的としたキメラ抗原受容体（chimeric antigen receptor：CAR）-T細胞療法などの免疫療法の開発が進み，すでに国内で承認され使用可能になっている（イノツズマブ オゾガマイシンは2021年11月現在，小児では未承認である）．このうち，特にブリナツモマブは，再発小児ALLを対象にした2つのランダム化比較試験で，いずれもEFS，OSに有意に優れ，かつ安全性にも優れていたと報告されており，今後は初発例にも期待される薬剤である．またCAR-T療法は移植後再発例など，これまで治癒がほとんど望めなかった症例に対して，治癒の可能性をもたらす画期的な治療法であるが，適応，T細胞採取後CAR-T投与までのbridging chemotherapyの選択，CAR-T療法後の移植適応など，解決すべき課題が多く残されている．

4）再発ALLの治療

治療成績良好な小児ALLにおいても約20％に再発がみられ，再発ALLの長期OSは約30〜40％と不良である[6]．従来から確立している再発ALLの予後因子は再発時期，再発部位，免疫学的分類である．表5にこれらを組み合わせたドイツBFMグループによる再発ALLのS分類を示す[6]．このうち晩期髄

表5 ◆ BFMグループの再発ALLのS分類

	B-ALL			T-ALL		
	髄外	複合	骨髄	髄外	複合	骨髄
very early	S2	S4	S4	S2	S4	S4
early	S2	S2	S3	S2	S4	S4
late	S1	S2	S2	S1	S4	S4

```
├──── 18か月 ────┤├─ 6か月 ─┤
│    化学療法                │
└─ very early ─┘└─ early ─┘└── late ──┘
```

(Henze G, et al.: Relapsed acute lymphoblastic leukemia. In: Pui CH(ed.), Childhood Leukemias, 2nd ed., Cambridge University Press, 473-486, 2006 より引用, 一部改変)

外再発であるS1は化学療法により約70％の治癒が期待できるため標準危険群に分類され，化学療法＋局所放射線照射を行う．B前駆細胞性ALLの早期骨髄再発やT細胞性ALLの骨髄を含む再発であるS3，S4は，化学療法による成績が20％未満と不良であるため高危険群に分類され，第2寛解期に同種造血細胞移植を行う．中間危険群であるS2の移植適応はMRDに基づいて決定される．

再発ALLに対しては，前述のとおり複数の新薬が使用可能になっており，これらの位置づけ，使い分けが課題になっている．これらの課題に答えるためには臨床試験が重要であるが，実地臨床で使用する際には，常に最新のエビデンスを参照するとともに，専門施設と連携をとって診療にあたる必要がある．特にCAR-T療法については，実施施設が限定されており，また適切な時期に患者自身のT細胞を採取できないと使用できないことから，適応になり得ると考えられた場合には，速やかにCAR-T療法実施施設と連絡をとるように心がけたい．

ピットフォール・対策

1 乳児期の診断

1歳未満の乳児においては，腫瘍性のリンパ芽球と形態学的に区別のつかない正常B前駆細胞が25％以上認められる場合があり，ALLの診断には慎重を要する．正常血球の減少がない場合には確定診断・治療開始を急がず，正常細胞にはない細胞表面マーカーのパターンや染色体/遺伝子異常の有無を確認する．必要に応じて骨髄穿刺の再検も検討する．

2 AYA世代の治療

思春期・若年成人(adolescent and young adult：AYA)のALLにおいては成人型よりも小児型の治療プロトコールのほうが優れていることのコンセンサスが形成され，小児科医がAYA世代の治療に携わる機会が増えてきた．AYA世代においては，年少児の治療ではあまり経験しないような合併症やコンプライアンスの問題に遭遇することがある．特にステロイドや6-MP/MTXなどの内服薬の怠薬がみられることがあり，注意が必要である．内服薬管理を患者本人に任せきりにしないことや，病状や治療の必要性についての本人の理解を促進することが重要である．前述のとおり，JCCGはJALSGとの共同試験ALL-B19試験とALL-T19試験で，1～64歳を対象として小児型骨格の化学療法を実施している．小児科医もこれまで以上に血液内科医と共同して，AYA世代の診療に力を入れてほしい．

■ 文献

1) Horibe K, et al.: Incidence and survival rates of hematological malignancies in Japanese children and adolescents(2006-2010): based on registry data from the Japanese Society of Pediatric Hematology. Int J Hematol 98: 74-88, 2013
2) Pui CH, et al.: Pediatric acute lymphoblastic leukemia: where are we going and how do we get there? Blood 120: 1165-1174, 2012
3) Pui CH, et al.: Somatic and germline genomics in paediatric acute lymphoblastic leukaemia. Nat Rev Clin Oncol 16: 227-240, 2019.
4) Hunger SP, et al.: Acute Lymphoblastic Leukemia in Children. N Engl J Med 373: 1541-1552, 2015
5) Inaba H, et al.: Pediatric acute lymphoblastic leukemia. Haematologica 105: 2524-2539, 2020
6) Henze G, et al.: Relapsed acute lymphoblastic leukemia. In: Pui CH(ed.), Childhood Leukemias, 2nd ed., Cambridge University Press, 473-486, 2006

〈康　勝好〉

第2章 小児がん

A 造血器腫瘍

2 急性骨髄性白血病

急性骨髄性白血病

定義・概念

急性骨髄性白血病（AML）は，幼若骨髄系造血細胞がクローン性に，自律的かつ無秩序に増殖することで発症する造血器悪性腫瘍である．現在用いられているWHO分類（改訂第4版）では，骨髄中の白血病細胞比率が，原則20％以上をAMLと定義している[1]．なお，AML細胞が主として髄外に腫瘍形成することがあるが，骨髄肉腫（myeloid sarcoma）とよばれる．

病因・病態

AMLは，幼若骨髄系造血細胞に細胞増殖・分化にかかわるさまざまな遺伝子変異が多段階的に蓄積することで発症する．従来は，細胞増殖・生存に促進的に働くシグナル活性化にかかわる遺伝子群（クラスI）における変異と，細胞分化・自己複製などの転写調節にかかわる遺伝子群（クラスII）における変異とが共同して発症に至るモデルが提唱されていたが，近年，これら以外にもDNAメチル化，クロマチン修飾，がん抑制遺伝子，ヌクレオホスミン，コヒーシン複合体形成，RNAスプライシングにかかわる各遺伝子群の関与が明らかにされている．小児AMLと成人AMLは細胞遺伝学的に大きく異なり，小児ではt(8;21)やKMT2A遺伝子再構成などの染色体転座を伴うAMLが多いのに対し，成人では正常核型AMLが多く，FLT3-ITD，NPM1変異，DNMT3A変異など成人AMLで認める変異の多くが小児AMLではまれである[2]．

AMLでみられる遺伝子変異の多くは原因不明であり，特別な背景因子がなく新規発症するAML（de novo AML）が大部分を占める．しかし，小児の場合はDown症候群やその他の生殖細胞系列の遺伝的素因（Fanconi貧血など）を背景に発症する場合があり，WHO分類でも独立したカテゴリーで扱われている（表1）．そのほかに骨髄異形成症候群（MDS）を基盤として発症する場合（高齢者AMLに多い）や，化学療法や放射線治療後に発症する場合（治療関連AML）などがある．

疫学

日本小児血液・がん学会疾患登録の集計結果によれば，2006～2010年の5年間でAML症例891例（178例/年）が登録されており，20歳未満の白血病全体の26％を占める．男女比は451人対440人であった．わが国の地域がん登録をベースとした全国がん罹患モニタリング集計結果（2009～2011年）によれば，人口100万人あたりの罹患数が0～4歳で14.8人，5～9歳で6.8人，10～14歳で5.7人，15～19歳で9.0人であり，20歳以上になると罹患数が急性リンパ性白血病（ALL）を逆転する．小児の初発未治療AMLは，臨床的にde novo AML，急性前骨髄球性白血病（APL），Down症候群関連骨髄性白血病（ML-DS）の3病型に分類されるが，わが国における年間の新規発症はそれぞれ140例，10例，30例程である．

臨床徴候

AMLの症状は，骨髄における芽球増殖に伴う正常造血の障害と，芽球の髄外浸潤によるものに大別される．前者により貧血，血小板減少，正常白血球数の低下が起こる．芽球の髄外浸潤によって，リンパ節腫脹や肝脾腫，歯肉腫脹や眼窩腫瘍などの腫瘍形成（FAB分類M4/M5などの単球性AMLで多い），中枢神経系（CNS）浸潤，皮膚浸潤（乳児で多い）などが起こる．

白血病初発時や治療開始早期には，緊急治療を要するoncologic emergencyが生じることがある．末梢血白血球数が5万/μLを超えるなど著明な白血球増多を示す症例では，腫瘍崩壊症候群，播種性血管内凝固症候群（DIC），白血球塞栓（意識障害，けいれん，脳出血，呼吸障害，肺出血を起こす）などの症候が生じ得る．単球性AMLでは特にリスクが高い．著明な白血球増多をきたしている場合は，白血球除去療法や交換輸血なども考慮される．

診断・検査

AMLは，骨髄中のAML細胞を形態学的に証明することで診断する（全有核細胞の20％以上）[3]．形態

表1 ◆ AMLのWHO分類(改訂第4版)

急性骨髄性白血病および関連前駆細胞性腫瘍
反復性遺伝子異常を有するAML(acute myeloid leukaemia with recurrent genetic abnormalities)
AML with t(8;21)(q22;q22.1); *RUNX1-RUNX1T1*
AML with inv(16)(p13.1q22) or t(16;16)(p13.1;q22); *CBFB-MYH11*
APL with *PML-RARA*
AML with t(9;11)(p21.3;q23.3); *KMT2A-MLLT3*
AML with t(6;9)(p23;q34.1); *DEK-NUP214*
AML with inv(3)(q21.3q26.2) or t(3;3)(q21.3;q26.2); *GATA2, MECOM*
AML(megakaryoblastic) with t(1;22)(p13.3;q13.1); *RBM15-MKL1*
AML with *BCR-ABL1*(provisional entity)
AML with mutated *NPM1*
AML with biallelic mutation of *CEBPA*
AML with mutated *RUNX1*(provisional entity)
骨髄異形成関連の変化を有するAML(acute myeloid leukaemia with myelodysplasia-related changes)
治療関連骨髄性腫瘍(therapy-related myeloid neoplasms)
分類不能のAML(acute myeloid leukaemia, not otherwise specified)
AML with minimal differentiation
AML without maturation
AML with maturation
acute myelomonocytic leukaemia
acute monoblastic and monocytic leukaemia
pure erythroid leukaemia
acute megakaryoblastic leukaemia
acute basophilic leukaemia
acute panmyelosis with myelofibrosis
骨髄肉腫(myeloid sarcoma)
ダウン症候群関連骨髄増殖症(myeloid proliferations associated with Down syndrome)
transient abnormal myelopoiesis associated with Down syndrome
myeloid leukaemia associated with Down syndrome
生殖細胞系列素因を伴う骨髄性腫瘍
既存症状や臓器障害を有さない生殖細胞系列素因を伴う骨髄性腫瘍(myeloid neoplasms with germline predisposition without a pre-existing disorder or organ dysfunction)
AML with germline *CEBPA* mutation
myeloid neoplasms with germline *DDX41* mutation
血小板異常症を有する生殖細胞系列素因を伴う骨髄性腫瘍(myeloid neoplasms with germline predisposition and pre-existing platelet disorders)
myeloid neoplasms with germline *RUNX1* mutation
myeloid neoplasms with germline *ANKRD26* mutation
myeloid neoplasms with germline *ETV6* mutation
臓器障害を有する生殖細胞系列素因を伴う骨髄性腫瘍(myeloid neoplasms with germline predisposition and other organ dysfunction)
myeloid neoplasms with germline *GATA2* mutation
myeloid neoplasms associated with bone marrow failure syndromes
myeloid neoplasms associated with telomere biology disorders
myeloid neoplasms associated with Down syndrome

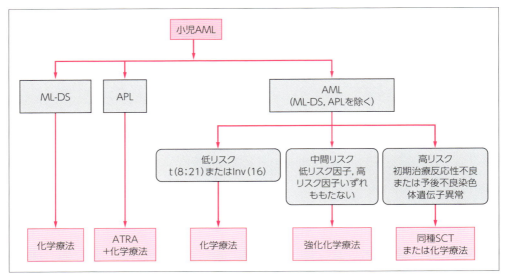

図1 ◆ 小児AMLの診療アルゴリズム
(小児血液・がん学会(編):小児白血病・リンパ腫診療ガイドライン2016年版, 金原出版, 2016より引用)

診断には, 骨髄塗抹標本のMay-Giemsa染色またはWright-Giemsa染色のほかに, ペルオキシダーゼ(POX)染色が必要であり, AMLの多くは陽性となる. しかし, FAB-M0, M5, M6, M7ではPOX陰性であり, 細胞表面マーカーの検索が必要である. FAB-M4/M5の形態診断には, エステラーゼ二重染色が必要である. 骨髄穿刺の実施が困難かつ末梢血中に十分に芽球が存在する場合は(末梢血白血球の20%以上), 末梢血検体を用いて診断する. また, 骨髄液が吸引困難である場合や, MDSとの鑑別が問題になる場合などは, 骨髄生検も併せて実施する. 骨髄肉腫の場合は髄外腫瘤の生検が必要である.

フローサイトメトリー法による免疫診断も必須である. CD13, CD33, 細胞質内ミエロペルオキシダーゼ(MPO)の発現はFAB-M0の, CD36, CD235aの発現はFAB-M6の, CD41, CD42b, CD61の発現はFAB-M7の各診断に有用である. また, 免疫診断は, 治療反応性評価の指標となる微小残存病変(MRD)の標的抗原の同定にも必要である.

染色体検査や遺伝子検査は, WHO分類(表1)に基づくAML診断に必須であり, リスク分類のためにも重要な検査である. core binding factor(CBF)とよばれるt(8;21)やinv(16), APLのt(15;17)が検出された場合は, 骨髄中の芽球比率が20%以下であっても確定診断となる. 小児AMLで最も多い異常がt(8;21)であり, わが国では約30%(欧米では10〜15%)を占める. 2歳以下の乳児では, KMT2A遺伝子再構成を約40%に認めるほか, FAB-M7の場合はt(1;22)が多い. 染色体検査では十分な感度で検出できない異常もあり[t(5;11)/NUP98-NSD1など], 診断や予後予測にかかわる異常についてはRT-PCR法によるキメラ遺伝子検査の併用が望ましい. FLT3-ITDは, 小児AMLの約10%で検出され, 予後不良であることが知られている.

小児AMLでは, 脳脊髄液穿刺によるCNS白血病の有無の評価も重要である. ただし, 出血傾向が強いなど, 安全な穿刺が困難である場合には, 安全に実施し得る状況に改善するまで延期する.

治療・予後

『小児白血病・リンパ腫診療ガイドライン2016年版』(金原出版)の小児AMLの診療アルゴリズムを図1に示す. AMLにおける最も重要な予後因子は細胞遺伝学的異常とMRDを含む治療反応性であり, これにより低または標準リスク, 中間リスク, 高リスクと3群に分類される(表2). MRDの測定法は, 汎用性と特異性の観点からフローサイトメトリー法が望ましい.

1 小児の初発未治療AMLに対する標準治療
1) 化学療法

AMLのkey drugは, シタラビン(Ara-C)とアントラサイクリン系抗がん薬であり, 小児AMLではこの2剤に加えてエトポシドが併用されることが多い. これらを組み合わせた寛解導入療法2コースとそれに引き続く強化療法からなる計4〜6コースの多剤併用化学療法が標準的に行われる. また, CNS

表2 ◆ おもな小児 AML 臨床研究グループにおけるリスク分類

	COG AAML1831（北米）	MyeChild 01（イギリス，フランス）	JPLSG AML-20（日本）
低リスク/標準リスク	CBF-AML -MRD@EOI1＜0.05％ -KIT exon17 変異（−） -その他高リスク因子なし NPM1 変異（＋） CEBPA 変異（＋） -MRD@EOI1＜0.05％ -その他高リスク因子なし	予後良好細胞遺伝学的異常*1 -MRD@EOI2＜0.1％ 予後中間細胞遺伝学的異常*2 -MRD@EOI1 & 2＜0.1％ *1 予後良好細胞遺伝学的異常 ● CBF-AML ● NPM1 変異（＋）（FLT3-ITD なし） ● CEBPA 二重変異（＋）（FLT3-ITD なし） *2 予後中間細胞遺伝学的異常 ● t(9；11)KMT2A-MLLT3 ● t(11；19)KMT2A-MLLT1 ● その他高リスクに含まれない KMT2A-r ● その他低/高リスクに含まれない異常	CBF-AML -FLT3-ITD なし -MRD@EOI1＜0.1％
中間リスク	低リスク/高リスク因子なし	予後良好細胞遺伝学的異常*1 -MRD@EOI1＞0.1％ かつ EOI2＞0.1％ 予後中間細胞遺伝学的異常*2 -MRD@EOI1＞0.1％ かつ EOI2＜0.1％	CBF-AML かつ FLT3-ITD CBF-AML かつ MRD@EOI1≧0.1％ 非 CBF-AML -細胞遺伝学的高リスク因子*3（−） -MRD@EOI1＜0.1％

高リスク	FLT3-ITD AR＞0.1
	-NPM1/CEBPA-bZip 変異（−）
	FLT3-ITD AR＞0.1
	-NPM1/CEBPA-bZip 変異（＋）
	-MRD@EOI1≧0.05％
	非 ITD FLT3 変異（＋）
	-MRD@EOI1≧0.05％
	RAM phenotype
	予後不良細胞遺伝学的異常
	● inv(3)or t(3；3)/RPN1-MECOM
	● t(3；21)/RUNX1-MECOM
	● t(3；5)/NPM1-MLF1
	● t(6；9)/DEK-NUP214
	● t(8；16)/KAT6A-CREBBP
	● t(16；21)(p11；q22)/FUS-ERG
	● inv(16)(p13q24)/CBFA2T3-GLIS2
	● 高リスク KMT2A-r
	  t(4；11)/KMT2A-AFF1
	  t(6；11)/KMT2A-AFDN
	  t(10；11)/KMT2A-MLLT10
	  t(10；11)/KMT2A-ABI1
	  t(11；19)/KMT2A-MLLT1
	● 11p15 再構成/NUP98 fusion
	● 12p13 再構成/ETV6 fusion
	● 12p 欠失/ETV6 欠失
	● モノソミー 7
	● モノソミー 5/5q-
	● 10p12.3 再構成/MLLT10 fusion
	MRD@EOI1≧0.05％（予後良好/予後不良遺伝子染色体異常なし）
		予後中間細胞遺伝学的異常*2
		-MRD@EOI2＞0.1％
		予後良好細胞遺伝学的異常*1
		-MRD@EOC3＞0.1％
		予後不良細胞遺伝学的異常
		● inv(3)/t(3；3)/abn(3q26)
		● モノソミー 7
		● モノソミー 5/5q-
		● t(6；9)/DEK-NUP214
		● t(9；22)/BCR-ABL1
		● 12p 異常
		● 高リスク KMT2A-r
		  t(4；11)/KMT2A-AFF1
		  t(6；11)/KMT2A-AFDN
		  t(10；11)/KMT2A-MLLT10
		● t(5；11)/NUP98-NSD1
		● t(7；12)/MNX1-ETV6
		● inv(16)(p13q24)/CBFA2T3-GLIS2
		● FLT3-ITD [NPM1 変異（−），非 CBF-AML]
		その他予後不良因子：
		-予後良好細胞遺伝学的異常*1 のない二次性 AML
		-EOI1 後寛解導入不能
			EOI1 非寛解
			非 CBF-AML
			-細胞遺伝学的高リスク因子*3（−）
			-MRD@EOI1≧0.1％
			非 CBF-AML
			-細胞遺伝学的高リスク因子*3（＋）
			*3 細胞遺伝学的高リスク因子：
			● モノソミー 7
			● モノソミー 5/5q-
			● inv(3)or t(3；3)
			● FLT3-ITD（CBF-AML は除く）
			● t(9；22)/BCR-ABL1
			● 高リスク KMT2A-r
			  t(4；11)/KMT2A-AFF1
			  t(6；11)/KMT2A-AFDN
			  t(10；11)/KMT2A-MLLT10
			● t(6；9)/DEK-NUP214
			● t(7；11)/NUP98-HOXA9
			● t(5；11)/NUP98-NSD1
			● t(11；12)/NUP98-KDM5A
			● inv(16)(p13q24)/CBFA2T3-GLIS2
			● t(16；21)(p11；q22)/FUS-ERG
			● t(7；12)/MNX1-ETV6
			● t(10；11)/PICALM-MLLT10
			● TBL1XR1-RARB

AR：allelic ratio，CBF：core binding factor，COG：Children's Oncology Group，EOI1/2：end of induction 1/2，EOC3：end of course 3，MRD：minimal residual disease．

白血病予防・治療として，コースごとに髄注も行われるが，その意義については必ずしも明確ではない．AML化学療法は血液毒性が強く，輸血や感染症対策などの支持療法を十分に実施することが強く求められる．さらに，アントラサイクリン系抗がん薬の蓄積投与量が300〜400 mg/m²前後（ドキソルビシン換算）に達することから，晩期心毒性のリスクを考慮した十分な長期フォローアップを行うことも重要である．

2）同種造血細胞移植

高リスク群AMLに対しては，第1寛解期に同種造血細胞移植が行われる．標準的な移植前処置は骨髄破壊的前処置であり，ブスルファン/メルファランなどの非照射レジメンの使用が一般的である．なお，晩期合併症を軽減する観点から，またAMLが移植片対白血病（GVL）効果を期待できるがん種であるとされる観点から，強度減弱型前処置の役割が臨床試験で検証されている．

2 小児の初発未治療AMLに対する臨床試験

各国の臨床試験グループによって報告されたおもな小児AML臨床試験の成績は，おおむね寛解導入率が90%前後，無イベント生存率（EFS）が55〜60%，生存率（OS）が70〜75%に達する．しかし，現行の標準治療における再発率は約30%にのぼり，改善の余地が大きい[4]．

1）国外のおもな小児AML臨床試験

寛解導入療法で使用するアントラサイクリン系抗がん薬について，英国のMRC AML-12臨床試験ではダウノルビシンとミトキサントロンを，ドイツのAML-BFM2004試験ではイダルビシンとリポ化ダウノマイシンとを比較したが，いずれも治療成績に差を認めなかった．

米国St. Jude病院のAML-02臨床試験では，寛解導入療法におけるAra-Cの大量療法と標準療法とを比較し，英国のMRC AML-10臨床試験では寛解導入療法における併用薬としてエトポシドとチオグアニンを比較したが，いずれも差を認めなかった．

また，北米のChildren's Oncology Group（COG）がAAML1031試験において寛解導入療法におけるプロテアソーム阻害薬ボルテゾミブの併用効果について，St. Jude病院のAML08試験において寛解導入療法における第2世代プリン代謝薬クロファラビンと大量Ara-Cの比較を行ったが，治療成績の向上は得られなかった．

しかし，抗CD33抗体薬物複合体ゲムツズマブ・オゾガマイシン（GO）は，COG AAML0531試験で寛解導入療法および強化療法における3 mg/m²併用によりEFS向上を認め，米国では初発未治療AMLに対する寛解導入療法および強化療法へのGO併用が米国食品医薬品局（FDA）承認を得ており，標準治療となっている．

2）国内の小児AML臨床試験

国内では，ANLL91研究が小児AMLに対する初めての全国多施設共同研究として行われた．小児AML共同治療研究会によるAML99臨床試験において，細胞遺伝学的異常と治療反応性に基づくリスク分類に，計6コースの大量Ara-Cを含む化学療法と同種造血細胞移植（高リスク群とHLA一致家族内ドナーを有する中間リスク群が適応）を組み合わせた層別化治療について検証し，5年EFS 61%，OS 75%と良好な成績を得た．

2003年に設立された日本小児白血病リンパ腫研究グループ（JPLSG）では，AML-05とAML-12の2つの臨床試験が行われた．AML-05では，低リスク群に対してアントラサイクリン系抗がん薬などの減量を図ってEFSの低下を招いたものの，中間および高リスク群に対しては2コース目以降をすべて大量Ara-Cで強化した計5コースの化学療法を導入した結果，移植適応を高リスク群のみに限定したにもかかわらず，AML99と遜色のない治療成績が得られた．

AML-12臨床試験では，初回寛解導入療法におけるAra-C大量療法と標準量持続投与法との比較，およびフローサイトメトリー法によるMRDの意義について検証した．

2014年に設立された日本小児がん研究グループ（JCCG）のAML-20臨床試験では，MRDを含む新たなリスク分類が導入され（表2），中間および高リスク群に対して強化療法におけるGO併用の意義が検証されている．

3 再発・難治AMLに対する治療・予後

再発・難治AMLに対しては，FLAG療法（フルダラビン，Ara-C，G-CSF）やFLAGとアントラサイクリン系抗がん薬の併用療法などが行われる．*FLT3-ITD*を含む*FLT3*変異陽性例に対しては，FLT3阻害薬の投与も選択肢となる．寛解が得られた場合は同種造血細胞移植が行われる．わが国のAML-05臨床試験の再発例の寛解導入率は60.4%であり，5年OSは36.1%であった．特に初発診断後12か月以内の再発，再発後非寛解，非CBF-AMLの再発，移植後再発の場合は，有意に予後不良であった[5]．

急性前骨髄球性白血病

定義・概念

APLは，前骨髄球段階での分化障害を特徴とするAMLの一型であり，WHO分類ではAML with *PML-RARA*に分類される[1]．

病因・病態

t(15；17)から生じるPML-RARα融合蛋白が，骨髄系細胞の分化に必要なレチノイン酸の核内受容体RARαの転写作用をドミナントネガティブに阻害することで発症する．全トランス型レチノイン酸（ATRA）はRARαに，三酸化ヒ素（ATO）はPMLに作用して，転写抑制を解除する．まれに，*RARA*以外の転座パートナーと融合したvariant *RARA* translocationを認めることがある．

疫学

小児APLの発症頻度は年間約10例である．年長児に多いものの，2歳未満でも発症し得る．

臨床徴候

de novo AMLと同様であるが，DICが顕著であり，APL自体をoncologic emergencyと捉える必要がある．形態診断や凝固検査からAPLが疑われる場合，*PML-RARA*の結果を待つことなく，速やかにATRA投与を開始する．

診断・検査

形態的には，アズール顆粒が充満したhypergranular type（FAB-M3）と顆粒の小さいmicrogranular type（M3v）があり，いずれもアウエル小体（Auer's body）やファゴット形成などが特徴的だが，M3vの場合はAPL以外のAMLと鑑別困難なことがある．POX染色は強陽性になる．細胞表面マーカーは，CD13/CD33陽性，CD34/HLA-DR陰性（ただしM3vでは陽性例が多い）と，ほかのAMLとは異なるパターンを示す．線溶亢進型DICを併発するため，凝固検査ではフィブリノーゲン低下，α2プラスミンインヒビター低下，ATIII正常となり，線溶マーカーはFDP上昇が特徴的である（D-ダイマーと解離する）．細胞遺伝学的には，t(15；17)/*PML-RARA*の検出により診断が確定する[3]．

治療・予後

ATRA併用化学療法により，わが国のJPLSG AML-P03臨床試験では3年EFS 83.6％，3年OS 90.7％と良好な成績が報告されている[4]．2013年に成人標準リスクAPL（白血球数1万/μL以下）に対する第III相試験の結果が報告され，ATRA/ATOを併用した非化学療法レジメンの有効性が示された．血液毒性やアントラサイクリン関連心毒性が回避可能な観点から，現在欧米の臨床研究グループにおいて小児APLに対する追試が行われており，今後の標準治療となる可能性が高い．なお，ATRA，ATOのいずれもAPL分化症候群（発熱，呼吸障害，胸水，心嚢水など）を起こす可能性があり，デキサメタゾンによる適切な予防・治療が必要である．

■文献

1) Swerdlow SH, et al.：WHO classification of tumours of haematopoietic and lymphoid tissues. revised 4th ed., IARC, 121-171, 2017
2) Bolouri H, et al.：The molecular landscape of pediatric acute myeloid leukemia reveals recurrent structural alterations and age-specific mutational interactions. Nat Med 24：103-112, 2018
3) Creutzig U, et al.：Diagnosis and management of acute myeloid leukemia in children and adolescents：recommendations from an international expert panel. Blood 120：3187-3205, 2012
4) Taga T, et al.：Acute myeloid leukemia in children：Current status and future directions. Pediatr Int 58：71-80, 2016
5) Moritake H, et al.：The outcomes of relapsed acute myeloid leukemia in children：Results from the Japanese Pediatric Leukemia/Lymphoma Study Group AML-05R study. Pediatr Blood Cancer 68：e28736, 2021

（富澤大輔）

第2章 小児がん

A 造血器腫瘍

3 乳児白血病

概念,疫学

乳児白血病は,生後12か月未満の乳児期に発症する白血病であり,1歳以上の小児白血病とは臨床像や予後に大きな違いがある.病型は急性リンパ性白血病(ALL)と急性骨髄性白血病(AML)に分類され,それぞれ小児ALLの2〜5%,小児AMLの6〜14%を占めるが,混合型白血病の頻度も高い.また,乳児白血病は染色体11q23領域に存在する *KMT2A* (*MLL*)遺伝子の再構成を有する症例が多く(ALLの約80%,AMLの約50%),白血病の発症と深く関係している[1]).

病因,病態

乳児白血病にみられる *KMT2A* 再構成は,転座により *KMT2A* 遺伝子のN末端部位と転座相手遺伝子のC末端部位が融合してキメラ遺伝子が形成されることにより生じる.

現在,約80種類の転座相手遺伝子が同定されており,ALLでは *KMT2A-AFF1* (*MLL-AF4*), *KMT2A-MLLT1* (*MLL-ENL*), *KMT2A-MLLT3* (*MLL-AF9*)が,AMLでは *KMT2A-MLLT3*, *KMT2A-MLLT10* (*MLL-AF10*), *KMT2A-ELL* の頻度が高いが,ほかに *KMT2A-EPS15* や *KMT2A-AFDN* (*MLL-AF6*)も低頻度ながら認められる(図1)[2]).

野生型のKMT2A蛋白はヒストンメチル化酵素であり,他の転写調節因子と複合体を形成し,ヒストンH3蛋白の4番目のリジン(H3K4)のメチル化により *HOXA9* などの *HOX* 遺伝子群や *MEIS1* などの標的遺伝子の発現調節・維持に作用する.白血病で認められるKMT2A融合蛋白では融合パートナーを介して野生型とは異なる蛋白複合体を形成し *HOXA9* や *MEIS1* などの発現を恒常的に活性化し続けることにより白血病化を引き起こすと考えられている(図2)[3]).

KMT2A 再構成陽性の乳児ALLは,通常CD10表面抗原陰性かつCD19陽性の未熟なB細胞形質を示す.AMLはFAB分類のM4/M5(骨髄単球型/単球型)の病型が多い.なお,乳児AMLではM7の急性巨核芽球性白血病(AMKL)が小児期と比較して高頻度にみられるが,この場合はt(1;22)(p13;q13)に伴う *RBM15-MKL1* を認めることが多い.

乳児白血病の白血病細胞は胎生期に形成されることが知られている. *KMT2A* 再構成はtopoisomerase II(Topo II)阻害剤投与後に発症する二次性白血病でも観察されることから,乳児白血病の発症には胎生期に母体を介したTopo II阻害物質(食物中のbioflavonoidや殺虫剤などの化学物質)の胎児へのばく露が関与していると推測されている.また乳児白血病の発症に,薬物解毒酵素の活性低下型多型などの遺伝

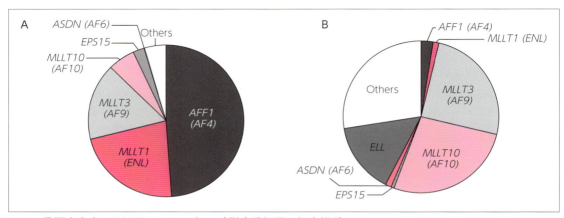

図1 ● 乳児白血病における *KMT2A* (*MLL*)融合遺伝子の転座相手
A:乳児ALL,B:乳児AML.
(Meyer C, et al.: The MLL recombinome of acute leukemias in 2017. Leukemia 32:273-284, 2018より引用,改変)

的素因が関与していることも報告されている.

一般的に乳児白血病では，成人の白血病と比較して白血病細胞が有する遺伝子変異の数は少ない．*KMT2A* 再構成陽性の乳児白血病では *NRAS* や *KRAS*，*FLT3* などの PI3K-RAS シグナル伝達経路の変異の共存がしばしば認められる[4]．

臨床徴候

乳児白血病は特に *KMT2A* 再構成陽性例は，小児白血病と比較して発症時末梢血白血球数が多い，著明な肝脾腫を認める，中枢神経や皮膚などへの髄外浸潤を認める例が多い，といった臨床的な特徴がある[1]．また多くが CD10⁻CD19⁺ の Pro B 細胞型であり，時に ALL から AML への lineage switch を起こす例があることから，白血病細胞が未分化な B 細胞/骨髄系前駆細胞に由来すると考えられる．一方で *KMT2A* 再構成陰性乳児 ALL は，通常の小児 ALL と差を認めず common ALL（CD10⁺CD19⁺）の病型を示すことが多い．乳児 AML では，*KMT2A* 再構成陽性例は FAB 分類の M4/M5 が多く *KMT2A* 再構成陰性例は AMKL が多い．

検査・診断

白血病の診断は骨髄穿刺により行い，芽球比率が 20％ 以上で診断できる．ただし ALL の場合，WHO 分類では 11q23 異常を有する場合には芽球比率にかかわらず診断する．また AMKL では，骨髄線維化により採取が困難となることがあるので，その場合は骨髄生検標本により巨核芽球を証明することにより診断する．

KMT2A 再構成陽性で白血球数が増加している症例では，中枢神経浸潤に伴う頭蓋内出血の頻度は高く，CT・MRI・エコーなどの画像診断は重要である．また，髄液検査による中枢神経浸潤の判定は治療方針の決定や予後の判定に重要である．新生児期に発症する先天性白血病では皮膚浸潤の頻度も高い（leukemia cutis）．

表面マーカー検査では，ALL では CD10 抗原発現の有無が *KMT2A* 再構成の有無と相関することから，治療法選択に重要である．骨髄系マーカー解析も同時に行う．AML では形態診断に加えて，骨髄系，巨核球系マーカーの解析を行う．染色体検査で 11q23 転座を同定するのみならず，FISH 法やサザンブロット法による *KMT2A* 再構成の検査は必須である．わが国の臨床試験 MLL96/98 では，*KMT2A* 再構成陽性例の 13/80 例（16.2％）で通常の染色体検査では 11q23 異常が見つからなかった[5]．また，*KMT2A* 再構成の結果として生じたキメラ mRNA を RT-PCR 法で検査することが早期診断に有用である．

治療，予後

KMT2A 再構成陽性乳児 ALL は，小児白血病と比べて化学療法に対して抵抗性である．ALL 型多剤併用化学療法に AML 型多剤併用化学療法を組み合わせた「hybrid 治療」が有効であり，加えて高リスク群では同種造血細胞移植が必要となる．一方で *KMT2A* 再構成陰性群については，通常の小児 ALL に準じた化学療法で十分に治癒可能である．

寛解導入療法では，白血球増多に伴う腫瘍崩壊症候群や頭蓋内出血や強力な化学療法による重症感染症などの治療関連合併症のリスクが高い時期であり，十分な支持療法を並行して行うことが重要である．特に近年は，高尿酸血症予防薬（ラスブリカーゼ）の早期投与により腫瘍崩壊症候群がコントロー

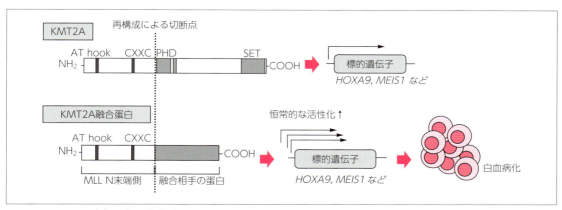

図2 ◆ *KMT2A* 融合蛋白と白血病の発症機序
（横山明彦：MLL キメラによる白血病発症機構．血液内科 77：260-266，2018 を参考に作成）

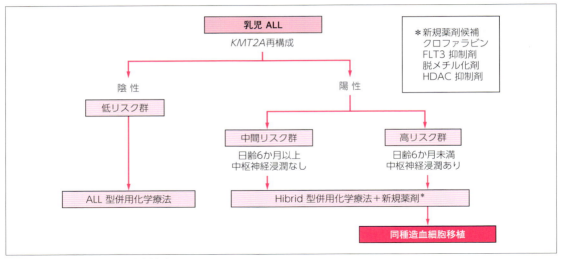

図3 ◆ 乳児ALL治療の基本戦略
(Tomizawa D, et al.: A risk-stratified therapy for infants with acute lymphoblastic leukemia: a report from the JPLSG MLL-10 trial. Blood 136: 1813-1823, 2020を参考に作成)

ル可能となってきた．また寛解導入療法に引き続き強化療法を行うが，寛解導入後4〜5か月前後で再発することが多い．そのため，わが国では*KMT2A*再構成陽性乳児ALLに対して第1寛解期早期に同種造血細胞移植を行う治療戦略を行ってきた．その結果，JPLSG臨床試験MLL03では，5年無イベント生存率(EFS)は43.2％，5年全生存率(OS)は67.2％と改善を認めた[6]．しかし，第1寛解期に造血細胞移植を施行しても一定程度の再発を認めることや，移植に伴う晩期合併症の問題などにより，次期JPLSG臨床試験MLL10では，発症時年齢6か月以上の*KMT2A*再構成陽性乳児ALLに対して化学療法単独による治療を導入し(中間リスク群)，化学療法の内容も米国のCOG AALL0631をベースにシタラビン(Ara-C)大量療法とL-アスパラギナーゼ(L-Asp)を追加した．その結果，*KMT2A*再構成陽性乳児ALLの3年EFSは66.2％で，特に中間リスク群では94.4％と大幅な改善が得られた[7]．予後因子解析では，女児と早期強化療法後の微小残存病変(minimal residual disease：MRD)≧0.01％が予後不良因子であった．

一方で，欧米ではInterfant-99やInterfant-06，POG 9407などの化学療法を主体とした臨床研究でも，比較的予後良好と考えられる診断時月齢の高い群(3または6か月以上など)において，造血細胞移植成績と遜色ない成績が得られている．現在わが国では，*KMT2A*再構成陽性乳児ALLに対するクロファラビン併用化学療法の有効性を検証する臨床試験(MLL17)が行われており，同時に脱メチル化剤などの新たな治療法の導入による欧米との統一治療研究についての検討が進められている．図3に乳児ALLに対する基本的な治療戦略を示す．最終的にはすべての*KMT2A*再構成陽性乳児ALLで分子標的薬などの導入により造血細胞移植なしの治療法の確立を目指す必要がある．

乳児ALL治療による晩期障害としては成長発育障害や内分泌障害などが重要である．わが国の臨床研究MLL96/98では，成長障害(移植後生存例の58.9％)などさまざまな晩期合併症を認めている[5]．

乳児AMLについては1歳以上の小児AMLと同じ枠組みで，シタラビン，アントラサイクリン(anthracycline：ATC)，エトポシド(etoposide)を用いた多剤併用化学療法が行われる．中間リスク群に割付けられることが多いが，寛解導入初回コースで寛解とならない治療反応不良例に関しては，高リスク群として第1寛解期での造血細胞移植が推奨される．

ピットフォール，対策

乳児白血病の予後因子は，*KMT2A*遺伝子再構成の有無のほか，診断時の月齢，中枢神経浸潤，ステロイド反応性，MRDが予後の推定に重要である．治療前後の合併症も多く，早期の診断と層別化，合併症対策が治療成功の秘訣である．また現時点では，予後不良の高リスク群には造血細胞移植が不可欠であるため，長期にわたる晩期障害のフォローアップが必要である．

■ 文献

1) 富澤大輔:小児血液疾患—よくわかる最新知見.造血器悪性疾患 乳児白血病.小児科 55:1731-1736,2014
2) Meyer C, et al.:The MLL recombinome of acute leukemias in 2017. Leukemia 32:273-284, 2018
3) 横山明彦:MLL キメラによる白血病発症機構.血液内科 77:260-266,2018
4) Andersson AK, et al.:The landscape of somatic mutations in infant MLL-rearranged acute lymphoblastic leukemias. Nat Genet 47:330-337, 2015
5) Tomizawa D, et al.:Outcome of risk-based therapy for infant acute lymphoblastic leukemia with or without an MLL gene rearrangement, with emphasis on late effects:a final report of two consecutive studies, MLL96 and MLL98, of the Japan Infant Leukemia Study Group. Leukemia 21:2258-2263, 2007
6) Koh K, et al.:Early use of allogeneic hematopoietic stem cell transplantation for infants with MLL gene-rearrangement-positive acute lymphoblastic leukemia. Leukemia 29:290-296, 2015
7) Tomizawa D, et al.:A risk-stratified therapy for infants with acute lymphoblastic leukemia:a report from the JPLSG MLL-10 trial. Blood 136:1813-1823, 2020

〈江口真理子,石井榮一〉

第2章 小児がん

A 造血器腫瘍

4 慢性骨髄性白血病

定義・概念

慢性骨髄性白血病（CML）は，慢性期から移行期，急性転化期へ進行する骨髄増殖性疾患である．造血幹細胞にフィラデルフィア染色体（Philadelphia 染色体：Ph 染色体），すなわち *BCR-ABL1* キメラ遺伝子が形成されると，ABL チロシンキナーゼの恒常的な活性化から細胞増殖の亢進，アポトーシスの阻害，骨髄ストローマ細胞への接着異常，ゲノムの不安定性が生じ，慢性期には顆粒球系細胞への分化，増殖が強く誘導される．移行期，急性転化期には未分化な芽球の増殖がみられる．

疫学

CML は，小児の全白血病のなかで2～3％を占める比較的まれな疾患である．18歳未満の発症頻度は，国内で年間約20例である．多くは思春期以降に発症するが，2～6歳の幼児期発症例もまれではない．年長児は男児に発症頻度が高い傾向がある．

臨床徴候

慢性期では，初期は無症状である．成人では検診で早期発見されるが，小児ではしばしば発見が遅れ，発熱，倦怠感，腹部膨満などの自覚症状をきっかけに診断されることが多い．約10％に，白血球増多による微小血管の塞栓から，視力障害，持続勃起症などの leukostasis による症状が生じる[1]．急性転化期には，急性白血病と同様の症状や所見を呈する．髄外腫瘤から始まる急性転化も珍しくない．

診断・検査

1 診断法

PCR 法（*BCR-ABL1* キメラ mRNA 定量または定性検査），または FISH 法で *BCR-ABL1* キメラ遺伝子を確認する．

2 病期診断

身体診察，末梢血血算，末梢血および骨髄塗抹標本での白血球分画が必要である．European LeukemiaNet の病期判定基準（表1）に従う[2]．

治療

慢性期では，チロシンキナーゼ阻害薬（TKI）のイマチニブを成人の標準投与量 400 mg/日に相当する 260 mg/m^2/日から開始する．ニロチニブまたはダサチニブを選択することも可能である．治療効果の定義（表2）[3]を用いて，治療効果判定基準（表3）[3]に従い，所定の時期の達成度により治療方針を決定する[2]．"failure"の場合，TKI 変更は必須であり，*ABL1* 遺伝子変異を確認する．"warnings"の場合，TKI 変更は任意であるが，頻回のモニタリングが必要である．不耐容の場合には，患者の希望，TKI の反応，支持療法の効果などに応じて，TKI 変更を判断する．TKI 変更後の二次治療も一次治療と同じ治療効果判定基準（表3）用いる[3]．小児での安全な TKI 中止基準はまだ定まっていないが，無治療寛解を目指すには，MR4.0 の達成が必須である[4]．同種造血細

表1 ◆ CML 病期判定基準

慢性期	移行期	急性転化期
移行期，急性転化期以外のもの	以下の項目のいずれかに該当するもの 1. 末梢血もしくは骨髄中の芽球 15～29％ 2. 末梢血もしくは骨髄中の芽球と前骨髄球が計 30％以上（芽球 30％未満） 3. 末梢血中の好塩基球 20％以上 4. 治療に関連しない血小板減少（100,000/μL 未満） 5. 治療中の Ph$^+$ 細胞のクローン性染色体異常の出現（major route）	髄外腫瘤*（肝脾腫，リンパ節腫脹を除く）の出現，もしくは末梢血，骨髄のいずれかで芽球 30％以上

＊：髄外腫瘤のみの場合には，原則として生検での芽球増殖の確認を要する．
(Baccarani M, et al.：European LeukemiaNet recommendations for the management of chronic myeloid leukemia：2013. Blood 122：872-884, 2013 より引用)

表2 ◆ 治療効果の定義

血液学的効果（HR）	細胞遺伝学的効果（CyR）		分子遺伝学的効果（MR）	
血液学的完全寛解（CHR）以下の全項目を2週間以上持続すること ・白血球数 10,000/μL 未満 ・血小板数 450,000/μL 未満 ・白血球分画の正常化　幼若顆粒球の消失かつ好塩基球5％未満 ・脾腫（触診）の消失	complete（CCyR） partial（PCyR） minor minimal no 骨髄G分染法を用いる．CCyRの判定のみ，末梢血FISH法を用いてもよい	Ph⁺ 0％ Ph⁺ 1〜35％ Ph⁺ 36〜65％ Ph⁺ 66〜95％ Ph⁺ >95％	$MR^{4.5}$ $MR^{4.0}$ major（MMR）	BCR-$ABL1^{IS}$が0.0032％以下 BCR-$ABL1^{IS}$が0.01％以下 BCR-$ABL1^{IS}$が0.1％以下

HR：hematologic response, CHR：complete HR, CyR：cytogenetic response, CCyR：complete CyR（細胞遺伝学的完全寛解），PCyR：partial CyR（細胞遺伝学的部分寛解），MR：molecular response, IS：international scale.
（Hochhaus A, et al.：European LeukemiaNet 2020 recommendations for treating chronic myeloid leukemia. Leukemia 34：966-984, 2020 より引用）

表3 ◆ 治療効果判定基準（一次治療および二次治療）

判定時期	optimal	warnings	failure
開始時	・該当なし	・ハイリスクのELTSスコア ・Ph⁺細胞のハイリスクのクローン性染色体異常	・該当なし
3か月	・BCR-$ABL1^{IS}$≤10％	・BCR-$ABL1^{IS}$>10％	・BCR-$ABL1^{IS}$>10％（1〜3か月以内に確認された場合）
6か月	・BCR-$ABL1^{IS}$≤1％	・BCR-$ABL1^{IS}$>1〜10％	・BCR-$ABL1^{IS}$>10％
12か月	・BCR-$ABL1^{IS}$≤0.1％	・BCR-$ABL1^{IS}$>0.1〜1％	・BCR-$ABL1^{IS}$>1％
12か月以降	・BCR-$ABL1^{IS}$≤0.1％	・BCR-$ABL1^{IS}$>0.1〜1％ ・≤0.1％（MMR）の消失*	・BCR-$ABL1^{IS}$>1％ ・$ABL1$遺伝子の抵抗性変異 ・Ph⁺細胞のクローン性染色体異常

＊：無治療寛解後のMMR消失は治療不成功を意味する．
（Hochhaus A, et al.：European LeukemiaNet 2020 recommendations for treating chronic myeloid leukemia. Leukemia 34：966-984, 2020 より引用）

胞移植の適応は，$ABL1$遺伝子のT315I変異あり，初発時急性転化期，反応不良の移行期，TKI投与中の病期進行，複数のTKIに抵抗性もしくは不耐容の慢性期の患者に限られる．

予後

慢性期CMLに関しては，一次治療としてイマチニブを用いた場合の3年無増悪生存率は，フランスの18歳未満の44例を対象とした臨床試験では98％[5]，ドイツの18歳以下の140例を対象としたCML-PAED-II研究では97％であった[6]．進行期CML（診断時）に関しては，国際小児CML研究（I-CML-Ped Study）に登録された36例（移行期19例，急性転化期17例）において，TKI併用化学療法による初期治療で，5年全生存率は移行期94％，急性転化期74％であった．造血細胞移植は17例に行われた[7]．

■ 文献

1) Kurosawa H, et al.：Leukostasis in Children and Adolescents with Chronic Myeloid Leukemia：Japanese Pediatric Leukemia/Lymphoma Study Group. Pediatr Blood Cancer 63：406-411, 2016
2) Baccarani M, et al.：European LeukemiaNet recommendations for the management of chronic myeloid leukemia：2013. Blood 122：872-884, 2013
3) Hochhaus A, et al.：European LeukemiaNet 2020 recommendations for treating chronic myeloid leukemia. Leukemia 34：966-984, 2020
4) Shima H, et al.：Discontinuation of tyrosine kinase inhibitors in pediatric chronic myeloid leukemia. Pediatr Blood Cancer. 2022 in print
5) Millot F, et al.：Imatinib is effective in children with previously untreated chronic myelogenous leukemia in early chronic phase：results of the French national phase IV trial. J Clin Oncol 29：2827-2832, 2011
6) Suttorp M, et al.：Front-line imatinib treatment in children and adolescents with chronic myeloid leukemia：results from a phase III trial. Leukemia 32：1657-1669, 2018
7) Millot F, et al.：Favourable outcome of de novo advanced phases of childhood chronic myeloid leukaemia. European Journal of Cancer 115：17-23, 2019

（嶋田博之）

第2章 小児がん

A 造血器腫瘍

5 骨髄異形成症候群，骨髄増殖性疾患

骨髄異形成症候群

定義・概念

1 芽球増加を伴わないMDS

小児の芽球増加を伴わない骨髄異形成症候群（MDS）は，①貧血単独ではなく多系統の血球減少をきたすことが多い，②骨髄がしばしば低形成を呈する，③異形成が多系統に及ぶことの意義が明らかではないなど，成人と異なる特徴を有するため，2008年のWHO分類第4版で小児不応性血球減少症（RCC）という暫定病名が提唱された[1]（表1）．RCCは遷延する血球減少を呈し，芽球割合が骨髄で5％未満，末梢血で2％未満であり，骨髄塗抹標本において2系統以上の異形成か，1系統において10％以上の細胞に異形成を認めることが必須とされる．

2 芽球増加を伴うMDS

小児の芽球増加を伴うMDSでは，芽球増加を伴う不応性貧血（RAEB）と移行期RAEB（RAEBT）の治療成績に差を認めておらず，成人における急性骨髄球性白血病（AML）とのカットオフとしてWHO分類が採用している20％ではなくFAB分類が定義していた30％を用いることが多い（表1）[1]．

病因・病態

MDSでは，造血幹細胞のクローン性異常によって無効造血をきたし，末梢血の血球が減少する．異常クローン由来の血液細胞では正常な分化が障害されており，時に芽球の出現を認めるが，ここに増殖優位性をもたらす遺伝子変異が獲得されると白血病化すると考えられる．MDSは，ほかの悪性腫瘍に対する化学療法や放射線治療の合併症としても生じる．アルキル化薬やトポイソメラーゼ阻害薬，電離放射線によりDNA損傷をきたすことで異常クローンが生じるものと考えられる．

芽球増多を伴わないMDSの一部は，免疫抑制療法によって造血回復が得られることから，異常クローンに対する免疫学的攻撃が病態に関与している可能性が推測される．

表1 ● 小児のMDS

RC（refractory cytopenia）
　　（末梢血芽球：＜2％，骨髄芽球：＜5％）
RAEB（refractory anemia with excess blasts）
　　（末梢血芽球：2～19％，骨髄芽球：5～19％）
RAEBT（RAEB in transformation）
　　（末梢血/骨髄芽球：20～29％）

病態にかかわる以下の事項について確認する
・化学療法あるいは放射線療法の後に起きたか？
・再生不良性貧血の後に起きたか？
・遺伝性骨髄不全症候群に続発して起きたか？
・以下のうち2項目以上を満たす
　①遷延する原因不明の血球減少
　②2系統以上の細胞における異形成
　③造血細胞における核型や遺伝子などクローナルな異常の獲得
　④芽球の増加

なお，以下の4種類の核型異常を有する場合は急性骨髄性白血病として扱う
t(15;17)，t(8;21)，inv(16)，t(9;11)

疫学

日本小児血液・がん学会の再生不良性貧血・MDS委員会では1999年から2016年まで中央診断事業を行った．末梢血および骨髄塗抹標本を2施設，骨髄生検標本を1施設で診断し，遺伝子検査など特殊検査が必要な場合には専門施設に照会した．その結果，わが国における年間の発症数は約75例と概算され，小児白血病の約5～10％を占める[2]．そのうち90％以上が芽球増加を伴わない病型であった．性差はみられず，乳児期から思春期まで全年齢群で発症するが，芽球の多寡で診断時年齢に大きな違いは認めておらず，中央値は8歳であった．

臨床徴候

MDSを発症した小児は，芽球の多寡にかかわらず多系統の血球減少を呈し，出血症状や発熱などを契機に診断に至ることが多い．RCCは小児一次性MDSの約半数を占め，頻度の高い病型であるが，約20％は無症状のまま偶然に発見される．MDSでAMLのように白血球増多や臓器腫大を認めることはまれである．

診断・検査

小児MDSは，末梢血および骨髄中の芽球割合によって分類される（表1）[1]．MDSでは塗抹標本のみでは診断が困難であるため，骨髄生検が必須である．

芽球増加を伴うMDSでは，芽球増加を伴わないMDSと同様に多系統の血球減少を呈する．鑑別として問題になるのはAMLや骨髄増殖性腫瘍（myeloproliferative neoplasms：MPN）などであり，骨髄生検の所見に加えて核型検査の結果を踏まえて診断をつける．

治療・予後

1 芽球増加を伴わないMDS

RCCの多くは正常核型であり核型異常としては－7の頻度が最も高い．－7は病期進行をきたしやすい．一方，＋8や正常核型は比較的安定した経過をとる．RCCの取り扱いについては議論がある．輸血依存，核型に基づき決定していくが，無治療経過観察，免疫抑制療法，造血細胞移植まで多くの選択肢がある[2]．RCCと診断される例には，成人のRCMD（refractory cytopenia with multilineage dysplasia）に相当するものも含まれ，ほかのRCCとは異なり，clonal evolutionを起こしやすい．換言すると，RCMDの要素のないRCCは臨床的に重症再生不良性貧血にきわめて近いともいえる．今後，病型分類が再考される可能性がある．

2 芽球増加を伴うMDS

60％以上の例に核型異常を認め，－7の頻度が最も高い．－7や＋8などの数的異常のみで構成される複雑核型異常（3種類以上の核型異常）の予後は悪くないが，1つ以上の構造異常（部分欠失や不均衡転座など）を含む複雑核型異常を呈する例の予後はきわめて不良である．

ほとんどの例で造血細胞移植が適応となるが，その前治療としてのAML型化学療法の意義は定まっていない．

ピットフォール・対策

遺伝性骨髄不全症候群のなかには造血系以外に症候のない例があってMDSとの鑑別が困難となるため，遺伝子変異の検索が重要となる（第II部/第1章/A/4．遺伝性骨髄不全症候群，p.372～375参照）．Fanconi貧血，先天性角化不全症，Shwachman-Diamond症候群がその代表であるが，次の疾患群が注目されている．*RUNX1*の生殖細胞系列変異は血小板異常が先行するMDSをきたし，*GATA2*の生殖細胞系列変異の多くはモノソミー7を伴うMDSきたし，*SAMD9/9L*の生殖細胞系列変異も同様にモノソミー7を伴うMDSをきたす[3]．この疾患リストはどんどん増えている．小児MDSこそは，全例でゲノムを解析すべき疾患であろう．

骨髄増殖性疾患

小児の骨髄増殖性腫瘍（myeloproliferative neoplasms：MPN）の大半は若年性骨髄単球性白血病（juvenile myelomonocytic leukemia：JMML）である．ここではJMMLについて述べる．

定義・概念

JMMLは，乳幼児に好発する多能性造血幹細胞のクローン性異常であり，MDSとMPNの双方の特徴を併せもつ．末梢血でも骨髄でも芽球は20％未満である．

病因・病態

JMMLの約90％の症例でGM-CSF受容体β鎖下流のRAS経路に関与する遺伝子の変異が検出される．GM-CSFに対する高感受性がJMMLの本態である（図1）．RAS経路に異常のない例で*ALK*や*ROS1*の転座を有する例が報告されており[4]，分子標的薬が試みられる．RAS経路の異常が重複することがあり，またRAS経路以外の二次的変異（*SETBP1*，*JAK3*，*SH3BP1*など）がみられることがある．メチル化の程度が病勢と相関することもわかってきた[4]．

疫学

小児全白血病の約3％を占めるとされ，日本では年間約20例が発症すると推測される．診断時年齢の中央値は1.8歳で，男児の発症頻度は女児の2倍以上である．

臨床徴候

臨床像として著明な肝脾腫，リンパ節腫脹，黄色腫やカフェオレ斑などがみられる．

診断・検査

末梢血では白血球数の増加，血小板減少，貧血がみられ，白血球分画で好中球と形態異常を有する単球の増加をみるが，芽球は少ない．骨髄所見は骨髄球系を中心とした過形成髄を呈するが，末梢血所見に比べて非特異的である．核型は約60％が正常で，

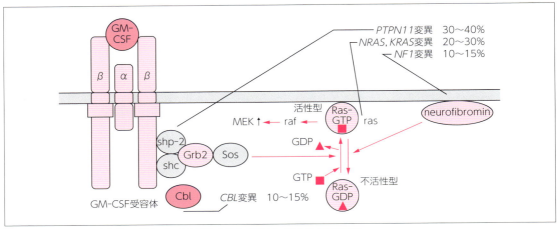

図1 ◆ GM-CSF受容体β鎖からMAPKまでに至るシグナル伝達経路
Ras変異はRAS蛋白の恒常的活性化をきたし，PTPN11変異はRASを活性化させるSHP-2の機能亢進をきたす．一方，NF1変異はRASを不活化させるneurofibrominの異常をきたす．CBLはユビキチンリガーゼ機能によりRAS-MAPK経路を負に調節するものと考えられている．

表2 ◆ JMMLの最新診断基準案

カテゴリー1 （全項目必須）	カテゴリー2 （1つ以上）	カテゴリー3[*1]
単球＞1,000/μL	PTPN11，KRAS，NRASいずれかの体細胞変異	モノソミー7などの染色体異常または下記の2項目以上を満たす
骨髄中の芽球割合＜20％	神経線維腫症Ⅰ型の臨床診断またはNF1の生殖細胞系列変異	HbFの増加（年齢補正後）
脾腫[*2]	CBLの生殖細胞系列変異とヘテロ接合性消失	骨髄球系前駆細胞の末梢血への出現
BCR-ABL融合遺伝子がない		GM-CSF高感受性（コロニーアッセイ） STAT5のリン酸化亢進

*1：カテゴリー2の項目を1つも満たさない場合は，カテゴリー3を満たすことが求められる．
*2：約7％の症例では診断時に脾腫を認めない．しかし，それらの例も経過中に脾臓が腫大することがほとんどである．
(Arber DA, et al.: The 2016 revision to the World Health Organization classification of myeloid neoplasms and acute leukemia. Blood 127：2391-2405, 2016より引用)

25％が-7を有する．以上に述べた臨床所見，血液学的所見，分子および細胞遺伝学的所見を加味した診断基準が国際シンポジウムにて提案されている（表2）[5]．

治療・予後

同種造血細胞移植が唯一の根治的治療と考えられているが，生着不全や再発がみられることがある．欧州ではブスルファン，シクロホスファミド，メルファランの3剤，国内ではブスルファン，フルダラビン，メルファランの3剤を用いた前処置が用いられている．予後の改善を目指して移植前の脱メチル化薬アザシチジンの使用が試みられている．RAS変異例やCBL変異例などでは病勢の進行が緩慢なことがあり，移植時期をめぐる議論がある．なお，PTPN11の生殖細胞変異を有するNoonan症候群に合併したJMMLは，自然経過で軽快するため移植療法は不要である．

ピットフォール・対策

JMMLの一部で高IgG血症や自己抗体の出現をみることが知られていたが，2011年に自己免疫性リンパ増殖症候群（autoimmune lymphoproliferative syndrome：ALPS）とJMMLの鑑別が困難な症例においてKRASの体細胞変異が報告され，RAS関連自己免疫性リンパ増殖症様疾患（RAS-associated ALPS-like disease：RALD）と命名された[6]．移植なしで長期生存を得ているRAS変異陽性JMMLの一部はRALDである可能性が示される一方，致死的な経過を辿った報告もあり，適切な管理法が議論されている．

■ 文献

1) Hasle H, et al.：A pediatric approach to the WHO classification of myelodysplastic and myeloproliferative diseases. Leukemia 17：277-282, 2003
2) Hasegawa D, et al.：Clinical characteristics and treatment outcome in 65 cases with refractory cytopenia of childhood defined according to the WHO 2008 classification. Br J Haematol 166：758-766, 2014
3) Narumi S, et al.：SAMD9 mutations cause a novel multisystem disorder, MIRAGE syndrome, and are associated with loss of chromosome 7. Nat Genet 48：792-797, 2016
4) Murakami N, et al.：Integrated molecular profiling of juvenile myelomonocytic leukemia. Blood 131：1576-1586, 2018
5) Arber DA, et al.：The 2016 revision to the World Health Organization classification of myeloid neoplasms and acute leukemia. Blood 127：2391-2405, 2016
6) Takagi M, et al.：Autoimmune lymphoproliferative syndrome-like disease with somatic KRAS mutation. Blood 117：2887-2890, 2011

（真部　淳）

第2章 小児がん

A 造血器腫瘍

6 Down症候群に伴う血液腫瘍性疾患

一過性骨髄異常増殖症

定義・概要・疫学

　Down症候群は，21番染色体のトリソミーが原因で起こるヒトで最も多い染色体異常である．わが国では，600〜800の出生に対し，1人の割合で生まれると推定される．Down症候群の新生児の約5〜10％に，未熟な血液細胞が末梢血，肝臓，脾臓，骨髄などの臓器で一過性に増殖する一過性骨髄異常増殖症（TAM）という骨髄増殖性疾患を発症する[1]．TAMによる死産例や胎児水腫の合併例など，胎児期発症例も報告されている．TAMの芽球は形態学的にも細胞表面マーカーや遺伝子発現の面からも，Down症候群に伴う骨髄性白血病（myeloid leukemia associated with Down syndrome：ML-DS）の芽球と区別できない．両者は赤血球系と巨核球系に共通の前駆細胞に由来すると考えられている．ほとんどの症例は3か月以内に自然に寛解するが，約20％の患者は肝線維症，心不全，呼吸不全などを合併し，臓器不全，播種性血管内凝固（DIC）などにより死亡する．重症例には少量シタラビン療法が有効であることが示されている．自然寛解例の約20％はその後，4歳までにML-DSを発症する．

病因・病態

　TAMのほとんどすべての症例では，赤血球・巨核球系転写因子GATA1の遺伝子に体細胞突然変異が認められる．GATA1転写因子には，2つのアイソフォームがある．第2エクソンに存在する最初のメチオニン（first Met）から翻訳されるfull length of GATAと第3エクソンの2番目のメチオニン（second Met）から翻訳されるGATA1s（short form of GATA1）である．正常の巨核球では両者とも発現している．しかし，TAMでは突然変異の結果，GATA1sのみが発現している[2]．GATA1sは巨核球を最終分化させることはできるが，GATA1欠損巨核球のもつ増殖過剰形質をレスキューできない．

　最近，GATA1s生殖細胞変異を有する家系に発症したML-DS様白血病が報告されたが，白血病細胞は後天的トリソミー21を有していた[3]．モザイク型Down症候群に合併するTAMは，例外なくトリソミー21を有する細胞由来であることが知られており，TAMの発症においてトリソミー21が重要であることが強く示唆される．また，Down症候群の胎児肝ではGATA1変異がなくても巨核球・赤芽球系前駆細胞の占める割合が高く，コロニー形成能も高いことが報告されている．

　21番染色体には，500個以上の遺伝子が存在すると推定されている．Korbel[4]らは非常にまれな部分的トリソミー21の症例を解析し，TAMとML-DSの責任領域を8.3Mbの領域に絞り込んだ．この領域には，ERG，RUNX1，ETS2，DYRK1Aが含まれている．特に，RUNX1はヒトiPS細胞を用いた解析からTAMの発症に重要な役割を果たしていることが報告されている[5]．

臨床徴候

　TAMは，症状のない軽症例から胎児水腫をきたす重症例までさまざまである．血液学的異常としては血小板減少をきたすことが最も多く，ほかの血球減少は少ない．重症例では，著しい白血球増加を呈し，出血傾向，呼吸困難，黄疸，発疹がみられる．末梢血の芽球の比率が骨髄の芽球比率より高いことがある．多くの症例で肝脾腫がみられ，まれに心肺不全，過粘度症候群，脾壊死や進行性の肝線維症などの致死的な合併症を呈する．

診断・検査

　Down症候群の新生児では，TAMを診断するために肝脾腫などが認められなくても必ず末梢血検査をすることが重要である．骨髄よりも末梢血で芽球の割合が高い傾向がみられるため，骨髄検査は必ずしも必要ではない．芽球はCD7，CD33，CD34，CD36，CD117（KIT）およびCD41，CD42b，CD61などの血小板抗原が高発現していることが多く，フローサイトメトリーによる検査は診断に有用である．WHO分類改訂第4版（2017年）では，Down症候群のTAMとML-DSが独立した疾患群として取り上げられた．しかし，診断基準はまだ明確には定められてい

ない．現在のところ，最も鋭敏な診断マーカーは*GATA1*変異である．最近の次世代シークエンサーを用いたターゲットシークエンス法による解析では，*GATA1*変異陽性のTAMクローンをもつDown症候群新生児は約30％にも上ると推定される．ML-DS発症リスクを有するDown症候群新生児を同定するために，次世代シークエンサーによる解析は有用と思われる．

TAMは，形態学的にも表面マーカーや*GATA1*変異からもML-DSと鑑別することは不可能である．したがって，現時点では，発症時期の違いから両者を区別することが最も実際的である．ドイツは生後6か月，米国は生後3か月以内の発症をTAMの診断基準に含めているが，ほとんどの症例は新生児期に発症している．このため，後述するわが国のTAMの前方視的観察研究TAM-10では，生後90日以内の発症の症例をTAMと定義している．

Down症候群の臨床症状を有さない新生児にも，しばしばTAMの合併が報告されている．芽球は必ず21トリソミーを有し，表面マーカーもDown症候群に伴うTAMと区別できない．さらに，*GATA1*変異も認められる[6]．多くの症例でトリソミー21のモザイクが検出されるが，FISH（fluorescence in situ hybridization）法を用いた体細胞の検討でもトリソミー21が証明されていない例も存在する．モザイクあるいは非Down症候群に生じたTAMが，通常のDown症候群に合併したTAMと臨床的に同一の疾患であるかどうか，今後検討する必要がある．

治療・予後

TAMの新生児の多くは治療を必要とせず，生後3か月以内に自然寛解する．しかし，約20％が肝不全，呼吸循環不全などのために早期死亡する．予後不良因子としては，白血球数高値（100,000/μL以上），直接ビリルビン・肝逸脱酵素の上昇，早期産，腹水，出血傾向，自然寛解に至らない場合が同定されている．ドイツの研究グループがTAM 146例の前方視的観察研究を行い，少量シタラビン療法が重症TAMの生存率を向上させることを報告している[7]．わが国においては，前方視的観察研究として日本小児白血病リンパ腫研究グループ（JPLSG）によりTAM-10研究が行われ，167例のTAM症例が登録された．多変量解析で独立した予後因子は，白血球数高値（10万/μL以上）および全身浮腫であった．少量シタラビン療法は白血球数高値群の生存率を有意に向上させたが，全身浮腫群ではその効果は観察され

なかった[7]．この結果を受けて，現在TAM-18研究では，白血球数10万/μL以上のTAM症例を対象にして，少量シタラビン療法による前方視的治療介入試験を行っている．

TAM症例のうち，20％前後が1歳半前後をピークにML-DSを発症する．しかし，TAM発症時にML-DS発症例を正確に予測する因子はまだ同定されていない．TAM-10研究の結果，フローサイトメトリー法による3か月時点での微小残存病変（FCM-MRD）陽性が白血病発症の予測因子になることが初めて明らかになった[8]．

Down症候群に伴う骨髄性白血病

定義・概要・疫学

Down症候群では白血病の発症頻度が高く，10歳以下では，一般の集団に比べて30～40倍にもなる．白血病のほとんどが急性白血病で，急性リンパ性白血病（ALL）も急性骨髄性白血病（AML）も増加する．特に5歳以下では，AMLの頻度は150倍に達し，そのほとんどが，一般の集団ではきわめてまれな急性巨核芽球性白血病（acute megakaryoblastic leukemia：AMKL）である．AMKLの相対危険度は非Down症候群の小児に比べて500倍にもなるといわれている．Down症候群に伴うAMKLはTAMの既往歴のある小児の約20％に発症し，通常，骨髄異形成症候群（MDS）を経過し，生後4年以内に起こる．AMKLは治療に対する反応がきわめて良好であり，MDSとAMKLの間には生物学的な差異が認められない．このため，WHO分類改訂第4版（2017年）では，芽球の比率で両者を区別する実際的な意味はなく，ML-DSとよぶ．

病因・病態

TAMの約20％がML-DSに進展し，多くのML-DSがTAMと同一の*GATA1*変異を有する．このため，TAMから真の白血病であるML-DSに進行するには，付加的な遺伝子異常が必要であると推定されていたが，その詳細は不明であった．この問題を解決するために，筆者らはTAMとML-DSLの症例について，次世代シークエンサーを用いて網羅的遺伝子解析を行った．その結果，TAMでは*GATA1*以外の遺伝子変異はきわめてまれであるが，ML-DSではコヒーシン複合体（*RAD21，STAG2，NIPBL，SMC1A，SMC3*）（53％），*CTCF*（20％），エピゲノム制御因子（45％），およびRAS/チロシンキナーゼな

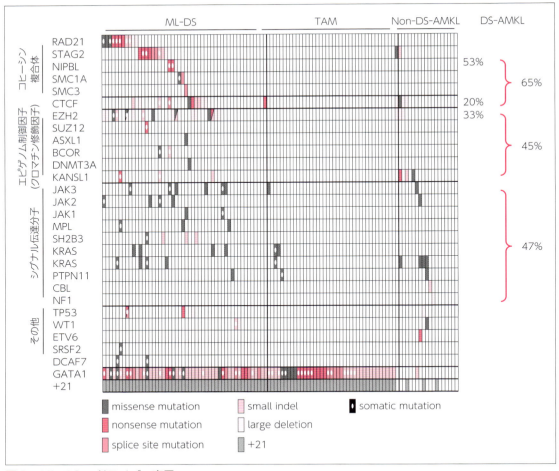

図1 ML-DSのドライバー変異

どのシグナル伝達分子（47％）をコードする遺伝子群に高頻度に変異が存在することが明らかになった[9]．特に，コヒーシン複合体にみられた遺伝子変異は完全に相互排他的であり，ML-DSの発症に重要な役割を果たしていることが推定された（図1）．また，それぞれの遺伝子変異をもつ腫瘍細胞の割合を算出し比較したところ，コヒーシン／*CTCF*およびエピゲノム制御因子の変異はML-DSの発症に，シグナル伝達分子の変異は，その後の腫瘍の進展に関与していることが明らかになった．なお，ML-DSはnon-DS-AMKLと形態学的には類似しているが，分子生物学的には大きく異なった疾患であることが再確認された．

臨床徴候

ML-DSの大部分は生後4年以内に発症する．発症時には血小板減少のみを呈することが多く，月単位で血小板減少が進行し，貧血を合併するようになるが，好中球減少や感染の合併は少ない．多系統にわたる異形成を呈し，骨髄の芽球が20％未満にとどまるMDSの診断基準に合致する時期を経て，徐々に芽球が増加し，12か月以内に白血病化することが多い．しばしば，骨髄線維症を合併する．

診断・検査

骨髄の異形成は白血病化する数か月前から認められ，原発性MDSより著しい．白血病化した症例では，芽球とともに赤芽球系前駆細胞が末梢血にみられることがある．血小板は通常減少し，巨大血小板が認められる．骨髄中の芽球の形態は，円形ないし少し不整形な核と好塩基性の細胞質を中等度にもつ特徴を有している．また，細胞質にblebが存在することもある．通常，ペルオキシダーゼ反応が陰性である．骨髄の線維化が起こり，骨髄穿刺が困難な

し不能であることもある．芽球は，TAM と同様に CD7，CD117，CD42b，CD61 などの細胞表面抗原が高発現していることが多い．TAM と同様に，21 トリソミーに加えて，*GATA1* 変異がみられる．5 歳以上の症例で，*GATA1* 変異がない場合は，通常の MDS や AML と考えるべきである．

治療・予後

ドイツを中心とした欧州の BFM（Berlin-Frankfurt-Munster）グループや米国などでは当初，非 Down 症候群児の AML に準じた治療を行っていたが，Down 症候群児は非 Down 症候群児に比べ治療反応性が良好である一方，骨髄抑制をはじめとする治療関連毒性が強いことが問題であった．それを踏まえて近年では，非 Down 症候群児の AML 治療を減弱した研究が行われ，3 年無イベント生存率（EFS）が 75〜90 ％ と治療成績の向上が得られている．わが国では，1987〜1997 年の AT-DS 研究，2000〜2004 年の AML99 Down プロトコール研究と Down 症候群の AML に特化した治療研究が行われ，3 年 EFS が 80〜85 ％ と欧米に遜色ない良好な成績をあげている[10]が，再発例や寛解導入不能例はきわめて予後が不良である．このため，予後因子としての MRD の評価が JPLSG-D11 研究で行われた．その結果，FCM-MRD あるいは *GATA1* のターゲットシークエンスを用いた MRD（*GATA1*-MRD）の陽性群で再発率が有意に高いことが明らかになった[11]．

■ 文献

1) Lange B：The management of neoplastic disorders of haematopoiesis in children with Down's syndrome. Br J Haematol 110：512-524, 2000
2) Xu G, et al.：Frequent mutations in the GATA-1 gene in the transient myeloproliferative disorder of Down syndrome. Blood 102：2960-2968, 2003
3) Hasle H, et al.：Germline GATA1s generating mutations predispose to leukemia with acquired trisomy 21 and Down syndrome-like phenotype. Blood 2021011463. doi：10.1182/blood.2021011463［Online ahead of print］
4) Korbel JO, et al.：The genetic architecture of Down syndrome phenotypes revealed by high-resolution analysis of human segmental trisomies. Proc Natl Acad Sci USA 106：12031-12036, 2009
5) Banno K, et al.：Systematic Cellular Disease Models Reveal Synergistic Interaction of Trisomy 21 and GATA1 Mutations in Hematopoietic Abnormalities. Cell Rep 15：1228-1241, 2016
6) Yuzawa K, et al.：Clinical, cytogenetic, and molecular analyses of 17 neonates with transient abnormal myelopoiesis and nonconstitutional trisomy 21. Pediatr Blood Cancer 67：e28188, 2020
7) Klusmann JH, et al.：Treatment and prognostic impact of transient leukemia in neonates with Down syndrome. Blood 111：2991-2998, 2008
8) Yamato G, et al.：Predictive factors for the development of leukemia in patients with transient abnormal myelopoiesis and Down syndrome. Leukemia 35：1480-1484, 2021
9) Yoshida K, et al.：The landscape of somatic mutations in Down syndrome-related myeloid disorders. Nat Genet 45：1293-1299, 2013
10) Kudo K, et al.：Prospective study of a pirarubicin, intermediate-dose cytarabine, and etoposide regimen in children with Down syndrome and acute myeloid leukemia：the Japanese Childhood AML Cooperative Study Group. J Clin Oncol 25：5442-5447, 2007
11) Taga T, et al.：Post-induction MRD by FCM and GATA1-PCR are significant prognostic factors for myeloid leukemia of Down syndrome. Leukemia 35：2508-2516, 2021

〔伊藤悦朗，照井君典〕

第2章 小児がん

A 造血器腫瘍

7 非Hodgkinリンパ腫など

定義・概念

リンパ組織由来の悪性腫瘍であるリンパ腫のうち，病理組織学的にHodgkinリンパ腫に分類されないすべてのリンパ腫が非Hodgkinリンパ腫（NHL）である．小児NHLの約90％は，Burkittリンパ腫（BL），びまん性大細胞型B細胞リンパ腫（DLBCL），リンパ芽球性リンパ腫（LBL），未分化大細胞型リンパ腫（ALCL）の4病型に分類される．

病因・病態

小児NHLの正確な発症機序は不明である．リンパ球が分化過程において抗原受容体や細胞増殖関連因子に異常を生じ，免疫監視機構や増殖制御機構を逸脱して増殖した結果と推測されている．先天性，あるいは後天性免疫不全症候群患者において，NHLの発症リスクが高いこと，EBウイルス（EBV）感染がNHLの発症に関与することが知られている．

小児NHLの発症臓器や細胞増殖は病理組織型により異なり，病態は多彩である．小児NHLは成人と比較して病理組織型の多様性に乏しく，進行性の病態を示す病型（高グレードリンパ腫）が多い．

疫学

国立がん研究センターがん情報サービスの「小児・AYA世代のがん種の内訳の変化」には，リンパ腫は0〜14歳では第3位の頻度（9％），15〜19歳でも第3位の頻度（13％）のがん種と記載されている[1]．2017年の日本小児血液・がん学会疾患登録におけるNHLの年間登録数は123例であり，病型別登録数は，BL 29例，DLBCL 21例，LBL 41例，ALCL 22例，その他のNHL 10例である．表1に小児NHLの代表的な病型の頻度を示す．海外と比較して，BLの頻度が低く，B前駆細胞性LBLの頻度が高い傾向を認める．

小児NHLの発症年齢のピークは明確でないが，10歳以降に多く，3歳未満には少ない．縦隔大細胞型B細胞リンパ腫（primary mediastinal large B-cell lymphoma）を除き，女児と比較して男児に多い．

表1 ● 小児非Hodgkinリンパ腫の病型別頻度

病型	日本小児血液・がん学会[*1]	海外例[*2]
Burkittリンパ腫	29（24％）	35〜40％
びまん性大細胞型B細胞リンパ腫	21（17％）	15〜20％
T細胞性リンパ芽球性リンパ腫	30（24％）	15〜20％
B前駆細胞性リンパ芽球性リンパ腫	11（9％）	3％
未分化大細胞型リンパ腫	22（18％）	15〜20％
その他の非Hodgkinリンパ腫	10（8％）	Rare

（*1：日本小児血液・がん学会：疾患登録集計結果．2017登録症例．2017 https://www.jspho.org/pdf/2017.pdf/ *2：Allen CE, et al.: Malignant non-Hodgkin lymphoma in children. In: Pizzo PA, et al.(eds.), Principles and Practice of Pediatric Oncology. 7th ed, Lippincott Williams & Wilkins, 587-603, 2015）

臨床徴候

表2に小児NHLの代表的な病型の臨床的特徴を示す．

1 小児BLの臨床徴候

小児BLは高度に進行性で，しばしば急性白血病を含むリンパ節外病変を示す．腹部腫瘤で発症することが多く，Waldeyer咽頭輪，副鼻腔，末梢リンパ節，皮膚，精巣，骨，骨髄，中枢神経に病変を生じる．腸管リンパ節由来の腹部腫瘤は腸重積として発症することもある．

2 小児DLBCLの臨床徴候

小児DLBCLの臨床像はBLに類似することが多いものの，縦隔病変を認めることがあり，骨髄，中枢神経浸潤の頻度は低い．

3 小児LBLの臨床徴候

LBLは免疫表現型によりT細胞性，前駆B細胞性に分類される．縦隔腫瘤を有するT細胞性LBL例では，胸水，呼吸困難，上大静脈症候群などを伴うこともあり，骨髄，中枢神経に病変を認めることもある．限局病変のみの前駆B細胞性LBLはリンパ節，骨，皮下組織などに病変を認める．骨髄浸潤例では急性リンパ性白血病（ALL）との鑑別が問題になる．

表2 ◆ 小児非Hodgkinリンパ腫の臨床的・生物学的特徴

病理組織	免疫表現型	臨床像（おもな病変）	染色体転座	遺伝子異常
Burkittリンパ腫	成熟B細胞 MIB1〜100％， CD10＋，CD19＋，CD20＋， CD79a＋，sIg＋，Bcl-6＋	腹腔内（腸管リンパ節，頭頸部（waldeyer咽頭輪，末梢リンパ節），骨髄，中枢神経，骨，皮膚，精巣	t(8；14)(q24；q32)， t(2；8)(p11；q24)， t(8；22)(q24；q11)	*IGH/MYC* *IGκ/MYC* *IGλ/MYC*
びまん性大細胞型B細胞リンパ腫	成熟B細胞 MIB1 40〜90％， CD10＋/−，CD19＋， CD20＋，CD79a＋，sIg＋/−， Bcl-6＋/−	Burkittリンパ腫に類似するが骨髄，中枢神経病変の頻度は低い 縦隔病変を認めることもある	8q24関連(<30％)	＊
T細胞性リンパ芽球性リンパ腫	未熟T細胞 cCD3＋，CD4＋，CD8＋/−， CD7＋，CD5＋/−，TdT＋	前縦隔，末梢リンパ節，骨髄	＊	*NOTCH/FBXW7* *PTEN* *IGH/TCR*再構成
前駆B細胞性リンパ芽球性リンパ腫	前駆B細胞 CD10＋/−，CD19＋， CD20＋/−，CD79a＋，sIg−， TdT＋	末梢リンパ節，皮膚，骨，軟部組織，骨髄	＊	*IGH/TCR*再構成
未分化大細胞型リンパ腫	T細胞，NK細胞，未分化細胞 CD30＋，ALK＋(>90％)	末梢リンパ節，皮膚，骨，軟部組織，肝，肺 血球貪食性リンパ組織球症の病態を合併することもある	t(2；5)(p23；q35) 他2p23関連	*NPM-ALK* 他ALK関連
縦隔大細胞型B細胞リンパ腫	B細胞（胸腺髄質） CD10＋/−，CD19＋，CD20＋， CD79a＋，sIg−，Bcl-6＋/−	縦隔		*NF-κB*

＊：特徴的な所見は整理されていない．

4 小児ALCLの臨床徴候

小児ALCLの多くは進行病期であり，しばしば発熱を伴う．末梢リンパ節のほかに，リンパ節外に病変を認めることが多く，皮膚，骨，軟部組織，肺，肝病変の頻度が高い．消化管や中枢神経浸潤はまれである．血球貪食性リンパ組織球症（hemophagocytic lympho-histiocytosis：HLH）の病態を合併することもある．

診断・検査

1 小児NHLの病理組織診断

小児NHLは，生検などにより採取された腫瘍組織を用いて病理組織学的に診断する．末梢血，骨髄，胸水，あるいは腹水中に評価可能な割合のリンパ腫細胞を認める場合には，これらを診断材料とすることが可能である．病理診断のための生検は，最低限の侵襲による方法を選択すべきである．巨大縦隔腫瘤を伴う例では，全身麻酔や鎮静に伴い心肺停止を生じる危険を有する．リスクに応じて診断前治療を考慮する．リンパ腫の病型診断に必要な免疫組織染色，染色体・遺伝子検査などの解析を行うためには，採取された検体を適切に処理，保存しなければならない．表2に小児NHLの代表的な病型の生物学的特徴を示す．

2 小児NHLの病期診断

小児NHLの病期診断にはSt. Jude分類（Murphy分類）が汎用される．治療の根拠となる臨床試験における病期診断方法に従うことが原則である．本稿執筆時（2021年2月）まで，小児NHLにおけるFDG（fluorodeoxyglucos）-PETスキャンによる評価の経験は十分ではない．結果の解釈には慎重な姿勢が求められ，少なくともFDG-PETスキャンのみの結果に基づいた病期の変更，治療効果の判定は推奨されない．

3 合併症（特にoncologic emergency）の評価

小児NHLの発症・診断・治療開始時には，気道圧迫・狭窄，上大静脈症候群，脊髄圧迫，腫瘍崩壊症候群など緊急対応を要する病態（oncologic emergency）が少なくない．診断確定までの期間，あるいは治療開始早期にこれらの合併症が急速に進行する可能性を十分に想定し，適切な対応の準備が求められる．

治療・予後

1 小児NHL治療に関するガイドライン

日本小児血液・がん学会により『小児白血病・リ

表3 ◆ 小児非Hodgkinリンパ腫に対するおもな臨床試験におけるリスク分類，治療期間，予後

病型	研究	リスク群	治療期間	無イベント生存（例数）
B-NHL	NHL-BFM95[3]	R1：病変が摘出された病期I+II	2コース	94％（3年）（n=48）
		R2：病変が摘出されていない病期I+II，病期IIIでLDH<500	プレ*1+4コース	94％（3年）（n=233）
		R3：病期IIIで500≦LDH<1,000，病期IVでLDH<1,000かつ中枢神経浸潤なし	プレ*1+5コース	85％（3年）（n=82）
		R4：病期III+IVでLDH≧1,000，中枢神経浸潤あり	プレ*1+6コース	81％（3年）（n=142）
	LMB/FAB96[4][5]	A：病変が摘出された病期I，腹部病変が摘出された病期II	2コース	98％（3年）（n=132）
		B：病変が摘出されていない病期I，腹部病変が摘出された例以外の病期II 病期III+IVで骨髄中の芽球≦25％かつ中枢神経浸潤なし	プレ*1+4コース	90％（4年）（n=762）
	Inter-B-NHL Ritux 2010[6]	B：血清LDH高値を伴う病期III 病期IVで骨髄中の芽球≦25％かつ中枢神経浸潤なし	プレ*1+4コース+リツキシマブ*2	94％（3年）（n=164）
		C：病期IVで骨髄中の芽球>25％または中枢神経浸潤あり	プレ*1+8コース+リツキシマブ*2	
	JPLSG B-NHL03[7]	G1：病変が摘出された病期I+II	2コース	97％（4年）（n=17）
		G2：病変が摘出されていない病期I+II	プレ*1+4コース	97％（4年）（n=103）
		G3：病期III，病期IVで骨髄中の芽球≦25％かつ中枢神経浸潤なし	プレ*1+6コース	82％（4年）（n=111）
		G4：病期IVで骨髄中の芽球>25％かつ/または中枢神経浸潤あり	プレ*1+8コース	71％（4年）（n=90）
LBL	NHL-BFM95[8]	病期III+IV	2年間	82％（5年）（n=156）
	JPLSG ALB-NHL03[9]	病期III+IV	2年間	78％（5年）（n=136）
ALCL	ALCL99[10][11][12]	標準リスク：皮膚，縦隔，肝臓，脾臓，肺のいずれにも病変なし	プレ*1+6コース	74％（2年）（n=352）
		高リスク：皮膚，縦隔，肝臓，脾臓，肺のいずれかに病変あり		

B-NHL：成熟B細胞リンパ腫（Burkittリンパ腫，びまん性大細胞型B細胞リンパ腫），LBL：リンパ芽球性リンパ腫，ALCL：未分化大細胞型リンパ腫．
＊1：プレ：プレフェー．
＊2：Inter-B-NHL Ritux 2010におけるリツキシマブの投与回数はB，Cとも6回．

ンパ腫の診療ガイドライン』が示されている．また，米国のNCI（National Cancer Institute）によるPDQ®（Physician Data Query）[2]に標準的な治療選択（standard treatment option）が示されている．表3[3]〜[10]に小児NHLの代表的な病型に対する標準的な治療の概要を示す．

2 小児BL，DLBCLに対する治療

BL，DLBCLを成熟B細胞リンパ腫（B-cell NHL，B-NHL）として同一の治療を適用する．リスクに応じた層別化による，多剤併用短期化学療法が標準的である．NCIによるPDQ®にはstandard treatment optionとしてFAB/LMB96[4][5]，Inter-B-NHL Ritux 2010[6]，NHL-BFM95[3]が提示されている．Inter-B-NHL Ritux 2010は，高リスク群（血清LDH高値を伴うstage 3およびstage 4）に対し，FAB/LMB96標準化学療法にリツキシマブを追加する有効性の評価を目的としたランダム化国際臨床試験である．リツキシマブ追加群の3年無イベント生存率（EFS）は93.9％であり，FAB/LMB96標準化学療法群の82.3％を上回った（Hazard ratio 0.32，$p=0.00096$）．国内においては，日本小児白血病リンパ腫研究グループ（JPLSG）によりJPLSG B-NHL03試験が行われ，低リスク群に対し前述の国際的標準治療と同等のEFSが報告された[7]．高リスク群に対するリツキシマブ追加FAB/LMB96化学療法の有効性，安全性の評価を目的としたJPLSG B-NHL14試験（jRCTs041180089）は，本

稿執筆時（2021年2月）において登録を終了し，観察期間中（2021年9月までの予定）である．

③ 小児LBLに対する治療

多剤併用によるALL治療と同様の維持療法を含む長期化学療法が標準的で，NCIによるPDQ®にはstandard treatment optionとしてNHL-BFM95[8]が提示されている．JPLSGは進行病期LBLを対象としたNHL-BFM95類似化学療法の維持療法を強化したJPLSG ALB-NHL03試験を行い，NHL-BFM95と同等のEFSであるものの，転帰の改善には至らなかったと報告した[9]．

④ 小児ALCLに対する治療

B-NHLに対する治療と同様の短期化学療法，LBLに対する治療と同様の長期化学療法のいずれによっても類似したEFSが報告されている．NCIによるPDQ®にはstandard treatment optionとしてALCL99[10)11]などが提示されている．ALCL99は欧州の国際共同研究グループ（European Intergroup for Childhood non-Hodgkin lymphoma：EICNHL）とJPLSGにより行われた国際臨床試験であり，国際試験全体とJPLSG登録例の臨床的特徴，EFS，有害事象の頻度などの結果は同様であった[12]．

⑤ 小児治療抵抗・再発NHLに対する治療

治療抵抗・再発NHLに関する情報は乏しく，治療は未整備である．治療抵抗・再発B-NHL，およびLBL例の多くは化学療法に抵抗性であり，予後は著しく不良である．治療抵抗・再発ALCLに対する分子標的治療薬の開発が進められている．国内では，本稿執筆時（2021年2月）において，CD30に対する抗体薬物複合体であるブレンツキシマブ・ベドチン，および未分化リンパ腫キナーゼ（anaplastic lymphoma kinase：ALK）に対するチロシンキナーゼ阻害薬であるアレクチニブの治療抵抗・再発ALCL（それぞれCD30陽性，ALK陽性のALCL）に対する適応が薬事承認されている．米国においては，ALK阻害薬であるクリゾチニブの治療抵抗・再発ALCLに対する忍容性，有効性が報告され[13]，さらに，同薬の未治療のALCLに対する開発（NCI-2013-02167）が進められている．

⑥ 小児NHLの予後因子

小児BL，DLBCLの予後因子として病期，腫瘍の摘出，および血清LDH値など，小児LBLの予後因子として病期など，ALCLの予後因子として臓器（縦隔，肺，肝，脾，皮膚）浸潤，病理組織亜型，診断時の骨髄・末梢血中の微小播種病変（minimum disseminated disease：MDD）・微小残存病変（MRD），診断時の血清抗ALK（anaplastic lymphoma kinase）抗体価などが報告されている．

⑦ 小児NHLの晩期合併症

標準的な治療により，80％以上の小児NHL患者は少なくとも5年以上生存する．小児NHLの晩期合併症として二次がん，不妊，心血管障害などが知られている．長期フォローアップによる晩期合併症の評価・対応，および新たな治療開発による晩期合併症軽減への取り組みは重要な課題である．

■ 文献

1) がん情報サービス：がん統計．小児・AYA世代のがん種の内訳の変化．国立がん研究センターがん対策情報センター，2018 https://ganjoho.jp/reg_stat/statistics/stat/child_aya.html
2) National Cancer Institute：Childhood Non-Hodgkin Lymphoma Treatment（PDQ®） http://www.cancer.gov/cancertopics/pdq/treatment/child-non-hodgkins/HealthProfessional
3) Woessmann W, et al.：The impact of the methotrexate administration schedule and dose in the treatment of children and adolescents with B-cell neoplasms：a report of the BFM Group Study NHL-BFM95. Blood 105：948-958, 2005
4) Gerrard M, et al.：Excellent survival following two courses of COPAD chemotherapy in children and adolescents with resected localized B-cell non-Hodgkin's lymphoma：results of the FAB/LMB 96 international study. Br J Haematol 141：840-847, 2008
5) Patte C, et al.：Results of the randomized international FAB/LMB96 trial for intermediate risk B-cell non-Hodgkin lymphoma in children and adolescents：it is possible to reduce treatment for the early responding patients. Blood 109：2773-2780, 2007
6) Minard-Colin V, et al.：Rituximab for High-Risk, Mature B-Cell Non-Hodgkin's Lymphoma in Children. N Engl J Med 382：2207-2219, 2020
7) Tsurusawa M, et al.：Improved treatment results of children with B-cell non-Hodgkin lymphoma：a report from the Japanese Pediatric Leukemia/Lymphoma Study Group B-NHL03 study. Pediatr Blood Cancer 61：1215-1221, 2014
8) Burkhardt B, et al.：Impact of cranial radiotherapy on central nervous system prophylaxis in children and adolescents with central nervous system-negative stage III or IV lymphoblastic lymphoma. J Clin Oncol 24：491-499, 2006
9) Sunami S, et al.：Prognostic Impact of Intensified Maintenance Therapy on Children With Advanced Lymphoblastic Lymphoma：A Report From the Japanese Pediatric Leukemia/Lymphoma Study Group ALB-NHL03 Study. Pediatr Blood Cancer 63：451-457, 2016
10) Brugières L, et al.：Impact of the methotrexate administration dose on the need for intrathecal treatment in children and adolescents with anaplastic large-cell lymphoma：results of a randomized trial of the EICNHL Group. J Clin Oncol 27：897-903, 2009
11) Le Deley M-C, et al.：Vinblastine in children and adolescents with high-risk anaplastic large-cell lymphoma：results of the randomized ALCL99-vinblastine trial. J Clin Oncol 28：3987-3993, 2010
12) Mori T, et al.：Analysis of Japanese registration from the randomized international trial for childhood anaplastic large cell lymphoma（ALCL99-R1）. Rinsho Ketsueki 55：526-533, 2014
13) Mossé YP, et al.：Targeting ALK With Crizotinib in Pediatric Anaplastic Large Cell Lymphoma and Inflammatory Myofibroblastic Tumor：A Children's Oncology Group Study. J Clin Oncol 35：3215-3221, 2017

〔森　鉄也〕

第2章　小児がん
A　造血器腫瘍

8 Hodgkinリンパ腫

定義・概念

Hodgkinリンパ腫（HL）はリンパ細網系から生じる悪性疾患であり，リンパ節以外にも脾臓，肝臓，および骨髄などにも播種し得る．古典的HLではHRS（Hodgkin Reed-Sternberg）細胞の増生を認めることが特徴である．

病因・病態

HLは，HRS細胞のγ-グロブリン遺伝子解析によりB細胞由来であることが証明されている．HRS細胞は病変リンパ節にごく少数（全体の1〜2％以下）しか存在しないが，その背景に多くの正常リンパ球，組織球，好酸球に繊維化を伴う炎症性細胞などの浸潤を伴い，多彩な組織像を呈する．

また，細胞性免疫異常に起因する細菌，真菌，ウイルス感染などの日和見感染症による非腫瘍死が問題となる．進行期では液性免疫が抑制され，しばしば敗血症により死亡する．

疫学

米国では年間800〜900例（悪性リンパ腫全体の40％程度），わが国では年間15〜30例（悪性リンパ腫全体の10％程度）の20歳未満の患者がHLと診断される．発症年齢は2峰性であり，10歳代後半〜若年成人および55歳以上に多く，10歳未満はまれである．

臨床徴候

無痛性の頸部リンパ節腫脹が特徴である（図1）．全身症状には，B症状とよばれる発熱，寝汗，体重減少がある．時に，Pel-Epstein熱（3〜10日間発熱が持続し，その後無熱期間が続き，再度高熱・無熱を繰り返す）がみられる．腫瘍塊による局所圧迫は，肝内・肝外胆管閉塞に続発する黄疸，骨盤や鼠径部のリンパ管閉塞に続発する下肢の浮腫，気管支圧迫に続発する呼吸困難や喘鳴などの症状を引き起こす．非Hodgkinリンパ腫と比較するとリンパ節外病変で発見されることはまれである．

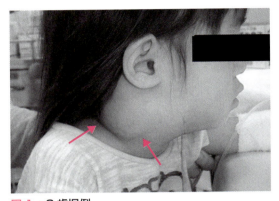

図1 ● 3歳児例
両頸部無痛性頸部リンパ節腫脹を主訴に来院．

診断・検査

病理診断が非常に重要であり，十分量のリンパ節生検によりHRS細胞を検出することが必須である．特異的染色体異常やキメラ遺伝子などは検出されず，モノクローナルな増殖にもかかわらず背景細胞が多いことなどから，その他の検査（染色体検査，遺伝子検査およびフローサイトメトリーなど）は他疾患除外目的の補助的検査である．血算では多核球・好酸球増多，リンパ球減少，血小板増多がみられることがある．非特異的マーカーとしては，赤沈，血清銅，可溶性インターロイキン（IL）-2受容体などがある．

1 病理診断

CD30陰性pop-corn細胞の増生を認める結節性リンパ球優勢型HLとCD30陽性HRS細胞の増生を認める古典的HL（図2）[1]に大別され，後者はさらに①結節性硬化型，②混合細胞型，③リンパ球豊富型，④リンパ球減少型の4つに分類される．

2 EBウイルス感染症

幼少時発症例ではEBウイルス（Epstein-Barr virus：EBV）感染が関与し，混合細胞型であることが多い．

3 予後予測因子

進行病期，巨大腫瘤の存在，アルブミン低値，B症状のほか，初期治療反応不良などが予後不良因子

となる.

4 画像検査・病期分類に必要な検査

CT, MRI のほか, 骨髄検査, 髄液検査を用いた病期分類が行われる. FDG-PET は糖代謝活性を測定し, 生存腫瘍細胞と壊死・線維化の鑑別が可能である(図3)[1], 骨髄浸潤判定にも有用である. PET-CT は CT よりも高感度に病変が検出できるため, HL の初期診断, 病期判定, 治療効果判定に欠かせない検査である.

5 病期分類

病期分類として, Ann Arbor 病期分類またはその改訂版である Cotswolds 分類[2]が使用される(表1).

治療・予後[3]

小児 HL に対する標準的治療戦略は, 多剤併用化学療法と初発時に腫瘍が存在していたリンパ節領域を照射野とする低線量放射線照射の併用である. 化学療法後に完全寛解となった症例には放射線照射を省略する試みが行われている.

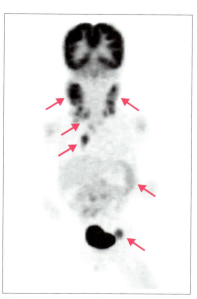

図3 ◆ FDG-PET 検査
HL, 図1と同症例. ➡は病変部位. 両側頸部のほか, 前縦隔, 脾臓, 左鼠径リンパ節に集積あり, 病期 III と診断.

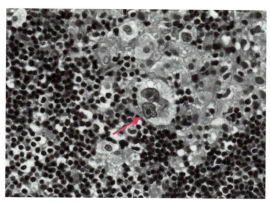

図2 ◆ 腫瘍組織ヘマトキシリン・エオジン染色
HL 混合細胞型. 図1と同症例. ➡は特徴的な HRS 細胞.
(口絵17 p.viii 参照)

表1 ◆ HL 病期分類

病期	
I	病変が1か所のみのリンパ節領域(I期) または1個のリンパ節外臓器の限局性病変(IE 期)のみの場合(脾臓・胸腺・Waldeyer 輪)
II	病変は横隔膜を境界にして一方の側に限局していて, なおかつ, 病変が2か所以上のリンパ節領域に存在する場合(II期), または病変リンパ節とそれに関連した1つのリンパ節外臓器(または部位)への限局性の浸潤がある場合(横隔膜の同側のほかのリンパ節外領域の有無は問わない)(IIE 期)
III	病変が横隔膜を境界にして両側のリンパ節領域に進展している場合(III期). 病変リンパ節領域に関連するリンパ節外臓器(または部位)への限局性浸潤を伴っている場合は IIIE 期とする. 脾臓浸潤がある場合は IIIS と記載し, 両者を認める場合は IIIE+S と記載する
IV	病変がリンパ節外臓器へびまん性(多発性)に浸潤している場合(領域リンパ節の浸潤の有無は問わない). または, リンパ節病変と, それに関連しない遠隔のリンパ節外臓器に病変がある場合

リンパ節以外の病変の扱いについては, 病変がリンパ節外臓器のみに限局している場合やリンパ節病変に近接したリンパ節臓器に限局性に浸潤している場合にはリンパ節病変と同様に扱い, 「E」という記号を付記する. 肝臓などリンパ節外臓器にびまん性に浸潤進展した状態は IV 期として扱う. リンパ節外の臓器浸潤が病理学的に証明された場合には, 浸潤部位の記号に続けて(+)と記載する. 浸潤部位は下記の表記に従う.
N:nodes, H:liver, M:bone marrow, S:spleen, P:pleura, O:bone, D:skin.
全身症状随伴の有無によりさらに A と B に分けられる.
A:全身症状を伴っていない場合, B:全身症状を伴っている場合.
縦隔の巨大腫瘤病変は, 胸部X線において腫瘍の最大横径の T5/6 の高さでの内胸郭の長さに占める割合が 1/3 以上と定義されている. もしくは CT で腫瘍の最大径が 10 cm 以上のもの.
(Olweny CL:Cotswolds modification of the Ann Arbor staging system for Hodgkin's disease. J Clin Oncol 8:1598, 1990 より引用)

1 早期例（病期Ⅰ, Ⅱかつ巨大腫瘤を有しない例）

多剤併用化学療法 2～4 コースと低線量放射線照射 15～25 Gy の併用を行う．無イベント生存率は 90% 以上である．

2 進行例（病期 ⅡB～Ⅳ，あるいは巨大腫瘤を有する症例）

多剤併用化学療法 4～8 コースと低線量放射線照射 20～25 Gy の併用療法を行う．無イベント生存率は 80% 以上である．

3 HL に対する造血細胞移植療法

難治性・再発 HL に対してはサルベージ療法が実施されるが，確立された方法はない．化学療法が奏効する症例においては自家末梢血幹細胞移植，難治例では同種移植も検討される．

4 HL に対する新たな治療（ブレンツキシマブ ベドチン，ニボルマブ）

ブレンツキシマブベドチンは，モノメチルオーリスタンチンEを抱合したキメラ型CD30抗体であり，ニボルマブは，免疫チェックポイント阻害薬の1つで，ヒト型ヒト PD-1 モノクローナル抗体である．いずれも再発・難治例 HL に対して高い有用性が確認され，前者は小児適応がある．

5 小児 HL 治療後の晩期合併症

HL 長期生存者のフォローアップデータでは，長期生存者における 10,000 人/年あたり死亡は，原疾患 38.3 人，二次がん 23.9 人，心血管系障害 13.1 人であった．全死亡のリスクとして 30 Gy 以上の放射線照射，アントラサイクリン系薬剤，アルキル化薬があげられる[4]．

ピットフォール・対策

HL は最も治癒の可能性の高い小児がんの1つであるが，晩期合併症の発生が多いことが深刻な問題であり，治療には治癒率を維持しつつ晩期合併症を最小限にする工夫が必要である．

文献

1) 古賀友紀, 他：小児ホジキンリンパ腫. 日小児血液会誌 24：255-260, 2010
2) Olweny CL：Cotswolds modification of the Ann Arbor staging system for Hodgkin's disease. J Clin Oncol 8：1598, 1990
3) 日本小児血液・がん学会（編）：小児白血病・リンパ腫診療ガイドライン 2016 年版（暫定案）, 金原出版
4) Castellino SM, et al.：Morbidity and mortality in long-term survivors of Hodgkin lymphoma：a report from the Childhood Cancer Survivor Study. Blood 117：1806-1816, 2011

（古賀友紀）

第2章 小児がん

A 造血器腫瘍

9 リンパ増殖性疾患

リンパ増殖性疾患は，T細胞・NK細胞のリンパ増殖性疾患とB細胞のリンパ増殖性疾患に分類できる．EBウイルス(EBV)関連T細胞・NK細胞のリンパ増殖性疾患，原発性免疫不全症を基盤としたリンパ増殖症，免疫不全状態を基盤としたEBV関連のリンパ増殖性疾患に大別できる．WHO分類改訂第4版ではMature T-and NK-cell lymphomaの章に分類されるEBV positive T-cell and NK cell lymphoproliferative disease of childhoodおよびImmunodeficiency-associated lymphoproliferative disordersの章に含まれる疾患である[1]．

a. 小児EBV陽性T細胞およびNK細胞リンパ増殖症

WHO分類第4版では，
- 小児全身性EBV陽性T細胞リンパ腫(systemic EBV⁺ T cell lymphoma of childhood)
- 慢性活動性T細胞およびNK細胞EBV感染症，全身型(chronic active EBV infection of T- and NK-cell type, systemic form)
- 種痘様水疱症様リンパ増殖症(hydroa vacciniform-like lymphoproliferative disorder)
- 重症蚊アレルギー(severe mosquito bite allergy)

に分類されている．

慢性活動性T細胞およびNK細胞EBV感染症・全身型

定義・概念

本疾患は，従来からわが国で慢性活動性EBV感染症(chronic active EBV infection：CAEBV)と診断されている疾患に相当する疾患分類である．CAEBVは，持続する伝染性単核症様症状，発熱，リンパ節腫大，肝脾腫を主徴候に多彩な症状を示し，T細胞もしくはNK細胞のEBV感染細胞の増加と臓器浸潤を特徴とする疾患群である．Strausによる診断基準，日本小児感染症学会のガイドラインなどがある．WHO分類改訂第4版における小児全身性EBV陽性T細胞リンパ腫，種痘様水疱症様リンパ増殖症，重症蚊アレルギーは，いずれもCAEBVの臨床経過を通してみられる1つの表現系であり，小児全身性EBV陽性T細胞リンパ腫はCAEBVに続発するリンパ腫としてとらえられる．CAEBVはその経緯を通していくつかの遺伝子変異を獲得し，急性転化した段階でRNAヘリカーゼであるDDX3X変異などを獲得していることが明らかとなった[2]．

病因・病態

T細胞またはNK細胞への持続的なEBV感染症が原因であり，アジアに多いことから何らかの遺伝的な背景が関与することが推測されている．感染したT細胞またはNK細胞は，しばしばクローナルな増殖をきたし，腫瘍性の意味合いが強いリンパ増殖性疾患(lymphoproliferative disorder：LPD)である．またこれら感染細胞はリンパ球の活性化をきたし，インターフェロン(INF)-γ，腫瘍壊死因子(tumor necrosis factor：TNF)-α，インターロイキン(IL)-5などが炎症を惹起し，血球貪食性リンパ組織球症(hemophagocytic lymphohistiocytosis：HLH)の原因となる．

EBVの感染細胞によって，その予後，病態が異なる．感染細胞がCD8の場合は，EBV-HLHのパターンをとることが多く，CAEBVの多くはCD4に感染している．EBV-LPDは，免疫不全状態により発症する腫瘍であり，実際に多くの原発性免疫不全症で発症が認められている．

疫学

アジアに多く，わが国で年間24人程度の発症があることが報告されている．全患者数は1,000人前後と推定される．

臨床徴候

発熱，肝脾腫，リンパ節腫大が特徴である．NK細胞型では重症蚊アレルギーなどが特徴として知られる．ほかに発疹，間質性肺炎，間質性腎炎，ブド

ウ膜炎，冠動脈瘤などが報告されている．

診断・検査

CAEBVは，EBVに対する異常抗体価VCA-IgG 640倍，EA-IgG 160倍以上などを示すことが多いが，抗体価が正常な例も存在する．EBV感染の量的変化は末梢血を用いた定量PCR法で行われる．リンパ球をフローサイトメトリーや抗体ビーズなどで各細胞を分画し，EBVのT細胞，NK細胞への感染を同定することにより，診断がより確定的になる．また，感染細胞のクロナリティをEBVのターミナルリピート配列を用いたサザンブロット法，T細胞受容体の再構成などにより解析することで診断の補助となる．

治療・予後

予後不良の疾患であり，一般的にT細胞型はNK細胞型より予後が不良とされる．造血細胞移植が唯一の効果の証明された治療法である．HLH症状に対してはシクロスポリン，ステロイド，エトポシドを用いた多剤併用免疫抑制療法が用いられる．

ピットフォール・対策

CAEBVはHLHを合併したり，白血病化するとコントロールすることが難しく，診断が行われた時点で造血細胞移植の適否を判断する必要がある．

b. 原発性免疫不全症に関連したリンパ増殖症

自己免疫性リンパ増殖症候群

定義・概念

自己免疫があり，リンパ節腫大を呈する症例は以前から知られていたが，1992年にSnellerらが自己免疫性リンパ増殖症候群（autoimmue lymphoproliferative syndrome：ALPS）という疾患概念を提唱した．

1995年，FisherらはこのがFAS変異によることを明らかにし，ALPSの疾患概念が確立した．1996年になってFASLG変異によってもALPSが発症することが明らかとなり，FASリガンド-FAS経路のアポトーシス障害とALPSの病因がはっきりしてきた．当然，この細胞死経路に属する分子の異常によってもALPSが発症することが強く予測され，1999年にCASP10変異によるALPSが報告された．2007年にはNRAS体細胞変異により，ALPS様の症状を示す例が報告され，2011年高木ら，Niemelaらによって KRAS体細胞変異でもALPS様疾患が発症することが明らかとされ，RAS経路の異常によるALPS類縁疾患 RAS-associated autoimmune leukoproliferative disease（RALD）の疾患概念が確立された．現在では米国NIH（National Institute of Health）のグループの提唱する診断基準が確立された用いられている[3]．

病因・病態

ALPS-FASはFAS経路の細胞死の障害による自己反応性T細胞の増殖がその病態である．ALPS類縁疾患は病態の解明が進んでいないが，細胞増殖シグナル活性化による細胞死の障害が原因と考えられる．

疫学

はっきりとした疫学調査結果はない．典型的な確定例は全世界で400人ほどが報告され，わが国においても20人以上の患者が存在する．近年，自己免疫性溶血性貧血および免疫性血小板減少症を呈する，いわゆるEvans症候群の半数程度がALPSであるとの報告もあり，多くの潜在的な患者が存在するものと考えられる．

臨床徴候

慢性の経過で続くリンパ節腫大，脾腫などを特徴とし，自己免疫疾患を合併する症候群である．しばしば自己免疫機序に基づく多系統の血球減少がみられる．興味深いことに，これらの症状は加齢とともに軽快する．そのほか，自己免疫に起因するさまざまな症状がみられることがある．

診断・検査

診断基準にも示されているが，自己免疫機序に基づく多系統の血球減少，高γ-グロブリン血症，さまざまな自己抗体の出現を特徴とする．一般的に行える検査ではないが，血清中の可溶性FASリガンド，IL-10の上昇がみられる．また，末梢血中にTCR$\alpha\beta$陽性CD3陽性CD4/CD8二重陰性リンパ球が増加する．RALDではTCR$\alpha\beta$陽性CD3陽性CD4/CD8二重陰性リンパ球の増加はみられず，遺伝子診断が必要となる．鑑別診断として自己免疫症状から全身性エリテマトーデス（SLE），リンパ節腫大からリンパ

腫などがあげられる．RALD は若年性骨髄単球性白血病（JMML）と連続した疾患概念であると考えられる．

治療・予後

FAS 経路の異常による ALPS では，加齢とともに症状が軽快することが知られている．一番大きな問題は，悪性腫瘍の合併であり，10 % の発症頻度との報告がある．Hodgkin リンパ腫，Burkitt リンパ腫，非 Hodgkin リンパ腫などさまざまなタイプがみられる．Hodgkin リンパ腫の発症危険率は一般より 50 倍高く，非 Hodgkin リンパ腫の発症危険率は 14 倍高いとされる．

自己免疫症状にはステロイドの有効性が示されている．プレドニゾロン 1～2 mg/kg の投与が行われ，無反応例にはメチルプレドニゾロンのパルス療法やミコフェノール酸モフェチル（MMF）の投与が行われている．そのほか，リツキシマブやシロリムスなども治療の選択肢となり得る．血液の異常が主体となる疾患であり，造血細胞移植が根本的な治療法となることが考えられ，またその報告もあるが，一般的に予後良好な疾患であり，胎児水腫などで発症する常染色体潜性（劣性）（ホモ接合体）など限られたケースのみと考えられる．ALPS 類縁疾患に関しては，症例数も少なく明確な治療指針はないが，FAS 経路の異常による ALPS に準じて治療を行うことになると考える．

ピットフォール・対策

ALPS 類似の症状を示す多くの疾患がある．肝脾腫，自己免疫所見を指標に精査を進めていく．RALD は JMML と連続した疾患概念であり，常に腫瘍化，腫瘍の進展を念頭におく必要がある．

X 連鎖リンパ増殖症候群

定義・概念

X 連鎖リンパ増殖症候群（X-linked lymphoproliferative syndrome：XLP）は，1975 年 Purtilo らによって Duncan 病として報告された．男児に発症する EBV に対する特異的免疫応答の欠陥を有する原発性免疫異常症である．

病因・病態

1998 年にその責任遺伝子として SAP/SH2D1A 変異（1 型）が報告され，引き続き XIAP/BIRC4 変異（2型）が報告された．

疫学

XLP1，XLP2 とも，いずれも 30 家系以上がわが国で報告されている．しかし，家族歴のない症例も存在する．

臨床徴候

HLH を合併する致死的伝染性単核症（60 %）がその症状としてよく知られるが，低 γ-グロブリン血症もみられる．XLP1 ではリンパ腫（30 %）の合併が多く，また再生不良性貧血，リンパ性血管炎，リンパ性肉芽腫などもみられる[4]．リンパ腫は EBV 感染に続発するものがほとんどであるが，EBV 非感染のものもある．50 % は Burkitt 型のリンパ腫である．家族歴がない場合は，比較的よく経験する EBV 関連 HLH と臨床上鑑別がつかないケースもある．

XLP2（XIAP 欠損症）では，反復する HLH や低 γ-グロブリン血症がしばしば認められるが，炎症性腸疾患の合併が約 30 % でみられ，脾腫を認めることもある[4]．

診断・検査

フローサイトメトリーを用いた細胞内 SAP および XIAP の発現を評価することによって，スクリーニング検査可能である．確定診断は遺伝子診断による．

治療・予後

HLH は致死的になることも多く，積極的な診断と治療が必要になる．ほかの HLH と同様にシクロスポリン，ステロイド，エトポシドを用いた多剤併用免疫抑制療法が用いられ，根治治療は造血細胞移植が必要になる．

ピットフォール・対策

家族歴がない場合は，比較的よく経験する EBV-HLH と臨床上鑑別がつかないケースもあり，血清 IgG 低値や IgA または IgM 高値などのある症例は XLP を疑う．

活性化 PI3Kδ 症候群

定義・概念

活性化 PI3Kδ 症候群（activated PI3 kinase catalytic subunit delta syndrome：APDS）は，易感染性を示す

複合免疫不全症である．リンパ球数減少と，transitional B 細胞の増加を伴い，血清 IgM は増加，IgG2 レベルは低下する．その責任遺伝子として PIK3CD が同定された．PIK3R1 変異による APDS2 も報告された．さらに PTEN 変異によっても APDS 様の病態を呈することがある．

病因・病態

機能獲得型の変異であり，PI3 キナーゼ経路を介した細胞増殖シグナルが活性化し，activation-induced cell death が起こる．その結果，リンパ球数が減少し，複合免疫不全症に至ると考えられる．

疫学

全世界で数十家系が報告され，わが国でもすでに 10 例以上が報告されている．

臨床徴候

若年発症の気管支拡張症が特徴的所見である．呼吸器，消化管のリンパ濾胞の増殖がみられ，ポリポーシスを呈する症例がある．リンパ腫，Hodgkin リンパ腫，EBV 関連リンパ腫の合併が報告されている．

診断検査

低 γ-グロブリン血症，フローサイトメトリーによるナイーブ T 細胞の減少，transitional B 細胞の上昇などが参考となる．消化管内視鏡によるポリポーシスの存在は，免疫不全症の合併がある場合，強い診断のサポートとなる．確定診断は遺伝子診断による．PIK3CD 変異のホットスポットの存在が知られており，p.N334K，p.E525K，p.E1021K などが代表的な変異である．

治療・予後

造血細胞移植が根治療法である．移植時期は重症複合型免疫不全症とは異なり，学童期での移植が行われている．その病態から PI3 キナーゼの下流に位置する mTOR に対する阻害薬であるシロリムスや PI3Kδ 阻害薬 (leniolisib) の有用性が期待されるが，わが国ではいずれも未承認である．

ピットフォール・対策

反復性肺炎，るい瘦・下痢・リンパ節腫大・抗体産生不全を示すとき APDS を疑う．消化管ポリポーシスは強い診断の補助項目になり得る．

移植後リンパ増殖疾患

定義・概念

移植後リンパ増殖疾患 (PTLD) は，臓器や造血細胞移植による外因性免疫抑制状態で発症するリンパ増殖，および原発性免疫不全症に続発するリンパ増殖に関係する症状の総称である．多くは EBV の B 細胞への感染によるリンパ増殖症であるが，EBV 陰性例や，T 細胞，NK 細胞性のものもある．

臨床徴候

PTLD は，発熱，リンパ節腫大，肝脾腫などの症状で発症することが多いが，これら典型的な症状を呈する場合の多くは，進行期病変であることが多い．

病因・病態

多くは EBV 感染症に続発するリンパ増殖症で病理学的には non-destructive PTLD，polymorphic PTLD，monomorphic PTLD と進行度が分類される．病理像の進行に伴い免疫グロブリン遺伝子の再構成がモノクローナルとなり，BCL6，TP53，RAS 変異，MYC 再構成などを獲得していく．

治療・予後

進行期で発見される PTLD は，治療抵抗性や予後不良症例がみられる．血中 EBV レベルの監視をしながらの免疫抑制薬の減量や，リツキシマブ先行介入は，PTLD 予防戦略として推奨されている．

■ 文献

1) Swerdlow SH, et al. (eds.)：WHO Classification of Tumours of Haematopoietic and Lymphoid Tissues. 4th ed., Revised ed., IARC press, 2017
2) Okuno Y, et al.：Defective Epstein-Barr virus in chronic active infection and haematological malignancy. Nat Microbiol 4：404-413, 2019
3) Oliveira JB, et al.：Revised diagnostic criteria and classification for the autoimmune lymphoproliferative syndrome (ALPS)：report from the 2009 NIH International Workshop. Blood 116：e35-e40, 2010
4) Yang X, et al.：SAP and XIAP deficiency in hemophagocytic lymphohistiocytosis. Pediatr Int 54：447-454 2012.

（髙木正稔，金兼弘和）

第2章 小児がん

A 造血器腫瘍

10 組織球症

a. Langerhans細胞組織球症

定義・概念

Langerhans細胞組織球症（LCH）は，骨髄由来の未熟樹状細胞の形質をもつ単クローン性のLangerhans細胞（LCH細胞）が，骨・皮膚・中枢神経系などに種々の炎症細胞浸潤を伴いさまざまな臓器に集簇し，組織破壊を起こす疾患である．炎症と腫瘍の両者の性格を併せもち，「炎症性骨髄性腫瘍」という概念が提唱されている[1]．

病変が単一臓器（single-system）のみのSS型と多臓器（multi-system）に及ぶMS型に大別される．SS型は孤発病変（single site）のSS-s型と多発病変（multi site）のSS-m型に，MS型はリスク臓器（肝・脾・造血器）浸潤のないMS-RO（−）型とリスク臓器浸潤のあるMS-RO（＋）型に分類される[2]．MS-RO（＋）型を高リスクLCH，それ以外を低リスクLCHとよぶ．

病因・病態

1 炎症としての病態

LCH細胞は，未熟樹状細胞の形質を示すため高度の炎症を惹起し，病変部にはT細胞，マクロファージ，好酸球，破骨細胞様多核巨細胞などが浸潤する．これらの炎症細胞は，相互刺激によって活性化し，種々のサイトカインやケモカインを分泌する[2,3]．

2 腫瘍としての病態

80％以上の症例のLCH細胞には，*BRAF*遺伝子（ほとんどが*BRAF*^{V600E}変異）または*MEK1*遺伝子の発がん性変異を認め[4]，遺伝子変異が見出されていない例でも細胞外シグナル制御キナーゼ（extracellular signal-regulated kinase：ERK）のリン酸化が亢進している[1]（図1）．LCH細胞は，アポトーシス耐性（BCL2L1高発現）で，リンパ節への遊走不全（CCR7低発現）があり，病変部位に集簇する[1]．

3 LCH細胞の起源と病型

LCH細胞は，表皮のLangerhans細胞由来ではなく骨髄由来であることが，遺伝子発現プロファイルや遺伝子導入マウスの実験から示されている[1]．発がん性変異が造血前駆細胞に起こると高リスクLCHに，組織に移行した未熟樹状細胞に起こると低リスクLCHを発症すると推測されている[1]．

疫学

乳幼児に好発するが，あらゆる年齢で発症する．わが国における小児LCHの発生頻度は年間数十例と推計される．MS型の多くは3歳未満であるのに対し，SS型は年長児にもみられる[2]．

臨床徴候

1 浸潤臓器[2]

SS型の80％以上は骨病変であるが，皮膚やリンパ節単独型もある．成人では肺単独型もあるが小児ではきわめてまれである．MS型の臓器浸潤は多岐にわたる．皮膚と骨病変の頻度が高いが，肝，脾，肺，造血器，胸腺，リンパ節，消化管，甲状腺，中枢神経など種々の臓器に病変がみられる．

2 初発症状[2]

発熱や皮疹，耳漏など，乳幼児によくみられる非特異的な症状で発症することが多い．SS型では腫瘤触知，骨痛，発熱，MS型では皮疹，腫瘤触知，発熱，リンパ節腫脹，肝脾腫が多い．

3 臓器病変[2]

1）骨病変

頭蓋骨病変が半数を占める．多くは無症状であるが疼痛を伴うこともある．頭蓋骨病変は，単純X線では円形の打ち抜き像として，CTでは内板・外板の両者の骨融解像として確認できる（図2A）．骨病変から連続する軟部腫瘤により，眼球突出や脊髄圧迫症状（図2B）を生じることがある．椎体浸潤により扁平椎，側頭骨の乳突洞から中耳への浸潤により伝音性難聴，顎骨浸潤により歯牙欠損を生じることがある．

2）皮膚病変

脂漏性湿疹様や点状出血様・汗疹様の皮疹，潰瘍形成，新生児では暗紫色結節性（ブルーベリーマフィン様）丘疹など多彩な像を呈する．

3）肝病変

肝腫大，腹水，肝逸脱酵素・ビリルビン上昇，ア

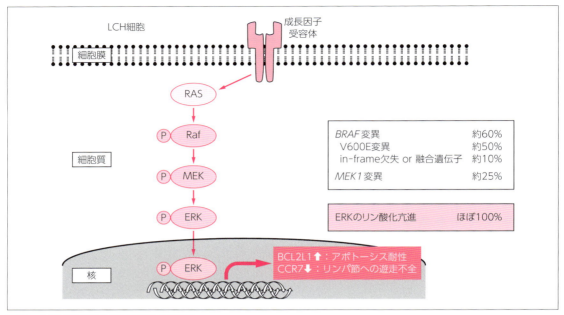

図1 ◆ LCH細胞における遺伝子変異
約60％に*BRAF*遺伝子変異（V600E変異が約50％，in-frame欠失や融合遺伝子が約10％），約25％に*MEK1*遺伝子変異を認める．これらに遺伝子変異を認めない例においてもERKのリン酸化亢進を認める．これにより，BCL2L1発現亢進によるアポトーシス耐性とCCR7発現減弱によるリンパ節への遊走不全が生じ，LCH細胞は病変部に集簇する．

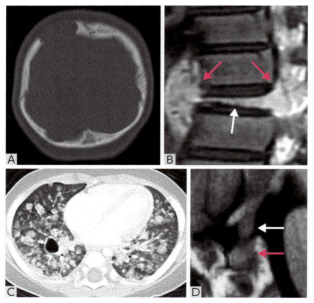

図2 ◆ LCH病変の画像所見
A：頭蓋骨CT．内板・外板の両者の骨融解，B：椎体MRI（T1強調像）．椎体病変（⇨）から生じた軟部腫瘤（➡），C：肺CT．多発性の結節と嚢胞病変，D：下垂体MRI（T1強調像）．肥大した下垂体茎（⇨）と後葉の高輝度スポットの消失（➡）．
(Morimoto A, et al.：Recent advances in Langerhans cell histiocytosis. Pediatr Int 56：451-461, 2014より引用，改変)

ルブミン低下をきたす．末期には肝硬変や硬化性胆管炎となり，肝不全に至る．

4）脾病変
脾腫として現れ，脾機能亢進症をきたすこともある．ほとんどが肝病変を伴う．

5）肺病変
多呼吸や乾性咳嗽で発症し，進行すると肺線維症や反復性気胸により呼吸不全に陥る．初期には結節性病変，進行すると嚢胞病変を呈する（図2C）．KL-6がマーカーとなることがある．

6）造血器病変
LCH細胞の骨髄への浸潤の有無を問わず，血球減少により定義される．凝固障害，フェリチンや可溶性インターロイキン（IL）-2受容体の上昇など，血球

A　造血器腫瘍　10．組織球症

貪食症候群の所見を呈することが多い．

7）胸腺病変
CTで石灰化を伴う前縦隔腫瘤として描出される．乳児では気道圧迫をきたすこともある．Tリンパ球，特にCD8陽性細胞の減少が生じることがある．

8）消化管病変
口蓋や歯肉の潰瘍，小腸病変による蛋白漏出性胃腸症，大腸病変による粘血性下痢などを呈する．

9）中枢神経病変

a．頭蓋内占拠性腫瘤病変

髄膜，脈絡叢，脳実質内に腫瘤病変として発生し，脳腫瘍との鑑別を要することがある．

b．下垂体病変

中枢性尿崩症（central diabetes insipidus：CDI）が最も多い．LCH診断時に存在することもあるが，診断2〜3年後から発症率は上昇する．日本ランゲルハンス細胞組織球症グループ（Japan LCH Study Group：JLSG）-96/02プロトコールで治療された小児LCH例では，LCH診断後10年経過すると，多発骨（multifocal bone：MFB）型の約4％，MS型の約12％に合併する[5]．CDIを発症した症例の1/3はその後，下垂体前葉ホルモン分泌不全を生じる．側頭骨や眼窩，乳突洞，頰骨，上顎骨，副鼻腔，前・中頭蓋窩などの頭蓋顔面骨に病変がある症例はCDIの発症率が高く，これらの病変を中枢神経（central nervous system：CNS）リスク病変とよぶ．下垂体MRIでは，T1強調像で下垂体後葉の高輝度信号の消失，下垂体茎の肥大がみられる（図2D）．

c．中枢神経変性病変

LCH発症数年を経て，MRIのT2強調像やFLAIR像で小脳白質や大脳基底核の対称性の高信号病変が出現し，その後，小脳失調や不随意運動，構音障害，嚥下障害，腱反射亢進，性格変化，食行動異常，学習障害などが出現する．これらは進行性かつ非可逆性で，最終的に寝たきりとなる．CDI合併例に頻度が高く，2/3はCDIが先行している．JLSG-96/02プロトコールで治療された小児LCH例では，LCH診断後10年時点で，MFB型の3％，MS型の約5％に出現する[5]．

診断・検査

1 検査所見
疾患特異的なマーカーはない．炎症反応の上昇，白血球増多，血小板上昇，慢性炎症による小球性貧血がみられることが多い．LCH細胞が$BRAF^{V600E}$陽性である場合，同変異は，SS型では病変のLCH細胞にのみ検出されるが，活動性のMS-RO（＋）では末梢血のCD11cやCD14陽性細胞，骨髄のCD34陽性細胞にも検出される[1]．

2 確定診断と鑑別診断
確定診断には，骨や皮膚病変などの生検による病理学的な検索が必須である．光学顕微鏡で腎臓型の切れ込みの入った核が特徴的な組織球の集簇と種々の炎症細胞が浸潤した肉芽腫病変を認め，集簇した組織球が免疫組織化学染色でCD1aまたはCD207（Langerin）陽性であれば診断は確定する．

集簇した組織球が，CD1a陰性の場合には若年性黄色肉芽腫との，CD1a陽性であるが異型性が強く核分裂像が多い場合にはLangerhans細胞肉腫との鑑別を要する．

治療・予後

1 SS型の治療[2]
骨の孤発病変は，無治療経過観察または局所療法（掻爬や副腎皮質ステロイド局注）を行う．病変の完全除去を目的とした外科的処置は，骨欠損を生じるため推奨されない．疼痛が著しい例や軟部組織腫瘤による圧迫症状を伴う例，CNSリスク病変である例には全身化学療法がすすめられる．

MFB型は，全身化学療法の適応となる．副腎皮質ステロイドとビンクアルカロイドを中心にした半年から1年の全身化学療法がすすめられる．

皮膚単独病変は，無治療経過観察または副腎皮質ステロイド外用薬で対応する．

2 MS型の治療[2]
全身化学療法が必須である．副腎皮質ステロイドとビンクアルカロイドの基本薬剤に，シタラビン，6-メルカプトプリンなどを組み合わせた多剤併用化学療法を12か月間行う．

難治例には，BRAF阻害薬（保険適用外）が試みられ，高い有効性が報告されているが，休薬するとほとんどの例で再発する[1]．急速進行例や難治例でも，移植前に病勢が抑えられていれば，強度減弱前処置による同種臍帯血移植で救済可能である[6]．

3 経過と予後
骨の孤発病変や皮膚単独病変は自然治癒することもある．しかし，乳児の皮膚単独病変はMS型に移行し急速に進行することがあり注意を要する．初期治療に反応不良のMS-RO（＋）型は1年以内に半数が死亡するが，それ以外は生命予後良好である．MFB型の約1/3，MS型の約1/2は再発する．再発は生命予後に関連しないが，CDIや中枢神経変性病

変の合併頻度が高くなる[5].

ピットフォールと対策

多彩な症状を呈する比較的まれな疾患であるため，診断が遅れることがある．LCHを積極的に疑い病変部位の生検を行うことが重要である．生命予後が良好な例がほとんどであるが，疾患活動性が持続すると，CDIから中枢神経変性病変へと進行し，著しくQOLを損なうので，積極的な治療介入が必要である．

■ 文献

1) Rodriguez-Galindo C, et al.：Langerhans cell histiocytosis. Blood 135：1319-1331, 2020
2) Morimoto A, et al.：Recent advances in Langerhans cell histiocytosis. Pediatr Int 56：451-461, 2014
3) Morimoto A, et al.：Inflammatory serum cytokines and chemokines increase associated with the disease extent in pediatric Langerhans cell histiocytosis. Cytokine 97：73-79, 2017
4) Hayase T, et al.：Analysis of the BRAF and MAP2K1 mutations in patients with Langerhans cell histiocytosis in Japan. Int J Hematol 112：560-567, 2020
5) Sakamoto K, et al.：Central diabetes insipidus in pediatric patients with Langerhans cell histiocytosis：Results from the JLSG-96/02 studies. Pediatr Blood Cancer 66：e27454, 2019
6) Morimoto A, et al.：Hematopoietic stem cell transplantation for Langerhans cell histiocytosis：clinical findings and long-term outcomes. Expert Opin Orphan Drugs 8：317-328, 2020

（森本　哲）

b. Langerhans細胞組織球症以外の組織球症

定義・分類

組織球症（histiocytosis）は，マクロファージや樹状細胞，単球に由来する細胞の異常な集簇による疾患で，国際組織球症学会（Histiocyte Society）により1987年からLangerhans細胞（LC）組織球症（LCH），non-LCH，悪性組織球症（malignant histiocytosis：MH）の3つに大別されてきた．その後1997年には細胞起源をもとに，樹状細胞に由来するclass I，マクロファージに由来するclass II，腫瘍性疾患はclass IIIに分類され，基礎研究と治療法の検討がなされてきた．

しかし，2010年の組織球症における*BRAF*遺伝子変異に関する報告を契機に，それぞれの疾患の臨床像の解析，画像診断の進歩に加え，病理組織学的な検討と表現型，分子遺伝学的な特徴に基づいた検討がすすめられ，2016年に新たな分類が提唱された[1]．この分類では組織球に関連した疾患は5つのグループに分けられ，現在までに100を超える疾患サブタイプが示されている（表1）[1]．

LCH，血球貪食性リンパ組織球症（HLH）については別項に述べるので〔前項a. Langerhans細胞組織球症，第II部/第1章/C/1/d.免疫調節障害：血球貪食性リンパ組織球症など（p.429〜431）参照〕，ここではLCHとHLH以外の組織球症のうち，まれではあるが小児期に発症する組織球症について解説する．

表1 ◆ 組織球症のグループ分類

グループ	疾患分類	サブタイプ（おもな疾患や病型のみ列挙）
L	LCH：Langerhans cell histiocytosis	単一臓器型，多臓器型（リスク臓器浸潤あり/なし）
	ICH：indeterminate cell histiocytosis	CD1a陽性，Langerin陰性の組織球症
	ECD：Erdheim-Chester disease	古典的なECD，骨病変のないECD，ほか
	Extracutaneous JXG：juvenile xanthogranuloma	皮膚以外/全身型のJXG
	mixed LCH/ECD	LCHとECDの併発
C	non-LCH of skin and mucosa	皮膚のみのcutaneous JXG XG family，non-XG family，ほか
R	RDD：Rosai-Dorfman disease	家族性，散発性，古典的nodal RDD，extranodal RDD 悪性腫瘍や免疫疾患との合併，分類不能型，ほか
M	MH：malignant histiocytosis	一次性，二次性：組織球のphenotypeにより分類する
H	HLH：hemophagocytic lymphohistiocytosis	一次性，二次性，原因不明

(Emile J-F, et al.：Revised classification of histiocytoses and neoplasms of the macrophage-dendritic cell lineages. Blood 127：2672-2681, 2016をもとに作成)

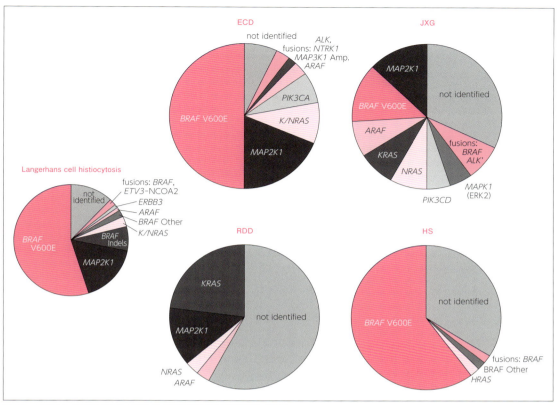

図1 ◆ まれな組織球症における遺伝子変異の種類と頻度
LCHとの比較を示す。ECD：Erdheim-Chester disease, JXG：juvenile xanthogranuloma, RDD：Rosai-Dorfman disease, HS：Histiocytic Sarcoma.
(Durham BH：Molecular characterization of the histiocytoses：Neoplasia of dendritic cells and macrophages. Semin Cell Dev Biol 86：62-76, 2019 より抜粋)

病態・特徴

それぞれの組織球症は，各疾患に特徴的な年齢分布や臨床症状を示すが，共通点も多くみられる。2010年にLCH症例の半数以上に$BRAF^{V600E}$変異が腫瘍細胞から検出されたことを契機に，その他の組織球症においても，MAPK（mitogen-activated protein kinase）経路の上流下流の遺伝子に相互排他的な発がん性変異がさまざまな頻度で検出されることが判明した。これらの遺伝子異常は，Erdheim-Chester disease（ECD）や全身型の若年性黄色肉芽腫（juvenile xanthogranuloma：JXG），Rosai-Dorfman disease（RDD）においても検出される[2]（図1）[3]。

これまでnon-LCHとして扱われてきたECDの20％はLCHを合併するほか，RDDやJXGもLCHを併発することがある。また，ECDやJXGは，中枢性尿崩症（cental diabetes insipidus：CDI）や中枢神経変性症（neurodegenerative disease：ND）といったLCHに特徴的な合併症を生ずることもわかってきた。このように，今や病態や臨床像からもLCH/non-LCHと二分する方法は適さず，これらはLグループ，Rグループとして扱われることとなった（表1）[1]。

Erdheim-Chester disease（ECD）

臨床徴候

「50～70歳代の成人の四肢骨にみられる左右対称性の骨硬化像」を特徴とし，LCHにみられる「小児の頭蓋骨などの円形の溶骨」とは対照的な臨床像を呈する。95％以上の症例で左右の大腿骨，脛骨，上腕骨に広範な骨硬化をきたす（図2A）[1]ほか，大動脈弓周囲，腎周囲などが線維性組織により取り囲まれ，"coated aorta"や"hairy kidney"とよばれる特徴的な画像所見を呈する。そのほかに心臓内腫瘍，肺浸潤も多く，進行するとさまざまな臓器障害を呈する。頭蓋内の病変も多くみられ，髄膜の腫瘍形成や，CDIを

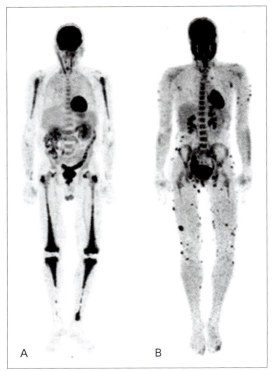

図2 ◆ ¹⁸F-labeled fluorodeoxyglucose PET画像
A：ECD症例，左右対称性の大腿骨，脛骨，上腕骨の異常信号，B：RDD症例，多発する皮膚病変．
(Emile J-F, et al.: Revised classification of histiocytoses and neoplasms of the macrophage-dendritic cell lineages. Blood 127：2672-2681, 2016)

はじめとする内分泌障害，NDもみられる．約20％の症例にLCHが併発，またはLCHに続発する．

病因・病態

病理学的には，CD68, CD163陽性，CD1a陰性の泡沫状のマクロファージが浸潤し，慢性炎症と広範な線維化をきたすまれな組織球症である．80％以上にMAPK経路の異常が認められ，その約半数は$BRAF^{V600E}$である．

治療・予後

さまざまな化学療法や免疫治療が試されてきたが，近年のBRAFやMEK阻害薬（国内未承認薬）の導入により，3年死亡率は60％から20％へと劇的に改善した．しかし，これらのMAPK経路の阻害薬を中止すると3/4の症例で早期に再発してくることがわかり，新たな治療法の開発が待たれる[4]．

若年性黄色肉芽腫（JXG）

臨床徴候・治療

最も多くみられる病型は，皮膚のみのcutaneous JXG（Cグループ）であり，全身に孤立性の黄色〜褐色調の隆起した結節（数mmから1cm程度）を認める．生後数か月から2歳前後までに数個から数十個へと次第に増加し，頭皮にもよく多発する．新旧混在する時期を経て，自然退縮の方向に転じ，3〜4歳頃には消失していく（図3A, B）．まれに孤発したものが貨幣状に2〜3cm以上に大きく育ち，中央から出血をきたして外科的切除が検討されることがある．

一方，ごくまれに皮膚以外の臓器に病変をきたすextracutaneous/disseminated JXGがあり，LCHやECDと同じLグループに分類される．新生児においては，急速に肺，肝臓，脾臓などの重要臓器に浸潤をきたし，凝固異常（播種性血管内凝固：DIC）を合併し致死的となる（図3C）．治療としては，LCHと同じ内容の化学療法が有効である．虹彩のJXGでは視力に影響することがある．多発する頭蓋内腫瘤はけいれんやCDIの原因となる．

病因・病態

典型例では，Touton型の巨細胞の出現を伴うCD68, CD163陽性の泡沫状の組織球の浸潤を認め，組織学的にはECDと区別できない．JXGもLCHとの合併やMAPK経路の遺伝子変異が報告されているが，$BRAF^{V600E}$はほとんど検出されない．一方，中枢神経病変に$BRAF^{V600E}$を認めた場合には，ECDに分類できるか議論されている[5]．JXGのなかからALK陽性組織球症とよばれる一群も提唱されるなど，将来，組織球症の分類は大きく変化すると思われる．

Rosai-Dorfman disease（RDD）

臨床徴候

20歳前後に発症することの多いまれな組織球症であり，Rグループに分類される．sinus histiocytosis with massive lymphadenopathyともよばれ，無痛性の両側頸部を中心としたリンパ節腫脹を特徴とする．節外性の病変が4割以上に認められ，皮膚（図2B）[1]，骨，粘膜，肝，脾，後腹膜，心臓，肺，腎のほか，脊髄や中枢神経内にも腫瘤を形成する．さまざまな自己免疫疾患，IgG4関連疾患やほかの組織

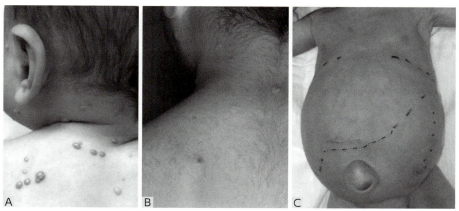

図3 皮膚JXGと全身型JXG(自験例)
A:生後7か月,典型的なJXGの隆起疹.B:3.5歳.無治療.きな粉のような淡い色調に変化しつつ,次第に平坦化し目立たなくなった.C:新生児の著明な肝脾腫,化学療法が奏効した.
(口絵18 p.ix 参照)

球症を含む悪性腫瘍との関連,家族性RDDが報告されており,均一な集団ではない.約半数の症例でMAPK経路の遺伝子変異が検出されるが,$BRAF^{V600E}$はみられない.

病因・病態

特徴的な組織像として,局所に浸潤する大型の組織球はemperipolesisを伴い,S100蛋白が強陽性であることがあげられる.CD68,CD163,CD14が陽性,CD1aは陰性であるほか,IgG4陽性の形質細胞を一部に認める.

治療・予後

標準治療は確立されていない.病態にあわせてステロイド薬や化学療法など,さまざまな治療法が試みられている[6].

malignant histiocytosis (MH)

古くはMH,最近ではhistiocytic sarcoma,またはさまざまな種類の組織球症のsarcomaとよばれていたものを含め,新分類(表1)[1]では,古典的な表現であるMHを用いて腫瘍細胞のphenotypeにより分類している.一次性のMHと,ほかの血液腫瘍性疾患に併発する二次性MHに分類される.盛んな核分裂と細胞形態の異形,急速な進行を特徴とする.リンパ節を中心に,節外性に全身臓器へと浸潤する.ただし,一部には進行が緩徐で自然退縮する例もある.小児においては非常にまれな病態である.

ピットフォール・対策

組織球症は,全身のあらゆる部位に多彩な病変を生ずるため,患者が受診する診療科は小児科や血液内科に限らず,外科,整形外科,脳神経外科,耳鼻科,歯科,眼科,呼吸器科,内分泌科,神経科,消化器科など多岐にわたる.稀少性と認知度の低さから,診断に至るまで長期を要する場合もある.疑わしい病変を認めた場合は組織球症を積極的に鑑別疾患としてあげ,各科連携して病変部位の生検,MAPK経路の遺伝子変異解析を行うことが望まれる.

■ 文献

1) Emile J-F, et al.: Revised classification of histiocytoses and neoplasms of the macrophage-dendritic cell lineages. Blood 127: 2672-2681, 2016
2) Durham BH: Activating mutations in CSF1R and additional receptor tyrosine kinases in histiocytic neoplasms. Nat Med 25: 1839-1842, 2019
3) Durham BH: Molecular characterization of the histiocytoses: Neoplasia of dendritic cells and macrophages. Semin Cell Dev Biol 86: 62-76, 2019
4) Haroche J, et al.: Erdheim-Chester disease. Blood 135: 1311-1318, 2020
5) Picarsic J, et al.: BRAF V600E mutation in Juvenile Xanthogranuloma family neoplasms of the central nervous system (CNS-JXG): a revised diagnostic algorithm to include pediatric Erdheim-Chester disease. Acta Neuropathol Commun 7: 168, 2019
6) Abla O, et al.: Consensus recommendations for the diagnosis and clinical management of Rosai-Dorfman-Destombes disease. Blood 131: 2877-2890, 2018

(塩田曜子,石井榮一)

第2章 小児がん

B 固形腫瘍

1 髄芽腫，中枢神経胚細胞腫，髄芽腫以外の中枢神経系胚芽腫および松果体芽腫

髄芽腫

定義・概念

髄芽腫は，後頭蓋窩に発生する胎児性腫瘍の1つである．

分類・病態

1 病理分類

2016年WHO分類では，従来の組織所見による病理分類と分子遺伝学的分類を統合することが試みられ，併記されることとなった．これは，後述するように，分子遺伝学的分類が予後をよく反映することが判明したためである．遺伝学的検査ができない場合には従来の組織学的分類を用いる（表1）．

2 分子遺伝学的分類

2010年代になり，髄芽腫は遺伝子発現パターンや細胞遺伝学的異常などにより「WNT」「SHH」「Group 3」「Group 4」の4つのサブグループに分類されると報告された．それぞれ異なる腫瘍発生母地と，特徴的臨床像を有し，予後も異なることが判明し[1)2)]，2016年のWHO分類に取り入れられるまでになった．

WNT髄芽腫（頻度10％）は，WNT経路の活性化を特徴とし，多くの症例がβ-catenin遺伝子（*CTTNB1*）変異と6番染色体モノソミーを有する．年長児に多く組織型は古典的髄芽腫（classic medulloblastoma：CMB）であることが多い[3)]．小児例は95％を超える全生存率（overall survival：OS）が期待できる予後良好群である．SHH髄芽腫（頻度25％）はSHH経路の活性化を特徴とする．多くは線維形成性/結節性（desmoplastic/nodular medulloblastoma：DNMB）の組織型を呈するが，CMBや大細胞型/退形成性（LCA）の場合もある．*PTCH1*，*PTCH2*，*SMO*，*SUFU*，および*GLI2*を含むSHH経路遺伝子の突然変異を有している．予後は比較的良好であるが，*TP53*変異を有する小児例（しばしば生殖細胞系列（germline）に異常を有する）は，*MYCN*増幅と*GLI2*増幅に関連があるとされ，予後が悪いことが知られている．「Group 3」（頻度25％）と「Group 4」（頻度35％）は分子生物学的に異なるものの，男児に多く，17番染色体長腕の

表1 ● WHO脳腫瘍病理分類（2016年改訂）

髄芽腫

髄芽腫（遺伝的に定義されたもの）：medulloblastoma, genetically defined
　WNT活性化：WNT-activated
　SHH活性化：SHH-activated
　　*TP53*変異型：*TP53*-mutant
　　*TP53*野生型：*TP53*-wild type
　非WNT/非SHH：non-WNT/non-SHH
　　Group 3
　　Group 4
髄芽腫（組織学的に定義されたもの）：medulloblastoma, histologically defined
　古典的：classic（CMB）
　線維形成性/結節性：desmoplastic/nodular（DNMB）
　広範な結節形成を伴う髄芽腫：medulloblastoma with extensive nodularity（MBEN）
　大細胞型/退形成性：large cell/anaplastic（LCA）
髄芽腫，NOS：medulloblastoma, NOS（not otherwise specified）

中枢神経胚細胞腫

ジャーミノーマ：germinoma
胎児性がん：embryonal carcinoma
卵黄嚢腫瘍：yolk sac tumor
絨毛がん：choriocarcinoma
奇形腫：teratoma
　成熟奇形腫：mature teratoma
　未熟奇形腫：immature teratoma
悪性転換を伴う奇形腫：teratoma with malignant transformation
混合型胚細胞腫瘍：mixed germ cell tumor

髄芽腫以外の中枢神経系胚芽腫

embryonal tumor with multilayered rosettes（ETMR）
　*C19MC*変異型：*C19MC*-altered
　NOS
髄上皮腫：medulloepithelioma
CNS神経芽腫：CNS neuroblastoma
CNS神経節芽細胞腫：CNS ganglioneuroblastoma
CNS胚芽腫, NOS：CNS embryonal tumor, NOS
ラブドイドの特徴を示すCNS胚芽腫：CNS embryonal tumor with rhabdoid features

（WHO 2016 classification of tumors of the central nerve system, 2016より引用）

同腕染色体（i17q）が多いなど，臨床的特徴や遺伝子異常，染色体異常などはオーバーラップするものがある．「Group 3」には，予後の悪い組織型であるLCA

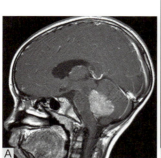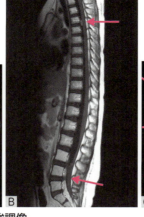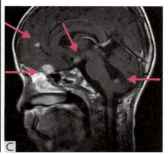

図1 ◆ 髄芽腫の造影 MRI T1 強調像
A：第四脳室を占拠する髄芽腫，B：髄芽腫の胸髄と脊髄腔下端への転移（➡），C：髄芽腫の髄膜播種（➡）．

も多くみられ，約半数が転移を有し，17％は*MYCC*増幅を有する．Group 3で転移，i17q，*MYC*増幅のいずれかを有すると予後はかなり悪い[3)4)]．「Group 4」の組織型は CMB が多く，まれに LCA もみられる．*MYCN*増幅や i17q もみられるが予後に影響しない．11番染色体の全欠損，あるいは17番染色体の増加（gain）がある Group 4 は予後がよい[3)4)]．

疫学

日本小児血液・がん学会登録では毎年50例前後が登録されており，神経膠腫，胚細胞腫に次いで頻度が高い．

臨床徴候

第四脳室を占拠する腫瘍であるため，小脳を圧迫することにより生じる症状と水頭症による症状がみられる．前者としてふらつきなどの失調，眼振があり，後者としては頭痛，嘔吐，嗜眠，外転神経麻痺などがある．乳幼児では発達遅滞や頭囲拡大がみられる．

診断・検査

1 診断

脳腫瘍を疑った場合には頭部 MRI を行う．腫瘍が発見されれば，頭部と脊髄の造影 MRI を行う（図1）．鑑別診断としてテント下上衣腫，非定型奇形腫様ラブドイド腫瘍（atypical teratoid/rhabdoid tumor：AT/RT）がある．診断は病理診断によるが，上衣腫が疑われた場合は，全摘出を試みる必要があるのに対し，髄芽腫では後遺障害を避けた手術を行うことが優先されるために，術中迅速診断により簡易診断を行うことが大切である．摘出の程度を判定するための術後の画像検査は，時間が経過すると切除周囲の正常組織が T1 強調像で造影効果が出現して残存腫瘍との区別がつかなくなるため，術後72時間以内に画像検査を行うことが重要である．

転移の状況を調べるために，画像検査に加えて髄液検査を行う．水頭症がみられる場合は禁忌であるが，それ以外の場合には腰椎穿刺で髄液採取を行う．採取は手術操作による腫瘍細胞の浮遊の影響が消失してから，すなわち術後10日以上経過してから実施する．腰椎穿刺が行えない場合は術中に髄液を採取して診断することも可能であるが，腫瘍細胞の検出感度が低下する可能性がある．

髄芽腫は中枢神経外転移として骨髄と骨へ転移することがあるが，まれな事象であるため，骨髄穿刺，骨シンチグラフィはルーチンで行う必要はない．

2 病期分類

転移の有無により，M0：転移なし，M1：髄液播種，M2：頭蓋内にとどまる髄膜播種，M3：脊髄播種，M4：中枢神経外への転移の5つの病期に分類される．

3 予後分類（リスク分類）

これまで伝統的に標準リスク群の定義として，術後残存腫瘍が画像上 $1.5 cm^2$ 以下の3歳以上症例とされてきた．高リスク群はそれ以上の残存腫瘍，または病期が M1 以上の場合と定義される．しかし，先述のように分子生物学的特徴が予後に大きく影響を与えることが知られるようになり，これらを加味した予後分類が今後用いられることになる．

治療・予後

　髄芽腫の治療は歴史的には，36 Gy 程度の全脳全脊髄への放射線治療が用いられてきた．しかし，高リスクに対しては治癒を得ることができないばかりではなく，二次性脳腫瘍，脳血管障害，低身長や内分泌障害などの晩期合併症が問題であり，特に低年齢児では，ほかに知能の発達障害が深刻である．1990年頃に化学療法が有効であることが知られて以降，化学療法を導入することで生存率の向上と同時に放射線量を減量しようとする試みが継続的に行われている．現時点では，3歳以上では全脳全脊髄への放射線治療と化学療法の併用，3歳未満では非照射で化学療法単独が標準的である．これにより，3歳以上の標準リスクでは，23.4 Gy の全脳全脊髄照射（craniospinal irradiation：CSI）と化学療法にて5年無イベント生存率（EFS）80％台と，ほぼ満足できる成績が得られるようになったが，それ以外の群ではまだ満足のいくものではない．高リスクでも70％前後の5年 EFS が達成されているが，36〜39.6 Gy の高線量での CSI が必要である．乳幼児では DNMB と MBEN に限れば，50〜90％の症例において非照射で治癒が得られるようになったが，CMB や LCA では30％以下にとどまる．

　晩期合併症を軽減しつつ治癒率の向上を得るための方策としては，先述のような分子生物学的な分類を盛り込んだ，より正確に予後を反映するリスク分類と生物学的特徴に応じた治療法の開発が必要である．なお，わが国では，CSI を 18 Gy に減弱しても，メソトレキサート（MTX）髄腔内投与やチオテパ/メルファラン大量化学療法を追加することで良好な治療成績が担保され（3年 EFS：標準リスク 90.5±5.2％，高リスク 100％），晩期合併症を軽減できる可能性を示唆する報告があり[5]，今後は予後良好群に対象を絞って CSI を減量する試みを臨床試験で検証していく．また，陽子線治療が国内でも複数施設で可能となっており，正常組織への放射線線量を減じることができるため晩期合併症の軽減が期待されるが，治療成績への影響がないかどうかも含めて長期観察症例での検討が必要である．

1 診断時3歳以上
1）標準リスク群
　ビンクリスチン（VCR）を毎週投与しながらの 23.4 Gy（1.8 Gy/Fr）の CSI と合計 54〜55.8 Gy の局所照射後に，シスプラチン（CDDP），シクロホスファミド（CPM），VCR の3剤併用レジメンを8サイクル繰り返すのが標準治療である（COG A9961）[6]．このほかに，コースごとに末梢血幹細胞救援を併用し，VCR/CDDP/大量 CPM（4 g/m^2）併用レジメンを4週間隔で4コース実施する SJMB-96 も優れた成績が得られている[7]．

2）高リスク群
　放射線治療は CSI 36 Gy，局所 54〜55.8 Gy が標準である．併用化学療法としては，標準リスクでも用いられる SJMB-96 で5年 EFS70％（95％CI 55〜85）が得られている[7]．

2 診断時3歳未満
　この年齢では，全脳への放射線治療によって IQ が 60 程度と著明な精神発達遅滞をきたすため，CSI は行わないのが通例であり，それゆえ治療成績は不良であった．近年，MTX の脳室内投与や MTX 大量療法，後頭蓋窩（腫瘍床）への3次元原体照射などの治療方法の改良が試みられている．

　代表的な治療法としては，ドイツの HIT-SKK'92 があげられる[8]．オンマヤリザーバーからの脳室内 MTX 投与と大量 MTX 療法を用いるのが特徴で，さらに VCR/CPM/カルボプラチン（CBDCA）/エトポシド（VP16）併用レジメンを用い，寛解達成例以外にのみ再手術，放射線治療や大量化学療法を行うというものである．DNMB と CMB のそれぞれで7年無増悪生存率（PFS）85±11％と 34±10％ が得られている．この治療法の欠点は白質脳症の頻度が高いことであるが，臨床的に問題となる例は少ない．また，IQ の低下がみられるが，全脳照射例よりは軽度であった．

　一方，CCG99703 では，CDDP/CPM/VCR/VP16 を3コースと CBDCA/チオテパ大量化学療法を3コース行い，5年 EFS は DNBM 78.6±11.1％，非 DNBM 50.5±11.8％と，非 DNBM においても良好な結果が得られている[9]．"Head Start" III trial においては，CDDP/VCR/CPA/VP16/大量 MTX と VCR/CPM/経口 VP16/テモゾロミドの交代療法を計5コースと CBDCA/VP16/チオテパ大量療法を行い，放射線治療は6歳以上の症例と5コースの化学療法後の非寛解症例に限るという治療で，5年 EFS は DNBM 89±6％，非 DNBM 26±6％ であったと報告している[10]．いずれも DNBM に限れば，大量化学療法による治療強化で放射線治療を回避できることを示唆している．

ピットフォール・対策

　術後の摘出程度の評価は，術後72時間以内に MRI で評価すること．それ以降では，手術操作によ

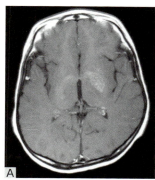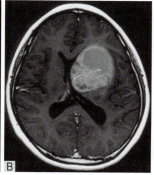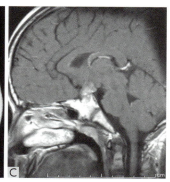

図2 胚細胞腫の造影 MRI T1 強調像
A：左大脳基底核ジャーミノーマ，B：左大脳基底核胎児性がん，C：神経下垂体ジャーミノーマ．

り局所の正常部位が造影を受けるようになるため，残存腫瘍との区別が困難になる．また，髄芽腫患者に遺伝性がん素因症候群が少なからずみられることが明らかになっている．

中枢神経胚細胞腫

定義・概念

中枢神経外に発症する胚細胞腫と，病理学的にも分子遺伝学的にも共通した特徴を有している．多能性を有する原始胚細胞に由来するが，これは単一細胞種より構成される悪性胚細胞腫も治療により3胚葉成分を含む奇形腫に分化することからも裏付けられる．

分類・病態

1 病理分類

2016年のWHO分類は表1に示すとおりである．

2 発生部位

発生部位は特徴的で，松果体が最も多く，次いで神経下垂体部(視床下部，下垂体茎，下垂体)，大脳基底核の順に多い．一部の症例では，神経下垂体部と松果体など複数箇所に発生する場合がある．初発時にみられることが多いが，経時的に発生する場合もあり，再発と紛らわしい場合がある．

3 分子生物学的特徴

ジャーミノーマでは，DNAの低メチル化が最大の特徴であり，これは精巣原発のセミノーマでも共通しており，原始胚細胞の特徴でもある．また，*KIT*，*NRAS*，*KRAS*などの変異や増幅によるMAPK経路の活性化または*AKT1*の増幅や*MTOR*，*PTEN*の点変異によるPI3K/mTOR経路の活性化が生じている[11]．

疫学

日本小児血液・がん学会登録では，年間50〜60例程度の登録がある．そのうち半分程度がジャーミノーマで，次いで奇形腫が多い．

臨床徴候

発生部位によって異なるが，神経下垂体部に発生した場合は，抗利尿ホルモンの欠損による尿崩症で気づかれる場合が多い．男子では思春期早発，女子では無月経で気づかれることも多い．男子のヒト絨毛性ゴナドトロピン(hCG)産生腫瘍の場合，hCGの黄体形成ホルモン(LH)様作用により，テストステロン産生が亢進する結果，思春期早発をきたす．そのほか，下垂体ホルモンの欠落症状がみられる．診断後に身長の伸びを検討すると，その2〜3年前より急に身長が伸びたり，逆に伸びが低下していることが観察されることがある．また，視交叉に腫瘍が進展すると視野欠損や視力低下がみられる．松果体腫瘍では，中脳水道の閉塞による内水頭症で発症することが多い．さらに腫瘍による四丘体の圧迫により，四丘体症候群，すなわち共同上方視麻痺(Prinaud's sign)，共同下方視麻痺，Argyll Robertson瞳孔(対光反射は消失するが輻輳調節反射による瞳孔収縮は保たれる)が高頻度にみられる．基底核原発例では，錐体路の障害による痙性麻痺で発症する．

診断・検査

1 診断

造影MRIを行い，好発部位に腫瘍が存在すれば胚細胞腫が疑われる(図2)．視床下部腫瘍であれば，頭蓋咽頭腫，低悪性度神経膠腫との，松果体では松果体芽腫との鑑別が必要である．全脊髄造影MRIで

転移の有無を確認しておく．大脳基底核原発の場合は，造影効果が弱く，気づきにくい場合があるので注意が必要である．石灰化の確認にはCTが必要である．

腫瘍マーカーとして胚細胞腫ではα-フェトプロテイン（AFP），hCG，胎盤性アルカリホスファターゼ（placental alkaline phosphatase：PLAP）があげられる．hCGのαサブユニットはLH，卵胞刺激ホルモン（FSH），TSHと共通であるため，βサブユニット（βhCG）を測定する．PLAPは髄液で測定するが，AFPとβhCGは血清に加え，可能であれば髄液でも測定を行う．βhCGは絨毛がんで，AFPは卵黄嚢腫瘍で著明に上昇し，それらの成分を含む混合性腫瘍でも明らかな上昇を示す．そのほか，βhCGはジャーミノーマでも低値ながら陽性を示すことがあり，AFPも未熟奇形腫でやはり軽度上昇を示すことがあるので注意が必要である．胚細胞腫の診断はこれらの腫瘍マーカーの顕著な上昇があり，特徴的な部位に腫瘍が存在すれば診断は容易であり，生検は必要ではない．しかし，軽度の上昇や，陰性である場合は，生検による病理診断は必須である．

2 予後分類（リスク分類）

わが国では病理組織に重点をおいた分類が広く用いられており，以下に示す．

①低リスク：pure germinoma，成熟奇形腫
②中間リスク：未熟奇形腫，悪性奇形腫，germinoma with STGC，奇形腫またはジャーミノーマを主体とした混合腫瘍
③高リスク：奇形腫を除く中枢神経系胚細胞腫瘍（non-germinomatous germ cell tumor：NGGCT）とそれを主体とする混合腫瘍

治療・予後

中枢神経外胚細胞腫は小児固形腫瘍のなかでも化学療法が最も有効な疾患であり，遠隔転移のある例でも多くの場合，放射線治療を用いることなく化学療法で治癒させることが可能である．中枢神経外胚細胞腫に対する標準化学療法として米国ではBEP療法〔ブレオマイシン（BLM），VP16，CDDP〕が，英国ではCDDPをCBDCAに置き換えたJEB療法が用いられている．中枢神経胚細胞腫にもこれらが同様に有効であるが，予後不良群に対してはこれら以外にCPM，イホスファミド（IFM）が用いられる．一方，中枢神経胚細胞腫の放射線感受性は良好であり，ジャーミノーマではCSI 24 Gyと局所照射40 Gyの放射線治療単独で高い治癒率が期待できる[12]．さらに線量や照射野を縮小するために化学療法が用いられ，プラチナ製剤/VP16を併用することで，局所を含む全脳室への24 Gyの照射まで減じることができ，かつ治癒率は90％以上が期待できる．下垂体の内分泌機能は，照射線量が24 Gyを超えると高率に分泌不全を生じることから，化学療法を併用することの意義は大きい．ジャーミノーマ以外のNGGCTの予後は，ジャーミノーマに比べて不良であるが，プラチナ製剤，VP16，IFM，大量チオテパなどの集学的治療法の追加によりその差は小さくなり，NGGCTの5年OSは70〜80％である[13)14]．SIOP-CNS-GCT-96 trialでは，限局性のNGGCTであればCDDP/VP16/IFMの4コースの化学療法と局所照射54 Gyで5年EFS 72±4％を得ており，NGGCTであってもCSIは必須でないことを示唆するものとなっている[14]．

胚細胞腫は，化学療法感受性が高いことから，欧米で非照射の臨床試験が行われた．国際頭蓋内胚細胞腫研究グループによりジャーミノーマとNGGCTに対し，化学療法のみの臨床試験の報告がされている．寛解導入療法後に腫瘍が消失すれば，そのまま化学療法のみを行い，消失しなかった例にはさらにCPMで強化した化学療法を行う．ジャーミノーマにはCBDCA，VP16，BLMが使用され，45例のうち84％で完全奏効が得られ，2年OSは84％であった[15]．NGGCTではさらにCDDPとCPMで強化した化学療法のみで20例中5例の6年以上のPFSを報告している[16]．このように非照射での治療成績は満足のいくものではないが，化学療法単独で治癒可能なサブセットが存在し，再発しても放射線治療併用や大量化学療法で救済可能とのことであるが，いまだ試験段階であり，臨床試験として行われるべき治療である．

ピットフォール・対策

下垂体機能不全に注意すること．治療開始前にホルモン補充を開始しておくことが必要である．化学療法のための利尿を尿崩症合併例に行うときは，尿量と血清ナトリウム濃度の調節は容易ではない．治療終了後も副腎皮質刺激ホルモン（adrenocorticotropic hormone：ACTH）分泌不全によるコルチゾール分泌低下例では，感冒などのストレス時に急死することがあるので，ストレス時のコルチゾール内服の追加などのきめ細かい指導が終生必要である．

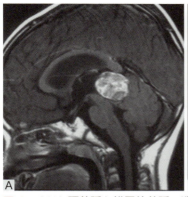
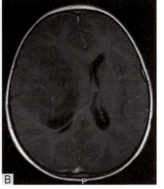

図3 ● CNS胚芽腫と松果体芽腫の造影MRI T1強調像
A：松果体芽腫，B：側頭葉ETMR．

髄芽腫以外の中枢神経系胚芽腫および松果体芽腫

定義・概念

髄芽腫以外の中枢神経系（CNS）胚芽腫も，2016年のWHO分類では大きく変更がなされ，診断用語から中枢神経原始神経外胚葉性腫瘍（CNS PNET）という用語が削除された．ここでは，以前CNS PNETに含まれていた疾患群について述べる．なお，松果体芽腫は，WHO分類では松果体腫瘍のグループに分類されているが，組織学的特徴からCNS胚芽腫に含めて論じられることが多い．

分類・病態

1 CNS胚芽腫のWHO分類

現時点では表1のように分けられている．「ETMR，*C19MC*変異型」は，以前ETANTR（embryonal tumor with abundant neuropil and true rosettes），上衣芽腫，髄上皮腫とされていたものを統合したものであり，これらは19番染色体（19q13.42）上のC19MC領域の増幅を有している．C19MC領域の増幅を検出できないETANTR/ETMRの組織像を呈する腫瘍は，ETMR，NOSと表記する．

2 CNS胚芽腫の分子遺伝学的サブタイプ

323例の髄芽腫以外の「CNS PNET」と診断された症例について，DNAメチル化パターンのクラスター解析を行ったところ，これらの半数がグリオーマやAT/RTなどに分類され，それ以外の症例から，遺伝学的特徴により以下のようなサブタイプが同定された[17]．「ETMR，*C19MC*変異型」「*FOXR2*活性化を伴うCNS神経芽腫」「*CIC*の変化を伴うCNS Ewing肉腫ファミリー腫瘍」「*MN1*の変化を伴うCNS高悪性度神経上皮腫瘍」「*BCOR*の変化を伴うCNS高悪性度神経上皮腫瘍」などである．このなかで，WHO分類が採用しているのは，「ETMR，*C19MC*変異型」のみであるが，このような知見からWHO分類はさらに改変されていくと思われる．

疫学

日本小児血液・がん学会登録，日本脳腫瘍学会登録とも，CNS胚芽腫，松果体芽腫はそれぞれ年間数例ずつの登録ときわめてまれな腫瘍である．

臨床徴候

ほかの脳腫瘍同様，腫瘍の発生部位によって症状は規定されるが，最も多い大脳原発例では，けいれん，麻痺，頭蓋内圧亢進症状をきっかけとして発見される．松果体芽腫では先述の胚細胞腫で記載したように，水頭症症状や眼症状で気づかれる．

診断・検査

ほかの脳腫瘍同様，脳腫瘍が疑われれば，頭部と脊髄の造影MRIを実施する（図3）．脳圧亢進がなければ髄液検査で髄液播種の有無についても検討しておく．確定診断は病理診断に基づく．小児脳腫瘍のなかでは，最も病理診断の難易度の高い腫瘍の1つである．大脳原発であれば，AT/RT，膠芽腫との鑑別が問題となる．松果体腫瘍であれば，胚細胞腫との鑑別が必要であるが，CNS胚芽腫や松果体芽腫の好発年齢が乳幼児であるのに対し，奇形腫を除けば胚細胞腫は乳幼児に発生することは例外的であることから，鑑別は比較的容易である．

治療・予後

　CNS胚芽腫や松果体芽腫は，症例数が少ないこと，乳幼児に多いこと，病理診断の正診率が低いことなどの理由で治療開発は進んでおらず，標準的な治療は存在しない．高リスク髄芽腫の治療が用いられることが多いが予後はきわめて不良である．ドイツのHIT 2000（CNS PNET 15例，松果体芽腫11例の年長児）では，過分割照射によるCSIと局所照射，ロムスチン（CCNU）/CDDP/VCRの髄芽腫レジメンで58±10％の5年PFSとOSを得ている[18]．一方，同じHIT 2000で4歳未満児（CNS PNET 9例，松果体芽腫8例）にはHIT-SKKレジメンを行ったあとにCSIを実施，転移がある場合はタンデムの大量化学療法を追加し24±10％の5年EFSであった[19]．Head Start I/IIでは43例の低年齢児（10歳未満）に対し，寛解導入療法と大量化学療法を用いて39％（95％CI：24-53％）の5年EFSが得られている[20]．St. Jude Children's Research Hospitalでは，髄芽腫に対するSJMB-96と同じ戦略（化学療法，リスク分類）がとられ[21]，3歳以上の標準リスクと高リスクそれぞれ8例の5年EFSが，標準リスク75±17％，高リスク60±19％と，少ない症例数のパイロット試験ではあるものの優れた成績が報告されている．

ピットフォール・対策

　ほかの脳腫瘍以上に病理診断が困難な腫瘍であるため，中央病理診断を受けることが必須である．がん遺伝子パネル検査による分子遺伝学的情報から診断がつく場合もある．また研究室レベルでの検査となるが，DNAメチル化パターンの解析も診断に有用と思われる．

■ 文献

1) Northcott PA, et al.：Medulloblastoma Comprises Four Distinct Molecular Variants. J Clin Oncol 29：1408-1414, 2011
2) Taylor MD, et al.：Molecular subgroups of medulloblastoma：the current consensus. Acta Neuropathol 123：465-472, 2012
3) Gajjar A, et al.：Pediatric Brain Tumors：Innovative Genomic Information Is Transforming the Diagnostic and Clinical Landscape. J Clin Oncol 33：2986-2998, 2015
4) Shih DJ, et al.：Cytogenetic prognostication within medulloblastoma subgroups. J Clin Oncol 32：886-896, 2014
5) Okada K, et al.：Phase II study of reduced-dose craniospinal irradiation and combination chemotherapy for children with newly diagnosed medulloblastoma：A report from the Japanese Pediatric Brain Tumor Consortium. Pediatr Blood Cancer 67：e28572, 2020
6) Packer RJ, et al.：Phase III study of craniospinal radiation therapy followed by adjuvant chemotherapy for newly diagnosed average-risk medulloblastoma. J Clin Oncol 24：4202-4208, 2006
7) Gajjar A, et al.：Risk-adapted craniospinal radiotherapy followed by high-dose chemotherapy and stem-cell rescue in children with newly diagnosed medulloblastoma（St Jude Medulloblastoma-96）：long-term results from a prospective, multicentre trial. Lancet Oncol 7：813-820, 2006
8) Rutkowski S, et al.：Treatment of early childhood medulloblastoma by postoperative chemotherapy alone. N Engl J Med 352：978-986, 2005
9) Cohen BH, et al.：Pilot Study of Intensive Chemotherapy With Peripheral Hematopoietic Cell Support for Children Less Than 3 Years of Age With Malignant Brain Tumors, the CCG-99703 Phase I/II Study. A Report From the Children's Oncology Group. Pediatr Neurol 53：31-46, 2015
10) Dhall G, et al.：Excellent outcome of young children with nodular desmoplastic medulloblastoma treated on "Head Start" III：a multi-institutional, prospective clinical trial. Neuro Oncol 22：1862-1872, 2020
11) Wang L, et al.：Novel somatic and germline mutations in intracranial germ cell tumours. Nature 511：241-245, 2014
12) Calaminus G, et al.：SIOP CNS GCT 96：final report of outcome of a prospective, multinational nonrandomized trial for children and adults with intracranial germinoma, comparing craniospinal irradiation alone with chemotherapy followed by focal primary site irradiation for patients with localized disease. Neuro Oncol 15：788-796, 2013
13) Goldman S, et al.：Phase II Trial Assessing the Ability of Neoadjuvant Chemotherapy With or Without Second-Look Surgery to Eliminate Measurable Disease for Nongerminomatous Germ Cell Tumors：A Children's Oncology Group Study. J Clin Oncol 33：2464-2471, 2015
14) Calaminus G, et al.：Outcome of patients with intracranial non-germinomatous germ cell tumors-lessons from the SIOP-CNS-GCT-96 trial. Neuro Oncol 19：1661-1672, 2017
15) Balmaceda C, et al.：Chemotherapy without irradiation-a novel approach for newly diagnosed CNS germ cell tumors：results of an international cooperative trial. The First International Central Nervous System Germ Cell Tumor Study. J Clin Oncol 14：2908-2915, 1996
16) Kellie SJ, et al.：Primary chemotherapy for intracranial nongerminomatous germ cell tumors：results of the second international CNS germ cell study group protocol. J Clin Oncol 22：846-853, 2004
17) Sturm D, et al.：New Brain Tumor Entities Emerge from Molecular Classification of CNS-PNETs. Cell 164：1060-1072, 2016
18) Gerber NU, et al.：Treatment of children with central nervous system primitive neuroectodermal tumors/pinealoblastomas in the prospective multicentric trial HIT 2000 using hyperfractionated radiation therapy followed by maintenance chemotherapy. Int J Radiat Oncol Biol Phys 89：863-871, 2014
19) Friedrich C, et al.：Treatment of young children with CNS-primitive neuroectodermal tumors/pineoblastomas in the prospective multicenter trial HIT 2000 using different chemotherapy regimens and radiotherapy. Neuro Oncol 15：224-234, 2013
20) Fangusaro J, et al.：Intensive chemotherapy followed by consolidative myeloablative chemotherapy with autologous hematopoietic cell rescue（AuHCR）in young children with newly diagnosed supratentorial primitive neuroectodermal tumors（sPNETs）：report of the Head Start I and II experience. Pediatr Blood Cancer 50：312-318, 2008
21) Chintagumpala M, et al.：A pilot study of risk-adapted radiotherapy and chemotherapy in patients with supratentorial PNET. Neuro Oncol 11：33-40, 2009

〔岡田恵子，原　純一〕

第2章 小児がん

B 固形腫瘍

2 神経膠腫，上衣腫，非定型奇形腫様/ラブドイド腫瘍，その他の腫瘍

低悪性度神経膠腫

定義・概念・病因・病態・疫学

　低悪性度神経膠腫（low grade glioma：LGG）は，WHO脳腫瘍分類（第4版）grade I，IIの神経膠腫で，病理組織学的には悪性度が低いとされるが，臨床的には重篤な合併症を呈し，死亡することもある．脳・脊髄のいずれの部位にも発症する．
　次のような素因が知られている．

① 神経線維腫症I型（NF1）：がん抑制遺伝子ニューロフィブロミン遺伝子の変異によって起こる疾患であり，視神経膠腫の発症が多く，NF1患者の5～15％に発症する．視神経膠腫の50％がNF1患者である．
② 結節性硬化症（tuberous sclerosis）：過誤腫（hamartoma）の多発で知られる疾患であるが，上衣下巨細胞星細胞腫（subependymal giant cell astrocytoma：SEGA）を合併し，診断基準の1つとなっている．全患者の15％でSEGAを認める．
③ Li-Fraumeni症候群：がん抑制遺伝子p53変異をもつ遺伝性疾患で，髄芽腫の発症が多いが，LGGを発症することもある．

　LGGは小児脳脊髄腫瘍の30～40％を占め，最も多い腫瘍である．どの年齢にも発症するが，発症時年齢平均は6～11歳である．

臨床徴候

　発症部位により症状は大きく異なる．緩慢に症状が進行し，発症から診断まで時間がかかることが多い．

① 眼科学的症状：視神経膠腫では，眼振，斜視，視力低下を初発症状として発症することが多い．
② 内分泌学的症状：視神経膠腫では，思春期早発，思春期遅発，間脳症候群，下垂体機能低下，成長障害などの症状で発症することがある．
③ 頭蓋内圧亢進：後頭蓋窩腫瘍では，水頭症を起こす場合，あるいは腫瘍のmass effectにより，頭蓋内圧亢進症状を呈して発症する場合がある．症状によっては緊急の対処を必要とする．
④ けいれん：焦点発作を起こした場合，原因としてテント上腫瘍の可能性があるため，CT，MRIによる精査が必要である．
⑤ 脳神経障害：脳幹部の腫瘍では，脳神経障害の症状を認めることがある．
⑥ 失調：小脳腫瘍，脳幹部腫瘍では小脳失調を認めることがある．
⑦ 錐体路徴候：脳幹部腫瘍などで認める．
⑧ 脊髄圧迫：脊髄腫瘍では感覚異常，膀胱直腸障害，筋力低下など脊髄圧迫症状を示す．

　病理学的には低悪性度の腫瘍でありながら，診断時や再発時に播種を認め，その症状を認めることがある．

診断

　症状から腫瘍の存在を疑い，スクリーニングにCTを用いるが，診断確定には造影MRIが必要である（図1）．
　LGGの診断方法については，国際的なコンセンサスが発表されている．NF1患者で，画像検査で視神経膠腫に典型的な所見がある場合は，生検は必要ない．NF1患者でない場合にも，視神経膠腫や被蓋腫瘍など臨床経過と画像所見が典型的な場合には生検は不要である．鞍上部腫瘍や脳幹部腫瘍で，他疾患との鑑別が困難な場合には生検が行われる．腫瘍組織の解析に基づく臨床試験のもとでは，生検が容認されるとされる．
　病理組織学的には，最も頻度の多い毛様性星細胞腫（pilocytic astrocytoma，grade I）のほか，幼若な患者に多く予後が不良とされた毛様粘液性星細胞腫（pilomyxoid astrocytoma，grade IIのちにgrade Iに変更），線維性星細胞腫（fibrillary astrocytoma，grade II）や混合性腫瘍などさまざまな腫瘍がある．病理学的診断，病理学的悪性度が予後に与える影響が少ないことが明らかにされている．

治療

1 治療の適応

　無症状で，偶発的に発見されたLGGは，進行を認めない場合には無治療で経過観察する．特に無症

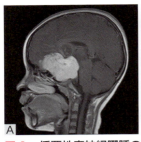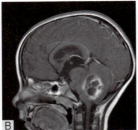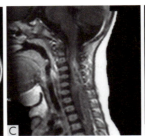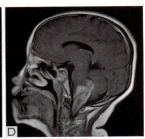

図1 ● 低悪性度神経膠腫のMRI
A：視神経膠腫，B：小脳星細胞腫，C：脊髄線維性星細胞腫，D：脳幹部毛様性星細胞腫．いずれもT1強調ガドリニウム造影　矢状断像．

状のNF1患者の視神経膠腫や，被蓋腫瘍は，そのまま進行がないか，退縮することがある．反対にすでに症状を発症し，進行性の腫瘍の場合は，直ちに治療を検討する．

2 外科的治療

小脳星細胞腫のように，重大な障害をもたらすことなく腫瘍の摘出が可能な場合には，腫瘍摘出が治療の第一選択になる．腫瘍が全摘された場合，後療法なしに救命が可能である．小脳星細胞腫患者の追跡調査研究では，外科的治療のみでも，高次脳機能障害が認められることがあることが明らかになっており，手術方法に関して議論がある．時には障害の可能性を考慮して，部分摘出にとどめるべきであると考えられる．

3 放射線治療

放射線治療は，かつては切除困難な腫瘍の標準的な初期治療であった．しかし，放射線治療後の患者の長期追跡研究から，もやもや病などの脳血管障害，認知機能障害，内分泌機能障害，悪性転化，二次がんなどの容認しがたい合併症が明らかにされた．成人期以降までの長期追跡調査では，放射線治療歴が，長期の生命予後を左右する因子として同定されている．陽子線治療をはじめ，周囲正常組織への影響を軽減した放射線治療でも，これらの合併症をどこまで軽減できるか明らかではないため，ほかの治療が困難な場合に限って放射線治療を採用するべきであると考えられている．

4 化学療法

放射線治療による合併症を軽減するあるいは避けるために，化学療法は初期治療として導入されるようになった．乳幼児で放射線治療を延期する目的で導入され，その効果が示されるようになり，次第に適応年齢は年長児，思春期患者まで広がっている．カルボプラチン＋ビンクリスチン併用，チオグアニン＋プロカルバジン＋lomustine＋ビンクリスチン（TPCV）療法，ビンブラスチン単剤治療などさまざまなレジメンがあるが，いわゆるメトロノミック化学療法が有用であると考えられている．化学療法においても，QOLを考慮し，晩期合併症の可能性のある薬剤は極力用いないようにする配慮が必要であり，TPCV，シスプラチン，エトポシド，テモゾロミドはその効果がほかに優っていても，実地臨床では用いられない傾向にある．特にNF1患者では，二次がん誘発の可能性に注意が必要である．化学療法では，多くの例で腫瘍の進行阻止が可能であるが，腫瘍の縮小効果は小さく，完全奏効（CR）はいずれの化学療法でも5％以下である．いずれの化学療法でも，治療後には50％前後で腫瘍が再燃し，治療が必要となる．この場合も化学療法を試みる傾向にある．

5 分子標的治療

毛様性星細胞腫を最も特徴づける分子腫瘍マーカーとして，*KIAA1549-BRAF*融合遺伝子が毛様性星細胞腫の60〜80％で認められ，特異性の高い変異であると考えられる．このほかにも*BRAF*遺伝子の活性型変異（*BRAF*^{V600E}）を認める．これらの異常の細胞増殖における役割なども解明されており，BRAF阻害薬，MEK阻害薬，mTOR阻害薬，血管新生阻害薬のベバシズマブの臨床試験が行われ，その効果が検証されている．

予後

米国のSEER（The Surveillance, Epidemiology, and End Results）Studyの成人期に移行した患者の報告では，小児LGGの20年全生存率は87％と高く，単変量解析では，診断時年齢，発症部位，悪性度，腫瘍の切除度は予後因子となっておらず，多変量解析では放射線治療歴のみが死亡のリスク因子となっていた．治療による障害の有無が，QOLのみならず生命予後も左右する可能性があり，十分な配慮が必要

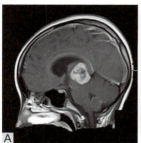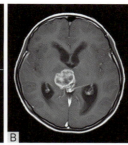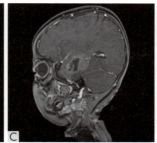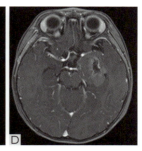

図2 ● 高悪性度神経膠腫のMRI
A・B：膠芽腫の矢状断像(A)，水平断像(B)．C・D：退形成性星細胞腫の矢状断像(C)，水平断像(D)．いずれもT1強調ガドリニウム造影像．

である．思春期から成人期までに腫瘍が不活化することが多く，それまでにどのように合併症の少ない治療で腫瘍を制御するかが重要である．治療にもかかわらず，視機能障害，内分泌機能障害，運動障害が後遺症となることも多く，治療中から治療後まで，長期にわたり眼科医や内分泌専門医など多職種チーム医療が必要である．

高悪性度神経膠腫

定義・概念・病因・病態・疫学

WHO分類のgrade III，IVの高悪性度神経膠腫（high grade glioma：HGG）は，脳・脊髄のいかなる部位からも発症する．小児脳脊髄腫瘍の15％を占め，いかなる年齢にも発症するが，10歳以降の発症が多い．半数は大脳皮質，残り半数は視床，視床下部，第三脳室，基底核に発症する．素因としてはNF1，NF2で発症が多い．

臨床徴候

症状は発症部位により決まってくる．発症から診断までの間に急速に症状が進行するものもあるが，長期にわたって症状が続くものもある．テント上腫瘍では，頭痛，けいれん（特に焦点発作），運動障害が多くみられる．基底核腫瘍では，舞踏病様運動など異常運動が認められる．

診断

ほかの腫瘍と同様，症状より腫瘍の存在が疑われ，画像診断により腫瘍が同定され診断に至る．スクリーニングとしてCTは有用であるが，造影MRIを行い腫瘍の性状を精査する（図2）．MRIでは，浸潤性の強い占拠性病変として描出され，腫瘍周囲の浮腫を伴う場合が多い．頻度は多くはないが髄膜播種を起こす場合があるので，診断時から脊髄MRIで確認が必要である．

治療

1 術前治療

浮腫軽減のために，手術前にデキサメタゾンの投与を開始する．

2 外科的治療

診断確定のためにも外科的治療は初期治療となるが，腫瘍の摘出程度は発症部位に左右され，時には生検にとどまることがある．90％以上の腫瘍切除が生命予後を左右することが報告されているが，視床や視床下部，脳幹部など摘出が困難な場合もある．

3 放射線治療

術後放射線治療を行う．54 Gyの局所照射が標準的である．

4 化学療法

化学療法の併用は，北米CCG（Children's Cancer Group）のランダム化比較試験CCG-943で，放射線単独治療群に比較して化学療法併用群の生存率が上回ったことから，以後，併用治療の臨床試験が続けられてきた．しかし，テモゾロミドも，成人のような明白な併用効果を示すことはできず，いずれもCCG-943を上回る生存率を達成していない．それでもなお，治療中のQOLを考慮してテモゾロミドを併用する場合が多い．分子標的薬の単独あるいは化学療法との併用治療が臨床試験で行われているが，その有用性が明白に示されたものはない．乳幼児HGGでは，化学療法に対する反応が年長児とは異なり，手術，化学療法のみで生存する一群がある．

予後

5年生存率は20％以下である．grade IVの腫瘍は，grade IIIの腫瘍に比較して予後不良である．腫瘍の切除程度が予後に反映するが，多くの腫瘍では全摘出が困難である．このほかO^6-メチルグアニン

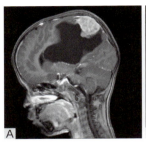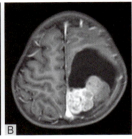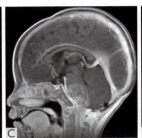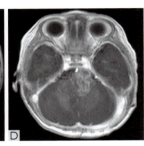

図3 ● 上衣腫のMRI
A・B：テント上腫瘍の矢状断像（A），水平断像（B），C・D：テント下腫瘍の矢状断像（C），水平断像（D），いずれもT1強調ガドリニウム造影像．

DNAメチルトランスフェラーゼ（*MGMT*）遺伝子のメチル化など分子生物学的予後因子が明らかにされている．ほかの小児脳腫瘍と同様，近年分子生物学的研究が急速に進展し，分子異常のプロファイルによって，乳幼児，年長児，成人の腫瘍が異なった腫瘍から構成される可能性が示唆されている．悪性胎児性腫瘍などほかの腫瘍との病理学的な鑑別が困難な場合が多いが，分子異常所見からの鑑別，分子診断の可能性も示唆されている．

上衣腫

定義・概念・病因・病態・疫学

脳室を構成する上衣細胞に起源をもつ腫瘍であり，上衣腫（ependymoma）の半数は小児期・思春期に発症する．小児脳脊髄腫瘍の6～10％を占める．テント下腫瘍が最も多く，そのテント上，脊髄にも発症する．上衣腫は小児脊髄腫瘍の約25％を占める．

臨床徴候

テント下腫瘍では，第四脳室の腫瘍による塞栓のため，閉塞性水頭症を発症し，頭蓋内圧亢進の症状と徴候を示す場合が多い．ほかに脳神経障害，小脳失調症状を認める場合がある．テント上腫瘍では，頭痛，けいれん，神経機能障害で発症する．

診断

症状から腫瘍の存在を疑い，造影MRIで病変を認めて診断契機となる（図3）．特にテント下腫瘍の場合には，播種を認める場合があるので，手術前に脊髄造影MRIを行う．造影MRIでは腫瘍に造影効果を認めるが，出血や壊死などにより不均一に造影されることが多い．画像診断だけでは，小脳星細胞腫や髄芽腫と鑑別するのが困難な場合もある．

治療

1 外科的治療

腫瘍を完全に摘出することが重要であり，摘出程度により生命予後が大きく異なる．腫瘍がしばしば脳幹部など周囲組織に浸潤しているために，摘出により複数の脳神経が障害される可能性が高く，術後気管切開や経管栄養を必要とすることもある．初回手術で残存した場合，短期間の化学療法を行い，再度摘出を試みる．テント上腫瘍では，完全に摘出できた場合，放射線治療などの後療法なく生存する可能性が示唆されて臨床試験で検証されている．

2 放射線治療

腫瘍の摘出だけでは再発率が高く，通常，術後放射線治療を行い，これにより再発率は減少する．髄芽腫と異なり，再発時はほとんどが局所再発で，播種再発は少ないため，放射線治療は局所照射が採用される．原体照射法や強度変調放射線治療（intensity modulated radiation therapy：IMRT）により，総線量54～60 Gyの局所照射が行われる．陽子線治療も用いられる．再発腫瘍に対して，腫瘍摘出と放射線再照射による救命の可能性が示唆されている．

3 化学療法

髄芽腫と異なり，上衣腫においては術後化学療法の有効性が臨床試験によって示されたことがない．治療の基本は，腫瘍の摘出と放射線治療である．初回手術で腫瘍が残存した場合に，短期間の化学療法により，再摘出を促すことができることが報告されており，この化学療法の有用性が，欧米で臨床試験のなかで検証されている．

乳幼児上衣腫では，放射線治療による障害の軽減のため，治療の延期や回避を目的として術後化学療法の臨床試験が行われてきたが，その生存率は，術後放射線治療を行う場合に比べ低い．一方，後頭蓋窩腫瘍では，原体照射法を行った場合，認知機能障

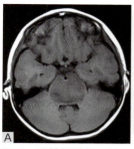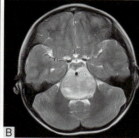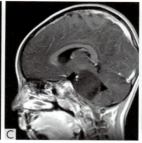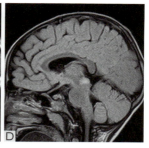

図4 ◆ 脳幹部腫瘍のMRI
A・B：びまん性内在性橋膠腫（DIPG）のT1強調水平断像（A），T2強調水平断像（B），C・D：ガドリニウム造影矢状断像（C），被蓋膠腫のT2 FLAIR矢状断像（D）．

害は重篤なものではないとの報告があり，北米では放射線治療を用いることが多い．欧州では，なおも化学療法先行の臨床試験が続けられている．再発時には，化学療法は緩和医療的効果を認めるが，根治性には乏しい．

予後

予後は，腫瘍の摘出度に大きく依存する．腫瘍の完全摘出後に放射線治療を行った場合の5年生存率は67～86％であるのに対して，部分摘出後に放射線治療を行った場合は22～47％である．ほかの腫瘍と同様に，近年，分子生物学的研究が進められ，テント上，テント下で異なった分子異常が指摘され，それぞれ分子診断のマーカーとなるような遺伝子変異が指摘されている．予後の改善のために，このような分子異常所見から予後因子を見出し，標的治療を探る試みが続けられている．

脳幹部腫瘍

定義・概念・病因・病態・疫学

脳幹部腫瘍（brainstem tumors）は，小児中枢神経系腫瘍の15～20％を占める．発症時年齢では5～10歳に最も多く性差はない．腫瘍は視蓋から中脳，橋，延髄，頸髄延髄移行部に発症する．このうち75％は，橋腹側を中心にびまん性に浸潤するびまん性内在性橋膠腫（diffuse intrinsic pontine glioma：DIPG）である．近年，欧米で診断時に腫瘍生検から網羅的遺伝子解析を行い，治療標的を探索する臨床試験が行われ，ヒストンH3 *HK27*の変異を高頻度で認めることが明らかにされた．この変異は成人の視床から脊髄までの正中部の悪性神経膠腫に高頻度に認められる異常であり，WHO分類の2016年の改訂では，H3変異の正中脳幹部グリオーマ（diffuse midline glioma H3mutation）という病名が採用された．このほかに

脳幹部には視蓋，中脳，延髄，頸髄延髄移行部に局在性（focal）あるいは外方増殖型（exsophytic）腫瘍が発症する．DIPGがWHO分類のgrade II～IVの神経膠腫で，病理組織診断にかかわらず予後不良であるのに対し，局在性あるいは外方増殖型の腫瘍はgrade I，IIのLGGで，予後が良好なものが多い．これらの鑑別にも将来的には分子異常所見が寄与するようになる可能性がある．ほかに悪性胎児性腫瘍が脳幹部に発症することもある．

診断

CTおよび造影MRIで腫瘍の局在により診断される（図4）．DIPGとほかの脳幹部腫瘍は，治療も予後も大きく異なるために，その鑑別が重要である．

DIPGでは，臨床経過と画像所見が典型的であれば，病理組織所見にかかわらず経過は一様であるため，生検の必要はないとされる．

DIPG以外の脳幹部腫瘍は多くがLGGであるが，臨床経過や画像からDIPGとの鑑別，悪性度の判断が困難な場合があり，定位生検を行い，組織診断によって治療方針を決めることが推奨される．

治療

1 外科的治療

腫瘍の切除は困難であり，部分切除も予後を左右しないために，外科的治療の対象となることはない．まれに診断時より水頭症を併発する場合があり，その場合にはV-Pシャント術により改善を図る．DIPG以外の非典型的な脳幹部腫瘍では，多くが低悪性度神経膠腫であるが，一部にHGGやほかの腫瘍が含まれるため，定位生検などにより病理組織診断を行うことが推奨される．局在性腫瘍では，頸髄延髄移行部腫瘍は，画像診断と手術手技の技術の向上により腫瘍の全摘率は上昇しており，全摘によって救命可能である．しかし，合併症の可能性を

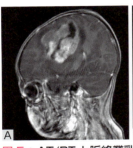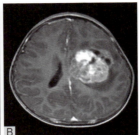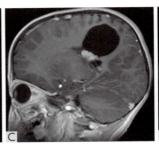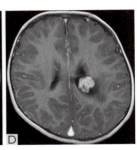

図5 ◆ AT/RTと脈絡叢乳頭腫のMRI
A・B：AT/RTの矢状断像(A)，水平断像(B)．C・D：脈絡叢乳頭腫の矢状断像(C)，水平断(D)．いずれもT1強調ガドリニウム造影像．

よく検討しながら摘出を計画する必要がある．被蓋腫瘍(tectal glioma)は，多くは予後良好な腫瘍であり，水頭症を併発した場合にのみ，第三脳室底開窓術やV-Pシャント術によって髄液潅流を確保すれば，多くの場合それ以上に腫瘍を切除する必要はない．

2 放射線治療

DIPGでは診断後早期に，腫瘍に対して局所照射を行う．通常の分割照射による総線量54〜60 Gyの局所照射が標準的である．多分割照射法により60 Gyを超える高い線量を照射する臨床試験が行われたが，放射線壊死の頻度が増加したのみで生存期間の延長には寄与しなかった．低分割照射の臨床試験が行われているが，生存期間の延長を認めず，治療期間の短縮以外の利点は示されていない．

局在性腫瘍の場合にも放射線治療は効果的であるが，LGGで述べたように放射線治療による晩期合併症がQOLのみならず生命予後を左右する可能性もあり，ほかの治療方法がない場合に用いる傾向にある．

3 化学療法

DIPGに対しては放射線治療に，単剤または多剤化学療法，大量化学療法を併用する臨床試験が世界で数多く行われてきた．化学療法を併用する有用性が示されたものは皆無である．このため，初期治療での化学療法はすすめられない．分子標的薬も本疾患を対象に臨床試験が数多く行われているが，有効性が示されたものがない．化学療法は緩和医療的で，経口抗腫瘍薬が用いられるにとどまっている．

予後

DIPGの2年全生存率は5〜20％で，生存率の向上を認めていない．予後の改善のためには，腫瘍そのものから腫瘍特異的な遺伝子異常あるいはエピジェネティックな異常を検出し，治療標的を同定し，薬剤を開発する必要がある．欧米では，診断後腫瘍生検を行い，網羅的な分子異常検索，薬剤スクリーニングを行い，既存の分子標的薬のターゲットとなる異常が検出された場合にはその治療を施行する臨床試験が実施されている．

局在性腫瘍は，被蓋中脳腫瘍の90〜100％をはじめ，予後良好なものが多く，治療合併症が生命予後を左右する可能性も高い．QOLも考慮し，合併症を少なくする治療方針の採用がすすめられる．

非定型奇形腫様/ラブドイド腫瘍

定義・概念・病因・病態・疫学

非定型奇形腫様/ラブドイド腫瘍(atypical teratoid/rhabdoid tumor：AT/RT)は，2歳以下に発症する悪性度の高い腫瘍である．後頭蓋窩に発症することが多いが，そのほか脳脊髄のどこにでも発症する．

染色体11q22上のSWI/SNF-related matrix-associated acti-dependent regulator of chromatin subfamily B member 1(*SMARCB1*もしくは*INI-1*遺伝子)の欠損が特異的異常として知られており，INI-1の免疫染色が陰性になることを用いて診断が可能である．

症状

後頭蓋窩腫瘍では，ほかの腫瘍と同様に水頭症を併発して頭蓋内圧亢進症状で発症することが多い．テント上腫瘍でも，ほかの腫瘍と同様にけいれん，頭蓋内圧亢進症状，神経機能障害で発症する．発症から症状の進行が急激な場合が多い．

診断

ほかの腫瘍と同様に，症状から腫瘍の存在が疑われ，画像検査によって診断される(図5A，B)．初期から播種を認めることがあるため，手術前に脊髄造影MRIも行う．

病理組織診断は，しばしばほかの疾患との鑑別が

困難である．特に乳幼児腫瘍の場合には，*INI-1* 欠失を最初から検索しておくことが望ましい．診断までに時間がかかると，その間にも腫瘍は進行し播種を起こしたりすることがある．

治療

従来は，独立疾患としての認識はなく，髄芽腫やテント上の胎児性腫瘍と同様に治療されていた．疾患登録研究における予後因子解析から，腫瘍の切除度，早期の放射線局所照射，大量化学療法の採用が予後良好の因子となる可能性が示唆された．本疾患を対象とした臨床試験では，横紋筋肉腫に対する北米 IRS（Intergroup Rhabdomyosarcoma Study）III を改変した治療（抗がん薬の全身投与，脳室内注入・髄注と放射線局所照射を併用）により，2 年生存率が 40％を超えるようになり，欧州でも同様のパイロット試験で生存率の向上が報告されている．大規模共同試験 EU-RHAB や北米の ACNS033 などが実施され，生存率の向上が示されている．播種を起こしやすいが，幼若な患児に多いため，放射線治療を局所照射にとどめたり，回避しようとする試みが行われるが容易ではない．

大量化学療法や放射線治療採用など治療の強化だけでは限界があると考えられ，臨床試験に伴い腫瘍登録研究，遺伝子解析研究を同時に実施することにより，治療標的の探索が行われている．ほかの腫瘍と同様に近年の分子生物学的研究が行われ，分子異常のプロファイルにより複数の腫瘍から構成されている可能性が示唆されている．

頭蓋咽頭腫

定義・概念・病因・病態・疫学

頭蓋咽頭腫（craniopharyngioma）は，Rathke 囊胞の遺残物の異常発生により発症すると考えられている鞍上部腫瘍である．小児中枢神経系腫瘍の 6〜10％を占める．5〜10 歳に発症のピークがあり，性差は認めない．

臨床徴候

最も多い症状は，第三脳室の圧迫による水頭症による頭蓋内圧亢進症状である．下垂体の機能を障害し，下垂体機能症を起こす．思春期早発，思春期遅発で診断に至る場合もある．視機能低下のみの発症もあり，診断が遅れると回復不可能となる場合もあるので注意が必要である．

診断

臨床症状から腫瘍の存在を疑い，画像診断で腫瘍が描出され，確定診断に至る．CT では，石灰化を認めることがある．腫瘍は実質成分と囊胞性の成分をもち，造影剤で造影される．周囲組織の圧迫を認めることが多く，しばしば視床下部への浸潤を認めることが多い．明らかな症状がなくても，下垂体機能低下症を発症していることがあり，手術前に内分泌学的検査が必要である．早期から内分泌専門医の関与を求め，尿崩症や下垂体機能低下がある場合には，術前から補充を始める．尿崩症のある場合は，特に術後管理にも内分泌専門医の関与が必要である．胚細胞腫瘍が鑑別診断にあがるため，腫瘍マーカーの検索を行う．また，眼科学的評価を行う．鑑別疾患として，鞍上部に発生する視神経膠腫，胚細胞腫瘍，Rathke 囊胞があがる．

治療

1 外科的治療

可能な限り，合併症を起こすことなく腫瘍を全摘する必要がある．60〜90％では全摘出が可能である．重篤な合併症なく全摘出が可能である場合には手術が適応となる．全摘出では下垂体の損傷など合併症・障害が重篤になることが予想される場合には，その軽減を目的に部分摘出し放射線治療を用いる．この場合，全摘出と同様に有効な治療といえるのかどうか議論になっている．

2 放射線治療

腫瘍の部分摘出あるいはドレナージのみの保存的治療が行われた場合，放射線治療を行うことで局所再発率を下げ，生存率を向上させることが可能である．5 歳以上の場合には 50〜55 Gy の照射が，それ以下の場合には照射線量を軽減した局所照射が行われる．腫瘍が全摘された場合には，放射線治療は行わない場合が多い．

3 化学療法

囊胞性腫瘍の場合に，ブレオマイシンの囊胞内注入が行われることがある．全身化学療法で本疾患に有効なことが示されたものはない．

予後

全摘出された場合の 5 年全生存率は 80〜90％であるが，部分摘出の場合は 50％程度である．部分摘出後に放射線治療を行った場合は，62〜84％である．繰り返し手術が必要になる場合には QOL も低

下し，生命予後も問題となる．下垂体機能低下の有無が，QOLのみならず生命予後にも影響するとの報告もあり，治療による下垂体障害を極力避けるべきであるとの主張がある．

脈絡叢腫瘍

定義・概念・病因・病態・疫学

脈絡叢腫瘍(choroid plexus tumors)は，脈絡叢を発生母地とする非常にまれな腫瘍で，小児脳脊髄腫瘍の1〜5％を占める．50％は1歳未満で発症する．側脳室に発症するものが70〜80％と最も多く，ほかに第四脳室，第三脳室，小脳橋角部も発症する．

臨床徴候

腫瘍による髄液の過剰生産のために水頭症を起こす．乳児では大泉門の膨隆，頭囲の拡大を認める．頭痛，悪心・嘔吐など頭蓋内圧亢進症状を示す．

診断

臨床症状から腫瘍の存在を疑い，画像診断によって腫瘍の存在から診断される．診断には造影MRIが必要であるが，頭蓋内圧亢進症状がある場合には鎮静は，特に乳幼児では危険である．造影MRIでは，腫瘍は脳室内の腫瘍でカリフラワーの小花状であり診断しやすい(図5C，D)．脈絡叢がんは，非常に巨大な腫瘍として描出される場合が多い．血管に富み，出血しやすい腫瘍であるため，術前MR血管造影(MR angiography：MRA)または血管造影を行う．病理組織学的には脈絡叢乳頭腫(choroid plexus papilloma：CPP，grade I)，非脈絡叢乳頭腫(atypical choroid plexus papilloma：ACPP，grade II)，脈絡叢癌(choroid plexus carcinoma：CPC，grade III)がある．

治療

1 外科的治療

腫瘍摘出が第一選択である．ほかの腫瘍と同様に術前デキサメタゾンの投与を行う．出血しやすい腫瘍であるために，術前に腫瘍血管の塞栓術を考慮する．CPPは，摘出のみで救命可能である．半数以上で，腫瘍摘出後も交通性水頭症のためV-Pシャントが必要となる．CPCでは術中死亡率が高いため，術前に化学療法を行ってから摘出することがある．腫瘍が全摘できなかった場合は，再手術を考える．CPCでは化学療法，放射線治療を併用した集学的治療が，ACPPでも同様の治療が行われるが，その必要性と有用性は確定していない．

予後

CPPの予後は良好であるのに対して，CPCは周囲組織への浸潤から腫瘍摘出が困難であるために20〜30％の生存率となっている．全摘出可能な場合には良好な予後が期待できる．

■ 参考文献

・Mehta MP, et al.(eds.)：Principles and Practice of Neuro-Oncology：A Multidisciplinary Approach. Demos Medical Publishing, 2010
・Gupta N, et al.(eds.)：Pediatric CNS Tumors(Pediatric Oncology). 3rd ed, Springer, 2016
・Scheinemann K, et al.(eds.)：Pediatric Neuro-oncology. Springer, 2015
・Batchelor T, et al.(eds.)：Oxford Textbook of Neuro-Oncology(Oxford Textbook in Clinical Neurology). Oxford University Press, 2017

〈柳澤隆昭〉

第2章 小児がん
B 固形腫瘍

3 網膜芽細胞腫

定義・概念・疫学

網膜芽細胞腫（retinoblastoma）は，未分化の網膜細胞に由来すると考えられている眼内悪性腫瘍である．発症頻度は15,000〜23,000出生に1人であり，性差はない．人種差は報告により異なり，疫学データの正確性，先進国では良好な生存率により子への遺伝例が増加していることも影響すると考えられる．現在のわが国では，年間発症数が70〜80人であり，網膜芽細胞腫全国登録委員会によりほぼ全例が発症登録されている．片側性と両側性が3：2の割合であり，片側性は平均21か月，両側性は平均8か月で発見されている．3歳までに89％が発見され，学童期以降の発症はまれである[1]．

病因・病態

1 病因と遺伝子

本疾患の原因は，13番染色体長腕（13q14.2）にある*RB1*遺伝子の変異である．*RB1*は細胞分裂の重要な役割を担うRB1蛋白をコードしているため，*RB1*変異により細胞分裂の制御ができなくなり発がんに至る．例外として片側性の1％は*RB1*変異がなく*MYCN*の増幅が原因である．1細胞には2遺伝子座がある．*RB1*に関して，1遺伝子座の変異があっても細胞機能は正常であるが，2遺伝子座の両方に変異を生じて初めて細胞機能障害を示す，すなわちがん化する．2段階発がん説（two-hit theory）といわれるゆえんであり，Knudsonは本疾患の疫学調査からこの概念を導き出した[2]．

2 体細胞変異と生殖細胞系列変異

眼球に生じる腫瘍は同じであるが，体細胞変異（somatic mutation）と生殖細胞系列変異（germline mutation）を分けて考えると理解しやすい．

体細胞変異とは，体の細胞には変異がない状態で，網膜の1細胞において前述の2段階の変異を生じた場合である．あくまで網膜の1細胞の問題であり，通常の腫瘍と同じく腫瘍の治療を行えばよい．生殖細胞に異常はないため遺伝せず，二次がんも大きな問題とならない．

生殖細胞系列変異とは，生殖細胞の段階で1遺伝子座に変異がある場合であり，体細胞すべてに1段階の変異が生じている．確率的に網膜の複数の細胞で第2段階の変異を生じることが多く，多発・両側性となる．生殖細胞の変異は減数分裂により1/2の確率で子へ遺伝する．体細胞においても，*RB1*の2段階の変異が生じ，未解明ではあるが別の遺伝子変異が加わることで腫瘍化するものが，二次がんとして問題となる．上皮系腫瘍は少なく，肉腫，髄膜腫の頻度が高いことから，特定の遺伝子の関与が示唆される．生殖細胞系列変異は網膜，体細胞に複数の腫瘍を生じやすく遺伝性を有するため，hereditary cancer predisposition syndromeといえる．

臨床徴候

初発症状は，白色瞳孔（60.0％）（図1），斜視（14.8％），結膜充血（3.2％），低視力（2.8％）などである[1]．白色瞳孔は，眼底に比較的大きな腫瘍がある場合や，広範囲の網膜剥離を伴う場合に瞳孔が白くみえる，もしくは白く反射する状態を指す．黄斑部に腫瘍があると視力不良により斜視を生じる．年長児では，就学時検診の視力検査で低視力を指摘され発見される場合がある．乳幼児で眼内腫瘍の増大により緑内障を併発すると経口摂取不良を，眼球外浸潤があると眼球突出，眼瞼腫脹などを生じる．

通常は全身所見を伴わないが，13q14.2を含む染色体の欠失の場合には多指症，心奇形，発達遅滞などを伴うことがあり，13q欠失症候群とよばれる．

診断・検査

1 診断法

ほかの小児固形腫瘍と異なり，臨床診断に基づき治療方針を決める．背景として，①眼内腫瘍は透明組織を通して直接観察可能で診断が容易，②眼内の構成成分が網膜・血管などに限られ，生じる腫瘍の種類が限られる，③腫瘍生検を行うと眼外撒布し転移を生じる危険性がある，などの理由があげられる．

診断は眼科医による眼底検査で，石灰化を伴う白色隆起病変を確認する．多発，両側性の可能性を考え，両眼とも検査を行う．腫瘍の大きさ，位置，硝子体播種，網膜剥離の有無を確認する．経験のある

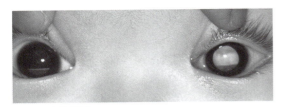

図1 ◆ 白色瞳孔
左眼に大きな白色腫瘍があり，瞳孔領が白く反射している．

眼科医であれば眼底検査のみで診断は可能である．

　画像検査としては，超音波断層検査により実質性腫瘍内に石灰化を検出する．MRIではT1強調像で等から高信号，T2強調像で低信号，造影効果のある腫瘍が描出され(図2)，視神経浸潤なども一部評価可能である．CTは石灰化の検出に優れるが，被ばくを伴う検査であり必須ではない．

2 全身検査

　全身については，一般の全身検査，血液検査を行い，治療が可能であるのか確認する．遠隔転移の検索については，病期，治療の緊急性などを考慮して検査項目，時期を決める．眼底検査でT1～2の初期病変と診断されれば，眼球温存治療の適応であり治療を優先する．この病期で眼球摘出をした場合には後療法をしなくても再発はまれであり，全身検査を行っても陰性の結果が得られるだけで時間の浪費となるため早期の治療開始が優先される．眼部の画像検査で眼内限局期と思われる眼内進行期（T3）では，顕微鏡的眼外病変は否定できないが，同様に転移が検出されることは皆無であり，温存治療もしくは眼球摘出を優先すべきである．一方，眼球外浸潤が疑われる場合には眼球摘出を優先し，前後して全身検索を行う．明らかな眼球外病変がある場合には全身検索を優先し治療計画を立てる[3]．

　全身検査としては，髄液検査，骨髄検査，^{18}F-FDG-PET/CT，血清神経特異性エノラーゼ（NSE）値などを確認する．骨シンチグラフィは骨転移が疑われる場合には有用であるが，PET/CTが一般化してからは適応が減っている．中枢神経病変が疑われる場合には造影MRI，メチオニンPETなどが有用である．血液検査以外はいずれも侵襲，被ばくを伴う検査であり，症例に応じた検査が望まれる．

3 病期分類

　放射線治療が主体であった1990年代まではReese-Ellsworth分類が主体であったが，その後は眼球内網膜芽細胞腫の国際分類（International Classification for Intraocular Retinoblastoma：ICRB）が簡便であり頻用されてきた．現在では，医学系論文では

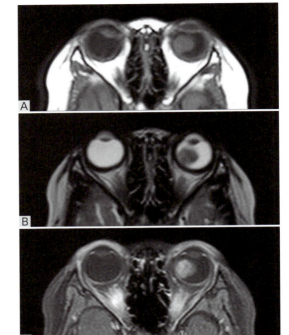

図2 ◆ 網膜芽細胞腫のMRI
T1強調像で等信号(A)，T2強調像で軽度低信号(B)，ガドリニウムで造影される腫瘍(C)が確認される．

TNM分類を用いることが推奨されている（表1）[4]．

4 遺伝子検査

　腫瘍の診断は病理検査で行う．現時点で遺伝子変異と予後の関連は明らかではない．本疾患に対する遺伝子検査は，体細胞（＝白血球）における生殖細胞系列変異の検出により，患者家族の保因者を見つけるために行われている．発端者の検査は2016年から保険収載され，遺伝カウンセリングとともにdirect sequencing，必要に応じMLPA（multiple ligation-dependent probe amplification）法，FISH法などを組み合わせて行う．発病していない同胞の検査は，発端者で異常の検出された方法のみを自費診療で行う．米国などの諸外国では，遺伝子検査を前提としたサーベイランスガイドラインが提唱されている[5]．

治療・予後

1 治療に対する考え方

　画像所見で眼内限局期と考えられる場合，治療の主体は眼科医であり，眼球温存治療を目指す．眼内進行期では，眼球摘出が推奨される．片側性，両側性によらず，眼球内の腫瘍の状態により治療法を決める．一方で，眼球外病変が疑われる場合には眼球摘出が原則であるが，化学療法を主体とした治療戦

表1 ● TNM分類

T1：網膜内に限局し網膜下液が5mm以内
　T1a：どちらの眼球も腫瘍≦3mm，視神経/中心窩から1.5mm以上
　T1b：少なくとも1腫瘍が腫瘍>3mmまたは視神経/中心窩から1.5mm以内
T2：硝子体播種，網膜下播種，網膜剥離
　T2a：腫瘍基底から5mmを超える網膜下液
　T2b：硝子体播種，網膜下播種
T3：重篤な眼内腫瘍
　T3a：眼球萎縮
　T3b：脈絡膜，毛様体，虹彩，前房などへの浸潤
　T3c：新生血管，牛眼を伴う眼圧上昇
　T3d：前房出血，大量の硝子体出血
　T3e：無菌性眼窩蜂巣炎
T4：眼球外腫瘍
　T4a：視神経，眼窩浸潤
　T4b：眼球突出，眼窩腫瘤

(Brierley JD, 他（編著），UICC日本委員会TNM委員会（訳）：TNM悪性腫瘍の分類 第8版 日本語版. 金原出版, 226-229, 2017 より引用)

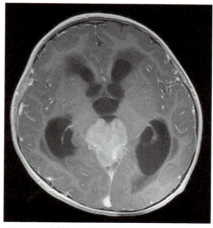

図3 ● 三側性網膜芽細胞腫
松果体部に腫瘍があり，水頭症を生じている．

略が必須であり，小児腫瘍医が治療の主体になる．

2 眼内限局，初期（T1）

腫瘍径3mm以下の小型病変はレーザー，冷凍凝固などを行い，90%が制御可能である．腫瘍厚5mm程度の限局腫瘍は小線源治療を行うことで，同様に90%程度は制御可能である．これらの治療で制御困難な場合には化学療法を併用する．5年生存率はほぼ100%，眼球温存率は90%以上，視機能予後は残存する黄斑機能に依存するが，黄斑部に腫瘍がなければ健常な視力も期待される．

3 眼内限局，進行期（T2～3）

初期化学療法を行い，腫瘍の縮小が得られたあとに局所治療による地固めを行うchemoreduction治療が行われる．化学療法はビンクリスチン，エトポシド，カルボプラチンの3剤併用療法が標準的であり，これを2～6回全身投与する．動注化学療法が一部施設で可能であり，全身化学療法の一部もしくはすべてを代用している．家族の希望，全身合併疾患のある場合，温存治療開始後の難治例では眼球摘出を行う．5年生存率は95%以上，眼球温存率は50～80%，視機能は限定的である．

4 眼球外浸潤（T4），転移例

神経芽腫に準じた強化化学療法を行い，その後，手術，放射線治療などを併用する．末梢血幹細胞移植救援を併用した大量化学療法を行うことが多い．眼窩内再発の場合，眼窩内容除去を行うことで予後が改善するエビデンスはないため，整容面で多大な損失を伴う手術ではなく化学療法と放射線を併用した治療が推奨される．生命予後に関して，中枢神経病変がなければ80～90%は期待できるが，中枢神経病変を生じると救命は困難である．

ピットフォール・対策

生殖細胞系列変異の場合，約3%の症例に松果体など大脳正中線上に網膜芽細胞腫類似の神経外胚葉系腫瘍を生じ，三側性網膜芽細胞腫（trilateral retinoblastoma）とよばれる（図3）．転移ではないため，眼内病変が初期病変であっても生じることがある．水頭症などの症状を生じてから発見された場合は救命困難であるため，両側性症例の場合には5歳頃まで半年ごとに頭部MRIによるスクリーニング検査を行うことが推奨されている[3]．しかし，実際にスクリーニング検査で発見される例はまれで，検査期間の間に発見される例が散見されたことから，初診時のMRI評価は推奨されるものの定期的なMRIの意義について意見の統一は得られていない[4]．

■ 文献

1) Committee for the National Registry of Retinoblastoma：The National Registry of Retinoblastoma in Japan（1983-2014）. Jpn J Ophthalmol 62：409-423, 2018
2) Knudson Jr AG：Mutation and cancer：statistical study of retinoblastoma. Proc Natl Acad Sci USA 68：820-823, 1971
3) 日本小児血液・がん学会（編）：小児がん診療ガイドライン 2016年版. 金原出版, 153-197, 2016
4) Brierley JD, 他（編著），UICC日本委員会TNM委員会（訳）：TNM悪性腫瘍の分類 第8版 日本語版. 金原出版, 226-229, 2017
5) Kamihara J, et al.：Retinoblastoma and neuroblastoma Predisposition and Surveillance. Clin Cancer Res 23：e98-e106, 2017

〈鈴木茂伸〉

第2章 小児がん
B 固形腫瘍
4 神経芽腫

定義・概念

神経芽腫（neuroblastoma）は，胎生期の神経堤細胞が腫瘍化したものであり，体幹の交感神経節や副腎髄質に発生する．病理学的には分化度から神経芽腫，神経節芽腫，神経節腫に分類され，総称して神経芽腫群腫瘍とされる．神経節腫を除いて悪性腫瘍とされる．

病因・病態

神経芽腫は，腫瘍の増大・進展転移を示す悪性度の高いものや，自然退縮や分化傾向を示す悪性度の低いものなど，さまざまな腫瘍動態を示す．予後は診断時年齢と強く相関し，一般的に年長児の予後は不良である．一方で，乳児では自然退縮や分化傾向を示す腫瘍が多く，予後良好であるとされている．さまざまな疫学的な研究がなされているが，遺伝学的，環境学的な腫瘍発生の原因は見出されていない．

疫学

小児の悪性固形腫瘍では，脳腫瘍に次いで頻度の高い腫瘍である．米国の統計によると7,000出生につき1人の神経芽腫患者の発生があり，大部分は散発例で，家族性の発生は1～2％にすぎない．わが国における近年の正確な統計は存在しないが，2004年以前の乳児期マススクリーニングが行われていた時代には年間300件以上の新規発生がみられたが，2018年の日本小児血液・がん学会の疾患登録数は123件であり，日本全体では年間150～200件程度の発症と予想される．

臨床徴候

原発腫瘍の部位と転移の部位によって，発熱，貧血，腹痛，腹部膨満，呼吸困難，骨痛，歩行障害，眼窩出血などさまざまな症状を示す．限局性の腫瘍の場合にはしばしば無症状であるが，健診などで偶発的に発見されることがある．胎児超音波検査で副腎腫瘤として発見される場合もあり，副腎出血との鑑別が問題となる．縦隔や後腹膜の交感神経節から発生し，椎弓内浸潤をきたした腫瘍はダンベル型といわれ，下肢麻痺や膀胱直腸障害などの脊椎神経圧迫症状を示す．縦隔腫瘍ではHorner症候群とよばれる眼瞼下垂や発汗異常を呈したり，気管圧迫から呼吸困難を呈することがある．まれな症状としては，難治性の下痢，眼球運動障害・小脳失調を呈するオプソクローヌス・ミオクローヌス症候群，高血圧，頻脈などがある．

診断・検査

国際的な神経芽腫の診断規準は，次のいずれかとされている．

① 原発腫瘍または転移巣の生検を行い，病理診断が得られていること．その際に免疫組織検査，電子顕微鏡検査，尿中または血中カテコラミン代謝産物値の上昇が認められることを参考とする．
② 左右両側の腸骨穿刺吸引骨髄細胞診と両側の骨髄生検により明確な腫瘍細胞が認められ，尿中または血中カテコラミン代謝産物値が高値を示していること．

治療開始前の生検時の検体取り扱いについては，INRG（International Neuroblastoma Risk Group）のBiology Committeeでは，細胞成分の豊富な少なくとも2つの異なる部位から，病理，分子生物学的検索，FISH（fluorescence in situ hybridization）法，ploidyのための検体を提出し，さらには将来の新規分子生物学的検索のために凍結保存することを推奨している．これは，腫瘍内不均一性がみられること，リスク分類に臨床的要因のみでなく，生物学的因子が必須であることに起因している．病理診断は最も重要な診断であり，病理学的には神経芽腫と神経節芽腫を含めて狭義の神経芽腫とされる．一般的にINPC（International Neuroblastoma Pathology Classification）に従い，間質の増生量，細胞の成熟度，細胞の有糸分裂-核崩壊指数（mitosis karyorrhexis-index：MKI）と患者の年齢に基づいて，予後良好（favorable）および予後不良（unfavorable）に分類される．

病期分類のためには，I^{123}を用いたMIBG（meta-iodobenzylguanidine）シンチグラフィの特異度が高く必須の検査であるが，まれにMIBGシンチグラフィ陰性の腫瘍があり，骨転移の検索に骨シンチグラ

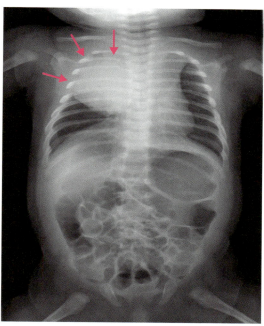

図1 縦隔神経芽腫の胸部 X 線
右上縦隔に腫瘤性陰影を認める．

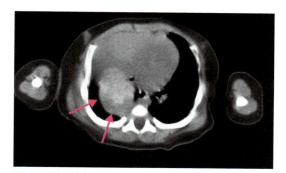

図2 縦隔神経芽腫の胸部 CT 横断像
図1と同じ症例の胸部単純 CT 横断像．右後縦隔に内部に淡い石灰化を伴う腫瘤性陰影を認める．

表1 INRGSS

stage	定義
L1	限局性腫瘍で，多臓器への浸潤なし
L2	限局性腫瘍で，多臓器への浸潤あり
M	遠隔転移あり
MS	L1，L2 の腫瘍で，骨髄，皮膚，肝臓へ転移あり

(Monclair T, et al.: The International Neuroblastoma Risk Group (INRG) staging system: an INRG Task Force report. J Clin Oncol 27: 298-303, 2009 より引用)

フィが用いられる．Curie スコア法は MIBG シンチグラフィの集積範囲で重症度を予測するスコアリングシステムで，寛解導入化学療法後の Curie スコアと予後は相関することが示された．近年 FDG-PET シンチグラフィの有用性が報告されつつあるが，特異度については定まった見解は得られていない．原発巣および遠隔転移の評価には超音波検査，X 線，CT，MRI が有用であり，腫瘍内に石灰化がみられることがある（図1，2）．

病期分類は，2009 年に INRGSS (International Neuroblastoma Risk Group Staging System) が国際的基準として定められた（表1）[1]．従来の手術後の病期分類 INSS (International Neuroblastoma Staging System) と異なり，術前の画像診断にて病期決定を行う．これによると，病期は限局例（L1，L2）と転移例（M，MS）の合計4つに分類されている．INSS の 4s が MS に相当するが，MS は 18 か月未満までの症例となっている．

代表的な腫瘍マーカーとしては，尿中カテコラミン代謝産物値であるバニリルマンデル酸（VMA），ホモバニリン酸（HVA）の Cr で補正した値が用いられ，カットオフは正常同月齢平均値の 2.5～3.0 SD 以上としている．ほかにも血中乳酸デヒドロゲナーゼ（LDH），神経特異性エノラーゼ（NSE），フェリチンなどが高値を示すが，いずれも特異度は高くない．

分子生物学的予後因子としては，MYCN 増幅は予後不良因子として最もよく知られている．MYCN の検索には PCR 法，FISH 法，アレイ CGH 法，MLPA (multiplex ligation-dependent probe amplification) 法などが用いられ，それらの検索に適した検体の保存が重要である．さらに，DNA index の二倍体（diploidy），11q LOH は予後不良のリスク因子として用いられる．ほかにも 1p loss，14q loss，17q gain，Trk-A，Ha-ras の低下は予後不良因子とされている．近年は，網羅的な遺伝子解析プロファイルをもとに予後を推定する試みがなされている．

これらの診断時検査結果をもとに，リスク分類を行う．INRG では予後因子として，病期，月齢（18 か月），病理，MYCN 増幅，11q LOH の有無，ploidy が用いられ，表2のようにリスク分類が行われる[2]．

治療・予後

リスク分類をもとに治療計画が立てられ，予後予測が可能である．INRG ではリスクを very low，low，intermediate，high の 4 段階に分けて 5 年無イベント生存率（EFS）を 85 % 以上，75～85 %，50～75 %，50 % 未満にそれぞれ推定している．一般的には低，中間，高リスクの 3 群もしくは非高リスクと高リス

表2 ◆ International Neuroblastoma Risk Group(INRG)リスク分類

INRG stage	月齢	病理組織型・分化度	MYCN	11q異常	ploidy	治療前 risk
L1/L2		GN maturing* GNB intermixed*				very low
L1		上記*以外のすべて	非増幅			very low
			増幅			high
L2	<18	上記*以外のすべて	非増幅	なし		low
				あり		intermediate
	≥18	GNB nodular, differentiating NB, differentiating	非増幅	なし		low
				あり		intermediate
		GNB nodular, poorly differentiated or undifferentiated NB, poorly differentiated or undifferentiated	非増幅			intermediate
			増幅			high
M	<18		非増幅		hyperdiploid	low
	<18		非増幅		diploid	intermediate
	<18		増幅			high
	≥18					high
MS	<18		非増幅	なし		very low
				あり		high
			増幅			high

diploid(DNA index≦1.0); hyperdiploid(DNA index>1.0, near-triploid と near-tetraploid を含む).
(Cohn SL, et al.: The International Neuroblastoma Risk Group(INRG)classification system: an INRG Task Force report. J Clin Oncol 27: 289-297, 2009 より引用)

クの2群に分けて治療指針が立てられることが多い.

1 低リスク腫瘍(very low, low)

乳児期の限局性腫瘍やMS期の腫瘍群の一部では,治療を行わずに経過観察のみで自然消退することが報告されている.わが国では,過去にマススクリーニング発見例において,一部の施設で無治療経過観察が一定の基準のもとに試行されていた.低リスク腫瘍の基本的な治療は手術摘出のみであり,化学療法は手術後に残存腫瘍が認められた場合や手術摘出が不能な場合,あるいは再発が認められた場合にのみ行われる.一般的には低容量の2～4剤の抗腫瘍薬を組み合わせて,化学療法を周期的に行う.わが国の過去の乳児神経芽腫プロトコールでは,非切除症例に対してビンクリスチンとシクロホスファミドを組み合わせた化学療法を行い,5年EFSは96～97%と良好であった[3].

低リスク群では,良好な予後が期待されるが,手術に関する合併症が10～20%ほど報告されているため,手術関連合併症を軽減する試みが行われている.国際的に術前画像診断によって手術合併症リスクを判断する指標がIDRF(image defined risk factor)として定められたのを受け,わが国においても,IDRF陽性の場合は化学療法を先行し,二期的手術を試行する臨床試験が行われている.ドイツのNB95-S,97研究では93例の切除不能な,生検後症例を含めて無治療経過観察を行い,一部の症例で遠隔転移がみられている.米国COG(Children's Oncology Group)での6か月未満の副腎腫瘍に限った87例の無治療経過観察では,18%が手術に至ったものの,生命予後は良好であると報告している.

2 中間リスク(intermediate)

中間リスク群は,予後不良因子(MYCN増幅など)をもたない一期的腫瘍切除が不能なL2腫瘍や,18か月未満の遠隔転移をもつM腫瘍が該当する.これらの腫瘍は非常に不均一な腫瘍群であり,網羅的なゲノム解析を用いたリスク分類を行う探索が行われつつある.中間リスク群に対する治療は,手術と補助化学療法が一般的であり,局所放射線療法は進行性の肝腫大や脊髄圧迫症状が認められる患者に限られる.COGではシクロホスファミド,ドキソルビシン,カルボプラチン,エトポシドなどの薬剤を治療反応性によって2～8サイクルに軽減して施行し,3年EFS,生存率(OS)がそれぞれ83.2%,94.9%と良好な治療成績が得られた.わが国では,限局性腫瘍

についてシクロホスファミド，ビンクリスチン，カルボプラチンなどからなる化学療法を最大9コース（29週）行い，遠隔転移群にはシスプラチン，ピラルビシンを加えた治療を最大6コース施行し，原発巣の二期的手術摘出時期を検討する第II相の臨床試験を実施中である．

3 高リスク(high)

　*MYCN*増幅がある腫瘍や年長児の病期M腫瘍をもつ患者は高リスク群に分類され，各国でさまざまな臨床試験が試みられてきたが，依然として予後不良である．現在最も広く行われている治療法は，多剤併用の寛解導入療法と，手術摘出および放射線治療による局所治療を行い，最後に自己造血細胞移植を併用した大量治療を行うというものである．ヨーロッパで，カルボプラチン，エトポシド，メルファランの大量治療とブスルファン，メルファランの大量治療に割付けた臨床試験では，後者のEFSの改善がみられた．さらに近年，米国からの報告で，寛解導入療法および造血細胞移植を併用した大量治療後に，抗GD2抗体を顆粒球マクロファージコロニー刺激因子(GM-CSF)，インターロイキン2(IL-2)，イソトレチノインの投与を6コース実施し，2年OSが86±4％と非常に良好な成績を示しており，これらの分化誘導療法，免疫療法の開発が欧米を中心に行われている[4]．わが国では，シスプラチン，シクロホスファミド，ピラルビシン，ビンクリスチンからなる寛解導入療法に自己造血細胞移植併用の大量治療を組み込んだ集学的治療や，局所療法である手術摘出を大量治療の後に行う局所遅延療法の臨床試験が試みられている．わが国では長らくイソトレチノインをはじめとするレチノイン酸および抗GD2抗体が認可されておらず，分化誘導療法，免疫療法は実施できない状況であったが，現在，抗GD2抗体治療に関しては薬剤承認が期待されている．また，一部の高リスク群で*ALK*の変異をもつ腫瘍に対しては，ALK阻害薬の有効性が基礎的実験で示されており，欧米を中心にALK阻害薬の臨床試験が行われている．今後は，これらの分子標的治療薬を併用した集学的治療法によって，さらなる治療成績の改善が望まれる．

ピットフォール・対策

　神経芽腫の診断には，初診時の迅速な対応が必須である．病期診断のための各種画像診断や生検組織による病理・分子生物学的検査を適切に計画的に行うことが重要である．必要な検査をすべて行ったうえで適切なリスク分類をもとに迅速に治療を開始できるように，多施設共同研究への参加が望ましい．

■ 文献

1) Monclair T, et al.：The International Neuroblastoma Risk Group (INRG) staging system：an INRG Task Force report. J Clin Oncol 27：298-303, 2009
2) Cohn SL, et al.：The International Neuroblastoma Risk Group (INRG) classification system：an INRG Task Force report. J Clin Oncol 27：289-297, 2009
3) Iehara T, et al.：Successful treatment of infants with localized neuroblastoma based on their MYCN status. Int J Clin Oncol 18：389-395, 2013
4) Yu AL, et al.：Anti-GD2 antibody with GM-CSF, interleukin-2, and isotretinoin for neuroblastoma. N Engl J Med 363：1324-1334, 2010

〈家原知子〉

第2章 小児がん
B 固形腫瘍
5 肝腫瘍

肝芽腫

定義・概要・疫学

小児の肝悪性腫瘍は，表1に示すような国際病理分類がなされている[1]．そのなかで肝芽腫が80％程度を占め，100万人あたり0.1～0.2人発症するため，わが国では，年間に60～100例程度が発生する．低出生体重児やBeckwith-Wiedemann症候群，半身肥大に好発することも知られている．また，肝芽腫は3歳までに発症することが多く，4歳未満の小児における肝悪性腫瘍の約90％が肝芽腫である．男女比は2：1で男児に多い[2]．

病因・病態

1 病因と遺伝子

肝芽腫の70％以上にβカテニン異常をはじめとするWntシグナルの活性化が認められ，βカテニンが蓄積する家族性腺腫性大腸ポリポーシス（familial adenomatous polyposis：FAP）の家系にも好発する．1,500g未満の出生時体重の罹患率は20倍を超えるとされている．

2 病理

表1に小児肝上皮性悪性腫瘍の国際組織分類を示す[1]．肝芽腫は胎児型，胎芽型成分からなる上皮性細胞と，間葉成分の混在からなり，上皮が主体の胎児型（fetal type），胎芽型（embryonal type），胎児・胎芽混合型（combined fetal embryonal type），未分化型（small cell undifferentiated type），大索状型（macrotrabecular type）と，さらに上皮・間葉混在型（mixed epithelial and mesenchymal type）となる．

胎児型は，従来の高分化型で，小型立方形の腫瘍細胞が索状構造をとり，核・細胞質比（N/C比）は低く，細胞質にはグリコーゲンや脂質を蓄えて淡明あるいは微細顆粒状である．なかでも，ほとんどが高度に分化した腫瘍細胞で細胞分裂像が10高倍視野あたり2個以下のものを純胎児亜型（純胎児型）〔well-differentiated subtype（pure fetal subtype）〕とよび，予後は良好である．そのほかの胎児型は，富細胞亜型（mitotically active subtype）とよぶ．

表1 ◆ 小児肝上皮性悪性腫瘍の組織分類

1. 肝芽腫（hepatoblastoma）
    1-1. 胎児型（fetal type）
        1-1-1. 純胎児亜型〔well-differentiated subtype（pure fetal subtype）〕
        1-1-2. 富細胞亜型〔mitotically active subtype（crowded fetal type）〕
    1-2. 胎芽型（embryonal type）
    1-3. 胎児・胎芽混合型（combined fetal and embryonal type）
    1-4. 大索状型（macrotrabecular type）
    1-5. 未分化小細胞型（undifferentiated small cell type）
    1-6. 上皮・間葉混合型（mixed epithelial and mesenchymal type）
        1-6-1. 間葉亜型（simple subtype）
        1-6-2. 類奇形腫亜型（teratoid subtype）
2. 肝細胞癌（hepatocellular carcinoma）
3. 肝内胆管癌（intrahepatic cholangiocarcinoma）
4. 肝細胞癌・胆管癌の混合型（combined hepatocellular carcinoma and cholangiocarcinoma）

（López-Terrada D, et al.：Towards an international pediatric liver tumor consensus classification：proceedings of the Los Angeles COG liver tumors symposium. Mod Pathol 27：472-491, 2014より引用）

大索状型は10層以上の腫瘍細胞が索状構造をなし，肝細胞癌と類似するがクロマチン増量，大小不同，細胞分裂像は肝細胞癌より軽度で，肝芽腫の約10％を占める．

未分化型は接着性の乏しい小型腫瘍細胞からなるもので，分化度が低くきわめて予後不良で，この組織型では時にαフェトプロテイン（AFP）が100ng/mL以下の低値である症例があるが，わが国ではきわめてまれである．

上皮・間葉混合型は，胎児あるいは胎芽型などの上皮性成分とともに間葉成分や類奇形腫成分が混合した腫瘍で，肝芽腫の約1/4を占め，線維性組織や類骨・軟骨組織からなる間葉亜型と間葉成分に加えて粘液上皮，角化扁平上皮，メラニン色素，未熟神経組織などの伴う類奇形腫亜型に分類される．そのほかに肝細胞癌と肝芽腫が混在するHCN-NOS（hepatocellular neoplasm, not otherwise specified）という特殊型がある．

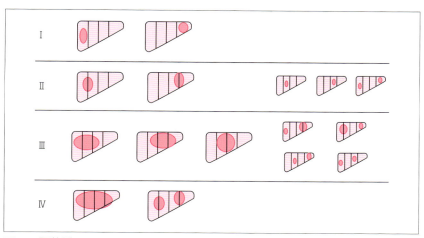

図1 ● 肝芽腫の PRETEXT 分類

肝外進展例として，次の項目を確認する．
V：肝静脈浸潤（下大静脈，かつ/または，3本すべての肝静脈内へ腫瘍が進展，あるいはいずれかに腫瘍塞栓あり），P：門脈浸潤（門脈本幹，かつ/または，左右両方の門脈内へ腫瘍が進展，あるいはいずれかに腫瘍塞栓あり），E：肝外進展（VまたはP以外の肝外進展［具体的には所属リンパ節転移と原発巣の他臓器浸潤］．ただし所属リンパ節転移は，生検による証明が必要．），R：腫瘍破裂，F：肝内多発，C：尾状葉原発，N：リンパ節転移，M：遠隔転移．
(Towbin AJ, et al.：2017 PRETEXT：radiologic staging system for primary hepatic malignancies of childhood revised for the Paediatric Hepatic International Tumour Trial(PHITT). Pediatr Radiol 48：536-554, 2018 より引用)

3 臨床所見

肝腫瘍は，腹部腫瘤，肝腫大，腹部膨満などで発症することが多い．腫瘍が大きくなっても自覚症状がないことも少なくないが，発熱，腹痛，嘔吐，食思不振などを呈することもある．肝腫瘍破裂による腹腔内出血を呈することがある．まれに，ヒト絨毛性ゴナドトロピン(hCG)産生性腫瘍では思春期早発がみられることがある．

4 合併奇形

先に述べたように半身肥大，Beckwith-Wiedemann症候群に合併するほか，18トリソミーにも高頻度に発生する．

診断・検査

1 診断法

ほとんどの肝芽腫は血清AFPが高値となり，時に100万U/Lを超えることがある．分化度の高い肝芽腫では高コレステロール血症を認める．まれにAFPが低値(100 U/L以下)の肝芽腫があるが，予後不良因子とされている．腹部単純X線では肝腫大を認め，超音波検査では低エコーなことが多いが，類骨組織があると高輝度な部分を認めることがある．最も有用な画像診断はCTで，腫瘍はおもに低密度を示し，造影CTでは肝内脈管や他臓器との関連も明らかとなり，腫瘍の占める肝区域の領域から病期分類で述べるPRETEXT(PRE-Treatment Extent of Tumor)分類が可能となる．また，肺転移の有無については単純CTにて診断する．MRI検査も腫瘍の占拠部位を判定するには有用な検査であり，最近は，正常肝細胞にとりこまれるガドキセト酸ナトリウム（Gd-EOB-DTPA）造影の併用により，より正確な占拠部位や腫瘍の局在が診断できるようになった．

従来は，血管造影，特に選択的肝動脈にて腫瘍濃染像とともに脈管との関連や門脈相での門脈血栓を診断して外科的切除可能性を検討していたが，現在は3次元CT像やCTでの血管構築像で十分に診断可能であり，血管塞栓術などの治療目的以外には血管造影は行わなくなった．

小児の肝芽腫や肝細胞癌の多くは血清AFP値の上昇を認め，卵黄嚢癌を除外できれば画像診断との組み合わせで治療を開始することも可能である．しかし，組織型が予後と相関し，特にAFP高値でない腫瘍は確定診断が必要である．肝芽腫の未分化型や肝細胞癌では化学療法に反応が不良であるため，組織学的な確認は重要であり，一期的切除を行わない症例では，全身状態が許せば治療前生検が推奨される．

2 病期分類

小児肝がんの臨床病期分類は，日本小児外科学会分類を含めさまざまな分類があったが，現在は，欧州で提案されてきた治療前の腫瘍進展度によるPRETEXT分類が用いられている（図1）．2017年に

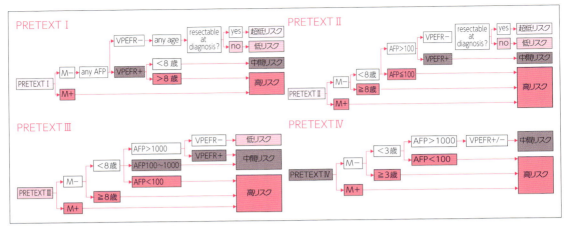

図2● 肝芽腫のリスク分類のスキーマ
V：肝静脈浸潤，P：門脈浸潤，E：肝外進展，R：腫瘍破裂，F：肝内多発，M：遠隔転移，AFP：α-フェトプロテイン．PRETEXT I，II で診断時，中肝静脈を温存して肝切除で腫瘍が全摘できるものが超低リスク群，PRETEXT I，II，III で肝外因子がないもので超低リスク以外が低リスク群，遠隔転移がなく肝移植の適応が検討されるものが中間リスク群，遠隔転移のあるもの，あるいはAFPが100 ng/mL以下で未分化なものと8歳以上の症例が高リスク群に分類される．また，PRETEXT IV で転移がなくても3歳以上は高リスクとしている．

国際共通分類として一部改訂され[3]，肝臓の4区域のうち腫瘍を認めない区域が隣接していくつあるかによって分類する．これらに肝外性因子として，V（肝静脈浸潤），P（門脈浸潤），E（肝外進展），F（肝内多発），R（肝破裂），M（遠隔転移）を付記してPRETEXT分類を行う．

治療

1 リスク分類（図2）

30年前までは，外科的切除が唯一の治療法であったが，その後，術前後の化学療法の有効性が示され，化学療法と外科療法の組み合わせとなる．肝移植が安定して行えるようになり，さらに治療成績が向上している．術前化学療法を行ってから肝切除を行うことにより切除時の手術合併症の発生を抑える可能性があるため，リスク別に適切な治療を行う必要がある．現在，欧州小児肝がん研究グループ（SIOPEL）と，北米の小児がん研究グループのChildren's Oncology Group（COG）と，わが国のグループ研究のJapanese Study Group for Pediatric Liver Tumor（JPLT）の成績が統合されたデータベースがCHIC（Children Hepatic tumor International Consortium）のもとで解析され，国際共通のリスク分類が提唱されている[4)5]．
①超低リスク群：遠隔転移や肝外浸潤等がないPRETEXT I またはII で，中肝静脈を温存して切離可能な症例．
②低（標準）リスク群：PRETEXT I〜III で，遠隔転移や肝外浸潤などがない症例．
③中間リスク群：遠隔転移はないがPRETEXT IV や肝外浸潤があり切除不能な症例．肝移植適応も1つの治療手段として検討すべき症例．
④高リスク群：遠隔転移のある症例，診断時年齢8歳以上でPRETEXT I で肝外浸潤のないもの以外の症例．さらにAFP値が100 ng/mL以下の低値の症例，と病理学的に小細胞未分化型（small cell undifferentiated：SCUD）を高リスクとすることが提唱されているが，わが国ではきわめてまれである．

2 リスク別治療法（図3〜5）

1) 超低リスク群

腫瘍が肝臓の1〜2区域に限局するPRETEXT I，II のような症例である．中肝静脈に対して十分な切除マージンをとって一期的切除が容易な症例では一期的切除も選択する．PRETEXT I で全摘できた症例で，純胎児型の腫瘍は術後化学療法が不要とし，そのほかの症例はシスプラチン単剤療法による2サイクル程度の術後化学療法を行う．

2) 低（標準）リスク群

遠隔転移や肝外浸潤，血管侵襲などの付加因子がないPRETEXT I，II，III の症例で1）以外のものを指す．術前にシスプラチン単剤療法などを2〜4サイクル行い，腫瘍の縮小を待って肝切除術にて腫瘍を切除，術後に2サイクル程度の化学療法を追加する．

3) 中間リスク群

腫瘍が4区域すべてを占めているPRETEXT IV か，PRETEXT I〜III でも門脈浸潤（P因子），肝静脈浸潤（V因子）など血管浸潤で肝切除が困難な症例である．術前化学療法は，低（標準）リスク群に用いら

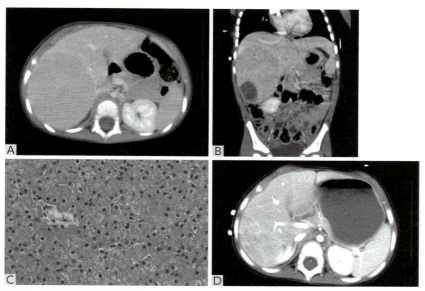

図3 ● PRETEXT II肝芽腫
A, B：入院時CT. 腫瘍は巨大であるが脈管の走行からPRETEXT IIと診断. C：腫瘍生検では, 胎児型, 純胎児亜型. D：化学療法4クール後のCT. 腫瘍は著明に縮小し, 肝右葉切除した.
（口絵19 p.ix参照）

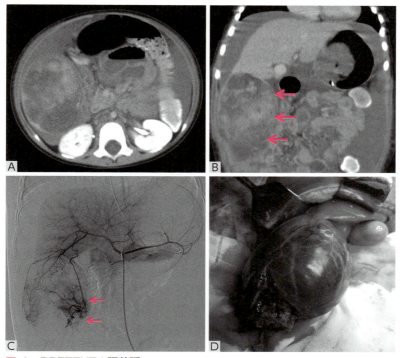

図4 ● PRETEXT I肝芽腫
A, B：入院時CT. 腫瘍は右葉前区域原発で腹腔内出血, PRETEXT Iと診断（←が腫瘍）. C：血管造影にて血管外に造影剤の漏出あり, 栓塞術にて止血. D：止血後も腹腔内出血が持続して, 翌日開腹した. 肝右葉にぶらさがる形の腫瘍が破裂して出血していた.
（口絵20 p.x参照）

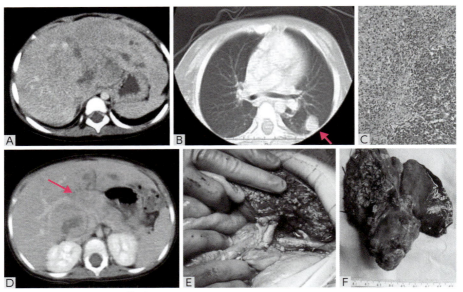

図5 ● PRETEXT IV 肝芽腫
A：入院時CT．腫瘍は尾状葉原発で門脈浸潤あり，PRETEXT IVと診断．B：肺転移を認める（➡）．C：腫瘍生検では，胎児・胎芽混合型．D：化学療法4クール後のCT．腫瘍は著明に縮小するも，左門脈は閉塞のままである（➡）．E：尾状葉と肝左葉切除にて腫瘍を全摘した．F：切除標本．腫瘍断端は陰性．
（口絵21　p.x参照）

れてきたシスプラチン単剤，あるいはアントラサイクリン系抗がん薬との併用がファーストラインとして用いられる．通常，術前化学療法は4サイクルであるため，肝移植療法の治療成績が安定してきた現在，術前2サイクル後に肝移植の適応を検討する．腫瘍全摘には肝移植が必要となる可能性のある症例には，この生体肝移植のドナーなどの準備を進めることが好ましい．肝移植も含めて，術後2サイクルの化学療法を行う．

4）高リスク群

遠隔転移（M因子）を有する症例は，まず化学療法を行い，転移巣がコントロールされた時点で肝移植を含めた原発巣の治療を検討する．現在は，高用量シスプラチン療法が用いられる．遠隔転移，特に肺転移が残存した場合は，肝切除で原発巣が切除できれば原発巣切除を，必要に応じて肺転移巣の切除を行う．原発巣が切除不能の症例には，残存する肺転移巣を切除後に肝移植の適応を検討する．肺転移巣を中心とした遠隔転移が高用量シスプラチン療法で消失する症例の予後は比較的良好であるが，転移巣が残存する症例は予後不良で，イリノテカンなどの新たな治療薬を導入した臨床試験も施行されている．

3 生検

小児の肝芽腫や肝細胞癌の多くは血清AFP値の上昇を認め，胚細胞腫瘍を除けば画像診断との組み合わせで治療を開始することは可能である．しかし，組織型が予後と相関し，AFP値の上昇が軽度であるか症例での確定診断が必須であること，肝芽腫の未分化型や肝細胞癌では化学療法の反応が不良であることから，組織学的な確認は重要であり，診断時に一期的切除を行わない症例は生検を行うのが原則である．

4 化学療法

超低リスク群を除いては，術前化学療法によって腫瘍が縮小することと転移巣が制御されて手術が容易になり術後合併症が減少することから，術前化学療法が推奨されている．切除後には，2〜4クールの化学療法を行う．化学療法としては，肝芽腫に有効な薬剤はシスプラチンであり，これを中心とした治療レジメンが用いられる．低（標準）リスク群では，シスプラチン単剤療法を，中間リスク群ではシスプラチンとアントラサイクリン系の抗がん薬であるドキソルビシン（PLADO療法），あるいはテラルビシン（CITA療法），あるいはシスプラチン/フルオロウラシル/ビンクリスチン（C5V療法）がファーストラインとして用いられる．その有用性が示されているとともに，副作用や晩期合併症も報告されてきている．高リスク群には，高用量シスプラチンの投与のレジメンを用いて，生存率が上昇した事実から，高リスク群にはシスプラチンの用量を増量したレジメ

ンによる臨床試験が行われている．肺病変が残存する症例には，ビンクリスチンとイリノテカンやカルボプラチンとエトポシドなどの併用療法が試みられている．

造血細胞移植を伴う超大量化学療法が，難治例や再発例に試験的に用いられ，一部の症例で有効性が報告されているが，十分なエビデンスは得られていない．

5 手術療法

前述のように，腫瘍が肝臓の3区域以内に限局し，門脈や肝静脈浸潤，肝外浸潤がなければ，肝切除術が行われる．一方，4区域に及ぶ症例や門脈や肝静脈浸潤がある症例には，肝移植の適応が検討される．肝移植の準備を術前化学療法中に行い，移植手術のタイミングを適切に行うことが肝要である．また，肝切除後の残存例や再発例へのレスキューの肝移植の成績が不良との報告もあったが，必ずしも不良ではなく，肝切除後の再発例には肝移植も十分に検討されるべきである．肺転移巣では，原発巣が取り除かれていて数個であれば外科的切除によって根治した例も少なからず存在し，こうした症例は肺部分切除も十分に適応となる．

6 肝動脈（化学）塞栓療法（TAE，TACE）

肝動脈より選択的にリピオドールなどで動脈を塞栓する transarterial embolization（TAE）や化学療法薬とともに塞栓する transarterial chemoembolization（TACE）も効果があるとされているが，十分なエビデンスは得られていない．特に，腫瘍破裂による出血例や，化学療法抵抗性の患者に用いられる．

治療成績と晩期合併症

超低リスク群，低（標準）リスク群の5年生存率は90％以上で，中間リスク群も80％を超える成績が報告されてきている[6]〜[8]．高リスク群においても術前化学療法で肺病変が消失すれば70％以上の2年生存が得られる．そのために，現在は晩期合併症を軽減する方向での臨床試験が行われてきている．特に幼小児期にシスプラチンを投与すると，その内耳毒性のために発語障害や言語習得の障害をきたす．そのため，その毒性を軽減する試験も行われた[9]．またアントラサイクリン系抗がん薬による心毒性，さらに CITA 療法やエトポシドなどによる二次がんなどが報告されており[6]，これらへの対応も必要である．

肝細胞癌

小児の肝細胞癌は，組織像は成人の肝細胞癌とほぼ同様で腫瘍細胞は肝細胞に類似するが，素地に肝硬変を伴う頻度は成人に比べて低い．発症年齢は，肝芽腫が3歳未満に多いのに対し，肝細胞癌は学童や思春期に好発する．組織像と予後との関連に関しては，肝芽腫との移行型ともいえる hepatocellular neoplasm, not otherwise specified（HCN-NOS）が予後不良であるが，この時期の肝細胞癌特殊型の線維性層板状癌（fibrolamellar carcinoma）の予後が一般の肝細胞癌に比して良好であるとする報告がある．また，この時期の肝細胞癌の約40％は，胆汁がうっ滞する代謝性疾患（Alagille症候群など），胆道閉鎖，高カロリー輸液，Fanconi貧血などの何らかの基礎疾患を有する．

臨床所見と検査では，肝腫瘍として画像診断され，55〜67％で血清中 AFP が高値である．CT では，動脈相では乏血管性で，門脈相では乏血管性または等密度である．MRI では，T1強調画像で不均一で，T2強調画像では軽度に高輝度となる．肝芽腫と同様に，造影剤の使用は肝内病変の描出に有用である．これらの画像所見はあるが，肝芽腫や HCN-NOS との鑑別などから，生検による診断は不可欠である．病期分類は，成人の分類よりは，肝芽腫の PRETEXT 分類を用いることが多い．肝切除によって腫瘍を外科的に切除するが，肝切除で全摘ができないものは肝移植の適応を検討する．肝切除で切除可能な症例は全体の20％以下であり，切除不能例には化学療法を行うが，まだ有効なレジメンの確立には至っていない．線維性層板状癌は，発育が遅く，術後の化学療法は行わない．また，成人例に行われているラジオ波焼灼，経皮経肝動脈化学塞栓療法（transcatheter arterial chemoembolization：TACE）などが試みられている．予後は全摘された症例以外は不良である．

そのほかの肝腫瘍

そのほかに肝内胆管癌，肝細胞癌と胆管癌の混合型があり，非上皮系腫瘍として，①血管内皮腫，②血管肉腫，③未分化肉腫，④横紋筋肉腫，⑤悪性ラブドイド腫瘍，⑥胚細胞腫，⑦悪性リンパ腫，などがある．いずれもまれな腫瘍であり，悪性ラブドイド腫瘍は *INI1* 変異と関係し，切除しても予後は不良である．

■ 文献

1) López-Terrada D, et al.：Towards an international pediatric liver tumor consensus classification：proceedings of the Los Angeles COG liver tumors symposium. Mod Pathol 27：472-491, 2014
2) Hiyama E. Pediatric hepatoblastoma：diagnosis and treatment. Transl Pediatr 3：293-299, 2014
3) Towbin AJ, et al.：2017 PRETEXT：radiologic staging system for primary hepatic malignancies of childhood revised for the Paediatric Hepatic International Tumour Trial（PHITT）. Pediatr Radiol 48：536-554, 2018
4) Czauderna P, et al.：The Children's Hepatic tumors International Collaboration（CHIC）：Novel global rare tumor database yields new prognostic factors in hepatoblastoma and becomes a research model. Eur J Cancer 52：92-101, 2016
5) Meyers RL, et al.：Risk-stratified staging in paediatric hepatoblastoma：a unified analysis from the Children's Hepatic tumors International Collaboration. Lancet Oncol 18：122-131, 2017
6) Hiyama E, et al.：Outcome and Late Complications of Hepatoblastomas Treated Using the Japanese Study Group for Pediatric Liver Tumor 2 Protocol. J Clin Oncol 38：2488-2498, 2020
7) Katzenstein HM, et al.：Minimal adjuvant chemotherapy for children with hepatoblastoma resected at diagnosis（AHEP0731）：a Children's Oncology Group, multicentre, phase 3 trial. Lancet Oncol 20：719-727, 2019
8) Zsiros J, et al.：Dose-dense cisplatin-based chemotherapy and surgery for children with high-risk hepatoblastoma（SIOPEL-4）：a prospective, single-arm, feasibility study. Lancet Oncol 14：834-842, 2013
9) Brock PR, et al.：Sodium Thiosulfate for Protection from Cisplatin-Induced Hearing Loss. N Engl JMed 378：2376-2385, 2018

〈檜山英三〉

第2章 小児がん
B 固形腫瘍
6 腎腫瘍

腎芽腫（Wilms 腫瘍）

定義・概要・疫学

腎芽腫（Wilms 腫瘍）は、小児腎腫瘍のうち最も多い。わが国では、年間 40〜60 例の登録例がある。腎芽腫発生がアジア人に少ないのは、遺伝子以外の制御が関与している可能性が示唆されている。腎芽腫の 95％は 10 歳までに診断されている。

病因・病態

1 病因と遺伝子

腎芽腫の発生には、腎発生過程における異常が関与していると考えられている。正常尿細管・糸球体の分化能を伴わない後腎芽細胞（metanephric blastema）が増殖し、そのなかで腎葉内に残された小結節性病変である造腎組織遺残（nephrogenic rest）を中心に発生すると考えられている。この結節性病変は、片側性腎芽腫の 35％、両側性腎芽腫のほぼ 100％にみられる。腎芽腫の約 3 分の 1 は、WT1、CTNNB1、WTX の変異が腫瘍発生にかかわっていると報告されている。しかし、腎芽腫発生には複数の分子遺伝学的異常がかかわっており、遺伝子発現とともに H19 などのメチル化パターン異常の関与が注目されている。

WT1 は 11 番染色体短腕（11p13）に位置する。WT1 は、正常な泌尿生殖器の発達に必要であり、腎芽体の分化にとって重要である。生殖細胞系の WT1 突然変異は停留精巣および尿道下裂と関連する。また、無虹彩症の原因遺伝子（PAX6）は、染色体 11p13 の WT1 の近くに位置するため、無虹彩症を合併しやすい。

WT1 の異常の頻度は、合併奇形のない単発性腎芽腫で 10〜15％（米国）、約 20％（日本）であるが、両側性腎芽腫では約 30％（米国）、約 80％（日本）である。

2 病理

世界では、米国 National Wilms Tumor Study（NWTS）分類（化学療法前の病理組織分類）と International Society of Paediatric Oncology（SIOP）分類[1]）が用いられている。日本病理学会小児腫瘍組織分類委員会の分類（表1）[2]）では、基本的に SIOP 分類に準じている。

3 臨床所見

腹部膨満または膨隆が最も一般的な臨床症状である。そのほか腹痛や血尿、高血圧などがある。腫瘍被膜下出血をきたすと急激な腹部膨満、顔面蒼白（貧血）をきたす。血尿は約 12〜25％にみられる。自覚症状を欠く場合が多いが、腫瘍による圧迫症状として食欲不振、体重減少、不機嫌、発熱を呈する場合もある。泌尿器奇形、無虹彩症、片側肥大をはじめ多発奇形症候群の症候の有無には注意が必要である。高血圧は、腎芽腫の約 25％にみられ、レニン活性の高値によるものとされている。

4 合併奇形

腎芽腫患児には、泌尿器系（尿管異常、停留精巣、尿道下裂、癒合腎など）、筋・骨格系（片側肥大、四肢奇形など）、無虹彩症などの合併奇形が多いのが特徴である。腎芽腫の 10％は多発奇形症候群に発生する。本症候群は、表現型により過成長（overgrowth）および非過成長（non-overgrowth）のカテゴリに分類されている。

過成長症候群には、Beckwith-Wiedemann 症候群（腎芽腫発生率は 10〜20％）、孤立性半側肥大症（腎芽腫発生率は 3〜5％）、Perlman 症候群（胎児巨人症、腎形成異常、腎芽腫、島細胞肥大、多発性先天異常、および精神遅滞）、Sotos 症候群（脳性巨人症）、および Simpson-Golabi-Behmel 症候群（巨大舌、巨人症、腎異常および骨異常、および胎生期がんのリスク増加）などがある。

非過成長症候群には、孤立性無虹彩症、18 トリソミー、無虹彩症と泌尿生殖器異常、WAGR 症候群（W：腎芽腫、A：無虹彩症、G：外性器異常、R：精神発達遅滞）、Bloom 症候群、Denys-Drash 症候群（性分化症、進行性腎疾患、腎芽腫）がある。

診断・検査

1 診断法

そのほかの腹部腫瘍との鑑別には、画像検査は有用である（図1、図2）[3]）。反対側腎の腫瘍や血管内

第Ⅱ部　各論（疾患）

表1 ◆ 腎芽腫の組織分類

A．腎芽腫の組織型
1．混合型（mixed type）［通常（common type）］
2．上皮型（epithelial type）
3．間葉型（mesenchymal type）
  *胎児性横紋筋腫型腎芽腫（fetal rhabdomyomatous nephroblastoma）
4．後腎芽細胞優位型（blastemal predominant type）

B．腎芽腫特殊型および腎芽腫関連病変
1．退形成を伴う腎芽腫（anaplastic nephroblastoma）
  a）限局型退形成（focal anaplasia）
  b）びまん型退形成（diffuse anaplasia）
2．造腎組織遺残と腎芽腫症（nephrogenic rests and nephroblastomatosis）
  a）辺葉造腎組織遺残（perilobar nephrogenic rests）
  b）葉内造腎組織遺残（intralobar nephrogenic rests）
3．囊胞性部分的分化型腎芽腫および囊胞性腎腫（cystic partially defferentiated nephroblastoma and cystic nephroma）
4．両側性腎芽腫（bilateral nephrobalastoma）
5．腎外腎芽腫（extrarenal nephroblastoma）

（日本病理学会小児腫瘍組織分類委員会（編）：小児腫瘍組織アトラス 第4巻小児腎腫瘍，金原出版，2008より引用）

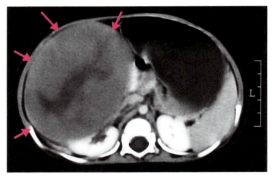

図1 ◆ 腎芽腫 CT の横断像
➡の部分が腫瘍である．
（越永従道：腎腫瘍，日本小児腎臓病学会（編），小児腎臓病学，診断と治療社，369, 2012より引用）

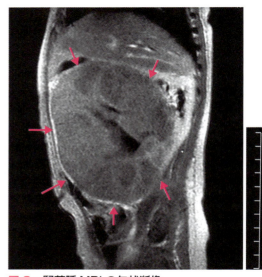

図2 ◆ 腎芽腫 MRI の矢状断像
➡の部分が腫瘍である．
（越永従道：腎腫瘍，日本小児腎臓病学会（編），小児腎臓病学，診断と治療社，369, 2012より引用）

腫瘍進展，肺転移の有無などを検索することが重要である．初診時にはまず腹部超音波検査を実施する．ドプラ超音波検査で腎血管，下大静脈への腫瘍進展の有無を確認する．肺転移ではCTが転移巣の同定に有用である．一般臨床検査では，特異的な腫瘍マーカーはない．Denys-Drash症候群では蛋白尿に注意が必要である．

2 病期分類

病期分類は腫瘍の解剖学的進展度を表している．わが国の多くの施設で，NWTS分類（表2）[4]を用いている．化学療法前で手術時の肉眼所見および摘出標本の組織学的腫瘍進展度をもとに分類される．腫瘍生検もしくは腫瘍被膜破綻により側腹部に限局した腫瘍汚染（spillage）がみられる場合には，stage IIIとする．

治療

多発奇形症候群をはじめとするWilms腫瘍predisposition syndrome（Wilms腫瘍易発生症候群）が疑われる場合には，化学療法を第一選択とし，腫瘍縮小を待って腎温存腫瘍切除術を目標とする．それ以外の場合には病期診断を行い，片側性腎腫瘍の場合には，わが国では米国NWTS（現Children's Oncology Group：COG）の方法で行われることが多い．すなわち腫瘍の肝上部下大静脈進展がない場合には腎摘可能であれば腎摘が行われる．腫瘍進展が肝上部下大静脈に及んでいる場合には化学療法を行い，腫瘍縮小を待って腎摘の方針とする．腎摘が不可能な場合には，化学療法を引き続き行うが，腫瘍縮小が得られない場合には，腫瘍生検術を行い腫瘍の病理組織診断を確定させる必要がある．一方，両側性腎腫瘍の場合には，化学療法を先行させ，腫瘍縮小を待って腎温存腫瘍切除術を目標とする．

治療方針決定には正確な病理診断が重要であり，日本小児がん研究グループ（Japan Children's Cancer

表2 ◆ 小児腎腫瘍の病期分類：NWTS病期分類

stage I
腫瘍は腎に限局しており，完全摘除されている．腎被膜は完全に保たれ，術前もしくは術中の腫瘍破裂はない．腎洞の血管浸潤を認めない．切除断端を越えた腫瘍遺残はみられない

stage II
腫瘍は腎被膜を越えて進展しているが，完全に摘除されている．切除断端を越えた腫瘍遺残はみられない．以下のいずれかの場合があてはまる
1. 腫瘍の局所進展，すなわち腎被膜の最外側表面から腎周囲組織へ進展しているか，明らかな腎洞への腫瘍浸潤がある
2. 腫瘍が含まれている腎洞の血管または腎外の血管に腫瘍浸潤または腫瘍塞栓がある

stage III
腫瘍が腹部の範囲で遺残している．以下の項目が1つ以上あてはまる
1. 腹部のリンパ節（腎門部のリンパ節，大動脈周囲リンパ節）に転移が認められる
2. 術前または術中に腫瘍の漏れ（spillage）がある場合（程度，部位を問わない）や，腫瘍が被膜を破って進展している場合などで，腹腔内に腫瘍汚染が認められる
3. 腹膜播種がある
4. 肉眼的あるいは組織学的に腫瘍が切除断端を越えて進展している
5. 周囲重要臓器への浸潤があり，腫瘍全摘ができない
6. 腫瘍全切除（腎摘）前に腫瘍生検（針生検，吸引生検も含む）を行った場合
7. 腫瘍を一塊に切除しなかった（例えば腫瘍とは別に切除した副腎内に腫瘍が発見された場合，下大静脈内腫瘍血栓を腎とは別に摘出した場合など）
8. 腫瘍が連続性に胸部下大静脈または心腔に進展している場合には，腹部外であるがstage IIIに分類する

stage IV
Stage IIIの領域を超えて，肺，肝，骨，脳などへの血行転移を認める．または腹部・骨盤以外のリンパ節に転移が認められる．ただし副腎内に腫瘍が存在する場合はこれを転移として扱わず，それ以外の因子で病期分類する

stage V
初診時に両側腎に腫瘍を認める

左右それぞれの腫瘍について，上記の判定基準に基づいて病期を決定する．
(Metzger ML, et al. : Current therapy for Wilms' tumor. Oncologist 10 : 815-826, 2005 より引用)

Group：JCCG）では，日本ウィルムス腫瘍グループ（Japan Wilms Tumor Study：JWiTS）を引き継ぎ，中央病理診断（central review）の導入により病理診断の統一化がなされている．

外科手術では，腫瘍を破裂させずに完全に摘出することと，腫瘍の進展度を評価することが重要である．病理組織診断により適切な化学療法を行う．Stage I, II の予後良好な組織型の腎芽腫では，ビンクリスチン（VCR）とアクチノマイシンD（ACD）併用による化学療法が有効である．腫瘍摘出術後に，VCRおよびパルスACDによる化学療法を18週間行う．Stage IIIの予後良好な組織型の腎芽腫では，腎摘出後，腹部放射線治療（1,080 cGy）に，化学療法としてACD＋VCR＋ドキソルビシン（DXR）(24週間)が有効とされている．また肺転移のあるStage IVでは，腹部放射線治療のほか両側肺野照射（1,200 Gy）を追加する．

予後

本腫瘍の治療成績は近年著しく向上し，80％以上の治癒率が得られるようになった．JWiTS-2（2006〜2014年）の腎芽腫治療成績では，5年全生存率（OS）は，Stage I：100％，Stage II：98％，Stage III：95％，Stage IV：85％（全Stageの5年OS 96.8％）と比較的良好である[5]．しかし，米国の報告によると限局型退形成（focal anaplasia）とびまん型退形成（diffuse anaplasia）の予後は不良である．

その他の腎腫瘍

腎明細胞肉腫（CCSK）

腎明細胞肉腫（clear cell sarcoma of the kidney：CCSK）は，比較的まれな起源不明の非上皮性腫瘍で，腎芽腫の予後良好組織型（favorable histology：FH）に比し予後は不良である．発生年齢は2か月〜14歳（平均36か月，2〜3歳が全体の50％を占める）．発生年齢は2か月〜14歳（平均36か月，2〜3歳が全体の50％を占める）．骨転移をきたしやすく，小児腎腫瘍全体の15％に認められる．画像診断のみでCCSKの診断は困難であり，診断確定には

病理組織診断が必要である．特に腎芽腫と先天性間葉芽腎腫（CMN，後述）との鑑別が重要である．腎摘除術後に，腹部放射線治療（1,080 cGy）と VCR＋DXR＋エトポシド（VP-16）＋シクロホスファミド（CPM）の多剤化学療法が行われる．生存率は改善してきたが（JWiTS-2，5年無再発生存率 82.4％，OS 91.3％）[5]．Stage IV の予後は不良である[6]．

腎ラブドイド腫瘍（RTK）

腎ラブドイド腫瘍（Rhabdoid tumor of the kidney：RTK）は，小児腎腫瘍の約2％を占める比較的まれな，予後不良で乳児期に多い（平均11か月）腫瘍である．腫瘍の起源細胞はいまだ不詳である．全 RTK の75％は Stage III 以上で発見されている．早期にリンパ節，肺などに転移をきたす．中枢神経腫瘍の合併頻度は高い（約10％）．SMARCB1（hSNF5/INI1）に変異あるいは欠失が高頻度にみられるため，SMARCB1 遺伝子産物の免疫染色（BAF47）が RTK の診断に有用である．予後は不良で JWiTS-2 では5年 OS が25％であるが[5]，特に6か月未満乳児例（4年 OS は9％）と Stage III 以上例（4年 OS は16％）はきわめて不良である[7]．RTK には有効な治療法が確立されていない．新規治療法の開発が必要となっている．

先天性間葉芽腎腫（CMN）

先天性間葉芽腎腫（congenital mesoblastic nephroma：CMN）は，線維性間葉組織に由来する低悪性度の腎腫瘍と考えられている．CMN の90％以上は1歳以内に診断され，その平均年齢は2か月とされる．まれに両側性に発生することもある．

多くは腎門部に発生し，正常腎組織あるいは周囲組織とは境界不明瞭で，被膜を形成しないことが特徴である．染色体転座 t(12；15)(p13；q25)による ETV6-NTRK3 融合遺伝子が存在することが明らかにされ，分子生物学的診断が可能となった．

高レニン血症や高カルシウム血症を伴うことがある．一般に，外科的に完全摘除されれば予後はきわめて良好である．しかし，stage III cellular type では再発や肺などへの血行性転移の報告があり，化学療法が推奨されている．

腎細胞癌

腎細胞癌は，腎皮質近位尿細管起源の腎実質の上皮性悪性腫瘍である．15～19歳では，腎悪性腫瘍の約 2/3 を占めている．若年者における腎細胞癌は，成人発症の腎細胞癌とは遺伝的および形態学的に異なることが明らかとなっている．小児や若年者の淡明細胞腎細胞癌または乳頭状腎細胞癌と診断されてきたもののなかに，Xp11.2 転座/TEF3 遺伝子融合に関連した腎細胞癌が相当数含まれていることも明らかとなっている．腎細胞癌は結節性硬化症との関連も示唆されている．腹部腫瘤，血尿，腹痛の3主徴がすべてみられることは少ない．腎細胞癌は，肺，リンパ節，肝，骨，副腎などに転移する．画像診断では腫瘍の石灰化や腎静脈，下大静脈内に腫瘍血栓がみられることがある．治療では，早期に根治的腎摘除術が必要である．化学療法や放射線療法に対して感受性が低い．外科的の完全切除が重要である．

■ 文献

1) Vujanic GM, et al.：Revised International Society of Paediatric Oncology（SIOP）working classification of renal tumors of childhood. Med Pediatr Oncol 38：79-78, 2002
2) 日本病理学会小児腫瘍組織分類委員会（編）：小児腫瘍組織アトラス第4巻小児腎腫瘍．金原出版，2008
3) 越永従道：腎腫瘍．日本小児腎臓病学会（編），小児腎臓病学．診断と治療社，366-374, 2012
4) Metzger ML, et al.：Current therapy for Wilms' tumor. Oncologist 10：815-826, 2005
5) Koshinaga T, et al.：Outcome of renal tumors registered in Japan Wilms Tumor Study-2（JWiTS-2）：A report from the Japan Children's Cancer Group（JCCG）. Pediatr Blood Cancer 65：e27056, 2018
6) Seibel NL, et al.：Impact of cyclophosphamide and etoposide on outcome of clear cell sarcoma of the kidney treated on the National Wilms Tumor Study-5（NWTS-5）. Pediatr Blood Cancer 66：e27450, 2019
7) Tomlinson GE, et al.：Rhabdoid tumor of the kidney in the National Wilms' Tumor Study：age at diagnosis as a prognostic factor. J Clin Oncol 23：7641-7645, 2005

〈越永従道〉

第2章 小児がん
B 固形腫瘍

7 胚細胞腫瘍

定義・概念

胚細胞腫瘍(germ cell tumor)とは，原始胚細胞(primordial germ cell)が成熟した胚細胞になるまでの細胞を発生母地とする腫瘍の総称で，古くは「奇形腫(teratoma)」とよばれた．原始胚細胞は胎生期に卵黄嚢から正中部を遊走し，性腺を形成する．このため胚細胞腫瘍は性腺および松果体，頸部，縦隔，後腹膜，仙尾部など体軸の正中に沿って，中枢神経系から体幹まで多彩な部位に発生する．さらに胚細胞の多分化能により胚細胞腫瘍組織の構成成分はきわめて多様である．領域により分類は若干異なるが，小児領域で一般的に用いられる日本病理学会小児腫瘍組織分類委員会による図譜[1]では，単一構成成分からなる単一組織型と，2種以上の複数の構成成分からなる複合組織型に大別し，単一組織型を未分化胚細胞腫瘍，胎児性癌，卵黄嚢癌，絨毛癌などの悪性胚細胞腫瘍と狭義の奇形腫とに分けている（表1）[1]．狭義の奇形腫のうち成熟奇形腫では成熟した内胚葉，中胚葉，外胚葉の成分が混在して含まれ，異形成はない．一方の未熟奇形腫は，異形性のある細胞はみられないが，未熟な上皮組織や間葉組織が含まれ，未熟成分の割合により grade 0〜3 の4段階に分けられる．成熟・未熟奇形腫は良性腫瘍とされるが腹膜播種や再発がみられ，未熟成分の多いものほど再発率が高い．

病因・病態

ヒトでは胎生4週の卵黄嚢内に原始卵胞が出現し，胎生6週には腸間膜を介して後腹膜の生殖隆起(gonadal ridge)に遊走し，これが性腺に分化する．胚細胞腫瘍は性腺原発のものと性腺外原発のものに大別されるが，後者はこの発生過程で傍正中部の仙尾部，後腹膜，縦隔，頸部，中枢神経系などに異所性に迷入・遺残した原始胚細胞を発生母地とすると考えられている．

腫瘍の構成成分により特異的な腫瘍マーカーを産生することがあり，卵黄嚢癌の α-フェトプロテイン(AFP)や絨毛癌のヒト絨毛性ゴナドトロピン(hCG)は有名で，診断や治療効果の評価に利用される．近年，悪性度の高い胚細胞腫瘍，とりわけ病期の進んだもので miRNA371-373，miRNA302-307 など特定の miRNA の発現が増強することが指摘されており，生物学的特性との関連や予後因子として治療の層別化への応用が注目されている．

表1 胚細胞腫瘍の組織学的分類

単一組織型(pure form)
- 未分化胚細胞腫，胚細胞腫(germinoma)
- 胎児性癌(embryonal carcinoma)
- 多胎芽腫(polyembryoma)
- 卵黄嚢癌(yolk sac tumor, embryonal carcinoma)
- 絨毛癌(chriocarcinoma)
- 奇形腫(teratoma)：成熟型(良性嚢胞性奇形腫)　未熟型

複合組織型
上記のうち2種以上の構成成分からなる腫瘍

(日本病理学会小児腫瘍組織分類委員会（編）：小児腫瘍分類図譜　第5篇　小児胚細胞腫瘍群腫瘍. 金原出版, 1999より引用)

疫学

胚細胞腫瘍は海外でもわが国でも小児がんの約3％を占める比較的稀少な腫瘍で，最新の日本小児血液・がん学会登録集計(2017・2018年)[2]をみると，新規発症の中枢神経系外胚細胞腫瘍は年間おおむね135〜140例が登録されている．このうち50〜60％が成熟奇形腫，10〜15％が未熟奇形腫で，悪性奇形腫のなかでは卵黄嚢癌が最も多く，全体の15％程度を占める．しかしながら，奇形腫は成人領域にもみられ，また良性腫瘍として登録から漏れる症例も少なからずあり，この数字が必ずしも正確な新規発症を反映していない可能性も考えられる．

頭蓋外の原発部位のうち性腺原発と性腺外原発の胚細胞腫瘍の頻度は小児ではほぼ同じで，性腺以外の発生部位では仙尾部が最も多く，次いで後腹膜，縦隔からの発生が多くみられる．海外からの報告と比較して，わが国では精巣や後腹膜からの発生が多い傾向がある．

発生部位により悪性腫瘍の頻度が異なる傾向がみられ，精巣や仙尾部原発腫瘍では悪性腫瘍の占める割合が他部位よりも高い．

表2 ◆ 悪性胚細胞腫瘍の病期分類

Ⅰ期	切除縁または領域リンパ節に顕微鏡的腫瘍がみられず，完全に切除された限局性腫瘍
Ⅱ期	摘出後も顕微鏡的残存腫瘍があるか，腫瘍被膜が破れる，またはリンパ節転移がある場合
Ⅲ期	摘出後も肉眼的残存腫瘍があるか，2cm以上の大きさのリンパ節転移がある，または腹水もしくは胸水に細胞診で確認された腫瘍細胞が存在する場合
Ⅳ期	肺，肝，脳，骨，遠隔リンパ節などへの転移のある播種性腫瘍

(Fraizer AL, et al.: Pediatric germ cell tumors. In. Orkin SH, et al., eds. Hematology and oncology of infancy and childhood. Saunders, 2056-2099, 2015 より引用)

表3 ◆ 卵巣胚細胞腫瘍の病期分類（FIGO分類）

Ⅰ期	卵巣に限局した腫瘍 ⅠA：片側卵巣にみられ腹水なし，莢膜損傷なし ⅠB：両側卵巣にみられ，腹水なし，莢膜損傷なし ⅠC：卵巣嚢が破綻し，卵巣嚢転移，腹膜洗浄陽性，悪性腹水あり
Ⅱ期	骨盤伸展を伴う卵巣腫瘍 ⅡA：子宮または卵管に骨盤伸展 ⅡB：ほかの骨盤内臓器（膀胱，直腸，または腟）へ骨盤伸展 ⅡC：骨盤伸展にⅠC期の所見を伴う
Ⅲ期	骨盤外腫瘍または転移陽性リンパ節 ⅢA：小骨盤外に顕微鏡的播種あり ⅢB：2cm未満の肉眼的沈着あり ⅢC：2cmを超える肉眼的沈着または転移陽性リンパ節あり
Ⅳ期	肝実質，胸膜腔などの遠隔臓器転移あり

（日本産婦人科学会，日本病理学会（編）：卵巣腫瘍取り扱い規約 第1部（第2版）．金原出版，2009より引用）

臨床徴候

　胚細胞腫瘍の発生部位は前述のように性腺のほか多部位にわたり，仙尾部奇形腫など出生前診断されるものもある．縦隔奇形腫では，胸部X線異常所見で偶然に発見されるものや，まれに気道を圧迫してoncologic emergencyの状態を呈するものもある．頸部・縦隔の大きな腫瘍では気道閉塞を起こすものもある．仙尾部腫瘍では排尿・排便障害を呈することもある．精巣腫瘍は体表より容易に触知される．卵巣腫瘍は体表より触知できるものもあるほか，茎捻転により急性腹症として発症するものも多い．いずれの発生部位でも，時にホルモン産生性の機能性腫瘍となるため，臨床徴候は多様である．hCG産生腫瘍では思春期早発がみられる．

　腹腔内の腫瘍では，良性の奇形腫でも播種がみられ，特に成熟したグリア成分が広範に播種を起こした腹膜グリオマトーシス（gliomatosis peritonei）は治療難渋性で知られる．

　Logothetisらは，1982年に悪性奇形腫の化学療法後に肺や腹部の腫瘤が急速に増大し，成熟奇形腫の組織所見を呈した6例を報告して，"growing teratoma syndrome"という呼称を用いた．その後，後腹膜または精巣原発の奇形腫群腫瘍が後腹膜へ転移し化学療法抵抗性に短時間に増大するものがこの呼称でよばれ，病理学的には成熟成分を含んで生物学的悪性度が低いことが報告された．しかし，近年は生物学的悪性度が高くないために化学療法や放射線に感受性が低く，かつ腫瘍の倍増時間（doubling time）が非常に短いものを，縦隔腫瘍なども含めて広くgrowing teratoma syndromeとよんでいる．希少であり，診断時にすでに腫瘍が巨大なため化学療法が先行される場合が多いが，外科手術に踏み切る判断が遅れれば切除不可能になり，治療手段を失う危険がある．

診断・検査

1 腫瘍マーカー

　卵黄嚢成分を有する胚細胞腫瘍では血清AFP値の上昇がみられる．小児期の悪性胚細胞腫瘍の多くは卵黄嚢癌の成分を有するため，90％以上の症例で血清AFP値が上昇している．さらに腫瘍性の場合，AFP値の高精度レクチン分画分析で第3分画が上昇していることにより，肝再生時のAFP値上昇と鑑別可能とされる．良性の奇形腫ではAFP値は上昇しないため，鑑別上重要な検査である．

　そのほか絨毛由来の成分をもつものは，hCGのβサブユニットの上昇がみられる．CA125，CA19-9も腫瘍マーカーとして診断に用いられる．

2 画像診断

　超音波検査，CT，MRIなどの画像診断上は，時に複数の組織が混在している．成熟奇形腫は嚢胞部分と充実成分が混在した境界明瞭な腫瘍として描出され，脂肪成分や骨・歯牙の成分が腫瘍内にみられる．

3 病期の診断

　悪性胚細胞腫瘍の米国COG（Children's Oncology Group）病期分類の概略を表2に示す．成人卵巣胚細胞腫瘍ではより詳細なFIGO（International Federation of Gynecology and Obstetrics）分類（表3）[3]も用いられる．

表4 ◆ COGによる胚細胞腫瘍のリスク分類（抜粋）

低リスク	病期Iすべての原発巣（未熟奇形腫を含む）
標準リスク1	10歳以下 病期II～IVすべての原発巣
標準リスク2	11歳以上 病期II・IIIの卵巣腫瘍 病期II～IVの精巣腫瘍 病期IIの性腺外腫瘍
高リスク	病期IVの卵巣腫瘍 病期III・IVの性腺外腫瘍

(Frazier AL, et al.: Revised risk classification for pediatric extracranial germ cell tumors based on 25 years of clinical trial data from the United Kingdom and United States. J Clin Oncol 33：195-201, 2015より引用)

4 予後分類（リスク分類）

COGはこれまでの欧米での研究成果に基づいて表4のようなリスク分類を提唱している[4]。11歳以上で発症した性腺外原発症例，特に縦隔腫瘍は予後不良であるほか，縦隔腫瘍の卵黄嚢成分は造血器腫瘍を伴うことがある．

治療・予後

1 良性胚細胞腫瘍に対する治療と転帰

良性胚細胞腫瘍に対しては外科切除が原則である．仙尾部奇形腫などでは悪性化が知られており，長期間の待期は望ましくない．頻度は低いが，成熟奇形腫，未熟奇形腫術後の再発や，悪性再発がみられる．

2 悪性胚細胞腫瘍に対する治療

悪性胚細胞腫瘍に対しては外科切除，化学療法，放射線治療が行われるが，現在進行中の国際共同臨床試験 AGCT1531 では，すべての原発部位で病期Iの術後は化学療法なしでモニタリングされている．化学療法が非常に有効なことが多く，晩期合併症を考慮して放射線治療の適応は限定的である．プラチナ製剤を組み込んだ化学療法により治療成績は大きく改善しており，BEP療法（シスプラチン＋エトポシド＋ブレオマイシン），JEB療法（カルボプラチン＋エトポシド＋ブレオマイシン），PVB療法（シスプラチン＋ビンブラスチン＋ブレオマイシン）などが選択される．

進行悪性胚細胞腫瘍に対する化学療法レジメンは未確立で，強化したBEP療法，TIP療法（パクリタキセル＋イホスファミド＋シスプラチン），成人胚細胞腫瘍の標準レジメンであるVeIP療法（ビンブラスチン＋イホスファミド＋シスプラチン）などが用いられる[3]．

3 悪性胚細胞腫瘍の治療成績

日本小児外科学会による追跡調査の集計をみると，病期I，IIで死亡例はなく，5年生存率は全体で90％を超えるのに対して病期IIIでは82.6％，病期IVでは77.3％程度にとどまる[5]．部位別では，精巣や後腹膜原発例で死亡例はなく，卵巣原発例も5年生存率が93％である一方，縦隔・胸腺原発例では60.0％にとどまった．近年のCOGからの報告では，病期Iの卵巣悪性奇形腫で無イベント生存率（EFS）が，治療後早期に低下しても全生存率（OS）は下がらず，再発後のサルベージ治療が有効とされる．

ピットフォール・対策

精巣腫瘍では腫瘍被膜の破綻により播種が起こり病期が上がるため，手術では被膜の破綻に注意する．鼠径アプローチによる腫瘍全摘例は病期Iの低リスク群に分類されるが，陰嚢側からの切除では肉眼的に腫瘍が全摘されていても病期IIの標準リスクに分類される．

文献

1) 日本病理学会小児腫瘍組織分類委員会（編）：小児腫瘍分類図譜 第5篇 小児胚細胞腫瘍群腫瘍．金原出版，1999
2) 日本小児血液・がん学会 疾患登録委員会：固形腫瘍集計結果．日本小児血液・がん学会，2020 https://www.jspho.org/disease_record.html
3) 日本産婦人科学会，日本病理学会（編）：卵巣腫瘍取り扱い規約 第1部（第2版）．金原出版，2009
4) Fraizer AL, et al：Revised risk classification for pediatric extracranial germ cell tumors based on 25 years of clinical trial data from the United Kingdom and United States. J Clin Oncol 33：195-201, 2015
5) 日本小児外科学会悪性腫瘍委員会：小児固形悪性腫瘍の予後追跡調査結果の報告—2006〜2010年登録症例について．日小外会誌 54：1260-1293，2018

〈黒田達夫〉

第2章 小児がん
B 固形腫瘍
8 骨肉腫

定義・概念

骨肉腫（osteosarcoma）は，「悪性腫瘍細胞が直接類骨あるいは骨組織を形成する腫瘍」と定義される．小児（10歳代）の膝周囲に好発する原発性悪性骨腫瘍である．

病因・病態

骨肉腫の病因は不明であり，具体的な原因遺伝子は特定されていない．しかし，小児期から思春期にかけて骨の伸長および改変が盛んな部位に好発すること，女性の骨肉腫発症年齢のピークが男性よりやや早いことなどから，骨発育との関連が指摘されている．

先行する疾患に続発する二次性骨肉腫として，放射線照射や骨Paget病，線維性骨異形成などに続発するものがある．また，網膜芽細胞腫，Li-Fraumeni症候群，Rothmund-Thomson症候群など遺伝的素因を背景に骨肉腫が発生しやすい疾患が知られている．

疫学

骨そのものから発生する原発性悪性骨腫瘍のなかで，骨肉腫は最も発症頻度が高く，原発性悪性骨腫瘍の約40％を占める．10歳代後半に発症のピークがあり，骨肉腫の50〜60％が10歳代に発症する．一方で，放射線照射や骨Paget病に続発する骨肉腫は中高年に多く，中高年にもう1つの小さな発症のピークがある．性差は1.3〜1.5：1で男性に多い．人口10万人あたりの年間新規発症数は0.3人程度とされており，わが国では年間に200〜250人前後の新規患者が発生していると推定される．

骨肉腫は，四肢長管骨の骨幹端に好発する．骨幹端とは，長管骨の骨幹から骨端にかけて骨幅が広がる部分である．小児期における成長軟骨板は，骨幹端と骨端を境界する．骨肉腫は大腿骨遠位と脛骨近位の骨幹端に好発し，骨肉腫の約半数が膝周囲に発生する．ほかには上腕骨近位，骨盤に多くみられる．

臨床徴候

病変部の持続する疼痛や腫脹がおもな症状である．初発症状としては運動時痛が多く，自発痛，安静時痛，局所の腫脹が続く場合が多い．外傷などを契機に診断される場合や，軽微な外傷による病的骨折を契機に診断されることもある．

診断・検査

きわめてまれな疾患であり，関節近傍の疼痛や腫脹を主訴とする若年患者を診るときは，骨肉腫の可能性を想起することが重要である．臨床検査として，単純X線検査などの画像検査や血液生化学検査が用いられる．なかでも単純X線検査は最も簡便で有用な検査である．

1 身体所見

身体所見としては，局所の自発痛，圧痛や熱感，腫脹の有無を確認する．腫瘍が大きくなると，病変部の静脈怒張を伴うことがある．初診時に肺転移を有するような進行例においても，呼吸困難などの全身症状を有することはまれである．

2 血液生化学検査

骨肉腫では，血清アルカリホスファターゼ（ALP），乳酸脱水素酵素（LDH）が高値を示すことがある．ALP値やLDH値は化学療法の奏効時あるいは腫瘍切除後に低下することが多く，治療効果や再発・転移などの病勢の把握にも有効と考えられている．

3 画像検査（図1, 2）

1）単純X線検査

単純X線検査では，境界不明瞭で不規則な骨破壊や骨形成，骨基質の破壊，骨膜反応が認められる．骨破壊の様子は虫食い状（moth-eaten）や侵食状（permeated）などと表現され，いずれも増殖の速い悪性腫瘍の骨破壊パターンである．骨髄内の病変が骨皮質を破壊して骨膜に進展すると，骨膜が刺激されて骨形成が惹起され，骨膜反応が生じる．骨皮質から三角形に立ち上がるCodman三角（Codman triangle），針状の石灰化が放射状にみられるスピクラ（spicula）などは，悪性骨腫瘍を強く示唆する所見である（図1A, B）．一方で通常の骨折後の仮骨形成や骨化性筋炎など，単純X線検査のみでは診断がむずかしい場合がある．肺転移例では胸部X線写真で小円形，結節状の異常陰影を認めることがある．

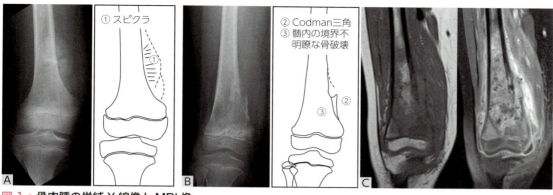

図1 ◆ 骨肉腫の単純X線像とMRI像
A：11歳男子，B・C：7歳男子．A：右大腿骨遠位骨幹端より骨外へ進展する腫瘤影を認める．B：髄内には一部骨形成を伴った境界不明瞭な虫食い状の骨破壊像を認め，スピクラやCodman三角などの骨膜反応を認める．C：MRI像では骨内外の腫瘍の拡がりが確認できる．

2) CT

CTは骨腫瘍の範囲，骨皮質の破壊や骨形成，骨膜反応など病変の描出に優れている．単純X線で描出が困難な脊椎や骨盤などでも有用である．また胸部CTでは，単純X線では確認できない数ミリ程度の微小転移の描出が可能であり，遠隔転移の有無など病期診断のために不可欠な検査である（図2）．

3) MRI

MRIは腫瘍構成成分の評価が可能であり，骨内から骨外に進展する腫瘍の範囲など局所の進展状況を評価するうえでもきわめて有用である．軸位断，矢状断，冠状断など任意の断面のスライスでT1強調像，T2強調像，拡散強調像，T1強調-ガドリニウム造影像などを撮像し，腫瘍の拡がりや腫瘍内部の性状を評価する．一般に骨髄内病変の把握には腫瘍と骨髄脂肪組織の信号の差を描出しやすいT1強調像が，骨外病変の把握には腫瘍と筋肉など周囲軟部組織の信号の差を描出しやすいT2強調像が優れている（図1C）．MRIは切除範囲の決定など，術前検査としても有用である．

4) PET-CT

PET-CTは良悪性の鑑別，悪性度の評価，病変の広がりなど病期分類に有用と報告されている．遠隔転移診断においては，骨やリンパ節など肺以外の転移巣にはPET-CTが有用とされている．『小児がん診療ガイドライン2016年版』（金原出版）では骨肉腫の骨転移には骨シンチグラフィが推奨されているが，感度・特異度ともにPET-CTが優れているとの報告がある．また，治療効果判定や予後予測における有用性について述べた報告もあるが，わが国では治療効果判定目的でのPET-CTの保険適用は認められていない．

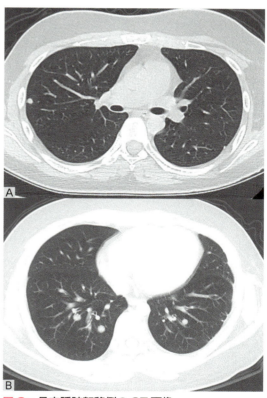

図2 ◆ 骨肉腫肺転移例のCT画像
A：19歳男性，B：14歳女子．単発性および多発性の肺転移を認める．

4 生検

腫瘍の病理診断を行うために不可欠な検査であり，針生検と切開生検がある．針生検は専用の生検針で腫瘍を穿刺して組織を採取する方法であり，局所麻酔下に実施可能であるが，採取できる組織量が少なく十分な診断ができないことがある．切開生検は手術的に病変の一部を採取する方法であり，全身麻酔や腰椎麻酔下に行われる．十分な量の組織を採

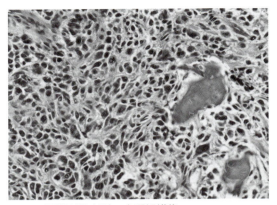

図3 ◆ 通常型骨肉腫の病理組織像
類骨形成および核異型の強い腫瘍細胞を認める．
（口絵22　p.xi 参照）

取することが可能であり，より確実な診断が可能となるため，骨肉腫の診断においては切開生検が選択されることが多い．

5 病理組織検査（図3）

骨肉腫の確定診断は，病理組織検査によって行われる．骨肉腫組織像の基本は「腫瘍性の骨・類骨（osteoid）形成を伴う肉腫」である．類骨とは，石灰化していない骨基質のことである．通常は骨芽細胞により類骨が形成され，これに血清中のカルシウムが沈着して石灰化することにより骨が形成される．

骨肉腫にはさまざまな亜型があるが，いずれの亜型においても異型性の強い紡錘形・多形細胞が腫瘍性の骨・類骨を形成する像が認められることが，骨肉腫の診断には必須の所見である．

治療・予後

骨肉腫の治療成績は，強力な化学療法の導入によって劇的に改善した．かつては原発巣に対する外科的切除が治療の主体であり，四肢発生の骨肉腫に対してはもっぱら切断・離断術が選択された．しかし患肢を切断・離断しても術後早期に高率に肺などへ遠隔転移をきたし，その術後5年生存率は15〜20％以下にとどまる予後不良な疾患であった．1970年代から1990年代にかけてドキソルビシン（DOX，別名アドリアマイシン：ADR），大量メトトレキサート（HD-MTX），シスプラチン（CDDP），イホスファミド（IFO）が骨肉腫に対する化学療法に順次導入された．これらの3剤あるいは4剤による周術期化学療法の導入により四肢発生で初診時に遠隔転移のない症例の術後5年生存率は70％以上にまで改善した．

骨肉腫の治療では，生検により迅速に病理診断を

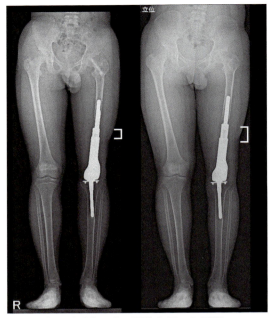

図4 ◆ 伸長型腫瘍用人工関節を用いた手術
12歳女子．左大腿骨遠位原発の骨肉腫広範切除後にカスタムメイド伸長型腫瘍用人工関節（Growing Kotz System）を用いて再建を行った．術後の成長に合わせて人工関節の伸長を行うことができる．

確定すること，そして可及的速やかに術前化学療法を開始することが重要である．これは原発巣に対する局所制御治療だけではなく，すでに存在していることが想定される微小肺転移巣に対する治療として行われる．

1 化学療法

骨肉腫に対する周術期化学療法は，HD-MTX/DOX/CDDPの3剤による多剤併用化学療法（MAP療法）が標準治療となっている．数か月の術前化学療法のあとに局所に対する手術を行い，その後さらに数か月の術後化学療法を行う1年弱の治療が標準治療として行われる．

2 手術療法（図4，5）

診断時（化学療法前）の画像に加えて，術前化学療法後に再度画像評価を行う．骨内外の腫瘍の範囲，主要な神経・血管との距離や浸潤の有無などを評価し，腫瘍の周囲に適切な正常組織（マージン）をつけた広範切除術を計画する．適切なマージンが確保可能で，主要な血管・神経が温存可能な場合には，患肢温存手術が選択される．主要な神経・血管への浸潤などにより機能的な患肢温存が困難な場合には，切断・離断術が考慮される．腫瘍切除後の再建には，腫瘍用人工関節を用いる方法が一般的である（図4）．発生部位や年齢によっては，血管柄付き骨移植や液体窒素処理骨などを用いた生体組織による

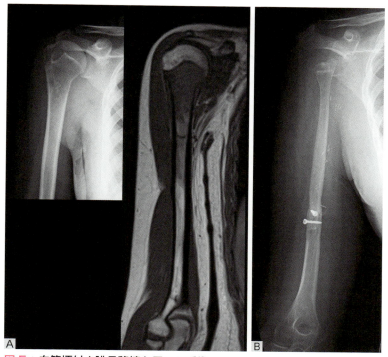

図5 ◆ 血管柄付き腓骨移植を用いた手術
A：術前，B：術後．13歳女子．右上腕骨近位原発の骨肉腫広範切除後に血管柄付き腓骨移植を用いて再建を行った．腓骨近位部の成長を再建肢の成長に利用可能である．

再建術が行われることがある（図5）．

3 放射線療法

骨肉腫は一般的に放射線治療抵抗性であり，根治的治療を目的とした通常の放射線治療の適応はない．しかし，脊椎や骨盤発生例など切除が困難な症例において，重粒子線（炭素線）治療，陽子線治療といった粒子線治療が選択されることがある．

ピットフォール・対策

骨肉腫は活動性の高い若年世代の膝周囲に多く発生するため，しばしば成長痛やジャンパー膝などと誤認されることがある．整形外科診療においても見逃しやすい疾患としてあげられることがあり，診断の遅れが重大な結果につながるため，骨肉腫の可能性を念頭におきながら注意深く対応することが重要である．

骨肉腫は単純X線写真により診断が可能な症例がある一方で，画像所見だけでは良性・悪性の判断すらむずかしい症例もある．骨肉腫においては一刻も早い確定診断と化学療法の開始が予後改善のためにきわめて重要であるため，もし骨肉腫が疑われる所見を認めた場合には速やかに骨軟部腫瘍専門施設へ紹介することが望ましい．生検は根治手術における切除範囲や術式を考慮したうえで行うことが重要であり，これも専門施設での実施が望ましい．

骨肉腫を含む原発性悪性骨腫瘍は希少がんであり，適切な治療が可能な専門施設を探すことがむずかしい場合もある．国立がん研究センターの希少がんホットライン（医療者用直通電話：03-3543-5602，https://www.ncc.go.jp/jp/rcc/hotline/index.html）や，日本整形外科学会の骨・軟部腫瘍診断治療相談コーナー（https://www.joa.or.jp/public/bone/born_consultation_corner.html）などを活用して，遅滞なく専門施設での診断・治療につなげることが重要である．

■ 参考文献

・日本整形外科学会/日本病理学会（編）：整形外科・病理 悪性骨腫瘍取扱い規約．第4版，金原出版，92-102，2015
・日本小児血液・がん学会（編）：小児がん診療ガイドライン2016年版．第2版，金原出版，93-124，2016
・川井 章，他：肉腫─基礎・臨床の最新知見．日本臨牀78：28-46，2020
・WHO Classification of Tumours Editorial Board：WHO Classification of Tumours：Soft Tissue and Bone Tumours. 5th ed., WHO, 400-421, 2020

（尾崎修平，川井 章）

9 Ewing肉腫ファミリー腫瘍

第2章 小児がん
B 固形腫瘍

定義・概念

Ewing肉腫ファミリー腫瘍（ESFT）は，小児期からAYA（adolescents and young adults）世代にかけて好発する高悪性度の肉腫である．骨原発の古典的Ewing肉腫は，1921年にEwingが報告したのが最初で，放射線感受性が高いこの腫瘍を骨肉腫とは異なると考え「diffuse endothelioma of bone」と名づけた．その数年後にCodmanが，この腫瘍を「Ewing sarcoma」と命名し広く知られるようになった．一方，未分化神経外胚葉性腫瘍（peripheral primitive neuroectodermal tumor：PNET）は，1918年にStoutが小型円形細胞からなり，ロゼット形成を認める尺骨神経由来肉腫を神経上皮腫（neuroepithelioma）と報告したのが最初である．かつては骨原発のEwing肉腫と軟部組織原発のPNETは区別されていたが，1990年代初めに，EWS-FLI1融合遺伝子が発見され，両者は共通の分子生物学的背景をもつ腫瘍であることが明確になったため，Ewing肉腫ファミリー腫瘍と表記されることが多くなった．

病因・病態

ESFTにおける共通の分子生物学的異常として，22番染色体q12上のEWSR1遺伝子座（TETファミリー遺伝子：TLS/EWS/TAF15）に，ETSファミリー転写因子に属する遺伝子との再構成が認められる．特徴的に22番染色体のバンドq12にあるEWSR1が分断し，そのアミノ末端側が，同様に分断したほかの遺伝子（ETSファミリー転写因子遺伝子）のカルボキシル末端側と融合している．大部分の患者では，こうしたカルボキシル末端は，ETSファミリー転写因子遺伝子の1つであり11番染色体のバンドq24に位置するFLI1であり，EWS-FLI1融合遺伝子を形成する．EWSR1と融合するそのほかのETSファミリーメンバーを頻度順にあげると，21番染色体に位置するERG，7番染色体に位置するETV1，17番染色体に位置するE1AF，2番染色体に位置するFEVとなり，それぞれt(21;22)，t(7;22)，t(17;22)，t(2;22)の転座がみられる．EWS-FLI1融合遺伝子はクロマチンのリモデリングを引き起こし各種遺伝子の発現を亢進させるエンハンサーとして働き，腫瘍の発生にかかわっていると考えられている．

疫学

ESFTは，骨肉腫に次いで2番目に多い骨原発悪性腫瘍で，骨外軟部組織にも発症する．10歳代での発症が多く，5歳から30歳までで発症患者の90％を占める．男女比は，1.3～3：1と男性に多い．米国では，100万人に対して約3人の発生頻度で，年間約250人発症する．わが国の正確な統計はないが，日本整形外科学会骨軟部腫瘍委員会の2019年度登録報告は33例，2017～2019年度の登録は計115例であることから，年間30例程度の発症が推測される．人種的には，黒人，ヒスパニック，アジア系より白人系に多いことが知られている．

臨床徴候

初発時は持続する疼痛，熱感，腫脹などの局所症状を示すことが多い．長管骨骨幹部の病変では夜間増悪する間欠的な疼痛を訴えることが多く，病的骨折を伴うこともある．骨盤原発の場合には背部痛が，脳底部や椎体原発の場合には神経の圧迫症状が主訴になる場合もある．そのほかに，発熱や体重減少などの非特異的な全身症状を呈する場合には病変が全身に転移していることが多い．約75％の患者が初発時に限局性であるが，残りの約25％は初発時に遠隔転移を有する．

診断・検査

ESFTの診断に有効な特異的腫瘍マーカーや血液検査項目は存在せず，LDHの上昇，炎症反応の上昇（CRP，赤沈亢進など），貧血，神経特異エノラーゼ（NSE）上昇などがみられる．骨原発腫瘍は，単純X線で浸透状骨破壊像がみられ，Codman三角やspiculaなどの骨膜反応を呈する．しかし，単純X線写真のみでの診断は困難で，MRIやCTによる診断が不可欠である．一般的には，周囲組織（血管，神経含む）および骨髄進展の程度を評価できるMRIのほうがCTよりも推奨される．転移巣の検索では，肺転移は胸部のthin-slice CT，骨転移については骨シン

チグラフィ（^{99m}Tc），全身転移検索には，fluorodeoxyglucose positron emission tomography（FDG-PET）が有効である．骨髄転移は局所性の場合もあり，複数部位からの骨髄穿刺・生検が推奨されるが，FDG-PET所見なども含めて総合的に評価する必要がある．

病理学的にはESFTはN/C比（核細胞質比）が高く，均一な小円形細胞のびまん性増殖を主体とし，骨基質形成はなく，細胞間間質成分は非常に少ない組織像を示す．核は円形で細胞質は乏しく，クロマチンは顆粒状で，核小体は目立たない．胞体にグリコーゲンを含みPAS染色が陽性になる．免疫染色では，CD99が90％以上で細胞膜に陽性となるが，特異性は低く，近年は核のNKX2.2の発現がより特異度が高いと考えられている．2020年のWHO分類（第5版）ではround cell sarcoma with *EWSR1*-non ETS fusions，*CIC*-rearranged sarcoma，sarcoma with *BCOR* genetic alterationsなどとともに，undifferentiated small round cell sarcomas of bone and soft tissueとして，骨腫瘍や軟部腫瘍とは異なる新たなカテゴリーに分類された．

治療・予後

病期はおもに限局性と転移性に分類され，5年無イベント生存率（EFS）は限局性で70％前後，転移性で20～25％程度で，転移の有無により予後は明らかに異なる．ただし，限局性ESFTであっても診断時に微小転移を有していることが多く，4～5種類の抗がん薬からなる強力な多剤併用化学療法を用いた集学的治療により治療成績が改善してきた．一方，化学療法の強化による限局性ESFTの治療成績の改善には，適切な局所制御の実施が不可欠である．ESFTは放射線感受性が高い腫瘍であり，歴史的には局所治療として放射線治療が第一選択とされたが，放射線治療単独では手術もしくは手術と放射線を組み合わせた治療に比べて局所再発率が高いという報告がなされ，1980年代後半からは積極的に外科治療が行われるようになった．十分な切除縁を確保した広範切除が最大の局所療法であるが，切除縁が不十分な場合や，切除が困難な部位に発生した腫瘍の場合には放射線治療が不可欠である．

転移の有無が最大の予後因子であるが，限局性では，外科的切除が困難な骨盤，椎体，体幹部の発症，15歳以上，直径8 cm以上もしくは腫瘍体積200 mL以上などが予後不良因子と考えられている．

1 限局性Ewing肉腫ファミリー腫瘍（表1）

米国のINT-0091研究（1988年）で，VACD療法（ビンクリスチン［VCR］＋シクロホスファミド［CPA］＋アクチノマイシンD［ActD］＋ドキソルビシン［DXR］）群とVACD療法とIE療法（イホスファミド［IFO］＋エトポシド［VP-16］）を併用したVACD-IE療法群のランダム化比較試験が行われ，VACD-IE療法群の優位性が証明された[1]．INT-0154試験では，アルキル化薬の投与量を強化したが，治療成績の改善はみられなかった．標準的3週間隔VDC（VCR＋DXR＋CPA）-IE療法群と2週間隔治療間隔短縮VDC-IE療法群の第III相ランダム化比較試験（AEWS 0031）が施行され，有害事象は同等にもかかわらず，治療間隔短縮VDC-IE療法群で有意にEFSの改善がみられた[2]．

欧州ではEICESS92研究にて，限局性腫瘍を，四肢原発で腫瘍体積が100 mL以下のものを標準リスク（SR）群，体幹部原発もしくは腫瘍体積が100 mL以上を高リスク（HR）群に分類し，SR群をVAID療法（VCR＋ActD＋IFO＋DXR）とVACD療法に，HR群をVAID療法とEVAID療法（VP-16＋VAID）にランダム化した．SR群ではVAID療法とVACD療法では差を認めなかったが，HR群でVAID療法とEVAID療法を比較すると，5年EFSはEVAID群のほうがよい傾向がみられた[3]．続いて行われたEuro-EWING99ではVP-16を加えたVIDE療法（VCR＋IFO＋DXR＋VP-16）が寛解導入療法に使用され，限局性腫瘍SR群（R1）ではVIDE 6コース＋VAI（VCR＋ActD＋IFO）1コース実施後に，強化化学療法をVAC 7コース群とVAI 7コース群にランダム化した．この研究では，VAC 7コース群とVAI 7コース群では3年EFSに差はみられなかった[4]．限局性腫瘍HR群（R2 loc）ではVIDE 6コース＋VAI 1コース後に，VAI 7コース群と大量化学療法（ブスルファン［BU］＋メルファラン［MEL］）群にランダム化された．この研究は，EWING2008研究に引き継がれて解析され，8年EFSはBU＋MEL群で有意に良好であった．現在，欧州では欧州型レジメン（VIDEによる導入化学療法＋VAI/VACによる維持療法）と米国型（治療期間短縮VDC-IE療法）のランダム化比較試験（Euro Ewing 2012）が行われており，今後，限局性ESFTに対する最適な治療が決定する予定である．

わが国では2004年より日本ユーイング肉腫研究グループ（Japan Ewing Sarcoma Study Group：JESS）にて，VDC-IE療法と局所療法による集学的治療の第II相試験（JESS04）が実施され，5年無増悪生存率（PFS）が69.5％と[5]，欧米の研究と同等の結果が得られた．本研究を通じて，局所療法を精密に実施す

表1 ◆ 限局性 Ewing 肉腫ファミリー腫瘍治療成績

	研究名	報告年	患者数	治療	生存率(%)
米国	INT-0091 (1988-92)	2003	398	VACD vs VACD+IE VACD VACD+IE	5y-EFS 54 69($p=0.005$)
	INT-0154 (1995-98)	2009	492	Standard VDC-IE vs Intensified VDC-IE VDC+IE48 weeks VDC+IE30 weeks(intensified)	5y-EFS 72.1 70.1(NS)
	AEWS0031 (2001-05)	2012	587	VDC-IE 3 week vs 2 week interval VDC+IE 3 weeks interval VDC+IE 2 weeks interval	5y-EFS 65 73($p=0.048$)
欧州	EICESS92 (1992-99)	2008	647	SR：VAID vs VACD VAID VACD HR：VAID vs EVAID VAID EVAID	5y-EFS 68 67($p=0.72$) 5y-EFS 44 52($p=0.12$)
	Euro-EWING99 (1999-2005)	2014	853	Localized SR(R1) 6VIDE+1VAI+7VAI 6VIDE+1VAI+7VAC	3y-EFS 78.2 75.5($p=$NS)
		2018	240	Localized HR(R2) VIDE+1VAI+7VAI VIDE+1VAI+BU/MEL	8y-EFS 47.1 60.7 HR, 0.64 ($p=0.026$)

VACD：ビンクリスチン＋アクチノマイシン D＋シクロホスファミド＋ドキソルビシン，VDC：ビンクリスチン＋ドキソルビシン＋シクロホスファミド，IE：イホスファミド＋エトポシド，SR：標準リスク，HR：高リスク VAID：ビンクリスチン＋アクチノマイシン D＋イホスファミド＋ドキソルビシン，EVAID：エトポシド＋ビンクリスチン＋アクチノマイシン D＋イホスファミド＋ドキソルビシン，VIDE：ビンクリスチン＋イホスファミド＋ドキソルビシン＋エトポシド，VAI：ビンクリスチン＋アクチノマイシン D＋イホスファミド，BU/MEL：ブスルファン＋メルファラン，EFS：無イベント生存率，NS：有意差なし．

るために，各参加施設で小児科や整形外科(その他の外科系診療科)，放射線治療科などとの連携体制が整備されたことも治療成績の向上に寄与したと考えられる．引き続き，治療間隔短縮 VDC-IE 療法の安全性，有効性の評価を目的に，2016 年より「限局性ユーイング肉腫ファミリー腫瘍に対する G-CSF 併用治療期間短縮 VDC-IE 療法を用いた集学的治療の第 II 相臨床試験 (JESS14)」が開始された．JESS14 研究では，日本小児がん研究グループ(Japan Children's Cancer Group：JCCG)画像診断委員会の協力を得て，局所療法のコンサルテーションを開始し，さらに精密に局所療法を行う体制も整備されている．

2 転移性 Ewing 肉腫ファミリー腫瘍(表2)

転移性 ESFT に対する大規模な臨床研究は少なく，有効な化学療法レジメンは確立されていないため，限局性 ESFT に対する標準レジメンが用いられることが多い．米国の INT-0091 研究では，VACD 療法に IE 療法を加えて治療を強化したが，5 年の EFS は 22％と非常に不良であった[1]．欧州 EICESS-92 でも，高リスク群を VAID 療法と VP-16 を加えた EVAID 療法にランダム化し治療効果を検討したが，転移性 ESFT においては EVAID 療法の有効性は証明できなかった[3]．続いて，欧州 EuroEWING99 試験 R3 研究において，VIDE 6 コース＋VAI 1 コース＋局所療法(手術，放射線療法)後に，自己末梢血幹細胞移植併用大量化学療法を行う臨床試験が実施され，3 年 EFS は 27％，3 年 OS は 34％と生存率の改善はほとんど認めなかったが，14 歳未満の 3 年 EFS は 45％と高かった[6]．また，リスクファクターポイントが 3 未満の患者は 3 年 EFS が 50％程度と推測され，一定の割合で大量化学療法の恩恵を受けることができる患者がいる可能性が示された．

3 再発 Ewing 肉腫ファミリー腫瘍

再発 ESFT の 5 年生存率は約 10〜20％程度と著しく不良で，再発後の標準治療も確立していない．発症から再発までの期間が 2 年未満，再発後治療で完全寛解に入らない例は予後不良であると考えられる．一方，肺のみの単独再発例の予後は比較的良好であると考えられている．再発後の化学療法については，小規模の研究でエビデンスレベルは低いが，

表2 ◆ 転移性Ewing肉腫ファミリー腫瘍治療成績

研究名	報告年	患者数	治療	生存率(%)
INT-0091 (1988-92)	2003	120	VACD vs VACD+IE VACD VACD+IE	5y-EFS 22 22(p=0.81)
EICESS92 (1992-99)	2008	157	HR：VAID vs EVAID VAID EVAID	5y-EFS 詳細不明だが 有意差なし
Euro-EWING99 (1999-2005) R3	2010	281	VIDE+VAI+HD-chemo(BU+MEL)	3y-EFS 27

VACD：ビンクリスチン＋アクチノマイシンD＋シクロホスファミド＋ドキソルビシン，IE：イホスファミド＋エトポシド，HR：高リスク，VAID：ビンクリスチン＋アクチノマイシンD＋イホスファミド＋ドキソルビシン，EVAID：エトポシド＋ビンクリスチン＋アクチノマイシンD＋イホスファミド＋ドキソルビシン，VIDE：ビンクリスチン＋イホスファミド＋ドキソルビシン＋エトポシド，VAI：ビンクリスチン＋アクチノマイシンD＋イホスファミド，BU/MEL：ブスルファン＋メルファラン，EFS：無イベント生存率．

ICE療法（IFO＋VP-16にカルボプラチンを加えたもの），IT療法（イリノテカン＋テモゾロミド［TMZ］），TC療法（トポテカン＋CPA），GD療法（ゲムシタビン＋ドセタキセル）などの有効性が報告されている．わが国ではTMZが再発難治ESFTに承認されており，比較的奏効率が高いことからIT療法を行う施設が多いと考えられる．現在，欧州Euro EWINGコンソーシアムでは，再発ESFTに対して，TC療法，GD療法，IT療法，大量IFO療法の4つのレジメンの有効性を多段階第II相試験で評価するrEECur試験を実施している．現時点で2回目の中間解析が終了し，最終的に残ったTC療法とIFO大量療法のランダム化比較試験が今後行われる予定である．

ピットフォール・対策

Ewing肉腫は心身ともに不安定になりがちな思春期や若年成人期に発症し，長期の入院治療に伴う学業や仕事の中断，治療によるbody imageの変化など精神面への影響は多大である．そのため，精神的ケア，緩和医療によるQOLの向上，長期フォローアップ体制の確立による晩期合併症への対応など，多職種によるサポート体制を充実させていくことが重要であると考えられる．また，ドキソルビシンによる心筋障害や，アルキル化薬，トポイソメラーゼ阻害薬，放射線治療などによる二次がんなど集学的治療に伴う晩期合併症にも十分な注意を払う必要がある．近年は，アルキル化薬（CPA，IFO）による妊孕性の低下も大きな問題になっており，精子保存や卵子保存などについても治療開始前に検討する必要がある．また，有効な治療が開発されていない転移性や再発ESFTに対しては，今後，腫瘍増殖の分子メカニズムを解明し，適切な分子標的薬や抗体治療などの新規アプローチを組み合わせた治療開発を，引き続き進めていく必要がある．

■ 文献

1) Grier HE, et al.：Addition of ifosfamide and etoposide to standard chemotherapy for Ewing's sarcoma and primitive neuroectodermal tumor of bone. N Engl J Med 348：694-701, 2003
2) Womer RB, et al.：Randomized controlled trial of Interval-compressed chemotherapy for the treatment of localized Ewing sarcoma：a report from the Children's Oncology Group. J Clin Oncol 30：4148-4154, 2012
3) Paulussen M, et al.：Results of EICESS-92 Study：two randomized trials of Ewing's sarcoma treatment-cyclophosphamide compared with ifosfamide in standard-risk patients and assessment of benefit of etoposide add to standard treatment in high-risk patientnts. J Clin Oncol 26：4385-4393, 2008
4) Le Deley MC, et al.：Cyclophosphamide compared with ifosfamide in consolidation treatment of standard-risk Ewing sarcoma：results of the randomized noninferiority Euro-EWING99-R1 trial. J Clin Oncol 32：2240-2248, 2014
5) Chin M, et al.：Multimodal treatment including standard chemotherapy with vincristine, doxorubicin, cyclophosphamide, ifosfamide, and etoposide for the Ewing sarcoma family of tumors in Japan：Results of the Japan Ewing Sarcoma Study 04. Pediatr Blood Cancer 67：e28194, 2020
6) Ladenstein R, et al.：Primary disseminated multifocal Ewing sarcoma：results of the Euro-EWING 99 trial. J Clin Oncol 28：3284-91, 2010

（佐野秀樹）

第 2 章 小児がん
B 固形腫瘍
10 横紋筋肉腫などの軟部組織肉腫

横紋筋肉腫

定義・概念・疫学

横紋筋肉腫（rhabdomyosarcoma）は，小児で最も頻度の高い軟部組織肉腫であるが，発症頻度は米国で年間 100 万人あたり 4.4 人，わが国で年間小児例は 50 人程度と推定されるまれな腫瘍である．成人も含めた幅広い年齢層に発症し，米国の調査では 20 歳以上が全年齢層の 40％ を占める[1]．

近年の多施設共同層別化治療研究による集学的治療の進歩により，その生存率は飛躍的に改善した．米国 IRSG（Intergroup Rhabdomyosarcoma Study Group）では，術前ステージ分類，術後グループ分類，病理組織亜型と年齢によるリスク層別化治療研究が行われてきた[2]．IRSG はその後，米国 COG（Children Oncology Group）に組み込まれ，STS（Soft Tissue Sarcoma）committee として臨床研究が続けられている．

わが国では，2000 年初頭に日本横紋筋肉腫研究グループ（Japan Rhabdomyosarocma Study group：JRSG）が結成された．わが国における横紋筋肉腫治療についての後方視的調査結果をもとに[3]，IRSG リスク分類を改変し，2004 年より，横紋筋肉腫の全国多施設共同層別化治療研究 JRS-I が開始され，2015 年に終了した．JRSG は，2014 年に設立された日本小児がん研究グループ（Japan Children's Cancer Group：JCCG）の横紋筋肉腫委員会によりに組織化され，2016 年から第 2 世代多施設共同臨床研究である JRS-II 臨床試験が現在実施されている．症例登録の適格年齢を 20 歳未満から 30 歳未満までに引き上げ，低・中間リスク群では治療関連毒性を軽減した治療，高リスク群においては，新規治療開発へとつなげるより強度の高い治療による試験を行っている．

病因・病態

横紋筋肉腫は，骨格筋分化能を発現した間葉組織に由来する悪性腫瘍である．おもに 2 つの組織亜型である胎児型と胞巣型に分類される．胞巣型においては PAX3-FOXO1，PAX7-FOXO1 融合遺伝子，胎児型では IGF2 や RAS 遺伝子経路の活性化，乳児の紡錘細胞型では NCOA2 や VGLL2 の関連する融合遺伝子が，腫瘍発生にかかわることが示されている．一部の紡錘細胞型，硬化型横紋筋肉腫においては，MYOD1 変異を有することがわかっており，化学療法や放射線治療に抵抗性であることが多く，予後不良である．

横紋筋肉腫と関連のある cancer predisposition syndrome として，Li-Fraumeni 症候群，Costello 症候群，Noonan 症候群，神経線維腫症 1 型，DICER1 遺伝子異常症，Beckwith-Wiedemann 症候群などがあげられる．乳幼児発症の胎児型横紋筋肉腫は cancer predisposition syndrome との関連が示唆され，家族歴に注意が必要である．

臨床徴候

泌尿生殖器（膀胱，前立腺，傍精巣，子宮，腟など），傍髄膜（鼻咽頭，鼻腔，副鼻腔，中耳など），眼窩を含む頭頸部，四肢などが好発部位であるが，後腹膜，体幹など，身体のあらゆる部位から発症する．症状は発症部位によりさまざまであるが，腫瘍による正常臓器の圧迫や閉塞によって生じる．

診断・検査

1 病期分類・リスク分類
1) リスク分類

横紋筋肉腫のリスク分類（表1）は，治療前ステージ分類（表2），術後グループ分類（表3）を統合したものとなっており，これにより治療層別化が行われる．リスク分類は，臨床試験ごとに異なる場合があり注意が必要である．過去の臨床試験の結果から，組織型よりも融合遺伝子の有無によりリスク層別化するほうが，妥当性が高い可能性があることが示唆された[4]．米国 COG や欧州 EpSSG（European pediatric Soft tissue sarcoma Study Group）の現在実施中の臨床試験のリスク分類では，組織型ではなく，融合遺伝子の有無が取り入れられている．

2) 術前ステージ分類（表2）

横紋筋肉腫では，腫瘍の発症部位により予後の良好な部位と不良な部位があることが明らかになっ

表1 ◆ JRS-II リスク分類

胎児型

ステージ＼グループ	I	II a	II b	II c	III 眼窩	III 眼窩	III 眼窩以外	III 眼窩以外	IV
	N0/NX	N0/NX	N1	N1	N0/NX	N1	N0/NX	N1	
1. 予後良好部位		低リスクA群	低リスクA群	低リスクA群	低リスクB群	低リスクB群	低リスクB群	低リスクB群	
2. 不良部位		低リスクB群	低リスクB群	低リスクB群	中間リスク群	中間リスク群	中間リスク群	中間リスク群	
3. 不良部位	低リスクB群	低リスクB群	低リスクB群	低リスクB群	中間リスク群	中間リスク群	中間リスク群	中間リスク群	
4. 遠隔転移									高リスク群

胞巣型

ステージ＼グループ	I	II a	II b	II c	III 眼窩	III 眼窩	III 眼窩以外	III 眼窩以外	IV
	N0/NX	N0/NX	N1	N1	N0/NX	N1	N0/NX	N1	
1. 予後良好部位		中間リスク群	中間リスク群	中間リスク群	中間リスク群	中間リスク群	中間リスク群	中間リスク群	
2. 不良部位		中間リスク群	中間リスク群	中間リスク群	中間リスク群	中間リスク群	中間リスク群	中間リスク群	
3. 不良部位	中間リスク群	中間リスク群	中間リスク群	中間リスク群	中間リスク群	中間リスク群	高リスク群	高リスク群	
4. 遠隔転移									高リスク群

(日本横紋筋肉腫研究グループ：横紋筋肉腫のリスク分類．http://jrsg.jp/contents/横紋筋肉腫のリスク分類より引用)

表2 ◆ 術前ステージ分類(IRS-V TNM staging classification)

stage	原発部位	T	size	N	M
1	眼窩，頭頸部(傍髄膜を除く)，泌尿生殖器(膀胱，前立腺を除く)，胆道	T1 or T2	a or b	N0 or N1 or Nx	M0
2	膀胱・前立腺，四肢，傍髄膜，他(体幹，後腹膜，会陰・肛門周囲，胸腔内，消化管，胆道を除く肝臓)	T1 or T2	a	N0 or Nx	M0
3	膀胱・前立腺，四肢，傍髄膜，他(体幹，後腹膜，会陰・肛門周囲，胸腔内，消化管，胆道を除く肝臓)	T1 or T2	a	N1	M0
3			b	N1 or N0 or Nx	M0
4	すべて	T1 or T2	a or b	N0 or N1	M1

T：原発腫瘍(T1：原発部位に限局，T2：原発部位を越えて進展または周囲組織に癒着)．
size：大きさ(a：最大径で5cm以下，b：最大径で5cmを超える)．
N：領域リンパ節〔N0：リンパ節転移なし，N1：領域リンパ節に転移あり(画像または理学所見上)，Nx：転移の有無は不明(特に領域リンパ節転移の評価困難な部位)〕．
M：遠隔転移(M0：なし，M1：あり)．
(Lawrence W Jr, et al.：Pretreatment TNM staging of childhood rhabdomyosarcoma：A report of the Intergroup Rhabdomyosarcoma Study Group. Cancer 80：1165-1170, 1997より引用)

た．予後良好部位は眼窩や，傍髄膜を除く頭頸部，膀胱や前立腺を除く泌尿生殖器や肝胆道で，予後不良部位は膀胱・前立腺，四肢，傍髄膜やそのほかの部位である．横紋筋肉腫の術前ステージ分類は，これらの部位とTNM分類を合わせて分類される．

3) 術後グループ分類(表3)

術後グループ分類は，術後の残存腫瘍，領域リンパ節転移，遠隔転移の状態により分類される．

4) 病理組織亜型(病理組織診断)

横紋筋肉腫の診断，胞巣型・胎児型の亜型診断には専門的な知識が必要となることから，診断に習熟した病理医の診断が望ましい．診断に有用な免疫染色抗原として，desmin，MyoD1，HHF-35，myogeninなどの骨格筋由来の抗原があげられる．*PAX3-FOXO1*，*PAX7-FOXO1* 融合遺伝子は胞巣型に特異的な融合遺伝子であり，診断的意義が高い．

表3 ◆ 術後グループ分類(IRS clinical grouping classification)

I	組織学的に全摘除された限局性腫瘍 　a. 原発臓器または筋に限局 　b. 原発臓器または筋を越えて(筋膜を越えて)周囲に浸潤 ただし、いずれの場合も、意図せず偶発的に採取したリンパ節も含め、いかなる領域リンパ節にも組織学的に転移を認めないこと
II	肉眼的に全摘除された領域内進展(evidence of regional spread)腫瘍(組織学的残存腫瘍) 　a. 原発巣の切除断端に顕微鏡的腫瘍残存があるが、領域リンパ節に転移を認めない(N0) 　b. 組織学的に原発巣の完全切除を行ったが、郭清した領域リンパ節に組織学的に転移を認め(N1)、かつ最も遠位の郭清領域リンパ節には転移のないことを組織学的に確認 　c. 領域リンパ節に転移を認め、かつ原発巣切除断端に顕微鏡的腫瘍遺残を認める、または、原発巣切除断端の顕微鏡的腫瘍遺残の有無にかかわらず、郭清した最も遠位の領域リンパ節に転移を認める
III	肉眼的な腫瘍遺残 　a. 生検のみ実施 　b. 亜全摘または50％以上の部分摘除を施行
IV	a. 遠隔転移(肺、肝、骨、骨髄、脳、遠隔筋組織、遠隔リンパ節など)を認める b. 脳脊髄液、胸水、腹水中に腫瘍細胞が存在 c. 胸膜播種、腹膜(大網)播種を伴う

(PDQ Pediatric Treatment Editorial Board : Childhood Rhabdomyosarcoma Treatment(PDQ®): Health Professional Version. Stage Information for Childhood Rhabdomyosarcoma. In : PDQ Cancer Information Summaries. https://www.cancer.gov/types/soft-tissue-sarcoma/hp/rhabdomyosarcoma-treatment-pdq#_128 より引用)

2 術前検査

横紋筋肉腫が疑われた場合、初回手術前に血液検査、尿検査、画像検査(CT、MRI、PET-CT、骨シンチグラフィなど)、骨髄検査、髄液検査(傍髄膜症例)を行い、原発部位、領域リンパ節転移、遠隔転移について検索を行う。

3 初回手術・病理診断

確定診断のためには病理診断が必須である。初回手術前にキャンサーボードを行い、機能、形態を温存した腫瘍全切除が可能か、生検にとどめ化学療法を優先させるのかを検討し、腫瘍切除の組織採取法、検体処理(融合遺伝子検索のために一部を凍結検体として保存する)、その後の治療について決定しておく。化学療法開始前にgroup IやIIとなれば、予後の改善のみならず、治療の軽減により急性期の副作用や晩期障害の軽減を図ることが可能である。したがって、再切除で腫瘍の完全摘除が可能で、再切除のために化学療法を猶予することで転移性病変の出現のリスクが高くないと判断できれば、術後化学療法を行う前に、治療前再切除(pretreatment reexcision:PRE)で肉眼的の切除や完全摘除を目指す。

四肢原発腫瘍では、領域リンパ節への転移が多く、身体所見・画像所見で転移の所見がなくとも、領域リンパ節生検が推奨されている。また傍精巣原発腫瘍では、10歳以上の症例においてはCTによる検出が不十分であることから、CT上リンパ節転移の所見がなくとも、後腹膜リンパ節郭清が推奨されている。

治療・予後

リスク群別のおおよその全生存率は、低リスク群では85～95％、中間リスク群では55～80％、高リスク群では50％未満である。高リスク群では、治療の強化による生存率の改善が望まれる一方で、低・中間リスク群では、生存率の維持と晩期合併症の軽減と防止が次の目標となっている。

1 外科治療

発症部位によって切除方針や切除範囲は異なり、生検後化学療法を優先させ、機能、形態温存を図るべき部位と、初回手術でできるだけ腫瘍全切除を目指し、根治性を高めるべき部位が、これまでの治療成績により示されている。

眼窩、腟・外陰部、肝胆道発症例は、初回手術時には機能を温存した腫瘍全摘が困難な場合が多いにもかかわらず、化学療法、放射線治療を先行させることで良好な予後が得られている。傍髄膜以外の頭頸部発症例のうち比較的大きなものや傍髄膜、前立腺・膀胱、傍脊椎発症例は機能・形態温存を優先する。腫瘍が四肢、体幹、頸部、傍精巣などに表在性に限局し、腫瘍周囲の正常組織を十分に含めて摘出可能と判断される場合や、化学療法の反応性が劣るとされる子宮原発例のうち領域リンパ節転移のない場合は、化学療法前の完全摘除によって良好な予後が期待され、また放射線治療も回避あるいは減量が図れる。

2 化学療法

初診時に遠隔転移が認められず、原発腫瘍が全摘できた例も含めてすべての横紋筋肉腫症例には、術後の化学療法が必須である。

1) 低リスクA群

IRS-IVでの46週間のVAC2.2療法(VA療法[ビンクリスチン＋アクチノマイシンD]に1サイクル

2.2 g/m², 総投与量 26.4 g/m² のシクロホスファミドを加えた)では93％と IRS-III に比して, 改善を認めた. しかし, IRS-IV では肝中心静脈閉塞症(veno-occlusive disease：VOD) などの急性毒性や妊孕性喪失が問題となった. このため, ARST0331 研究では, 4 サイクルの VAC1.2 療法(1 サイクル 1.2 g/m², 総投与量 4.8 g/m² のシクロホスファミドを使用)と 4 サイクルの VA 療法の 24 週間の治療へと軽減が図られ, 無イベント生存率(event free survival：EFS) が 89 ％と IRS-IV と遜色ない結果が出ている. わが国の JRS-I 研究では, 8 サイクルの VAC1.2 療法(シクロホスファミド総投与量 9.6 g/m²) を試験し, 良好な成績を得た. JRS-II 研究では, ARST0331 試験と同様の治療内容で試験を実施中である.

2) 低リスク B 群

IRS-IV では, 12 サイクルの VAC2.2 療法(シクロホスファミド総投与量 26.4 g/m²) を試験し, 5 年治療奏効維持生存率(failure free survival：FFS) は 84 ％と, IRS-III の VA 療法の 70 ％に比べ, 有意な改善を認めた. ARST0331 では, 4 サイクルの VAC1.2 療法(シクロホスファミド総投与量 4.8 g/m²) を行い, 残り 11 サイクルの VA 療法が試験されたが, 3 年 FFS 66 ％と明らかな成績低下を示した.

わが国では, JRS-I として, 8 サイクルの VAC2.2 療法(シクロホスファミド総投与量 17.6 g/m²) に 8 サイクルの VA 療法を加えた VAC2.2/VA 療法を試験し, 良好な成績を得た. JRS-II 研究では, シクロホスファミドをイリノテカンに置き換えて, シクロホスファミド投与量を 10.8 g/m² まで低減し, シクロホスファミドによる急性毒性・長期合併症の低減を目指す臨床試験が行われている.

3) 中間リスク群

14 サイクルの VAC2.2 療法(シクロホスファミド総投与量 30.4 g/m²) を実施した D9803 研究では, stage 2, 3/group III 胎児型の 4 年 FFS は 76 ％, stage 1, 2/group I, II および stage 1, 2/group III の胞巣型の 5 年 FFS は, それぞれ 80 ％と 76 ％と良好であった. 一方, stage 3/group III のそれは 45 ％と不良であり, JRS-I では stage 2, 3/group III 胞巣型を高リスク群として試験した.

ARST0531 では, VAC1.2 療法を対照として, VAC1.2 療法とビンクリスチンおよび塩酸イリノテカンからなる VIr 療法の交替療法が比較検討された. VAC1.2 療法と VAC1.2/VIr 療法群の 4 年 EFS がそれぞれ 63 ％, 59 ％と同等性が示唆されたが, 治療成績としては, D9803 研究の中間リスク群よりやや低下した.

日米の中間リスク群に相当する EpSSG 高リスク群において, RMS2005 研究が行われ, IVA(イホスファミド＋ビンクリスチン＋アクチノマイシン D) 療法に, ドキソルビシンを追加する意義は認めなかったが, ビノレルビン＋シクロホスファミド維持療法の追加により 5 年全生存率で有意に治療成績の改善を認めた(86.5 ％ vs 73.7 ％, $p=0.0097$)[5]. この全生存率は, IVA 療法終了時点で完全寛解となった症例のみを対象としており, D9803 研究などと比べて, 治療成績が見かけ上, 良好である点に注意が必要である.

わが国の JRS-I 研究では VAC2.2 療法 14 サイクルを追試し, 同等の成績であった. JRS-II 研究では, シクロホスファミド投与量を 18.8 g/m² まで低減し, イリノテカンを導入することにより, シクロホスファミドによる急性毒性・長期合併症の低減を目指す臨床試験を実施している.

4) 高リスク群

ARST0431 は, ビンクリスチン, ドキソルビシン, シクロホスファミドからなる VDC 療法とイホスファミド, エトポシドからなる IE 療法の 2 週間隔の交替療法に VIr 療法や VAC 療法を組み合わせた多剤併用化学療法が骨格で, 治療開始後 18 か月の EFS は 66 ％とこれまでにない良好な早期成績であったが, 3 年の EFS は 38 ％とわずかな改善にとどまった. ARST0431 試験の治療骨格は, 深い寛解を導入できるものの, 治癒に至るためには, 新規治療法の追加が必要であると考えられた.

わが国の JRS-I 研究では, 遠隔転移例に予後不良の stage 2, 3/group III 胞巣型例を加えて, 多剤併用療法で寛解導入し, チオテパとメルファランによる末梢血幹細胞移植を併用した超大量療法を行うレジメンを施設限定で試験した. 結果は, 欧米の高リスク試験の成績と同等の結果であった.

JRS-II 研究では, ARST0431 治療骨格でドキソルビシンをピラルビシンに置き換えて, 新規治療導入のための寛解導入治療の検討を行っている. 高リスク群の化学療法の強度は最大限にまで高められており, これ以上の古典的な抗がん薬の追加は現実的ではなく, 異なる作用機序の薬物療法が地固め療法として望ましい. 日本では, 作用機序の異なる治療として免疫療法に着目し, 高リスク群治療にて寛解後に, WT1 ペプチドワクチンを投与することによる再発率の低減を目指した医師主導治験を実施し, 現在結果を解析中である.

3 放射線治療

放射線治療は，原発巣，および骨髄転移を除く転移巣に対する局所コントロールとして重要な役割を果たす一方で，晩期障害という大きな問題を併せもつ．JRSG や COG において，腟，子宮原発の胎児型 group III 症例に対する骨盤照射による長期合併症を考慮し，二期手術での完全切除例，および，腟原発例においては化学療法での完全寛解例への照射の省略を行っている．

非横紋筋肉腫軟部肉腫

横紋筋肉腫以外の軟部悪性腫瘍は，非横紋筋肉腫軟部肉腫と総称され，滑膜肉腫，乳児線維肉腫，未分化肉腫，胞巣状軟部肉腫などがあげられる．

治療については，切除縁を十分に確保した完全切除が望ましい．放射線治療や化学療法は，切除を行うための補助療法としての位置づけであり，それぞれの組織型の感受性に応じて，断端陽性例，切除不能例において行う場合がある．

米国 COG では ARST0332 試験が行われ，悪性度，切除状況，大きさ，転移の有無により，低・中間・高リスク群に分類され，化学療法，放射線治療，手術からなる集学的治療が行われた．限局性の低悪性度腫瘍，または，5 cm 以下の高悪性度腫瘍で切除された群を低リスク群，限局性で 5 cm を超える切除された高悪性度腫瘍，または限局性で切除不能腫瘍の群を中間リスク群，遠隔転移を有する群を高リスク群として，5 年の EFS は，低・中間・高リスク群でそれぞれ 88.9％，65.0％，21.2％であり，層別化治療が適切に行われた結果であると考えられた[6]．

乳児線維肉腫や一部の紡錘細胞肉腫では，*NTRK* 融合遺伝子を有し，初期治療に抵抗性の場合，TRK 阻害薬を組み合わせた治療が考慮される．

■ 文献

1) Sultan I, et al.：Comparing adult and pediatric rhabdomyosarcoma in the surveillance, epidemiology and end results program, 1973 to 2005：an analysis of 2,600 patients. J Clin Oncol 27：3391-3397, 2009
2) Raney RB, et al.：Rhabdomyosarcoma and undifferentiated sarcoma in the first two decades of life：a selective review of intergroup rhabdomyosarcoma study group experience and rationale for Intergroup Rhabdomyosarcoma Study V. J Pediatr Hematol Oncol 23：215-220, 2001
3) Hosoi H, et al.：A review of 331 rhabdomyosarcoma cases in patients treated between 1991 and 2002 in Japan. Int J Clin Oncol 12：137-145, 2007
4) Missiaglia E, et al.：PAX3/FOXO1 fusion gene status is the key prognostic molecular marker in rhabdomyosarcoma and significantly improves current risk stratification. J Clin Oncol 30：1670-1677, 2012
5) Bisogno G, et al.：Vinorelbine and continuous low-dose cyclophosphamide as maintenance chemotherapy in patients with high-risk rhabdomyosarcoma（RMS 2005）：a multicentre, open-label, randomised, phase 3 trial. Lancet Oncol 20：1566-1575, 2019
6) Spunt SL, et al.：A risk-based treatment strategy for non-rhabdomyosarcoma soft-tissue sarcomas in patients younger than 30 years（ARST0332）：a Children's Oncology Group prospective study. Lancet Oncol 21：145-161, 2020

（宮地　充，細井　創）

第2章 小児がん
B 固形腫瘍
11 その他の悪性固形腫瘍

日本小児血液・がん学会では小児血液腫瘍疾患の疾患登録事業を行っており，毎年固形腫瘍だけで1,000例近くの登録がある．最近3年間（2017〜2019年）の疾患登録集計結果で「その他の腫瘍」と分類された固形腫瘍を表1[1]に示すが，3年間の登録数が180例と，固形腫瘍全体の約5％に過ぎず，小児血液がん診療の基幹施設でも数年に1例しか経験しないような，きわめてまれな腫瘍が含まれる．そのなかでも比較的頻度の高い腫瘍として，膵臓原発の充実性偽乳頭腫瘍（solid-pseudopapillary neoplasm：SPN），甲状腺癌，副腎皮質癌，胸膜肺芽腫，褐色細胞腫，上咽頭癌などがあげられる．これらの腫瘍をすべて詳述することは困難なので，この項では比較的頻度の高かった甲状腺癌，膵腫瘍，副腎皮質癌に絞って解説する．

小児甲状腺癌

疫学・病因

日本小児血液・がん学会の集計では，甲状腺癌は小児悪性固形腫瘍全体の約0.4％を占め，女児に多い．10歳以上の学童，青年に多く発生し，幼児期の発症はきわめてまれである[2]．

発症原因としては，幼少児に受けた放射線被ばくが有名であり，チェルノブイリ（チョルノービリ）原発事故の放射線汚染地域で小児甲状腺癌が多発していることはよく知られているが[3]，最近わが国で発生した東京電力福島第一原子力発電所の事故により小児の甲状腺癌が増加したという事実は現時点では報告されていない．また，放射線治療や化学療法のあとに二次がんとして発生するという報告もある．

小児甲状腺癌で認められる遺伝子異常としては，*RET/PTC* の rearrangement の報告があり，発癌に関与すると推察されている[4]．甲状腺癌を多発する症候群としては，多発性内分泌腫瘍症候群 MEN-2A が有名である．MEN-2A は常染色体顕性（優性）遺伝にて発症し，甲状腺髄様癌，褐色細胞腫，上皮小体腺腫ないし過形成を合併する．MEN-2A では甲状腺癌の遠隔転移が死因の主原因になるため，早期に甲状腺癌を発見し，甲状腺全摘術を施行する必要がある．

表1 「その他の腫瘍」の内訳（2017〜2019年日本小児血液・がん学会疾患登録集計結果）

	2017	2018	2019	計
solid-pseudopapillary neoplasm	2	6	9	17
甲状腺癌	10	1	3	14
副腎皮質癌	4	2	2	8
褐色細胞腫	4	2	2	8
胸膜肺芽腫（肺芽腫）	3	4	1	8
上咽頭癌（鼻咽頭癌）	1	4	2	7
悪性黒色腫	2	1	3	6
腺癌（胃・大腸）	0	3	2	5
唾液腺癌	1	0	1	2
悪性中皮腫	0	1	1	2
神経内分泌腫瘍	0	1	1	2
膵芽腫	0	0	2	2
paraganglioma	0	1	0	1
扁平上皮癌	0	0	1	1
dermoid cyst	0	1	0	1
その他	41	20	35	96
その他の腫瘍　合計	68	49	63	180
固形腫瘍総登録数	1,115	993	1,075	3,183

（日本小児血液・がん学会：疾患登録集計結果．日本小児血液・がん学会ホームページ，2020 https://www.jspho.org/disease_record.html より引用）

診断

初診時の症状は甲状腺腫が最も多いが，頸部リンパ節腫や肺転移が診断の契機となることもある．進行すれば，反回神経や気道の圧迫，浸潤により嗄声，喘鳴，咳嗽などの症状がみられる．診断にあたっては，まず頸部の視診，触診を念入りに行い，腫瘍の大きさ，性状，リンパ節腫脹などを確認する．腫瘍マーカーでは血中サイログロブリン値が上昇することが多い．また慢性甲状腺炎を合併し，抗甲状腺抗体が陽性のことがある．頸部超音波検査，CT，MRI，甲状腺シンチグラフィなどにより局所診断が行われる．腫瘍が限局性の場合，良性，悪性の鑑別は触診や画像診断では困難であるため，穿刺吸引細胞診を行うことが推奨される．悪性の可能性が少しでも疑

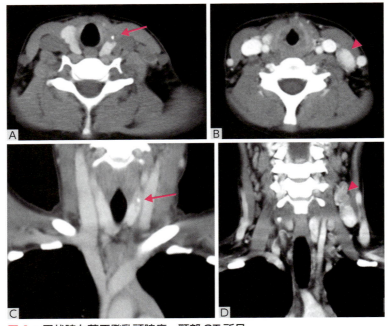

図1 ◆ 甲状腺左葉原発乳頭腺癌　頸部CT所見
11歳女児．左頸部リンパ節腫大を主訴に来院し，超音波検査，CTにて甲状腺左葉上極に石灰化を伴う腫瘍を認めた（➡：甲状腺腫瘍，▶：頸部リンパ節腫脹）．超音波ガイド下穿刺吸引細胞診で，甲状腺腫瘍，頸部リンパ節ともにclass V．乳頭腺癌の所見であった．

われれば手術を施行し，術中迅速診断で診断を確定すべきである．

小児甲状腺癌は浸潤性増殖が著明であり，転移頻度も高い．転移部位としては頸部リンパ節が最も多く，次いで肺転移が多いため，胸部CTを必ず施行する．

病理診断は，成人と同様乳頭癌の占める割合が高く約70％を占め，次いで濾胞癌の20％が続く．未分化癌や髄様癌，扁平上皮癌はまれである．大部分が高分化型で，低分化型は少ない．

治療

成人甲状腺癌では治療ガイドラインが策定されているが，小児では症例数が少ないため多数例での治療研究報告が少なく，いまだ標準的な治療方針は確立されていないのが現状である．甲状腺が低悪性度であること，成人例と比べてはるかに長期間の術後治療・経過観察を考えなければならないことを考え，適正な治療方針を策定する必要がある．

甲状腺の摘出範囲は成人例では甲状腺亜全摘術に患側の標準的リンパ節郭清を行う術式が一般的であるが，欧米では成人例の治療方針に準じて小児でも甲状腺全摘ないし亜全摘を推奨する施設が多い．しかし，甲状腺機能低下症が必発するため，小児で残りの長い生涯にわたり甲状腺製剤の服用が必要になる．また，甲状腺ホルモン低下が小児の成長や発育に影響する可能性もある．画一的に甲状腺全摘術を行うことは，過剰治療になる可能性もあり，わが国において小児の限局例では片葉切除にとどめて甲状腺機能を温存する治療方針を推奨する施設が多い．

筆者らは，甲状腺機能低下をきたした際の影響が成人よりはるかに深刻であること，再発例でも再手術により予後が良好であること，全摘術を施行した場合，両側反回神経麻痺や副甲状腺機能低下症によるテタニーなどの重篤な合併症をきたす可能性が高くなることなどを考慮し，腫瘍が甲状腺の片葉に限局する場合は狭部を含めた片葉切除と患側のリンパ節郭清術を施行するにとどめ，全摘は腫瘍が両葉に進展する例にのみ施行する方針としている（図1，2）．また，初診時に遠隔転移を認める場合も，転移巣に対する^{131}Iによるアイソトープ治療が必要になるため甲状腺全摘術の適応となる．

最近，Suginoらは小児甲状腺癌153例のリスク因子を検討し，①甲状腺外浸潤，②術前リンパ節転移，③10個以上のリンパ節転移の3つが有意な危険因子であり，危険因子を2個以上もつ症例の予後が有意

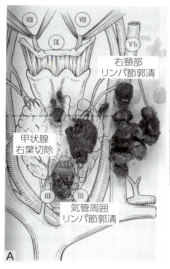
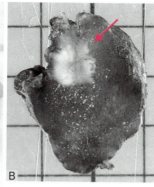

図2 ◆ 甲状腺左葉原発乳頭腺癌　摘出標本
A：切除範囲，B：割面
狭部を含めた甲状腺左葉を切除し，気管周囲および左頸部リンパ節郭清術を実施した（A）．摘出標本の割面では，左葉上極に1.8×1.0 cm大の限局性腫瘍を認め，石灰化を認めた（B，➡）．病理組織診断は乳頭癌であった
（口絵23　p.xi 参照）

に不良と報告した．逆に，低危険度群では必ずしも甲状腺全摘術を施行しなくても予後良好であったと報告している[5]．このようなエビデンスの蓄積により，リスクを勘案した小児甲状腺癌の標準治療方針を策定してゆく必要がある．

病理組織診断が髄様癌の場合は，MEN II型の可能性があるため精査を行い，確定診断がつけば将来対側にも腫瘍が発症する可能性が高いため，甲状腺全摘術の適応となる．

予後

小児甲状腺癌の生命予後はきわめて良好で，Enomotoらのわが国の小児甲状腺癌142例の報告では，術後40年での生存率が97.5％であった[2]．しかし，成人甲状腺癌に比して再発率は高く，約3割の症例に再発を認めるため，術後も厳重なフォローアップが必要である．再発の部位は，肺転移が多く，次いで頸部リンパ節である．再発に対しては，再発腫瘍の切除や[131]I治療が有効であり，再発後の予後も良好である．

膵腫瘍

小児の膵原発腫瘍

小児の膵原発腫瘍は，きわめてまれなものまで含めると種々のものがあるが，膵芽腫（pancreatoblastoma）とSPNが比較的よくみられる．また，ホルモン産生腫瘍である，膵島細胞腫（islet cell tumor）の報告も散見され，分泌するホルモンによってinsulinoma，gastrinomaなどと分類される．

診断

腫瘍の占拠部位により症状は異なってくる．膵頭部腫瘍では，閉塞性黄疸や十二指腸の通過障害をきたし，比較的早期に発見される例が多いが，膵体尾部に発生した場合は無症状で増大し，腹部腫瘤や腹部膨満，腹痛，食思不振などで発症する．進行すれば肝転移，腹膜播種，下大静脈の閉塞などを引き起こす．膵島細胞腫でホルモンを産生するもの（functioning islet cell tumor）は，産生するホルモンの過剰症状〔低血糖発作〔insulin〕，難治性胃潰瘍〔gastrin〕，下痢〔血管作動性腸管ポリペプチド（vasoactive intestinal polypeptide：VIP）〕など〕により発症し，比較的腫瘍が小さいうちに見つかることが多い．

腹部超音波検査，CT，MRIなどで膵原発腫瘍が認められれば術前診断は可能であるが，巨大腫瘍で原発部位が同定できない場合は，画像所見からの診断は困難となる．その場合は，開腹生検あるいは摘出腫瘍の病理診断により確定診断する．腫瘍マーカーとしては，膵芽腫で血中α-フェトプロテイン（AFP）が軽度上昇することがあり，診断や再発のフォローに有効である．表2に小児膵腫瘍の鑑別を示す．

膵芽腫

膵芽腫は，小児の膵原発悪性腫瘍のなかで最も一般的な腫瘍であり，10歳以下の男児に好発する．腫瘍マーカーでは，血清AFPの軽度上昇が認められることが多い．肉眼的には被膜を有する充実性腫瘍で，大きなものでは内部に出血や壊死が認められる．病理組織所見では腺房細胞類似の腫瘍細胞が充

表2 ◆ 小児膵原発腫瘍の鑑別

種類	膵芽腫	充実性偽乳頭腫瘍（SPN）	膵島細胞腫
好発年齢	乳児〜学童期	思春期	年長児〜成人
性別（男：女）	2：1	1：20	1：1
悪性度	悪性	大部分良性	大部分良性
臨床検査所見	血清AFP上昇	特になし	内分泌症状 ホルモン高値
肉眼所見	被包，充実性で分葉，出血壊死	被包，囊胞形成，出血壊死	境界明瞭な小結節，時に多発
組織所見	内分泌系・外分泌系両方への分化，扁平上皮小体	好酸性胞体，類円形の核，偽乳頭状配列	円形細胞，リボン状・管状配列
予後	全摘できなければ不良	良好 まれに遠隔転移	良好 まれに遠隔転移

実性に増殖し，腺管構造や扁平上皮小体が認められる．外分泌系，内分泌系の両方の性質を併せもち，免疫組織染色では両方のマーカーが陽性となる．

症例が少ないため，標準的な治療法は確立していない．最終的に腫瘍が全摘できないと予後不良であるとされ，進行例，転移例では予後不良である．切除不能例では生検の後，化学療法を施行し，腫瘍の縮小を待って second look 手術で腫瘍を全摘する集学的治療が行われる．化学療法はシスプラチンとドキソルビシンを含む多剤併用療法が行われることが多く[6)7)]，わが国では進行神経芽腫に用いる治療プロトコールなどが用いられる．欧州の多施設共同研究20例の報告によると，18例で術前化学療法が行われ，奏効率は73％であった．難治例では大量化学療法や陽子線治療などが行われているが，その有効性はまだ不明である．

充実性偽乳頭腫瘍（SPN）

SPNは，1959年のFrantzらの報告が最初とされ，Frantz腫瘍ともよばれる．以前は囊胞性膵腫瘍（solid and cystic tumor：SCT）として分類されていたが，異型の乏しい未熟細胞が偽乳頭状に増殖する特徴から，SPNの名称に統一された．肉眼的には結合織性被膜に包まれ，内部に変成・二次的囊胞形成を伴う．ヘマトキシリン・エオジン（HE）染色では淡明あるいは好酸性の胞体と類円形の核をもち，偽乳頭状の配列を示す．

若年（15〜35歳）の女性に好発する充実性腫瘍で，内部に出血・壊死による不規則な囊胞を形成する．無症候性もしくは有痛性の腹部腫瘤として発症し，ほとんどが良性の経過を辿る．まれにリンパ節転移，肝転移，腹膜播種など悪性の経過をとる症例もあるため，low grade malignancy と考えられている[8)]．

化学療法，放射線治療に対する感受性は低く，治療は外科的切除が中心である．通常は局限性で予後良好であるが，転移例などで全摘できない症例では死亡例もみられる．

副腎皮質癌

副腎皮質に発症する上皮性悪性腫瘍で，ホルモン産生性の機能性腫瘍と，非機能性腫瘍に大別される．小児では機能性腫瘍が多い．発症要因に *p53* 遺伝子異常の関与が報告されており，Li-Fraumeni 症候群で副腎皮質癌が散見される．

症状・診断

小児期発症の多くは機能性腫瘍であり，アンドロゲン産生による男性化現象や思春期早発症（図3），糖質ステロイド分泌によるCushing症候群（肥満，皮膚線条，高血圧，糖尿など）など特徴的所見を示すため，比較的早期に発見されることが多い．臨床検査で，産生するホルモンの異常高値を示す．逆に小児でこれらのホルモン過剰症状をみたときには，超音波検査，CTなどで副腎腫瘍の検索が必要である．非機能性腫瘍では，増大して腹部腫瘤を主訴に発見されることが多い．

治療

早期に発見されることが多いため，成人例に比して予後は良好である．治療は全摘出が基本であり，限局例では鏡視下手術の適応となる（図3）．浸潤，転移例で全摘が困難な症例では腫瘍摘出のあと，残存腫瘍に対してミトタンを用いた化学療法が行われる．ミトタンは，成人の報告例で生存期間の延長効果が報告されているが，小児での使用例の報告は少なく，また副腎皮質壊死などの合併症をきたす可能

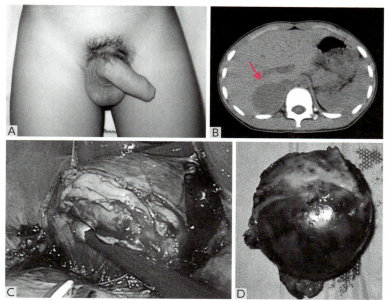

図3 ◆ 副腎皮質癌
6歳男児．A：陰茎，精巣の発育，陰毛の発毛，にきび，変声など，思春期早発を主訴に紹介された．B：腹部CTにて右副腎腫瘍を認め（➡），血液検査でテストステロンの前駆体であるDHEA-Sの異常高値（3095.7 μg/dL）を認めた．C：腹腔鏡補助下にて副腎腫瘍を摘出した．D：肉眼的には被膜を有する限局性の腫瘍で5.5×4.5×3.0 cm，腫瘍重量は63 gであった．病理組織診断は副腎皮質癌であった．
（口絵24 p.xii参照）

性もあるため，慎重に投与する必要がある．

予後

成人例では予後因子として，全摘の有無とTNM病期があげられており，病期Ⅰ～Ⅱで5年生存率45～60％，病期Ⅲ～Ⅳ期では10～25％と報告されている．小児例は症例数が少ないため正確な予後は不明であるが，成人例より予後良好とされており，特に治癒切除が完遂された症例で生存例の報告が多い[9]．

■ 文献

1) 日本小児血液・がん学会：疾患登録集計結果．日本小児血液・がん学会ホームページ．2020
https://www.jspho.org/disease_record.html
2) Enomoto Y, et al.：Clinical features, treatment, and long-term outcome of papillary thyroid cancer in children and adolescents without radiation exposure. World J Surg 36：1241-1246, 2012
3) Fenton CL, et al.：The ret/PTC mutations are common in sporadic papillary thyroid carcinoma of children and young adults. J Clin Endocrinol Metab 85：1170-1175, 2000
4) Glick RD, et al.：Management of pancreatoblastoma in children and young adults. J Pediatr Hematol Oncol 34 Suppl 2：S47-50, 2012
5) Sugino K, et al.：Risk stratification of pediatric patients with differentiated thyroid cancer. Is total thyroidectomy necessary for patients at any risk? Thyroid 30：548-556, 2020
6) Bien E, et al.：Pancreatoblastoma：a report from the European cooperative study group for paediatric rare tumours（EXPeRT）．Eur J Cancer 47：2347-2352, 2011
7) Fridman M, et al.：Initial presentation and late results of treatment of post-Chernobyl papillary thyroid carcinoma in children and adolescents of Belarus. J Clin Endocrinol Metab 99：2932-2941, 2014
8) Terris B, et al.：Diagnosis and molecular aspects of solid-pseudopapillary neoplasms of the pancreas. Semin Diagn Pathol 31：484-490, 2014
9) Kerkhofs TM, et al.：Adrenocortical carcinoma in children：first population-based clinicopathological study with long-term follow-up. Oncol Rep 32：2836-2844, 2014

〈大植孝治〉

第2章 小児がん

B 固形腫瘍

12 血管性腫瘍，脈管奇形，その他の良性腫瘍

血管性腫瘍と脈管奇形

　血管性腫瘍は，乳児期あるいは幼児期における最も頻度の高い軟部組織腫瘍である．脈管奇形については，わが国で疾患概念が定着しておらず，従来，「血管腫（hemangioma）」や「血管性母斑（vascular birthmark）」などの総称でよばれてきた．さらに，外観や形態的特徴によって，「イチゴ状血管腫（strawberry hemangioma）」や「単純性血管腫」「海綿状血管腫」「筋肉内血管腫」といった病名で区別されていたが，生物学的特徴や治療法が異なる病態が混同していた．

　そこで，1982年にMullikenら[1]は，臨床経過および予後と結びついた新しい分類法を提唱した．まず，小児の脈管の異常を壁細胞の特性から内皮細胞の増殖を伴うものを"hemangioma"と，内皮細胞の増殖を認めない発生学的異常によるものを"vascular malformation"とに大別した．1996年にはISSVA（International Society for the Study of Vascular Anomalies）による分類（ISSVA分類）が提唱され，血管性腫瘍（vascular tumors）と脈管奇形（vascular malformations）に大別された[2]．さらに2014年には新たな病態やさまざまな亜型，分子生物学的な知見を反映させた新ISSVA分類（http://www.issva.org）に改訂された．新ISSVA分類では，表1[3]に示す概略表に病変が整理された．血管腫・脈管奇形に携わる関連診療科では共通言語として，この新しいISSVA分類を用いるべきと思われ，本項ではこの新しいISSVA分類に基づいて記載する．

血管性腫瘍

乳児血管腫

　乳児血管腫（infantile hemangioma）は，特徴的な外観からイチゴ状血管腫とよばれていた血管腫である．乳幼児期に最も多く，女児に多い．生直後には腫瘍として認められることは少なく，しばらくしてから鮮紅色の境界の明瞭な充実性腫瘤として出現し始め，多くは出生2か月頃までに明らかとなる．典型例を図1に示す．生後半年～1年の間増大を示すが（増殖期，図1A），その後しばらくは身体の成長に比例して増大し（静止期），5～10歳までの間にほとんどが縮小する（退縮期，図1B）．組織学的には増殖期では内皮細胞が腫瘤を形成しており，内腔を有する血管構造を呈することは少ない．静止期になると内皮細胞で裏打ちされた成熟毛細血管の集合体となる．退縮期では毛細血管は拡張し，腫瘤は小葉状となり，退縮期にはしばしば血栓形成や石灰化をきたすこともある．免疫染色では，臨床経過のどの時期もGLUT（glucose transporter）-1が内皮細胞に陽性となり，類似疾患との鑑別に用いられる．

　治療方針は自然退縮が認められるため，"wait and see policy"を第一選択とするが，β遮断薬（プロプラノロール）の内服が有効であり[4]，潰瘍形成や出血をきたす病変，眼窩・外耳・咽頭・気管など視聴覚・気道を脅かすようないわゆるalarming hemangiomaに使用することもある．投与中には低血糖，低血圧，徐脈などをきたすことがあるため，導入に際しては入院で経過観察する．

先天性血管腫

　先天性血管腫（congenital hemangioma）は，乳児血管腫と異なり，病変が胎生期から出現し，出生時にはすでに増殖が完了している．全身のさまざまな部位に発生し，大部分は単発性である．発生頻度に性差がなく，浅在性のものは境界がやや不明瞭で，淡青色の柔らかい腫瘤として膨隆する．

　腫瘍割面は赤褐色で，海綿状を呈する．組織学的には扁平な内皮細胞で裏打ちされた血管から構成される．先天性血管腫には自然に急速退縮するrapid-involuting congenital hemangioma（RICH）と，全く退縮しないnon-involuting congenital hemangioma（NICH）がある．GLUT-1の免疫染色は陰性であり，乳児血管腫との鑑別に役立つ．超音波やMRI像は，乳児血管腫に類似し，血管の瘤化，静脈成分の増加に伴う部分血栓や石灰化，動静脈シャントなどは，先天性血管腫に比較的特有の所見であるが，それが目立つ場合には，動静脈奇形（arteriovenous malformation：AVM）や悪性腫瘍との鑑別が問題となる．本病変の存在により全身状態が脅かされることがなければ，RICHのように自然退縮例もあるので，まずはwait

表1 ◆ 新 ISSVA 分類概略表

脈管異常				
血管性腫瘍	血管奇形			
	単純型	混合型	主幹型	関連症候群
良性群 乳児血管腫 先天性血管腫など **境界群** Kaposi 肉腫様血管内皮腫 など **悪性群** 血管肉腫など	毛細血管奇形(CM) リンパ管奇形(LM) 静脈奇形(VM) 動静脈奇形(AVF)* 動静脈瘻(AVF)*	CVM CLM LVM CLVM CAVM* CLAVM* など	名称のついた血管やリンパ管の欠損・起始走行異常・低形成・狭窄・拡張・瘤化・短絡・胎生期血管遺残など	Klippel-Trenaunay 症候群 Parkes Weber 症候群 Sturge-Weber 症候群 Maffucci 症候群 CLOVES 症候群 Proteus 症候群 など
分類不能な病変				
疣状血管腫,被角血管腫 Kaposi 肉腫様リンパ管腫症 軟部組織の PTEN 過誤腫など				

＊：高流速病変.
(International Society for the Study of Vascular Anomalies : ISSVA classification for vascular anomalies. International Society for the Study of Vascular Anomalies 2014 より引用)

and see policy を第一選択とするが, 病変が局限し, 有症状例では積極的に切除することもある.

Kaposi 肉腫様血管内皮腫, tufted angioma

Kaposi 肉腫様血管内皮腫(Kaposiform hemangioendothelioma：KHE)は, 1993 年に Zukerberg ら[5]が最初に報告した, 乳幼児に発生する Kaposi 肉腫に類似した腫瘍である. 頭頸部・四肢・体幹・後腹膜などの皮膚や深部組織に浸潤傾向の強い腫瘍で, 多発例も存在する. まれに高心拍出量性心不全をきたし, 病変の血管内凝固亢進により血小板減少症や凝固障害(consumption coagulopathy)から播種性血管内凝固(DIC)を呈する Kasabach-Merritt 現象を合併しやすい. tufted angioma(TA)は, 1989 年に Jones ら[6]が最初に報告した皮膚に浸潤する淡紅色～褐色調の有痛性腫瘍で, 四肢に好発する. わが国から報告された中川型血管芽腫と同義の病変と考えられている. また TA は, KHE と同様に Kasabach-Merritt 現象を起こしやすく病理学的にも KHE に類似しており, 現在では KHE の亜型と考えられている.

脈管奇形

脈管奇形(vascular malformations)とは, 脈管の内皮細胞の増殖を認めない発生学的異常によるものであり, 血管系の形成異常である.

脈管のおもな構築成分によって, 毛細血管奇形(capillary malformations：CM), リンパ管奇形(lymphatic malformations：LM), 静脈奇形(venous malfor-

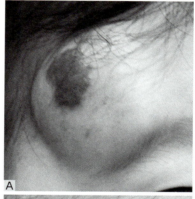
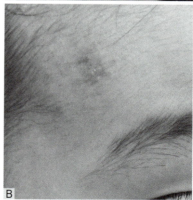

図1 ◆ 前頭部に発生した乳児血管腫
A：生後7か月時. 増殖期. 皮膚は鮮紅色で境界明瞭な腫瘤を形成している. B：3歳. 退縮期. 皮膚にやや赤色を残すものの腫瘤は消失している.
(口絵 25 p.xii 参照)

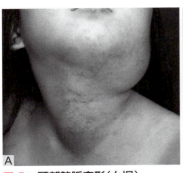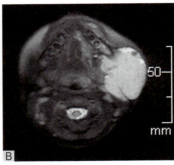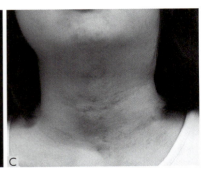

図2 ◆ 頸部静脈奇形（女児）
A：8歳，初診時．前頸部と左側頸部に膨隆を認める．B：8歳，初診時．MRI T2強調像．左側頸部に高信号域を認め，内部に静脈石と思われる低信号域を認める．C：13歳，6回の硬化療法後．前頸部と左側頸部に認めていた膨隆はほぼ消失している
（口絵26 p.xiii 参照）

mations：VM），動脈奇形（arterial malformations：AM），AVMとこれらの混合型とに分類される（表1）[3]．

静脈奇形

多くは孤立性で，静脈瘤状，結節状あるいは海綿状形態を呈し，拡張静脈腔に血液が貯留する病変である．青味がかった圧縮性のある腫瘤として触知する．時に静脈石（phrebolis）を触知する．うっ血や血栓形成あるいは血栓性静脈炎をきたせば有痛性腫瘤となる．患肢全体から体幹に及ぶようなびまん性病変では，慢性凝固異常により血液データはDIC様所見（Dダイマー・FDP高値やフィブリノゲン・血小板低下）を示すため，「Kasabach-Merritt現象を合併した巨大血管腫」と誤解されやすいが，VMにおける凝固異常とKasabach-Merritt現象は明確に異なる．超音波検査では，境界不明瞭で不均一な低エコーを示す海綿状・分葉状・多胞状腫瘤や，管腔状の拡張・蛇行した静脈の皮下・筋内への浸潤を認める．MRIでは，典型的にはT1強調像で筋肉と等信号，T2強調像で強い高信号を示すが，しばしば血液凝固の影響を受けて，液面形成を伴うことも多い．静脈石は点状・小円形の無信号域として認められる（図2B）．典型的な静脈奇形は，超音波検査および単純MRIにより大半は診断可能である．

治療は小児においては整容性を考慮して，圧迫療法などの保存的治療も行われるが，硬化療法も選択される[7]（図2）．使用される硬化薬としてはポリドカノール，モノエタノールアミンオレイン酸塩，エタノールなどがある．外科的切除が行われることもある．

リンパ管奇形

旧来，「リンパ管腫」と呼称されていた疾患である．小児の頸部病変は，しばしばcystic hygromaともよばれる．囊胞の形態により，macrocystic type，microcystic typeやmixed typeに分類される．発生学的理由から頭頸部に好発するが，四肢や腋窩，体幹部，胸郭（縦隔），腹部（後腹膜）などにも発生する．

macrocystic typeは明瞭な大小の囊胞腔をもち，時に内出血や感染を合併した際に急に増大する．試験穿刺で淡黄色や希血性の排液を認める．一方，microcystic typeは微小リンパ管の密集により微細網状〜充実様となり，しばしば難治である．皮膚表面では，暗紫色〜褐色調の微小水泡の集簇を形成し，炎症の反復により膨隆・変色・リンパ液や血液の滲出が続くこともある．

macrocystic typeは，超音波検査では多胞状の囊胞性腫瘤の像を示し，隔壁や内腔のデブリ貯留がみられる．MRIでは，囊胞液は通常T1強調像で低信号，T2強調像で高信号を示す．また，顕著な内出血では液面形成を伴うこともある．一方，microcystic typeは，超音波検査では，無数の微小隔壁により境界不明瞭な高エコー像を示す．MRIでは，T1強調像・T2強調像ともに実質成分と液体成分から中間信号を示すことが多い．mixed typeでは，囊胞成分のサイズに応じて，両者の画像所見が混在する．リンパ管奇形に血管成分，特に静脈成分が混在することは珍しくない．

macrocystic typeはOK-432（ピシバニール®）などを用いた硬化療法が有効であるが，microcystic typeは外科的切除が必要なことが多い．

毛細血管奇形

皮膚・粘膜の毛細血管拡張による比較的境界明瞭な赤色〜暗赤色の色素斑で，従来は「赤あざ」「単純性血管腫」「ポートワイン斑」などとよばれていた．

出生時より存在し，加齢に伴い色調が濃くなり，肥厚や敷石状変化を呈する．周囲の軟部組織や骨の過形成を伴うこともあり，微小動脈の供血を受けると，AVM との鑑別も問題となる．顔面の三叉神経領域に存在する場合は，Sturge-Weber 症候群の可能性を考えて，頭部 CT や MRI で脳軟膜血管奇形の検索が必要である．そのほか，CM を合併するものとして，遺伝性出血性末梢血管拡張症における皮膚・粘膜・消化管などの毛細血管拡張や，Klippel-Trenaunay 症候群の患肢にみられる地図状の CM などがある．

動静脈奇形

毛細血管を介さない動静脈の吻合異常で，さまざまな太さの異常血管で動静脈瘻を形成し，流入動脈あるいは流出静脈の拡張，蛇行，動脈・静脈瘤をきたす．出生時より存在するが，腫瘤として発見されるのは幼児期以降になることが多い．表在性の血管腫やポートワイン斑として存在していたものが，思春期になって腫瘤を形成したり，外傷を契機に急速に増大して発見されることがある．Schöbinger の病期分類が有用である．Ⅰ期：皮膚の紅潮，温感，Ⅱ期：拍動性腫瘤，膨隆，Ⅲ期：疼痛，潰瘍，出血および感染，Ⅳ期：高拍出性心不全と次第に症状が進行する．血管音（bruit）を聴取することもある．診断にはドプラ超音波検査が有用である．

限局性病変では，血管塞栓術や外科的切除が行われるが，筋肉・骨に広く浸潤するものや大型進行例は難治性である．

難治性脈管奇形に対する新しい治療

脈管奇形は，病変が体表にあり，小さいものは外科的治療や硬化療法が可能である．しかし，疾患の本質は良性疾患であるにもかかわらず，多発性あるいは巨大で周囲組織に浸潤傾向があるものや既存の治療に抵抗性を示す病変はきわめて難治性であり，著しく QOL を低下させる．脈管奇形の断定的な原因は明らかになっていないものの，近年，phosphatidylinositol 3-kinase/protein kinase-B/mammalian target of rapamycin（PI3K/AKT/mTOR）経路の遺伝子変異が，本疾患の原因や病態に関与していることが解明され，これらをターゲットにした新規治療薬の開発が進められている．なかでもシロリムス（ラパマイシン）は mTOR 阻害薬の 1 つで，mTOR を抑制することで症状を改善し，病変を縮小させる効果が国内外から多数報告されており[8]，今後の成果に期待したい．

そのほかの良性腫瘍

脂肪性良性腫瘍

脂肪性良性腫瘍（adipocytic tumors）には，脂肪腫（lipoma）と脂肪芽腫（lipoblastoma）があり，両方とも軟部良性腫瘍であるが，組織学的に脂肪細胞の分化度に応じて，両者を鑑別している．

脂肪腫は成熟脂肪組織で構成される柔らかい単発性腫瘍であるが，まれに多発することもある．発生時期は幼少時と考えられているが，緩徐に発育するため発見は遅く，成人となって発見されることも多い．女性や肥満者に多いともいわれている．好発部位は背部，肩，頸部などに多く，次いで上腕，臀部，大腿である．通常，無症状であり，柔軟な腫瘤として触知する．

一方，脂肪芽腫はほとんどが無痛性の腫瘤として発見され，四肢のほか，後腹膜などの体幹の軟部組織から発生する比較的まれな良性腫瘍である．組織学的に，未熟脂肪細胞からなる分葉が多房性に認められる．腫瘍には *HAS2*（8q24.1）-*PLAG1*（8q12）および *COL1A2*（7q22）-*PLAG1* の融合遺伝子が証明されることもある[9]．

診断は臨床症状と超音波検査，CT，MRI などの画像検査で行う．鑑別疾患として，皮膚由来の嚢腫や軟部肉腫などがあり，画像上，悪性の分化型脂肪肉腫と鑑別困難なこともある．

脂肪腫自体は肉眼的には周囲との境界ははっきりとして，薄い被膜に覆われ，割面は淡黄色，橙黄色を呈し，多脂性である．脂肪芽腫は巨大となって発見されることもある．

両者に対する治療法は手術による摘出であるが，緩徐な発育であり，機能障害や整容性の観点から経過観察することもある．完全摘出できれば再発はまれであるとされるが，脂肪芽腫では全摘症例の 25 % に再発がみられたとする報告もあり，その後，5 年はフォローアップが必要である．

石灰化上皮腫

石灰のように硬化する良性の皮下腫瘍の 1 つである．毛根に存在する毛母細胞を起源とする．小児では眼瞼，上腕，頸部に発生することが多い．皮膚直下に硬く，可動性良好，境界明瞭な腫瘤として触知する．

そのほかの良性腫瘍として，末梢神経系では神経

線維腫症，消化器系では消化管ポリポーシス，内分泌系腫瘍としては下垂体腺腫，褐色細胞腫などがあり，皮膚病変として類皮嚢腫などもある．各分野における成書を参考にしていただきたい．

■ 文献

1) Mulliken JB, et al.：Hemangiomas and vascular malformations in infants and children：a classification based on endothelial characteristics. Plast Reconstr Surg 69：412-422, 1982
2) Enjolras O：Classification and management of the various superficial vascular anomalies：hemangiomas and vascular malformations. J Dermatol 24：701-710, 1997
3) International Society for the Study of Vascular Anomalies：ISSVA classification for vascular anomalies. International Society for the Study of Vascular Anomalies 2014
https://www.issva.org
4) Léauté-Labrèze C, et al.：Propranolol for severe hemangiomas of infancy. N Engl J Med 358：2649-2651, 2008
5) Zukerberg LR, et al.：Kaposiform hemangioendothelioma of infancy and childhood. An aggressive neoplasm associated with Kasabach-Merritt syndrome and lymphangiomatosis. Am Surg Pathol 17：321-328, 1993
6) Jones EW, et al.：Tufted angioma(angioblastoma). A benign progressive angioma, not to be confused with Kaposi's sarcoma or low-grade angiosarcoma. J Am Acad Dermatol 20：214-225, 1989
7) Uehara S, et al.：Intralesional sclerotherapy for subcutaneous venous malformations in children. Pediatr Surg Int 25：709-713, 2009
8) Ozeki M, et al.：The impact of sirolimus therapy on lesion size, clinical symptoms, and quality of life of patients with lymphatic anomalies. Orphanet J Rare Dis 14：141, 2019
9) Morerio C, et al.：Differential diagnosis of lipoma-like lipoblastoma. Pediatr Blood Cancer 52：132-134, 2009

〈上原秀一郎〉

巻末資料

1 日本小児血液・がん学会認定：専門医制度について

専門医制度の目的

日本小児血液・がん学会は，小児血液疾患および小児がん領域に関する幅広い知識と十分な経験および錬磨された技能を備える優れた臨床医を養成し，小児血液疾患および小児がんの子どもたちに質の高い専門医療を提供することを目的として，専門医制度を設けている．

専門医制度の歩み

日本小児血液学会と日本小児がん学会が合併する前から，それぞれの学会において時間をかけて専門医制度について検討が行われてきた．2004年には日本小児がん学会，2006年には日本小児血液学会において，それぞれ専門医制度検討委員会が設立され，合併直前には合同委員会を開催して検討を重ね，小児血液・小児がん両方の領域において豊富な知識と正しい診療能力をもつ専門医を育成，認定することを目標として制度が構築された(図1)．2011年，日本小児血液・がん学会が誕生すると同時に制度が開始され，以後，専門医制度委員会が制度の運用や認定業務を担っている(表1)．2014年には初めての小児血液・がん専門医が128人誕生した(表2)．

専門医試験は2019年までに6回行われている(2020年はCOVID-19感染問題のため延期)．合格者数は，第1回128人，第2回52人と多かったが，第3回以降は15～32人の間で推移しており，今後は大きな増減なく経過すると思われる(図2)．専門医資格を得た暫定指導医は同時に指導医としても認定され，毎年専門医・指導医数は増加している．

この間，専門医制度は委員会メンバーのみならず，各種関連ワーキンググループ，試験問題作成やブラッシュアップ，面接官などをご担当いただいた大勢の先生方，また事務局メンバーのご尽力をいただいたことを感謝の意を込めてここに記しておきたい．

日本小児血液学会

2006年

委員長	委員				WG
	伊藤悦朗	岡本康裕	小原 明	小林正夫	田尻達郎
	土田昌宏	林 泰秀	原 純一	岡村 純	

2007年

委員長	委員			
岡村 純	土田昌宏	林 泰秀	細谷亮太	岡本康裕
	原 純一	小原 明	伊藤悦朗	

2008年 小児がん専門医制度検討委員会

委員長	委員				
小田 慈	土田昌宏	林 泰秀	細谷亮太	岡本康裕	原 純一
	小原 明	伊藤悦朗	小林正夫		

2009年 小児がん専門医制度検討委員会

委員長	委員				
小田 慈	土田昌宏	林 泰秀	細谷亮太	岡本康裕	原 純一
	小原 明	伊藤悦朗	小林正夫	岡本 純	

	ワーキンググループ				
	土田昌宏	林 泰秀	細谷亮太	岡本康裕	原 純一
	小原 明	伊藤悦朗	小林正夫	嶋 緑倫	

2010年 小児血液・がん専門医制度検討委員会

委員長	委員			
小田 慈	石井榮一	岡本康裕	菊地 陽	七野浩之
	嶋 緑倫	土田昌宏		

2011年 小児血液・がん専門医制度検討委員会

委員長	委員				担当理事
小田 慈	岡本康裕	菊地 陽	七野浩之	嶋 緑倫	石井榮一
	土田昌宏				

日本小児がん学会

2004年 専門医制度検討委員会

委員長	委員			
	金子道夫	岡村 純	土田昌宏	河野嘉文
	岡本康裕	細谷亮太	橋都浩平	草深竹志

2007年 専門医制度委員会

委員長	委員			
金子道夫	岡村 純	土田昌宏	草深竹志	細谷亮太
	橋都浩平	岡本康裕	檜山英三	

	ワーキンググループ		
	菊地 陽	浅見恵子	田尻達郎
	黒田達夫	七野浩之	

2008年 専門医制度委員会

委員長	委員			
河 敬世	田尻達郎	七野浩之	浅見恵子	菊地 陽
	米田光宏	嶋 緑倫(外部委員)		
	金子道夫(オブザーバー)			

2010年 専門医制度委員会

委員長	委員		
堀部敬三	河 敬世	太田 茂	森 鉄也
	柳澤隆昭	米田光宏	

2011年 専門医制度委員会

委員長	委員		
堀部敬三	太田 茂	原 純一	森 鉄也
	柳澤隆昭	米田光宏	

図1 小児血液・がん専門医制度の歩み
(小田 慈：第56回日本小児血液・がん学会学術集会会長講演より引用，改変)

表1 ◆ 小児血液・がん学会専門医制度委員会

年度	委員長	副委員長	委員				外科WG
2011〜2012	菊地 陽	米田光宏	小田 慈 森 鉄也	塩田光隆 柳澤隆昭	七野浩之 堀部敬三*	嶋 緑倫	田尻達郎 菱木知郎
2013〜2014	米田光宏	井上雅美	小田 慈 杉藤公信	菊地 陽 滝田順子	塩田 光隆 長谷川大輔	七野浩之	田尻達郎 菱木知郎
2015〜2016	井上雅美	小野 滋	塩田光隆 吉田奈央	滝田順子 脇坂宗親	長谷川大輔 平井みさ子	菱木知郎 今井千速	
2017〜2018	滝田順子	米田光宏	井上雅美 菱木知郎	今井千速 平井みさ子	柴 徳生 吉田奈央	長谷川大輔 脇坂宗親	小野 滋*
2019〜2020	今井千速 米田光宏 (担当理事)	脇坂宗親 滝田順子 (副担当理事)	柴 徳生 宮村能子	平井みさ子 中田光政	山本将平 梅田雄嗣	高木正稔 谷ヶ崎博	長谷川大輔* 菱木知郎* 吉田奈央*

*：オブザーバー．

表2 ◆ 専門医制度各種認定の歩み

2011年 4月	専門医制度規則・細則施行 第1回暫定指導医認定
9月	第1回認定外科医認定*
12月	第1回研修施設認定*
2012年 6月	第1回研修集会単位認定*
2013年 2月	第3回暫定指導医認定(最終)
2014年 10月	第1回専門医試験施行 第1回専門医認定 (認定期間2015年4月〜)
2015年 2月	第1回指導医認定 (認定期間2015年4月〜)
2016年 4月	第1回認定外科医・研修施設更新
2020年 4月	第1回専門医・指導医更新

*：いずれも同年4月に遡って認定．

図2 ◆ 専門医試験合格者数の推移

専門医制度で認定される資格等 (2020年9月現在の人数)

①小児血液・がん専門医(264人)：小児血液疾患および小児がん領域に関する幅広い知識と十分な経験および錬磨された技能を備える優れた臨床医．

②小児血液・がん指導医(143人)：専門医を育成するために小児血液疾患および小児がん領域に関する十分な学識と経験を有する臨床医．

③小児血液・がん暫定指導医(266人)：専門医制度開始時に指導医が存在しないため，制度開始から2年間に限り認定．10年間の限定的な資格．

④小児がん認定外科医(105人)：小児がんの集学的治療のなかで重要な位置を占める外科治療について，質の高い専門医療を提供することができる優れた小児外科臨床医．

⑤領域指導医(0人)：小児科，小児外科以外の領域で小児血液・がん治療において主要な疾患について質の高い専門医療を提供することができる優れた臨床医．

⑥研修施設(106施設)：小児血液・がん専門医を育成するための研修施設．高いレベルで小児血液・がん診療を行うための要件を満たしている．

⑦研修集会(25集会)：小児血液・がん専門医を目指す専門研修医のための研修の場として適切であると認定された集会．

おもな資格・施設要件

1 専門医(専門医制度規則第13条より抜粋)

・小児科専門医．

- がん治療認定医,または血液専門医.
- 卒後初期臨床研修終了後5年以上小児血液および小児がんを含む小児科臨床に携わっている.
- 24か月以上本学会の専門医研修施設に所属し,定められた研修カリキュラムを終了している.
- 研修カリキュラムに定める疾患群と症例数の臨床経験を有する.
- 必要な研修単位を満たし,定められた業績がある.
- 専門医試験に合格する(専門医制度規則第15条).
- 5年ごとに資格更新を行う(専門医制度規則第19条).

2 指導医(専門医制度規則23条より抜粋)

- 申請時点において5年以上小児血液・がん専門医であること.
- 通算8年以上の本学会会員歴があり,10年以上の小児血液および小児がん臨床および研究の経験を有すること.
- 専門領域の学会発表および論文があること.
- 5年ごとに資格更新を行う(専門医制度規則第28条).

3 小児がん認定外科医(専門医制度規則第32条より抜粋)

- 外科専門医.
- 小児外科専門医.
- がん治療認定医(暫定教育医を含む).
- 小児がん症例に関する手術経験がある.
- 小児がんに関する定められた研修を修了し,一定の業績がある.
- 5年ごとに資格更新を行う(専門医制度規則第36条).

4 研修施設(専門医制度規則第40条より抜粋)

- 小児血液・がん指導医(暫定指導医を含む)1名以上が常勤で勤務していること.
- 小児がん認定外科医が常勤で勤務していること.
- 日本医学放射線学会放射線診断専門医または放射線治療専門医が常勤で勤務していること.放射線治療が自施設,または,診療協力施設でできること.
- 日本病理学会病理専門医が常勤で勤務していること.
- 自施設,または,診療協力施設が骨髄移植推進財団認定施設またはさい帯血バンクネットワーク登録施設であること.
- 定められた診療実績があること.
- 本学会が定める研修カリキュラム作成要項に基づいて研修カリキュラムが作成され公表されていること.自施設で完結しない項目については,他の専門医研修認定施設と連携して補完し,すべての研修カリキュラムを満たすこと.
- 院内倫理審査委員会が開催され,同委員会により承認された臨床試験に参加していること.
- 院内の関連部門が参加する小児がんカンファランスまたはこれに準じるものが定期的に開催され,会議録が保存されていること.
- 緩和ケアチームが活動していること.
- 保育士またはチャイルドライフスペシャリスト等による子ども療養支援体制,および,院内学級または訪問教師による教育支援体制があること.家族の長期滞在施設またはこれに準じる設備が利用できることが望ましい.
- 5年ごとに認定更新を行う(専門医制度細則第23条).

専門医制度の問題点

施設認定の緩和要件と暫定指導医資格が10年で期限を迎えること,さらに同時期にCOVID-19感染問題が生じ,施設によっては入院制限のため症例数が不足しているなど,さまざまな問題を抱えている.特に喫緊に解決を要する以下の「2022年問題」が重要である.

- 暫定指導医資格の認定期間は<u>10年間で更新はない</u>(専門医制度規則付則7)
- 認定施設には小児がん認定外科医が<u>常勤していること</u>が要件となっている(専門医制度規則40条2).ただしこの要件は<u>10年間緩和要件</u>として小児外科専門医で非常勤,連携施設勤務でも可となっている(専門医制度規則付則12).

これらを厳格に適用すると,現在の研修施設のうち約2/3の施設が要件を満たせなくなる可能性がある.これに対応するために,複数施設による<u>研修施設群</u>を形成していただき,研修施設資格を維持していただくことを計画中である.具体的には,2022年問題を加味しても研修施設としての要件を満たす施設を研修施設群の中核となる「<u>認定研修施設</u>」とし,これと連携して専門研修を担う「<u>関連研修施設</u>」を新たに認定して施設群を形成して,研修体制を維持するという対策である.関連研修施設では,小児血液・がん専門医でも施設責任者となることができ,小児がん認定外科医の常勤は求めないという方針で制度変更を計画している.

専門医制度の将来に向けて

現在，厚生労働省医道審議会医師専門研修部会において新専門医制度が検討されている．日本専門医機構は，部会の方針に従って新専門医制度の整備を進めている．19の基盤領域については，2021年3月に新専門医制度の1期生が3年間のプログラム制の研修を終えたところである．2021年4月からサブスペシャルティ専門医の専門研修をスタートすることになるが，現在正式にサブスペシャルティ領域専門医として認められているのは，内科専門医を基盤とする17領域（16学会），外科専門医を基盤とする5領域と放射線専門医を基盤とする2領域のみである．前述のように，小児血液・がん専門医は小児科専門医を基盤とするサブスペシャルティとして申請中である．

日本専門医機構が提唱しているサブスペシャルティ領域専門研修細則によると，専門医数について以下の要件を求めている．

①すべての大学病院本院に1名以上の母体となる学会認定のサブスペシャルティ領域専門医が常勤している．

②大学病院本院を除く単独型あるいは主管型の臨床研修指定病院の半数以上に1名以上の母体となる学会認定のサブスペシャルティ領域専門医が常勤している．

③すべての都道府県に母体となる学会認定のサブスペシャルティ領域専門医が2名以上いる．

研修施設についてもすべての都道府県に存在することを求めており，これらは地域医療を見据えた「均てん化」を重視した要件であるといえる．

しかしながら，小児医療におけるサブスペシャルティは，患者数は少ないながらもきわめて専門性の高い知識，技術，経験が必要とされる．専門性の高い医療を担っているのが特徴である．このような専門性の高い医療については，集約化して質・量ともに担保された専門研修が受けられる場を提供する必要がある．そうでなければ症例数の多い成人領域のサブスペシャルティと同様の年限で優秀な専門医を育成することは不可能である．優秀な専門医を育成するシステムが構築できなければ，小児血液・がんの診療体制を高いレベルで維持することは困難である．

小児領域のサブスペシャルティ専門医については前述の特徴をアピールし，日本専門医機構や厚生労働省のみならず，広く国民全体に理解を求めていくことが重要である．さらに極めて重要な専門医制度をより充実したものに育てていく使命が，学会に委ねられていることを認識しなければならない．

関連サイト

①日本小児血液・がん学会

　HP：http://www.jspho.jp/
　a．専門医制度について
　　https://www.jspho.org/activity/specialist.html
　b．専門医制度規則
　　https://www.jspho.org/syoni_login/pdf/specialist/index/20171208_kisoku.pdf
　c．専門医制度細則
　　https://www.jspho.org/syoni_login/pdf/specialist/index/20171020_saisoku.pdf
　d．専門医研修到達目標
　　https://www.jspho.org/syoni_login/pdf/specialist/index/mokuhyo.pdf

②日本専門医機構

　HP：https://jmsb.or.jp/
　a．専門医制度整備指針
　　https://jmsb.or.jp/wp-content/uploads/2020/06/jmsb_mg_ver3_20200630.pdf
　b．サブスペシャルティ領域専門研修細則
　　https://jmsb.or.jp/wp-content/uploads/2020/06/subsupe_mg_20200630.pdf

（米田光宏）

巻末資料

2 日本小児がん研究グループ(JCCG)の成り立ち

日本小児がん研究グループ(JCCG)とは

日本小児がん研究グループ(Japan Children's Cancer Group：JCCG)は，2014年12月にNPO法人として設立されたオールジャパンの小児がん臨床研究グループである．JCCGには，日本で小児がん治療・研究を専門とするほぼすべての大学病院，小児病院(小児がん拠点病院，中核病院を含む)，総合病院(小児血液・がん専門施設)が200以上参加し，倫理性，科学性を重視した臨床研究を実施している．

JCCG設立の必要性

小児がんの標準治療は，臨床試験で明らかにされたエビデンスを積み重ねて確立されてきた．その多くは欧米のランダム化(第III相)臨床試験によって創られてきたが，第III相試験が困難な場合(患者数が少ない場合など)や明白な結果の場合は，第II相試験や観察研究の結果で標準治療ともなり得る．日本の小児がんの発生数は年間2,500例前後と，成人がん症例に比べると少なく，専門家が少ないという問題がある．このような現状で最善の小児がん治療体制を構築するため，各領域(小児科，小児外科，脳神経外科，整形外科，放射線科，病理科，頭頸部外科[耳鼻咽喉科]，生物統計学，基礎研究者など小児がんに関連する領域)の専門家を結集し，中央化した診断による科学的診断法の確立や最先端で最良の治療法を開発することを使命として活動している．研究不正や利益相反(conflict of interest：COI)管理，臨床試験データ，資金の透明性確保のため，臨床研究法が制定され，臨床試験の質確保のためにデータセンター，研究事務局，中央診断体制が重要である．

JCCG成立までの歴史

1 日本小児白血病リンパ腫研究グループ(JPSLG，現JCCG血液腫瘍分科会)について

わが国の小児白血病リンパ腫の治療研究は，1970年代から地域ごとに自主研究グループが作られて多施設共同臨床試験が行われてきた．現在では，小児白血病リンパ腫患者を診療する施設は，小児癌・白血病研究グループ(Children's Cancer and Leukemia Study Group：CCLSG)，小児白血病研究会(Japan Association of Childhood Leukemia Study：JACLS)，九州山口小児がん研究グループ(Kyushu Yamaguchi Children's Cancer Study Group：KYCCSG)，東京小児がん研究グループ(Tokyo Children's Cancer Study Group：TCCSG)の4つのいずれかのグループに属している．小児がん領域においても科学性と倫理性が十分に配慮された質の高い臨床試験を目指して，2002年に厚生労働科学研究費補助金効果的医療技術の確立推進研究事業に「小児造血器腫瘍の標準的治療法の確立に関する研究」班(主任研究者：堀部敬三)が採択された．この研究班のもとにデータセンターが整備され，2003年に既存の4つの自主研究グループの共同研究組織として日本小児白血病リンパ腫研究グループ(Japanese Pediatric Leukemia/Lymphoma Study Group：JPLSG)が設立された．

データセンターは，名古屋医療センター臨床研究センターに整備され，2012年4月からはJPLSGのデータセンターとして厚生労働省がん臨床試験基盤整備事業対象に選定され，中央データ管理システムの整備とともに参加施設におけるデータ管理支援を行っている．ICP-GCP(International Conference on Harmonization guidelines/Good Clinical Practice)への対応が整備され，国際共同研究や医師主導治験の推進にも貢献している．2006年に開始された急性骨髄性白血病(AML)臨床試験AML-05でweb登録システムを導入し，同時期に開始された日本小児血液学会疾患登録事業の登録システムと連動している．学会の疾患登録事業データベースとJPLSGの登録データベースが一元化されたことで，日本の小児造血器腫瘍の臨床疫学情報およびアウトカムの把握が容易となった．2011年からは，システム開発費を低減化させるため名古屋医療センターで独自開発された電子的データ収集システム(Ptosh)を利用してデータ管理が行われている．

2 小児固形がん臨床試験共同機構(現JCCG固形腫瘍委員会)について

日本神経芽腫研究グループ(Japan Neuroblastoma Study Group：JNBSG)，日本小児脳腫瘍コソーシア

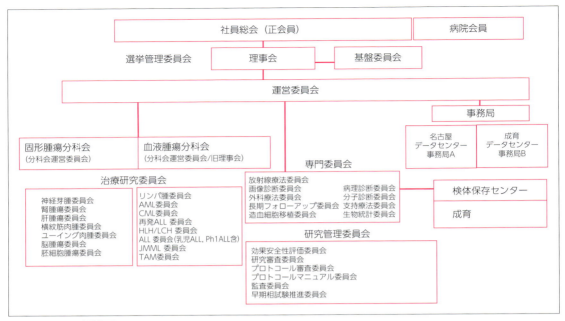

図1 ● JCCG 組織図

ム（Japanese Pediatric Brain Tumor Consortium：JPBTC），日本横紋筋肉腫研究グループ（Rhabdomyosarcoma Study Group：JRSG），日本ユーイング肉腫研究グループ（Japan Ewing Sarcoma Study Group：JESS），日本ウィルムス腫瘍研究グループ（Japan Wilms Tumor Study Group：JWiTS），日本小児肝癌スタディグループ（Japanese Study Group for Pediatric Liver Tumor：JPLT）の固形腫瘍臨床試験研究グループが，国立成育医療研究センターを事務局として，固形腫瘍臨床試験の推進を目指して小児固形がん臨床試験共同機構として発足し，2012年から運営委員会，共同班会議を開催するようになった．全国の固形腫瘍の登録を行う固形腫瘍観察研究を主体として病理診断，放射線画像診断の中央診断システムを確立し，国立成育医療研究センター内のデータセンターで臨床試験を管理することにより，小児固形腫瘍診療試験の推進を行った．

固形腫瘍のデータセンターは国立成育医療研究センターに設立され，2009年4月から活動を開始している．同時期に日本小児がん学会（当時）の固形腫瘍の登録をオンライン化させ，2018年からは日本小児外科学会の悪性腫瘍登録ともシステム上で連携している．臨床試験のデータ管理については長らく紙ベースで行ってきたが，今後は Vanderbilt 大学で開発された REDCap を用いて実施する．また 2011 年から小児固形腫瘍観察研究を開始し，登録-中央診断-臨床試験/観察研究登録の流れに沿った臨床研究の支援を行っている．現在はこの流れの最終段階となる長期フォローアップ体制の構築を開始したところである．

3 日本小児がん研究グループ（JCCG）の設立について

希少がんである小児がん全体の臨床試験推進のために，2014年12月に小児固形がん臨床試験共同機構に参加していた固形臨床試験グループとJPLSGが1つの臨床試験グループとなり，JCCGが発足した．小児固形腫瘍のなかで最も症例数の多い脳腫瘍については，多くの脳神経外科，研究者の参画を得て，脳腫瘍委員会として発足した．また，骨軟部腫瘍領域では日本臨床腫瘍研究グループ（Japan Clinical Oncology Group：JCOG）に参加している整形外科医の参画も実現した．国際共同研究に参加することも目的として，新たに胚細胞腫瘍委員会も発足した．JPLSG に委員会として活動していた長期フォローアップ委員会，支持療法委員会，分子診断委員会，造血細胞委員会は，専門委員会として位置づけられた．現在の JCCG 組織図を，図1 に示す．臨床試験遂行に必須であるデータセンターについては，成育医療研究センター，名古屋医療センターの2つが機能している．データセンター以外で，臨床試験に重要な中央診断，検体保存，臨床試験立案，監査システムについて述べる．

1）中央診断システムについて

　全国統一のリンパ腫臨床試験の開始にあたり，国立成育医療研究センター病理診断部に，病理中央診断システムが構築された．現在，多くの固形腫瘍臨床研究において中央病理診断は必須となっている．白血病の免疫学的マーカー診断についても検査機器，試薬や手技によるばらつきを回避するために解析パネルを統一して三重大学小児科，大阪大学小児科，国立成育医療研究センターにおいて中央検査を実施し，現在は国立成育医療研究センターにおいて全症例の免疫診断を行っている．さらに，分子診断についても，臨床試験ごとに病型診断や予後因子となる遺伝子解析の中央診断を実施している．神経芽腫は，埼玉県がんセンターで，中央診断を行っており，脳腫瘍は国立がん研究センターと大阪医療センターが分子診断を分担して行っている．

2）検体保存システムについて

　前述の中央診断時に生じる余剰検体は，橋渡し研究にきわめて有用な試料となる．それゆえに，これらを公正に有効利用するために保存と研究利用手順を確立してJPLSG検体保存センターを国立成育医療研究センターで検体の中央管理を行ってきたが，現在は，病理検体の余剰検体とともに，国立成育医療研究センターと東京大学医科学研究所のバイオバンクジャパン（BBJ）で検体保存を行っている．BBJシステムの導入にあたっては，水谷修紀前JCCG理事長のご尽力が大きく，今後，小児がん全ゲノム解析プロジェクトの推進に大きく貢献されると思われる．

3）臨床試験の立案について

　JPLSG臨床試験の立案は，JPLSGプロトコルマニュアルに従って標準化された実施計画書，同意説明文書，症例報告書などの文書・書類が作成された．最初にプロトコルコンセプトの批判的レビューが，若手レビューアーの教育を兼ねてプロトコルレビューワーキンググループにおいて行われる．続いてフルプロトコルが作成され，日本小児血液・がん学会臨床研究倫理審査委員会で審査承認されて完成していた．

　現在は，JCCGプロトコルレビュー委員会で，プロトコルコンセプト，フルプロトコルが審査され，特定臨床研究は認定IRB（institutional review board）によって，一括審査されている．倫理指針が2021年6月30日から変更され，臨床試験研究代表者の責務と一括倫理審査の重要性が増すものと考えられる．

4）監査システムについて

　監査委員会の役割は臨床試験実施中に研究に登録された患者の診療録などに記載されている原資料と，症例報告書（case report form：CRF）などに記載されている内容を比較し，①施設倫理委員会の承認が得られているか，②原資料が正確に報告されているか，③検査や治療が適正に行われたか，④正しく同意が得られているか，⑤適切に資料が処理されているかなどをJCCG内部において検証し，改善を図るもの（内部監査）である．したがって，監査は臨床試験実施計画書運用の実態調査と教育的指導に主眼をおき，臨床研究の質の向上を目指すものである．わが国においては，福田班（JCOGデータセンター長：福田治彦先生の研究班）において，国内の主要ながん臨床試験グループ〔JCOG，婦人科悪性腫瘍研究機構（Japanese Gynecologic Oncology Group：JGOG），西日本がん研究機構（West Japan Oncology Group：WJOG），日本臨床研究支援ユニット（Japan Clinical Research Support Unit：J-CRSU），成人白血病治療共同研究機構（Japan Adult Leukemia Study Group：JALSG），JPLSG〕のデータセンター関係者が一堂に会し，質管理に関する標準化検討が行われている．このような状況のなかで，JCCGにおける監査の位置づけ，方法論についての見直しを検討している．

今後の課題について

　現在のJCCG臨床試験遂行の資金は，日本医療研究開発機構（Japan Agency for Medical Research and Development：AMED）などの競争的資金に依存しており，JCCGとしての財政基盤は脆弱である．水谷前理事長時代に，JCCGを支援するJCCG支援協議会（がんのこどもを守る会らが参画）が発足し，JCCG広報委員会，財務基盤委員会が中心となって，寄付活動を精力的に行っている．臨床試験を下支えする中央診断，検体保存システムは，競争的資金での経費獲得が困難であり，欧米のような一般市民も巻き込んだ広報活動が重要である．臨床試験と臨床検体を用いた研究の活性化のためには，臨床と研究の両輪を遂行できる若手血液腫瘍医の育成が最も重要である．

（足立壯一）

巻末資料

3 小児血液・腫瘍に関する診療ガイドラインについて

診療ガイドラインとは？

　診療ガイドライン（medical guideline）とは，医療現場において適切な診断と治療を補助することを目的として，病気の予防・診断・治療・予後予測など診療の根拠や手順についての最新の情報を専門家の手でわかりやすくまとめた指針である．ガイドライン，ガイド，指針ともよばれる．1990年代以降に作成されるようになり，メタアナリシスやその時点のランダム化比較試験の証拠を強いものとして扱い，医学的な推奨事項をまとめたものである．この医学的推奨事項は，おもに臨床研究に基づくエビデンスであるが，そのレベルはさまざまであり，それらを批判的に吟味するには膨大な労力を要する．近年，診療ガイドラインは各分野で整備され，今や診療ガイドラインのない医療分野はないといっても過言ではない．

小児血液・腫瘍疾患に対する診療ガイドライン

　小児血液・がん疾患においては，2007（平成19）年9月に『小児白血病・リンパ腫診療ガイドライン』が，2011（平成23）年10月に『小児がん診療ガイドライン』が，それぞれ日本小児血液学会・がん診療ガイドライン委員会，日本小児がん学会・診療ガイドライン委員会のメンバーが中心となって発刊された．これらはいずれも改訂され，現在はいずれも第2版として2016年版が，日本小児血液・がん学会・診療ガイドライン委員会を中心としたメンバーにより発刊されている[1,2]．これらはいずれも日本小児血液・がん学会ならびに日本癌治療学会のホームページから閲覧可能である．また，Mindsガイドラインライブラリのリンクからも閲覧可能である．

小児血液・腫瘍疾患に対する診療ガイドラインの目的

　小児血液・腫瘍疾患は希少疾患であり，多くの小児がんの治療は臨床試験に登録され，実施されているのが現状である．しかし，希少であるがゆえに前方視的ランダム化比較試験を行うことはむずかしく，新たなエビデンスの創出が困難な領域である．このため，臨床における診療ガイドラインの位置づけは成人がんと異なるものとして作成されている．

『小児白血病・リンパ腫診療ガイドライン第3版』と『小児がん診療ガイドライン第2版』

1 概要

　厚生労働省委託事業として日本医療機能評価機構が運営しているEBM普及推進事業（Minds）の指針に則り，「Minds診療ガイドラインの手引き2014」を参照し，作成されている．患者アウトカムに対する期待される効果のみならず有害事象のバランスを推奨作成に活かすことが重視されている．また，エビデンスレベルが高いにもかかわらず国内では未承認薬，適用外薬を含む治療法については，その旨記載されている．執筆に際しては，各疾患・領域ごとに責任者が任命され，疾患・領域におけるクリニカルクエスチョン（CQ）に対する執筆担当者が指名されている．

2 作成形式

　冒頭に疾患トピックとして，疾患の臨床的特徴（病態生理，分類，歴史的事項など），疫学的特徴（罹患率，死亡率，生存率などの現状，経年的変化，地域特性など），診療全体の流れなどが記載されている．提示の方法は，CQ形式で，CQに対する背景，推奨治療，推奨に対する解説が記載されている．また，診療アルゴリズムも記載されている．文献検索においては，各CQにおけるキーワードをもとに，一次資料の網羅的な文献検索がPubMedを基本として行われ，一部はエビデンスレベルの高い学会抄録も用いられている．2016年版では，2011年版で引用された文献に加え，2014年3月までの文献が採用されている．

3 エビデンスの分類

　エビデンスの強さとして用いる評価基準は，これまでの研究デザインに基づいたエビデンス評価でなく，Minds 2014の指針に基づき重大なアウトカム全般（生存，QOLなど）に対する4段階評価となっている（表1）．また，推奨の強さは，重要なアウトカム

表1 ◆ 用いられている評価基準（重大なアウトカム全般）

エビデンスレベル	
A（強）	効果の推定値に強く確信がある
B（中）	効果の推定値に中等度の確信がある
C（弱）	効果の推定値に対する確信は限定的である
D（とても弱い）	効果の推定値がほとんど確信できない

推奨の強さ*	
1	強い（強く推奨する）
2	弱い（弱く推奨する＝提案する，考慮する）
なし	明確な推奨ができない

*基本的には1か2のどちらかを選択する．

表2 ◆ 各ガイドラインで取り上げられているテーマ

小児白血病・リンパ腫診療ガイドライン（2016年版）	小児がん診療ガイドライン（2016年版）
・急性リンパ性白血病（ALL） ・急性骨髄性白血病（AML） ・慢性骨髄性白血病（CML） ・骨髄異形成症候群（MDS） ・リンパ腫 ・Langerhans細胞組織球症（LCH） ・支持療法	・小児肝がん ・小児腎腫瘍 ・骨肉腫 ・中枢神経外胚細胞腫瘍 ・網膜芽細胞腫 ・神経芽腫 ・横紋筋肉腫 ・Ewing肉腫ファミリー腫瘍 ・その他のまれな腫瘍 ・腫瘍生検・中枢ルート

に関するエビデンスの強さに加えて，益と害のバランスを考慮し，害以外の不利益に関しても総合的に判断されて記載されている．推奨の強さの提示は，「1：強く推奨する」あるいは「2：弱く推奨する（提案する，考慮する）」のいずれかとなっているが，どうしても推奨の強さを決められないときは「なし」とされている（表1）．

4 取り上げられているテーマ

2016年版の『小児白血病・リンパ腫診療ガイドライン』と『小児がん診療ガイドライン』に取り上げられているテーマを表2に示す．執筆担当者や先に述べたガイドラインの基本的事項に続き，おもな小児造血器腫瘍疾患ならびに固形腫瘍疾患が取り上げられている．また，『小児白血病・リンパ腫診療ガイドライン』では支持療法，『小児がん診療ガイドライン』では腫瘍生検や小児がん治療に欠かせない中枢ルートも取り上げられている．

各テーマでは，まずアルゴリズムを含めた疾患の概略が提示され，次に治療方針決定に必要な分類と検査，続いて各疾患群のサブタイプに対する標準的治療は何かなどのCQとそれに対する回答と解説が記載されている．

小児血液・腫瘍疾患に関するそのほかの診療ガイドライン

1 脳腫瘍診療ガイドライン

日本脳腫瘍学会により作成されている[3]．現時点では，小児脳腫瘍は結節性硬化症に合併する上衣下巨細胞性星細胞腫（subependymal giant cell astrocytoma：SEGA）のみが掲載されているが，今後髄芽腫，上衣腫，胚細胞腫，びまん性内在性橋膠腫／びまん性正中膠腫，毛様細胞性星細胞腫などが順次発表されていく予定とされている．

2 『小児・AYA世代の腫瘍に対する陽子線治療診療ガイドライン（2019年版）』

日本放射線腫瘍学会と日本小児血液・がん学会とで共同作成されている[4]．陽子線治療は，2016（平成28）年4月に20歳未満の小児がん治療として，成人がんに先行して保険適用となった．陽子線はその物理的特性から，正常組織への線量を減らすことで小児での有害事象を軽減させることが期待できる一方，希少疾患である小児がんに対する陽子線治療専門の医療者は限られており，広く小児がんに対する陽子線治療の特徴を科学的に集めたデータを医療関係者だけでなく国民に対してわかりやすく提示する必要があるとして作成された．

3 『小児HLH診療ガイドライン』

血球貪食性リンパ組織球症（hemophagocytic lymphohistiocytosis：HLH）診療のガイドラインであり，日本小児血液・がん学会の組織球症委員会により2020年9月に作成された[5]．小児血液・がん学会のホームページよりPDF版が閲覧可能である．一次性HLH，EBV-HLH，EBウイルス以外の感染関連HLH，マクロファージ活性化症候群，悪性腫瘍関連HLHや移植後のHLHについて，それぞれ病態，診断，治療などが解説されている．

4 『リー・フラウメニ症候群診療ガイドライン』

『リー・フラウメニ症候群（Li-Fraumeni syndrome：LFS）診療ガイドライン』は，小児遺伝性腫瘍班ガイドライン作成委員会により2020年3月に作成された[6]．日本小児血液・がん学会のホームページより閲覧できる（PDFはダウンロード可能）．わが国におけるLFS診療体制は未整備であり，小児期・AYA世代に発症する遺伝性腫瘍の包括的診療体制

を構築する必要があることなどが作成の契機になっている．LFS の疫学，診断，臨床像，予防・治療とがんサーベイランスの解説に続き，6 つの CQ に対する解説が記載されている．

5 『血管腫・血管奇形・リンパ管奇形診療ガイドライン 2017』

難治性血管腫・血管奇形・リンパ管腫・リンパ管腫症および関連疾患についての調査研究班により作成され，日本小児外科学会により承認されている[7]．血管腫・血管奇形の診断・治療法が確立していなかったために，その疾患概念の説明，適切な治療法についての指針が必要とされ作成された．初版は形成外科医，放射線科医（IVR 医）が中心となり 2013 年 3 月に発刊され，その後に多数の皮膚科医，小児外科医，小児科医をはじめとする臨床医および基礎研究者も参加して作成された第 2 版が 2017 年 3 月に発刊されている．

6 『小児，思春期・若年がん患者の妊孕性温存に関する診療ガイドライン 2017 年版』

日本癌治療学会により作成された．治療による妊孕性の消失が予想される小児，思春期・若年がん患者において「妊孕性温存がすすめられるか」，「どのような方法があるか」，「がん治療の遅延は許容されるか」，「治療後いつから妊娠可能となるか」などの観点から妊孕性温存に関する CQ が策定され，女性生殖器，乳腺，泌尿器，造血器，小児，骨軟部，脳，消化器の 8 つの領域について解説されている[8]．

おわりに

小児血液・腫瘍に関する診療ガイドラインについて，日本小児血液・がん学会が主となって作成されているものを中心に解説した．エビデンスの積み重ねにより，これらが改訂されるとともに，さらにより多くの疾患に対する診療ガイドラインの作成が行われるであろう．

■ 文献

1) 日本小児血液・がん学会（編）：小児白血病・リンパ腫診療ガイドライン 2016 年版．2019．https://www.jspho.jp/journal/guideline.html（日本小児血液・がん学会），http://www.jsco-cpg.jp/childhood-leukemia/（日本癌治療学会がん診療ガイドライン），https://minds.jcqhc.or.jp/n/med/4/med0107/G0000861（Minds ガイドラインライブラリ）

2) 日本小児血液・がん学会（編）：小児がん診療ガイドライン 2016 年版．2016．https://www.jspho.jp/journal/guideline.html（日本小児血液・がん学会），http://www.jsco-cpg.jp/childhood-cancer/（日本癌治療学会がん診療ガイドライン），https://minds.jcqhc.or.jp/n/med/4/med0090/G0000913（Minds ガイドラインライブラリ）

3) 日本脳腫瘍学会（編）：2021 年版脳腫瘍診療ガイドライン．2021．https://www.jsn-o.com/guideline/index.html

4) 日本放射線腫瘍学会，日本小児血液・がん学会（編）：小児・AYA 世代の腫瘍に対する陽子線治療診療ガイドライン 2019 年版．金原出版．2019．https://www.jastro.or.jp/medicalpersonnel/guideline/aya_gl2019.pdf

5) 日本小児血液・がん学会組織球症委員会（監）：小児 HLH 診療ガイドライン．2020．https://www.jspho.org/pdf/journal/hlh/hlh2020_v1.pdf

6) 小児遺伝性腫瘍研究班ガイドライン作成委員会（編）：リー・フラウメニ症候群診療ガイドライン 2019．2020．https://www.jspho.org/pdf/journal/li-fraumeni/li-fraumeni_1.pdf

7) 平成 26-28 年度厚生労働科学研究費補助金難治性疾患等政策研究事業（難治性疾患政策研究事業）「難治性血管腫・血管奇形・リンパ管腫・リンパ管腫症および関連疾患についての調査研究」班：血管腫・血管奇形・リンパ管奇形診療ガイドライン 2017．2017．https://www.marianna-u.ac.jp/va/guidline.html（難治性血管腫・脈管奇形・血管奇形・リンパ管腫・リンパ管腫症および関連疾患についての調査研究班），https://fb64b181-5dde-4de0-a3a2-f61925a989e2.filesusr.com/ugd/2a62b2_9e7d7fcffa394182b278e2afd782b764.pdf（血管腫・血管奇形・リンパ管奇形診療ガイドライン 2017）

8) 日本癌治療学会（編）：小児，思春期・若年がん患者の妊孕性温存に関する診療ガイドライン 2017 年版．金原出版．2017．https://www.kanehara-shuppan.co.jp/books/detail.html?isbn=9784307301299（金原出版）

〈多賀　崇〉

索 引

凡 例

1. 索引用語の配列は，まず各索引用語の頭文字によって，和文，数字・ギリシャ文字，欧文に振り分け，配列は原則として，和文索引では五十音順，数字索引では数字の若い順，ギリシャ文字索引は ABC 対応順，欧文索引では ABC 順によった．
2. 上位概念のもとに下位概念をまとめたほうが検索に便利と考えられるものは，"———" を用いてまとめた．
3. 和文索引，数字・ギリシャ文字索引，欧文索引は，それぞれ独立しているわけではなく，相互に補完するものである．したがって，検索に際しては和文のみ，あるいは数字・ギリシャ文字，あるいは欧文のみの索引にあたるのではなく，三者の索引を検索されたい．

和 文

あ

亜鉛欠乏症　405
悪性奇形腫　534
悪性骨腫瘍　156
悪性軟部腫瘍　157
悪性胚細胞腫瘍　164, 565
悪性リンパ腫　166
アクチノマイシン D　137
アクラルビシン　136
アザシチジン　126
アセトアミノフェン　307
アセント　324, 342
アデノウイルス　213
アフェレーシス　204
アポトーシス　74
アムホテリシン B　260
アルキル化薬　118, 287
アレクチニブ　144
アレルギー反応　272
アンチトロンビン　26
　——欠乏症　33
アントラサイクリン　134, 556
　——系抗がん薬　283
アンメット・ニーズ　188

い

胃・十二指腸潰瘍　402
易感染性　37, 427
　——の検査　39
移行期医療　59, 278
意思決定　322
　——支援　326
　——の共有　190
異常ヘモグロビン症　17, 381
異常ヘモグロビンの分類　382
移植関連血栓性微小血管症　216
移植後 QOL 低下　219
移植後合併症　206
移植後出血性膀胱炎　403
移植後晩期合併症　217
移植後リンパ増殖疾患　522
移植細胞数　209
異食症　364
移植前処置　209
移植前治療　200
移植適応　191
移植片機能不全　209
移植片対宿主病　180, 206
維持療法　490
遺族　317
イソプロパノール不安定性試験　379
痛みのアセスメント　306
イダルビシン　136
イチゴ状血管腫　584
一次性生着不全　209
一次性絶対的赤血球増加症　408
一次リンパ組織　22
一過性骨髄異常増殖症　508
遺伝カウンセリング　335
遺伝学的背景　336
遺伝子異常サブタイプ　94
遺伝子組換えヒトエリスロポエチン製剤　387
遺伝子検査　51, 68
遺伝子細胞治療　179
遺伝子診断　95, 98
遺伝子治療　421
遺伝子パネル検査　54
遺伝子変異解析　57, 95
遺伝性がん素因症候群　533
遺伝性球状赤血球症　376, 386
遺伝性血管浮腫　441
遺伝性血栓症　473
遺伝性骨髄機能不全症　196
遺伝性骨髄不全症候群　372, 373
遺伝性腫瘍　65
　——の責任遺伝子　66
遺伝性鉄芽球性貧血　386
遺伝性非ポリポーシス大腸癌　67
イノツズマブオゾガマイシン　490
イピリムマブ　78
イホスファミド　119
イマチニブ　141
イリノテカン　132, 556
医療過誤　116
医療倫理　339
インターフェロン　6, 8
　——受容体遺伝子領域　9
インターロイキン　6, 9
インテグラーゼ阻害薬　445
インフォームド・コンセント　203, 322
インフルエンザウイルス　262
インフルエンザワクチン　265

う

ウイルス
　——感染　213
　——感染症　261
　——量　443
う蝕　247
うっ血性心不全　285
ウロキナーゼ型プラスミノーゲンアクチベーター　27

え

栄養療法　244
エキスパートパネル　111
エクリズマブ　397
エステラーゼ染色　50
エトポシド　133
エヌトレクチニブ　144

エネルギー投与量　245
エピゲノム異常　69
エベロリムス　146
エミシズマブ　462
エラスターゼ　27
エリクソンの心理社会的発達理論　188
エリスロポエチン　7, 366, 385
エリブリン　131
エルトロンボパグ　371
塩基置換　69
嚥下困難　396
嚥下痛　396
炎症性マクロファージ　417
炎症性貧血のバイオマーカー　367
炎症マーカー検査　257
エンドポイント　349

お
横紋筋肉腫　72, 85, 86, 103, 165, 574
オピオイド
　——鎮痛薬　307
　——の経口モルヒネとの換算比　308
温式 AIHA　390
オンデマンド補充療法　460

か
回転形成術　157
解糖系酵素異常症　17
海綿状血管腫　584
潰瘍性大腸炎　402
化学療法
　——に伴う医療過誤　116
　——の効果判定　116
　——誘発性悪心・嘔吐　241
核医学（RI）検査　107
核型記載のルール　53
核酸系逆転写酵素阻害薬　445
拡大局所照射　163
下肢麻痺　82
家族
　——支援　190, 333
　——中心ケア　332
　——の心理的苦痛　325
　——への心理的サポート　312
　——を中心としたケア　320
家族性腫瘍　65
家族性大腸ポリポーシス　67, 83
家族歴　376
学会発表　357
学校・教育支援　327
活性化 PI3Kδ 症候群　521
活性化部分トロンボプラスチン時間　43, 458
合併奇形　559
合併症早期発見　293
カテーテル関連血流感染　252
ガドキセト酸ナトリウム造影　553
鎌状赤血球症　17
可溶性フィブリン　468
顆粒球　18
　——コロニー刺激因子　8
　——マクロファージコロニー刺激因子　8
カルノア固定液　52
カルボプラチン　138, 140
肝移植療法　556
がん遺伝子パネル検査　348
感音性聴力障害　293
寛解導入療法　488
肝芽腫　72, 104, 161
肝合併症　291
がん救急　223
還元型グルタチオン（GSH）定量　379
肝細胞癌　557
幹細胞源　209
患肢温存手術　156
カンジダ血症　259, 260
カンジダ性口内炎　247
間質性肺炎　138
間質マクロファージ　417
肝腫大　35
肝腫瘍　552
肝静脈閉塞症　137
間接 Coombs 試験　387
関節痛　82
関節内出血　457
感染巣　257
完全皮下埋め込み式カテーテル　251
感染予防　254
　標準——　254
肝中心静脈閉塞症　215, 227→類洞閉塞症候群
肝動脈（化学）塞栓療法　557
がんの罹患数　185
肝脾腫　81
間葉系幹細胞　179, 180
間葉系間質細胞　180
がん抑制遺伝子　73
寒冷凝集素価　391, 393
寒冷凝集素症　390
緩和医療　306
緩和ケア病棟　316
緩和照射　167

き
気胸　224
気縦隔　224
基底細胞癌　297
気道ウイルス感染症　262
気道分泌物　309
キメラ抗原受容体　175, 490
キメリズム検査　210
逆流性食道炎　402
キャンディン系薬　260
急性 GVHD　206
急性骨髄性白血病　70, 79, 492
急性出血性貧血　404
急性膵炎　227
急性ストレス障害　322
急性前骨髄球性白血病　497
急性尿路閉塞　239
急性リンパ性白血病　69, 79, 482
牛乳貧血　363
教育支援　189, 190, 327
強化療法　489
共感性疲労　319
胸腔内占拠性病変　223
凝固・線溶系検査　42
　——の基準値　44
凝固異常　457
凝固因子　25
　——活性　458
凝固制御因子　25
胸水　223
胸腺　23
きょうだい
　——のサポート　221
　——への支援　334
強度減弱前処置　201
強度変調放射線治療　170
胸膜肺芽腫　105
巨核球の増生　451
局所照射　163
巨赤芽球性貧血　14, 17, 398, 407
巨大血小板　42
筋・骨格の障害　296
均衡型相互転座　53
筋肉内血管腫　584
筋肉内出血　457

く
クラドリビン　128
グリーフケア　317, 318
グリベック®　141
グルコース-6-リン酸脱水素酵素（G6PD）異常症　377, 386
クローン性染色体異常　53, 95

グロビン鎖の構成　381
クロファラビン　127

け

ケアプロバイダー　278
経口フルオロキノロン薬　255
経済的支援　190
形質細胞様樹状細胞　418
経腸栄養　244
経皮経肝動脈化学塞栓療法　557
頸部出血　458
血液型検査　268
血液凝固反応　43
血液細胞の形態異常　41
血液製剤　266
　——の使用指針　404
　——の特徴　267
血管腫　584
血管腫・血管奇形・リンパ管奇形診療ガイドライン　598
血管収縮　396
血管性腫瘍　584
血管性母斑　584
血管柄付き腓骨移植　569
血球貪食性リンパ組織球症　429
　——の診断指針　430
血球の寿命　3
血球の分化　7
血球分化系統診断基準　92
血色素異常症　381
血漿交換療法　477
血漿製剤　267
血小板　20
　——異常　32
　——機能異常症　453
　——機能検査　45
　——凝集能　45
　——減少　394
　——減少症　447
　——サイズ　450
　——細胞骨格　21
　——数　45
　——製剤　267
　——増加症　450
　——粘着能　45
　——濃厚液の投与　270
　——の検査　45
　——表面抗原解析　46
　——膜骨格　21
　——輸血不応状態　273
血小板無力症　453
　——の検査診断　455
欠如歯　295

結節性硬化症　88, 537
血栓　394
　——傾向　32
　——性素因　473
血栓症　396, 473
　L-アスパラギナーゼに起因する
　　——　479
　遺伝性——　473
　後天性——　479
　動静脈——　396
血栓性血小板減少性紫斑病　394, 475
血栓性微小血管症　475
血尿　81, 239, 458
血友病　457
　——治療製剤　459
　——の止血管理指針　460
　——の止血療法に関するガイドライン　460
血流感染症　211
ゲノム
　——異常　69
　——医療　110
　——不安定性　75
　——プロファイリング検査　110
　——薬理学　114
下痢　242
研究　346
　——デザイン　349
　——倫理　339, 344
　——論文の読み方　355
限局性 Ewing 肉腫ファミリー腫瘍　571
言語聴覚士　294
原始胚細胞　563
検体の保存, 取り扱い方　346
原発性悪性骨腫瘍　156
原発性血小板増加症　451
原発性免疫不全症　196, 264, 420, 429
　——の遺伝形式　39

こ

抗 CD20 抗体　76
抗 CTLA-4 抗体　78
抗 D グロブリン療法　388
抗 GD2 抗体　76
抗 HIV 薬　445
抗 HLA 抗体　209
高 IgE 症候群　425
抗 PD-1 抗体　78
抗 RS ウィルス抗体製剤　265
高悪性度神経膠腫　539
好塩基球　18
　——増加症　414

抗がん化学療法　112
抗がん抗菌薬　134
抗がん薬　112
交換輸血　271, 388
抗凝固療法　470
口腔　295
　——合併症　248
　——乾燥症　248
　——ケア　247
　——内出血　458
　——粘膜炎　247
高血圧　239
抗好中球抗体　410
高サイトカイン血症　429
交叉適合試験　268
好酸球　18
　——増加症　414
　——増加症候群　415
高酸素親和性 Hb　408
甲状腺癌　579
高精度照射　170
抗第 IX 因子同種抗体　461
抗体産生不全症　265, 427
抗体薬物結合型医薬品　149
抗体療法　76, 147
好中球　18
　——エラスターゼ　411
　——検査　48
　——減少症　410
　——数（比率）の年齢別基準値　415
　——増加症　414
後天性 TTP　477
後天性 von Willebrand 病　472
後天性血栓症　479
後天性血友病　470
後天性ビタミン K 依存性凝固因子欠乏症　465
後天性免疫不全症候群　442
広範囲 Coombs 試験　393
広範切除術　155, 157
抗リン脂質抗体症候群　478
コーピング　323
呼吸器　286
　——合併症　214
　——感染症　287
　——晩期合併症　286
呼吸困難　309, 396
国立がん研究センターの希少がんホットライン　569
固形がん治療理論　113
固形腫瘍検体　346

骨・軟部腫瘍　155
骨原発悪性腫瘍　570
骨髄　22, 198
　——移植　191, 369
　——検査　49
　——採取　203
　——生検　49, 50
　——塗抹標本　50
　——破壊的前処置　200
　——バンクドナー　198
　——非破壊的前処置　201
骨髄液　346
骨髄異形成症候群　71, 504
骨髄性白血病　508
　Down 症候群に伴う——　509
骨髄増殖性疾患　71, 505
骨髄肉腫　492
骨髄不全症候群　55
骨髄不全症を主体とした治療法　374
骨痛　82
骨軟部腫瘍　85
骨肉腫　85, 566
骨密度低下　296
古典的原発性血小板血症　451
古典的樹状細胞1, 2　419
子どもの意見表明権　342
コヒーシン複合体　509
コミュニケーション　312
混合型白血病の JPLSG 分類　93
混合性聴力障害　293

さ

細菌感染症　211
細血管障害性溶血性貧血　475
再生不良性貧血　196, 368, 407
最善の利益　339
臍帯血　198
　——移植　191, 210, 370, 421
　——バンク　193, 198
在宅医療　314
在宅療養支援診療所　314
サイトカイン　6, 7
　——共通γ鎖　7
　——製剤　10
　——の分類　6
　——放出症候群　177
サイトメガロウイルス　213, 262, 421
再発・難治 AML　496
再発 ALL の治療　490
再発 Ewing 肉腫ファミリー腫瘍　572
再発予防療法　488
細胞傷害性 T 細胞　368
細胞障害性抗がん薬　112

細胞診断　101
細胞表面マーカー　418
細胞マーカー検査　91
サラセミア　17, 381, 386
　——の分類　382
　——様の症状　383
酸素依存性 EPO 産生機構の異常　408
三側性網膜芽細胞腫　547

し

歯科　247
視覚　292, 294
　——障害　295
志賀毒素産生腸管出血性大腸菌関連 HUS　477
糸球体・尿細管障害　288
シクロホスファミド　118, 287
止血製剤　464
止血治療　471
自己炎症性疾患　264, 265, 435, 436
自己血貯血　203
自己造血細胞救援大量化学療法　195
自己免疫性溶血性貧血　390
自己免疫性リンパ増殖症候群　520
歯根の短小化　295
歯周病　247
思春期・若年成人　185
思春期早発症　82, 582
視神経症　294
シスプラチン　138, 139, 556
次世代シークエンサー　97
自然な死の受容　310
自然免疫不全症　435, 436, 437
シタラビン　125
ジヌツキシマブ　148
脂肪性良性腫瘍　587
歯磨剤　248
ジャーミノーマ　151, 533
弱者保護　340
若年性黄色肉芽腫　528
若年性骨髄単球性白血病　71, 505
若年成人　185
集光照射　170
充実性偽乳頭腫瘍　579, 582
重症型小児再生不良性貧血に対する治療指針　370
重症先天性好中球減少症　411
重症複合免疫不全症　264, 420
終末期　309
絨毛癌　563
就労支援　189, 190
樹状細胞　418
主体性尊重の原則　331

出血　227
　——傾向　32
出血性疾患の鑑別フローチャート　43
出血性膀胱炎　239
腫瘍細胞　346
腫瘍随伴症候群　82
腫瘍内出血　403
腫瘍内切除術　155
腫瘍崩壊症候群　232
腫瘍マーカー　89
腫瘍免疫　76
腫瘍用人工関節置換術　156
純音聴力検査　293
循環抗凝血素　470
上衣腫　72, 152, 164, 540
消化管
　——合併症　290
　——収縮　396
　——出血　228
　——穿孔　226
消化器　290
　——症状　81, 241
松果体芽腫　535
照射合成血液　267
照射赤血球液　267
照射洗浄血小板　267
照射洗浄赤血球液　267
照射濃厚血小板　267
上縦隔症候群　223
小線源治療　170
小児・AYA 世代の腫瘍に対する陽子線治療診療ガイドライン　597
小児，思春期・若年がん患者の妊孕性温存に関する診療ガイドライン　598
小児 ALL の治療選択アルゴリズム　488
小児 ALL の免疫学的分類　484
小児 AML の診療アルゴリズム　494
小児 AML のリスク分類　495
小児 EBV 陽性 T 細胞および NK 細胞リンパ増殖症　519
小児 HIV 感染症　442
小児 HLH 診療ガイドライン　597
小児 VOD/SOS の EBMT 診断基準　216
小児がん
　——認定外科医　591
　——の疾患別比率　61
　——の新規発症数　61
　——の発生動向　61
小児甲状腺癌　579

小児固形がん臨床試験共同機構　593
小児静脈アクセス　250
小児人口　28
小児腎腫瘍の病期分類　561
小児不応性血球減少症　504
小児慢性特定疾病　29
静脈アクセス　250
静脈栄養　244
静脈奇形　586
食細胞機能異常　432
食道静脈瘤　402
植物アルカロイド薬　129
初発未治療 AML　494
腎芽腫　72, 104, 161, 167, 559 → Wilms 腫瘍
　　両側性──　161
心合併症　283, 284
腎合併症　288
新規血友病 A 治療　462
真菌感染症　212, 255
心筋障害　134, 283
神経・認知　279
　　──機能の検査　280
神経芽腫　72, 103, 159, 165, 548
　　高リスク群──　159
　　低中間リスク群──　159
神経膠腫　71
神経線維腫症　88
神経線維腫症 1 型　67, 83, 537
神経特異エノラーゼ　90
腎血流低下の影響　288
人工多能性幹細胞　11
人工内耳　294
深在性真菌症　258
腎細胞癌　562
侵襲性アスペルギルス症　258, 260
腎腫瘍　559
腎障害　139
新生児 DIC 診断・治療指針　468
新生児ビタミン K 欠乏性出血症　466
新生児マススクリーニング　420
新生児メレナ　466
真性多血症　408
新鮮凍結血漿の投与　269
心タンポナーデ　223
伸長型腫瘍用人工関節　568
心的外傷後ストレス障害　322, 325
心的外傷後成長　325
侵入阻害薬　445
腎明細胞肉腫　561
腎ラブドイド腫瘍　72, 562
心理・社会的支援　325

心理的苦痛　311
心理的サポート　221, 311, 333

す
膵芽腫　105, 581
髄芽腫　72, 152, 164, 530
膵原発腫瘍　581
膵腫瘍　581
水痘・帯状疱疹ウイルス　262
膵島細胞腫　581
髄膜炎菌ワクチン　265
ステロイド　392, 397
　　──療法　477
スプーン爪　364
スポーツ貧血　364

せ
性器障害　299, 300
成熟 B 細胞リンパ腫　514
成熟奇形腫　534
正常変異　53
生殖医療　189
生殖細胞系列の変異　65
生殖補助医療　190, 300
性腺機能低下症　300
生存時間解析　350
生着症候群　214
生着不全　208
　　──リスク因子　209
成長障害　171, 500
成長ホルモン系　281
生物学的効果比　168
生物統計　348
赤芽球癆　407
脊髄圧迫　229
脊髄腫瘍　87
脊柱側彎症　296
石灰化　545
石灰化上皮腫　587
赤血球　16
　　──液の投与　269
　　──血液型不適合　385
　　──酵素活性測定　379
　　──浸透圧脆弱性試験　379
　　──製剤　267
　　──の形態　16
　　──輸血　392
赤血球増加症　408
赤血球破砕症候群　394
赤血球膜異常症の原因遺伝子　377
赤血球膜陽イオンチャネルの異常活性化　376
切除縁評価法　155
説明的試験　352

説明と同意　322
染色体
　　──カルノア固定液　348
　　──検査　51
　　──診断　95
　　──脆弱性試験　56
　　──分析　95, 98
　　──分染法　51, 52
全身照射　167
先天性角化不全症　55, 372, 374
先天性間葉芽腎腫　562
先天性凝固異常症　464
先天性血管腫　584
先天性血小板機能異常症　454
先天性好中球減少症の分類　413
先天性骨髄不全症候群　17
先天性赤血球異常成貧血　386
先天性ビタミン B_{12} 輸送蛋白の異常・代謝異常　398
先天性補体欠損症　438
先天性溶血性貧血の病型　376
先天性葉酸代謝異常　400
全脳室照射　163
全脳照射　163, 489
全脳全脊髄照射　163
せん妄　310
　　──のおもな原因　310
専門医制度　589
栓友病　473
線溶因子　25, 26
線溶均衡型 DIC　467
線溶亢進型 DIC　467
線溶制御因子　27
線溶抑制型 DIC　467

そ
造血幹細胞　3
　　──採取　203
　　──ニッチ　5
　　──の生着　183
　　──の同定　3
　　──の分化　4
造血器腫瘍　79
造血細胞移植　191, 200, 217, 221, 369, 496
　　──の前処置　167
　　小児の──の適応疾患　195
造血細胞の選択　197
造血不全　55
増殖抑制機構の破綻　73
造腎組織遺残　559
総鉄結合能　364
続発性免疫不全症　442

組織因子経路インヒビター　26
組織型プラスミノーゲンアクチベーター　26
組織球症　523, 526
　　──のグループ分類　526
組織常在マクロファージ　417
組織診断　101

た
第3期がん対策推進基本計画　188
第V因子　25
　　──インヒビター　472
第VII因子　25
第VIII因子　25
　　──欠乏　457
第IX因子　25
　　──欠乏　457
第X因子　25
第XI因子　25
第XII因子　25
第XIII因子　25
　　──インヒビター　472
　　──欠乏症　464
退院時連絡ノート　329
退院前カンファレンス　316
胎児期造血　3
胎児性癌　563
胎児赤芽球症　385
胎児赤血球症　385
代謝拮抗薬　124
帯状疱疹　262
　　──ウイルス　213
代替ドナー　201
代諾　341
タイトレーション　307
大理石骨病　196
ダウノルビシン　134
ダカルバジン　122
多血症　383, 388
多剤併用化学療法　113
ダサチニブ　142
多重がん症候群　66
多職種チーム　313
脱水型遺伝性有口赤血球症　376
多発性内分泌腫瘍（症候群）　67, 579
単核貪食細胞の発生と分類　417
単球　19, 417
　　──コロニー刺激因子　8
　　──由来樹状細胞　419
単純性血管腫　584
単純ヘルペスウイルス　213, 261
単純ヘルペス脳炎　437
胆道閉鎖　466

蛋白漏出性胃腸症　244

ち
チアノーゼ　383, 391
チーム医療　320
　　──連携体制　321
チオテパ　123
中央診断体制　105
中心静脈栄養　246
中心静脈カテーテル　250
　　──留置　33
中枢神経系胚芽腫　535
中枢神経系腫瘍　103
中枢神経系胚細胞腫瘍　534
中枢神経照射後のIQ計算式　172
中枢神経胚細胞腫　533
中枢リンパ組織　22
超音波検査　109
聴覚　292
　　──障害　293
　　──晩期合併症　293
腸管壁内血管異常　402
腸管マクロファージ　417
腸管リンパ組織　24
聴器障害　139
長期生命予後　275
長期的健康管理　190
長期フォローアップ　190, 219, 275, 297, 327
　　──ツール　276
腸重積症　226
腸閉塞症　226
腸腰筋肢位　458
直接Coombs試験　387
直接凝集試験　391, 393
チロシンキナーゼ阻害薬　502
鎮静　310
鎮痛補助薬　308

て
低γ-グロブリン血症　427
低悪性度神経膠腫　87, 537
定位放射線照射　164
定期補充療法　461
低酸素誘導因子-2α　363
低酸素誘導因子-プロリン水酸化酵素阻害薬　367
低出生体重児　552
低ナトリウム血症　235
デクスラゾキサン　134
デスモプレシン　463
鉄芽球性貧血　407
鉄過剰症　14, 273
鉄欠乏性貧血　14, 17

　　──のバイオマーカー　367
鉄剤投与　388
鉄染色　50
鉄代謝　13, 367
テモゾロミド　120
テロメア長測定　55
転移性Ewing肉腫ファミリー腫瘍　572
伝音性聴力障害　293
電解質管理　235
転座　69
伝染性単核球症　35
電離放射線　168

と
銅　15
　　──欠乏症　405
頭蓋咽頭腫　543
頭蓋内圧亢進　229
頭蓋内出血　458
頭蓋内浸潤　165
頭蓋内胚細胞腫（瘍）　72, 164
同種造血細胞移植　488, 499
動静脈奇形　587
動静脈血栓症　396
トータルケア　320
ドキソルビシン　134
特異的Coombs試験　393
特発性器質化肺炎　215
特発性肺炎症候群　214
特発性肺ヘモジデローシス　403
ドセタキセル　131
ドナー　197, 222
　　──型造血不全　209
　　──選択　192
　　──選定　203
　　──登録　205
　　──の適格性　203
　　──リンパ球輸注　210
　　血縁──　205
トポイソメラーゼI阻害薬　132
トポイソメラーゼII阻害薬　133
トポイソメラーゼ阻害薬　131
塗抹標本の作成　40
ドライアイ　294
ドライバー変異　111
トラフ値　460
トリアゾール系薬　259
トレチノイン　145
トロンビン-アンチトロンビン複合体　468
トロンビン活性化線溶系インヒビター　27

な・に

トロンボポエチン　7
トロンボモジュリン　26

な・に

内臓固形腫瘍　81, 159
鉛中毒　15
軟部肉腫　103, 157
肉芽腫　433
二次がん　173, 219, 301
　——の遺伝的要因　303
　——の特徴　305
　——のリスク　302
二次性生着不全　209
二次性絶対的赤血球増多症　408
二重特異性T細胞誘導抗体　77, 148
二次リンパ組織　22
ニボルマブ　78
日本血栓止血学会DIC診断基準　468
日本骨髄バンク　192
日本小児がん研究グループ　593
日本小児血液・がん学会　589, 592
日本小児白血病リンパ腫研究グループ
　484, 593
日本専門医機構　592
日本免疫不全症・自己炎症学会の症例
　相談　428
ニムスチン　121
乳児ALL　500
乳児血管腫　584
乳児白血病　498
乳児ビタミンK欠乏性出血症　466
ニューモシスチス感染　254
乳幼児自己免疫性好中球減少症　410
尿酸対策　234
尿路系合併症　290
ニロチニブ　142
妊娠出産　300
認知機能的サポート　221
妊孕性　298
　——温存　190
　——温存治療アルゴリズム　301

ね・の

ネララビン　126
年齢別貧血のHb基準値　365
脳幹壊死　172
脳幹神経膠腫　71
脳幹部腫瘍　541
脳腫瘍　71, 87, 150, 163
　——診療ガイドライン　597
　原発性——　163
ノギテカン　132
望ましい死　311

は

肺炎球菌ワクチン　265
バイオマーカー　183
敗血症　480
肺高血圧症　396
胚細胞腫（瘍）　87, 104, 164, 563
胚腫　151
肺障害　288
バイスペシフィック抗体製剤　462
胚性幹細胞　11
肺塞栓症　396
肺転移巣手術　162
バイパス止血療法　461
肺胞マクロファージ　417
白色瞳孔　545
白内障　294
破骨細胞　417
破砕赤血球　394
播種性カンジダ症　259, 260
播種性血管内凝固　237, 467
播腫瘍崩壊症候群　237
パゾパニブ　143
白血球　18
　——除去療法　238
　——停滞　237
　——の年齢別基準値　415
白血球接着不全症　434
白血球増加症　237, 414
白血病　103
　——治療理論　113
　——免疫診断フローチャート　93
　急性骨髄性——　70, 79, 492
　急性前骨髄球性——　497
　急性リンパ性——　69, 79, 482
　骨髄性——　508
　若年性骨髄単球性——　71, 505
　乳児——　498
　慢性骨髄性——　502
　慢性骨髄単球性——　71
パッセンジャー変異　111
発達障害　171
発熱性好中球減少症　256, 258
発熱性非溶血性輸血副作用　272
バニリルマンデル酸　89
パネル検査　110
歯ブラシ　248
ハプロ移植　370
パラフィン包埋　101
ハリコンドリンB誘導体　131
晩期合併症　217, 279
　——の累積割合　276
　身体的——　277

晩期内分泌合併症　281
反復性細菌感染症　428

ひ

非Hodgkinリンパ腫　71, 79, 512
ピアサポート　190
非横紋筋肉腫軟部肉腫　578
非核酸系逆転写酵素阻害薬　445
皮下出血　457
脾腫　390
脾腫大　35
非腫瘍性血液疾患　59
非腫瘍性疾患の疫学　28
微小管阻害薬　129
脾常在マクロファージ　417
微小残存病変　486, 487, 500
非ステロイド性抗炎症薬　307
ビタミンB_{12}　13, 14
　——欠乏　398
悲嘆反応　317
ビッグデータ　64
ヒックマン®カテーテル　251
非定型奇形腫様/ラブドイド腫瘍　542
非典型（的）HUS　394, 477
ヒト絨毛性ゴナドトロピン　89
ヒト主要組織適合遺伝子複合体抗原
　191
ヒト白血球抗原　197
ヒトヘルペスウイルス6　213
ヒト免疫不全ウイルス　442
ヒドロキシカルバミド　128
泌尿器　239
ビノレルビン　130
皮膚の形態的および機能的変化　296
皮膚リンパ組織　24
びまん性橋膠腫　151
びまん性大細胞（型）B細胞リンパ腫
　71, 512
びまん性肺胞出血　214
非溶血性輸血副作用　272
氷食症　364
病理診断　101
日和見感染　421
ピラルビシン　135
ピリミジン代謝拮抗薬　125
ピルビン酸キナーゼ異常症　377, 386
ビンカアルカロイド系　129
ビンクリスチン　130
貧血　238, 385
　Diamomd–Blackfan——　372, 374,
　386
　Fanconi——　68, 372, 386
　遺伝性鉄芽球性——　386

急性出血性—— 404
牛乳—— 363
巨赤芽球性—— 14, 17, 398, 407
細血管障害性溶血性—— 475
再生不良性—— 196, 368, 407
自己免疫性溶血性—— 390
出血性—— 402
腎性—— 366
スポーツ—— 364
先天性赤血球異形成—— 386
先天性溶血性—— 376
鉄芽球性—— 407
鉄欠乏性—— 363
年齢別——のHb基準値 365
微量元素欠乏性—— 405
慢性炎症に伴う—— 366
慢性出血性—— 403
未熟児—— 385
薬剤性—— 406
溶血性—— 18, 394
ビンデシン 130
ビンブラスチン 130

ふ
不安定ヘモグロビン症 383
フィブリノゲン 25
フィブロネクチン 27
フィラデルフィア染色体 502
フェリチン 31, 364
　——基準値 365
　血清—— 31
フェロポーチン 366
復学支援 328
腹腔内出血 458
複合免疫不全症 265, 420
複雑性悲嘆 317
副腎皮質癌 582
腹痛 81, 396
腹部コンパートメント症候群 226
腹部腫瘤 81
ブスルファン 119, 287
不妊 219
部分交換輸血における瀉血量 389
不飽和鉄結合能 364
プラスミノーゲン 26
　——アクチベーターインヒビター1, 2 27
プラチナ製剤 138
ブラッグピーク 169
ブリナツモマブ 77, 148, 149, 490
プリン代謝拮抗薬 126
フルダラビン 127
ブレオマイシン 137

——誘発性肺毒性 286
プロカルシトニン 257
プロカルバジン 122
プロテアーゼ阻害薬 445
プロテインC 25, 473
　——欠乏症 33
プロテインS 25, 473
　——欠乏症 33
プロトロンビン 25
　——時間 43, 458
　——フラグメント1+2 468
ブロビアック®カテーテル 251
分割照射 169
　——の生存曲線 169
分子標的薬 112, 141
分子マーカー 468
分類不能型免疫不全症 428

へ
平均赤血球容積 30
閉塞性黄疸 227
閉塞性細気管支炎症候群 215
ヘテロ接合性の消失 69
ヘパリン起因性血小板減少症 479
ヘプシジン 14, 363
ヘマトキシリン・エオジン染色 101
ヘモグロビンスイッチ 4
ヘモグロビン尿 396
ヘモグロビンの異常 381
ヘルペス性口内炎 247
ベロ毒素 396
　——産生大腸菌 394
辺縁切除術 157
片側肥大 83
便培養 396
便秘 243

ほ
膀胱直腸障害 240
放射線起因心合併症 284
放射線治療 163, 168
　——の合併症 171
放射線網膜症 294
胞体突起 20
乏尿 239
訪問看護ステーション 315
母児間輸血症候群 385
ホスピス 316
補体 438
　——関連HUS 394
　——関連遺伝子 396
　——欠損症 440
　——の活性化経路 439
補聴器 294

勃起不全 396
発作性寒冷ヘモグロビン尿症 390
発作性夜間血色素尿症 368
発作性夜間ヘモグロビン尿症 394
ポナチニブ 143
ホモバニリン酸 89
ホルマリン固定液 102

ま
マーカー検査 91
マクロファージ 417
　——活性化症候群 429
末梢血 346
　——幹細胞 198
　——幹細胞採取 204
　——血球形態観察 40
末梢神経障害 139
末梢リンパ組織 22
慢性移植片対宿主病 208, 217
慢性活動性EBV感染症 519
慢性活動性T細胞およびNK細胞EBV感染症・全身型 519
慢性骨髄性白血病 502
慢性骨髄単球性白血病 71
慢性歯肉炎 412
慢性出血性貧血 403
慢性的な溶血 396
慢性肉芽腫症 264, 432
慢性皮膚粘膜カンジダ症 437

み
ミエロペルオキシダーゼ染色 50
味覚 292
　——障害 248, 292
未熟奇形腫 534
未熟児貧血 385
ミトキサントロン 135
未分化大細胞型リンパ腫 512
未分化胚細胞腫瘍 563
脈絡叢腫瘍 544
脈管奇形 585

む・め・も
無ガンマグロブリン血症 177
ムコ多糖症 196
無尿 239
メトトレキサート 124
メトトレキサート・ロイコボリン®救援療法 124
メルファラン 120
免疫
　——学的検査 46
　——学的診断 91
　——学的表現型 94
　——寛容導入療法 462

――グロブリン 46
――システムの異常と感染症 38
――性血小板減少症 447
――性好中球減少症 410
――組織化学染色 100
――チェックポイント阻害薬 78
――調節障害 429
――の過剰活性化 429
――抑制状態 254
――抑制療法 370, 471
メンデル遺伝型マイコバクテリア易感染症 264, 437
毛細血管拡張性運動失調症 424
毛細血管奇形 586
網赤血球数 30
網膜芽細胞腫 65, 104, 545
モルヒネ 307

や・ゆ・よ
薬剤性ビタミンK欠乏性出血症 466
薬剤耐性 115
融合遺伝子 97, 99
――解析 95, 98
疣贅状表皮発育異常症 437
輸血
――感染症 274
――関連急性肺障害 272
――関連検査 268
――関連循環過負荷 272
――後移植片対宿主病 273
――後紫斑病 273
――指針 266
――の適応 269
――副作用 271
――療法 266, 269, 387, 403
溶血性尿毒症症候群 394
溶血性貧血 18, 394
溶血性輸血副作用 271
葉酸 14
――拮抗薬 124
――欠乏 398
陽子線治療 170
予防接種 263

ら・り
ラニムスチン 121
ラブリズマブ 397
ラロトレクチニブ 144
卵黄嚢癌 563
ランダム割付け 349
リー・フラウメニ症候群診療ガイドライン 597
リツキシマブ 148, 392
リピドーシス 196

良性骨腫瘍 155
良性軟部腫瘍 157
良性胚細胞腫瘍 565
療養環境 313, 330
　発達段階別の―― 332
緑内障 294
臨床研究 324
　――における倫理的規制 342
臨床試験 351
　――参加率 186
臨床的PNH 394
リンパ芽球型リンパ腫 71, 512
リンパ管奇形 586
リンパ管システム 23
リンパ球 19
　――サブセット 47
　――幼若化試験 48
リンパ腫 71, 103
リンパ節 23
　――腫大 34
　――生検 35
リンパ増殖性疾患 519
倫理 339
　――原則 339
　――審査委員会 324
　医療―― 339
　研究―― 339, 344

る・れ・ろ
類洞閉塞症候群 215→肝中心静脈閉塞症
類白血病反応 414
ループスアンチコアグラント 470
冷式AIHA 392
レクチン 564
レシピエントの要因 199
ロタウイルス 421

わ
矮小歯 295
ワクチン接種 392
ワルファリン 466

数字・ギリシャ文字
05A1, 3 139
2-CdA 128
5-HT$_3$受容体拮抗薬 241
6メルカプトプリン（MP） 128
α-フェトプロテイン 89
α2-プラスミンインヒビター 27
α2PI 27
α2マクログロブリン（MG） 27
αサラセミア 381

αフェトプロテイン 552
β-D-グルカン 258
β-ラクタム系抗菌薬 257
βカテニン異常 552
βサラセミア 381

欧文

A
A世代 185
a disintegrin-like and metalloproteinase with thrombospondin type 1 motifs 13 475
AA（aplastic anemia） 368
ABO不適合 385
aclarubicin 136
acquired hemophilia A 470
ACS（abdominal compartment syndrome） 226
actinomycin D 137
ADAMTS13 27, 475
――活性 476
――活性およびインヒビター検査 396
ADAMTS 遺伝子異常 473
adequate wide margin 155
adolescent and young adult 185
AFP（α-フェトプロテイン） 89, 552, 564
aHUS（atypical HUS） 477
AIDS（acquired immunodeficiency syndrome） 442
AIHA（autoimmune hemolytic anemia） 390
ALCL（anaplastic large cell lymphoma） 512
alectinib 144
ALL（acute lymphoblastic leukemia） 69, 79, 194, 482
――のFAB分類 483
allowing natural death 310
ALPS（autoimmue lymphoproliferative syndrome） 520
AML（acute myeloid leukemia） 70, 79, 194, 492
――のWHO分類 493
de novo――
AMPH 260
APDS（activated PI3 kinase catalytic subunit delta syndrome） 521
APL（acute promyelocytic leukemia） 497

aPL（antiphospholipid antibodies） 478
APS（antiphospholipid syndrome） 478
APTT（activated partial thromboplastin time） 32, 43, 458
assent 324
AT（ataxia telangiectasia） 424
AT/RT（atypical teratoid/rhabdoid tumor） 542
ATC（anthracycline） 283
ATM 遺伝子異常 424
AYA（adolescent and young adult）世代 185, 188, 491
──の治療 491
azacytidine 126

B

B 細胞 19
──消失 177
──不全 427
B 前駆細胞性 ALL 486
B-cell NHL 514
BCR-ABL1 陰性慢性骨髄性白血病 71
BCR-ABL1 キメラ遺伝子 502
Beckwith-Wiedemann 症候群 82
BEP 療法 138
Bernard-Soulier 症候群 456
best interest 339
BiTE®（bispecific T cell engager） 77, 148
BL（Brukitt lymphoma） 71, 512
bleomycin 137
blinatumomab 77
BOS（bronchiolitis obliterans syndrome） 215
BRAF 遺伝子 523, 526
bragg peak 169
brainstem tumors 541
BSI（blood stream infection） 211
Budd-Chiari 396
Burkitt リンパ腫 71, 512

C

CA（circulating anticoagulants） 470
CA19-9, 125 89
CAD（cold aggrulinin disease） 390
CAEBV（chronic active EBV infection） 519
CAFdA 127
CAR-T 細胞療法 175, 490
CAR（chimeric antigen receptor） 175
carboplatin 140
CCR5 拮抗薬 445
CCSK（clear cell sarcoma of the kidney） 561
CD4 陽性 T リンパ球数 443
CD19 抗原消失 177
CD55, 59 396
CDA（congenital dyserythropoietic anemia） 17, 386
CGD（chronic granulomatous disease） 432
──腸炎 433
CHIC（Children Hepatic tumor International Consortium） 554
Chompret 66
choroid plexus tumors 544
CID（combined immunodeficiency） 420
CINV（chemotherapy-induced nausea and vomiting） 241
cisplatin 139
cladribine 128
clofarabine 127
CML（chronic myelocytic leukemia） 502
──病期判定基準 502
CMML（chronic myelomonocytic leukemia） 71
CMN（congenital mesoblastic nephroma） 562
CNS（central nervous system） 488
──再発予防療法 489
cold activation 441
compassion fatigue 319
complement 438
congenital complement deficiency 438
congenital hemangioma 584
COP（cryptogenic organizing pneumonia） 215
COPP 療法 122
Costello 症候群 83
craniopharyngioma 543
CRBSI（catheter related blood stream infection） 252
CRS（cytokine release syndrome） 177
CRT（cranial radiation therapy） 489
CSA（congenital sideroblastic anemia） 386
CSWS（central salt wasting syndrome） 235
CTNNB1 559
Cushing 症候群 582
CVID（common variable immunodeficiency） 428
cyclophosphamide 118
cytarabine 125

D

D 不適合妊娠 385
dacarbazine 122
DAH（diffuse alveolar hemorrhage） 214
DAMPs（damage-associated molecular patterns） 480
dasatinib 142
daunorubicin 134
DDAVP（1-deamino-8-D-arginine vasopressin） 463
defects in intrinsic and innate immunity 435
de novo AML 497
Denys-Drash 症候群 82
DHSt（dehydrated hereditary stomatocytosis） 376, 380
Diamomd-Blackfan 貧血（DBA） 372, 374, 386
DIC（disseminated intravascular coagulation） 122, 237, 467
──の診断基準 469
──の病型分類 468
DICER1 症候群 84
DiGeorge 症候群（DGS） 424
DIPG（diffuse intrinsic pontine glioma） 151
DKC（dyskeratosis congenita） 55, 372
DLBCL（diffuse large B-cell lymphoma） 71, 512
DLI（donor lymphocyte infusion） 210
DNA メチル化 69
docetaxel 131
Donath-Landsteiner（DL）試験 391, 393
donor-type aplasia 209
Down 症候群 508
──関連疾患 71
doxorubicin 134
DUX4 融合遺伝子 486

E

EB ウイルス 213
──感染症 516
──関連 HLH 429
EBV-HLH 429
ECD（Erdheim-Chester disease） 527
Electronic Data Capture 64
empiric therapy 257
entrectinib 144
Eosin 5'-maleimide（EMA）結合能 379

ependymoma　540
ependymoma/anaplastic ependymoma　152
EPO（erythropoietin）　7, 366, 385
eribulin　131
ES 細胞（embryonic stem cell）　11
ESFT（Ewing sarcoma family tumor）　85, 166, 570
etoposide　133
everolimus　146
Ewing 肉腫ファミリー腫瘍　85, 166, 570
　限局性――　571
　再発――　572
　転移性――　572
EWS-FLI1 融合遺伝子　570
exponential growth model　113

F
FAB 分類　483
FANCD2 モノユビキチン化試験　57
Fanconi 貧血（FA）　68, 372, 386
FAP（familial adenomatous polyposis）　67
FDG-PET　108, 513
　――検査　517
FFPE（formalin-fixed paraffin-embedded）ブロック　101
FISH（fluorescence *in situ* hybridization）法　52, 95, 98
　――プローブ　99
fludarabine　127
FN（febrile neutropenia）　256, 258
FNHTR（febrile nonhemolytic transfusion reactions）　272
FPN（ferroportin）　366
Frasier 症候群　82
FVIII/VWF 製剤補充療法　464
FVIII/VWF 濃縮製剤　463

G
G 分染法　95
G6PD（glucose-6-phosphate dehydrogenase）　386
　――異常症　380
G-CSF　8, 256
　――投与　412
　――の投与法　204
GATA1　508
Gd-EOB-DTPA　553
germ cell tumor　563
germline の変異　65
GM-CSF　8, 505
　――受容体　506

Goldie-Coldman の仮説　113, 114
Gompertzian growth model　113
good death　311
gp91^{phox} 欠損型　432
gp130　7
graft failure　208
growing teratoma syndrome　564
GVHD（graft versus host disease）　180, 206
　急性――　206

H
Hb 基準値　365
Hb 尿　392
hCG　89
HE 染色　101
hemangioma　584
HES（hypereosinophilic syndrome）　415
HGG（high grade glioma）　539
HHV6　213
Hib ワクチン　265
HIES（hyper-IgE syndrome）　425
HIF（hypoxia inducible factor）　363, 367
histiocytosis　526
HIT（heparin-induced thrombnocytopenia）　479
HIV（human immunodeficiency virus）　442
　――感染児の予防接種　446
　――感染症のモニタリング　443
　――の診断　443
　――母子感染予防対策　444
HL（Hogdkin lymphoma）　71, 80, 516
　――病期分類　517
HLA（human leukocyte antigen）　191, 197
　――タイピング　222
　――適合度　209
　――半合致移植　197
HLH（hemophagocytic lymphohistiocytosis）　429
HMA（microangiopathic hemolytic anemia）　475
HNPCC（hereditary non-polyposis colon cancer）　67
Hodgkin リンパ腫　71, 80, 516
HRS（Hodgkin Reed-Sternberg）細胞　516
HS（hereditary spherocytosis）　376, 380
HSC（hematopoietic stem cell）　3
HUS（hemolytic uremic syndrome）　394
HVA（homovanillic acid）　89
hydroxycarbamide　128
hyperleukocytosis　237

I
iAMP21　487
IBMFS（inherited bone marrow failure syndrome）　372
ICANS（Immune effector cell-associated neurotoxicity syndrome）　177
ICE 療法　119, 140
idarubicin　136
IDRF（image defined risk factors）　159, 160
IE 療法　571
IFN（interferon）　6, 8
ifosfamid　119
Igκ 鎖遺伝子再構成断片　420
IKZF1（Ikaros family zing finger 1）変異　486
IL（inteleukin）　6, 9
IL-1 受容体　437
imatinib　141
infantile hemangioma　584
informed consent　322
INRG（International Neuroblastoma Risk Group）　548
　――staging system　159
interdisciplinary team　321
intra-chromosomal amplification of chromosome 21　487
ipilimumab　78
IPS（idiopathic pneumonia syndrome）　214
iPS 細胞（induced pluripotent stem cell）　11
irinotecan　132
islet cell tumor　581
isolated thrombocytopenia　447
ISRT（involved site radiation therapy）　166
ITP（immune thrombocytopenia）　447

J・K
JCCG（Japan Children's Cancer Group）　593
　――マーカー検査パネル　92
JMDP（Japan Marrow Donor Program）　192
JMML（juvenile myelomonocytic leukemia）　71, 505
JXG（juvenile xanthogranuloma）　528
Kaposi 肉腫様血管内皮腫　585

KHE（Kaposiform hemangioendothelioma） 585
KMT2A（*MLL*）遺伝子 498
KMT2A 融合蛋白 499
Kupffer 細胞 417

L

L-アスパラギナーゼ（L-Asp） 479
LA（lupus anticoagulant） 470
LAD（leukocyte adhesion deficiency） 434
Langerhans 細胞 419
larotrectinib 144
LBL（lymphoblastic lymphoma） 512
LCH（Langerhans 細胞組織球症） 104, 523
　——細胞における遺伝子変異 524
leukemia cutis 499
leukocytosis 414
leukostasis 237
LFS（Li-Fraumeni syndrome） 66, 537
LGG（low grade glioma） 537
Li-Fraumeni 症候群 66, 537
lineage switch 499
log-kill model 113

M

M-CSF 8
MAC（myeloablative conditioning） 200
MAPK（mitogen-activated protein kinase） 506
　——経路 528
May-Grünwald-Giemsa 染色 40, 50
MDCT（multidetector CT） 106
MDS（myelodysplastic syndrome） 71
　芽球増加を伴う—— 504
Meckel 憩室 402
medical ethics 339
medulloblastoma 152
MEF2D 融合遺伝子 486
megakaryopoiesis 451
melena neonatorum 466
melphalan 120
methotrexate 124
MH（malignant histiocytosis） 529
MIBG（metaiodobenzylguanidine） 107, 169
mitoxantrone 135
ML-DS（myeloid leukemia associated with Down syndrome） 508
　——のドライバー変異 510
MPD（myeloproliferative disease） 71
MPN（myeloproliferative neoplasms） 505
MRD（minimal residual disease） 486, 487, 500, 511
MSC（mesenchymal stem cell） 179
MSMD（mendelian susceptibility to mycobacterial disease） 437
MYCN 549
myeloid sarcoma 492

N

NADPH オキシダーゼ 432
nelarabine 126
nephrogenic rest 559
neuroblastoma 548
NF1（neurofibromatosis 1） 83
NGGCT（non-germinomatous germ cell tumor） 534
NHL（non-Hodgkin lymphoma） 79, 512
NIH 臨床研究における倫理 8 原則 340
nilotinib 142
nimustine hydrochloride 121
nivolumab 78
NK-1 受容体拮抗薬 241
NK 細胞 20
　——活性 48
NMA（nonmyeloablative conditioning） 201
nogitecan 132
Noonan 症候群 506
Norton-Simon model 113
Nox（NADPH oxidase） 432
NSE（neuron-specific enolase） 90
NUT carcinoma 105
NWTS 病期分類 561

O

O157 抗原 396
off target 効果 141
off-the-shelf CAR 細胞療法 178
oncologic emergency 223, 403
one day regimen 211
osteosarcoma 566

P

$p22^{phox}$ 欠損型 432
$p40^{phox}$ 欠損型 433
$p47^{phox}$ 欠損型 432
$p67^{phox}$ 欠損型 432
pagophagia 364
PAI-1, 2 27
pancreatoblastoma 581
Parinaud 症候群 87
pazopanib 143
PBSC（peripheral blood stem cell） 203
PCH（paroximal cold hemoglobinemia） 390
PCT（procalcitonin） 257
PE（plasma exchange） 477
Peutz-Jeghers 症候群 84
PFCC（patient and family centered care） 320
Philadelphia 染色体（Ph 染色体） 502
　——-CML（Philadelphia-negative chronic myeloid leukemia） 71
　——-like ALL 486
　——陽性 ALL 488
PH（prolyl hydroxylase domain enzyme） 367
pharmcogenomics 114
PIG-A 394
pirarubicin 135
PIVKA-II（protein induced in vitamin K absence-II） 467
PK 異常症 380
Plummer-Vinson 症候群 364
PNH（paroximal nocturnal hemogrobinuria） 368
　——血球の測定 55
ponatinib 143
poor graft function 209
PPF（proplatelet formation） 20
pragmatic trial 352
PRETEXT（PRE-Treatment Extent of Tumor）分類 161, 553
primary graft failure 209
primordial germ cell 563
procarbazine 122
prothrombin fragment 1 + 2 468
proxy consent 341
psoas position 458
PT（prothrombin time） 43, 458
PTEN 過誤腫症候群 67
PTG（post-traumatic growth） 325
PTLD（posttransplant lymphoproliferative disorder） 219, 522
PTP（posttransfusion purpura） 273
PTSD（post-traumatic stress disorder） 322, 325

R

raised intracranial pressure 229
RALD（RAS-associated autoimmune leukoproliferative disease） 520
random allocation 349
ranimustine 121
RAS 経路 505

——の異常による ALPS 類縁疾患　520
Raynaud 現象　391
RB（retinoblastoma）　65
RB1 遺伝子　545
RCC（refractory cytopenia of childhood）　504
RDD（Rosai-Dorfman disease）　528
RECIST（response evaluation criteria in solid tumors）ガイドライン　116
relative biological effect　168
research ethics　339
retinoblastoma　545
rhabdomyosarcoma　574
Rh 不適合　385
RHID（radiation induced heart disease）　284
RIC（reduced intensity conditioning）　201
RMS（rhabdomyosarcoma）　86, 103
RS ウイルス　263
RT-PCR（法）　95, 98, 499
——による HIV-RNA 量　443
RTK（Rhabdoid tumor of the kidney）　562

S
SAP/SH2D1A 変異　521
SCID（severe CID）　420
——の病型　421
SCN（severe congenital neutropenia）　411
secondary graft failure　209
SF（soluble fibrin）　468
shared decision making　190
Shwachman-Diamond 症候群（SDS）　17, 372, 374
SI（spleen index）　35
SIADH（syndrome of inappropriate secretion of antidiuretic hormone）　235
Skipper-Schabel-Wilcox model　113
SKY（spectral karyotyping）法　52, 95
SMS（superior mediastinal syndrome）　223
SOS（sinusoidal obstruction syndrome）　215
spinal cord compression　229
SPN（solid-pseudopapillary neoplasm）　579, 581, 582
SRP54 異常症　411, 412
ST 合剤　254
STEC（Shiga-toxin producing *Escherichia coli*）　394, 477
——HUS　394
strawberry hemangioma　584

T
T 細胞　20
——受容体遺伝子再構成断片　420
——性免疫不全　420
t-PA　26
TA-TMA（transplant-associated thrombotic microangiopathy）　216
——の診断基準　216
TACE（transcatheter arterial chemoembolization）　557
TACO（transfusion-associated circulatory overload）　272
TAE（transarterial embolization）　557
TAFI（trombin-activatable fibrinolysis inhibitor）　27
TAM（transient abnormal myelopoiesis）　508
TAT（thrombin-antithrombin complex）　468
TBX1 遺伝子　425
TFPI（tissue factor pathway inhibitor）　26
thiotepa　123
thrombophilia　473
TIBC（total iron binding capacity）　364
TIR シグナル伝達異常症　437
tis-cel（tisagenlecleucel）　176
TKI（tyrosinekinase inhibitor）　502
TLS（tumor lysis syndrome）　232, 237
TMA（thrombotic microangiopathy）　475
——の分類と臨床診断　476
Toll 様受容体　437
Topo II 阻害物質　498
TPCV 療法　122
TPO（thrombopoietin）　7
TRALI（transfusion-related acute lung injury）　272
tretinoin　145
trilateral retinoblastoma　547
TTP（thrombotic thrombocytopenic purpura）　394, 475
tuberous sclerosis　537
tufted angioma　585
two-hit theory　545

U・V・W
u-PA　27
UIBC（unsaturated iron binding capacity）　364
Upshaw-Schulman 症候群　394
VAC 療法　137
VAC レジメン　118
VACD 療法　571
vascular birthmark　584
vascular malformations　585
VB_{12}　13
VDC 療法＋IE 療法　134
vinblastine　130
vincristine　130
vindesine　130
vinorelbine　130
VMA（vanillylmandelic acid）　89
VOD（hepatic veno-occlusive disease）　215
von Hippel-Lindau（VHL）病　68, 83
von Willebrand 因子（VWF）　27, 462
von Willebrand 病（VWD）　462
——病型分類　463
WAGR 症候群　82
WAS 遺伝子異常　423
Wilms 腫瘍　72, 104, 161, 167, 559
——predisposition syndrome　560
——易発生症候群　560
Wiskott-Aldrich 症候群（WAS）　422
Wright-Giemsa 染色　40, 50

X・Y・Z
X 連鎖 WAS　422
X 連鎖無 γ-グロブリン血症（XLA）　427
X 連鎖リンパ増殖症候群　521
XLP（X-linked lymphoproliferative syndrome）　521
YA 世代　185
YASHCN（young adults with special health care needs）　59
ZNF384 融合遺伝子　486

- **JCOPY** 〈出版者著作権管理機構 委託出版物〉
  本書の無断複写は著作権法上での例外を除き禁じられています．複写される場合は，そのつど事前に，出版者著作権管理機構（電話 03-5244-5088，FAX03-5244-5089，e-mail：info@jcopy.or.jp）の許諾を得てください．

- 本書を無断で複製（複写・スキャン・デジタルデータ化を含みます）する行為は，著作権法上での限られた例外（「私的使用のための複製」など）を除き禁じられています．大学・病院・企業などにおいて内部的に業務上使用する目的で上記行為を行うことも，私的使用には該当せず違法です．また，私的使用のためであっても，代行業者等の第三者に依頼して上記行為を行うことは違法です．

小児血液・腫瘍学　改訂第2版　　　　　　　ISBN978-4-7878-2489-9
2022年 6月21日　改訂第2版第1刷発行

　　　　　　　　　　　　　　　　　　2015年11月27日　初版第1刷発行
　　　　　　　　　　　　　　　　　　2019年 7月12日　初版第2刷発行

編　　　集	一般社団法人 日本小児血液・がん学会
発 行 者	藤実彰一
発 行 所	株式会社　診断と治療社
	〒100-0014　東京都千代田区永田町 2-14-2　山王グランドビル4階
	TEL：03-3580-2750（編集）　03-3580-2770（営業）
	FAX：03-3580-2776
	E-mail：hen@shindan.co.jp（編集）
	eigyobu@shindan.co.jp（営業）
	URL：http://www.shindan.co.jp/
印刷・製本	三報社印刷株式会社
本文イラスト	小牧良次（イオジン）

© 一般社団法人 日本小児血液・がん学会, 2022. Printed in Japan.　　　　［検印省略］
乱丁・落丁の場合はお取り替えいたします．